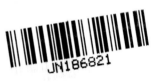

民法講義録

CIVIL LAW LECTURE NOTES

新井 誠・岡 伸浩

Arai Makoto　Oka Nobuhiro

〔第3版〕

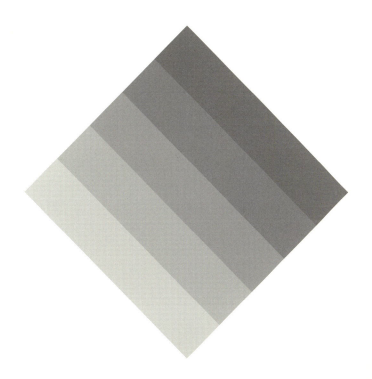

日本評論社

第３版 はしがき

2015年に本書初版、2019年に改訂版を世に送り出したが、今般第３版をまとめ上梓することになった。

本書は幸いにも多くの読者から好評を博したが、これが改訂版を出版する契機となったことに感謝したい。

本書の特徴は以下の４点にある。

第１に、従来の記述をよりわかりやすくしたこと。

第２に、親族相続について概要の説明にとどめていたものを相続法の改正の本格的な補充を行ったこと。

第３に、読者からの貴重なご指摘を可能な限り反映させたこと。

第４に、民法全体を１冊にまとめるというコンセプトを維持したこと。この点にこそ本書の最大の特質があるのではないかと確信している。

本書は、岡綜合法律事務所に所属する弁護士のご協力とご尽力によってまとめられたものである。多大な労力と時間を費やされたことに対して敬意を表したい。

本書が今後ともテキスト、参考書等として多くの読者の要望にこたえることができれば、望外の幸いである。

2023年２月11日　建国記念の日に

新井　誠
岡　伸浩

改訂版 はしがき

2015年に第１版が上梓された本書の改訂版を世に送り出すことになった。これは本書が読者から好評を博したことの証左であり、愛読していただいた読者に感謝したい。

本書の基本的な特徴は、第１に、民法の総則・物権・債権・親族・相続の５篇を１冊にまとめ、第２に、民法の「標準的な理解」に資することを旨とし、第３に、民法学習上の「論点」を網羅していることであり、これらの点は第１版以来変わっていない。

このたびの改訂では、こうした特徴に加えて、債権法改正に対応する関連箇所を見直し、新たに改正内容を追加した。相続法についても、改正の概要が理解できるよう工夫した。さらには読者からの指摘をふまえて、叙述をより理解しやすいものに改めるべく努めた。

本書改訂版においても第１版と同様、岡綜合法律事務所の弁護士諸氏に多くを負っている。同事務所の谷貝彰紀、中田吉昭、鳥山綾子、箕輪洵、小林一輝の各弁護士には深甚なる謝意を表する次第である。

また日本評論社の髙橋耕氏と岩元恵美氏には改訂版の上梓についても細心のご配慮をいただいた。満腔の謝意を表したい。

本書が、１人でも多くの読者の民法学習に資することを願い、同時に読者からの忌憚のないご意見に謙虚に耳を傾けたいとの思いは改訂版においても初版といささかも変わるものではない。

2019年２月12日　建国記念の日

新井　誠
岡　伸浩

初版 はしがき

本書は、民法を学習する学生諸君に標準的であり、かつ信頼しうる内容の教材を提供することを目的として、研究者と実務家との共同作業によって執筆されたものである。本書には3つの特徴がある。

第1に、民法の総則、物権、債権、親族、相続の5篇を1冊にまとめている。本書1冊をもって民法のすべてを学習できるような工夫を施している。

第2に、叙述の内容は学習者を想定し、民法の標準的な理解に資することを旨としてまとめている。「標準的な理解」とは民法学の現在の到達点を理解させることであり、学説・判例についても最新の情報を過不足なく盛り込んでいる。

第3に、学習上の「論点」といわれるものはすべて網羅している。本書は各種試験の受験等のための好個の教材となると自負している。

本書は、新井と岡が筑波大学と中央大学での講義に際して用いていた教材を1冊の書籍にまとめたものである。新井と岡は筑波大学法科大学院および中央大学ビジネススクールにて同時期に教鞭を執ったことがあり、後者では共同で講師を務めたこともある。本書はそれらの経験を踏まえて編まれたものである。当初の教材をまとめるについては岡綜合法律事務所に所属する弁護士諸氏の皆さんに多くを負っている。心からの感謝を申し上げたい。本書はこれらの教材をもとにまとめたものであるが、全面的な見直し作業を行い、新たに追加した部分も多く、その意味では新たな書物に生まれ変わったものと位置づけることができる。

上記の作業を短期間のうちに完遂していただいたのが、勝亦康文、壽原友樹、谷貝彰紀、中田吉昭の4名の弁護士である。その誠実かつ的確な作業に対して衷心からの謝意を表したい。岡は彼らがまとめた原稿を細部に至るまで隈なく丹念にチェックし、そのうえで新井が全体を通読してまとめあげたものである。本書はこのような6名のチームワークによって出版にまで漕ぎ着けることができた。日本評論社の高橋耕氏には企画の段階から校了に至るまでのあらゆる場面において細心のご配慮をいただいた。これらすべての関係者に対して満腔の謝意を表する次第である。

本書が1人でも多くの読者の学習に資することを願うものであるが、同時に読者からの忌憚のない意見に謙虚に耳を傾け、機会ある毎に内容を補正することによって本書を完璧なものにしていきたい。

2015年1月12日　成人の日

新井　誠
岡　伸浩

目　次

第Ⅵ篇　親　族

第I篇

民法総則

第１章

民法とは何か

第１　民法とは何か

１　規範としての民法

民法は、私人間の法律関係を規律するための法です。民法と呼ぶ場合、「民法」と題する法律（民法典。明治29年４月27日法律第89号）を意味する場合（形式的意味の民法）と不動産登記法（平成16年６月18日法律第123号）、戸籍法（昭和22年12月22日法律第224号）等の他の特別法を含める場合（実質的意味の民法）とがあります。

２　民法は私人間に適用される私法に属する

私人と私人との間を規律する法を「私法」といい、国家と私人との間を規律する法を「公法」といいます。民法は私人間の法律関係を規律する「私法」にあたります。

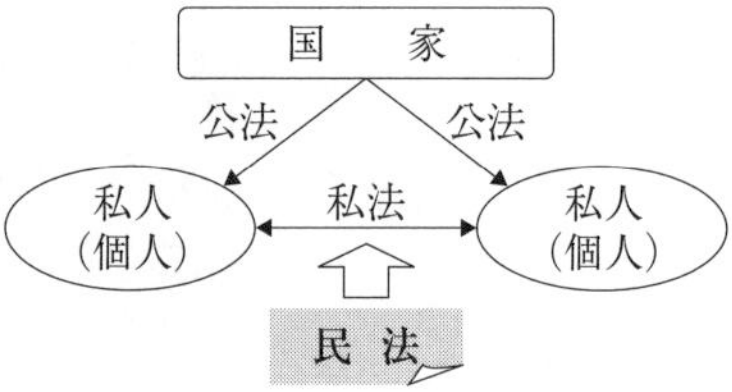

第２　私法の中の民法の位置づけ（一般法と特別法）

私法には民法だけではなく、借地借家法（平成３年10月４日法律第90号）、商法（明治32年３月９日法律第48号）、会社法（平成17年７月26日法律第86号）、手形法（昭和７年７月15日法律第20号）、小切手法（昭和８年７月29日法律第57号）、労働契約法（平成19年12月５日法律第128号）等が存在します。

借地借家法は、建物所有を目的とする土地や建物に関する法律関係を規律する法律です。商法は、商人や商行為に関する法律関係を規律する法律です。会社法は、会社の設立、組織、運営および管理に関する法律関係を規律する法律です。手形・小切手法は、手形や小切手に関する法律関係を規律する法律です。また、労働契約法は労使関係における法律関係を規律する法律です。

特別法と一般法の関係

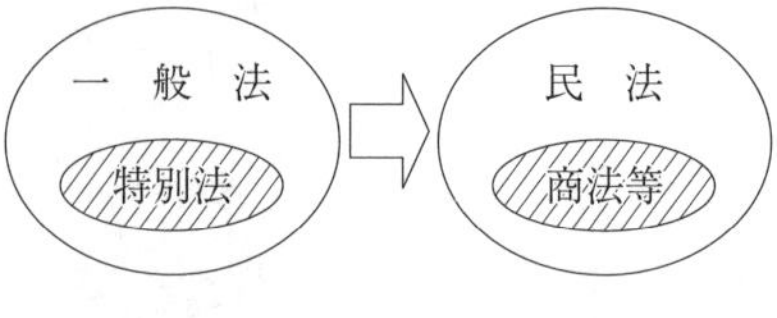

民法は私法の「一般法」であり、商法や会社法は一般法である民法に対して「特別法」の関係にあります。特別法は一般法に優先して適用されるため、同じ

問題について特別法の規定がある場合には、特別法の規定の適用が優先され、一般法である民法の規定は適用されません。同一の問題に対して一般法のほか、特別法が適用されることとなる場合の具体例として、以下のような例を挙げることができます。

たとえば、売買契約に関する規律を定める規定として、民法（民法555条以下）と商法（商法524条以下）の規定があります。売買契約の当事者がいずれも商人である場合（商人間の売買）には、特別法である商法の規定が優先して適用され、特別法である商法に規定がない事項についてのみ一般法である民法の規定が適用されることになります。買主が売主からある物品を購入したが、当該物品が種類または品質に関して契約の内容に適合しないものであった場合、民法562条・566条の規定は、買主が物品の種類または品質に関して契約の内容に適合しないことを知ったときから１年以内にその旨を売主に通知することにより、買主の売主に対する履行の追完請求を認めています。これに対して、商人間の売買では、買主に目的物の検査義務（商法526条１項）と契約不適合の通知義務（商法526条２項）が課されます。買主がこれらの義務に反した場合には、買主が１年以内に契約不適合の旨を通知したとしても、買主から売主に対する履行の追完請求が認められません。この趣旨は、民法の規定によったのでは売主が長期的に担保責任を追及される可能性があり、商取引の安定性を害するため、特別法である商法の適用を優先することにより迅速かつ安定的な商取引の実現を図った点にあります。

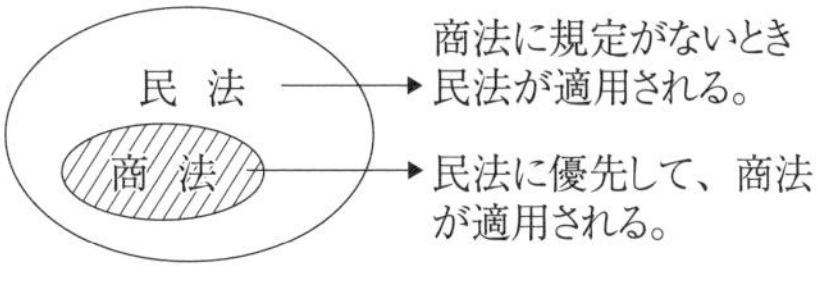

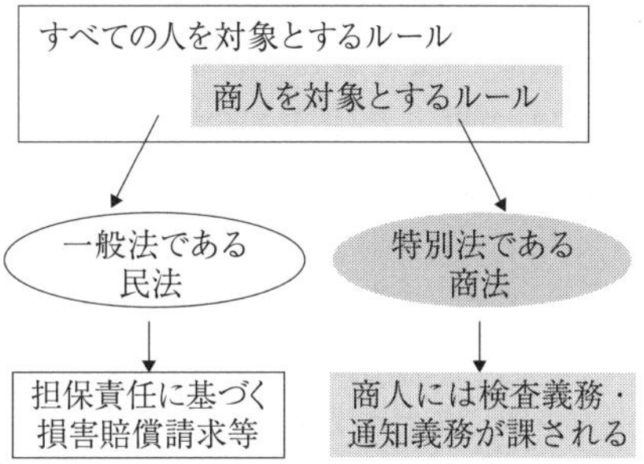

第3　民法典が規律するルール

民法典は、「民法」と題する法律に規定されている法律です（形式的意味の民法）。民法典の条文は、「総則」「物権」「債権」「親族」「相続」の５編から構成されています。

1　総 則

「総則」は、「人」や「法人」に関する規定、意思表示や代理行為といった「法律行為」に関する規定、「時効」に関する規定等を設け、私人間に関する法律関係に共通する通則を定めています。

2　物 権

「物権」は、「占有権」や「所有権」、担保物権である「留置権」や「抵当権」といった物権に関する規定等を定めています。

3　債 権

「債権」は、債権一般に適用される債権の効力等を定めた「債権総則」と、売買契約や賃貸借契約等の「契約」「事務管理」「不当利得」「不法行為」といった債権に関する規定等を定めています。

4　親 族

「親族」は、夫婦や親子といった親族に関する規定等を定めています。

5　相 続

「相続」は、相続や遺言、遺留分といった相続に関する規定等を定めています。

第4　日本民法典の構成

1　パンデクテンシステムの採用

パンデクテンシステムとは、個別的な規定に共通する部分をひとくくりにして前に出して条文を配置する編纂の仕方をいいます。日本民法典の構成は、第1編に「総則」、第2編に「物権」、第3編に「債権」、第4編に「親族」、第5編に「相続」が規定されています。また、民法典は、第2編以下の冒頭にはいずれも「総則」という章を配置し、冒頭で個別的な規定に共通する部分を通則として設けており、いずれもパンデクテンシステムを採用したものといえます。パンデクテンシステムの特色は、個別的な規定を定める際に、それぞれの個別的な規定の中に一定の共通性を見つけ、この共通性を基礎にした通則的な規定を個別的な規定の冒頭にまとめる点にあります。

2　パンデクテンシステムの長所と短所

⑴ 長 所

パンデクテンシステムは通則的な規定から始まり、個別的規定があとに回ることで、体系的に民法が整理されるというメリットがあります。特に、個別の問題ごとに同じ規定を繰り返し規定する必要がなくなります。よって、パンデクテンシステムには条文の重複を避けることができるというメリットがあります。たとえば、総則を設けない場合には、売買契約にも賃貸借契約にも共通する規定を売買契約の項目にも賃貸借契約の項目にも定めなければならなくなり、条文数が膨大になるという問題が生じます。

⑵ 短 所

パンデクテンシステムを採用する場合、現実の法律関係を検討する際に、ある

民法典の概要

- 第１編　総則
  - 第１章　通則
  - 第２章　人
  - 第３章　法人
  - 第４章　物
  - 第５章　法律行為
  - 第６章　期間の計算
  - 第７章　時効
- 第２編　物権
  - 第１章　総則
  - 第２章　占有権
  - 第３章　所有権
  - 第４章　地上権
  - 第５章　永小作権
  - 第６章　地役権
  - 第７章　留置権
  - 第８章　先取特権
  - 第９章　質権
  - 第10章　抵当権
- 第３編　債権
  - 第１章　総則
  - 第２章　契約
    - 第１節　総則
    - 第２節　贈与
    - 第３節　売買
    - ⋮
    - 第14節　和解
  - 第３章　事務管理
  - 第４章　不当利得
  - 第５章　不法行為
- 第４編　親族
  - 第１章　総則
  - 第２章　婚姻
  - 第３章　親子
  - 第４章　親権
  - 第５章　後見
  - 第６章　保佐及び補助
  - 第７章　扶養
- 第５編　相続
  - 第１章　総則
  - 第２章　相続人
  - 第３章　相続の効力
  - 第４章　相続の承認及び放棄
  - 第５章　財産分離
  - 第６章　相続人の不存在
  - 第７章　遺言
  - 第８章　配偶者の居住の権利
  - 第９章　遺留分
  - 第10章　特別の寄与

問題に適用すべき複数の編から規定を選び出す必要が生じます。そこで、民法になじみのない者からすれば、どの条文を見ればよいかわからないといった事態に陥りやすいという問題があります。たとえば、売買契約に適用される規定は、契約各則の「売買」の部分（民法555条以下）のほかに、「契約総則」（民法521条以下）、「債権総則」（民法399条以下）、「民法総則」（民法１条以下）というように、民法典の中に散在しているといえます。

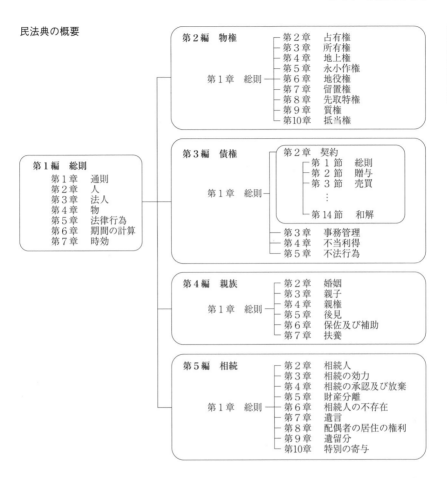

第５　民法典の制定

お雇い外国人であるフランス人法学者ボワソナードの指導の下に編纂された自由主義的な「民法典」は、1893（明治26）年から施行されることになっていました。しかし、わが社会は戸主制度を基盤とした思想が堅固であって、各界から強い抵抗に遭いました。「民法出デテ忠孝亡ブ」（明治24年、穂積八束《ほづみやつか》）との表現はこのような経緯を象徴しています。わが国の「淳風美俗」を壊すという理由で民法典の施行は延期されました。新たに穂積陳重《ほづみのぶしげ》、梅謙次郎《うめけんじろう》、富井政章《とみいまさあきら》が起草委員として選任され、ドイツ（プロイセン）を参考にした「明治民法」（現行の修正民法典）が成立しました。その最大の特徴は、前述のパンデクテンシステムを採用したことにあります。

第６　民法制度の基本原理

民法制度の基本原理として、①個人の平等性、②所有権絶対の原則、③私的自治の原則、④過失責任の原則を挙げることができます。以下では、これらの民法制度の基本原理について説明します。

１　個人の平等性

「すべて国民は、個人として尊重される」として個人の尊重を規定した憲法13条を受けた民法の下では、身分、年齢、性別を問わず、すべての私人は、個人として平等な権利主体として扱われます。民法は、「この法律は、個人の尊厳と両性の本質的平等を旨として、解釈しなければならない」と規定します（民法２条）。

近代以前は封建制度等により、たとえば家長や家父のみが取引の主体として権利を享有し、それ以外の者は取引の主体として権利を享有することができませんでした。このように近代以前は、すべての私人が権利義務の主体となることが認められていたわけではありませんでした。これに対して、民法は、すべて私人は個人として尊重され、平等な取扱いを受けることを前提としています。

２　所有権絶対の原則

⑴ 意 義

「所有権絶対の原則」とは、私人の財産に対する所有権は何人《なんぴと》からも何らの拘束も受けず、国家権力からも侵害されることがないという原則をいいます。すべての財産は、私人の所有に帰属し、私人は帰属した財産を自由に取引することができるという私有財産制を基本としています。憲法は、「財産権は、これを侵してはならない」と定めています（憲法29条１項）。これを受けて、民法は「所有者は、法令の制限内において、自由にその所有物の使用、収益及び処分をする権利を有する」と定めています（民法206条）。

⑵ 所有権絶対の原則の修正

もっとも、所有権絶対の原則を徹底すると、公共の利益に反する結果になる場合が生じます。そのため、同原則は現在では修正され、所有権も絶対無制約のものではなく、一定の範囲で制約されると考えられています。

憲法は、「財産権の内容は、公共の福祉に適合するやうに、法律でこれを定める」（憲法29条2項）、「私有財産は、正当な補償の下に、これを公共のために用ひることができる」（同条3項）と定め、所有権が一定の場合に制約されることを許容しています。また、民法も、「私権は、公共の福祉に適合しなければならない」（民法1条1項）と規定し、財産権が絶対不可侵ではなく公共の福祉による制約を受ける場合があることを認めています。

3　私的自治の原則

⑴ 意 義

「私的自治の原則」とは、私人が私的な関係において、自己の意思に基づいて自由に法律関係を形成することができるという原則をいいます。私人間の法律関係をどのように形成するかは、各人の自由な決定に委ねられることとなります。

私的自治の原則は、単に取引関係にとどまらず、自分の財産を誰に与えるかについての遺言の自由（民法964条）や企業活動のための団体結成の自由も含むとされています。

⑵ 私的自治の原則の修正

私的自治の原則を形式的に適用すると、事実上当事者間の力関係の差から弱者に不利益となるおそれがあります。

たとえば、事業者と消費者の間の取引では、当事者間の情報・知識・経験・交渉力の格差が大きく、格差を放置したまま取引を行うことは、実質的な契約自由・自己決定を妨げるといえます。そこで、借地借家法や利息制限法、消費者契約法等といった特別法により、私的自治の原則・契約自由の原則が修正されています。また、労働基準法や労働組合法は使用者と比べて弱い立場におかれた労働者の権利を守るため私的自治の原則を修正する特別法として位置づけることができます。

4　過失責任主義

⑴ 意 義

「過失責任主義」とは、他人に損害を与えた場合に、過失がないときには責任を負わない原則をいいます。過失責任主義は、たとえ取引活動で他人に損害を与えたとしても、加害者に不注意がない限り、賠償を義務づけられないとすることで、私人間の自由な経済活動を保障したものといえます。民法における過失責任主義は、不法行為における過失責任主義（民法709条）だけでなく、契約に違反した場合においても「債務者の責めに帰することができない事由によるものであるとき」（民法415条1項但書）には債務不履行責任を負わないこととする点に現れています。

⑵ 過失責任主義の修正

過失責任主義の下では、損害を被った被害者が加害者の過失や損害を立証する必要があります。しかし、被害者が加害者の過失を主張・立証することができず、結局被害者が損害を負担することとなって不当な結果となる場面もあります。

そこで、民法は、他人に損害を与えた者はその過失の有無にかかわりなく責任を負うべきであるという「無過失責任主義」を採用する場合があります。これは、事業により大きな利益を得ている者は事業活動に伴う損害も負担するべきであるといった報償責任や、他人に危害を与えるおそれのある危険な行為を行う者はその危険により発生した損害を賠償するべきといった危険責任の発想に基づくものです。

たとえば、民法は、土地の工作物の設置または保存に瑕疵があることによって他人に損害を生じたときは、その工作物の占有者は、被害者に対してその損害を賠償する責任を負うと定め（民法717条１項本文）、占有者が損害の発生を防止するのに必要な注意をしたときは、所有者がその損害を賠償しなければならないと定めて（民法717条１項但書）、土地の工作物の所有者の無過失責任を規定しています。また、製造物責任法３条は、「製造業者等は、その製造、加工、輸入又は前条第３項第２号若しくは第３号の氏名等の表示をした製造物であって、その引き渡したものの欠陥により他人の生命、身体又は財産を侵害したときは、これによって生じた損害を賠償する責めに任ずる」と定め、製造業者等の無過失責任を規定しています。

このように民法は、過失責任を原則としつつ、被害者保護の観点から一定の場合に無過失責任を認めています。

第７　基礎理論の修正

１　私権の社会性

民法は、「私権は、公共の福祉に適合しなければならない」と規定し（民法１条１項）、私権（財産権）の社会性を謳い、私権（財産権）が絶対不可侵ではなく公共の福祉による制約を受ける場合があることを認めています。

２　信義誠実の原則

民法は、「権利の行使及び義務の履行は、信義に従い誠実に行わなければならない」と規定します（民法１条２項）。この原則を「信義誠実の原則（信義則）」といいます。信義誠実の原則には、法律規定を形式的に適用した場合に生じる不都合な結果を是正したり、法文が存在しない場合にこれを補完する機能があります。

判例も信義誠実の原則を適用することにより、個別具体的事件の解決にあたって結果の妥当性を担保しています。

たとえば、判例は、ＡがＢから山林を買い受けて23年余の間これを占有している事実を知るＣが、Ａの所有権取得登記がされていないのに乗じて、Ａに高値で売りつけて利益を得る目的で、上記山林をBから買い受けてその旨の登記を経てAの登記の欠缺《けんけつ》を主張することは信義に反するものというべきであり、Cはいわゆる背信的悪意者として、Aの所有権について登記の欠缺を主張する正当な利益を有する第三者（民法177条）にあたらないと判示しました（最判昭和43年8月2日民集22巻8号1571頁）。

この判例は、民法177条を形式的に適用することによる不当な結果を信義誠実の原則を適用することにより修正したものです。

また、判例は、マンションの購入希望者Aが、売却予定者Bと売買交渉に入り、その売買の交渉過程で、歯科医院のレイアウト図を交付したうえで、歯科医院としてマンションを使用する場合の電気容量の不足を指摘し、売却予定者が容量増加のための設計変更および施工をすることを容認しながら、交渉開始6か月後に自らの都合により契約を締結しなかったという事案で、購入希望者Aは、契約の準備段階における信義則上の注意義務に違反したものとして、売却予定者Bが設計変更、施工をしたために被った損害を賠償する責任を負うと判示しています（最判昭和59年9月18日判時1137号51頁）。

この判例は、契約締結に至らない段階における相手方の信頼や合理的な期待を保護するために信義誠実の原則を適用して、法文の欠缺を補完したものです。

3　権利濫用の法理

民法は、「権利の濫用は、これを許さない」と規定します（民法1条3項）。権利があるからといって権利の行使を自由に認めると、相手方に損害を与えるおそれがあります。そこで、民法1条3項は、相手方の権利行使が濫用的な場合に、これを禁止しています（権利濫用の法理）。たとえば、土地所有者の行為が近隣の生活妨害となる場合などが権利の濫用にあたります（大判大正8年3月3日民録25輯356頁）。

また、判例は、Aの温泉の引湯管の一部（約6メートル。なお、引湯管の全長は約7.5キロメートルである）がBの土地を通過していたことを奇貨としてCがBから土地を買い取り、Aに対して巨額の費用で当該土地の買取りを求めるとともに、Aがこれに応じない場合には、通過する引湯管の除去を求めたという事案に関し、Cの妨害排除の請求は、権利の濫用にほかならないとして請求を棄却しました（大判昭和10年10月5日民集14巻1965頁・百選Ⅰ［第8版］1事件〔宇奈月温泉事件〕）。

この判例は、Cの被る損失が小さいのに対して、Aによる侵害の除去が著しく困難であり、また莫大な費用がかかるという当事者の利益状況を比較考量するとともに、権利行使者であるCの害意という主観的要件を考慮して、Cの請求を権利濫用と認めています。

第2章

人

第1　権利能力

1　権利能力の意義

「権利能力」とは、権利・義務の主体となりうる地位または資格をいいます。民法は、権利・義務の主体となりうるか否かを判断する基準として、「権利能力」という概念を用意しています。

2　権利能力の始期

(1) 原 則

① 自然人・法人・外国人

民法は、「人」は「出生」によって権利能力（権利・義務の主体となる地位または資格）を取得すると定めています（民法3条1項）。ここにいう「人」とは人間のことをいい、民法上は「自然人」といいます。これに対して、一定の要件を満たした団体や一定の財産が権利能力を付与される場合の当該団体や当該財産を「法人」といいます。また、外国人は、法令または条約の規定により禁止される場合を除き、権利能力を有します（民法3条2項）。外国人とは、日本国籍を有しない自然人を意味します。法令により禁止される場合として、たとえば公証人となる権利（公証人法12条1項1号）や日本船舶や日本航空機の所有権（船舶法1条2号、商法702条、航空法4条）があります。

②「出生」の意義

母親が子どもを出産する際には時間がかかります。民法は、「出生」としか定めておらず、出産過程のどの時点をもって「出生」とするのかが問題となります。この点、通説は胎児が生きて母体から完全に分離した時点で「出生」があったとする見解（全部露出説）に立ちます。母体から完全に分離し、少しでも生存の徴表を示す場合には、生きて生まれたものとして扱うのが適当であるとの理由によります。なお、民法上の「出生」の時期に関する判例は存在しません。

(2) 例 外（胎児）

上記のとおり、人は「出生」によって権利能力を取得するため、胎児の時点では権利能力を有しないのが原則です。しかし、民法は一定の場合には胎児にも権利能力を認めています。

① 胎児に権利能力を認める必要性

たとえば、父親が死亡した直前に出生した子は父親の相続財産を相続し（民法882条）、父親が死亡した直後に出生した子は相続しないといった事態が生じると、出生の時点の前後で比較して権利関係が著しく異なり不公平であるといえます。

そこで、民法は、不法行為に基づく損害賠償請求（民法721条）、相続（民法886条）および遺贈（民法965条）の各場合において、例外的に「胎児は既に生まれたものとみなす」と規定し、胎児に出生した子と同様の権利能力を認めています。「みなす」とは、本来異なるものを法令上一定の法律関係について同一のものとして認めることをいいます。ここでは本来胎児には権利能力が認められないところ、出生した人と同様に権利能力を認めることを意味します。

② 胎児に権利能力が認められる場面

ア　不法行為に基づく損害賠償請求（民法721条）

民法は、「胎児は、損害賠償の請求権については、既に生まれたものとみなす」と規定し、胎児にも不法行為に基づく損害賠償請求権について権利能力を認めています（民法721条）。

たとえば、Xが自動車の運転中、不注意でYをひき殺してしまった場合（Xには民法709条の不法行為が成立します）、Xは被害者Yの子に対して損害を賠償しなければなりません（民法711条）。Yの子が胎児であった場合、民法721条の規定により当該胎児は既に生まれたものとみなされるため、Yの子はXに対して損害賠償請求をすることができます。

イ　相 続（民法886条）

民法は、「胎児は、相続については、既に生まれたものとみなす」と規定しています（民法886条）。

たとえば、父Yが死亡した時点で、Yの子が胎児であった場合、民法886条1項により、当該胎児は既に生まれたものとみなされるため、Yの相続財産を相続することができます。

ウ　遺 贈（民法965条）

民法は「第886条……の規定は、受遺者について準用する」と規定しています（民法965条）。

人がある人に対して自らが死亡した後に、その所有する財産を与える意思を遺言で表明することを遺贈といい、遺贈によって財産を与えられる人のことを受遺者といいます。

たとえば、第三者Zが、自らが死亡したときにはある胎児に対してZの所有する土地を与える旨の遺言を残して死亡した場合、民法965条により、当該胎児は既に生まれたものとみなされるため、受遺者としてZの土地を取得することができます。

③「既に生まれたものとみなす」の解釈

上記の各規定で、民法は、「胎児は、……既に生まれたものとみなす」と規定しています（民法721条、886条、965条）。この「既に生まれたものとみなす」という規定の解釈について、以下の２つの見解があります。

ア　停止条件説（大判昭和７年10月６日民集11巻2023頁）

この見解は、胎児である間は権利能力を認めず、出生すること（生きて生まれること）を停止条件として、出生した場合（生きて生まれた場合）には胎児であったときに遡及して権利能力があったものとする見解です。この見解によれば、たとえば、胎児のいる父親が交通事故で死亡した後、胎児が出生した場合には、胎児は遡及して胎児の時期より権利能力を有することとなるため、母親が胎児の代理人として交通事故の加害者に対する損害賠償について示談をした場合、当該示談は有効となります。

イ　解除条件説

この見解は、胎児の間の権利能力を認め、死産となることを解除条件として、死産となった場合に、権利能力は胎児のときから存しなかったとする見解です。たとえば、上記の場合、胎児が死産した場合には、示談成立時に胎児に権利能力が認められないため、加害者との示談は無効となります。

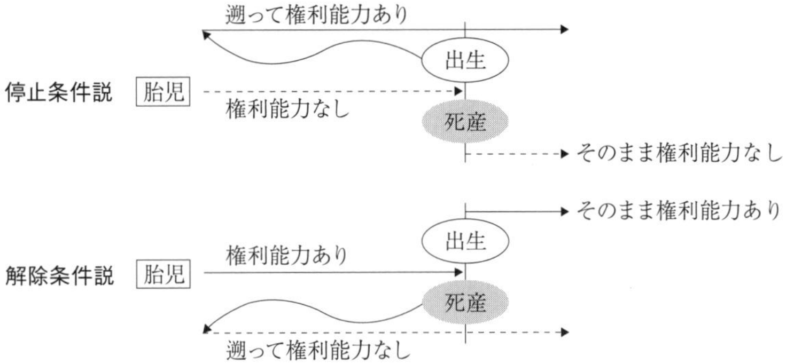

胎児の間に権利能力を認めるか否かに関して、胎児の父親が死亡し、胎児の母親が胎児を代理して胎児の権利を処分することができるか否かが問題となった判例があります（前掲大判昭和７年10月６日）。

事案は、以下のとおりです。

> 内縁の妻Ｂと胎児Ｘのいた A がＹ会社の電車に轢かれて死亡した。Ａの父ＣがＡの死亡による損害賠償請求の和解交渉をし、ＣがＹ会社との間で、ＢとＸが1000円を受領し、その他の損害賠償請求を放棄する内容の和解契約を締結した。その後、Ｂが和解契約締結後に出生したＸの代理人としてＹ会社に対し

> て、Aが生存していればAの子として養育を受けたであろうXの扶養利益等の損害を求めて訴えを提起した。

大審院は、以下のとおり判示し、Cとの和解契約を無効として、Xの損害賠償請求を認めました。すなわち、大審院は「……民法ハ胎児ハ損害賠償請求権ニ付キ既ニ生レタルモノト看做シタルモ右ハ胎児カ不法行為ノアリタル後生キテ生レタル場合ニ不法行為ニ因ル損害賠償請求権ノ取得ニ付キテハ出生ノ時ニ遡リテ権利能力アリタルモノト看做サルヘシト云フニ止マリ胎児ニ対シ此ノ請求権ヲ出生前ニ於テ処分シ得ヘキ能力ヲ与ヘントスルノ主旨ニアラサルノミナラス仮令此ノ如キ能力ヲ有シタルモノトスルモ我民法上出生以前ニ其ノ処分行為ヲ代行スヘキ機関ニ関スル規定ナキヲ以テ前示Cノ交渉ハ之ヲ以テXヲ代理シテ為シタル有効ナル処分ト認ムルニ由ナク……」と判示しました。大審院は、民法上、出生以前に胎児の処分行為を代行すべき機関に関する規定が存しないことを理由に、胎児が出生した場合に遡って胎児に権利能力は認めるが、胎児の間には権利能力は認めないとして、停止条件説を採用しました。

3　権利能力の終期

⑴ 死亡による権利能力の消滅

自然人の権利能力は死亡によって消滅します。死亡によって権利能力が消滅することは当然のことであるため、民法上、死亡によって権利能力が消滅する旨の規定は特に存在しません。もっとも、相続が死亡によって開始するという民法882条や失踪宣告（民法30条）、同時死亡の推定（民法32条の2）は、死亡によって権利能力が消滅することを前提とした規定として位置づけられます。

通常、死亡は医師の死亡診断または屍体検案によって確認されます（戸籍法86条参照）。

⑵ 認定死亡制度

危難に遭った場合等に死体が発見されないものの死亡が確実視される場合に、取調べにあたった官庁または公署が死亡の認定をする制度があります。この制度を認定死亡制度といいます。認定死亡制度は、死亡の蓋然性が高い場合に、一応死亡として取り扱おうとする便宜的な制度で、死亡地の市町村長に死亡報告をすることにより、戸籍に死亡の記載がなされます（戸籍法89条参照）。

⑶ 同時死亡の推定

同時死亡の推定とは、互いに相続人となりうる複数の者が死亡し、その死亡の先後が不明な場合に、同時に死亡したものと推定することをいいます（民法32条の2）。

① 同時死亡の場合の問題の所在

互いに相続人となりうる複数の者が死亡した場合、死亡の先後如何により相続関係の処理が変わることとなります。たとえば、A一家（夫A、妻B、子どもC、Aの母D）のうち、AとCが船で旅行中、乗っていた船が沈没し、AとCが死亡した場合に、Aが先に死亡したものとするのか、Cが先に死亡したものとするのかによって、相続関係の処理に差異が生じます。そこで、死亡の先後が不明な場合の相続関係の処理が問題となります。

② 同時死亡の場合の相続関係の処理

死亡の先後関係が証明できないときには相続関係をめぐる紛争が生じるおそれがあります。そこで、民法は、相続人間に紛争が生じないようにあらかじめ死亡の先後関係が証明できない場合の処理方法を定めています。

すなわち、民法32条の2は「数人の者が死亡した場合において、そのうちの一人が他の者の死亡後になお生存していたことが明らかでないときは、これらの者は、同時に死亡したものと推定する」と規定し、同時に死亡したものと推定される者同士は相互に相続人とならないこととしています。

同条により、上記具体例では、AとCとが相互に相続人とならないため、Aの相続人はBおよびDとなり、Cの相続人はBとなります。

もっとも、同条は同時死亡を推定するのみであり、死亡時期の先後関係を証明することができれば、当該先後関係に従って相続関係を処理することとなります。たとえば、AがCよりも先に死亡したことが証明されれば、Aが先に死亡し、Aの相続財産をBおよびCがそれぞれ相続し、その後にCが死亡し、Cの相続財産をBが相続することとなります。

(4) 失踪宣告

失踪宣告とは、不在者の生死不明が長期間継続した場合に、当該不在者の死亡を擬制して法律関係を確定する制度をいいます。

ある人の生死不明な状態が長期間続き、当該人物が死亡している蓋然性が高いものの死亡の事実が確認されないという場合があります。この場合、死亡を原因とする相続は発生しない（民法882条参照）ほか、配偶者は当該人との婚姻関係が維持されるため、再婚をすることもできません（再婚した場合には、重婚となってしまいます。民法732条参照）。

そこで、このようなある人の死亡によって権利関係が変わってくる利害関係人のために、生死不明者に関する法律関係を確定する必要があります。この法律関係を確定させる制度として失踪宣告制度が存在します（民法30条）。失踪宣告に関する詳細は別途説明します。

第2　意思能力と行為能力

1　意思能力

(1) 意思能力の意義

意思能力とは、自己の行為の法的な結果を認識・判断することができる能力をいいます。

たとえば、本屋で雑誌を買った場合に、買った雑誌の引渡しを受ける代わりに本屋に対して雑誌の代金を支払わなければならないことを認識・判断することができる能力のことをいいます。

民法は、法律行為の当事者が意思表示をした時に意思能力を有しなかったときは、その法律行為は無効とするとの規定を設け、意思表示をする時点で意思能力が必要であることを明文で規定しています（民法3条の2）。

近代法の支配する現代社会では、人は契約等により自ら法律関係を形成する自由がある反面、自己の自由な意思で形成された法律関係に拘束されることとなります。このことを「私的自治の原則」と呼びます。私的自治の原則が妥当するためには、正常な意思決定に基づく行為であることが前提となります。そこで、民法は正常な意思決定をすることのできる能力として「意思能力」という概念を設けています。

(2) 意思能力の有無の判断基準

行為の種類や内容によっても異なりますが、おおよそ7歳から10歳の子どもになれば、この判断能力を有するものと一般に考えられています。つまり、7歳から10歳の子どもの判断能力を有しているか否かが意思能力の有無の判断基準となります。

(3) 意思無能力の効果

① 無　効

法律行為の当事者が意思表示をした時に意思能力を有しなかったときは、その法律行為は、無効となります（民法3条の2）。

改正前民法の下における判例（大判明治38年5月11日民録11輯706頁・百選Ⅰ［第8版］5事件）・通説は、意思能力を有しない者がした法律行為を無効と解していましたが、改正前民法は、意思能力を欠く者がした法律行為の効力に関する明文の規定を設けていませんでした。改正後の民法は、高齢化社会が進展するにあたり、判断能力の低下した高齢者等が不当に不利益を被ることを防止する必要性が高まっていることに鑑み、意思表示をする時点で意思能力が必要であることを明文で規定しています（一問一答13頁）。

② 意思無能力者の行為を「無効」とする根拠

意思無能力者の行為は無効であるとする根拠をいかに考えるかという点につい

ては従来から議論があり、おおむね以下の２つの見解に分かれています。

ア　従来の見解

従来の見解は、私的自治の原則の理念が自己の意思に基づいた権利義務関係の形成の尊重にあるため、行為の意味を理解することのできない状態でなされた言動に意思表示としての価値を認めることはおよそ適当でないと考えます。

イ　近時の見解

これに対し、近時は、弱者（意思能力を欠く者）を救済するという政策問題として意思能力制度を理解する見解が有力です。

③ 判 例

平成11年の民法改正以前の事案で、禁治産宣告・準禁治産宣告（現在の行為能力制度の前身の制度で、平成11年改正により廃止されています）を受けていない成年者について、意思能力がなかったことを理由とする無効の主張を認めた判例があります（前掲大判明治38年５月11日）。

ア　事案の概要

Ｙの先代Ａは、禁治産宣告・準禁治産宣告を受けていませんでしたが、意思能力を有していない状態で約束手形を振り出し、これを譲り受けたＸ銀行がＹに対して手形上の請求をしました。第一審、原審ともにＡの手形振出行為は意思能力を有していないときに行われたものであるとして当然無効であるとしてＸ銀行の請求を棄却しました。これに対して、Ｘ銀行は、民法は行為無能力者のなした行為のみが取り消しうべきものとされているため、それ以外の者の行った行為は有効と考えるべきであるとして上告しました。

イ　判 旨

「法律行為ノ要素トシテ当事者カ意思能力ヲ有セサルヘカラサルコトハ茲ニ多言ヲ要セサル所ニシテ、而シテ手形振出行為ノ法律行為ナルコトハ是レ又弁ヲ待タサル所ナルカ故ニ、若シ手形振出人カ其振出ノ当時意思能力ヲ有セサルニ於テハ、縦令其手形ハ外観的要件ヲ具備シ形式上手形トシテ有効ナルモ、実質上其振出行為ノ無効タルヘキ毫末ノ疑ヲ容レサル所ニシテ、而テ此法律行為ニ意思能力ヲ要スルノ原則ハ民法商法ニ通シテ更ニ差別アルコトナケレハナリ……法律カ禁治産者等無能力者ヲ特定シ其行為ヲ取消スコトヲ許シタルハ、無能力者ノ利益ヲ保護センカ為メ、意思欠缺ノ事実ヲ証明スルコトナク、当然之カ取消ヲ為スコトヲ得セシメタルモノニシテ、此等無能力者ニ非サルモノノ行為ハ、絶対ニ其効力ヲ有スルノ趣旨ニ非ス。故ニ、例ヘハ禁治産宣告前ノ行為タリトモ事実上意思能力ヲ有セサリシトキハ、其行為ハ無効タルヘク、又之ト等ク、縦令禁治産中ニ為シタル行為タリトモ、全ク意思能力ヲ有セサル事実アルニ於テハ、何等取消ノ意思ヲ表示スルコトナク当然無効タルヘキハ誠ニ明白ナル法理ナリトス」

⑷ 意思無能力を理由とする無効を主張することのできる者

意思無能力者の行為を無効とする根拠に関する従来の見解と近時の見解は、意思無能力を理由とする無効を意思無能力者のみが主張できるのか、それとも意思無能力者と取引をした相手方や第三者等もその無効を主張することができるのかという点について、以下のとおりその帰結を異にします。

① 従来の見解（絶対的無効説）

絶対的無効説とは、意思無能力者側から無効を主張することはもちろん、誰でも無効を主張することができると考える見解です。

この見解は、意思能力がなければ意思表示としての価値が認められず、法律行為を存在させる必要がないため、誰でもその意思無能力を主張できるとします。

② 近時の見解（相対的無効説。通説）

相対的無効説とは、意思無能力者側からのみ無効を主張することができると考える見解です。

この見解は、意思無能力者の行為を無効とする根拠を意思無能力者の保護にあると考えることから、意思無能力者が無効を主張できるものとすることで足り、意思無能力者以外の者に無効を主張させる必要はないとします。

2　行為能力

⑴ 行為能力制度の趣旨

行為能力とは、単独で確定的に有効に意思表示をなしうる地位または資格をいいます。民法は、4条以下に行為能力制度を規定しています。

行為能力制度の趣旨は、以下の2つの要請に基づいています。

① 意思無能力者保護の要請

意思無能力者が行った法律行為は無効となります（民法3条の2）。しかし、意思無能力者が行為の当時に自己が意思能力を有していなかったことを証明することが困難な場合があります。仮に行為の当時、意思能力を有していなかったことが証明できなかった場合には当該法律行為が有効とされ、意思無能力者の保護に欠けることとなります。そこで、民法は、意思無能力者を4つの類型に定型化し、その類型に属する者について一律に取引能力を制限することで意思無能力者を保護しようとしています。

② 相手方保護の要請

意思無能力者と取引をした相手方は、自己の取引の相手が意思無能力者か否かを外見で判断することは困難なため、不測の損害を受けるおそれがあります。そこで、民法は、取引の安全を図るために意思無能力者を4つの類型に定型化し、これを公示することにより取引の相手方を保護しようとしています。

⑵ 民法の規定

民法は、意思能力が不十分な者について、定型的に、㋐未成年者（民法5条以下)、(イ)成年被後見人（民法７条以下）、(ウ)被保佐人（民法11条以下）および(エ)被補助人（民法15条以下）に分類し、これらの者（あわせて「制限行為能力者」といいます）の行為能力を制限しています。

それぞれの分類ごとに規定が存在しますが、民法は原則として制限行為能力者が単独で行った行為は取り消すことができると定めています（民法５条２項、９条、13条４項、17条４項）。

3　意思能力と行為能力の関係（二重効の肯否）

行為能力を欠く者の法律行為は取り消すことができます（民法５条２項、９条、13条４項、17条４項）。また、意思無能力者の法律行為は無効となります。それでは、同一人が制限行為能力者であるとともに意思無能力者である場合には、取消しと無効の主張はどのような関係となるのでしょうか。以下の事例を前提に検討してみましょう。

> Ｘは認知症に罹患して、その行動に異常が見られるようになった。Ｘの妻Ａの請求に基づき、ＸはＡを成年後見人とする後見開始の審判を受けた。しかし、その後、ＸがＡに無断で、Ｙ骨董品店で高価な茶碗を購入した。

⑴ 取消しまたは無効の主張権者

① 制限行為能力の場合

制限行為能力者であるＸおよびその代理人ＡがＸの行為を取り消すことができます（民法120条１項）。

② 意思無能力の場合

意思無能力者であるＸおよびその代理人Ａのみが無効を主張できる見解（相対的無効説）と、Ｘの取引の相手方であるＹも無効を主張することができるとする見解（絶対的無効説）に分かれます。

⑵ 無効または取消しを主張できる期間

① 制限行為能力の場合

民法126条により、追認できる時から５年（この期間は消滅時効期間と解されます）、行為時（契約時）から20年（この期間は除斥期間と解されます）を経過すると取り消すことができなくなります。

② 意思無能力の場合

行為当初から無効であり（民法３条２項）、取消しのように主張することのできる期間に限定はなく、いつでも無効を主張することができます。

⑶ 無効と取消しの二重効

制限行為能力と意思無能力では、上記のとおりその効果に差異があります。そこで、制限行為能力と意思無能力のいずれも認められる場合、どちらに従って解決すべきかが問題となります。無効および取消しの2つの効果（二重効）を認めてよいか否かが問題となります。

① 二重効肯定説（通説）

制限行為能力を理由に取消しを主張することも意思無能力を理由に無効を主張することもでき、どちらを主張するかは当事者の選択に委ねられるとする見解です。その根拠は以下の2点が挙げられます。

ア　要件充足の帰結

制限行為能力による取消しと意思無能力による無効のいずれの要件も充足しているため、いずれの効力を認めても差し支えないという点を根拠とします。

イ　後見開始の審判を受けた方が不利にならないようにする必要性

二重効を認めなかった場合、意思無能力者が後見開始の審判を受けた場合には、後見人が取消しのみを主張することができることとなります。しかし、後見開始の審判を受けなかった場合には、無効を主張することができることとなり、あえて裁判所に請求して後見開始の審判を受けた者が後見開始の審判を受けなかった者よりも不利な扱いを受けることになります。二重効肯定説はこのような不公平な結果とならないようにすべきであるという点を根拠とします。

② 二重効否定説

制限行為能力を理由とした取消しの主張のみが認められるべきとする見解です。

二重効否定説は、民法があえて行為能力制度を認めたにもかかわらず、意思無能力の主張も認めうるとすれば、民法が行為能力制度を設けた趣旨を没却するという点を根拠とします。

第3　未成年者

1　未成年者の意義

未成年者とは、18歳未満の者をいいます（民法4条）。年齢は、年齢計算ニ関スル法律1条により、出生の日から起算して暦に従って計算します。期間の計算に関する民法140条によれば、期間の計算をする場合その初日は算入しないのが原則ですが、年齢計算においては、初日（出生の日）を算入します。たとえば、4月1日生まれの人は、4月1日を起算日として、翌年の3月31日の終了（期間は、民法141条によりその末日の終了をもって満了する）とともに満1歳となります。

なお、2018年6月13日、民法4条を改正し、成人年齢を20歳から18歳に引き下げる旨の改正民法が成立しました。当該改正民法は、2022年4月1日から施行されています。

2　未成年者の行為能力

⑴ 原 則

未成年者が法律行為を行うには、その法定代理人の同意を得なければならず（民法5条1項本文）、法定代理人の同意を得ないで行われた法律行為は取り消すことができます（同条2項）。民法は、未成年者は、精神状態が成熟していないと捉え、法律行為を行うには法定代理人の同意を要するとしています。

① 法定代理人

法定代理人とは、法律の規定に基づいて代理権が発生する場合の代理人をいいます。通常、未成年者の法定代理人は親権者です（民法818条、819条）。しかし、親権を行使する者がいないときや親権者が管理権を有しないときには家庭裁判所によって未成年後見人が選任され、この未成年後見人が法定代理人となります（民法838条1号、839条、840条）。

親権者とは、未成年の子に対して親権を行う者をいいます。親権とは、父母が未成年の子を成年となるまで養育するため、子を監護教育し子の財産を管理することを内容とする親の権利義務の総称をいいます。

通常は父母が親権者となります（民法818条1項）。父母の婚姻中は、父母が共同して親権を行使します（共同親権。同条3項本文）。もっとも、父母の一方が旅行中・行方不明であるときや親権・管理権を喪失しているとき等、親権の共同行使ができないときは、他の一方だけが親権を行使します（同条項但書）。

② 法定代理人の同意

法定代理人が未成年者に対して、未成年者の法律行為について同意することにより、当該法律行為について、法律上完全な効力が生ずることとなります。

判例は、法定代理人が与える同意は、明示である場合はもちろん黙示である場合も認めています（大決昭和5年7月21日新聞3151号10頁）。また、法定代理人が予見しているのであれば未成年者に対して包括的に同意を与えることも可能です。

本来、法定代理人の同意は法律行為がなされる前に未成年者に対して与えるべきものであると考えられます。もっとも、事後に同意を与えることを追認と呼び、取引の相手方に対して追認がなされれば（民法123条）、当該法律行為の効力が確定的なものとなります（民法122条）。

③ 法定代理人の同意を得ていない場合の取扱い

未成年者またはその法定代理人は、取消しの意思表示をすることによって、未成年者の行った法律行為がその当初から無効であったものとすることができます。未成年者が取消しをすることについて、未成年者に不利益が生じるわけではないため、法定代理人の同意は不要です。

⑵ 例 外（未成年者が単独でなしうる法律行為）

以下の行為は、未成年者でも法定代理人の同意を得ずに単独で行うことができます。未成年者の保護という制限行為能力制度の趣旨を及ぼす必要がなかったり、法定代理人の包括的同意を得ていると考えられるためです。

① 単に権利を得または義務を免れる行為（民法5条1項但書）

たとえば、単純な贈与（民法549条）を受ける場合や債務免除（民法519条）を受ける場合が典型例です。これらの場合には、未成年者の行為能力を制限して未成年者を保護するという趣旨を及ぼす必要がないため、未成年者が単独で行うことができます。

② 自由財産の処分（民法5条3項）

ア　法定代理人が目的を定めて未成年者に処分を許した財産（同項前段）

たとえば、本を買うために親が未成年者に与えた金銭がこれに該当します。法定代理人が目的を定めて処分を許した財産については、その処分が目的の範囲内にある限り、法定代理人の同意があると考えられるため、未成年者本人が単独で行うことができます。

イ　法定代理人が目的を定めずに未成年者に処分を許した財産（同項後段）

たとえば、毎月の小遣いとして親が未成年者に与えた金銭がこれに該当します。法定代理人が目的を定めないで処分を許した財産は、未成年者が自由に処分することができます。目的を定めずに未成年者に処分を許した財産は、処分に関して法定代理人の包括的な同意があると考えられるからです。

③ 営業を許された未成年者の営業に関する行為（民法6条1項）

ア　趣 旨

営業に属する行為について法定代理人の個別的同意を必要とすることは煩雑です。そこで、営業の許可により、営業を営むのに必要となる法律行為を行うことにつき、包括的同意がなされたと解すべきことから、未成年者が単独で行うことができるとしています。

イ　営業の意義

「営業」とは、広く営利を目的とする独立の計画的・継続的事業をいい、自由職業も含まれます（大判大正4年12月24日民録21輯2187頁）。具体的には、自己が主体となって行う商業、工業、農業、自由業等の営利事業をいいます。

ウ　営業の許可

法定代理人は、営業の種類を特定して営業を許可しなければならず、種類を特定しない包括的な許可は認められません。種類を特定しない場合には、範囲が拡大しすぎるおそれがあるためです。

エ　営業の許可の取消し

未成年者が営業を許されても、「その営業に堪えることができない事由があるとき」は、その法定代理人はその許可を取り消しまたはこれを制限することができます（民法6条2項、823条2項）。

第４　後見制度

１　成年後見制度の意義

⑴ 成年後見制度の意義

成年者は、未成年者ではないため、未成年者を保護するための制度（民法４条以下）は適用されません。もっとも、成年者といえども知的能力が十分でないために保護を必要とする者がいます。そこで、民法は、そのような者を保護する制度を用意しています。この制度を成年後見制度といいます。

⑵ 成年後見制度の種類

成年後見制度は、以下の２種類に分かれます。

① 法定後見

法定後見とは、現に判断能力が不十分な状態にある者について、法律の規定に基づき、家庭裁判所が保護者を選任し、その保護者に法定の権限を付与する制度です。具体的には、成年後見・保佐・補助の３類型に分かれます。

② 任意後見

任意後見とは、現在は十分な判断能力を有する者が、将来判断能力が低下した場合に備えて、その場合の能力を補完する方法を契約によりあらかじめ自分で決めておくことを可能にする制度です。

２　法定後見制度

⑴ 成年後見

成年後見は、精神上の障害により事理を弁識する能力を欠く常況にある者を保護する制度です（民法７条以下）。

① 要 件

「精神上の障害により事理を弁識する能力を欠く常況にある者」であることが要件となります（民法７条）。

「精神上の障害により事理を弁識する能力を欠く常況にある」とは、自己の行為の法的な意味を理解する能力（意思能力）を欠く状態がおおむね継続していることを意味します。

② 手 続

ア　家庭裁判所への審判請求

後見開始の審判は、家庭裁判所に対する請求があって初めてなされます。本人、配偶者、４親等内の親族、未成年後見人、未成年後見監督人、保佐人、保佐監督人、補助人、補助監督人または検察官が後見開始の審判を請求することができます（民法７条）。

イ　後見開始の審判

家庭裁判所は、民法７条の要件が満たされていると判断したときは、後見開始の審判を行います。後見開始の審判がなされた場合に、後見が開始されます（民法838条２号）。

ウ　後見の登記

後見開始の審判がなされると裁判所書記官の嘱託に基づいて法務局の後見登記等ファイルに登記（成年被後見人の氏名・出生年月日・住所・本籍、成年後見人の氏名・住所等）されます（後見登記等に関する法律４条１項各号）。この趣旨は、本人の行為能力の制限および成年後見人の権限を公示することで、取引が円滑に行われるようにする点にあります。

③ 後見開始の効果

ア　本人の行為能力の制限

後見開始の審判がなされると、本人は行為能力が制限されます。すなわち、成年被後見人の法律行為は取り消すことのできる行為となります（民法９条本文）。ただし、たとえば、スーパーマーケットで食料品を購入する等といった日用品の購入その他日常生活に関する行為については、取消しの対象となりません（同条但書）。取り消すことができるのは、成年被後見人や成年後見人等です（民法120条１項）。

取消しが認められる場合でも、成年被後見人や成年後見人等は、追認できます（民法123条）。追認とは事後的に同意することをいい、追認した場合には法律行為の効果が確定します（民法122条）。

イ　成年後見人の選任

成年被後見人には成年後見人が付されます（民法８条）。成年後見人は、成年被後見人の行為に関する同意権や財産管理に関する包括的な代理権を有する者です。

成年後見人は複数でもよく（複数の選任を予定する民法843条３項、859条の２参照）、法人を成年後見人に選任することもできます（民法843条４項参照）。

ウ　成年後見人の権限・義務

(i) 同意権

成年後見人は、民法９条但書に定める日常生活に関する行為以外の行為について同意することができます。もっとも、同意していたとしても、成年後見人は当該行為を取り消すことができます。

(ii) 財産管理に関する包括的な代理権

成年後見人は、成年被後見人の財産を管理し、その財産に関して包括的な代理権を有します（民法859条１項）。ただし、成年被後見人の居住用建物の売却等、本人の生活に重要な影響を与える取引行為については、家庭裁判所の許可が必要です（民法859条の３）。

(iii) 意思尊重義務・身上配慮義務

成年後見人は、成年被後見人の生活、療養看護および財産の管理に関する事務を行うにあたっては、成年被後見人の意思を尊重し、かつ、その心身の状態および生活の状況に配慮しなければなりません（民法858条）。

エ　成年後見監督人

家庭裁判所は、成年後見人の事務を監督するために必要があると認めるときは、成年被後見人、その親族もしくは成年後見人の請求によりまたは職権で成年後見監督人を選任できます（民法849条）。

④ 後見の終了

「精神上の障害により事理を弁識する能力を欠く常況」でなくなった場合、すなわち本人の判断能力が回復した場合、家庭裁判所は、本人、配偶者、４親等内の親族、後見人、後見監督人または検察官の請求により、後見開始の審判を取り消さなければなりません（民法10条）。

⑵ 保　佐

保佐とは、精神上の障害により事理を弁識する能力が著しく不十分な者を保護する制度をいいます（民法11条以下）。

① 要　件

「精神上の障害により事理を弁識する能力が著しく不十分である者」であることが要件です（民法11条）。

「精神上の障害により事理を弁識する能力が著しく不十分」とは、意思能力はあるが、自己の行為の法的な意味を十分に判断する能力が欠けている状態のことをいいます。

② 手　続

ア　家庭裁判所への審判請求

保佐開始の審判は、家庭裁判所に対する請求があって初めてなされます。本人、配偶者、４親等内の親族、後見人、後見監督人、補助人、補助監督人または検察官が保佐開始の審判を請求することができます（民法11条）。

イ　保佐開始の審判

家庭裁判所は、民法11条の要件が満たされていると判断したときは、保佐開始の審判を行います。保佐開始の審判がなされた場合に、保佐が開始されます（民法876条）。

なお、保佐開始の審判は本人の同意を得ることなくなされます。判断能力が不十分である程度が大きく、被保佐人を保護する必要も大きいからです。ただし、本人以外の請求により、民法13条１項各号に規定されている行為以外の特定の法律行為について代理権を保佐人に与える場合には、本人の同意が必要です（民法876条の４第２項）。

ウ　保佐の登記

保佐開始の審判がなされると裁判所書記官の嘱託に基づいて法務局の後見登記等ファイルに登記（被保佐人の氏名・出生年月日・住所・本籍、保佐人の氏名・住所等）がなされます（後見登記等に関する法律4条1項各号）。

③ 保佐開始の効果

ア　本人の行為能力の制限

保佐開始の審判がなされると、被保佐人は行為能力が制限されます。すなわち、民法13条1項各号に定める重要な財産行為について、被保佐人は保佐人の同意なしに単独ですることができず（民法13条1項）、被保佐人が保佐人の同意を得ないで行った行為は取り消すことができます（民法13条4項）。保佐人の同意を得なければならない行為について、保佐人が被保佐人の利益を害するおそれがないにもかかわらず同意をしないときは、被保佐人は家庭裁判所に対して保佐人の同意に代わる許可を求めることができます（民法13条3項）。保佐人が必要もないのに同意を拒絶した場合に被保佐人を救済するためです。

民法13条1項各号は、重要な財産行為であり、保佐人の同意を求めることが被保佐人の保護に資すると解される行為として、以下の行為を列挙しています。

(i)「元本を領収し、又は利用すること」（民法13条1項1号）

(ii)「借財又は保証をすること」（同項2号）

判例は、この「借財」に手形の振出（大判明治39年5月17日民録12輯758頁）、時効完成後の債務承認（大判大正8年5月12日民録25輯851頁）を含むと判断しています。

(iii)「不動産その他重要な財産に関する権利の得喪を目的とする行為をすること」（同項3号）

(iv)「訴訟行為をすること」（同項4号）

(v)「贈与、和解又は仲裁合意……をすること」（同項5号）

(vi)「相続の承認若しくは放棄又は遺産の分割をすること」（同項6号）

(vii)「贈与の申込みを拒絶し、遺贈を放棄し、負担付贈与の申込みを承諾し、又は負担付遺贈を承認すること」（同項7号）

(viii)「新築、改築、増築又は大修繕をすること」（同項8号）

(ix)「第602条に定める期間を超える賃貸借をすること」（同項9号）

(x)「前各号に掲げる行為を制限行為能力者（未成年者、成年被後見人、被保佐人及び第17条第1項の審判を受けた被補助人をいう。以下同じ。）の法定代理人としてすること」（同項10号）

(xi) 家庭裁判所が指定した行為（民法13条2項）

上記民法13条1項各号に定める重要な財産行為以外の行為についても、家庭裁判所は、民法11条本文所定の者または保佐人もしくは保佐監督人の請求により、保佐人の同意を得ることを要する旨の審判をすることができます（民法13

条２項）。

被保佐人の行為を取り消すことができるのは、被保佐人や保佐人等です（民法120条１項）。取消しが認められる場合でも、被保佐人や保佐人等は、法律行為の相手方に対して被保佐人の行為を追認することができます（民法123条）。追認とは事後的に同意をすることをいい、追認した場合には法律行為の効果が確定します（民法122条）。

家庭裁判所の指定は、本人、配偶者、４親等内の親族、未成年後見人、未成年後見監督人、保佐人、保佐監督人または検察官の請求により、その全部または一部を取り消すことができます（民法14条２項）。

イ　保佐人の選任

被保佐人には保佐人が付されます（民法12条）。

ウ　保佐人の権限・義務

(i) 同意権

保佐人は、上記アの民法13条１項各号に定めた行為および家庭裁判所が指定した行為（民法13条２項）について、同意権を有します。この同意は、明示または黙示でも、事前または事後でもよいと解されています。

(ii) 保佐人の代理権

(ア) 原　則

成年後見人と異なり、保佐人には当然に代理権が認められるわけではありません。被保佐人は基本的に意思能力がある以上、被保佐人に代理する権限を一般的に保佐人に認めることは、被保佐人の自己決定を尊重するという理念に反すると考えられたためです。

(イ) 代理権付与の審判

民法は、家庭裁判所は保佐人に特定の法律行為について代理権を付与する旨の審判をすることができる旨を規定しています（民法876条の４第１項）。ただし、この場合、被保佐人が希望しない場合がありうるため、代理権付与に際しては、被保佐人の同意を必要とします（同条２項）。

(iii) 意思尊重義務・身上配慮義務

保佐人は、保佐の事務を行うにあたっては、被保佐人の意思を尊重し、かつ、その心身の状態および生活の状況に配慮しなければなりません（民法876条の５第１項）。

エ　保佐監督人の選任

家庭裁判所は、保佐人の事務を監督するために必要があると認めるときは、被保佐人、その親族もしくは保佐人の請求によりまたは職権で保佐監督人を選任できます（民法876条の３第１項）。

④ 保佐の終了

「精神上の障害により事理を弁識する能力が著しく不十分」でなくなった場合、すなわち本人の判断能力が回復した場合、家庭裁判所は、本人、配偶者、4親等内の親族、未成年後見人、未成年後見監督人、保佐人、保佐監督人または検察官の請求により、保佐開始の審判を取り消さなければなりません（民法14条1項）。

被保佐人の判断能力がさらに低下し、後見開始の審判が必要な程度になった場合には、利害関係人の請求により後見開始の審判がなされ、保佐開始の審判は取り消されます（民法19条1項）。

(3) 補 助

補助とは、精神上の障害により事理を弁識する能力が不十分な者を保護する制度をいいます（民法15条以下）。

① 要 件

「精神上の障害により事理を弁識する能力が不十分である者」であることが必要です（民法15条1項）。

「精神上の障害により事理を弁識する能力が不十分」であるとは、民法13条1項に定められた重要な法律行為について、本人自身でもできるかもしれないが適切にできるか危惧される場合を意味します。

補助に該当するか否かの判断基準は、民法13条1項各号に列挙する重要な取引の一部について本人の判断能力が不十分と考えられるか否かという点にあります。

② 手 続

ア　家庭裁判所への審判請求

補助開始の審判は、家庭裁判所に対する請求があって初めてなされます。本人、配偶者、4親等内の親族、後見人、後見監督人、保佐人、保佐監督人または検察官が補助開始の審判を請求することができます（民法15条1項）。

イ　補助開始の審判

家庭裁判所は、民法15条1項の要件が満たされていると判断したときは、補助開始の審判を行います。補助開始の審判がなされた場合に、補助が開始されます（民法876条の6）。

なお、本人には不十分ながらも判断能力があり、補助制度を利用するか否かについて本人の意思を尊重するのが適切であるため、本人以外の者の請求により補助を開始するには本人の同意が要求されます（民法15条2項）。

補助開始の審判は、補助人の同意を要する行為に関する審判（民法17条1項）または補助人に対する代理権付与に関する審判（民法876条の9第1項）とともになされます（民法15条3項）。これらの審判は補助人の行為能力の内容を決定するものであり、補助開始の審判と不可分の関係にあるといえるためです。

ウ　補助の登記

補助開始の審判がなされると裁判所書記官の嘱託に基づいて法務局の後見登

記等ファイルに登記（被補助人の氏名・出生年月日・住所・本籍、補助人の氏名・住所等）がなされます（後見登記等に関する法律4条1項各号）。

③ 補助開始の効果

ア　本人の行為能力の制限

補助開始の審判により当然に被補助人の行為能力が制限されるわけではありません。家庭裁判所が、(i)本人や補助人等の請求に基づいて、特定の法律行為を指定したうえで、(ii)被補助人が当該特定の法律行為をするには補助人の同意を得ることを要する旨の審判をした場合に、初めて被補助人の行為能力が制限されます（民法17条1項本文）。ただし、補助人の同意を要する行為は、民法13条1項各号の行為に限定されます（民法17条1項但書）。

なお、補助開始の審判と同様、補助制度の利用による行為能力の制限について本人の意思を尊重するため、本人以外の請求により補助を開始するには本人の同意が要求されます（民法17条2項）。

補助人の同意が必要であるとされた行為について、被補助人が補助人の同意を得ずに行った行為は取り消すことができます（民法17条4項）。補助人の同意を得なければならない行為について、補助人が被補助人の利益を害するおそれがないにもかかわらず同意をしない場合は、被補助人は家庭裁判所に対して補助人の同意に代わる許可を求めることができます（民法17条3項）。補助人が必要もないのに同意を拒絶した場合に被補助人を救済するためです。

被補助人の行為を取り消すことができるのは、被補助人や補助人等です（民法120条1項）。取消しが認められる場合でも、被補助人や補助人等は、法律行為の相手方に対して追認することができ（民法123条）、追認した場合には法律行為の効果が確定します（民法122条）。

家庭裁判所は、本人、配偶者、4親等内の親族、未成年後見人、未成年後見監督人、補助人、補助監督人または検察官の請求により、補助人の同意を要する行為に関する審判（民法17条1項）の全部または一部を取り消すことができます（民法18条2項）。

イ　補助人の選任

被補助人には補助人が付されます（民法16条）。

ウ　補助人の権限・義務

(i) 同意権

補助人は、家庭裁判所が本人や補助人等の請求に基づいて指定した特定の法律行為につき、同意権を有します。

(ii) 代理権

家庭裁判所は補助人に、特定の行為について代理権を与えることができます（民法876条の9第1項）。ただし、補助人に代理権が与えられても、被補助人の行為能力が制限されるわけではなく、被補助人が当該特定の行為について単独で行為することができます。

(iii) 意思尊重義務・身上配慮義務

補助人は、補助の事務を行うにあたっては、被補助人の意思を尊重し、かつ、その心身の状態および生活の状況に配慮しなければなりません（民法876条の10第1項、876条の5第1項）。

エ　補助監督人の選任

家庭裁判所は、補助人の事務を監督するために必要があると認めるときは、被補助人、その親族もしくは補助人の請求によりまたは職権で補助監督人を選任できます（民法876条の8第1項）。

④ 補助の終了

「精神上の障害により事理を弁識する能力が不十分」でなくなった場合、すなわち本人の判断能力が回復した場合、家庭裁判所は、本人、配偶者、4親等内の親族、未成年後見人、未成年後見監督人、補助人、補助監督人または検察官の請求により、補助開始の審判を取り消さなければなりません（民法18条1項）。

また、補助人の同意を要する行為に関する審判（民法17条1項）と補助人に対する代理権付与に関する審判（民法876条の9）をすべて取り消す場合には、家庭裁判所は、補助開始の審判を取り消さなければなりません（民法18条3項）。これらの行為能力の制限がすべて取り消された場合には、補助を継続する意味がなくなるためです。

被補助人の判断能力がさらに低下し、後見開始や保佐開始の審判請求が必要な程度になった場合には、利害関係人の請求により後見開始や保佐開始の審判がなされ、補助開始の審判は取り消されます（民法19条1項、2項）。

3　任意後見制度

(1) 任意後見制度の目的

任意後見制度とは、将来判断能力が不十分となる場合に備えて、自己の後見事務（生活、療養看護または財産の管理に関する事務）を特定の者に委託する制度をいいます。将来判断能力が不十分になった場合に備えて、自己の生活や療養看護、財産の管理に関する事務処理を自己の意思により選んだ特定の者に委託することができれば、より自己決定の実現に資するといえます。

通常の委任契約により、将来の後見事務を委託することも可能です。

しかし、本人が意思能力を喪失したとしても、代理権の消滅事由となっていないため（民法111条参照）、委任契約により授与された代理権は消滅しません。また、代理人を監督する者がいないことから、代理人は代理権を濫用して、本人の財産により自己または第三者の利益を図ることが容易であるといえます。

そこで、監督制度を整備することにより、本人が安心して将来のために自己の後見事務を特定の者に委託し、必要な代理権を授与できるようにしました。

任意後見制度には「任意後見契約に関する法律」（平成11年12月8日法律第150号）という法律が適用されます。

⑵ 法定後見（後見・保佐・補助）との関係

任意後見契約が存在するときは、本人の意思で任意後見を利用していることを意味します。そこで、できるだけ本人の意思を尊重すべく、任意後見契約が存在するときは、原則として法定後見はなされないとしています（任意後見契約に関する法律10条）。

しかし、任意後見契約で定めた代理権の範囲では狭すぎて本人を保護することができない事情が生じたときは、本人の判断能力の程度に応じて後見、保佐、補助のいずれかで保護することとなります。

4　制限行為能力者の相手方の保護

民法は、制限行為能力者の財産を保護しています。制限行為能力者の行った取引（法律行為）が取り消された場合には、取引の相手方は取引がなかったこととなり、取引の相手方が不利益を被ることがあります。

そこで、民法は、制限行為能力者の保護と取引の相手方の利害を調整するために、⑴制限行為能力者が「詐術」を用いた場合の取消権の排除（民法21条）、⑵相手方の不安定な地位を解消するための催告権（民法20条）といった制度を定めています。

⑴ 詐術を用いた場合の取消権の排除

① 意 義

制限行為能力者が行為能力者であることを信じさせるため詐術を用いた場合には、その行為を取り消すことができません（民法21条）。

この規定の趣旨は、詐術を用いた制限行為能力者を保護する必要はなく、法律行為を有効と信じた相手方を保護すべきであるという点にあります。

② 要 件

ア　制限行為能力者が自己を行為能力者であることを信じさせるため「詐術」を用いたこと

いかなる行為が「詐術」に該当するかが問題となります。

(i) 積極的術策

制限行為能力者が、積極的に自己が行為能力者であると信じさせる術策を用いた場合には、「詐術」に該当します。

たとえば、相手方に保佐人の同意を得ていないにもかかわらず同意を得た旨を述べた場合（大判明治37年6月16日民録10輯940頁）や未成年者が戸籍謄本を偽造して自己を成年者に見せかける場合（大判大正5年12月6日民録22輯2358頁）がこれに該当します。

(ii) 誤信行為

制限行為能力者が、行為能力者であると誤信させるような行為が「詐術」に該当するかが問題となります。

この点、判例は、平成11年の民法改正前の民法20条の「詐術を用いたるとき」とは、「無能力者が能力者であることを誤信させるために、相手方に対し積極的術策を用いた場合にかぎるものではなく、無能力者がふつうに人を欺くに足りる言動を用いて相手方の誤信を誘起し、または誤信を強めた場合をも包含すると解すべきである。したがって、無能力者であることを黙秘していた場合でも、それが無能力者の他の言動などと相俟って、相手方を誤信させ、または誤信を強めたと認められるときはなお詐術に当たるというべきであるが、単に無能力者であることを黙秘していたことの一事をもって、右にいう詐術に当たるとするのは相当ではない」と判示しています（最判昭和44年2月13日民集23巻2号291頁）。

イ　相手方が制限行為能力者を行為能力者であると信じたこと

相手方が制限行為能力者であることを知っていた場合には、当該相手方を保護する必要はないため、このような場合には民法21条は適用されません。

③ 効 果

制限行為能力者はその行為を取り消すことができません。

(2) 相手方の催告権

① 意 義

制限行為能力者と取引をした相手方に一定の期間を定めて追認をするか否かの確答を促すことを認め、その期間内に制限行為能力者側が確答を発しなかったときに追認または取消しの効果を生じさせる制度です（民法20条）。催告権は、制限行為能力者と取引をした相手方はいつその行為が取り消されるかがわからない不安定な状態にあるため、この不安定な状態を解消するために認められます。

② 効 果

催告を受けた者が単独で追認しうる場合には、追認があったとみなされます（民法20条1項、2項）。催告を受けた者が単独では追認できない場合には、取消しがあったものとみなされます（同条4項）。

成年被後見人および未成年者は催告を受領する能力がないため、これらの者に対して行った催告の効果は生ぜず、法定代理人に対して催告をしなければなりません。法定代理人が追認できる行為については、催告期間内に確答がなければ追認が擬制されます。

また、特別の方式を要する行為については、民法20条1項、2項の期間内にその方式を具備した旨の通知を発しないときは、その行為を取り消したものとみなされます（同条3項）。「特別の方式を要する行為」とは、法定代理人、保佐人または補助人が単独で同意を与え、または代理することのできない行為をいいます。具体的には後見人が後見監督人の同意を必要とする範囲内の行為がこれに該当します。

第5　不在者制度と失踪宣告

1　住所

(1) 定義

住所とは、各人の生活の本拠をいいます（民法22条）。

① 生活の本拠の意義

生活の本拠とは、人の生活の中心である場所をいいます。たとえば、寝食をしている自宅が生活の本拠といえます。

② 生活の本拠の判断方法

ア　意思主義と客観主義

生活の本拠の判断方法としては、(i)定住の意思を基準に判断する意思主義と(ii)客観的事実に基づいて判断する客観主義があります。民法は、意思主義を採用するのか客観主義を採用するのかを明らかにしていませんが、判例は以下のとおり生活の本拠は客観的事実を総合して判断すべきと判示しています。

イ　判　例（最判昭和27年４月15日民集６巻４号413頁）

最高裁は、「……上告人が昭和21年10月Ａ町の主要な人々を招いて帰郷挨拶の宴会を催し、同町で配給物資の配給を受け、選挙権を持ち、町民税を納めていた事実も原判決の確定するところであるけれども、住所所在地の認定は各般の客観的事実を綜合して判断すべきものであって、これらの事実があったからと言って、同町に上告人の住所があるものと認めなければならないものではない……」と判示しています。

(2) 住所の個数

① 複数説・単一説

住所を客観的に判断すべきであるとした場合、現代人の複雑に分化した生活状態にあっては、それぞれの生活関係について住所を認めることが考えられます。そこで、住所の個数を複数認めることができると考える立場（複数説）と住所は１個に限られると考える立場（単一説）とで議論されています。

② 判　例

判例は、以下のとおり単一説をとるのか複数説をとるのかについて、必ずしも明らかにしていません。

ア　最判昭和35年３月22日民集14巻４号551頁

最高裁は、私生活面がＡ地、営業活動面がＢ地にある者の公職選挙法上の住所をA地にあると判断するにあたり、「選挙権の要件としての住所は、その人の生活にもっとも関係の深い一般的生活、全生活の中心をもってその者の住所と解すべく、所論のように、私生活面の住所、事業活動面の住所、政治活動面の住所等を分離して判断すべきものではない」と判示しました。

この判例は、選挙権の要件としての住所に関し、単一説的な立場に立っていると考えられます。

イ　最判昭和29年10月20日民集8巻10号1907頁（茨城大学星嶺寮事件）

最高裁は、寄宿寮に入っている学生の公職選挙法上の住所を、郷里ではなく寄宿寮であると判断するにあたり、「同人等は茨城大学の学生であって、A村内にある同大学附属星嶺寮にて起臥し、いずれも実家等からの距離が遠く通学が不可能ないし困難なため、多数の応募学生のうちから厳選のうえ入寮を許され、最も長期の者は4年間最も短期の者でも1年間在寮の予定の下に右寮に居住し本件名簿調製期日までに最も長期の者は約3年、最も短期の者でも5ヶ月間を経過しており、休暇に際してはその全期間またはその一部を郷里またはそれ以外の親戚の許に帰省するけれども、配偶者があるわけでもなく、又管理すべき財産を持っているわけでもないので、従って休暇以外は、しばしば実家に帰る必要もなく又その事実もなく、主食の配給も特別の場合を除いてはA村で受けており、住民登録法による登録も、本件名簿調製期日にはB外5名を除いては同村においてなされていたものであり、右6名も原判決判示のような事情で登録されていなかったにすぎないものというのである。以上のような原判決の認定事実に基けば、被上告人等の生活の本拠は、いずれも、本件名簿調製期日まで3箇月間はA村内星嶺寮にあったものと解すべく、一時的に同所に滞在または現在していた者ということはできない」と判示しました。

この判例は、公職選挙法上の住所は選挙人の自由な意思により選挙が公正かつ適正に行われることを確保するという公職選挙法の精神に従って判定したものであり、複数説に親和性があると考えられます。

⑶ 居所・仮住所・本籍

① 居 所

居所とは、人が多少継続的に居住するが、その生活との関係の度合いが住所ほど密接ではない場所をいいます。民法は、「住所が知れない場合には、居所を住所とみなす」（民法23条1項）、「日本に住所を有しない者は、その者が日本人又は外国人のいずれであるかを問わず、日本における居所をその者の住所とみなす」（同条2項）と定め、「居所」を住所を補充するものと位置づけています。

② 仮住所

ある取引について、当事者は一定の場所を選定して仮住所とすることができます。仮住所はその取引に関して住所とみなされ（民法24条）、取引の便宜上、当事者の合意によって定められるものです。

③ 本 籍

本籍とは、国民の身分関係を公証登録する公簿、すなわち戸籍を編成する基準となる場所をいいます。

2　不在者

⑴ 不在者制度の趣旨

不在者とは、従来の住所または居所を去って容易に帰ってくる見込みのない者をいいます。

不在者が住所または居所に帰ってこない場合、当該不在者または利害関係人のために、当該不在者の財産を管理する必要があります。そこで、民法は不在者制度を設けています。

⑵ 不在者の財産管理

① 不在者に財産管理人がいない場合

ア　財産管理の開始

利害関係人（不在者の財産に関して利害関係を有する者）または検察官（公益の代表者として請求権者に掲げられています）の請求により、家庭裁判所が不在者の財産の管理について必要な処分を命じることができます（民法25条１項前段）。この必要な処分の主要なものとして財産管理人の選任があります。

イ　財産管理人の権限

財産管理人には、原則として民法103条所定の管理行為をする権限が与えられます。例外的にこれを超える行為をするには家庭裁判所の許可が必要となります（民法28条前段）。

財産管理人は、対外的には不在者の法定代理人であると解されます。

ウ　財産管理人の職務内容

財産管理人は、財産管理人に就任後、その管理すべき不在者の財産の目録を作成する必要があります（民法27条１項）。

また、家庭裁判所が不在者の財産の保存に必要と認める処分を命じた場合の当該保存に必要な行為をしなければなりません（民法27条３項）。

家庭裁判所は、財産管理人に財産の管理および返還について相当の担保を立てさせることができます（民法29条１項）。財産管理人が不在者の財産を損傷・滅失したり、消費することにより不在者本人や利害関係人に損害を及ぼすことを防止するためです。また、家庭裁判所は、財産管理人と不在者との関係その他の事情により不在者の財産の中から、相当の報酬を財産管理人に与えることができます（民法29条２項）。この趣旨は、財産管理人と不在者との間は委任関係にあり、原則として無報酬であるところ（民法648条１項）、個別的な事情によって報酬を与えるのが相当な場合に不在者の代わりに家庭裁判所が与えることができるようにする点にあります。

エ　財産管理の終了

本人が後に財産管理人を置いたときには、家庭裁判所は、その管理人、利害関係人または検察官の請求により、上記アの命令を取り消さなければなりません（民法25条2項）。また、家庭裁判所は、不在者が財産を管理することができるようになったとき、管理すべき財産がなくなったときその他財産の管理を継続することが相当でなくなったときは、不在者、管理人もしくは利害関係人の申立てによりまたは職権で、上記アの命令を取り消す審判をしなければなりません（家事事件手続法147条）。

② 不在者に財産管理人（委任管理人）がいる場合

ア　財産管理人（委任管理人）の権限

不在者と財産管理人（委任管理人）との間で締結された委任契約の内容によって定まります。ただし、下記イ・ウの場合には、一定の法律上の制限が加わります。

イ　不在中に財産管理人（委任管理人）の権限が消滅した場合

不在中に財産管理人（委任管理人）の権限が消滅した場合は、不在者に財産管理人がいなかった場合と同一の事態となります。そこで、不在者に財産管理人がいない場合（上記①）と同様に取り扱われます（民法25条1項後段）。

ウ　不在者の生死が不明となった場合

不在者の生死が不明となった場合は、不在者本人が財産管理人を監督することが期待できません。そこで、本人保護および社会的見地から国家による監督が必要となります。

(i) 財産管理人の改任

利害関係人または検察官（公益の代表者として請求権者に掲げられています）の請求により家庭裁判所は財産管理人を改任できます（民法26条）。

(ii) 財産管理人の権限

不在者本人が定めた権限を超える行為をするには、家庭裁判所の許可が必要となります（民法28条後段）。不在者本人が委任している行為ではなく、不在者本人に不利益が及ぶ可能性があるため、家庭裁判所の許可を要することとして不在者本人の保護を図っています。

(iii) 財産管理人の職務

選任財産管理人と同様です（民法27条2項、3項）。

③ 不在者に法定代理人がいる場合

不在者に法定代理人がいる場合には、特別の措置を講ずる必要がありません。法定代理人が法律の規定に従って不在者の財産を管理するためです。

3　失踪宣告

⑴ 定　義

失踪宣告とは、不在者の生死不明が長期間継続した場合に、不在者の死亡を擬制して法律関係を確定する制度をいいます（民法30条以下）。

たとえば、不在者の配偶者や子は、不在者が死亡すれば、不在者の財産を相続することができる地位にありますが、不在者の死亡が確定しなければいつまでたっても相続することができません。このように、不在者の生死不明の状態が長期間続くと、その者をめぐる法律関係を確定することができず、関係者に不都合が生じます。そこで、民法は一定の要件を満たした場合にその者の死亡を擬制して法律関係を確定するために失踪宣告の制度を設けました。

⑵ 要　件

失踪宣告は、以下の実質的要件と形式的要件の２つの要件が備わったときに、家庭裁判所が審判によって行います（民法30条）。

① 実質的要件

ア　不在者の生死不明

不在者について、何らの消息もないために生存の証明も死亡の証明もできないことを意味します。

イ　生死不明状態の一定期間の継続

一定期間の長さは、「普通失踪」と「特別失踪」とで異なります。

(i) 普通失踪

普通失踪では、失踪者の生存が証明された最後の時から「７年間」生死が明らかでないことが必要となります（民法30条１項）。

(ii) 特別失踪

特別失踪では、戦地に臨んだ者、沈没した船舶の中に在った者その他死亡の原因となるべき危難に遭遇した者については、戦争が止んだ後、船舶が沈没した後またはその他の危難が去った後から「１年間」生死が明らかでないことが必要となります（民法30条２項）。

② 形式的要件

ア　利害関係人の請求

利害関係人とは、失踪宣告を求めるについて法律上の利害関係を有する者をいいます。判例は、失踪宣告の結果を他の訴訟事件の証拠にしようとする者は含まれないとします（大決昭和７年７月26日民集11巻1658頁）。

イ　公告の手続

家庭裁判所は、次に掲げる事項を公告し、かつ、(ii)および(iv)の「一定の期間」が経過しなければ、失踪宣告の審判をすることができません（家事事件手続法148条３項）。上記「一定の期間」は、民法30条１項の場合（普通失踪）には

3か月以上、民法30条2項の場合（特別失踪）には1か月以上を要します。

(i) 不在者について失踪の宣告の申立てがあったこと
(ii) 不在者は、一定の期間までにその生存の届出をすべきこと
(iii) 前号の届出がないときは、失踪の宣告がされること
(iv) 不在者の生死を知る者は、一定の期間までにその届出をすべきこと

(3) 効　力

失踪宣告を受けた者は、普通失踪の場合は7年間の期間満了時に、特別失踪の場合は危難が去った時に死亡したものとみなされます（民法31条）。

失踪者が生存していることを証明したのみでは、失踪宣告の効果は否定されません。本人または利害関係人が、失踪宣告による本人の死亡の効果を否定するためには失踪宣告を取り消す必要があります（民法32条1項）。この趣旨は、失踪宣告による死亡の効果を否定するのに失踪宣告の取消しという手続を踏ませることによって、人の生死に関する法律関係を画一的に取り扱おうとする点にあります。

失踪者の従来の住所または居所を中心とする法律関係については、失踪者が死亡した場合と同じ法律効果が認められます。

もっとも、失踪宣告がなされることにより失踪者の権利能力が消滅するわけではありません。したがって、失踪宣告を受けた者が別の場所で生存していて契約等法律行為をしていた場合には、その場所で締結した契約は有効です。

(4) 失踪宣告の取消し

失踪宣告がなされた場合でも、失踪者が生存していたことが判明したり、失踪宣告によって死亡したとみなされる時点とは異なる時点に死亡したことが判明した場合、失踪宣告を取り消して（民法32条）、事実に沿った取扱いをする必要があります。そこで、以下の要件が満たされた場合には、家庭裁判所は失踪宣告を取り消さなければなりません（民法32条1項前段）。

① 実質的要件

以下のいずれかの事実の証明があることが必要です。

ア　失踪者が生存すること

イ　失踪宣告によって死亡したものとみなされる時点と異なった時点に死亡したこと

② 形式的要件

本人または利害関係人の請求があることが必要です。

(5) 失踪宣告の取消しの効果

① 原則――遡及効

失踪宣告の取消しの審判が確定した場合、はじめから失踪宣告がなかったのと同一の効力が生じます（遡及効。民法32条1項）。たとえば、失踪者が死亡したものとしてなされた相続は無効となります。失踪者の相続人は、相続により取得し

た失踪者の財産を失踪者に返還しなければならないし、失踪者の相続人から財産を譲り受けた者も当該財産を取得することはできません。また、死亡したことによって解消した配偶者との婚姻関係も復活します。

② 例外――遡及効の制限

しかし、遡及効をすべて認めると、本人が死亡したことを前提に形成されてきたそれまでの法律関係がその基礎を失うことになり、第三者に不測の損害を与えるおそれがあります。

そこで、民法は、失踪宣告が事実に反することについて善意であった者の行為（民法32条1項後段）と失踪宣告が取り消された場合の失踪者への返還義務の範囲（同条2項）について例外を認め、失踪宣告の取消しの遡及効を制限しています。

以下の具体例をもとに検討してみましょう。

X男が失踪宣告を受け、妻Y女がX男所有の建物を相続した。Y女はこの建物を1000万円でZに売却した。Y女はこの売却代金のうち500万円を浪費した。その後、Y女はA男と再婚した。ところが、X男が生存していることが判明し、X男が生きて戻ってきたため、X男の失踪宣告が取り消された。

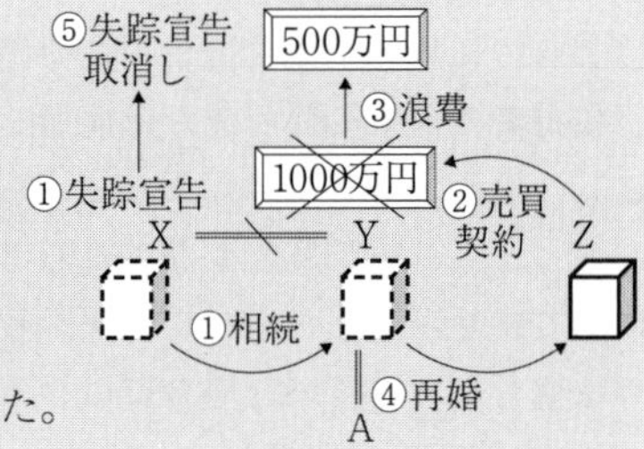

ア　善意の行為

民法は、「この場合において、その取消しは、失踪の宣告後その取消し前に善意でした行為の効力に影響を及ぼさない」と定めます（民法32条1項後段）。

この趣旨は、失踪宣告が事実に反することについて知らなかった（善意であった）善意者を保護する点にあります。

(i) 善意の主体について

財産取得行為について、契約のように双方に当事者がいる場合に、失踪宣告が事実に反することについて善意であることを要するのは誰かという点が問題となります。上記の例では、建物の売買契約を締結したY女とZ、いずれも善意である必要があるか、それともZのみが善意であれば足りるか、という問題です。この点については以下の見解が対立しています。

(ア) 双方善意説（判例・通説）

両当事者が善意であることを必要とする見解です（大判昭和13年2月7日民集17巻59頁）。

失踪宣告が事実に反することを知っていた相手方は保護する必要がありません。また、悪意の処分行為者は、本来であれば失踪者の財産であることを知りつつ、失踪者が失踪していることを奇貨として勝手に処分しているとみることができ、このような悪質な行為により失踪者が自己の財産を失うのは不当であるからです。

この見解によれば、Y女、Zともに善意である必要があります。

(イ) 相手方善意説

取引の相手方のみが善意であれば足りるとする見解です。

取引の安全を図るという民法32条1項後段の趣旨からすれば、処分行為者が悪意であったとしても、失踪宣告を信じた相手方を保護する必要があります。

この見解によれば、Zが善意であれば足りることになります。

(ii) 転得者について

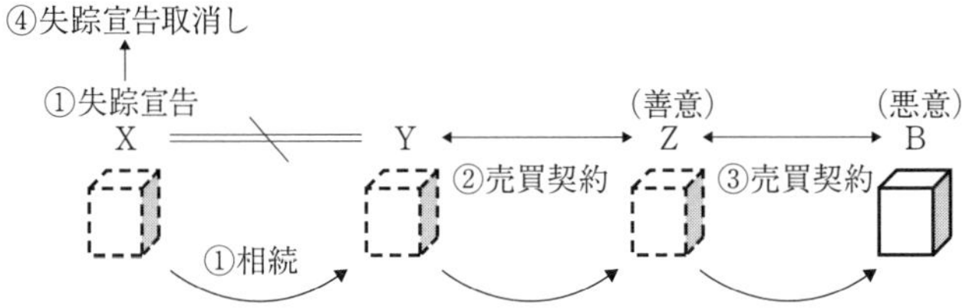

転得者が存在する場合の処理が問題となります。上記の例では、Zが善意であることを前提にして、さらに悪意の転得者Bに建物を転売した場合、Bは建物に関する権利を保持することができるかが問題となります。この点については、以下の見解が対立しています。

(ア) 絶対的構成（通説）

いったん善意のZが介在した以上、以後の転得者Bが悪意であってもBは権利を取得するとする見解です。

この見解は、善意者が介在した時点において、善意者のところまでの法律関係が確定するのであって、それ以降の転得者については失踪宣告が事実に反することについての善意・悪意を問わないと考えます。

(イ) 相対的構成

善意のZとの関係では売却を有効とし、悪意のBとの関係では売却を無効とする見解です。

この見解は、民法32条1項後段は、あくまで失踪宣告についての善意者を保護する趣旨であるから、保護するに値するか否かについては相対的に判断すべきであると考えます。

(iii) 身分行為について

民法32条1項後段は「行為」と規定していますが、身分行為もこの「行為」に含まれるのかという点が問題となります。たとえば、上記の例では、

Ｙ女がＡ男とした再婚に適用されるかが問題となります。この点については、以下の見解が対立しています。

㋐ 適用肯定説

適用肯定説は、民法32条１項後段には「行為」としか規定していないため、民法32条１項後段の「行為」には身分行為も含まれるとする見解です。

したがって、（双方善意説を前提とすると）Ｙ女とＡ男が善意の場合には、Ａ男との後婚の効力が認められ、Ｘ男との前婚は復活しません。

これに対して、Ｙ女またはＡ男が悪意の場合には、Ｘ男との前婚が復活しますが、Ａ男との後婚も取り消されるまでは残ることになり、重婚状態となります。前婚につき離婚するか、後婚につき取り消すか選択をせざるをえなくなります。

㋑ 適用否定説

適用否定説は、身分行為は民法32条１項後段の「行為」に含まれないとする見解です。この見解は、身分関係は本人の意思を尊重する必要があるとともに、事実として現に続いている状態が決定的に重要であるとして、常に後婚のみが有効と考えます。

したがって、Ｙ女とＡ男との婚姻は有効となり、Ｘ男との関係では慰謝料および財産分与の問題として処理されます。

イ　返還義務の範囲

失踪宣告を直接の原因として財産権を取得した者（相続人や受遺者等）は、失踪宣告が事実に反することについて善意・悪意にかかわらず、失踪宣告の取消しにより「権利を失う」（民法32条２項本文）こととなり、取得した財産を失踪者に返還する必要があります。もっとも、民法は、失踪宣告の取消しによって権利を失う者は「現に利益を受けている限度においてのみ、その財産を返還する義務を負う」と規定します（民法32条２項但書）。

そこで、「現に利益を受けている」の意味および民法32条２項但書の適用についての善意の要否が問題となります。上記の例では、Ｙ女は建物の売却によって得た1000万円を500万円浪費しているが、全額Ｘ男に返還する必要があるかという点およびＹ女のＸ男の生存についての善意・悪意によって処理が変わるかという点が問題となります。

(ｉ)「現に利益を受けている」の意味

取得した利益を浪費したのか、生活費に充てたのかによって、「現に利益を受けている」といえるか否かが異なってきます。

㋐ 利益を浪費した場合

遊興費等にすべて浪費してしまった場合には、利益は存しないので返還する必要はありません。一部を遊興費等に浪費し、残額がある場合には、その残額を返還します。

したがって、上記の例では、Y女はX男に対して500万円を返還することとなります。

(イ) 生活費に充てた場合

生活費に充てた場合には、その分だけ本来減少すべき生活費が減少しなかったこととなるために利益が現存すると考えられます。判例も、生活費に充てた分も返還しなければならないとしています（大判昭和7年10月26日民集11巻1920頁）。

(ii) 善意の要否

民法703条・704条は法律上の原因なくして得た利益（不当利得）の返還に関する処理の原則を規定しており、善意の受益者については「現存利益」、悪意の受益者については「取得利益＋利息」の返還義務を負わせています。

このように、民法703条・704条は、善意者と悪意者とで返還義務の範囲を区別して定めています。他方で、民法32条2項但書は善意者と悪意者とで区別なく「現存利益」での返還を求めているようにも読めます。そこで、不当利得の原則的規定である民法703条・704条との関係が問題となります。

(ア) 善意・悪意不問説

善意・悪意不問説は、受益者は善意でも悪意でも現存利益を返還すれば足りるとする見解です。

善意・悪意を区別する民法703条・704条とは別にあえて民法32条2項但書が定められている以上、民法32条2項但書の独自性を認めるためには、特に両者を区別する必要があると考えるものです。

したがって、上記の例では、Y女がX男の生存を知っていた場合にも500万円の返還で足りることとなります。

(イ) 善意必要説

善意必要説は、受益者が現存利益を返還すれば足りるのは、善意である場合に限るとする見解です。民法32条2項但書は受益者を特に保護するための規定であるところ、悪意の受益者は保護に値しないと考えられます。つまり、民法32条2項但書は民法703条と同様の趣旨を定めた規定であると考えられ、悪意の受益者は原則どおり民法704条により処理されることとなります。

したがって、上記の例では、Y女がX男の生存を知っていた場合には1000万円全額＋利息の返還をする必要があります。

第3章

法 人

第1 総 説

1 法人の意義

法人とは、自然人以外で権利義務の帰属主体となる地位を有する存在をいいます。

民法は、自然人のほか法人にも権利能力（権利義務の帰属主体となる資格）を認めています。法人に権利能力を認めた趣旨は、個人たる自然人のみならず、人の集合である団体（これを「社団」といいます）や財産の集合体（これを「財団」といいます）それ自体が権利義務の主体となることを認めた方が、法律関係が簡便になり、円滑な取引が可能となる点にあります。

法人は、「法」の「人」という名称のとおり、民法その他の法律の規定によらなければ、成立しません（民法33条1項）。これを法人法定主義といいます。法人法定主義の趣旨は、自然人以外で権利義務の帰属主体となる地位を有するにふさわしい存在に限って法人となることを認めるために、法人の成立の基準や手続を法律によって規律する点にあります。

法人法定主義の下では、学術、技芸、慈善、祭祀、宗教その他の公益を目的とする法人、営利事業を営むことを目的とする法人その他の法人の設立、組織、運営および管理については、民法その他の法律の定めによります（民法33条2項）。

2 法人の必要性

ある団体が法人格を取得して権利義務の主体となることには、以下のような意義があります。

(1) 行為主体としての必要性

団体が法人格を取得した場合、その団体の名義で契約を締結する等の取引行為を行うことができます。たとえば、団体の名義で事務所を賃借したり（賃貸借契約）、商品を売買したり（売買契約）することができます。また、団体の名義で訴訟を追行することができます。

(2) 権利義務の帰属主体としての必要性

① 権利の帰属について

権利は、団体の構成員（これを「社員」といいます。「会社の従業員」を意味する「社員」とは意味が異なりますので注意が必要です）や代表者（理事）に帰属するのではなく、団体に帰属します。

たとえば、団体の名義で賃借した事務所の賃借人は当該団体であり、当該団体に賃借人の権利（事務所を使用収益する権利）が帰属します。また、団体の名義で購入した商品の所有権は当該団体に帰属します。

② 義務の帰属について

法人である団体が負担した債務は、団体自身に帰属し、団体自身が債務者となります。団体の構成員（社員）や代表者（理事）は債務者となりません。

たとえば、団体の名義で賃借した事務所の賃料債務は当該団体に帰属し、団体の名義で購入した商品の代金支払債務は当該団体に帰属します。

3　法人格否認の法理

法人格否認の法理とは、個別具体的な法律関係において法人という形式を排除する法理をいいます。

前述のとおり、法人は、その構成員とは別の権利義務の帰属主体となります。法人と取引をした相手方は、法人に対して義務の履行を求めることはできますが、構成員に対して義務の履行を求めることはできません。

しかし、法人と構成員を別の権利義務の帰属主体と捉えることが正義公平の理念に反する場合があります。このような場合には、少なくとも当該事案に関する限り、法人とその構成員とが別の権利義務の帰属主体であるという形式を排除する必要があります。法人格否認の法理は、信義則（民法1条2項）または権利濫用の禁止（民法1条3項）に基づく法理です。

判例は「法人格否認の法理」の適用範囲を明確にするため、法人格否認の法理を適用できる場面を、①法人格の濫用類型と②法人格の形骸化類型の2類型に類型化しています。

(1) 法人格の濫用

法人の形式を、法律の規定や契約上の義務を回避する目的や債権者を害する目的で濫用した場合は、当該法人の形式を排除して背後に存在する者に責任を負わせることができます。「法人格の濫用」は、法人格が背後者の意のままに道具として支配されていること（支配の要件）に加えて、背後者に違法または不当の目的（目的の要件）がある場合に認められます。

判例は、Xに対して居室の明渡義務・延滞賃料等の債務を負ったA社が履行請求の手続を誤らせるために新会社B社を設立した事案です。裁判所は、以下のとおり新会社B社の設立は会社制度の濫用であるとして新会社B社の法人格を排除し、A社に居室の明渡義務・延滞賃料等の債務が帰属すると判示しました（最判昭和48年10月26日民集27巻9号1240頁）。

「本件における前記認定事実を右の説示に照らして考えると、B社は、昭和42年11月17日前記のような目的、経緯のもとに設立され、形式上は旧会社と別異の株式会社の形態をとってはいるけれども、新旧両会社は商号のみならずその実質が前後同一であり、新会社の設立は、Xに対する旧会社の債務の免脱を目的としてなされた会社制度の濫用であるというべきであるから、B社は、取引の相手方であるXに対し、信義則上、B社が旧会社と別異の法人格であることを主張しえない」

⑵ **法人格の形骸化**

濫用とはいえない場合でも、法人の形式の利用者と法人とが実質的・経済的に同一と見られるような場合は、当該法人の形式を排除して背後に存在する者に責任を負わせることができます。「法人格の形骸化」は、法人格が背後者の意のままに道具として支配されていること（支配の要件）に加えて、会社と社員個人の業務・財産が全般的継続的に混同されていることや、明確な帳簿記載・会計区分の欠如、株主総会・取締役会の不開催等の法定手続の不順守等がある場合に認められます。

判例は、Xから店舗を賃借しているB社の代表者Aが、Aの個人名で賃貸人Xと裁判上の和解により賃貸借契約を合意解除したところ、B社の使用部分について引渡しを拒絶した事案です。裁判所は、以下のとおりB社の実質はAの個人事業にほかならないとしてB社とAを一体として扱い、当該合意解除の効力がB社に及ぶと判示しました（最判昭和44年2月27日民集23巻2号511頁）。

「B社は株式会社形態を採るにせよ、その実体は背後に存するA個人に外ならないのであるから、XはA個人に対して右店舗の賃料を請求し得、また、その明渡請求の訴訟を提起し得るのであって……、XとAとの間に成立した前示裁判上の和解は、A個人名義にてなされたにせよ、その行為はB社の行為と解し得るのである」

4　法人の本質論

法人とは法が擬制したものか、実体を有するものか（法人の本質とは何か）について、従来、①法人擬制説、②法人否認説、③法人実在説（法人実在説は、さらに有機体説と組織体説、社会的作用説に分かれます）等が主張されています。もっとも、法人の本質をどのように捉えるかが現実の法律問題を解決するのに直接影響することはありません。

⑴ **法人擬制説**

権利・義務の主体となりうる実体は本来自然人に限るべきであり、法人とは法が特に財産権の主体として擬制したものにすぎないとする見解です。法人擬制説は、法人の意思や行為を否定し、法人が権利・義務の帰属点を設定する法的な技術にすぎない点を強調します。法人擬制説は、法人の社会的実体を無視するものであると批判されています。

⑵ **法人否認説**

法人には実体がなく、利益を受ける人や財産を管理する人（社団）や財産（財団）が存在するにすぎないとする見解です。法人擬制説の考え方を徹底して、法人の実体を否定する見解であるといえます。法人否認説は、法人の実体を否認する非現実的な見解であると批判されています。

⑶ **法人実在説**（通説）

法人は法が擬制したものではなく、独立した社会的活動を営む社会的実体として実在しているとする見解です。本書はこの見解に依拠します。法人実在説は、法人が実在することの根拠を何に求めるかによって、さらに以下の３説に分かれます。

① 有機体説

法人が実在することの根拠を自然人が意思の下に行為をする自然的有機体であるのと同様に、法人も独自の意思（団体意思）の下に行為をする実在的有機体である点に求める見解です。

② 組織体説

法人が実在することの根拠を法人が権利・義務の主体となるに適する法律的組織体である点に求める見解です。

③ 社会的作用説

法人が実在することの根拠を法人が自然人と同様の社会的作用を担当することで権利能力の主体となるに値する社会的価値を有する点に求める見解です。

5　法人の種類

⑴ **公法人と私法人**

公法人とは、国家的公共の事務を遂行することを目的とし、公法に準拠して成立した法人をいいます。たとえば、国や地方公共団体等です。

私法人とは、私人の自由な意思決定による事務遂行のために、私法に準拠して成立した法人をいいます。たとえば、会社や私立学校等です。

⑵ **社団法人と財団法人**

社団法人とは、人の集合体（社団）で構成される法人をいいます。社団法人は、社員の存在を不可欠の要素とし、社員総会（社員の総意によって社団の意思を決定する会議体の機関をいいます）を最高意思決定機関として自律的に活動を行います。

財団法人とは、財産の集合体（財団）で構成される法人をいいます。財団法人は、「評議員・評議員会」「理事・理事会」「監事」を機関として置き、財団を設立した者（設立者）の意思を忠実に実行するために活動を行います。

⑶ **一般法人と公益法人**

一般法人とは、「一般社団法人及び一般財団法人に関する法律」（以下「一般法人法」といいます）に基づいて成立した一般社団法人および一般財団法人の総称です（一般法人法上は「一般社団法人等」と呼ばれます。一般法人法２条１号）。営利を目的としない法人はすべて一般法人に該当します。

公益法人とは、公益目的事業を行う一般法人のうち、「公益社団法人及び公益財団法人の認定等に関する法律」（以下「認定法」といいます）に基づいて行政庁から公益認定を受けた公益社団法人または公益財団法人の総称です（認定法２条３号）。公益目的事業とは、学術、技芸、慈善その他の公益に関する一定の種類の事業であって、不特定かつ多数の者の利益の増進に寄与するものをいいます（認定法２条４号）。

⑷ 営利法人と中間法人

営利法人とは、営利事業（財産上の利益の獲得を目的として営む事業）を営むことを目的とする法人をいいます（民法33条２項）。たとえば、会社（会社法２条１号、３条）や商人（商法４条１項）が該当します。

中間法人とは、営利も公益も目的としない、営利法人と公益法人の中間に位置する法人をいいます。中間法人は「中間法人法」に基づいて法人格が認められていました。しかし、一般法人法の制定により、中間法人法が一般法人法に統合されることとなり、中間法人法は廃止されました。そのため、現在、中間法人は存在しません。

⑸ 外国法人

外国法人とは、外国の法令に準拠して成立した法人をいいます。外国法人は、「国」「国の行政区画」「外国会社」「法律または条約の規定により認許された外国法人」に限り、日本でその成立が認許されます（民法35条１項）。

成立が認許された外国法人は、日本で成立する同種の法人と同一の私権を有することができます。ただし、外国人の享有することのできない権利（たとえば日本船舶や日本航空機の所有権）および法律または条約中に特別の規定が存在する権利を享有できません（民法35条２項）。

外国法人が日本に事務所を設けたときは、３週間以内にその事務所の所在地において、当該外国法人の設立の準拠法や目的、名称等について登記しなければなりません（民法36条、37条１項）。外国法人が初めて日本に事務所を設けたときは、事務所所在地で登記がなされるまでの間、第三者は当該外国法人の成立を否認することができます（民法37条５項）。

登記事項に変更を生じたときや、代表者の職務執行停止の仮処分等が出されたときは、３週間以内にその旨の登記をしなければなりません（民法37条２項前段、３項前段）。この場合の登記は対抗要件とされており、登記がなされるまでは第三者に対抗することができません（民法37条２項後段、３項後段）。

外国法人が事務所を移転したときは、旧所在地においては３週間以内に移転の登記を、新所在地においては４週間以内に民法37条１項各号に掲げる事項の登記をそれぞれしなければなりません（民法37条6項）。もっとも、同一の登記所の管轄区域内において事務所を移転したときは移転の登記のみで足り、民法37条1項に掲げる事項の登記は必要ありません（民法37条7項）。外国法人の代表者がこれらの登記を怠ったときは、50万円以下の過料に処せられます（民法37条8項）。

6　公益法人制度改革

⑴ 従来の法人制度

平成18年改正前の民法は、学術、技芸、慈善、祭祀、宗教その他の公益に関する社団又は財団であって、営利を目的としないものは、主務官庁の許可を得て、法人とすることができる旨を規定し、公益法人に限定して法人格を付与していました（平成18年改正前の民法34条）。また、営利法人については、会社法3条（会社法制定前は商法52条）が規定しています。そのため、公益も営利も目的としない中間的な社団・財団は、特別法によって法人格が認められていた団体（労働組合や共済組合等）を除き、法人格を取得することはできませんでした。しかし、公益も営利も目的としない中間的な社団・財団であっても、広く法人格を取得して団体名義で法律行為を行うことを認めた方が、法律関係が簡便になり、円滑な取引が可能となります。

そこで、平成13年に中間法人法を制定し、公益も営利も目的としない中間的な社団・財団が法人格を取得することができるようになりました。

⑵ 平成18年の公益法人制度改革

その後、従来の公益法人を原則形態とする法制度から一般法人を原則形態とする法制度へと転換するため、平成18年に、営利法人以外の法人について規定する民法および中間法人法を改正しました。また、一般法人の成立を広く認める反面、公益法人の認定を厳格にすることとしました。平成18年に行われた公益法人制度に関する法改正を「公益法人制度改革」といいます。

平成18年の公益法人制度改革により、一般法人法、認定法および「一般社団法人及び一般財団法人に関する法律及び公益社団法人及び公益財団法人の認定等に関する法律の施行に伴う関係法律の整備等に関する法律」（以下「整備法」といいます）の3つの法律が制定されました（これら3つの法律を総称して「公益法人制度改革関連3法」といいます）。

公益法人制度改革関連3法の制定に伴って、法人について規定していた民法の規定は、法人全体に関する原則規定（民法33条、34条）および外国法人に関する規定（民法35条から37条）を残し、その他（民法38条から84条）は削除されました。また、中間法人法は、一般法人法に統合されることとなり廃止されました（整備法1条）。

これにより、一般法人法が営利法人以外の法人に関する一般法となり、一般法人が営利法人以外の法人の原則形態となりました。また、特に公益目的事業を実施する一般法人については、認定法に基づく公益認定を受けることで公益法人となることとなりました。

7　法人設立の諸主義

法人は、民法その他の法律の規定によらなければ成立しません（民法33条１項）。しかし、その成立要件は当該法人の性質等によって様々です。法人の設立方式として、以下の諸主義があります。

⑴ 特許主義

特許主義とは、当該法人を設立するために特別法の制定を必要とするものをいいます。たとえば、日本年金機構（日本年金機構法に基づいて設立されました）や株式会社日本政策金融公庫（株式会社日本政策金融公庫法に基づいて設立されました）、日本放送協会（放送法に基づいて設立されました）等が該当します。これらの法人を「特殊法人」と呼ぶこともあります。

⑵ 強制主義

強制主義とは、公益上の目的から国が設立を強制するものをいいます。たとえば、弁護士会（弁護士法32条、45条）や弁理士会（弁理士法56条）が該当します。

⑶ 許可主義

許可主義とは、主務官庁の自由裁量によって設立が認められるものをいいます。平成18年改正前の公益法人には許可主義が採用されていました（平成18年改正前の民法34条）。

⑷ 認証主義

認証主義とは、法律の定める要件を満たしていることを主務官庁が確認することにより設立が認められるものをいいます。たとえば、宗教法人（宗教法人法12条）やNPO法人（特定非営利活動促進法10条、12条）が該当します。

⑸ 認可主義

認可主義とは、法律の定める要件を満たした社団または財団が申請した場合、主務官庁が設立認可の決定を義務づけられるものをいいます。たとえば、学校法人（私立学校法30条、31条）や医療法人（医療法44条、45条）が該当します。

⑹ 準則主義

準則主義とは、法律に定める一定の要件を備えることによって成立が認められるものをいいます。たとえば、一般法人（一般法人法22条、163条）や株式会社（会社法49条）が該当します。

⑺ 当然設立主義

当然設立主義とは、法律上当然に法人とされるものをいいます。たとえば、地方公共団体（地方自治法２条１項）や相続人不明の場合の相続財産（民法951条）が該当します。

第2　一般法人の設立と公益認定

1　一般社団法人の設立

(1) 一般社団法人の設立行為

① 定款の作成と公証人の認証

一般社団法人の社員となろうとする者（これを「設立時社員」といいます）は、2名以上が共同して定款を作成し、その全員が当該定款に署名または記名押印しなければなりません（一般法人法10条1項）。この定款は、公証人の認証を受けなければその効力を生じません（一般法人法13条）。定款とは、社団法人の目的、組織、業務執行等に関する根本規則またはこれを記載した書面をいいます。

② 定款記載事項

定款には、目的、名称、主たる事務所の所在地、設立時社員の氏名または名称および住所、社員の資格の得喪に関する規定、公告方法、事業年度を記載しなければなりません（一般法人法11条1項）。これらの事項のひとつでも記載を欠くと定款が無効となります（このような記載事項を「必要的記載事項」といいます）。

定款には、必要的記載事項のほか、一般法人法の規定により定款の定めがなければその効力を生じない事項（これを「相対的記載事項」といいます）や、その他一般法人法の規定に反しない事項（これを「任意的記載事項」といいます）を記載することができます（一般法人法12条）。相対的記載事項も任意的記載事項も、定款に記載されるとその変更には社員総会決議による定款変更の手続が必要となります（一般法人法146条）。

③ 定款に記載することができない事項

社員に剰余金または残余財産の分配を受ける権利を与える旨の定款の定めは効力を有しません（一般法人法11条2項）。この趣旨は、営利を目的としない一般法人制度の趣旨に反する点にあります。

(2) 一般社団法人の設立行為の法的性質

一般社団法人の設立行為の法的性質をどのように解するかについて議論があります。この議論は、設立時社員が制限行為能力者である場合や意思表示に瑕疵がある場合に、設立行為の効力が影響を受けるか否かに影響します。

① 合同行為説（通説）

合同行為説は、一般社団法人の設立行為の法的性質を合同行為と解する見解です。この見解は、一般社団法人の設立行為は2人以上の設立時社員を必要とし、設立時社員の間に債権・債務を発生させることを目的とした意思表示の対立が存在しないことから、設立の法的性質を契約でも単独行為でもなく合同行為であると考えます。

合同行為説によれば、一般社団法人の設立行為は個々の設立時社員の意思表示が全体的に合同し個々の意思表示とは独立した存在と考えることとなり、設立時社員が制限行為能力者である場合や意思表示に瑕疵がある場合でも設立行為の効力は影響を受けないこととなります。

② 契約説

契約説は、一般社団法人の設立行為の法的性質を契約と解する見解です。この見解は、一般社団法人の設立行為にも設立時社員の間に利益の対立が存在することから、設立の法的性質を契約であると考えます。

契約説によれば、設立時社員が制限行為能力者である場合や意思表示に瑕疵がある場合、設立行為の効力は影響を受けることとなります。

(3) 一般社団法人の成立

一般社団法人は、その主たる事務所の所在地において設立の登記をすることによって成立します（一般法人法22条）。設立の登記は、一般法人法20条1項の定める設立時理事（一般社団法人の設立に際して理事となる者をいいます。一般法人法15条1項）による設立手続の適法性の調査が終了した日または設立時社員が定めた日のいずれか遅い日から2週間以内にしなければなりません（一般法人法301条1項）。

設立の登記において登記すべき事項には、目的、名称、主たる事務所および従たる事務所の所在場所、理事の氏名、代表理事の氏名および住所、公告方法等の必要的記載事項のほか、存続期間・解散事由の定め、理事会や監事の設置に関する事項の定め等の任意的記載事項があります（一般法人法301条2項）。

(4) 社　員

一般社団法人の社員は、定款で定めるところにより、一般社団法人に対して経費を支払う義務を負います（一般法人法27条）。

一般社団法人の社員は、いつでも退社することができます（一般法人法28条1項本文）。退社に関して定款で別段の定めをすることはできますが（一般法人法28条1項但書）、この場合であっても、やむをえない事由があるときは、社員は、いつでも退社することができます（一般法人法28条2項）。

一般社団法人の社員は、一般法人法28条による退社のほか、①定款で定めた事由の発生、②総社員の同意、③死亡または解散、④除名のいずれかの事由によって退社することとなります（一般法人法29条）。

2　一般財団法人の設立

(1) 一般財団法人の設立行為

① 定款の作成と公証人の認証

一般財団法人を設立するには、設立者（設立者が2人以上いる場合はその全員）が定款を作成し、これに署名または記名押印しなければなりません（一般法人法152条1項）。この定款は、公証人の認証を受けなければその効力を生じません（一般法人法155条）。

また、一般財団法人は遺言によって設立することができます。すなわち、設立者は、遺言で、一般法人法153条1項に定める必要的記載事項および一般法人法154条に定める任意的記載事項を定めて一般財団法人を設立する意思を表示することができます（一般法人法152条2項前段）。この場合、設立者の遺言執行者は、当該遺言の効力が生じた後、遅滞なく、当該遺言で定めた事項を記載した定款を作成し、これに署名または記名押印しなければなりません（一般法人法152条2項後段）。

② 定款記載事項

定款には、目的、名称、主たる事務所の所在地、設立者の氏名または名称および住所、設立に際して設立者が拠出する財産およびその価額、設立時評議員、設立時理事および設立時監事の選任に関する事項、設立時会計監査人の選任に関する事項（会計監査人設置一般財団法人であるとき）、評議員の選任および解任の方法、公告方法、事業年度を記載しなければなりません（必要的記載事項。一般法人法153条1項）。設立時評議員とは一般財団法人の設立に際して評議員となる者をいい、設立時監事とは一般財団法人の設立に際して監事となる者をいいます。

相対的記載事項や任意的記載事項の規定は、一般社団法人の場合と同様です。

一般財団法人の定款は、必要的記載事項のうち重要なものである目的（一般法人法153条1項1号）ならびに評議員の選任および解任の方法（一般法人法153条1項8号）を除き、評議員会の決議によって変更できます（一般法人法200条1項）。また、一般法人法153条1項1号および8号に掲げる事項についても、設立者が評議員会の決議により変更することができる旨を定款で定めた場合には変更することができます（一般法人法200条1項但書、2項）。さらに、一般財団法人の設立の当時予見することのできなかった特別の事情により定款を変更しなければその運営の継続が不可能または著しく困難となるに至ったときは、裁判所の許可を得て、評議員会の決議により一般法人法153条1項1号および8号に掲げる事項を変更できます（一般法人法200条1項但書、3項）。

③ 定款に記載することができない事項

評議員の選任または解任の方法として、理事または理事会が評議員を選任または解任する旨の定款の定めは効力を有しません（一般法人法153条3項1号）。この趣旨は、理事の選解任権を有する評議員会の適切な選解任権行使を確保する点にあります。

また、設立者に剰余金または残余財産の分配を受ける権利を与える旨の定款の定めは効力を有しません（一般法人法153条3項2号）。この趣旨は、営利を目的としない一般法人制度の趣旨に反する点にあります。

(2) 財産の拠出

設立者は、公証人による定款の認証を受けた後、遅滞なく、金銭の全額を払い込みあるいは金銭以外の財産の全部を給付しなければなりません（一般法人法157条1項）。設立者が拠出する財産は、300万円以上でなければなりません（一般法人法153条1項5号、2項）。拠出財産が300万円以上でなければならない理由は、一般財団法人が目的とする事業を行うための財産的基礎を確保させる点にあります。

財産の拠出が設立者の生存中になされる場合は贈与の規定が準用され、財産の拠出が設立者の遺言によってなされる場合は遺贈の規定が準用されます（一般法人法158条）。この趣旨は、設立者による財産の拠出は本来単独行為であるものの、設立者から一般財団法人へ財産が無償移転する点で贈与ないし遺贈に類似する点にあります。もっとも、設立者は、一般財団法人の成立後は、錯誤、詐欺または強迫を理由として財産の拠出の取消しを主張することはできません（一般法人法165条）。

財産の拠出が設立者の生存中になされる場合、拠出された財産は一般財団法人が成立した時（主たる事務所の所在地において設立の登記をした時です。一般法人法163条）に当該法人に帰属します（一般法人法164条1項）。

これに対し、財産の拠出が設立者の遺言によってなされる場合、拠出された財産は遺言が効力を生じた時（遺言者の死亡時。民法985条）から当該法人に帰属したものとみなされます（一般法人法164条2項）。この趣旨は、財産の拠出がなされた時点（遺言者の死亡時）と一般財団法人の成立した時点（設立登記時。一般法人法163条）との間にずれが生じるため、財産の拠出から一般財団法人の成立までの間に相続人が拠出されたはずの財産を処分等するおそれがあることから、このような財産処分を防止する点にあります。

(3) 一般財団法人の成立

一般財団法人は、その主たる事務所の所在地において設立の登記をすることによって成立します（一般法人法163条）。設立の登記に関する規定は一般社団法人と同様です。

3　公益法人の認定

公益目的の事業を行う一般法人は、行政庁による公益認定を受けることによって公益法人となります（認定法2条、4条）。公益法人は、公益認定を受けた一般法人であるため、その基本的性質や法人としての組織は一般法人と異なりません。一般法人が公益認定を受けて公益法人となると、税制上の優遇を受けることができる反面、主務官庁による厳格な監督に服することとなります（認定法27条以下）。

第3　法人の能力

1　権利能力の制限

法人は権利能力を有しているため、権利義務の主体となることができます。もっとも、自然人とは異なり、法人はその社会的実体に基づいて法人格が付与される存在であるため、権利能力に一定の制限が存在します。

⑴ 性質による制限

法人は自然人ではないため、肉体的・身分的関係等から生じる権利を享有することができません。たとえば、婚姻、養子縁組をすることはできず、精神的苦痛に対する慰謝料請求権を取得することもできません。もっとも、名誉は「社会的評価」であり法人にも認められるため、法人の社会的評価を低下させる行為をした者に対する名誉毀損に基づく損害賠償請求権を取得することは可能です。

⑵ 法令による制限

法人の権利能力は、法が付与したものであるため、法令により制限されることがありえます。たとえば、法人は株式会社の取締役等になることができません（会社法331条１項１号参照）。

⑶ 目的による制限

法人は一定の目的のために認められる社会的実体であるため、その目的による制限を受けます。すなわち、法人は「目的の範囲内」で権利を有し、義務を負うこととなります（民法34条）。

この点に関して、法人の目的によって制限されるものが何かについて見解の対立があるため、以下で説明します。

2　目的による制限

⑴ 意 義

民法は「法人は、法令の規定に従い、定款その他の基本約款で定められた目的の範囲内において、権利を有し、義務を負う」と定めます（民法34条）。この趣旨は、法人の財産が当該法人の代表者の恣意的行為によって減少・費消されるのを防止する点にあります。

民法34条は、沿革的には法人擬制説の立場から英米法のウルトラ・ヴァイレス（ultra vires 目的外行為）の理論を導入したものといわれます。ウルトラ・ヴァイレスの理論とは、法人の能力（vires）は定款で定められた目的によって制限され、その目的外の行為は無効であるとする理論をいいます。

⑵ 見 解

民法34条が法人の権利能力の制限を定めた規定か、行為能力の制限を定めた規定か等の点について、以下のとおり見解が分かれます。この見解の対立は、理事が法人の目的外の行為を行った場合の有効性に影響します。

① 能力制限説

能力制限説は、民法34条は法人の権利能力もしくは行為能力またはその両方を制限したものとする見解です。この見解では、理事が法人の目的外の行為を行った場合、当該行為は法人自身の行為となる余地はないことから無効となります。

その結果、法人は原則として当該行為を追認することはできないこととなります。もっとも、能力制限説に立ちながらも、代理に関する規定を類推適用することで、追認を認めることができるとする見解もあります（民法113条類推適用）。

能力制限説は、制限される能力を権利能力と解するか、行為能力と解するか、権利能力と行為能力の両者と解するかによって以下の３つの見解に分かれます。

ア　権利能力制限説（判例・通説）

権利能力制限説は、民法34条は法人の権利能力を制限したものとする見解です。この見解は、「法人は法律で定めた範囲においてのみ権利を有する」という法人擬制説と親和性のある立場といえますが、法人実在説の立場からも採用することができます。

判例は、権利能力制限説を採用しました（大判大正３年６月５日民録20輯437頁）。

この見解に対しては、理事による不法行為は法人の目的の範囲外の行為となると考えられ、不法行為の効果が法人に帰属しないとするのは被害者に不利益であり妥当でないとの批判があります。

イ　行為能力制限説

行為能力制限説は、民法34条は法人の行為能力を制限したものとする見解です。この見解は、民法34条では法人の権利能力が制限されることはなく、法人は「目的の範囲内」で行為すべきという行為能力の制限を受けるにすぎないと考えます。法人自身の行為を認める法人実在説の立場から支持される見解です。

ウ　権利能力・行為能力制限説

権利能力・行為能力制限説は、民法34条は法人の権利能力および行為能力の両方を制限したものとする見解です。民法34条により法人は権利能力が制限され、法人はその権利能力の範囲に行為能力も制限されると考えます。法人自身の行為を認める法人実在説の立場から支持される見解です。

② 代表権制限説

代表権制限説は、民法34条は法人の権利能力や行為能力を制限した規定ではなく、代表者の代表権を制限したものとする見解です。法人の権利能力や行為能力は原則として制限されないと考えます。

法人と理事との関係を代表（代理）関係と構成するため、理事が法人の目的外の行為を行った場合、代理の規定に基づいて当該行為を法人が追認することができることとなります（民法113条）。

③ 内部的責任説

内部的責任説は、民法34条は法人の権利能力や行為能力を制限した規定ではなく、代表者の内部的義務を定めたものであり、内部的義務に違反した代表者の対外的行為は有効であるとする見解です。

3　目的の範囲

権利能力制限説の立場からは、理事の行為が法人の「目的の範囲」外のものである場合、当該行為により生じる効果は法人に帰属しないこととなります。これに対し、理事の行為が法人の「目的の範囲」内のものである場合、当該行為により生じる効果が法人に帰属することとなります。

このように、理事の行為が法人の「目的の範囲」内であるか否かにより、当該行為により生じる効果が法人に帰属するか否かに違いが生じることとなります。

一般的に、「目的の範囲」の判断については、当該行為が定款に定められた目的と同一である必要はなく、当該目的を達成するのに相当なすべての行為が「目的の範囲」に含まれると考えられています。このように「目的の範囲」を広く解して法人の活動を広く認めることは、広く取引行為を行うことを可能とし、法人の財産的基礎を確立するとともに取引の相手方を保護することにつながります。判例も「目的の範囲」を広く解する傾向にあります。もっとも、当該法人が営利法人であるか否かによって取扱いを異にしています。

⑴ 営利法人の場合

かつての判例は、営利法人の「目的の範囲」について、会社に尽力した者への贈与を「目的の範囲」外と認定する（大判明治36年1月29日民録9輯102頁）等、限定的に解釈していました。

しかし、判例は次第に「目的の範囲」の解釈を広く解するようになりました。その理由は、営利法人は営利目的達成のために様々な活動をする必要があり、「目的の範囲」を広く解して法人の財産的基礎を確立するとともに取引の相手方を保護する必要性が高い点にあります。

① 最判昭和27年2月15日民集6巻2号77頁

不動産その他の財産を保存し、運用利殖することを目的として設立された社団法人が不動産を売却したことが、「目的の範囲」内か否かが問題となった事案です。最高裁は、「仮りに定款に記載された目的自体に包含されない行為であっても目的遂行に必要な行為は、また、社団の目的の範囲に属するものと解すべきであり、その目的遂行に必要なりや否やは、問題となっている行為が、会社の定款記載の目的に現実に必要であるかどうかの基準によるべきではなくして定款の記載自体から観察して、客観的に抽象的に必要であり得べきかどうかの基準に従って決すべき」と判示しました。

本判決は、最高裁として初めて営利法人の「目的の範囲」を広く解するべきことを明示した点に意義があります。

② 最大判昭和45年6月24日民集24巻6号625頁

株式会社が政党への政治献金をすることが会社の「目的の範囲」内か否かが問題となった事案です。最高裁は、「会社が、その社会的役割を果たすために相当な程度のかかる出捐をすることは、社会通念上、会社としてむしろ当然のことに属するわけであるから、毫も、株主その他の会社の構成員の予測に反するものではなく、したがつて、これらの行為が会社の権利能力の範囲内にあると解しても、なんら株主等の利益を害するおそれはない」と判示しました。

本判決に対しては、個々の株主の思想・信条を侵害するものであるとの批判があります。しかし、営利法人の場合、個々の株主は自由に株式を譲渡することができるため、このような批判は妥当しないと考えられます。

⑵ 非営利法人の場合

判例は、非営利法人については、営利法人の場合よりも目的の範囲を厳格に解しています。その理由は、非営利法人の場合は営利法人に比べて利害関係人が少なく、法人の構成員を保護する要請が高いといえる点にあります。

① 政治献金

最判平成8年3月19日民集50巻3号615頁・百選Ⅰ［第8版］7事件は、強制加入団体である税理士会が政治資金規正法上の政治団体への政治献金を行うために税理士会の会員から特別会費を徴収する決議をした事案について、税理士会が政治団体へ政治献金を行う行為は「目的の範囲」外であるとして、会員の特別会費の納入義務を否定した判例です。

最高裁は、政治献金が税理士会の「目的の範囲」外である理由として、⒤税理士会が税理士の義務の遵守および税理士業務の改善進歩に資するため、会員の指導、連絡および監督に関する事務を行うことを目的として設立された強制加入団体であること、(ii)政治献金という選挙における投票の自由と表裏をなす行為について多数決により構成員に協力を義務づけることは、構成員の思想・信条の自由に抵触することを理由に、「目的の範囲」外と判断しました。

② 震災復興支援

最判平成14年4月25日判時1785号31頁は、群馬県司法書士会が阪神大震災で被災した兵庫県司法書士会に対する復興支援のための特別負担金（3000万円）の徴収を決議した事案について、司法書士会が震災復興支援をする行為は「目的の範囲」内であるとして、特別負担金の徴収を肯定した判例です。

最高裁は、「司法書士会は、司法書士の品位を保持し、その業務の改善進歩を図るため、会員の指導及び連絡に関する事務を行うことを目的とするものであるが（司法書士法14条2項）、その目的を遂行する上で直接又は間接に必要な範囲で、他の司法書士会との間で業務その他について提携、協力、援助等をすることもその活動範囲に含まれ」、「本件拠出金の寄附が被上告人（注：群馬県司法書士会）の目的の範囲を逸脱するものとまでいうことはでき」ず、「被上告人がいわゆる強制加入団体であること……を考慮しても、本件負担金の徴収は、会員の政治的又は宗教的立場や思想信条の自由を害するものではなく、また、本件負担金の額も……会員に社会通念上過大な負担を課するものではないのであるから、本件負担金の徴収について、公序良俗に反するなど会員の協力義務を否定すべき特段の事情があるとは認められない」として「目的の範囲」内であるとしました。

③ 員外貸付（組合員以外に対する貸付）

農業協同組合は農業協同組合法という特別法により法人格が認められる団体であり、「員外貸付（組合員以外に対する貸付）」は「目的の範囲」外の行為とされてきました。

しかし、最判昭和33年9月18日民集12巻13号2027頁は、農業協同組合がその経済的基盤を確立するため、りんご集荷業者からその販売委託を受ける目的で、非組合員である当該業者に資金を貸し付けた事案について、「特段の事情の認められない限り」付帯事業の範囲内に属すると判断しました。

また、信用協同組合が法定の除外例に該当しない非組合員から預金を受け入れた場合も「目的の範囲」内であるとした判例があります（最判昭和35年7月27日民集14巻10号1913頁）。

これに対して、農業協同組合と非組合員の双方が員外貸付の許されないことを知りつつ、脱法手段を講じて貸付を実行した事案における貸付行為は「目的の範囲」外であり無効であるとした判例があります（最判昭和41年4月26日民集20巻4号849頁）。

もっとも、「目的の範囲」外の行為として無効であるとしても、無効の主張をするのは信義則に反するとして、結果として有効と判断する判例もあります。たとえば、労働金庫の非組合員に対する貸付行為は「目的の範囲」外であり無効であるものの、貸付債権を被担保債権とする抵当権が実行されて借主の所有する不動産を買い受けた者に対して借主が抵当権の実行の無効を主張するのは信義則に反するとした判例があります（最判昭和44年7月4日民集23巻8号1347頁・百選Ⅰ［第8版］84事件）。

(3) 公益法人の場合

公益法人の場合、一定の財産で公益目的事業を行わなければならないため、「目的の範囲」を厳格に解し、法人の財政を安定させるべきと考えられています。

第4　法人の不法行為等

1　法人自体の不法行為

(1) 一般法人法78条の法的性質

法人も不法行為責任を負う場合があります。一般法人法は、一般法人が「代表理事その他の代表者がその職務を行うについて第三者に加えた損害を賠償する責任を負う」（一般法人法78条）と規定しています。

一般法人法78条の根拠については、法人の本質をどのように理解するかに関連して以下のような議論があります。

① 創設説

法人擬制説および法人否認説の立場からは、本来法人自体の不法行為は成立しません。創設説は、一般法人法78条は政策的に法人の不法行為責任を創設した規定であるとする見解です。

② 確認説

法人実在説の立場からは、法人自体の不法行為が成立しうることとなります。確認説は、一般法人法78条はこのことを確認し、かつその要件を定めた規定であるとする見解です。

③ 報償責任説

報償責任説は、報償責任（利益をあげる者はそれに伴って他人に生じた損害を賠償すべきだという考え方をいいます）や公平の見地より、民法715条と同じく、政策的に一般不法行為（民法709条）を修正して法人の代表者の行為につき法人の重い責任を認めたとする見解です。

⑵ 法人の不法行為の成立要件

一般法人法78条の不法行為責任は、①理事等の代表者が、②「職務を行うについて」した行為であって、③加害行為が一般不法行為（民法709条）の要件を満たすときに生じます。

①「代表理事その他の代表者」の行為であること

「代表理事その他の代表者」の行為であることが要求される趣旨は、代表機関の行為について法人の責任を認める点にあります。したがって、「代表理事その他の代表者」には、理事から特定の行為の代理を委任された任意代理人を含みません。また、監事も代表権を有しないため、「代表理事その他の代表者」には含まれません。

また、一般法人法78条では、法人と代表者との関係が密接であることから、民法715条1項但書のような免責の余地はありません。

②「職務を行うについて」した行為であること

「職務を行うについて」とは、職務行為そのもののほか、外形上、職務行為を遂行するのに必要な行為を含みます。

被害者の信頼を保護するため、「職務を行うについて」に該当するか否かは、加害者の行為の外形から判断されます（客観的に行為の外形から判断する理論を「外形理論」といいます）。「職務を行うについて」の該当例としては、市長・村長・収入役（現在は「会計管理者」）が所定の手続を経ないで行った約束手形の振出しや銀行からの借入れがあります（大判昭和15年2月27日民集19巻441頁、最判昭和37年9月7日民集16巻9号1888頁、最判昭和41年6月21日民集20巻5号1052頁等参照）。

法人の理事その他の代表者の行為が「職務を行うについて」されたものではないことを被害者が知っていた場合または知らないことについて重過失がある場合には、被害者を保護する必要がないため、法人の不法行為責任は認められません（最判昭和50年7月14日民集29巻6号1012頁）。

③ 加害行為が一般不法行為（民法709条）の要件を満たすこと

民法709条の要件である故意・過失、他人の権利または法律上保護される利益の侵害、因果関係、損害の発生という要件を満たす必要があります。

(3) 一般法人法78条の効果

一般法人法78条が適用されると、法人に損害賠償義務が生じ、民法709条以下の規定が適用されることとなります。

2　一般法人法78条と民法110条との関係

(1) 問題の所在

理事等の代表者の無権代理行為が一般法人法78条の要件を満たす場合、一般法人法78条と民法110条のいずれが適用されるか、両者の関係が問題となります。

たとえば、市長が自己の債務を弁済する目的で、本来必要とされる議会の議決を経ずに市名義で手形を振り出した場合、手形債権を有している債権者は、一般法人法78条に基づいて法人の不法行為責任を追及するべきか、それとも民法110条の表見代理に基づいて法人への効果帰属（手形債権の請求）を主張するべきかが問題となります。

(2) 見 解

この問題については、以下のような見解があります。

① 一般法人法78条適用説

一般法人法78条適用説は、不法行為の問題であることから、民法110条の適用を排除して一般法人法78条のみを適用すべきとする見解です。この見解は、不法行為については法人の不法行為責任について規定した一般法人法78条によるべきであるとする考えに基づきます。

② 民法110条適用説

民法110条適用説は、代理権の不存在の場合における相手方保護の問題であることから、民法110条のみが適用されるべきであるとする見解です。この見解は、取引関係については取引法理によるべきであるとする考えに基づきます。

③ 重畳適用説

重畳適用説は、一般法人法78条と民法110条の重畳的適用を認める考え方であり、以下の2つに分かれます。

ア　民法110条優先適用説

民法110条優先適用説は、民法110条の表見代理の成否をまず判断し、表見代理不成立の場合にのみ一般法人法78条が適用されるとする見解です。

一般法人法78条と民法110条の目的が相違していることを認めたうえで、取引の安全を保護する観点から、取引行為の効力を維持できるのであればそちらの方が望ましいという考えに基づきます。

イ　競合説（選択的適用説）

競合説（選択的適用説）は、一般法人法78条と民法110条のいずれも選択的に適用することができるとする見解です。相手方が表見代理による保護を求めない場合に、損害賠償による保護を否定する理由はないとの考えに基づきます。

⑶ 判 例

判例には、民法110条の類推適用を認めるものがあります。

判例は、現金出納の権限のない村長が、村の名で他人から金銭を借り入れ、これを自ら受領した事案について、民法110条の類推適用を認めて当該村に貸金返還債務を認めました（最判昭和34年7月14日民集13巻7号960頁）。

3　理事の個人責任

⑴ 法人に対する損害賠償責任

役員等（理事、監事、会計監査人をいいます）は、その任務を怠ったときは、一般法人に対し、これによって生じた損害を賠償する責任を負います（一般法人法111条1項、198条）。

⑵ 第三者に対する損害賠償責任

役員等がその職務を行うについて悪意または重大な過失があったときは、当該役員等は、これによって第三者に生じた損害を賠償する責任を負います（一般法人法117条1項、198条）。役員が計算書類や事業報告等に虚偽の報告をした場合も同様です（一般法人法117条2項、198条）。なお、複数の役員等が損害賠償責任を負う場合には、これらの者は連帯債務者となります（一般法人法118条、198条）。

第5　法人の管理

1　総 説

法人が活動するためには、機関が必要となります。すべての法人には、法人の基本的な意思決定をする機関と、法人の業務を執行する機関が存在します。また、対外的な業務の執行をするためには、法人を代理する権限を有する機関が必要となります。

法人の基本的意思決定は、定款のほか、一般社団法人の場合は社員全員から構成される社員総会が担うこととなります（一般法人法10条、35条）。社員とは、社団法人の構成員をいいます。この社員総会は、法人の解散や基本約款の変更を法令の範囲内で自由に行う権限を有します。これに対し、社員の存在しない一般財団法人でも通常は基本的意思を決定する機関が設置されます。もっとも、意思決定機関が意思決定できる範囲は、一般社団法人と一般財団法人で異なります。

法人の業務執行について、すべての法人類型で法人の業務に関する一切の裁判上または裁判外の行為をする権限を有する（法人を代表する）機関（このような機関を、代表機関または代表といいます）が設置されます。具体的には、理事または代表理事をいいます。

このほかに、業務の執行や会計を監査する機関として、監事または会計監査人が置かれることもあります。

2　一般社団法人の管理

(1) 一般社団法人の機関

① 概 要

一般社団法人は、社員の存在する法人であり、根本的な意思決定機関である社員総会と、法人の業務を執行する理事の設置が義務づけられます（一般法人法35条、60条1項）。理事とは、一般社団法人の代表機関をいいます（一般法人法77条1項）。そのほか、一般社団法人は、定款の定めにより理事会、監事、会計監査人を設置することができます（一般法人法60条2項）。

② 社員総会

社員総会とは、社員全員から構成される一般社団法人の根本的な意思決定機関です。社員総会は、一般社団法人の組織、運営、管理その他一切の事項について決議することができます（一般法人法35条1項）。ただし、一般社団法人は非営利法人であるため、剰余金の分配の決議はできません（一般法人法35条3項）。

一般法人法は、社員総会について社員総会の招集（一般法人法36条以下）、社員提案権（一般法人法43条以下）、社員総会の招集手続等に関する検査役の選任（一般法人法46条）、議決権の数（一般法人法48条以下）等について規定しています。

③ 理 事

ア　理事の選解任等

一般社団法人には、1人または2人以上の理事を置かなければなりません（一般法人法60条1項）。なお、理事会を設置する一般社団法人では、理事は3人以上でなければなりません（一般法人法65条3項）。

理事は法人の代表機関であり、理事を通して法人の行為が行われます。理事は、社員総会の決議で選任されます（一般法人法63条）。

一般社団法人と理事の関係は委任関係であるため（一般法人法64条）、理事は善管注意義務（民法644条）を負います。善管注意義務とは、その者が属する階層・職業等において一般に要求される注意義務をいいます。また、理事は「法令及び定款並びに社員総会の決議を遵守し、一般社団法人のため忠実にその職務を行わなければならない」とする忠実義務（一般法人法83条）も負います。

そのほか、一般法人法は理事の資格（一般法人法65条）、任期（一般法人法66条）、解任（一般法人法70条等）等について規定しています。

イ　理事の代表権

理事は、定款に別段の定めがある場合を除き、一般社団法人の業務を執行します（一般法人法76条1項）。執行とは、ある事項の内容を具体的に実行、実現することをいいます。また、理事は一般社団法人を代表します（一般法人法77条1項本文）。ただし、他に代表理事その他一般社団法人を代表する者を定めた場合には、その者が当該一般社団法人を代表します（一般法人法77条1項但書）。代表理事は、一般社団法人の業務に関する一切の裁判上または裁判外の行為をする権限を有します（一般法人法77条4項）。

改正前民法の下では、代表理事が自己または第三者の利益を図る目的で権限の範囲内の行為をした場合（いわゆる権限の濫用の場合）における、当該行為の有効性について議論がありました。改正前民法の下における判例は、この問題について民法93条但書を類推適用し、相手方が代表理事の行為の目的を知りまたは知ることができたときは、代表理事の行為は無効となると判示していました（最判昭和38年9月5日民集17巻8号909頁）。他方、改正後の民法の下では、代理人が自己または第三者の利益を図る目的で代理権の範囲内の行為をした場合において、相手方がその目的を知り、または知ることができたときは、その行為は、代理権を有しない者がした行為（無権代理行為）とみなされます（民法107条）。

ウ　代表理事の代表権に加えた制限

代表理事の代表権に加えた制限は、善意の第三者に対抗できません（一般法人法77条5項）。一般法人法77条5項は、平成18年改正前の民法54条に相当する規定です。この趣旨は、一般社団法人が代表理事の代表権に加えた内部的制限を第三者が認識することは困難であることから、善意の第三者を保護する点にあります。代表権の制限の例としては、「理事は他の理事と共同してのみ行為ができる」という定款の定めや「不動産の処分には理事会の承認を要する」という社員総会の定め等が挙げられます。

一般社団法人が代表理事の代表権に加えた制限に関して、以下の問題があります。

(i) 定款等による制限と法令による制限

一般法人法77条5項の「制限」とは、代表理事が本来有していた包括的代表権に対する定款または社員総会による制限を意味します。一般法人法77条5項の趣旨は、通常、第三者はこのような制限の存在を知ることができないため、善意で取引関係に入った第三者を保護する点にあります。一般法人法77条5項は、民法110条の特別規定と位置づけられます。

定款または社員総会による制限と異なり、法令による代表権の制限は第三者も当然に認識しておくべき制限といえます。そのため、第三者は法令による制限の不知（すなわち法律の不知）を主張することはできません。

法令による代表権の制限を越えた行為について、一般法人法78条による不法行為責任と民法110条の表見代理のいずれが成立するかが問題となります。たとえば、市長が市名義で金融機関から借入れするためには議会の議決を要するところ、市長が議会の議決を経ずに借入れをした場合が挙げられます。

(ii) 善意の意義（民法110条の類推適用）

定款に代表理事の代表権を制限する旨の定めがあることは知っている（悪意）が、理事会の承認等があるため有効であると信じた第三者が保護されるかが問題となります。

たとえば、A法人所有の不動産の処分には理事会の承認決議を要するという定款の定めがあり、Bは当該定款の定めを知っていました。このときA法人の代表理事がBに対して理事会の承認決議があったと虚偽の申出をして、理事会の承認決議を経ていないにもかかわらずA法人所有の土地を売却しました。この場合、有効な売買と信頼して当該土地を買い受けたBが保護されるかが問題となります。

最判昭和60年11月29日民集39巻7号1760頁・百選Ⅰ［第8版］31事件は、第三者が代表理事の代表権の制限の存在について善意といえない場合であっても、代表理事が当該具体的行為につき理事会の決議等を得て適法に法人を代表する権限を有するものと信じ、かつ、このように信ずるにつき正当の理由があるときは、民法110条を類推適用し、法人は当該行為につき責任を負うとしました。

この判例は、表見代理の規定である民法110条を類推適用して「代表理事が当該具体的行為につき理事会の決議等を得て適法に法人を代表する権限を有するものと信じ、かつ、このように信ずるにつき正当の理由があるとき」に限り法人が責任を負うとすることで、相手方の取引の安全を図ったものといえます。

(iii) 無過失の要否

一般法人法77条5項は「善意の第三者」と規定するにとどまり、第三者の過失の要否について定めていません。そのため、第三者は善意であれば過失があっても「善意の第三者」に該当するかが問題となります。

この問題については、①条文上「善意」としか規定されておらず過失を要求していないこと、②法人の理事の代表権は本来無制限であるため、第三者に代表権の制限の有無を調査する義務を課すのは酷であり、第三者の信頼の保護を厚くしてよいといえることから、無過失まで要求するべきではないと考えられます。

なお、重過失のある第三者は悪意と同視できることから「善意の第三者」として保護されないと判示した判例があります（最判昭和47年11月28日民集26巻9号1686頁）。

(iv) 善意の証明責任

たとえば、第三者が一般法人法77条5項の「善意の第三者」に該当するかが争われた場面で、当事者が主張立証を尽くした結果、「善意」といえるか否か判断がつかない状態（これを真偽不明といいます）になったとします。このとき、第三者が善意でないことの証明責任（訴訟において一定の事実の存否が確定されない場合に、当該事実が存在しないものとして扱われることで当事者の一方に帰せられる不利益をいいます）が法人にあるとすれば、当該第三者は「善意の第三者」と扱われることとなります。これに対し、第三者が善意であることの証明責任を負うとすれば、当該第三者は「善意の第三者」として扱われないこととなります。

そのため、善意の証明責任が法人と第三者のいずれにあるかが問題となります。

判例は、第三者に自己が善意であることの証明責任があるとします（前掲最判昭和60年11月29日）。この理由は、自己に有利な法律効果を定める法律要件の証明責任は当該法律効果の発生を求める者が負うことが公平だといえる点にあります。

エ　表見代表理事

一般社団法人は、代表理事以外の理事に理事長その他一般社団法人を代表する権限を有するものと認められる名称を付した場合には、当該理事がした行為について、善意の第三者に対してその責任を負います（一般法人法82条）。この趣旨は、一般社団法人を代表する権限を有するものと認められる名称を信頼して取引を行った善意の第三者を保護するという権利外観法理または禁反言の原則にあります。

オ　法人の占有

理事が法人のために物を所持するときは、当該物に対する法人の占有が成立します。この場合、理事は法人の機関（占有所持者）として物を所持しているのであって、個人として所持しているわけではありません。したがって、理事に独自の占有が認められるわけではありません。

カ　法人の善意・悪意

法人は社会的実体を有するものの、法人自身について善意・悪意を判断することはできません。そこで法人の善意・悪意は、原則として代表機関である理事の善意・悪意を基準に決することとなります（民法101条参照）。

④ 理事会

一般社団法人は、定款の定めによって、理事会を置くことができます（一般法人法60条２項）。

理事会を設置する一般社団法人においては、理事は３人以上でなければなりません（一般法人法65条３項）。理事会はすべての理事で組織され、理事の中から代表理事を選定する必要があります（一般法人法90条３項）。そのほか、理事会の権限等（一般法人法90条）、理事会を設置する一般社団法人の理事の権限（一般法人法91条）等の規定があります。

⑤ 監 事

一般社団法人は、定款の定めによって、監事を置くことができます（一般法人法60条２項）。監事とは、理事の職務の執行を監査し、監査報告を作成する機関をいいます（一般法人法99条１項）。監事は、いつでも、理事および使用人に対して事業の報告を求め、または監事を設置する一般社団法人の業務および財産の状況の調査をすることができます（一般法人法99条２項）。

そのほか、理事への報告義務（一般法人法100条）、理事会への出席義務（一般法人法101条）等の規定があります。

⑥ 会計監査人

一般社団法人は、定款の定めによって、会計監査人を置くことができます（一般法人法60条２項）。会計監査人とは、一般社団法人の計算書類およびその附属明細書を監査する機関です（一般法人法107条１項）。会計監査人は、計算書類および附属明細書を監査する際は、法務省令で定めるところにより、会計監査報告を作成しなければなりません（一般法人法107条１項後段、一般社団法人及び一般財団法人に関する法律施行規則39条）。

そのほか、会計監査人の権限等（一般法人法107条２項以下）、監事に対する報告（一般法人法108条）等の規定があります。

⑵ 計 算

一般社団法人の会計は、その行う事業に応じて、一般に公正妥当と認められる会計の慣行に従うこととなります（一般法人法119条）。「一般に公正妥当と認められる会計の慣行」に従ったというためには、特定の会計の慣習に従うべきことではなく、社会通念上客観性、規範性があり公正かつ妥当なものと認められる会計の慣行に従えば足りると考えられます。

⑶ 基 金

一般社団法人が、その事業目的上、資金調達および財産的基礎の維持を図るために「基金」制度が設けられています。基金とは、一般社団法人に拠出され、法人が拠出者に返還義務を負う財産をいいます（一般法人法131条）。一般社団法人が基金の引受者を募集する場合、定款で、基金の拠出者の権利に関する規定（一般法人法131条以下）や基金の返還の手続（一般法人法141条以下）を定めなければなりません。

(4) 定款の変更

一般社団法人は、その成立後、社員総会の決議（総社員の半数以上であって、総社員の議決権の3分の2〔これを上回る割合を定款で定めた場合は、その割合〕以上にあたる多数による決議）によって、定款を変更することができます（一般法人法146条、49条2項4号）。

(5) 事業の譲渡

一般社団法人が事業の全部の譲渡をするには、社員総会の決議（総社員の半数以上であって、総社員の議決権の3分の2〔これを上回る割合を定款で定めた場合は、その割合〕以上にあたる多数による決議）によらなければなりません（一般法人法147条、49条2項5号）。

3　一般財団法人の管理

(1) 一般財団法人の機関

① 概　要

一般財団法人は、設立者の意思により設定された目的を実現するために拠出された財産を基礎とする社員のいない法人です。そのため、特に法人の意思決定と理事の業務執行の監督の仕組みに関しては以下のとおり一般社団法人と異なる規定が設けられています。

一般財団法人では、評議員、評議員会、理事、理事会および監事を置かなければなりません（一般法人法170条1項）。また、一般財団法人は、定款の定めにより会計監査人を置くことができます（一般法人法170条2項）。

大規模一般財団法人は、会計監査人の設置も義務づけられます（一般法人法171条）。大規模一般財団法人とは、最終事業年度にかかる貸借対照表の負債の部に計上した額の合計額が200億円以上である一般財団法人をいいます（一般法人法2条3号）。

このように一般財団法人の機関設計が一般社団法人と比較して詳細に定められている理由は、社員による意思決定や監督をすることができない一般財団法人について適正な運営・管理を確保する点にあります。

② 評議員・評議員会

ア　任　務

評議員および評議員会とは、理事の業務執行を監督し、かつ、法人の重要な意思決定に関与する機関です。評議員は3人以上でなければならず、評議員会はすべての評議員で組織されます（一般法人法173条3項、178条1項）。

イ　選任・解任

評議員の選任および解任の方法は定款で定められます（一般法人法153条1項8号）。理事または理事会が評議員の選任または解任をする旨の定めは効力を有しません（一般法人法153条3項1号）。この趣旨は、評議員会は理事および理事会を監督する立場にあるところ、その評議員会の構成員である評議員の選任・解任権を理事または理事会に認めると、十分な監督が行われなくなるおそれがある点にあります。

ウ　評議員等の定め

一般財団法人と評議員の関係は、民法の委任に関する規定に従います（一般法人法172条1項）。具体的には、評議員は一般財団法人に対して善管注意義務を負うほか（民法644条）、委任事務処理の報告義務（民法645条）、受取物・果実の引渡義務（民法646条1項）、取得権利の移転義務（民法646条2項）を負います。

そのほか、評議員の資格等（一般法人法173条）、評議員の任期（一般法人法174条）、評議員の報酬（一般法人法196条）等の規定があります。

エ　評議員会についての定め

評議員会は、一般法人法および定款で定めた事項に限って決議することができます（一般法人法178条2項）。一般法人法の規定において評議員会の決議を必要とする事項について、理事、理事会その他の評議員会以外の機関が決定することができることを内容とする定款の定めは効力を有しません（一般法人法178条3項）。

そのほか、評議員会の招集（一般法人法179条以下）、評議員提案権（一般法人法184条以下）等の規定があります。

③ 理事・理事会・監事・会計監査人

一般社団法人の規定が準用され（一般法人法197条）、一般社団法人とほぼ同様の規律がなされています。

(2) 計 算

一般社団法人の規定が準用されます（一般法人法199条）。たとえば、一般財団法人の会計は、その行う事業に応じて、一般に公正妥当と認められる会計の慣行に従うこととなります（一般法人法199条・119条）。

(3) 定款の変更

一般財団法人は、その成立後、評議員会の決議により定款を変更することができます（一般法人法200条1項本文）。ただし、一般財団法人の目的および評議員の選任・解任の方法に関する定款の定めを変更することはできません（一般法人法200条1項但書。なお、同条2項、3項）。

(4) 事業の譲渡

一般財団法人が事業の全部を譲渡するには、評議員会の決議によらなければなりません（一般法人法201条）。

第6　法人の合併、解散、清算、解散命令、その他

1　法人の合併

⑴ 合併手続

一般法人は、他の一般法人と合併することができます。合併とは、複数の法人が契約によりひとつの法人になることをいいます。この場合、合併をする法人は合併する相手方である一般法人と合併契約を締結する必要があります（一般法人法242条）。

合併には、他の法人を吸収する吸収合併（一般法人法244条以下）と新たな法人を設立する新設合併（一般法人法254条以下）があります。いずれも社員総会（一般社団法人の場合）または評議員会（一般財団法人の場合）の決議により、合併契約の承認を得る必要があります（一般法人法247条、257条）。また、法人の債権者には合併につき異議を述べる機会が与えられます（一般法人法248条、258条）。異議とは、合併契約に対して反対の意思を表明することをいいます。一般社団法人または一般財団法人は、異議を述べた債権者に対して弁済や相当の担保の提供等をしなければなりません（一般法人法248条5項、258条5項）。これを債権者保護手続といいます。債権者保護手続を設けた趣旨は、法人が合併することにより法人の資産が大きく変動する可能性があることから、これによって害されるおそれのある債権者を保護する点にあります。

⑵ 合併後の法人形態

合併する法人が一般社団法人のみの場合には、合併後の法人は一般社団法人でなければならず、合併する法人が一般財団法人のみの場合には、合併後の法人は一般財団法人でなければなりません（一般法人法243条1項）。また、それ以外の場合において、合併する一般社団法人が合併契約の締結の日までに基金の全額を返還していないときは、合併後の法人は一般社団法人でなければなりません（一般法人法243条2項）。この理由は、基金制度は一般社団法人に特有の制度であるため、基金が残る以上は一般財団法人となることができない点にあります。

2　法人の解散、清算、解散命令

⑴ 総　説

自然人の死亡と同様に、法人も消滅により権利能力を失うこととなります。法人は多数の法律関係の当事者となっていることが多いため、法人の権利能力の消滅に際して既存の法律関係の処理をする必要があります。

法人は定款等の基本約款に定められた存続期間の満了や解散事由の発生、破産手続開始決定等の一定の事由により解散します。法人が解散することにより当該法人の清算手続が開始され、清算手続において現務の結了、債権の取立てと債務の弁済、残余財産の引渡しが行われます。清算中の法人（これを「清算法人」とい

います）では、清算事務の執行のために清算人が選任され、原則として清算人が清算法人を代表します。

清算が結了すると法人は消滅します。清算法人は、清算手続中は清算という目的の範囲内でなお存続するとみなされます（一般法人法207条）。

(2) 解 散

法人は以下の事由により解散します。

① 一般社団法人・一般財団法人に共通の解散事由（一般法人法148条1号、2号、5号、6号、7号、202条1項1号、2号、4号、5号、6号）

ア　定款で定めた存続期間の満了

イ　定款で定めた解散事由の発生

ウ　合併

エ　破産手続開始決定

オ　解散を命ずる裁判

② 一般社団法人に特有の解散事由（一般法人法148条3号、4号）

ア　社員総会の決議

イ　社員が欠けたこと

③ 一般財団法人に特有の解散事由（一般法人法202条1項3号、2項）

ア　基本財産の滅失その他事業の成功の不能

イ　ある事業年度およびその翌年度において、貸借対照表上の純資産額がいずれも300万円未満となった場合

④ みなし解散

休眠法人に対してはみなし解散も認められます（一般法人法149条、203条）。みなし解散とは、登記が最後にあった日から5年を経過した一般法人（これを「休眠法人」といいます）に対し、法務大臣が2か月以内に事業を廃止していない旨の届出を求め、当該届出がない場合に当該休眠法人を解散したものとみなすことをいいます。

(3) 清 算

解散した法人は、その財産関係の整理が急務となります。この財産整理手続を「清算手続」といいます。清算手続には、破産法に基づく破産手続と上記各解散の場合の清算手続の2つがあります。

以下では、後者の清算手続について説明します。

① 清算法人

清算をする解散法人を「清算法人」といい、清算の目的の範囲内において、清算が結了するまではなお存続するものとみなされます（一般法人法207条）。

② 清算人

清算法人の機関は清算人です（一般法人法208条以下）。清算人とは、清算法人を

代表する機関をいいます（一般法人法214条1項）。また、原則として従前就任していた理事が清算人に就任します（一般法人法209条1項1号）。

③ 清算事務

清算人の職務は以下のとおりです（一般法人法212条各号、215条1項）。

ア　現務の結了

イ　債権の取立ておよび債務の弁済

ウ　残余財産の引渡し

エ　破産手続開始の申立て

④ 清算人の損害賠償責任

清算人が清算法人または第三者に対して損害を加えた場合、清算人は損害を被った清算法人または第三者に対して損害賠償責任を負うこととなります（一般法人法217条、218条）。

(4) 解散命令

裁判所は、以下の各場合において、公益を確保するため一般法人の存立を許すことができないと認めるときは、法務大臣または社員、評議員、債権者その他の利害関係人の申立てにより、一般法人の解散を命じることができます（一般法人法261条1項）。

① 不法目的法人（一般法人法261条1項1号）

一般社団法人・一般財団法人の設立が不法な目的に基づいてされたとき

② 休眠法人（一般法人法261条1項2号）

一般法人が正当な理由がないのにその成立の日から1年以内にその事業を開始せず、または引続き1年以上その事業を休止したとき

③ 理事の違法行為の継続（一般法人法261条1項3号）

業務執行理事が、法令もしくは定款で定める権限を逸脱しもしくは濫用する行為または刑罰法令に抵触する行為をした場合において、法務大臣から書面による警告を受けたにもかかわらず、なお継続的にまたは反復して当該行為をしたとき

3　登記、公告、罰則

(1) 登記

一般法人法の規定により登記すべき事項は、登記した後でなければ、これをもって善意の第三者に対抗することができません（一般法人法299条1項前段）。また、登記の後であっても第三者が正当な事由によってその登記があることを知らなかったときは、登記すべき事項を第三者に対抗することができません（一般法人法299条1項後段）。この趣旨は、正当な事由により登記事項を知らなかった者を保護する点にあります。正当な事由とは、たとえば自然災害により交通が途絶し登記を調査しようとしても調査できなかった場合や登記簿の滅失といった客観的障害をいい、第三者の病気や長期海外滞在といった主観的な障害を含まないと考え

られます。

他方で、故意または過失によって不実の登記をした者は、その事項が不実であることをもって善意の第三者に対抗することができません（一般法人法299条2項）。この趣旨は、不実と知りながら登記した者や不実と知るべき立場にいながら漫然と不実の登記を放置した者を保護する必要性は低いため、善意の第三者を保護し、取引の安全を確保する点にあります。

登記については、登記所に一般社団法人登記簿および一般財団法人登記簿が備えられます（一般法人法316条）。登記した事項に変更が生じたときは、2週間以内に主たる事務所の所在地において変更の登記をしなければなりません（一般法人法303条）。

(2) 公　告

公告とは、ある事項を広く一般に知らせることをいいます。

一般法人は、公告方法として、①官報に掲載する方法、②時事に関する事項を掲載する日刊新聞紙に掲載する方法、③電子公告、④その他不特定多数者が公告すべき内容を認識できる措置として法務省令で定める方法のいずれかをとることができます（一般法人法331条1項）。

(3) 罰　則

一般法人法は、法人制度の適切な運用を図るため罰則規定を置いています。具体的には、理事等の特別背任罪（一般法人法334条）、法人財産の処分に関する罪（一般法人法335条）、虚偽文書行使等の罪（一般法人法336条）、理事等の贈収賄罪（一般法人法337条）、国外犯（一般法人法338条）、法人における罰則の適用（一般法人法339条）、虚偽記載等の罪（一般法人法340条）、両罰規定（一般法人法341条）、過料に処すべき行為（一般法人法342条）等があります。

第7　権利能力なき社団

1　権利能力なき社団の意義

(1) 意　義

権利能力なき社団とは、社団の実体を有するが法人格を持たない団体をいいます。たとえば、同窓会や同好会、学会といった一定の目的のために結成された団体等が挙げられます。

(2) 要　件

判例は、権利能力なき社団について、①団体としての組織を備え、②多数決原理によって団体の意思決定が行われ、③構成員の変更にもかかわらず団体が存続し、④その組織において代表の方法、総会の運営、財産の管理等、団体としての主要な点が確定しているものをいうと判示しました（最判昭和39年10月15日民集18

巻8号1671頁・百選Ⅰ［第8版］8事件）。判例は、この要件を満たす団体であれば社団としての実質を備えているといえることから、権利能力なき社団として法人に準じる扱いを認めています。

2　権利能力なき社団をめぐる法律関係、行為形式

(1) 権利能力なき社団をめぐる法律関係

① 権利義務

判例は、権利能力なき社団の権利は構成員の総有に属すると判示しました（最判昭和32年11月14日民集11巻12号1943頁）。総有とは、共有、合有と同じ共同所有形態のひとつであり、各構成員が持分権をもたず分割の請求も認められない最も団体的色彩の強い共同所有形態をいいます。

この考えに基づき権利能力なき社団の構成員の持分権や財産分割請求権、脱退による持分の払戻しは認められないと考えられています。

② 責 任

代表者が社団の名で行った取引によって生じた債務は、構成員全員の総有に属するとともに社団の総有財産だけが責任財産となり構成員各自は直接的には個人的債務または責任を負いません（最判昭和48年10月9日民集27巻9号1129頁・百選Ⅰ［第8版］9事件）。責任財産とは、債務を弁済する原資となる財産をいいます。

また、法律行為をした代表者の個人的責任も否定されると考えられています（最判昭和44年11月4日民集23巻11号1951頁参照）。

なお、社団の財産が代表者個人名義で登記されている場合に、代表者個人の債権者は当該財産に強制執行することは許されないとした裁判例があります（東京地判昭和59年1月19日判時1125号129頁）。この理由として、裁判所は、「現在の不動産登記法の解釈及び登記実務上、権利能力なき社団は社団名義で登記することも社団代表者がその肩書付きで登記することも許されず、代表者個人名義で登記する途しか残されていない以上、そのようにして唯一の可能な方法の登記をした社団を第三者に対する関係で保護するのでなければ、権利能力なき社団としての活動は保障されえないこととなる」ことから「権利能力なき社団の実体に即応した財産関係の公示手段が十分に備わっていない現状のもとにおいては、権利能力なき社団は代表者個人名義の登記のままで第三者に対しその権利を対抗することができるものと解するのが相当である」と判示しています。

(2) 権利能力なき社団の行為

権利能力なき社団の権利義務は構成員全員の総有に属しますが、便宜上、代表者が社団の名において権利を取得・行使し、義務を負担することが一般に認められています。

もっとも、権利能力なき社団は社団自体に権利能力がないため、社団名の登記をすることはできません。したがって、権利能力なき社団の不動産は、構成員全

員の名で登記するか、代表者個人の名義で登記するほかありません。

構成員全員の名で登記することは構成員の変動が予想される場合に困難を伴うため現実的ではありません。また、代表者の個人名義で登記をすると権利能力なき社団の財産と代表者個人の所有財産との区別がつかないため、代表者により不正が行われる危険や代表者が代表者個人の財産と誤認する可能性があります。そこで、肩書つき代表者名の登記（たとえば、「○○会代表者△△」という名義での登記）を認めるべきとする見解があります。

しかし、不動産登記実務では形式審査主義が採用されているため、登記申請の段階で権利能力なき社団としての実体を知りえず、かえって財産隠しのために悪用されるおそれがあります。したがって、「肩書つき代表者名の登記」は認められないと考えられています（最判昭和47年6月2日民集26巻5号957頁）。

そのため実務上は、代表者個人の名義で登記する方法が採用されています。

第8　権利能力なき財団

1　権利能力なき財団の意義

権利能力なき財団とは、一定の目的のために結合した財産であって、社会生活上独立した実体を有しているが、法人格を取得していないものをいいます（最判昭和44年11月4日民集23巻11号1951頁）。

2　権利能力なき財団をめぐる法律関係

権利能力なき財団の法律関係は、基本的には権利能力なき社団の場合に準じて考えることができます。もっとも、権利能力なき財団に特殊な利益状況の存することも否定できません。権利能力なき財団は、人的構成員を持たない財産の集合体にすぎず信託契約に似た性質を有しています。したがって、権利能力なき財団に適用すべき規範の決定は、権利能力なき財団の代表者個人との間で信託契約を締結した場合と比較しながら、具体的に検討する必要があると考えられます。

前掲最判昭和44年11月4日は、許可申請中の財団が事業のために財団事務総長の肩書で手形を振り出した事案です。判例は、当該手形債務について財団のみの責任を認め、代表者個人の責任を否定しました。このような結論は、権利能力なき財団を権利能力ある財団に準じて扱うものといえます。

これに対して、権利能力なき財団が官庁の許可を得ていないこと、権利能力なき財団の責任財産は公示されていないことからすれば、信託の受託者に準じて、代表者個人の保証責任を認めるべきであり、判例の結論は妥当ではないとの批判があります。

第4章

法律行為

第1　法律行為総論

1　法律行為の意義

⑴ 意思表示と法律行為

意思表示とは、一定の法律効果の発生を欲する意思を外部に対して表示する行為をいいます。たとえば、売買契約の申込みは、売買契約の成立という法律効果の発生を欲する意思の外部に対する表示行為であり意思表示に該当します。

法律行為とは、意思表示を不可欠の構成要素とし、権利義務の発生・変更・消滅といった法律効果を生じさせる原因となる行為をいいます。たとえば、売買契約は買主の申込みの意思表示と売主の承諾の意思表示を不可欠の構成要素として代金債権の発生や所有権の移転といった法律効果を生じさせる原因となる行為であり法律行為に該当します。

⑵ 法律行為をめぐる諸概念

権利義務の発生・変更・消滅という効果を法律効果といいます。また、法律効果を生じさせる原因を法律要件といいます。法律要件は、これを組成する要素に分類することができ、この要素を法律事実といいます。

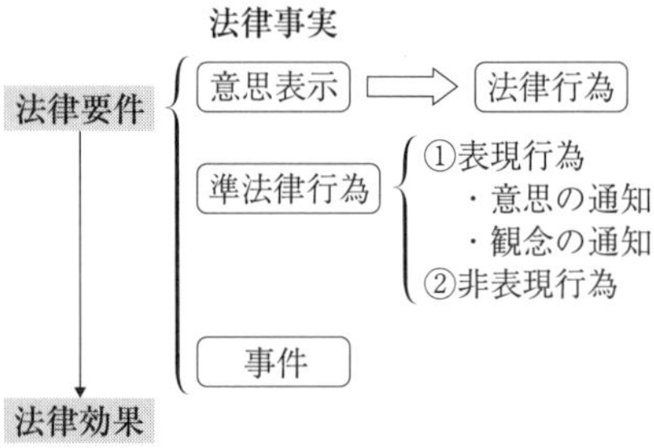

意思表示は最も重要な法律事実です。法律事実には、意思表示のほかに準法律行為や事件があります。

法律行為が意思表示を不可欠の構成要素とし、権利義務の発生・変更・消滅といった法律効果を生じさせる原因となる行為をいうのに対し、準法律行為とは、直接の法律効果の発生を意欲する旨以外の精神作用の表示をいいます。準法律行為は、表現行為と非表現行為に分類することができます。表現行為には、意思の通知や観念の通知があります。また、非表現行為には、先占や拾取における所有の意思や、事務管理における他人のためにする意思があります。

事件とは、時の経過や人の死等のように、一定の法律効果を発生させるものであるが、それ自体は人の精神作用に基づかない事実をいいます。

2　法律行為の分類

法律行為は、次のようにいくつかの基準によって分類することができます。

⑴ 意思表示の個数および存在形態による分類

法律行為は、意思表示の個数および存在形態（意思表示が対立しているか、あるいは方向・目的を同じくするか）によって、単独行為、契約、合同行為の３つに分類することができます。

① 単独行為

単独行為とは、一方的な意思表示のみで法律効果が発生する法律行為をいいます。単独行為は、相手方のあるものと相手方のないものとに分かれます。

たとえば、取消し（民法５条２項、９条、96条１項、２項、424条１項等）や契約の解除（民法540条１項等）、債務の免除（民法519条）等は相手方のある単独行為に該当します。これに対し、遺言（民法960条）等は相手方のない単独行為に該当します。

② 契　約（双方行為）

契約とは、対立する二者の意思表示の合致によって法律効果が発生する法律行為をいいます。契約が成立するためには申込みの意思表示と相手方の承諾の意思表示の合致が必要となります。よって、契約に必要な意思表示の数は２個となります。

もっとも、実務上は対立する二者間の契約だけではなく、三者間契約といった多数当事者間での契約もあります。多数当事者間の契約の場合、意思表示の数は当事者の数だけ存在します。

③ 合同行為

合同行為とは、方向・目的を同じくする２個以上の意思表示の合致によって法律効果が発生する法律行為をいいます。たとえば、一般社団法人の設立行為は合同行為に該当します。

⑵ 発生する効果の種類による分類

法律行為は、発生する効果の種類によって、債権行為、物権行為、準物権行為の３つに分類することができます。

① 債権行為

債権行為とは、債権・債務関係の発生・変更・消滅という法律効果が発生する法律行為をいいます。たとえば、売買契約や賃貸借契約、消費貸借契約が債権行為に該当します。

② 物権行為

物権行為とは、債権関係を発生させるものではなく、物権の発生・変更・消滅という法律効果が発生する法律行為をいいます。たとえば、所有権の移転や抵当権設定契約が物権行為に該当します。

③ 準物権行為

準物権行為とは、たとえば債権譲渡や債務免除、無体財産権の譲渡のように、物権以外の権利の発生・消滅という法律効果を直ちに発生させ、後に履行を要しない法律行為をいいます。物権以外の権利を対象とする点で物権行為と異なります。

⑶ 法律行為が原因と不可分であるか否かによる分類

ある法律行為が他の法律行為ないし法律関係を原因とする場合があります。法律行為は、原因と不可分であるか否かによって、有因行為と無因行為に分類できます。

① 有因行為

有因行為とは、原因と不可分な法律行為であり、原因が欠けたり無効である場合は、法律行為自体が無効となるものをいいます。

たとえば、金銭消費貸借契約の債務者が金銭債務の弁済のために債権者に対して土地の所有権を譲渡する契約を締結したとしても（これを「代物弁済」といいます）、当該金銭債務が存在しなかった場合には、当該代物弁済も無効となります。この場合の代物弁済は、有因行為といえます。

② 無因行為

無因行為とは、原因が欠けたり無効であった場合でも、法律行為自体は無効とならないものをいいます。たとえば、手形行為は原因となっている法律行為が無効であった場合でも、手形行為の有効性には影響がなく、無効とはなりません。

⑷ 法律行為が対価を伴うか否かによる分類

法律行為は、対価（等価的価値を有する財産の出捐）を伴うか否かによって有償行為と無償行為に分類できます。

① 有償行為

有償行為とは、財産の出捐を目的とする行為のうち対価を伴うものをいいます。たとえば、賃貸借契約や利息付消費貸借契約は有償行為に該当します。有償行為には売買の規定が準用されます（民法559条）。

② 無償行為

無償行為とは、財産の出捐を目的とする行為のうち対価を伴わないものをいいます。たとえば、贈与契約や使用貸借契約は無償行為に該当します。

⑸ 意思表示の形式による分類

法律行為は、意思表示の形式によって、要式行為と不要式行為に分類できます。

① 要式行為

要式行為とは、その法律行為を組成する要素である意思表示に一定の方式を必要とするものをいいます。たとえば、遺言は民法に定める方式に従わなければ効力を生じない点で要式行為に該当します（民法960条、967条以下）。また、保証契約は書面や電磁的記録によってしなければ効力を生じない点で要式行為に該当します（民法446条２項、３項）。

② 不要式行為

不要式行為とは、その法律行為を組成する要素である意思表示に一定の形式を要しないものをいいます。法律行為は原則として不要式行為です。

⑹ 法律行為の発生時期による分類

法律行為は、発生時期によって生前行為と死後行為に分類できます。

① 生前行為

生前行為とは、生前に効果を生ずるものをいいます。たとえば、行為者の死亡を効力発生の条件としない売買契約が生前行為に該当します。

② 死後行為

死後行為とは、行為者の死亡によって効力の発生するものをいいます。たとえば、遺言（民法985条）や死因贈与（民法554条）は、死後行為に該当します。

⑺ 財産行為と身分行為

法律行為は、当該法律により変動する法律関係によって、財産行為と身分行為に分類できます。

① 財産行為

財産行為とは、法律行為によって変動する法律関係が財産関係であるものをいいます。たとえば、売買契約は財産行為に該当します。

② 身分行為

身分行為とは、法律行為によって変動する法律関係が身分関係であるものをいいます。たとえば、婚姻や養子縁組は身分行為に該当します。

⑻ 法律行為と準法律行為

法律行為は意思表示を基本要素としており、意思表示に従った法律効果が認められます。これに対し、準法律行為はその行為の中に意思的・精神的な要素が含まれているものの、その意思に従って法律効果が認められるのではなく、法が独自の観点から法律効果を付与しています。たとえば、以下に述べる意思の通知や観念の通知が準法律行為に該当します。

準法律行為は、以下のように分類できます。

① 表現行為

精神作用が表示されるものとして、以下の３つが挙げられます。

ア　意思の通知

意思の通知とは、一定の意思の通知をいいます。通知する意思の内容が当該通知行為から生ずる法律効果以外のものに向けられている点で、意思表示と区別されます。

たとえば、制限行為能力者の相手方に対して取消しか追認かを確定することを求める催告（民法20条）や債務の履行の催告（民法150条）等は意思の通知に該当します。

イ　観念の通知

観念の通知とは、事実を通知することをいいます。

たとえば、代理権を与えた旨の通知（民法109条）、債務の承認通知（民法152条）、債権譲渡の通知・承諾（民法467条）等が観念の通知に該当します。

② 非表現行為

非表現行為とは、一定の外形的な行為が本体であり、その際の意思の表示は従たる地位を占めるものをいいます。

たとえば、無主物先占（民法239条１項）や遺失物の拾得（民法240条）における所有の意思や、事務管理（民法697条）における他人のためにする意思等が非表現行為に該当します。

第２　法律行為の解釈

１　法律行為の解釈の意義

たとえば、ＡとＢが売買契約を締結した場合、当該売買目的物の引渡場所や代金の支払方法等の契約内容について明確となっていないと、AB 間で紛争が生じることがあります。このような場合に、法律行為の意味を明らかにして不十分な点を補充することを、法律行為の解釈といいます。

法律行為の解釈に際しては、当事者であるＡとＢがどのような意思をもって契約を締結したのか（当事者意思）を検討するほか、事実たる慣習（法律行為の基準となる慣習）や法律の規定（任意規定）によって法律行為の内容を補充し、または条理や信義則を活用することとなります。「法令中の公の秩序に関しない規定」（民法92条）を任意規定といいます。

２　法律行為の解釈の基準

⑴ 当事者意思の尊重

法律行為の解釈に際しては、必ずしも表意者の真意や意図に絶対的に拘束されるわけではありません。しかし、当事者が法律行為をした意図をできるかぎり尊重する必要があります。

当事者意思を尊重した法律行為の解釈のためには、当事者が用いた契約書の文言のみに拘束されるべきではなく、表示行為の意味を社会通念に従って客観的に明らかにする必要があります。具体的には、契約書が作成されている場合でも、事案によっては契約書の文言が真に当事者を拘束するものではなく、例として記載されたにすぎないと解釈されることがあります（このような解釈を「例文解釈」といいます）。たとえば、不動産賃貸借契約書に「賃料の支払いを１回でも怠った場合、賃貸人は催告することなく契約を解除することができる」等の賃借人に著しく不利な条項がある場合、当該条項を例として書かれたものにすぎず拘束力を有しないと解釈することが考えられます。

⑵ 事実たる慣習

① 事実たる慣習の意義

事実たる慣習とは、法律行為の解釈の基準となる慣習をいいます。民法は、「法令中の公の秩序に関しない規定と異なる慣習がある場合において、法律行為の当事者がその慣習による意思を有しているものと認められるときは、その慣習に従う」と規定し（民法92条）、事実たる慣習が法律行為の解釈の基準となることを認めています。この趣旨は、慣習が任意規定より当事者に身近な行動基準であることから、任意規定に優先して解釈の基準とする点にあります。たとえば、大判大正10年6月2日民録27輯1038頁・百選Ⅰ［第8版］19事件では、AB間の大豆粕の売買契約で「塩釜レール入」という約定がされたところ、「塩釜レール入」という商慣習が法律行為の解釈の基準となる事実たる慣習にあたるかが問題となりました。「塩釜レール入」とは、売主が商品を先に塩釜駅に積み出し、代金は塩釜駅着後に請求できるとする商慣習をいいます。この事案では、売主Aが買主Bの代金未提供を理由に履行遅滞に陥っていない旨を主張したことから、「塩釜レール入」という商慣習が事実たる慣習としてAB間の売買契約の解釈の基準となり、Aが先履行義務を負うかが争われました。

本判例は、「塩釜レール入」という商慣習が事実たる慣習に該当すると判示しました。

②「その慣習による意思」の要否

民法92条は、事実たる慣習が法律行為の解釈の基準となるための要件として「法律行為の当事者がその慣習による意思を有しているものと認められる」ことを求めています。もっとも、当事者は特に反対の意思を表示しない限り「その慣習による意思」を有しているものと推定されます（大判大正3年10月27日民録20輯818頁、前掲大判大正10年6月2日）。そのため、当事者は「その慣習による意思」を有していることについて格別の立証をする必要がありません。

③ 民法92条と通則法3条の関係

「法の適用に関する通則法」（以下「通則法」といいます）は、「公の秩序又は善良の風俗に反しない慣習は、法令の規定により認められたもの又は法令に規定されていない事項に関するものに限り、法律と同一の効力を有する」と規定しています（通則法3条）。

民法92条は、「慣習」が「法令中の公の秩序に関しない規定」（すなわち、任意規定）に優先して適用されると規定しています。これに対し、通則法3条は、「慣習」が「法令の規定により認められたもの又は法令に規定されていない事項に関するものに限り」法律行為の解釈の基準となると規定しています。そのため、民法92条と通則法３条の関係をどのように理解するべきかが問題となります。

ア　慣習法・事実たる慣習説（通説）

この見解は、通則法３条に定める「慣習」とは、社会の法的確信を得た「慣習法」を意味するのに対して、民法92条に定める「慣習」とは、法的確信を得ていない単なる慣行としての「慣習（事実たる慣習）」であるとします。民法92条と通則法３条の規定が一見すると矛盾していることから、両者の矛盾を解消するために「慣習」という文言の意味内容を異にすると解釈します。

この見解によれば、慣習法と事実たる慣習と任意規定の優先順位は、①事実たる慣習、②任意規定、③慣習法となります。この結論に対しては、法的確信を得た慣習法が法的確信を得ていない事実たる慣習に劣ることとなり不合理であるとの批判があります。

イ　任意法規有無峻別説

この見解は、民法92条も通則法３条も「慣習」の意味内容は同じであり、単に法令の規定のない事項に関する慣習か否かによって区別されているにすぎないとします。

民法92条は法令に規定のある事項に関する慣習について、当事者が当該慣習による意思を有すると認められる場合に適用することを規定したものと考え、他方で、通則法３条は、法令に規定のない事項に関する慣習について、当事者の意思にかかわらず適用することを規定したものとします。

ウ　一般法・特別法説

この見解は、通則法３条は慣習の一般的効力を規定した一般法であり、民法92条は通則法３条の特別法の関係に立つとします。民法92条を私的自治の認められる分野において慣習が任意規定に優先する旨を規定した特別法と理解するため、私的自治の認められる取引分野においては常に民法92条が優先して適用される（すなわち、慣習が任意規定に優先する）とします。

⑶ 任意規定

任意規定とは、「法令中の公の秩序に関しない規定」（民法92条）をいいます。法律行為の当事者が任意規定と異なる意思を表示したときは、当該意思に従うこととなります（民法91条）。これに対し、当事者が任意規定と異なる意思を表示しなかったときは、任意規定が法律行為の解釈の基準となります。

たとえば、建物賃貸借契約における賃料の支払時期は、民法上毎月末（賃料が後払い）と規定されています（民法614条）。しかし、民法614条は任意規定と解されているため、当事者間で民法614条の規定と異なり毎月末日限り翌月分支払い（賃料が先払い）とする旨の合意があれば、当該合意が優先することとなります。その他、契約に関する規定はおおむね任意規定と解されています。

任意規定に対して、公の秩序に関する規定を「強行規定」といいます。法律行為の当事者が強行規定と異なる意思を表示した場合、当該意思表示は無効となります。この趣旨は、当事者の意思によって公の秩序に関する規定の適用を排除させないことで、公の秩序を維持する点にあります。

たとえば、物権法定主義（民法175条）のような物権に関する規定や、法律婚主義（民法739条１項）のような親族・相続に関する規定は強行法規と解されています。ある規定が任意法規か強行法規かは、規定の趣旨を考慮し、個人の意思によって排斥することを許すものか否かによって判断します。

⑷ 条 理（信義則）

条理とは、人間の共同体社会における、いわば自然発露的な人間の道理をいいます。条理は制定法、判例、慣習等の基礎となっているため、当然に法律行為の解釈の基準となります。

3　法律行為の解釈は事実問題か法律問題か

ＡのＢに対する売買代金支払請求訴訟において、法律行為の解釈が争点となったとします。この場合に、控訴審がＢの主張する解釈を採用してＡに対して敗訴判決を出したとき、Ａは法律行為の解釈の誤りを理由として上告することができるでしょうか。

法律行為の解釈が事実問題だとすると、法律行為の意味の判断は事実審でのみ争うことができ、その判断の誤りを理由として上告することはできないこととなります。これに対し、法律行為の解釈が法律問題だとすると、その判断の誤りは法令違反として上告理由（上告受理申立事由）となります（民訴法312条３項、318条１項）。そこで、法律行為の解釈が事実問題か法律問題かが問題となります。

古い判例には、法律行為の解釈を事実問題と判断したものがあります（大判大正10年５月18日民録27輯939頁）。しかし、通説は、解釈とは法律行為が有すべき意味を決定することであることから、法律行為の解釈は法律問題にあたると解して、法律行為の解釈の誤りを上告理由として上告（または、上告受理申立事由として上告受理申立て）をすることができると考えています。

第３　法律行為の有効要件

1　総 論

法律行為が有効となるためには、①内容の確定性、②実現可能性、③適法性、④社会的妥当性の４つの要件を備える必要があります。もっとも、②実現可能性を法律行為の有効要件とするかについては、後述のとおり争いがあります。

2　内容の確定性

法律行為が有効となるためには、その内容が確定できるものでなければなりません。内容の確定性が求められる趣旨は、内容の不確定な法律行為はその効果を確定することができないため、内容の確定できる法律行為のみを有効とする点にあります。内容が確定できない法律行為は無効となります。

たとえば、売主Ａが「自己の所有する土地をＢに売却する」という内容の売買契約を締結した場合、仮に売主Ａが複数の土地を所有していたとすると、ＡがＢにどの土地を売却したのか確定できず、法律効果を発生させることができません。そのため、契約の解釈によっても売買目的物が確定できない場合には、当該売買契約は無効となります。

もっとも、契約の文言が明確でない場合でも、当事者の目的や慣習、任意規定、条理（信義則）を解釈の基準とすることで、法律行為の内容を補充・確定することができます。その結果、売買目的物を確定できる場合には、当該売買契約は無効になりません。

3　実現可能性

⑴ 実現可能性がない法律行為の効力

実現可能性がない法律行為の効力を有効と解するか否か（原始的不能を契約の無効原因と解するか否か）については、争いがあります。

① 原始的不能の法理

ア　伝統的な学説

改正前民法下の伝統的な学説は、実現可能性がない契約について、契約成立時にその内容が実現不可能である場合（この場合を原始的不能といいます）、これに法的効果を認めても意味がないため、その契約を無効と解していました。たとえば、売買契約の時点ですでに目的物が焼失していた場合です。また、原始的不能には、物理的不能の場合のほか、法律的または社会通念上不能と考えられる場合も含みます。たとえば、ある目的物の売買が法律上禁止されていた場合（法律的不能）や、ある目的物を紛失し発見が事実上不可能な場合（社会通念上不能）が挙げられます。

これに対し、法律行為の時点では給付が可能であったものの、その後給付が完了するまでの間に給付が不能となる場合（この場合を後発的不能といいます）、この契約は無効とはなりません。たとえば、売買契約当時は存在していた目的物が引渡期日までの間に焼失した場合です。後発的不能の場合、給付が不能となったことについて債務者に帰責性があれば債務不履行（改正前民法415条）の問題となり、債務者に帰責性がなければ危険負担（改正前民法534条、536条）の問題となります。

イ　有力な学説

改正前民法下の伝統的な学説に対しては、原始的不能の原因を作った契約当事者に帰責性がある場合にも債務不履行責任を問うことができないのは適当でないという批判や、目的物が滅失したことによる不能の場合、その不能が契約締結直後に発生したのであれば債務不履行の問題になるにもかかわらず、契約締結直前に発生したときには契約が無効となることは適当でないという批判がなされていました。

そこで、有力な学説は、原始的不能についても後発的不能と同様に、不能について債務者に帰責性がある場合には債務不履行責任の問題とするべきであるとしていました。

もっとも、この見解が、原始的不能の契約を有効とした上で債務不履行の問題とすることを認めているか否かは必ずしも明らかではありませんでした（四宮・能見『民法総則』［第９版］299頁）。

ウ　改正後の民法の立場

改正後の民法は、「契約に基づく債務の履行がその契約の成立の時に不能であったことは、第415条の規定によりその履行の不能によって生じた損害の賠償を請求することを妨げない」と規定します（民法412条の２第２項）。この規定は、原始的不能の契約の場合も債務不履行による損害賠償を請求できる旨を定めていますが、改正後の民法412条の２第２項は、原始的不能は契約の無効原因とはならないという考え方を前提に、債務不履行に基づく損害賠償請求を認めることを明らかにした規定であると理解することが可能である一方で、原始的不能は契約の無効原因となるという考え方を前提に、原始的不能について債務者の帰責性がある場合には債務不履行に基づく損害賠償請求を認めることを明らかにした規定であるとの理解も可能であるといえます（四宮・能見『民法総則』［第９版］299頁）。そのため、改正後の民法412条の２第２項が原始的不能の契約を有効と解するかについては、必ずしも明らかではないと考えられます。

②　一部不能

一部不能とは、給付内容の全部ではないものの、一部が不能である場合をいいます。たとえば、10個のグラスの売買契約を締結したところ、10個中２個のグラスが破損していた場合です。これに対し、全部不能とは、給付内容の全部が不能である場合をいいます。たとえば、10個のグラスの売買契約を締結したところ、10個全部のグラスが破損していた場合です。

改正前民法は、一部不能の場合、残余部分のみで法律行為の目的を達成することができる場合は、不能となった部分に限り無効となり、残余部分は有効となると解していました。また、残余部分のみでは法律行為の目的を達成することができない場合は、全体として法律行為が無効となると解されていました。

他方、改正後の民法の下では、一部不能の契約の有効性についても、原則として原始的不能の法理と同様に理解することになりますが、法律による制限があるために法律行為の内容が原始的に一部不能である場合において、明文の規定があれば、その規定によることとなります。たとえば、存続期間が60年の永小作権を設定する場合、永小作権の存続期間を20年以上50年以下と定める規定（民法278条1項）により、50年を超える部分のみが無効となり、存続期間が50年に短縮されることとなります。

③ 原始的不能と錯誤

改正前民法の下で、たとえば、契約当事者がすでに建物が滅失していることを知らないまま売買契約を締結した場合において、錯誤の主張が認められるかが問題となりました。判例は、錯誤の規定は履行が可能な場合にのみ適用されるとして、錯誤の主張を認めず、原始的不能による無効の主張を認めていました（大判大正8年11月19日民録25輯2172頁）。

改正後の民法の下では、原始的不能であってもその履行の不能によって生じた損害の賠償を請求することを妨げないとして、債務不履行に基づく損害賠償を請求できるとしていますが（民法412条の2第2項）、この規定の存在によって、契約の当事者が動機の錯誤（民法95条1項2号）を理由に契約を取り消すことを妨げるものではないと解されます（一問一答72頁）。なお、契約が錯誤を理由に取り消された場合には、もはや債務が存在しないこととなるため、債務不履行に基づく損害賠償請求をすることはできないと解されます。

4　適法性

(1) 適法性と強行規定

法律行為が有効に成立するためには、その内容が適法なものでなければなりません。たとえば、強行規定に反する法律行為は無効となります（最判平成11年2月23日民集53巻2号193頁・百選Ⅰ［第8版］17事件）。

前述のとおり、強行法規とは公の秩序に関する規定をいうところ、私的自治の原則を基盤とする契約に関する規定はおおむね任意規定と解されています。これに対し、物権に関する規定や親族・相続に関する規定は法秩序を維持するためおおむね強行規定と解されています。

(2) 取締規定との関係

① 取締規定の意義

取締規定とは、経済政策や行政目的から一定の行為を禁止または制限する規定をいいます。たとえば、自動車運送事業を営むために必要な免許（道路運送法4条1項）を受けないでした運送行為（いわゆる「白タク営業」）の禁止規定が挙げられます。

② 取締規定違反の効果

取締規定に違反した場合、罰則規定があれば罰則の対象となりますが、取締規定に違反してなされた私法上の行為の効力は否定されません。

たとえば、白タク営業をした者は3年以下の懲役もしくは300万円以下の罰金またはこれを併科されます（道路運送法96条1号）。しかし、白タク営業をした者と乗客との間で締結された運送契約の効力は有効であり、白タク営業をした者は乗客に対して運賃の支払いを請求することができます（最判昭和39年10月29日民集18巻8号1823頁）。

③ 効力規定

効力規定とは、取締規定のうち当該取締規定に違反してなされた取引行為の私法上の効力に影響を及ぼす規定をいいます。ある取締規定が効力規定か否かは、当該取締規定の趣旨に鑑みて個別に判断する必要があります。

たとえば、独占禁止法違反（最判昭和52年6月20日民集31巻4号449頁）や食品衛生法違反（最判昭和35年3月18日民集14巻4号483頁・百選Ⅰ［第8版］16事件、最判昭和39年1月23日民集18巻1号37頁）等が効力規定に該当します。

⑶ 脱法行為

脱法行為とは、強行規定が禁止する法律効果を、当該強行規定に抵触しない他の法律行為によって実現することをいいます。脱法行為は、強行規定の潜脱であるため、原則として無効となります。

たとえば、利息制限法2条（利息の天引き）および3条（みなし利息）は、利息制限法の脱法行為を禁止するために設けられた規定です。また、最判昭和30年10月27日民集9巻11号1720頁は、担保の目的で行う恩給取立委任について、恩給を担保にすることを禁止する恩給法11条の精神に反する行為であるとして無効と判断しました。

なお、一見脱法行為のように見える行為であっても、当該行為が合理的な社会的必要性に基づくものであり、かつ、法の趣旨が当該手段による目的の達成を容認していると考えられる場合には、当該行為は無効となりません。

たとえば、譲渡担保は当初質権に関する規定の脱法行為ではないかが問題となりましたが、その合理的な社会的必要性に基づいて有効性を認めるに至りました（大判大正5年9月20日民録22輯1821頁）。

5　社会的妥当性

⑴ 公序良俗の意義

民法は、「公の秩序又は善良の風俗に反する法律行為は、無効とする」と規定しています（民法90条）。ここでいう「公の秩序」とは、国家社会の一般的利益秩序をいいます。また、「善良の風俗」とは、社会一般の道徳観念をいいます。「公の秩序」と「善良の風俗」の両者を合わせて「公序良俗」といいます。「公の秩序」と「善良の風俗」は両者が相まって社会的妥当性を欠く行為の効力を否定し、当該行為の実現に国家が協力しない趣旨であるため、「公の秩序」と「善良の風俗」を厳密に区別する実益はありません。

なお、改正前民法90条は、公序良俗または善良の風俗に反する「事項を目的とする」法律行為は無効とすると規定しており、文言上、同条によって無効となる法律行為は、人身売買などの法律行為の内容が公序良俗に反する法律行為であるとされていました。しかし、判例（最判昭和47年４月25日判時669号60頁、最判昭和61年９月４日判時1215号47頁）は、法律行為の内容自体は公序良俗に反するものではない事案においても、公序良俗に反する動機を相手方が知っている場合には法律行為を無効とするなど、法律行為の内容だけでなく、法律行為が行われる過程その他の事情も広く考慮して、無効とするか否かを判断していました。そこで、改正後の民法90条は、このような裁判実務における判断の枠組みを条文上も明確化し、改正前民法90条の「事項を目的とする」との文言を削除し、「公の秩序又は善良の風俗に反する法律行為は、無効とする」との規定に改めています（一問一答15頁）。

⑵ 公序良俗違反の類型

いかなる法律行為が公序良俗に違反するかは、時代によっても判断が異なります。そのため、以下では公序良俗に反すると認められた法律行為を類型化して紹介することとします（我妻『新訂民法総則』272頁以下参照）。

① 人倫に反するもの

ア　母と子が同居しないとする父子間の契約は公序良俗に反して無効となります（大判明治32年３月25日民録５輯37頁）。

イ　Ａが配偶者のあるＢとの間で、将来Ｂの婚姻が解消した場合にはＡと婚姻することを内容とする婚姻予約および婚姻するまでＢがＡに扶養料を支払う旨の契約は、公序良俗に反して無効となります（大判大正９年５月28日民録26輯773頁）。

② 犯罪行為に関連するもの

ア　賭博に負けたら金や物を譲渡するという契約や、賭博によって負担した債務の弁済に充てる資金を貸す金銭消費貸借契約は、公序良俗に反して無効となります（大判昭和13年３月30日民集17巻578頁）。

イ　賭博の準備金として金銭を貸す金銭消費貸借契約も、公序良俗に反して無効となります（最判昭和61年９月４日判時1215号47頁）。

③ 他人の無知・窮迫に乗じて不当な利益を得る行為（暴利行為）

高利の金銭消費貸借契約や過大な損害賠償額の予定、不相当に高価な物による流れ担保契約等は公序良俗に反して無効となることが考えられます。

④ 著しく不公正な取引方法

商品取引の知識のない主婦に対して著しく不公正な方法による勧誘行為によって締結された先物取引の委託契約は、公序良俗に反して無効となります（最判昭和61年５月29日判時1195号102頁）。

⑤ 基本的人権を侵害する行為

ア　父親の前借金を弁済するために娘を芸娼妓（芸者や遊女のことをいいます）にする契約は、公序良俗に反して無効となります（最判昭和30年10月7日民集9巻11号1616頁）。

イ　男女の定年年齢を異別に定めた会社の就業規則は、公序良俗に反して無効となります（最判昭和56年3月24日民集35巻2号300頁）。

⑶ 動機の不法

① 問題の所在

法律行為そのものには違法性がないものの、法律行為をする目的ないし動機に違法性がある場合、当該法律行為を公序良俗に反するとして無効とするべきかが問題となります。

たとえば、金銭消費貸借契約を締結する目的が賭博の資金を確保する点にある場合や、ナイフの売買契約を締結する目的が殺人目的にある場合、建物賃貸借契約を締結する目的が当該建物で売春営業を営む点にある場合等に、当該法律行為自体を無効とするべきかが問題となります。この問題の本質は、動機の違法性が法律行為の適法性に影響するか否かという点にあります。

② 学 説

この問題については、以下のように見解が分かれています。

ア　表示無効説

この見解は、動機が法律行為の内容として表示された場合に限り、当該法律行為を無効とします。動機は表示されない限り意思表示の内容とならず、法律行為の適法性に影響しないことを根拠とします。この見解によれば、動機の表示がなければ当該法律行為は無効とならないため、取引の相手方の信頼を害することがありません。

イ　相手方悪意・有過失無効説

この見解は、動機を表示していない場合であっても、取引の相手方が動機の不法を知り、または知ることができた場合には、当該法律行為は無効とします。相手方が動機の不法を知りまたは知ることができた場合には、相手方の信頼を害することがないため法律行為を無効として差し支えないことを根拠とします。表示無効説よりも無効となる場面が拡大することとなります。

ウ　相関関係説

この見解は、動機の違法性の程度と相手方の関与ないし認識の程度との相関関係で、当該法律行為が無効となるか否かを決するべきとします。事案ごとに法律行為の適法性に影響するか否かを検討するべきことを根拠とします。

エ　原則無効説

この見解は、不法な動機を実現するための法律行為は原則として無効であり、相手方が動機を知らず、知ることができなかったことについて過失がなかったことを証明した場合に限り、法律行為の効力に影響を及ぼさないとします。動機の不法は原則として法律行為の適法性に影響するとしつつ、動機の不法の善意無過失の立証責任を相手方に負わせることで相手方の信頼の保護を図ることを根拠とします。

⑷ 公序良俗違反の判断時期

法律行為が公序良俗に反するか否かは、契約成立時点（法律行為がなされた時点）で判断すべきか、あるいは契約が履行される時点で判断すべきかが問題となります。具体的には、契約成立時点では公序良俗に反する行為が契約履行時点では公序良俗違反にならない場合における契約の効力や、契約成立時点では公序良俗に反しなかった行為が契約履行時点では公序良俗違反となる場合における契約の効力が問題となります。

① 契約成立時点では公序良俗に反する行為が契約履行時点では公序良俗違反にならない場合における契約の効力

一度無効とされた契約は当然には有効とならないことから、契約成立時点では公序良俗に反する行為による契約は、その後、公序良俗違反についての判断基準が変化し、契約履行時点では公序良俗違反にはならない場合であっても、原則として無効であると考えられます。もっとも、両契約当事者が追認した場合には有効となると考えられます（四宮・能見『民法総則』［第９版］315頁）。

② 契約成立時点では公序良俗に反しなかった行為が契約履行時点では公序良俗違反となる場合における契約の効力

最判平成15年４月18日民集57巻４号366頁・百選Ⅰ［第８版］13事件は、証券取引における損失保証契約の有効性について、次のように判示しました。すなわち、商社Ｘと証券会社Ｙは、ＹがＸに８％の利回りを保証するという内容の損失保証契約を締結しました。当該損失保証契約の成立当時、このような損失保証は反社会性の強い行為と一般に認識されておらず、公序良俗に反するとはいえなかったものの、契約の履行時点では公序良俗となると認識されていました。そこで、当該損失保証契約の有効性が問題となりました。最高裁は、「法律行為が公序に反することを目的とするものであるとして無効になるかどうかは、法律行為がなされた時点の公序に照らして判断すべきである」とし、損失保証が反社会性の強い行為と一般に認識される前になされた当該損失保証契約を有効であると判断したうえで、当該損失保証契約に基づくＸの履行請求については、履行時の法律（当時の証券取引法42条の２第１項第３号）に反するため許されないと判示しました。

これに対し、有力な学説は、民法90条の目的は公序良俗違反の行為の実現を許さない点にあるとし、契約成立時点だけでなく、契約履行時点においても公序良俗に反しないものでなければ、契約は全体として無効となるとしています（四

宮・能見『民法総則』［第9版］315頁）。

(5) 不法原因給付（民法708条）

前述のとおり、公序良俗に違反する法律行為は無効となります（民法90条）。したがって、公序良俗に違反する法律行為に基づいて財物を給付した場合、財物を給付した者は受益者に対して、不当利得返還請求権に基づき当該財物の返還を請求できるのが原則です（民法703条）。たとえば、賭博で負けたAが賭博に勝ったBに掛け金を支払った場合、賭博契約は無効のため、AはBに対して掛け金の返還を請求することができることとなります。

ところが、民法は、「不法な原因のために給付をした者は、その給付したものの返還を請求することができない。ただし、不法な原因が受益者についてのみ存したときは、この限りでない」と規定しています（民法708条）。この趣旨は、裁判所は、自ら不法な行為を行い、財物を給付した者に対して、給付した財物の返還請求という救済を与えないという点にあります。このような考え方を、クリーンハンズの原則といいます。

したがって、公序良俗に違反する法律行為に基づいて財物を給付した場合、財物を給付した者は受益者に対して当該財物の返還を請求することはできません（民法708条）。

第５章

意思表示

第１　意思表示の意義

１　意思表示の意義

「意思表示」とは、当事者が権利の発生・変更・消滅といった一定の法律効果を生じさせようとする意思を外部に対して表明する行為をいいます。ある人が、店舗の店員に対して、店舗内の製品を購入することを申し入れる行為は、売買契約に基づく権利の発生を生じさせようとする意思を外部に表明する行為といえ、意思表示にあたります。

２　意思表示の効力の発生時期

⑴ 意思表示の効力発生時期の原則

意思表示は、その通知が相手方に到達した時からその効力を生じます（民法97条１項）。このように意思表示が相手方に到達した時からその効力が生じる建前を到達主義といい、民法97条１項は、到達主義を規定しています。

これに対し、意思表示を発信した時にその効力が生じる建前を発信主義といい、改正前民法526条１項は、隔地者間の契約について、承諾の通知を発した時に、成立するとして、発信主義を採用していました。もっとも、改正後の民法は、改正前民法526条１項の規定を削除し、承諾についても民法97条１項の到達主義を採用することとしています。したがって、承諾の意思表示は、相手方に到達した時からその効力が生じます。

⑵ 意思表示の到達が妨げられた場合における意思表示の効力発生時期

相手方が正当な理由なく意思表示の通知が到達することを妨げたときは、その通知は、通常到達すべきであった時に到達したものとみなされます（民法97条２項）。

到達主義を前提とした場合、相手方が手紙の受取りを拒むなど、意思表示を不当に受領しないことにより意思表示の到達が実現しない場合には、いつまでも意思表示の効力が生じないこととなり、発信者に不利となります（我妻ほか『我妻・有泉コンメンタール民法――総則・物権・債権』［第５版］943頁）。そこで、改正前民法下の判例（最判平成10年６月11日民集52巻４号1034頁）を踏まえ、改正後の民法97条２項は、意思表示の受領者が到達を妨げた場合には、到達したものとみなす旨を明文で規定しています。

⑶ 意思表示の発信後に表意者が死亡するなどの事情が発生した場合における意思表示の効力発生時期

意思表示は、表意者が通知を発した後に死亡し、意思能力を喪失し、または行為能力の制限を受けたときであっても、そのためにその効力を妨げられません（民法97条３項）。したがって、意思表示の発信後に表意者が死亡するなどの事情が発生した場合においても、意思表示が相手方に到達した時から効力を生じることとなります。

意思表示の到達は、すでに成立した意思表示が相手方の支配権内に置かれるという客観的な事実であり、それ自体が法律行為というわけではないため、表意者の生死や行為能力の制限の有無は問題となりません。この点、改正前民法は、「意思表示は、表意者が通知を発した後に死亡し、又は行為能力を喪失したときであっても、そのためにその効力を妨げられない」と規定し（改正前民法97条２項）、表意者が意思能力を喪失した場合について規定していませんでした。もっとも、同項の趣旨は、表意者が意思能力を喪失した場合にも妥当すると考えられます。そこで、改正後の民法97条３項は、意思表示の発信後に表意者が意思能力を喪失した場合においても、意思表示の効力が妨げられない旨を明らかにしています。

⑷ 相手方が意思能力を有しなかった場合等における意思表示の効力発生時期

意思表示の相手方がその意思表示を受けた時に意思能力を有しなかったときまたは未成年者もしくは成年被後見人であったときは、原則としてその意思表示をもってその相手方に対抗することができません（民法98条の２柱書本文）。ただし、相手方の法定代理人（同条１号）や、意思能力を回復し、または行為能力者となった相手方（同条２号）がその意思表示を知った後は、その意思表示を相手方に対抗することができます（同条柱書但書）。

たとえば、ＡがＢに対しＢ所有の自動車の購入を申し込んだ後、Ｂによる承諾の通知を受領した際、Ａが一時的に意思能力を欠いていた場合、Ａは意思能力を有しないため、原則としてＢは承諾をＡに対抗できません（民法98条の２柱書本文）。ただし、Ａが意思能力を回復した後にＢによる承諾を知った場合には、Ｂは承諾をＡに対抗することができます。

⑸ 公示による意思表示の場合における意思表示の効力発生時期

意思表示の効力が生じるためには、原則として相手方に到達することが必要となるため、相手方が行方不明の場合、表意者は自己の意思表示を相手方に到達させることができず、意思表示の効力を生じさせることができなくなるという不都合が生じます。そこで、民法は、表意者が相手方を知ることができず、またはその所在を知ることができないときは、公示送達に関する民事訴訟法の規定に従い、裁判所の掲示場に掲示し、かつその掲示があったことを官報に掲載する方法により意思表示を到達したものとみなす扱いとしています（民法98条１項ないし５項）。

3　法律行為の要素としての意思表示

「法律行為」とは、債権債務の発生といった法律効果に直結する法律上の要件をいい、法律行為の典型例は契約です。意思表示は、契約等の法律行為を構成する要素であり、売買契約であれば売却の意思表示と買取りの意思表示が合致することにより売買契約という法律行為が成立することとなります。

法律行為を構成する意思表示の効力が否定されると法律行為の構成要素を欠くこととなるため、法律行為の効力は否定されます。たとえば、甲土地を売るつもりがないＡが甲土地をＢに売却することを約束し、Ｂがそれが真実でないことを認識していた場合には、民法93条１項但書によりＡの意思表示は無効となり、売買契約の効力が否定されます。また、Ａが自己の所有する不動産について、債権者からの強制執行を免れるために、Ｂと通謀して、仮装の売買契約書を交わして、あたかもＢに売却したかのように外形を整えた場合、民法94条１項によりＡの意思表示は無効となり、売買契約の効力が否定されます。

以上のように意思表示の効力が否定された場合には、贈与契約や売買契約といった法律行為の効力も否定されることとなります。

第２　意思表示の構造

1　意思表示の構造

売買契約を例にとれば、売主の商品を売るという意思表示と買主の商品を買うという意思表示が合致すれば、売買契約は成立します。

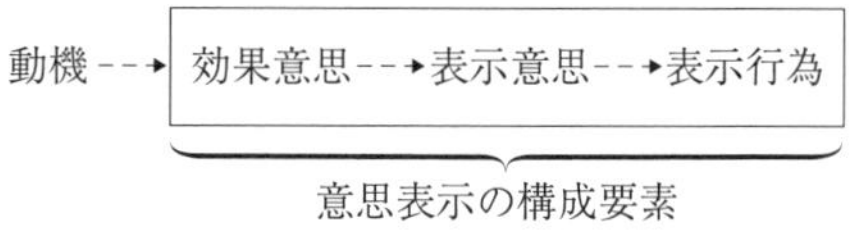

伝統的な見解によれば、意思表示は(i)動機に導かれて、(ii)一定の法律効果を欲する内心的効果意思が形成され、その内心的効果意思を表示しようとする(iii)表示意思を媒介にして、(iv)表示行為が行われるという構造をもつと解されています。(i)の動機は効果意思の前提をなす理由にすぎないため、意思表示の構成要素ではなく、(ii)効果意思、(iii)表示意思および(iv)表示行為の３つが意思表示の構成要素であると解されています。

たとえば、商品を１万円で買おうという買主の意思が、内心的効果意思です。また、買主が売主に対して、この商品を１万円で売ってもらえませんかと伝えようとする意思が表示意思であり、買主が売主に対して、実際にこの商品を１万円で買いたいと伝える行為が表示行為です。これに対して、買主が、内心、この商品は出たばかりの新作だから買いたいという意思を有していたとしても、その意思は商品を買うという内心的効果意思を形成する過程（動機）にすぎず、表示に対応した意思の合致があって初めて、契約は有効に成立することとなります。

2　意思主義と表示主義

意思表示の有効性に関する解釈をめぐっては、内心の意思を重視する立場（意思主義）と外部に表示された表示行為を重視する立場（表示主義）があります。たとえば、内心では買う意思がないにもかかわらず、商品を買うとの買主の申入れを信じて売主が商品を買主に売却した場合、内心の意思を重視する意思主義の立場からすれば買主の内心的効果意思を欠くため無効となります。

もっとも、これでは、買主の申入れを信じた取引の相手方（売主）の利益を害します。

そこで、取引安全の観点から外部に表示された表示行為を重視する表示主義の立場からは、意思表示を有効と解することになります。意思表示に関する民法の規定は、原則として意思主義の立場に立ちながら、取引安全の観点から表示主義の立場から修正を加えています。

⑴ 意思主義

意思主義とは、表意者が法律効果の発生を欲する内心的な効果意思が意思表示の本質的要素であり、意思表示の有効性に関する解釈にあたって効果意思を重視すべきであると考える立場です。意思主義は、意思表示が成立するには法律行為の効果を発生させる効果意思とこれを表示しようとする表示意思のいずれもが必要であると考える立場です。たとえば、意思主義の下では、買主が商品を１万円で買うという内心的効果意思と商品を１万円で買うという意思を売主に伝える意思（表示意思）が必要となります。

⑵ 表示主義

表示主義とは、相手方の内心的な意思ではなく、取引の安全を図るため相手方に対する表示行為を重視すべきであると考える立場です。

表示主義の立場は、意思表示には効果意思と表示意思のいずれも必要不可欠ではなく、相手方にとって表意者から法律効果を導くために必要な表示行為があれば意思表示は成立すると考えることとなります。

⑶ 意思の欠缺・瑕疵ある意思表示

① 意思の欠缺と瑕疵ある意思表示

表示に対応する内心的効果意思を欠いた場合を意思の欠缺と呼びます。これに対して、表示に対応する内心的効果意思は存在するものの、内心的効果意思の形成過程に瑕疵がある場合を瑕疵ある意思表示と呼びます。民法は、意思の欠缺がある場合と瑕疵ある意思表示がある場合とでは、取引の安全を犠牲にして表意者の保護を図る必要性に差があるため、意思の欠缺がある場合と瑕疵ある意思表示がある場合を分けて規定しています。以下では、意思の欠缺がある場合と瑕疵ある意思表示が存在する場合について、説明します。

② 意思の欠缺

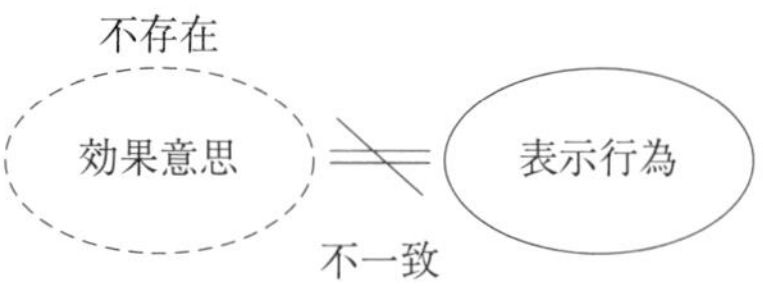

意思の欠缺とは、相手方に対する表示行為は存在するものの、その表示行為に対応する内心的効果意思が存在しない場合をいいます。売買契約で買主が商品Bを買うつもりで商品Aを買うと売主に伝えてしまった場合、Aを買うという表示行為に対応する内心的効果意思を欠くため、意思表示は無効となります。民法93条が規定する心裡留保、民法94条が規定する通謀虚偽表示および民法95条が規定する錯誤は、いずれも表示行為と効果意思との間に不一致が認められるため意思の欠缺に該当します。なお、民法95条が規定する錯誤については、後述のとおり意思表示の取消しが認められています。

③ 瑕疵ある意思表示

瑕疵ある意思表示とは、他人の行為が介在した結果、効果意思を形成する際の動機（理由）に瑕疵が存在するため意思表示の効力を維持するのが適当でない場合をいいます。この場合、意思表示は取り消すことができることとなります。民法96条が規定する詐欺取消しや強迫取消しは、いずれも他人の行為によって瑕疵ある意思表示がなされた場合にあたります。

瑕疵ある意思表示の場合、表意者には表示行為と一致する内心的効果意思は存在するため、内心的効果意思を欠く意思の欠缺がある場合と比べて表意者の保護よりも取引の安全の保護を図る要請が高いといえます。そこで、民法は、瑕疵ある意思表示の場合、表意者は瑕疵ある意思表示を取り消すことができるにとどめ、意思の欠缺がある場合のように意思表示を無効とする取扱いをしていません。

意思表示の無効は、意思表示をした時点ではじめから無効となるのに対して、意思表示の取消しの場合、取消しの意思表示がなされない限り意思表示は有効なものとして取り扱われる点で異なる取扱いを受けます。

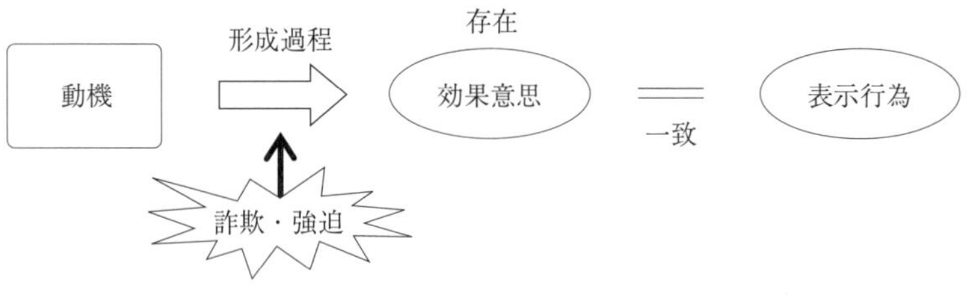

第３　心裡留保

1　心裡留保の意義

民法は、「意思表示は、表意者がその真意ではないことを知ってしたときであっても、そのためにその効力を妨げられない。ただし、相手方がその意思表示が表意者の真意ではないことを知り、又は知ることができたときは、その意思表示は、無効とする」と規定します（民法93条1項）。このような場合を心裡留保といいます。なお、改正後の民法93条1項は、改正前民法93条但書の「相手方が表意者の真意を知り」との表現の意味を明確にする趣旨で、「相手方がその意思表示が表意者の真意ではないことを知り」との表現に改めています。

心裡留保とは、意思表示を発する者（表意者）が表示行為に対応する内心的効果意思（真意）のないことを認識しながらあえて内心的効果意思とは異なる表示をする意思表示をいいます。たとえば、売買契約において、AがBに対して真に売却する気がないのにもかかわらず、その所有する時価1000万円の土地を1000万円で売却することを約束する場合のAの売却の意思表示が、心裡留保にあたります。

2　心裡留保の効果

⑴ 原 則

意思主義の原則からすれば、心裡留保による意思表示は、表示に対応する内心的効果意思が存在しないことから、本来無効となるはずです。しかし、意思表示を行った表意者自身が真意でないことを認識している以上、意思表示を無効として表意者を保護する必要は乏しいといえます。また、内心に関わる事情を理由に契約を無効とした場合には相手方は表意者の内心に関わる事情によって取引の有効無効を左右されることになるため、取引が有効であると信頼した取引の相手方の利益を害します。そこで、民法は、表示主義の立場から内心的効果意思を欠く場合には無効となるという意思主義に修正を加え、心裡留保の場合でも原則として意思表示を有効として取り扱うこととしました（民法93条1項本文）。

⑵ 例 外

もっとも、相手方が本人の心裡留保のある意思表示について、本人が真意でないことを知っていた（悪意）場合または知ることができた場合は、内心的効果意思と異なる意思表示をした本人の意思を無視してまで取引の安全を図る必要はないといえます。そこで、この場合、意思主義の原則に則り、意思表示は無効となります（同項但書）。

⑶ 心裡留保と第三者保護

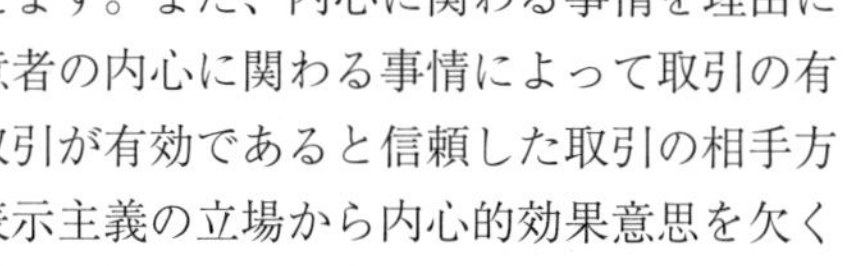

取引の相手方が表意者の心裡留保につき悪意であり、さらに心裡留保につき善意の第三者に転売した場合について、民法は善意の第三者を保護しています（民法93条2項）。たとえば、Aが本当は不動産を売る気がないにもかかわらず、不動産を売る旨の意思をBに表示し、BがAの内心を知っていた

場合（悪意の場合）で、BがAとの売買契約に基づいて取得した不動産をさらに心裡留保につき善意の第三者Cに転売した場合、善意の第三者Cは保護されることとなります。

この点、改正前民法93条は、善意の第三者を保護する規定を設けていませんでしたが、以下のとおり、改正前においても民法94条2項を類推適用して善意の第三者を保護しようとする見解が有力に主張されていました。

すなわち、民法94条2項は、当事者相互が通謀して売買契約を仮装したような場合に善意の第三者を保護しています。これは、虚偽表示を行った本人には虚偽の外観を作出したという点に帰責性が認められるため、本人の犠牲の下、取引の相手方となった善意の第三者の保護を図った規定です。心裡留保の場合、当事者間で相手方と通じてした虚偽の意思表示があるわけではないため通謀虚偽表示について定めた民法94条2項の直接適用は認められません。もっとも、心裡留保の場合も本人が内心的効果意思と異なる表示行為を行い、あたかも契約が有効であるかのような外観を作出した点で本人に帰責性が認められ、外観を信頼した第三者を保護する必要性は虚偽表示の場合と異なりません。そこで、改正前民法の下において、民法94条2項を類推適用して善意の第三者を保護する見解が有力に主張されていました。これに対して、改正後の民法93条2項は、善意の第三者を保護する規定を設け、心裡留保による意思表示の無効を善意の第三者には対抗できないことを明らかにしています。

第4　通謀虚偽表示

1　通謀虚偽表示の意義

民法は、「相手方と通じてした虚偽の意思表示は、無効とする」と規定します（民法94条1項）。相手方と意を「通じて」行った内心的効果意思と異なる意思表示をすることを通謀虚偽表示といいます。

通謀虚偽表示は、意思表示を発した表意者自身が内心的効果意思とは異なる真意でない意思表示をしていることを認識している点では、心裡留保と共通しますが、表意者の意思表示が内心的効果意思と異なることについて相手方も了解しているという点が心裡留保と異なります。

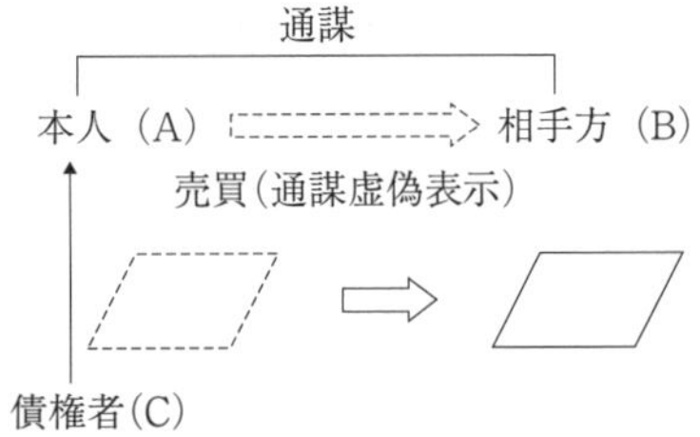

たとえば、Aが債権者Cからの差押えを免れようとしてAの所有する不動産をBに売却したかのように仮装するため、AB間で架空の売買契約書を作成して互いに合意し、Aの土地の所有権移転登記をB名義にする場合のABの意思表示は、当事

者であるＡおよびＢの内心的効果意思を欠くものであり通謀虚偽表示にあたります。

2　通謀虚偽表示の効果

⑴ 民法94条１項（原則無効）

相手方と通じてした虚偽の意思表示は無効となります（民法94条１項）。これは、当事者間で内心的効果意思が存在せず、当事者間で表示どおりの法律効果を発生させないという通謀が存在するため、意思主義の立場から意思表示として無効として取り扱ったものです。

⑵ 民法94条２項による修正（善意の第三者の保護）

民法は、「前項の規定による意思表示の無効は、善意の第三者に対抗することができない」と規定します（民法94条２項）。

この趣旨は、虚偽の意思表示をして真実を伴わない外形を作り出した権利者の犠牲の下、虚偽の意思表示の外形を信頼して取引関係に入った善意の取引に対する信頼を保護することを通じて取引の安全を図った点にあります。

① 民法94条２項の「第三者」の意義

民法94条２項の「第三者」とは、虚偽表示の当事者およびその包括承継人（相続人等）以外の者で虚偽表示の外形を基礎として新たに法律上の利害関係を有するに至った者をいいます（大判大正５年11月17日民録22輯2089頁、最判昭和45年７月24日民集24巻７号1116頁）。

ア　第三者に該当する例

ⅰ 売主Ａと買主Ｂとの間の通謀虚偽表示による不動産の売買の後、当該不動産をＢから買い受けたＣは、虚偽表示の外形を基礎として新たに法律上の利害関係を有するに至った者として民法94条２項の「第三者」に該当します（最判昭和28年10月１日民集７巻10号1019頁）。したがって、ＣがAB間の通謀虚偽表示について善意である場合には、Ｃは善意の第三者として保護されます。ＡはＣに対してAB間の売買が無効であることを主張できません。

ⅱ 売主Ａと買主Ｂとの間の通謀虚偽表示による不動産の売買の後、Ｂ名義の不動産に抵当権の設定をしたＤも、虚偽表示の外形を基礎として新たに法律上の利害関係を有するに至った者として民法94条２項の「第三者」に該当します（大判大正４年12月17日民録21輯2124頁）。したがって、ＤがAB間の通謀虚偽表示について善意である場合には、Ｄは善意の第三者として保護されます。Ａは、AB間の売買が無効であることを抵当権者であるＤに対して主張することはできません。

ⅲ 売主Ａと買主Ｂとの間の通謀虚偽表示による不動産の売買の後、Ｂ名義となった不動産に対して差押えをしたＢの一般債権者Ｅも、虚偽表示の外形を基礎として新たに法律上の利害関係を有するに至った者として民法94条

２項の「第三者」に該当します（最判昭和48年６月28日民集27巻６号724頁）。したがって、ＥがAB間の通謀虚偽表示について善意である場合には、Ｅは善意の第三者として保護されます。Ａは、AB間の売買の無効を差押債権者Ｅに対して主張することはできません。

イ　第三者に該当しない例

(i) ＡがＢに対する１番抵当権を通謀虚偽表示によって放棄した場合の第２順位の抵当権者Ｃは、すでに確保していた抵当権の順位の上昇を受けるにすぎず、新たに独立の法律上の利害関係を有するに至ったとはいえないため民法94条２項の「第三者」には該当しません。したがって、Ａは第２順位の抵当権者Ｃに対し自己の１番抵当権の放棄の意思表示が無効であることを主張できます。

(ii) 売主Ａと買主Ｂとの間の通謀虚偽表示による不動産の売買に基づいてＢ名義となった不動産に対して差押えをしていないＢの単なる一般債権者Ｄは、未だ法律上の利害関係を有するに至ったとはいえないため民法94条２項の「第三者」には該当しません。したがって、ＡはAB間の売買の無効を一般債権者Ｄに対して主張できます。

(iii) 売主Ａと買主Ｂとの間の通謀虚偽表示により譲渡されてＢ名義となった土地上にＢが建物を建築し、建物をＥに賃貸した場合、土地と建物は別個の財産であり、建物の賃借人であるＥは、通謀虚偽表示のあった土地に関して事実上の利害関係を有するにすぎず、法律上の利害関係を有するに至ったとはいえません。そのため、建物の賃借人であるＥは民法94条２項の「第三者」に該当しないと解するのが判例です（最判昭和57年６月８日判時1049号36頁）。したがって、ＡはAB間の土地の売買契約の無効を建物の賃借人Ｅに対して主張することができます。上記判例の立場に立った場合、Ｂの土地の売買契約が無効となり、Ｂの敷地の利用権が無効になると、敷地を利用する権利がなくなるため建物の利用も否定されることとなります。これでは、建物を有効に利用することができると信じて建物の賃借を受けたＥの取引の安全を害するため、Ｅは民法94条２項の「第三者」にあたると解すべきであるとの批判があります。

ウ　第三者からの転得者の保護について

民法94条２項は、取引の相手方が「善意の第三者」にあたる場合には、通謀虚偽表示を行った当事者は、当該善意の第三者に対して意思表示の無効を対抗することができない旨を規定しています。

この通謀虚偽表示の善意の「第三者」には、「第三者」からさらに譲渡を受けた転得者も含まれるでしょうか。この問題については、以下のように場合分けして考えることができます。

(i) 第三者が通謀虚偽表示について悪意、転得者が通謀虚偽表示について善意の場合

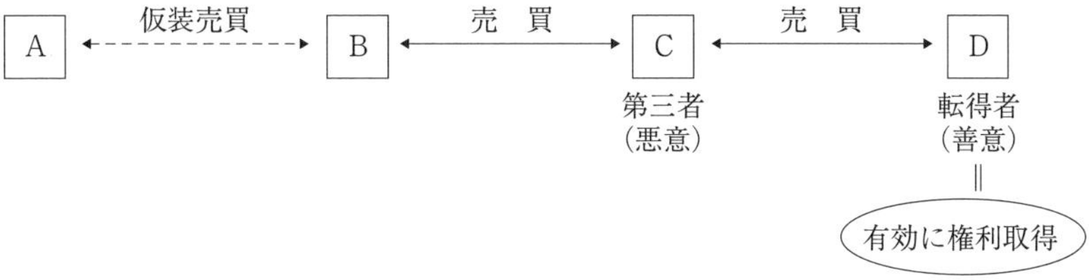

第三者が通謀虚偽表示について悪意、転得者が通謀虚偽表示について善意の場合には、取引安全の観点から転得者を保護する必要があります。そこで、第三者が悪意、転得者が善意の場合、転得者は民法94条2項の「善意の第三者」として保護されると解されます（前掲最判昭和45年7月24日）。

(ii) 第三者が善意、転得者が悪意の場合

では、第三者が通謀虚偽表示について善意、転得者が通謀虚偽表示について悪意の場合には、悪意の転得者は保護されるでしょうか。

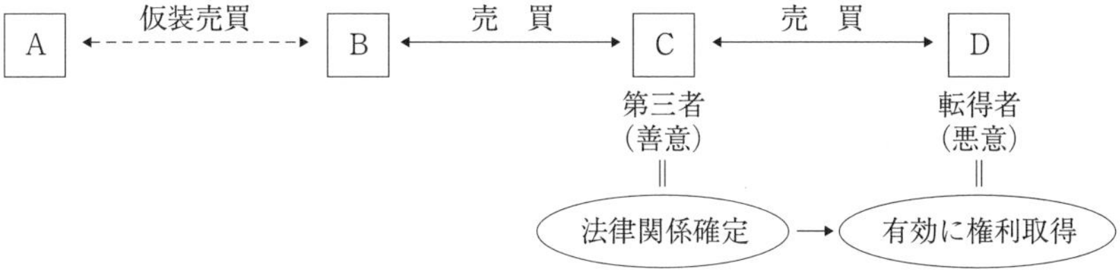

悪意の第三者が保護されない場合、悪意の第三者は善意の第三者に対して他人の物を譲渡した者（民法561条）の債務不履行責任として契約を解除し（民法541条）、代金の返還を請求することが考えられます。このように善意の第三者の悪意の転得者に対する他人の物を譲渡した者の責任（民法561条）が認められるとすると、民法94条2項により善意の第三者の保護を図った意義が没却されるため妥当ではありません。

また、いったん善意の第三者が現れた以上、自らの意思で通謀虚偽表示を行った表意者は、所有権を失うことを甘受すべきといえます。偶々その後悪意の転得者が現れたからといって表意者を保護する必要性は低いといえます。

そこで、善意の第三者がひとたび現れ、当該第三者が民法94条2項に基づき保護されることになれば、当該善意の第三者の下で虚偽表示は有効となり、その後、善意の第三者から取得した転得者は虚偽表示について悪意であったとしても保護されると解されます（大判昭和6年10月24日新聞3334号4頁）。

②「善意」の意義

「善意」とは、第三者として利害関係を有するに至った時点で、虚偽表示であることを知らないことをいいます。善意が要求される時期は、第三者が利害関係を有するに至った時点です（最判昭和55年９月11日民集34巻５号683頁）。したがって、第三者が利害関係を有するに至った後に、第三者が当事者の虚偽表示につき悪意になった場合でも、利害関係を有するに至った時点で善意であった場合には、その第三者は「善意」の第三者として保護されます。

民法94条２項は「善意」とだけ規定し、文言上第三者が善意無過失であることを要求していません。無過失とは、当事者間の虚偽表示について第三者が知らないことに落ち度がないことをいいます。

民法94条２項は真の権利者の犠牲の下、第三者を保護する規定です。第三者に「善意無過失」（第三者が当事者間の虚偽表示を知らず、かつ知らないことに落ち度がないこと）まで必要とするかについては争いがあります。この点、判例は虚偽表示であることを知らなかったことについて無過失であることまでは必要ないと判示しています（大判昭和12年８月１日新聞4185号36頁）。

これに対して、民法94条２項により取引が有効となる場合、虚偽表示を行った真の権利者は権利を失うこととなるため真の権利者の犠牲の下で第三者を保護する以上、第三者は、虚偽表示であることを知らない（善意）だけでは足りず、保護に値する第三者といえるための要件として虚偽表示であることを知りえなかった（無過失）ことまで要求すべきであるという見解も有力です（四宮・能見『民法総則』［第９版］234頁参照）。

なお、当事者間でいったん通謀虚偽表示がなされ、その後、当事者間で合意して虚偽表示を撤回したとしても、虚偽の外観を除去する前に第三者が新たな利害関係を有するに至った場合には、善意の第三者は民法94条２項により保護されます（最判昭和44年５月27日民集23巻６号998頁傍論）。なぜなら、虚偽の外観が除去されていない以上、虚偽の外観を作出した当事者の犠牲の下、取引の安全を図る必要が認められるからです。

③「対抗することができない」の意義

「対抗することができない」とは、善意の第三者Ｃに対して無効を主張することは、虚偽表示の当事者ＡおよびＢだけでなく、別の第三者Ｄも許されないことを意味します。なお、善意の第三者からは無効を主張することも有効を主張することもできます。

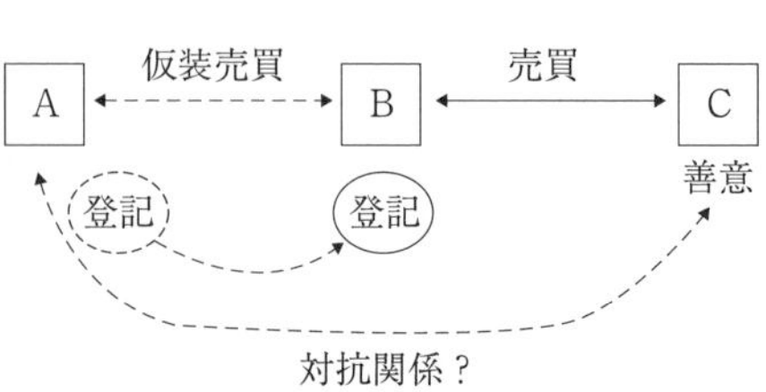

ア　民法94条２項は「対抗することができない」と規定しています。そこで、AB間の通謀虚偽表示に

基づき不動産の仮装売買が行われ、通謀虚偽表示につき善意のCがBから不動産を取得した場合に、善意の第三者として保護されるために対抗要件（民法177条）として登記を具備する必要があるかについて、必要説と不要説とが対立しています。

(i) 登記必要説

民法94条1項により虚偽表示の当事者であるAB間の売買は無効となり、その結果、AはBに対して不動産の返還請求権を有することとなります。必要説は、Bを起点としてAとCは対抗関係（相手方の権利が認められると自己の権利が認められなくなる関係）にあり、民法177条が適用されるので、Cは登記がないとAに対して取得した不動産の所有権を主張することができないと主張します。

(ii) 登記不要説

不要説は、AはCにとって権利承継の前主にあたり、CにとってAは第三者には該当しないため、AとCは対抗関係にはないと主張します。不要説は、Cに登記がなくてもAはCに対して虚偽表示の無効を対抗することができないと考えます。判例も不要説に立っています（前掲最判昭和55年9月11日）。AはCからすれば権利承継の前主にあたるため、AとCは対抗関係にはないと解されます。本書は、判例の立場である登記不要説を採用します。

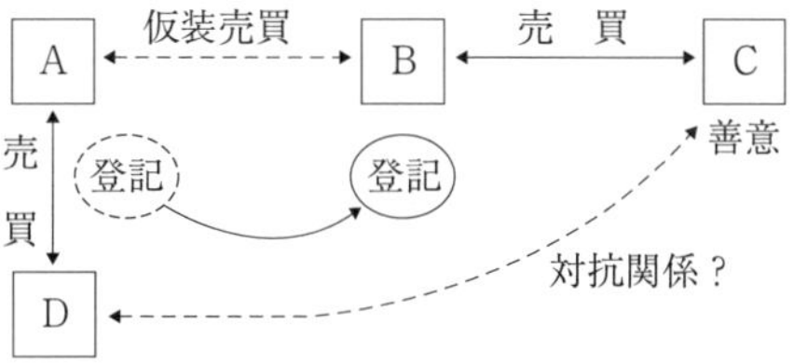

イ　AとBが通謀虚偽表示に基づき不動産を売却し、Bが登記を具備した後、Bが虚偽表示につき善意の第三者であるCに不動産を売却しCが登記を具備する前にDがAから同一の不動産を譲り受けた場合、CはDに対して登記なくして不動産の所有権を主張することができるでしょうか。この場合、Aを起点とした対抗関係（相手方の権利が認められると自己の権利が認められなくなる関係）が生じているといえるかが問題となります。

(i) 対抗関係肯定説

CとDとの間の対抗要件を肯定する見解は、A（—B）—CとA—Dの二重譲渡であり、Aを起点として善意の第三者Cへの譲渡とDへの譲渡が二重になされた場合と同様に対抗関係となると考えます。この見解は、CとDは同じ不動産について物権を取得したといえる関係に立つため、CとDのいずれか登記を先に具備した方が優先すると主張します。判例もAを起点とする対抗関係を肯定する立場に立っています（最判昭和42年10月31日民集21巻8号2232頁）。CとDの関係は、Aを起点としてそれぞれに対して有効な譲渡があったとみることができるため、本書は対抗関係を肯定する判例の立場を採用します。

(ii) 対抗関係否定説

対抗関係否定説は登記のないＡから権利を取得したＤは、登記のあるＢに対抗できません。対抗関係否定説は、Ａからの不動産の承継者である善意者Ｃと比べてもＤは保護に値しないため、ＣとＤは対抗関係に立たないとしてＣが常に優先すると主張します。

(3) 民法94条２項の類推適用

① 民法94条２項の類推適用の判例法理の展開

ア　表意者が相手方と通謀して行った虚偽の意思表示は、本来無効となるのが原則です。民法94条２項は、本来無効となる意思表示の効力を善意の第三者に対しては対抗できないと規定しました。この趣旨は、相手方と通謀して虚偽の意思表示をした真の権利者である表意者よりも善意の第三者を保護して取引の安全を図るという点にあります。このように民法94条２項は、真実の権利が伴っていない外観を信頼した者を一定の要件の下に保護するという権利外観法理を基礎に置く規定です。

イ　民法94条２項は、当事者間で通謀の事実が認められる場合に善意の第三者の保護を図った規定です。動産の取引の場合、日常取引における取引の安全を保護するため無権限者が動産を処分したとしても、善意無過失の第三者は動産を有効に取得することができます（これを即時取得といいます。民法192条）。これに対して、不動産の取引の場合、動産取引と異なり、即時取得制度（民法192条）は民法上設けられていないため、無権限者の登記を信頼して取引したとしても善意の第三者は保護されません。

また、民法94条２項は、通謀虚偽表示に関する規定であるため当事者が虚偽の外観を作出した場合には、直接適用することはできません。判例は、本来的な民法94条２項の適用場面である表意者が相手方と通謀して虚偽の意思表示をした場面以外にも、取引安全の保護を図った民法94条２項の趣旨を及ぼすことによって虚偽の外観を依頼した第三者を保護しています。

② 類推適用の要件

民法94条２項を直接適用する場合には、相手方と通謀した虚偽の意思表示の存在が要件となりますが、類推適用の場合には、真の権利者が虚偽の外観を作出した点に帰責性が認められることが必要となります。

また、判例の立場では、民法94条２項を直接適用する場合には、第三者の「善意」が要件となりますが、民法94条２項類推適用の場合にも第三者の「善意」で足りるか、それとも第三者の「善意無過失」まで要求するべきかについては見解が分かれています。この点、判例は、後述するとおり、真の権利者の虚偽の外観への作出の関与の程度に応じて、第三者は善意で足りる場合と、第三者は善意無過失であることが必要である場合とを分けて考える立場を採用しています。

③ 民法94条２項類推適用の効果

民法94条２項の類推適用の結果、真の権利者の第三者に対する権利主張が制限されることとなります。第三者は真の権利者から第三者に対する権利主張が認められなくなる結果、権利を取得することとなります。

④ 判 例

判例は、真の権利者の外観作出に対する関与の程度に応じて、第三者として保護する要件に違いを設け、外観作出に対する帰責性に対応して第三者の保護要件に違いを設けることできめ細かな利益調整を図っています。具体的には、判例は真の権利者の虚偽の外観作出の意思と第三者の信頼の対象となった虚偽の外観とが対応する場合（意思外形対応型）と真の権利者の意思と第三者の信頼の対象となった虚偽の外観とが対応しない場合（意思外形非対応型）とを分けて判断をしています。

ア　意思外形対応型

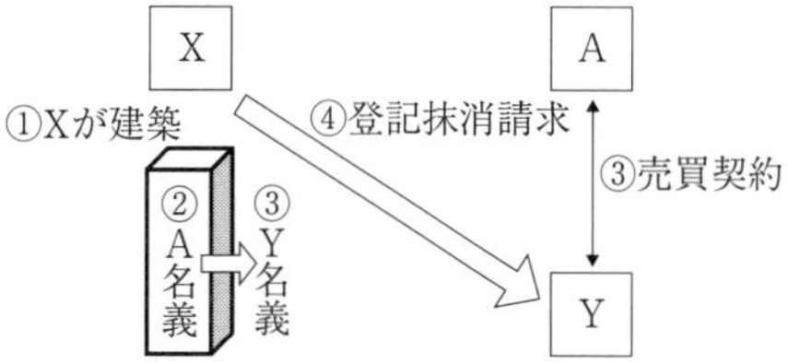

意思外形対応型とは、虚偽の外形の作出が真の権利者の意思に合致して作出された場合をいいます。

判例は、未登記建物所有者Xが、Aに対して真実は所有権を移転する意思がないのにもかかわらず、Aの承諾を得てA名義の所有権保存登記をしそれを奇貨としてAが第三者Yに売却した事案について、民法94条２項類推適用により、善意の第三者Yは保護されるとしています（最判昭和41年３月18日民集20巻３号451頁）。

この場合、XはAの名義を使用しただけであり、XA間の「通謀」があったとまではいえません。したがって、民法94条２項を直接適用することはできません。しかし、Xが虚偽の外形を自ら作出し、それを第三者が信頼したという点では、民法94条２項が保護しようとする場合と同様に取引の安全を図る必要が認められ、類似の利益状況にあります。そこで、虚偽の外観を信じた第三者の信頼を保護するという外観法理の現れである民法94条２項を類推適用することによりYを保護することとしたものといえます。

また、判例は、以下のような事案について、民法94条２項を類推適用して第三者の保護を図りました（最判昭和45年９月22日民集24巻10号1424頁・百選Ⅰ［第８版］21事件）。

(i) 事 案

Aは、土地所有者であるXが知らない間にXの実印等を冒用して本件土地に関してＸからＡへの所有権移転登記を経由した。Ｘはその後Ａと婚姻し、当該所有権移転登記のなされたことを知りながら放置し、Ｂ銀行から金を借りるにあたり、Ａ名義のままで本件土地をＢ銀行からの借入金の担保に供し、根抵当権設定登記を経由した。その後Ｙは、Ａから本件土地を買い受け、所有権移転登記を経由した。Ｘは本件土地の所有権は自分にあり、Ａにはないから、Ｙは本件土地の所有権を取得しないと主張して、Ｙに対し所有権移転登記の抹消を求めました。

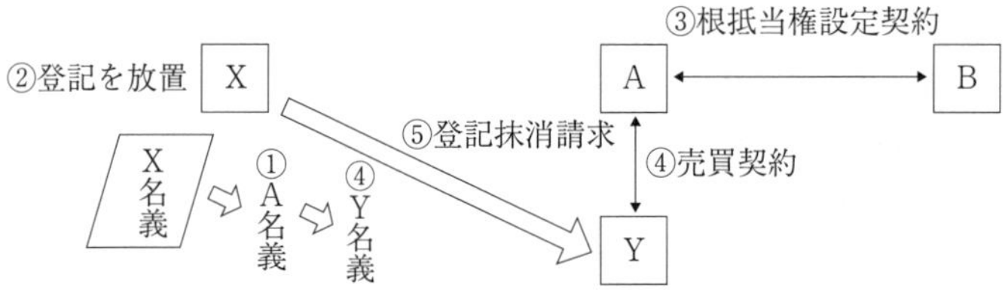

(ii) 判　旨

上記事案につき、判例は、不実の所有権移転登記の経由が所有者の不知の間に他人の専断によってされた場合でも、所有者が右不実の登記がされていることを知りながら、これを存続せしめることを明示または黙示に承認していたときは、民法94条２項が類推適用されると判示しました。Ａは、不実の登記がなされていることを知りながら放置した点で、Ａの意思は当該虚偽の外観作出と対応しているといえます。判例は、本事案は意思表示対応型として本人の帰責性が大きいため民法94条２項を類推適用により虚偽の外形につき善意の第三者の保護を図りました。

「……およそ、不動産の所有者が、真実その所有権を移転する意思がないのに、他人と通謀してその者に対する虚構の所有権移転登記を経由したときは、右所有者は、民法94条２項により、登記名義人に右不動産の所有権を移転していないことをもって善意の第三者に対抗することをえないが、不実の所有権移転登記の経由が所有者の不知の間に他人の専断によってされた場合でも、所有者が右不実の登記のされていることを知りながら、これを存続せしめることを明示または黙示に承認していたときは、右94条２項を類推適用し、所有者は、前記の場合と同じく、その後当該不動産について法律上利害関係を有するに至った善意の第三者に対して、登記名義人が所有権を取得していないことをもって対抗することをえないものと解するのが相当である。けだし、不実の登記が真実の所有者の承認のもとに存続せしめられている以上、右承認が登記経由の事前に与えられたか事後に与えられたかによって、登記による所有権帰属の外形に信頼した第三者の保護に差等を設けるべき理由はないからである」

イ　意思外形非対応型

意思外形非対応型とは、虚偽の外観と真の権利者の意思が合致していない場合をいいます。

たとえば、AB間の通謀で、ある虚偽の外観を作出し、Bがそれを利用してさらに別の新たな虚偽の外形を作出した場合が意思外形非対応型の典型例といえます。この場合、民法94条2項により第三者Cは保護されるでしょうか。たとえば、判例は、以下のような事案について、民法94条2項、民法110条の法意に照らし、善意無過失の第三者を保護しました（最判昭和43年10月17日民集22巻10号2188頁）。

(i) 事 案

自己名義の不動産を持っていないと取引先の信用を得られないから、所有名義だけを貸して欲しいと頼まれたXが、その所有の不動産につき所有権移転請求権保全の仮登記（将来本登記が行われたときにその本登記の順位を保全するためにあらかじめ行う登記）をすることだけを承諾し、この仮登記をする便宜上売買予約を締結したように仮装した。ところが、仮登記を許されたAが勝手に仮登記に基づく本登記をし、これを第三者であるYに売却し、その旨の登記をした。そこで、XはYに対し、所有権確認、（抹消に代える）所有権移転登記、退去明渡しを求めた。

本事案で、Xは将来本登記が行われるときのために順位を保全するための仮登記のみを承諾していたにもかかわらず、AがXの意思に反して本登記することにより虚偽の外観を作出している点でXの意思と外観は対応していません。

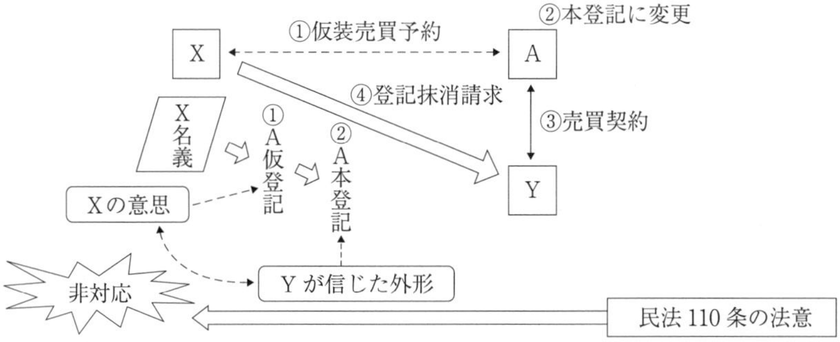

(ii) 判 旨

上記事案につき、判例は、民法94条2項に加えて、民法110条の法意に照らして、第三者に善意無過失を要求しました。

「……不動産について売買の予約がされていないのにかかわらず、相通じて、その予約を仮装して所有権移転請求権保全の仮登記手続をした場合、外観上の仮登記権利者がこのような仮登記があるのを奇貨として、欲しいままに売買を原因とする所有権移転の本登記手続をしたとしても、この外観上の仮登記義務者は、その本登記の無効をもって善意無過失の第三者に対抗できないと解すべきである。けだし、このような場合、仮登記の外観を仮装した者がその外観に基づいてされた本登記を信頼した善意無過失の第三者に対して、責に任ずべきことは、民法94条2項、同法110条の法意に照らし、外観尊重および取引保護の要請というべきだからである」

ウ　本人が外観作出に原因を与えた場合

以上の意思外形対応型および意思外形非対応型の事案とは異なり、本人が虚偽の外観を作出したものではなく本人に無断で作出されたものであるものの、本人が虚偽の外観作出の原因を与えていたという事案において、判例は、以下のとおり、民法94条2項および民法110条を類推適用して善意無過失の第三者を保護しました（最判平成18年2月23日民集60巻2号546頁・百選Ⅰ［第8版］22事件）。

(i) 事 案

Xは、自らが所有する本件不動産を第三者に賃貸していたが、賃借人との交渉、契約書の作成および敷金の授受等をすべてAに委ねていた。Xは、本件不動産の登記済証、印鑑登録証明書をAに交付したうえ、Aが用意した本件不動産の売買契約書に、その内容を確認することなく署名押印する等した。Aは、Xから交付を受けた登記済証等を利用し、本件不動産について、Xに無断でXからAに対する売買を原因とする所有権移転登記手続をした。

その後、AはYとの間で本件不動産について売買契約を締結し、当該売買契約を原因としてY名義の所有権移転登記がなされた。Yは、Aが本件不動産の所有者であると無過失で信じていた。

XはYに対し、本件不動産の所有権に基づき、Y名義の所有権移転登記の抹消を求めた。

(ii) 判 旨

上記事案につき、判例は、民法94条2項および民法110条を類推適用して善意無過失の第三者を保護しました。

「Aが本件不動産の登記済証、Xの印鑑登録証明書及びAを申請者とする登記申請書を用いて本件登記手続をすることができたのは、上記のようなXの余りにも不注意な行為によるものであり、Aによって虚偽の外観（不実の登記）が作出されたことについてのXの帰責性の程度は、自ら外観の作出に積極的に関与した場合やこれを知りながらあえて放置した場合と同視し得るほど重いものというべきである。そして、前記確定事実によれば、Yは、Aが所有者であるとの外観を信じ、また、そのように信ずることについて過失がなかったというのであるから、民法94条2項、110条の類推適用により、Xは、Aが本件不動産の所有権を取得していないことをYに対し主張することができないものと解するのが相当である」

エ　民法94条2項類推適用に関する判例の立場のまとめ

以上のとおり、判例は、意思外形対応型の場合、虚偽の外観作出について本人の意思が合致している点で真の権利者の帰責性が強いため、虚偽の外観を信頼した善意の第三者を保護しています。

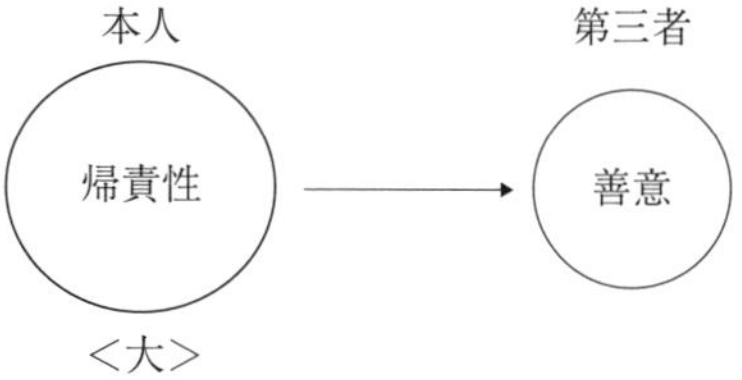

意思外形非対応型の場合、第一次的な虚偽の外観への作出に寄与した点において真の権利者に一定の帰責性が認められますが、真の権利者自身の意思とは異なる外観が第三者によって作出されている点で本人の意思に基づき外形が作出された場合と比べて本人の帰責性は小さいといえます。そこで、判例は当該外形を信頼した第三者を保護するにあたっては、第三者に対して善意無過失を要求することにより真の権利者の保護とバランスを図っています。

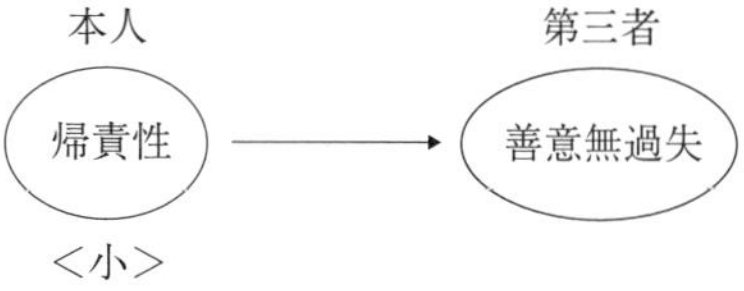

以上の意思外形対応型および意思外形非対応型の場合とは異なり、判例は、虚偽の外観は本人が作出したものではなく本人に無断で作出されたものであるものの、本人が虚偽の外観作出の原因を与えていた場合には、自ら外観作出に積極的に関与した場合やこれを知りながら放置した場合と同視しうる程度に本人の帰責性の程度は重いとして、善意無過失の第三者を保護しています。

第5　錯 誤

1　錯誤の意義

「錯誤」とは、表意者の誤認識・誤判断が原因で、表示行為から推測される意思と内心（真意）との不一致が生じている場合をいいます（四宮・能見『民法総則』〔第9版〕243頁）。

民法は、「意思表示は、次に掲げる錯誤に基づくものであって、その錯誤が法律行為の目的及び取引上の社会通念に照らして重要なものであるときは、取り消すことができる」とし、錯誤による意思表示を取り消すことができる旨を規定します（民法95条1項）。具体的には、取り消すことができる錯誤の種類として、「意思表示に対応する意思を欠く錯誤」（表示行為の錯誤。同項1号）および「表意者が法律行為の基礎とした事情についてのその認識が真実に反する錯誤」（動機の錯誤。同項2号）を掲げています。これらのうち、動機に錯誤がある意思表示（同項2号）は、その事情が法律行為の基礎とされていることが表示されていたときに限り、取り消すことができます（同条2項）。

錯誤と類似する場面として「意思の不合致」があります。意思の不合致とは、そもそも契約当事者間に意思の合致がないために、契約が不成立となる場合をいいます。大審院の判例には、生糸製造権の売買契約上の代金額の中に、組合から売主に交付される補償金が含まれるか否かという点で、売主と買主の理解が異なっていた事案において、両当事者の意思が合致していないとして契約を不成立としたものがあります（大判昭和19年6月28日民集23巻387頁・百選Ⅰ［第8版］18事件）。もっとも、本判例に対しては、契約の成立を認めた上で、一方当事者の真意のみが意思表示の客観的意味と異なるのであれば、錯誤の成否を問題とすべきであったとの批判がなされています（四宮・能見『民法総則』［第9版］247頁）。

2　錯誤の種類

(1) 表示行為の錯誤

① 表示行為の錯誤の意義

表示行為の錯誤とは、「意思表示に対応する意思を欠く錯誤」をいいます（民法95条1項1号）。改正前民法の下では、表示行為の錯誤について明文の規定を設けておらず、表意者が思い違いによって内心的効果意思どおりの表示をしていない場合をいうと解されていましたが、改正後の民法95条1項1号は、表示行為の錯誤について、「意思表示に対応する意思を欠く錯誤」と規定して明文化しています。

② 表示行為の錯誤の種類

表示行為の錯誤は、表示上の錯誤と表示行為の意味の錯誤に分かれます（山本『民法講義Ⅰ　総則』［第2版］158頁）。

ア　表示上の錯誤

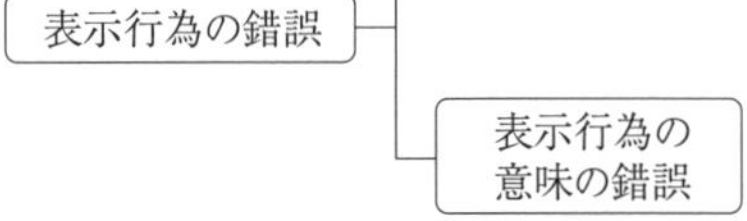

表示上の錯誤は、たとえば、上下巻シリーズの小説のうち上巻を買うつもりで下巻の小説を購入してしまった場合や1000万円で土地を購入しようと考えていたのに、一桁間違い1億円で買い取ると売買代金額を記載した場合のように、言い間違いや書き間違いにより表示内容と内心的効果意思との間に齟齬が生じた場合をいいます。

イ　表示行為の意味の錯誤

表示行為の意味の錯誤とは、表意者が考えていたとおりの意思表示をしたもののその意味を誤解したために表示内容と内心（真意）とに齟齬が生じた場合をいいます。たとえば、ＡがＢに鉛筆を10グロス（12×12×10＝1440本）買うと注文したが、Ａは、１グロスとは100本を意味すると勘違いしていた場合をいいます。

⑵ 動機の錯誤

① 動機の錯誤の意義

動機の錯誤とは、「表意者が法律行為の基礎とした事情についてのその認識が真実に反する錯誤」をいいます（民法95条１項２号）。改正前民法の下では、動機の錯誤について明文の規定を設けておらず、表示行為に至る以前の意思を決定する際の動機（理由）の段階で錯誤が生じた場合をいうと解されていましたが、改正後の民法95条１項２号は、動機の錯誤について、「表意者が法律行為の基礎とした事情についてのその認識が真実に反する錯誤」（基礎事情の錯誤）と規定し、明文化しています。

② 動機の錯誤の種類

動機の錯誤は性状の錯誤と理由の錯誤とに区別されます。

ア　性状の錯誤

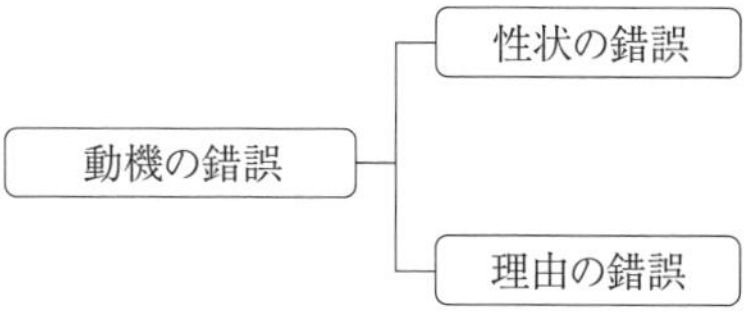

性状の錯誤とは、ある意思表示をした表意者に、内心的効果意思の対象である人や物の性質に関して錯誤があった場合をいいます。たとえば、Ａがある絵画を高名なＹの作品であると考えて、1000万円で購入したものの、この絵画が実は新人画家のＺの作品であるような場合は、性状の錯誤に該当します。

イ　理由の錯誤

理由の錯誤とは、意思表示を行うに至った間接的な理由に関して錯誤があった場合をいいます。たとえば、建物を購入するにあたって、建物の近所にスーパーができ便利になると考え建物を購入したところ、実際にはスーパーができなかったような場合は、理由の錯誤に該当します。

③ 動機の錯誤の位置づけ

上記のとおり民法95条１項２号は動機の錯誤が「錯誤」（民法95条１項柱書）に該当することを明らかにしていますが、改正前民法の下における判例・通説は、表示行為に対応する内心的効果意思が存在しない場合（意思の欠缺がある場合）を錯誤として取り扱うこととし、内心的効果意思の形成過程に瑕疵がある場合にすぎない動機の錯誤は原則として改正前民法95条の「錯誤」に該当しないと解していました。

すなわち、錯誤が問題となる事案は、「動機の錯誤」が問題となる場合が多く、仮に動機の錯誤を改正前民法95条の錯誤から除外すると、錯誤者の救済の範囲を大きく狭めることとなります。他方で、通常、動機は相手方にはわからないので、動機の錯誤をすべて改正前民法95条の錯誤に含まれるものとして、無効としてしまうと取引の安全を害することとなります。そこで、判例は、原則として動機は意思表示の内容とはならないため原則として錯誤無効を主張しえないとしつつ、表意者が動機をもって意思表示の内容とし、取引の観念、事物の状況に鑑み、意思表示の主要部分をなす程度のものと認められる場合には、その錯誤は意思表示の無効を来すと判示していました（大判大正６年２月24日民録23輯284頁）。

3　錯誤取消しの要件

取引内容のうち軽微な事項に錯誤が存在する場合に、常にその意思表示を取り消すことができるとすると取引の相手方の地位が著しく不安定になり妥当ではありません。そこで、民法95条は、錯誤を理由に意思表示を取り消すためには以下の要件を満たすことを要求しています。

⑴ 錯誤が法律行為の目的及び取引上の社会通念に照らして重要なものであること

錯誤による意思表示は、表示行為の錯誤（民法95条１項１号）または動機の錯誤（同項２号）に基づくものであって、その錯誤が法律行為の目的及び取引上の社会通念に照らして重要なものであるときは、取り消すことができます（同項柱書）。この趣旨は、取り消すことができる意思表示の範囲を法律行為にとって重要な部分に関する錯誤である場合に限定することにより取引の安全を図る点にあります。

これに対し、改正前民法は、錯誤による意思表示が無効となる要件について、「法律行為の要素に錯誤があったとき」と規定していました（改正前民法95条）。また、判例上、「法律行為の要素に錯誤があったとき」とは、意思表示の内容の主要な部分であり、この点について錯誤がなかったならば、(i)表意者は意思表示をしなかったであろうこと（主観的な因果関係の存在）、かつ、(ii)意思表示をしないことが一般取引の通念に照らして正当と認められること（表意者だけでなく、通常人もそのような意思表示をしなかったであろうといえる程度の重要性があること〔客観的な重要性〕）をいうと解されていました（大判大正７年10月３日民録24輯1852頁）。

改正後の民法95条１項は、上記判例を踏まえ、(i)錯誤に基づき意思表示がされていたこと（主観的な因果関係の存在）、(ii)錯誤が法律行為の目的および取引上の社会通念に照らして重要なものであること（客観的な重要性の存在）を錯誤取消しの要件としていると解されます（一問一答19頁）。

⑵ 表意者に重過失のないこと（民法95条３項）

錯誤について表意者に重過失がある場合には、表意者を保護する必要はなく、取引の安全を図るべきといえます。そこで、民法95条３項柱書は、表意者に錯誤に陥ったことにつき重過失がないことを要求しました。

「重過失」とは、普通の人であれば注意義務を尽くして錯誤に陥ることはなかったのに、著しく不注意であったために錯誤に陥ったことをいいます（大判大正６年11月８日民録23輯1758頁）。

ただし、表意者に重過失がある場合でも、相手方が表意者に錯誤があることを知り、または重大な過失により知らなかったときは、相手方や第三者は錯誤による意思表示の取消しを主張する理由がないため、意思表示を取り消すことができます（民法95条３項１号）。これは、改正前民法下における判例（最判昭和40年６月４日民集19巻４号924頁）の法理を明文化したものです。

なお、表意者に錯誤について重過失があることの立証責任は、錯誤無効を主張された取引の相手方側にあると解されています（大判大正７年12月３日民録24輯2284頁）。具体的には、取引の相手方が表意者に錯誤に陥ったことについて重過失が存在することを立証する必要があります。

また、買主および売主の双方が美術品を本物であると考え、高値で売買する場合のように、相手方が表意者と同一の錯誤に陥っていたときは、相手方は契約を有効にして保護すべき正当な利益を有しているとはいえないため、表意者に重過失があっても意思表示を取り消すことができます（民法95条３項２号）。

⑶ 動機に錯誤がある意思表示の取消しの要件

動機に錯誤がある意思表示（民法95条１項２号）は、その事情が法律行為の基礎とされていることが表示されていたときに限り、取り消すことができます（民法95条２項）。これは、改正前民法の下で、判例（最判昭和29年11月26日民集８巻11号2087頁、最判平成28年１月12日民集70巻１号１頁・百選Ⅰ［第８版］24事件、最判平成28年12月19日判時2327号21頁等）が、動機の錯誤を理由として意思表示の効力を否定するためには、動機を表示しただけでは足りず、その動機が意思表示の内容として相手方に表示されていなければならないとしていたことを反映し、単なる「表示」ではなく、「その事情が法律行為の基礎とされていることが表示されたとき」に限り、取消事由となる旨を規定したものです（一問一答22頁）。

4　錯誤による意思表示の効力

⑴ 意思表示の錯誤取消し

錯誤の効果は、意思表示の取消しです（民法95条１項）。

改正前民法は、錯誤の効果を意思表示の取消しではなく、無効と規定していました（改正前民法95条）。もっとも、改正前民法の下における判例（最判昭和40年９月10日民集19巻４号924頁）は、錯誤による意思表示の無効は原則として表意者のみが主張することができるとし、無効主張できる者の範囲を制限的に解していたため、錯誤無効は、取消しを主張できる者の範囲が制限される取消しの効果に近いと考えられていました（相対的無効）。また、詐欺による意思表示（民法96条）は、錯誤による意思表示より表意者の帰責性が乏しいにもかかわらず、その効力を取り消しうる期間が制限されているのに対し（民法126条）、錯誤無効を主張できる期間が制限されていないことは、不均衡と考えられていました。以上を踏まえ、改正後の民法は、錯誤の効果を意思表示の取消しに変更しています（民法95条1項。一問一答20頁）。

⑵ 錯誤取消しの主張権者

改正前民法の下における判例（最判昭和40年9月10日民集19巻6号1512頁）は、錯誤による意思表示の無効は原則として表意者のみが主張することができるとし、無効主張できる者の範囲を制限的に解していました。これに対し、改正後の民法は、錯誤の効果を意思表示の取消しとしたうえで、錯誤取消しの主張権者について、瑕疵ある意思表示をした者またはその代理人もしくは承継人と規定します（民法120条2項）。したがって、上記判例の議論は異議を失ったと考えられます。

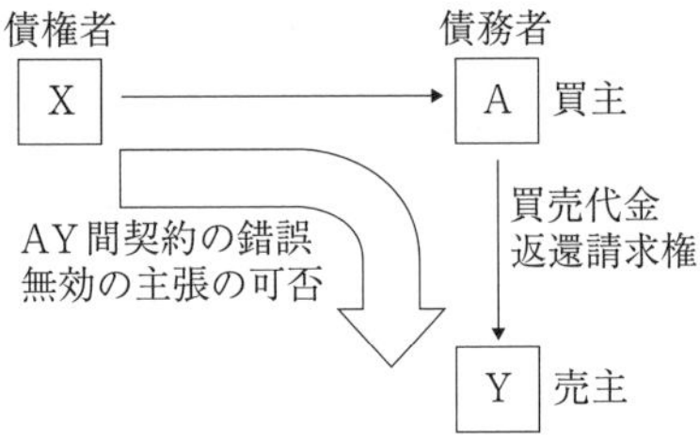

なお、改正前民法下の判例は、債務者A（買主）が錯誤に陥って油絵を真作に間違いないと考え、購入した事案（売主Yも真作と誤信）に関して、買主Aが錯誤を認めている場合には、売主と買主との間の売買契約には要素の錯誤があり無効であるとして買主が売主に対して有する売買代金返還請求権を買主の債権者Xが、代位行使することを認めていました（最判昭和45年3月26日民集24巻3号151頁）。これは、債権者が錯誤に陥った買主に対する債権を保全する必要が認められ、かつ買主自身が錯誤に陥ったことを認めている場合に、第三者が債権者代位権（民法423条）を利用することにより、例外的に第三者が錯誤無効を主張することを認めたものといえます。

⑶ 第三者保護規定

錯誤による意思表示の取消しの効果は、善意でかつ過失がない第三者に対抗することができません（民法95条4項）。この趣旨は、錯誤による意思表示をした表意者より、錯誤による意思表示を信頼した第三者を保護する点にあります。「第三者」とは、錯誤による意思表示の当事者とその包括承継人以外の者で、取消しの意思表示がなされる前に法律上の利害関係を有するに至った者をいうと解されます（潮見『民法（全）』54頁参照）。

たとえば、AがBから上下巻シリーズの小説のうち上巻を買うつもりで下巻の小説を購入した場合において、Aから当該下巻を購入したCが、Aが上巻を買うつもりであったことにつき善意無過失であったときには、Aが下巻の小説を購入したBとの間の売買契約を取り消したとしても、Aは当該取消しの効果をCに対抗することができないこととなります。

改正前民法は、錯誤による意思表示について第三者保護規定を設けていませんでしたが、改正後の民法は、錯誤を法律行為の取消原因としたことを踏まえ（民法95条１項）、詐欺（民法96条）と同様に、第三者保護の規定を設けています。

5　錯誤による表意者の損害賠償責任

表意者に錯誤が認められ取引の相手方に損害が生じた場合、取引の相手方は表意者に対して、不法行為または契約締結上の過失を理由に損害賠償責任（民法709条、民法415条）を追及できる場合があると解されます。たとえば、表意者による錯誤取消しの主張が認められた場合、表意者の意思表示が有効であることを前提に取引をした取引の相手方に損害が生じる場合があります。この場合、取引の相手方は、表意者に錯誤に陥ったことに関して過失が認められることを理由に不法行為または契約締結上の過失を理由に損害賠償請求を行うことができます（民法709条、民法415条）。

第６　詐欺・強迫

1　総 説

民法は、「詐欺又は強迫による意思表示は取り消すことができる」と規定します（民法96条１項）。

詐欺または強迫による意思表示は、表意者の内心的効果意思と表示行為とは一致しています。詐欺または強迫による意思表示は、内心的効果意思を形成するに際して、表意者に外部から詐欺・強迫が加えられ自由な意思決定が妨げられたため意思表示に瑕疵が生じた場合に該当します。

詐欺・強迫の場合、内心的効果意思と表示行為とが一致しない心裡留保（民法93条）および虚偽表示（民法94条）とは異なり、内心的効果意思と表示行為とが一致しています。そのため、民法は、詐欺・強迫による意思表示は無効とはせず、表意者に取消権を与えるにとどめています。もっとも強迫があった場合は詐欺の場合と比べて表意者を保護する必要性が高いといえるため、強迫の場合には、詐欺の場合と異なり、善意の第三者の保護規定は設けていません。

2　詐欺取消しの要件

他人を騙して（欺罔行為）、錯誤に陥らせ、それによって意思表示をさせようとする行為を「詐欺」といいます。相手方による欺罔行為の結果として行われた意思表示を「詐欺による意思表示」といいます。

⑴ 欺罔行為

欺罔行為について、詐欺をする者に故意が必要であると解されており、過失で間違った情報を提供したために相手方が誤解した場合には詐欺は成立しません。

詐欺取消しの対象となる詐欺には、積極的な欺罔行為をするのではなく、相手方が錯誤に陥っているのを利用したり、積極的に事実を告げないことで表意者が錯誤による意思表示をした場合も含まれます。これに対し、重要な事柄について沈黙するという不行為が詐欺に該当するか否かについては、法律上告知義務がある場合（たとえば保険法37条は、保険契約者または被保険者になる者は、生命保険契約の締結に際し、保険事故に関する重要な事項のうち保険者になる者が告知を求めたものについて、事実の告知をしなければならないとし、法律上保険契約者または被保険者となる者に告知義務を認めています）を除いて、沈黙していただけでは詐欺にはならないと解されます。ただし、この場合でも表意者は錯誤無効を主張できる場合があります。

欺罔行為は社会通念に反するような違法性を備える必要があると解されています。

⑵ 欺罔行為による錯誤および錯誤に基づく意思表示

民法は、詐欺「による」意思表示は、取り消すことができると規定しています（民法96条１項）。詐欺による意思表示の取消しが認められるためには相手方の詐欺を原因として表意者が錯誤に陥り、錯誤に基づき意思表示をしたことが必要です。この場合、表意者に錯誤がなければ、意思表示をしなかったという関係にあること（因果関係があること）が必要となります。表意者が事実を知ったとしても、意思表示の内容に影響しなかったといえる場合には、詐欺を原因として表意者が意思表示をしたとはいえないため、詐欺取消しは認められないこととなります。

3　表意者が詐欺による意思表示を取り消した場合の法律関係

⑴ 取消権の発生

取引の相手方が詐欺を行った場合、表意者は常にその意思表示を取り消すことができます（民法96条１項）。表意者が詐欺による意思表示について取消権を行使した場合、当該法律行為の効力は詐欺取消しの意思表示があった時点に遡及して無効となります（民法121条）。

⑵ 第三者が詐欺を行った場合

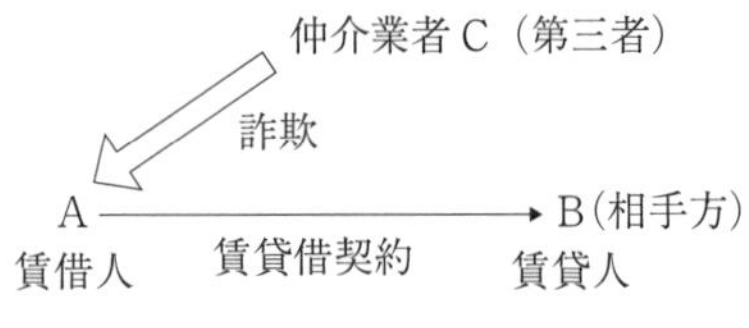

相手方に対する意思表示について第三者が詐欺を行った場合は、相手方がその事実を知り、または知ることができたときに限り、その意思表示を取り消すことができます（民法96条２項）。この趣旨は、第三者の詐欺による意思表示をする場合、表意者は第三者に騙されて意思表示をするため、表意者自ら虚偽の意思表示をする心裡留保（民法93条）の場合に比べ

て表意者の帰責性は小さいと考えられることから、第三者に騙されて意思表意をした表意者の利益を心裡留保の意思表示をした表意者の利益よりも保護する点にあります（商事法務編『民法（債権関係）の改正に関する中間試案の補足説明』28頁参照）。

第三者とは、取引の相手方以外の者をいいます。たとえば、ＡとＢとの間の賃貸借契約の締結に関して仲介行為を行った仲介業者Ｃが賃借人Ａに対して欺罔行為を行った場合、当該仲介業者Ｃが民法96条２項の「第三者」に該当します。

第三者が表意者に対して詐欺を行った場合、表意者の取消権（民法96条１項）の行使を無制限に認めると、第三者による詐欺の事実を知らないで表意者と取引をした取引の相手方の利益を害します。そこで、民法96条２項は、取引の相手方が第三者による詐欺の事実を知り、または、知ることができた場合に限って、表意者による取消権の行使を認め、取引の安全の確保に配慮しています。たとえば、ＡがＣに騙されてAB間の契約を締結した場合、ＢがＣによる詐欺の事実を知っていたときまたは知ることができたときに限ってＡはAB間の契約を取り消すことができます。これは、表意者ＡはＣに騙されたとはいえ、自ら意思表示をしており、ＢがＣによる詐欺の事実を過失なく知らなかった場合、意思表示の有効に対するＢの信頼を保護する必要があるからです。

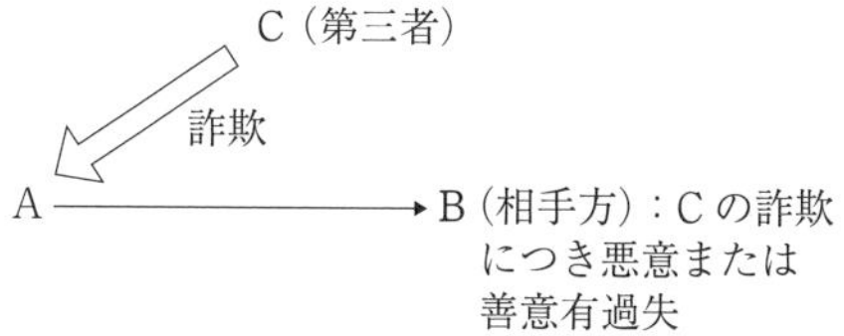

なお、改正前民法は、第三者が詐欺を行った場合において、意思表示の取消しが認められるための相手方の主観的要件について、相手方が詐欺の事実を知っていた場合に限定していましたが（改正前民法96条２項）、上記のとおり、民法は、当該主観的要件について、相手方が詐欺の事実を知っていた場合に限らず、過失により詐欺の事実を知らなかった場合も規定し（民法96条２項）、詐欺の事実を知らなかったことにつき過失のなかった者を保護することとしています。

⑶　善意の第三者との関係

詐欺による意思表示の取消しは、善意でかつ過失がない第三者に対抗することできません（民法96条３項）。この趣旨は、相手方や第三者の詐欺によって意思表示をした表意者は、通謀虚偽表示（民法94条）をした者に比して帰責性が小さいことから、第三者が保護されるためには、第三者の信頼が保護に値するものであること、すなわち、第三者が相手方等による詐欺の事実を知らなかったことだけでなく、知らなかったことについて過失がなかったことも要件とすることにより、詐欺によって意思表示をした表意者の利益を保護する点にあります（一問一答24頁）。

なお、改正前民法は、第三者が保護される要件を善意の第三者としていましたが（改正前民法96条３項）、上記のとおり、民法は、善意無過失の第三者に限り保護することとしています（民法96条３項）。対抗することができないことの反射的効果、すなわち表意者が善意無過失の第三者に対して詐欺取消しの効果を主張できない結果として、善意無過失の第三者は有効に権利を取得することとなります。

この趣旨は、表意者は詐欺の被害者ではあるものの、騙されたという点で落ち度があった点も否定できないことから、表意者よりも善意無過失の第三者を保護し取引の安全を図った点にあります。

① 善意かつ過失がない第三者の意義

「善意かつ過失がない第三者」とは、詐欺の当事者とその包括承継人以外の者で、詐欺による意思表示によって生じた法律関係について、詐欺が行われたことを過失なく知らずに新たに法律上の利害関係を有するに至った者をいうと解されます（潮見『入門民法（全）』55頁参照）。

なお、改正前民法の下において、「善意の第三者」（改正前民法96条３項）とは、詐欺の当事者とその包括承継人以外の者で、詐欺による意思表示によって生じた法律関係について、詐欺が行われたことを知らずに、新たに法律上の利害関係を有するに至った者をいうと解されていました（最判昭和49年９月26日民集28巻６号1213頁・百選Ⅰ［第８版］23事件）。

②「第三者」の具体例

ア　売主Ａを騙して不動産を取得したＢからさらに取得（転得）したＣは第三者に該当します。なぜなら、転得者も当事者およびその包括承継人以外の者で、詐欺が行われたことを知らずに、新たに法律上の利害関係を有するに至った者にあたり、取引の安全を確保する必要性が認められるからです。

イ　債務者Ｘ所有の不動産にＡが１番抵当権、Ｂが２番抵当権を有していたところ、ＡがＸの詐欺によって１番抵当権を放棄した場合、Ｂの２番抵当権は１番抵当権に昇格することになりますが、その後ＡがＸの詐欺を理由に抵当権の放棄を取り消した場合、Ｂは、自然に１番抵当権の順位を得たにすぎず、民法96条３項の「第三者」には該当しないとされています（改正前民法下の判例として、大判明治33年５月７日民録６輯15頁）。なぜなら、この場合の２番抵当権者は新たに法律上の利害関係を有するに至ったとはいえないからです。

③ 登記の具備の要否

民法96条３項は、詐欺による意思表示の取消しは、善意無過失の第三者に「対抗することができない」と規定しています。善意無過失の第三者が、「第三者」として保護されるために対抗要件としての登記を具備していることが必要でしょうか。

この点、改正前民法下の判例は、善意の第三者として保護されるために登記は不要としています（前掲最判昭和49年９月26日）。なぜなら被詐欺者は、詐欺取消しを善意の第三者に対抗できない結果として、第三者との関係では無権利者として扱われるからです。

④ 民法96条１項の詐欺取消しと「第三者」の意義

ア　問題の所在

第三者とは、当事者およびその包括承継人以外の者であり、詐欺による意思表示によって新たに利害関係を有するに至った者を意味します。そこで、民法96条３項の「第三者」として保護されるためには詐欺による意思表示がなされた後に利害関係を有することが必要です。また、第三者は取消しの意思表示の時点ですでに利害関係を有していることが必要です。詐欺取消しの意思表示がなされた後に第三者が登場した場合には、民法96条３項は適用されません（改正前民法下の判例として、大判昭和17年９月30日民集21巻911頁）。たとえば、ＡがＢの詐欺によりその所有する不動産をＢに譲渡し、Ｂはそれを Ｃに譲渡し、Ａが詐欺を理由にその意思表示を取り消した場合において、ＣがＡの取消前にＢから不動産を取得した場合と（取消前の第三者）、Ａの取消後にＢから不動産を取得した場合（取消後の第三者）とでは、民法96条３項の適用の有無について異なる取扱いを受けます。

イ　判例の立場

改正前民法下の判例は、取消前の第三者か取消後の第三者かで区別し、取消前の第三者については民法96条３項を適用しますが、取消後の第三者については民法177条を適用して先に対抗要件としての登記を備えた方が優先するとしています（前掲大判昭和17年９月30日）。なぜなら、民法96条３項は、善意無過失の第三者（改正前民法の下においては善意の第三者）が、取消しによる遡及的無効の結果として、その法的地位の安定性を害されることを防ぐための規定であり、この趣旨は取消前に登場した第三者には妥当しますが、取消後の第三者の場合、先に登記を具備すれば民法177条の第三者として保護されるため、民法96条３項の趣旨が妥当しません。取消後の第三者との法律関係は、Ａの取消しの意思表示によって、ＢからＡに所有権が復帰（所有権の復帰的物権変動）し、その後同じ所有権がＢからＣへと移転されているため、民法177条が予定している二重譲渡と類似している状況にあるといえます。そこで、改正前民法下の判例は、詐欺取消後に登場した第三者との関係では、先に登記を具備した者を保護しています。Ａは詐欺取消後であれば速やかに登記を回復すべきであったといえます。本書は取引の安全を確保するため、第三者が詐欺取消後に登場した場合、登記の先後によってＡと第三者Ｃの優劣を決定する判例の立場に賛成します。

ウ　有力説の立場

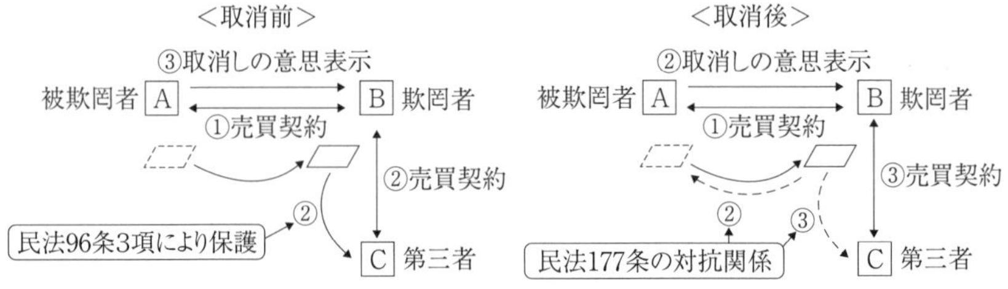

取消前の第三者、取消後の第三者のいずれに対しても、取消しによる遡及的無効（民法121条本文）が生じることを前提にしたうえで、取消前の第三者に対しては、民法96条３項の規定によって保護を図り、取消後の第三者に、民法94条２項の趣旨を類推適用する見解があります。この見解は、取消しによる遡及的無効の結果、ＡはＢのところにある登記を抹消して自己名義の登記に回復することができたのにもかかわらず、これを放置した点に外観作出に対する帰責事由があり、そのままＢに権利が存するような権利の外観を作出したことについて、民法94条２項の趣旨を類推適用する立場といえます。

4　詐欺と改正前民法の下における錯誤無効との関係

詐欺取消しの要件が充足される場合、被欺罔者は動機の錯誤に陥っていることが多いといえます。動機の錯誤も意思表示の内容として表示されていれば民法95条の「錯誤」に該当すると解されるため、「詐欺」の要件と「錯誤」の要件のいずれも充足している場合、改正前民法の下では、詐欺取消しと錯誤無効との関係をどのように考えるかが問題となっていました（無効と取消しの二重効）。この点、詐欺取消しも錯誤無効もいずれも認められると考えたうえで、表意者はそれぞれ立証しやすい方を選択して主張、立証すれば足りると解されていました。これに対して、改正後の民法95条１項は、錯誤の効果を意思表示の取消しとし、同条４項が錯誤取消の効果を詐欺取消しの場合（民法96条３項）と同様に善意無過失の第三者に対抗できないと規定したため、今後は錯誤と詐欺の場面では無効と取消しの二重効の問題は生じないと解されています。（四宮・能見『民法総則』［第９版］332頁）。

5　強迫による意思表示

強迫による意思表示とは、①他人に害悪を告知すること（強迫行為）によって、他人に畏怖を与え、②その畏怖によってなされる意思表示をいいます。強迫によって表意者が畏怖して意思を決定するという因果関係が必要となりますが、判例は強迫の結果、表意者が意思決定の選択の自由を奪われたことまでは必要でないとしています（最判昭和33年７月１日民集12巻11号1601頁）。

6　強迫の効果

取消権が行使されれば、その意思表示は当初から無効となります（民法121条）。

取消しの効果は善意無過失の第三者にも対抗できます。第三者が強迫を行った場合でも、相手方の善意悪意にかかわらず、常に取り消すことができます。この趣旨は、被欺罔者よりも強迫による意思表示をした者を強く保護する点にあります。

第6章

代 理

第1　代理の意義

1　代理の意義

代理とは、本人に代わって他人（代理人）が法律行為をしたことによって、その効果が本人に帰属することを認める制度をいいます。たとえば、本人Aを代理して、代理人BはCに対してA所有の土地を売却することができます。この場合、Bの法律行為の効果はAに帰属することとなり、売買契約はBC間ではなく、AC間に成立することとなります。

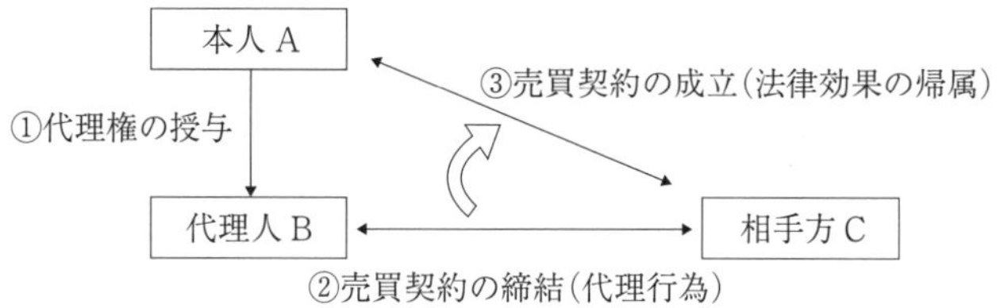

2　代理の機能

(1) 私的自治の拡張

代理は私的自治を拡張する機能を有します。私法上の法律関係の形成は、当事者の自由な意思に基づいてなされるべきとする私的自治の原則からすれば、契約締結等の意思表示はその効果が帰属する当事者本人が行うのが原則です。もっとも、今日の取引社会において、必ず当事者である本人が契約を締結しなければならないとすれば、活動範囲は狭まり妥当とはいえません。たとえば信頼できる者を代理人として遠方での契約を締結することができれば、事業を広範なものとすることができます。そこで、代理人の法律行為の効果が本人に帰属することを認めることにより、本人の法的な活動範囲を拡張させることを認めたのです。これを私的自治の拡張といいます。

(2) 私的自治の補充

代理は、私的自治を補充する機能を有します。未成年者や成年被後見人等の制限行為能力者は自ら有効な意思表示をすることができません。しかし、法定代理人が本人に代わって法律行為をすることにより、制限行為能力者は有効な意思表示をすることができます。このように判断能力の乏しい者に代わって法律行為を行うことを私的自治の補充といいます。

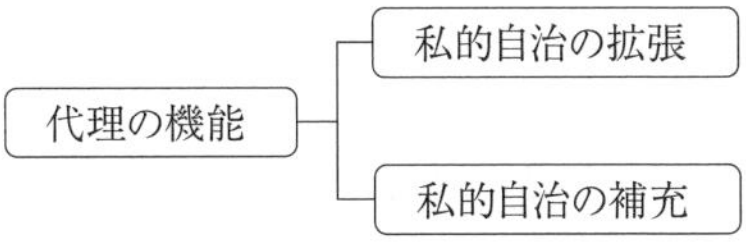

3　代理の本質

契約の当事者本人が意思表示をする場合、意思表示をする者とその効果が帰属する者は同一人物となります。これに対し、代理の場合、意思表示をする者（代理人）とその効果が帰属する者（本人）が異なるため、代理関係において契約等の法律行為を行う行為者は誰かが学説上、議論されています。

⑴ 代理人行為説（通説）

代理関係において法律行為を行うのは代理人であり、代理人の行った行為の法律効果が本人に帰属するという見解です。また、本人の代理人に対する代理権授与行為は代理行為が成立するための要件（成立要件）ではなく、代理行為の効果が本人に帰属するために必要な要件（効果帰属要件）にすぎないとし、代理人について意思表示の瑕疵等がなければ、代理行為は有効に成立すると考えます。

⑵ 本人行為説

他人の意思表示によって本人にその効果が帰属することは私的自治の原則からは認められないとの考え方を前提に、代理によって行われる法律行為の行為者は、法律行為の当事者たる地位が帰属する本人と考えるのが適当であるとする見解です。

⑶ 本人＝代理人共同行為説

私的自治の原則の観点から代理人行為説を修正して、代理人とともに本人にも行為者たる地位を認めるものです。本人による代理権授与行為と代理人による意思表示とが共同して、複合的に法律行為がなされると考える見解です。

4　代理に類似した概念

本人以外の者が相手方に意思を伝達する点で代理に類似する概念に、使者や代表、間接代理があります。以下では、代理との違いを確認しましょう。

⑴ 使　者

使者とは、本人の決定した意思表示を相手方に伝達する者であり、伝達機関ともいいます。代理と使者は自ら意思決定を行う権限を有するか否かで区別されます。代理の場合、意思表示を決定する権限は代理人にあり、その効果が本人に帰属します。使者の場合は意思表示を決定する権限は本人にあります。したがって、代理の場合、意思表示の瑕疵の有無は意思表示の決定をした代理人について判断するのに対し（民法101条）、使者の場合、意思表示の瑕疵の有無は、意思表示を決定した本人について判断することとなります。

⑵ 代　表

代表とは、法人の機関に認められる概念をいいます。法人の機関とは、法人の意思決定や行為をする自然人または会議体をいい、会社の取締役会や株主総会等が挙げられます。代表の場合、代表機関の行為は法人自体の行為とみなされます。みなすとは、反証を許さず法人自体の行為であることを法律上擬制することを意味します。これに対して、代理の場合、代理行為は本人とは別人格である代理人の行為であり（代理人行為説）、本人の行為とみなされることはありません。

⑶ 間接代理

間接代理とは、自己の名で他人のために法律行為を行うことをいいます。たとえば商法上の問屋がこれに該当します。問屋とは、自己の名をもって、他人のために、物品の販売または買入れをなすことを業とする者をいいます（商法551条）。間接代理は、自己の名で行為をし、その法律効果は原則として間接代理をした者に帰属します。行為の効果を本人に帰属させる合意をすることもありますが、当然に本人に行為の効果が帰属する代理とは異なります。

5　代理の種類

代理は、様々な方法によって分類できます。たとえば、代理人が意思表示をする場合と代理人が意思表示を受ける場合という意思表示の態様で分類した場合は、能動代理と受動代理に分類できます。また、代理権の発生原因により分類した場合は、法定代理と任意代理に分類できます。

⑴ 能動代理と受動代理

代理人が本人のために積極的に意思表示を行う場合の代理を能動代理といい、消極的に代理人が本人のために他人から意思表示を受ける場合の代理を受動代理といいます。たとえば、ある土地を売却する代理権を与えられた者は、売買の申込みについては能動代理をし、承諾については受動代理をすることになります。もっとも、代理人には、通常、意思表示をする権限と意思表示を受ける権限の双方が与えられており、その場合には両者を厳密に区別する必要はないといえます。

⑵ 法定代理と任意代理

① 法定代理

法定代理とは、本人の意思によることなく、法律上の規定により当然に一定の者に法定の範囲の代理権が認められる場合の代理をいいます。たとえば、親権者の未成年者に対する代理や成年後見人の成年被後見人に対する代理がその典型です。法定代理の代理権の範囲は、法律によって定められています。たとえば、民法は、未成年者の法定代理人である親権者の権限の範囲について、「子の財産を管理し、かつ、その財産に関する法律行為についてその子を代表する。ただし、その子の行為を目的とする債務を生ずべき場合には、本人の同意を得なければならない」と規定しています（民法824条）。

② 任意代理

任意代理とは、本人が自己の意思で他人に代理権を与える場合の代理をいいます。任意代理の代理権の範囲は本人の授権によって定まります。民法は、このような代理を「委任による代理」としています（民法104条、111条2項）。もっとも後述するとおり、代理は委任契約以外によって生ずることがあるため、学説は、本人が他人に代理権を授与した場合の代理を任意代理と称すべきとしています。

第2　代理の法律関係

1　3つの法律関係

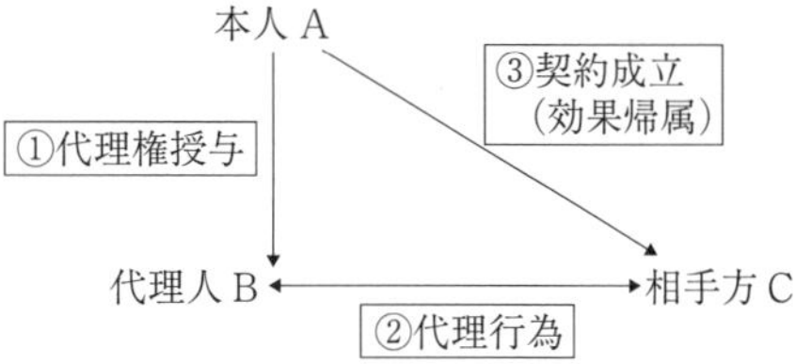

代理をめぐる法律関係には、本人、代理人、相手方の三者が登場します。これを代理における三面関係といいます。

この三者の関係は、次のように整理することができます。

⑴ 本人Aと代理人Bの関係

任意代理においては、まず、本人が代理人となる者に対して代理権を授与します。これを代理権授与行為といいます。代理権の授与は本人Aと代理人Bの間の何らかの契約によることとなります。たとえば、本人Aは、その所有する土地を売却することをBに委託することにより、代理権を授与することとなります。

⑵ 代理人Bと相手方Cの関係

本人Aから有効に代理権を授与された代理人Bは、代理権に基づいて相手方Cとの間で法律行為をすることができます。これを代理行為といいます。たとえば、代理人Bが相手方Cとの間でAの所有する土地について売買契約を締結した場合、その効果はBではなく、Aに帰属します。

⑶ 本人Aと相手方Cの関係

代理人Bが代理権の範囲内で相手方Cとの間で売買契約を締結した場合、代理行為の効果は本人に帰属し、本人Aと相手方Cとの間で売買契約が成立します。

2　代理権の授与（本人と代理人の法律関係）

⑴ 代理権の発生原因

前述のとおり、代理は代理権の発生原因によって法定代理と任意代理に区別できます。法定代理の場合、代理権は法律の規定によって発生します。これに対して、任意代理の場合、代理権は代理権を授与する行為（代理権授与行為）によって発生します。

① 法定代理権

法定代理権の発生原因は法律によって定められており、以下の３つに分類できます。

ア　本人に対して一定の地位にある者が当然に代理人となる場合

未成年の子に対して親権を行う父母（民法818条、819条）等

イ　協議または指定によって定まった者が代理人となる場合

父母の協議による親権者（民法819条）等

ウ　裁判所の選任する者が代理人となる場合

不在者の財産管理人（民法25条１項）等

② 任意代理権

任意代理権は、本人が代理人に対して代理権を授与することにより発生します。

ア　委任との関係

民法は、本人が代理人に対して代理権を授与することにより発生する形式の代理を「委任による代理」（民法104条、111条２項）と規定しています。これは、民法の起草者が任意代理は委任契約から発生すると考えていたことを理由とします。かつては、組合・雇用等に代理が伴うときは組合契約・雇用契約とともに委任契約がなされると説明されていました。しかし、代理を契約とは別個の独立の制度と考えた場合には、代理権は代理権を発生させようとする本人と代理人間の法律行為によって成立すると考えるべきであり、代理権を授与する場合に委任契約が必然とはならないといえます。そこで、現在では委任と代理の直接的な関係は否定され、任意代理権は委任契約に基づく場合はもちろん、委任のみならず広く雇用・請負・組合等の事務処理契約からも発生すると考えられています。

イ　代理権授与行為の法的性質

代理権が委任・雇用・請負・組合等各種の事務処理契約から生じるとして、これらの事務処理契約から直接に代理権が発生するのか、それとも事務処理契約とは別個独立の代理権授与行為によって発生するのかについて議論されています。

(i) 単独行為説

この見解は、代理権授与行為は、委任・雇用・請負・組合等の事務処理契約とは別個独立の行為であり、本人が一方的な意思表示によって行うことができる単独行為で代理人の同意を必要としないとするものです。この見解によれば、代理人の意思表示の瑕疵が代理権授与行為の効力に影響しないため代理行為における取引の安全を図ることができるという利点があるとされています。これに対しては、他の見解に立った場合でも表見代理等により取引の安全を図ることは可能であると指摘されています。

(ii) 無名契約説

この見解は、単独行為説と同じく代理権授与行為は、事務処理契約とは別個独立の行為と考える一方で、本人と代理人との無名契約（民法上、典型契約として規定されていない特殊の契約をいいます）であるとします。単独行為説との違いは、代理権授与に代理人の同意を必要とするか否かという点にあります。この見解によれば、代理の場合には本人と代理人との間で、委任契約等の事務処理契約が締結されるとともに、代理権授与を目的とする契約が締結されることとなります。しかし、2つの契約を区別することは困難であり、区別する実益がないと指摘されています。

(iii) 事務処理契約説（内部契約説）

この見解は、代理権は委任・雇用・請負・組合等の事務処理契約自体から直接に発生すると考えます。単独行為説や無名契約説との違いは代理権授与行為の独立性を認めない点にあります。

(iv) 検 討

民法の規定との整合性を検討します。民法は、「制限行為能力者が代理人としてした行為は、行為能力の制限によっては取り消すことができない」と定め、代理人が行為能力者であることを要しない旨を規定しています（民法102条本文）。代理行為は本人に帰属するものであり、代理人は代理行為によって不利益を被るおそれはありません。むしろ、制限行為能力者が代理人となった場合でも、法律行為が有効となるようにして、相手方に不利益が生じないようにする必要があります。そこで、民法102条本文は、制限行為能力者でも代理人となることができ、制限行為能力者の代理行為は行為能力の制限によっては取り消すことができないことを定めたのです。

単独行為説は、代理人の意思表示の瑕疵が代理権授与行為の効力に影響しないと解する見解であり、民法102条本文の趣旨に整合的であるといえます。上記のいずれの見解に立った場合も代理権の授与行為の法的性質を説明することは可能ですが、民法102条本文との整合性からは、単独行為説が妥当であると考えます。

ウ　授権の方法

代理権の授与は特に書面等の要式を必要とせず、口頭によることも可能であり、明示または黙示に授与することができます。代理権を授与する場合には、一般的に代理人としての権限を授与した趣旨を記載した委任状が交付されます。また、代理権の授与は白紙委任状によることもできます。白紙委任状とは、受任者の氏名（相手方欄）や委任事項等について委任状の一部を記載しないまま交付される委任状をいいます。本人が相手方を信頼して白紙委任状を交付したにもかかわらず、本人の意思に反して相手方が白紙の欄に記入する等して濫用されたときは後述する表見代理の問題となります。

⑵ 代理権の範囲

代理権の範囲は、法定代理と任意代理の場合で異なります。

① 法定代理人

法定代理人の代理権の範囲は法律で規定されています。たとえば、未成年者の法定代理人である父母の代理権は、子の財産を管理し、かつ、その財産に関する法律行為についてその子を代表し（民法824条本文。ただし、その子の行為を目的とする債務を生ずべき場合には、本人の同意を得なければなりません。民法824条但書）、広範な代理権を有しています。

② 任意代理人

任意代理人の代理権の範囲は代理権授与行為の解釈によって決定します。代理人が授権された代理権の範囲外の行為をした場合、原則として本人に効果は帰属しません。もっとも、契約の相手方を保護するため、後述の表見代理により例外的に本人に効果が帰属する場合があります。

③ 権限の定めのない代理人の権限

権限の定めのない代理人の権限の範囲は、①保存行為、②代理の目的である物または権利の性質を変えない範囲内において、その利用または改良を目的とする行為（利用・改良行為）に限定されます（民法103条）。代理権があることは明らかであるものの、その権限の範囲が定まっていない場合に備えて、代理権の範囲を限定したものです。権限の定めのない代理人は、任意代理人の権限の範囲が明確でない場合のほか、不在者の財産管理人等その権限が特定されていない場合を含みます。

⑶ 自己契約・双方代理その他の利益相反取引の禁止

自己契約とは、自らが一方当事者となる契約について、その相手方の代理人となることをいいます。たとえば、代理人が本人から自動車を売却する権限を授与された場合に、代理人が自ら買主となって売買契約を締結することをいいます。

双方代理とは、当事者双方の代理人となることをいいます。たとえば、土地の買主と売主の双方の代理人となって売買契約を締結することをいいます。自己契約や双方代理を許容した場合、契約の相手方や自らの利益を図り本人の利益が不当に害されるおそれがあるため、民法は原則としてこれらを禁止し、自己契約・双方代理を無権代理とみなすこととしています（民法108条１項本文）。これは、双方代理について無権代理と同様の規律した判例法理（最判昭和47年４月４日民集26巻３号373頁）を明文化したものです。ただし、「債務の履行及び本人があらかじめ許諾した行為については、この限りでない」と規定しています（民法108条１項但書）。ここにいう「債務の履行」とは、当事者間で新たに利益の交換を生ずることのない行為であると解されます。民法108条１項但書の趣旨が、すでに確定した法律関係を履行するのみでは本人の利益が不当に害されることはないという点にあるためです。

自己契約・双方代理以外の場合でも、代理人と本人との利益が相反する行為（利益相反行為）は、無権代理とみなされます（民法108条2項本文）。たとえば、Cに対して債務を負担するBが、当該債務を主債務とするAC間の保証契約につきAの代理人となってする代理行為は、代理人Bの利益になりますが本人Aの利益にはならないため、利益相反行為となり、無効になります。

改正前民法は、自己契約・双方代理を禁止する旨を規定し、それ以外の利益相反行為一般については規定していませんでしたが、判例は、自己契約・双方代理に該当しない利益相反行為について自己契約・双方代理の禁止の趣旨に準じて効力を否定していました（大判昭和7年6月6日民集11巻1115頁）。そこで、改正後の民法は108条2項を新設し、自己契約・双方代理以外の利益相反行為についても同様の規律が及ぶ旨を明文化しました（一問一答28頁）。

ただし、利益相反取引に該当する場合でも、本人があらかじめ許諾をした行為については本人に効果が帰属します（民法108条2項但書）。利益相反行為に該当するか否かは、代理行為を外形的・客観的に観察して判断され、代理人の動機や目的等の事情を考慮すべきでないと解されます（最判昭和42年4月18日民集21巻3号671頁参照）。代理人が主観的には自己の利益を図る目的で代理行為を行った場合でも、外形的・客観的に観察すれば利益相反行為には該当しないときは、民法108条2項の適用はありませんが、後述する代理権の濫用が問題となります（民法107条）。

(4) 代理権の濫用

代理権の濫用とは、代理人が代理権の範囲内で、本人ではなく自己または第三者の利益を図る意図で代理権を行使して代理行為をすることをいいます。これに対し、代理人が代理権を逸脱した場合には、後述の表見代理の問題となります。

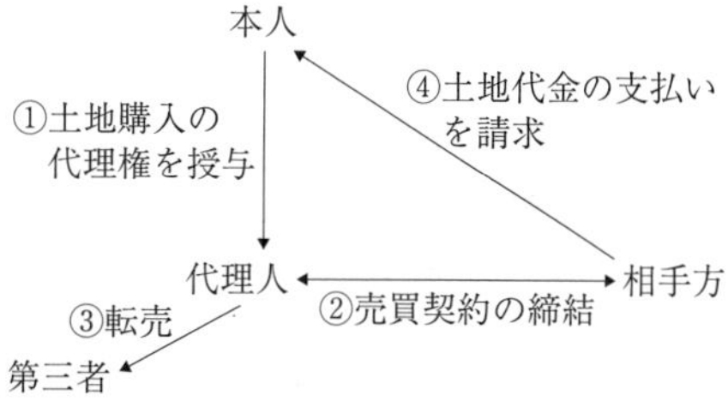

代理人が自己の利益を図るために代理権を濫用した結果、本人が損害を被った場合、本人と相手方の利益調整をどのように図るかが問題となります。たとえば、本人が代理人に対して土地を購入する代理権を授与していた場合に、代理人が土地を転売して利益を着服して自己の借金の返済に充てようと考え、相手方から本人名義で土地を購入する旨の売買契約を締結した後、第三者に転売したという事案において、相手方は本人に土地代金の支払いを請求できるかが問題となります。

上記の事案の場合、代理人は代理権の範囲で代理行為を行っているため、代理人と相手方の間の売買契約の効力は本人に帰属するのが原則です。この場合、相手方からすれば、代理人が自己の利益を図るために代理権を濫用しようという意図を有していたことを知りえないのが通常です。このような場合に売買契約の効力が本人に帰属せず、相手方が本人に対して土地代金の支払いを請求することができないとすれば、本人との間で契約が成立すると信じて土地を売却した相手方に不測の損害を与え、取引の安全を害するおそれがあります。また、そもそも代理権を濫用するような代理人を選任したのは本人であり、本人よりも相手方を保護すべきという要請が働くといえます。

そこで、改正後の民法は、代理人が自己または第三者の利益を図る目的で代理権の範囲内の行為をした場合において、相手方がその目的を知り、または知ることができたときは、その行為は無権代理行為とみなすこととしています（民法107条)。

なお、改正前民法の下では代理権の濫用に関する明文の規定（民法107条）が存在しなかったため、以下のとおり代理人が代理権を濫用した場合の代理行為の効力につき争いがありました。

① 民法93条1項但書類推適用説（判例）

この見解は、代理人が代理権を濫用した場合には、相手方に対して本人の真意に反する意思表示をした点で、心裡留保に類似する関係が認められることから民法93条但書を類推適用します。すなわち、代理人が権限を濫用した場合であっても代理行為は原則として有効としながら、相手方が代理人の真意を知り、またはこれを知ることができた場合には本人に対して代理の効力を主張することができないとします。判例はこの見解を採用しています（最判昭和38年9月5日民集17巻8号909頁、最判昭和42年4月20日民集21巻3号697頁・百選Ⅰ［第8版］26事件等）。また、判例は、法定代理人である親権者が代理権を濫用した場合にも、民法93条1項但書の類推適用により、「行為の相手方が右濫用の事実を知りまたは知りうべかりしときは、(旧) 民法93条ただし書の規定を類推適用して、その行為の効果は子には及ばないと解するのが相当である」と判示しています（最判平成4年12月10日民集46巻9号2727頁)。

② 信義則説

この見解は、信義則（民法1条2項）を根拠として、相手方が代理人の真意について悪意または重過失であるときにのみ、代理行為の効力を否定すべきであり、軽過失の場合には取引安全の観点から相手方を保護すべきとします。

③ 無権代理説

この見解は、代理人が自己の利益のために代理権を濫用することは代理権の範囲外の行為であるとします。この見解では、相手方は表見代理の要件を充足しない限り保護されないこととなります。相手方は、民法110条の「正当な理由」があったことを証明しなければなりません。「正当な理由」は、善意・無過失を意味すると解されていますが、相手方が立証責任を負担する事実であるため、相手方の負担は大きくなり、信義則説とは反対に本人保護に傾くこととなります。

④ 民法改正

改正後の民法は、上記①の判例の趣旨を踏まえて代理権の濫用に関する規定を新設し、代理人が自己または第三者の利益を図る目的で代理権の範囲内の行為をした場合において、相手方がその目的を知り、または知ることができたときは、その行為は「代理権を有しない者がした行為とみなす」として、無権代理行為とみなすこととしています（民法107条）。上記判例のように民法93条1項但書を類推適用する立場によれば、代理権濫用による代理行為は無効であり、本人が追認することはできませんでした（民法119条本文）。これに対して、改正後の民法107条は代理権の濫用を無効ではなく無権代理行為とみなしていることから、本人が追認することが可能となり（民法113条、116条）、より柔軟な解決を図ることができます（一問一答32頁）。また、本人は代理人に対して無権代理人の責任を追及することができます（民法117条1項）。

(5) 復代理

① 復代理の意義

復代理とは、代理人が他人を代理人と定めて自己の権限内の代理行為を行わせることをいいます。復代理人とは、代理人が自己の代理権限の範囲内の行為を行わせるために、代理人の名において選任する本人の代理人をいいます。任意代理の場合、代理人は本人の信頼に基づいて代理人となったものであり、原則として復代理は認められません。一方、法定代理の場合、法定代理人の権限が広範囲にわたるため、辞任も容易にできないことから、法定代理人はその責任で常に復代理人を選任できます。

② 任意代理における復代理

任意代理人は、特約がある場合を除いて、「本人の許諾を得たとき」または「やむを得ない事由があるとき」でなければ、復代理人を選任することができません（民法104条）。「やむを得ない事由」とは、本人が不在であるために復代理人選任について許諾を得られない場合や、本人に対して代理人の辞任を申し出ることができないようなことをいいます。この趣旨は、任意代理人は本人から信任を得て代理人となったものであり、いつでも辞任できることから任意代理人の復任権（復代理人を選任する権限をいいます）を制限する点にあります。

代理人が復代理人を選任した場合、代理人は復代理人の代理行為について、本人に対して債務不履行責任の一般原則に従って責任を負います。改正前民法は、代理人は復代理人の選任および監督についての責任のみを負う旨を規定していましたが（改正前民法105条1項）、任意代理人が履行補助者を用いる等して復代理以外の方法で第三者を用いる場合にはその責任は軽減（限定）されないこととの均衡を欠くため、改正後の民法はこの規定を削除しています（一問一答27頁）。

③ 法定代理における復代理

法定代理人は、自己の責任で復代理人を選任できます（民法105条前段）。「自己の責任で」とは、復代理人に過失があれば法定代理人に過失がなくとも責任を負うことを意味します。ただし、やむを得ない事由があるときは責任が軽減され、復代理人の選任および監督を怠った場合のみ責任を負います（民法105条後段）。

④ 復代理の関係

復代理人と代理人は、復代理人が代理人から代理事務を委任される関係にあります。復代理人を選任するのは代理人ですが、選任された後は、復代理人は本人の代理人となります（民法106条１項。同項にいう「代表」は「代理」の意味であると解されています）。代理人は復代理人を選任した後も代理権を失わず、代理人と復代理人はともに本人の代理人となります。

復代理人の権限は、代理人の代理権に基礎を置くものです。したがって、その権限の範囲は代理人の権限を越えることはできません。復代理人は、本人および第三者に対して、その権限の範囲内において、代理人と同一の権利を有し、義務を負います（民法106条２項）。したがって、復代理人が本人のためにした行為の効果は、直接本人に帰属します。

復代理人が代理行為の結果、相手方から何かを受領した場合には、復代理人は代理人に対して引渡義務を負うほか、本人に対しても引渡義務を負うこととなります。なお、復代理人が代理人に目的物を引き渡した場合には、本人に対する引渡義務も消滅します（最判昭和51年４月９日民集30巻３号208頁）。

⑹ 代理権の消滅

代理権は一定の事由が生じた場合に消滅します。法定代理と任意代理に共通する消滅事由として、本人の死亡（民法111条１項１号）、代理人の死亡または代理人が破産手続開始の決定もしくは後見開始の審判を受けたこと（民法111条１項２号）があります。

任意代理に特有の代理権消滅事由として、代理権授与の原因となった委任契約等が終了した場合があります（民法111条２項）。これに対して、法定代理に特有の消滅事由は、それぞれの法定代理ごとに個別に規定されているほか、保佐開始や補助開始の審判が取り消された場合があります（民法10条、14条、18条等）。

3　代理行為（代理人と相手方の関係）

⑴ 代理行為の意義

代理行為とは、代理人がその発生する行為の効果を自分自身とは別の主体である本人に帰属させる意図で行う相手方に対する意思表示をいいます。たとえば、代理人が本人を代理して、相手方との間で売買契約を締結した場合、代理人の相手方に対する意思表示が代理行為であり、この意思表示の結果、発生する効果は本人に帰属します。

⑵ 題名主義

① 顕名とは

代理人が代理行為をするためには、顕名をすることが必要です（民法99条1項）。顕名とは、代理人が代理人としての意思表示であることを明らかにすることをいいます。たとえば、本人Aの代理人Bが相手方Cに対して、「あなたの持っている物件を賃借させて欲しい」と述べた場合、Cからすれば、BがAに対して賃貸借契約の効果を帰属させる意思を有しているかは不明であり、Bとの間で契約を締結することを期待することになります。これに対し、BがCに対して、Aの代理人であることを示した場合には、法律行為の効果をAに帰属させる意思を有していることが明確になります。そこで、民法は代理人が本人に効果を帰属させるためには、「本人のためにすることを示して」意思表示をする必要があると定めています（民法99条1項）。このように民法は、代理行為に顕名を要求する顕名主義に立っています。この趣旨は効果帰属主体を明らかにして取引の安全を図る点にあります。顕名は、通常の場合、自分が代理人であること、効果帰属主体である本人の2点を表示することとなり、前述の例でいえば、BはCに対して「Aの代理人B」と表示して契約の申込みをすることとなります。

② 代理人という表示がない場合

代理人という表示がなくても、法律行為の解釈によって代理人としての資格で行動していると解される場合には、顕名が認められます。たとえば、「押野鉱山出張所主任C」というように、氏名の肩書に会社の役職を記載する場合（大判明治40年3月27日民録13輯359頁）、「日本給水株式会社C取締役」というように、肩書に会社名を記し氏名の下に役職印を押す場合（大判大正8年4月21日民録25輯624頁）にも顕名が認められます。

③ 代理人が本人の氏名のみを記した場合

代理人が本人の氏名のみを記して意思表示をした場合に、本人に意思表示の効果が帰属するかが問題となります。この点については、周囲の事情から行為者と別個の効果帰属主体（本人）が存在することが明らかな場合や相手方を害することがない場合にのみ、顕名の要件を満たすと考えるべきです。なぜなら、顕名を要求する趣旨は効果帰属を明らかにして取引の安全を図る点にあるところ、これらの場合には効果帰属が明らかであるか、取引の安全を図る必要がないためです。たとえば、親権者が意思能力のない未成年者の名義で行った法律行為、権限ある代理人が会社の名前のみを記載して行う取引等には顕名が認められます。

これに対して、他人の名を自己の表示手段として利用する場合（たとえば「AことC」とする場合）には、名前を使われた他人Aが契約当事者になるのではなく、行為者Cが契約当事者であると解されます。この場合には効果帰属主体が

Aであることが明らかでないためです。たとえば、日常家事でない日常取引で妻の氏名と同じ呼称を用いている者が手形の引受けを妻の名前で行った場合には、その妻ではなく行為者に手形上の責任が認められます（大判大正10年７月13日民録27輯1318頁）。

④ 顕名をしなかったときの効果

代理人が本人のためにすることを示さないでした意思表示は、自己のためにしたものとみなされます（民法100条本文）。たとえば、Bが本人Aの代理人として行動しているつもりでありながら、「この花を売ってください」等と契約主体を明示せず、顕名をしなかった場合には、相手方CとしてはBとの間で契約を締結することを期待します。そこで、相手方Cを保護するために、契約の効果はBに帰属し、BC間で契約が成立することとしたのです。

一方で、相手方Cが、代理人Bが本人Aのためにすることを知り、または知ることができたときは、民法99条１項が準用され、有効な代理行為として取り扱われます（民法100条但書）。このような場合には、Cを保護する必要はなく、むしろAC間で契約を成立させ、代理の効果を生じさせることが各当事者の意思に沿うといえるからです。

⑶ 代理行為の瑕疵

① 代理行為の瑕疵

代理人が相手方に対してした意思表示の効力が意思の不存在、錯誤、詐欺、強迫またはある事情を知っていたこともしくは知らなかったことにつき過失があったことによって影響（取消し、無効等）を受けるべき場合には、その事実の有無は、代理人について決します（民法101条１項）。また、相手方が代理人に対してした意思表示の効力が意思表示を受けた者がある事情を知っていたことまたは知らなかったことにつき過失があったことによって影響を受けるべき場合には、その事実の有無は、代理人について決します（民法101条２項）。この趣旨は、通説では代理行為は代理人自身の行為であると考えられていることから（代理人行為説）、代理行為の瑕疵は代理人を基準にすべきであるという点にあります。

ア　心裡留保、虚偽表示、錯誤

心裡留保（民法93条）、虚偽表示（民法94条）、錯誤（民法95条）の有無は代理人について考えます。代理人の意思表示がこれらの要件を満たしている場合には、代理行為は無効となり本人に効果は帰属しません。たとえば、錯誤があったか否かは代理人について判断します。代理人につき錯誤の要件を満たしている場合には代理行為は無効となり、本人との関係でも効力を生じません。この場合、民法95条３項の重過失の有無の判断も代理人について判断します。

代理人が本人を欺く目的で相手方と通謀して代理行為を行った場合、相手方の無効の主張を否定して善意無過失の本人を保護する必要があるかについては、見解が分かれています。

(i) 無効主張肯定説

民法101条1項により本人との関係でも民法94条1項が適用され、善意無過失の本人との関係でも法律行為は無効となるとし、相手方は善意の本人に対して無効を主張することができるとする見解です。

(ii) 無効主張否定説

(ア) 民法93条1項但書適用説（判例）

本人が相手方の真意を知り、または知ることができたときでない限り、法律行為を有効とし、相手方は本人に対して無効を主張することができないとする見解です。判例は、代理人には本人を欺く権限はなく、この場合の代理人は相手方の意思表示の伝達機関（使者）にすぎないことから、相手方の代理人に対する意思表示は、心裡留保に類似するとして、民法93条1項但書を適用しています。

(イ) 民法94条2項類推適用説

本人が民法94条2項の「善意の第三者」に該当するため、相手方は本人に対して無効を主張することができないとする見解です。

(ウ) 信義則説

代理人の虚偽表示は本人に帰属する（民法101条）のを原則としながら、例外として、代理人が本人を欺く等の意図で相手方と通謀したときは、本人がそのことについて善意無過失であれば、相手方は信義則上虚偽表示無効を本人に主張することはできないとする見解です。

(iii) 検 討

代理人が本人を欺く目的で相手方と通謀して代理行為を行った場合は、相手方を保護する必要はないことから、無効主張肯定説(i)は妥当ではなく、無効主張否定説(ii)が妥当であると考えます。無効主張否定説の中の見解としては、民法93条1項但書適用説(ア)は、代理人を使者とみて、代理人と相手方の通謀を相手方の心裡留保とみる点で技巧的であり、妥当ではないでしょう。また、代理人が相手方と通謀して虚偽表示をした場合の本人は、民法94条2項の「第三者」、すなわち虚偽表示の外形を信頼して新たに利害関係をもつに至った第三者には該当せず、民法94条2項類推適用説(イ)は妥当ではありません。したがって、本書は信義則説(ウ)の立場が妥当であると考えます。

イ　詐欺、強迫

(i) 代理人の相手方に対する詐欺、強迫

代理人が相手方を詐欺、強迫をした場合には、本人が代理人による詐欺・強迫の事実を知らないとしても、詐欺・強迫された相手方からみれば、そのことはいわば本人側の事情であり、代理によって利益を享受する立場にある

本人は、代理人が行った詐欺・強迫の結果も甘受すべきであるといえます。そこで、相手方は本人の知・不知にかかわらず民法96条１項に基づき代理行為を取り消すことができると解されています。

(ii) 本人の相手方に対する詐欺

本人が相手方を欺き、代理人がその事実を知らない場合には、本人という第三者による詐欺である（民法96条２項）として、相手方は代理人に対する意思表示を取り消すことができないようにも思えます。

しかし、この場合は代理行為の効果帰属主体である本人による詐欺行為であるため、第三者による詐欺の事実を知らない者を保護するという民法96条２項の趣旨はあてはまりません。したがって、相手方は意思表示を取り消すことができると解されています。

(iii) 代理人が相手方より詐欺、強迫を受けた場合

代理人が詐欺、強迫を受けた場合には、民法96条１項により取消し可能な行為となります。ただし、取消権を取得するのは契約当事者である本人であり、代理人ではありません。

② 知・不知、過失

代理人が相手方に対してした意思表示の効力が意思の不存在、錯誤、詐欺、強迫またはある事情を知っていたこともしくは知らなかったことにつき過失があったことによって影響（取消し、無効等）を受けるべき場合には、その事実の有無は、代理人について決するものとします（民法101条１項）。また、相手方が代理人に対してした意思表示の効力が意思表示を受けた者がある事情を知っていたことまたは知らなかったことにつき過失があったことによって影響を受けるべき場合には、その事実の有無は、代理人について決するものとします（民法101条２項）。代理の場合、行為をするのは本人ではなく代理人自身であるからです。たとえば、相手方が代理人に対してした意思表示が心裡留保によるものであった場合に、代理人が相手方の真意を知っていたときには、本人が相手方の真意を知らなかったことについて過失がなかったとしても、相手方の意思表示は無効となります（民法93条１項但書）。

また、これらの事実が意思表示の効力に影響を与える場合でなくても、必要に応じて民法101条１項、２項を類推適用すべきであると考えられています。たとえば、善意取得（民法192条）の「善意無過失」は、代理人について判断されます。

③ 代理人が特定の法律行為を委託された場合

特定の法律行為をすることを委託された代理人がその行為をしたときは、本人は、自らが知っていた事情につき代理人の不知を主張することができません。本人が過失によってそれを知らなかった事情についても同様とされています（民法101条３項）。この場合、実質的には特定の法律行為をすることについて本人が意

思決定をしていて、相手方の事情についての知・不知について代理人の意思が介在する余地は小さくなるため、本人の事情を考慮することとしています。

なお、改正前民法は、代理人が特定の法律行為をすることを委託された場合に代理人が「本人の指図に従って」その行為をしたことを要求していましたが（改正前民法101条2項)、当該文言どおり本人の指図に従った場合に限り同条項が適用されると解すると、同条項の適用範囲が狭すぎるとの批判があり、判例も本人が特別に指図することを必要としないとしていたことから（大判明治41年6月10日民録14輯665頁)、改正後の民法101条3項は当該文言を削除しています（四宮・能見『民法総則』［第9版］369頁、一問一答27頁)。

⑷ 代理人の能力

代理人は、法律行為を行うため、意思能力が必要となります。

これに対し、代理人に行為能力は必要とされておらず、制限行為能力者が代理人としてした行為は、行為能力の制限によっては取り消すことができません（民法102条本文)。この趣旨は、代理人には代理行為の効果は帰属しないため、代理人が制限行為能力者であっても保護する必要はなく、本人が制限行為能力者を代理人として選任した以上、これによる不利益は本人が覚悟すべきであるという点にあります。

しかし、制限行為能力者が他の制限行為能力者の法定代理人である場合には、当該法定代理人は本人によって選任されるものではなく、また、この場合も制限行為能力者であることを理由に代理行為の取消しができないとすると、本人(「他の制限行為能力者」)の保護が十分に図れないおそれがあります。そこで、改正後の民法は102条但書を追加し、制限行為能力者が他の制限行為能力者の法定代理人としてした行為については、民法102条本文の規定を適用しないこととしました（一問一答30頁)。また、この場合の取消権者につき、改正後の民法120条1項は括弧書を追加し、当該「他の制限行為能力者」またはその代理人、承継人もしくは同意をすることができる者も取消権を有することを明らかにしています(民法120条1項)。

4　代理行為の効果帰属（本人と相手方の関係）

代理人が代理権の範囲内で有効に代理行為を行った場合、代理行為の効果はすべて本人に帰属します。その結果、本人は契約の当事者としての地位に立ち、当事者としての地位に基づき発生する契約の解除権や取消権等もすべて本人に帰属することとなります。

これに対して、代理人が代理権の範囲外の行為をしたり、代理権を有していないにもかかわらず代理行為を行った場合には無権代理となり、本人が追認をしない限り、本人に効果が帰属しないのが原則となります（民法113条1項)。

第3　無権代理

1　無権代理の意義

無権代理とは、代理人として代理行為をした者が当該代理行為について代理権を有しない場合をいいます。たとえば、BがAに無断でAを代理してAが所有する不動産をCに対して売却した場合等が挙げられます。

2　無権代理の法律関係

代理権を有しない者（無権代理人）が他人の代理人として行った代理行為は、代理行為としては無効であり、本人が追認しない限り、本人に対してその効力を生じません（民法113条1項）。効力を生じないとは、無権代理行為が本人に帰属しないことを意味します。上記の例でいえば、AからBに対する売買契約の締結についての代理権の授与を欠くことから、BC間で締結した契約は本人Aに効果が帰属しないことを意味します。また、無権代理人Bは、本人Aに法律効果を帰属させようという意思のもと当該代理行為を行っており、無権代理人B自身に法律効果を帰属させようという意思を有していないため、当該代理行為の法律効果は、無権代理人Bにも帰属しません。代理権の不存在につき善意無過失の相手方Cは、代理権を有しないにもかかわらず代理人であるかのように行動した無権代理人Bに対して、責任を追及できます（民法117条1項）。

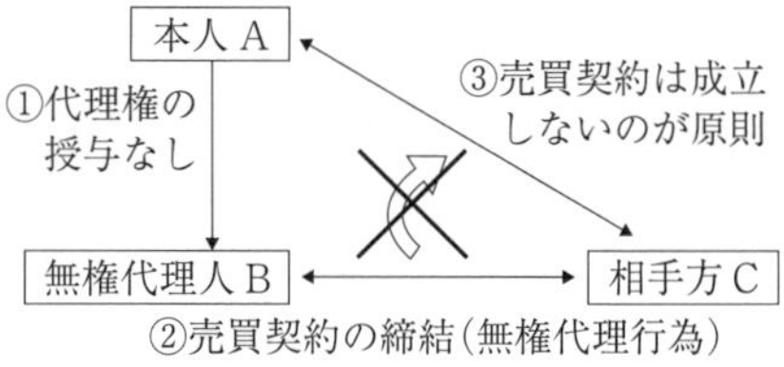

3　他人物売買との違い

無権代理は、目的物を処分する権限を有しないにもかかわらず、権利者に無断で目的物を処分するという点で他人物売買（民法561条）に類似します。他人物売買とは、他人の財産権を売買の目的物とする売買契約をいいます。もっとも、以下に述べるとおり、無権代理と他人物売買では契約当事者が誰かという点に差異があります。

無権代理の場合、無権代理人は本人に効果を帰属させる意思で行為を行うものであり、契約当事者は本人と相手方となります。無権代理は前述のとおり代理権の存在という効果帰属要件を欠くことから、原則として効力を生じないこととなります。

これに対し、他人物売買（民法561条）の場合、他人物の売主は自ら当事者として売買契約を締結するものであり、契約当事者は、当該売主とその相手方となります。また、売主は、他人の財産権であっても売買の対象とすることは可能であり、他人物売買契約は債権的には有効に成立し、売主はその権利を取得して買主に移転する義務を負います（民法561条）。なお、他人物売買に関する民法改正については、730頁を参照してください。

第4　本人に効果が帰属する場合

1　本人に効果が帰属する場合

前述のとおり、契約が無権代理行為によって締結された場合には、契約の効果は本人に帰属しないのが原則です。もっとも、以下のとおり例外的に本人に契約の効果が帰属する場合があります。

⑴ 本人の追認がある場合

追認とは、無権代理人の無権代理行為の効果を自己（＝本人）に帰属させる本人の意思表示をいいます。無権代理によって締結された契約の内容が本人に有利である場合、本人は、当該契約を無効とせず、追認したいと考えることがあり得ます。そこで、本人には無権代理行為を追認することが認められています（民法113条1項）。

⑵ 表見代理が成立する場合（民法109条、110条、112条）

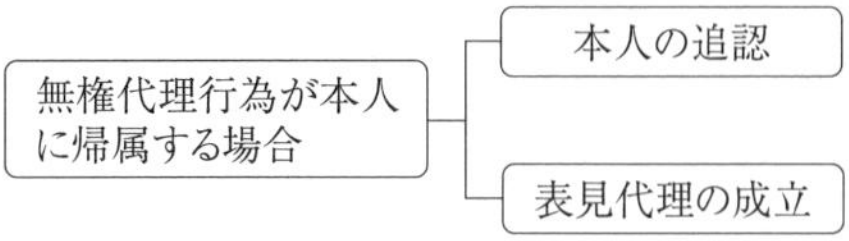

本人と行為者の間に特殊の関係が存在し、相手方が無権代理行為について代理権があると信じることが妥当といえる場合には、代理権が存在するのと同様の効果を生じることとなります。

2　本人の追認

⑴ 追認権者

追認は本人の単独行為であり、無権代理人や相手方の同意を必要としません。本人は、代理権の不存在につき相手方の知・不知を問わず追認することができます。追認は契約の効果を自己に帰属させる行為である以上、本人が成年被後見人や未成年者である場合のように、完全な行為能力を有しない場合には、追認もできないと解されています（民法124条1項類推適用）。したがって、本人である成年被後見人・未成年者は能力を回復ないし成年に達するまでは追認できないこととなります。

⑵ 追認の方法

本人の行う追認の相手方は無権代理人、代理行為の相手方のいずれでもよいですが、追認を相手方に対抗するためには相手方に対して追認をしなければなりません（民法113条2項本文）。ただし、相手方が本人の追認を知ったときは、この限りではありません（民法113条2項但書）。

たとえば、無権代理人Ｂが本人Ａに無断で相手方Ｃとの間でＡ所有の不動産を売買した後、本人Ａが無権代理人Ｂに対して追認の意思表示をした場合に相手方Ｃがこの追認を知ったときは、Ａは追認をＣに対抗することができます。この場合、Ｂの無権代理行為は、BC間の売買契約時に遡って有効となり、相手方Ｃは当該売買を取り消すことができなくなります。これに対して、本人Ａが無権代理人Ｂに対して追認の意思表示をした場合に相手方Ｃが追認の事実を知らないでBC間の売買契約を取り消したときは、本人Ａは相手方Ｃに追認を対抗できず、相手方Ｃの取消しの効力は認められることとなります（民法115条参照）。

本人から相手方に追認がなされず、無権代理人に対してのみ追認がなされた場合、追認があったことを知らない相手方に追認を対抗できませんが（民法113条２項本文）、無権代理人に対する関係では追認は有効となります（大判大正８年10月23日民録25輯1835頁）。この場合も相手方から本人に対して追認のあった事実を主張することは妨げられません（大判大正14年12月24日民集４巻12号765頁、最判昭和47年12月22日判時696号189頁）。

追認は、明示的な場合のみならず、黙示の追認も認められます（大判昭和６年３月６日新聞3252号10頁）。黙示の追認とは、追認の意思表示の存在が明確でない場合に、具体的な事情から追認があったと認められる場合をいいます。たとえば、Ａの配偶者ＢがＡの印鑑を無断で持ち出してＡの代理人と称してＡの所有する不動産をＣに売り渡した後、ＡがＣに対して当該不動産の売買代金を請求することは、Ｂの無権代理行為が自らに帰属することを前提としたものといえます。したがって、本人Ａの相手方Ｃに対する黙示の追認の意思表示と認めることができます。

(3) 追認の効果

① 遡及的効力（遡及効）

追認によって、本人と相手方の別段の意思表示がない限り、無権代理行為の効果が契約の時に遡って本人に帰属します（民法116条）。これを遡及的効力（遡及効）といいます。たとえば、無権代理人Ｂが本人Ａに無断で本人Ａが所有する不動産を相手方Ｃに対して売却した後に、本人Ａが無権代理人Ｂの行為を追認した場合には、BC間の売買契約の効果は、追認の時点ではなく、当初の契約締結時から本人Ａに帰属することとなります。

② 遡及的効力の例外

追認の遡及的効力には、２つの例外があります。

ア　別段の意思表示があるとき

本人と相手方との間の「別段の意思表示」によって、遡及しないものとすることができます（民法116条本文）。たとえば、本人と相手方との間で、「売買契約は、追認の時から将来に向かって効力を生ずる」と定めた場合です。

この趣旨は、当事者間で遡及を望まない合意がある場合には、私的自治の原則からこれを尊重する点にあります。「別段の意思表示」として、契約の時まで遡らないような特別の追認をするには、相手方の予期に反することから、追認する際の本人の相手方に対する一方的な「別段の意思表示」では足りず、相手方の同意を要すると解されています。

イ　第三者の権利を害するとき

無権代理行為の効果が代理行為当時に遡及する場合でも、第三者の権利を害することはできません（民法116条但書）。

もっとも、第三者との関係は対抗要件の有無や先後によって決まる場合が多く、実際には、本条但書の適用場面は少ないと考えられています。たとえば、本人Ａの無権代理人ＢがＡの不動産を相手方Ｃに売却した後、Ａ自身が第三者Ｄに当該不動産を売却して登記を備えた場合には、ＡがＢの無権代理行為を追認しても、Ｃ、Ｄの優劣は対抗要件の具備の先後によって決まることとなります（＝ＤがＣに優先します）。

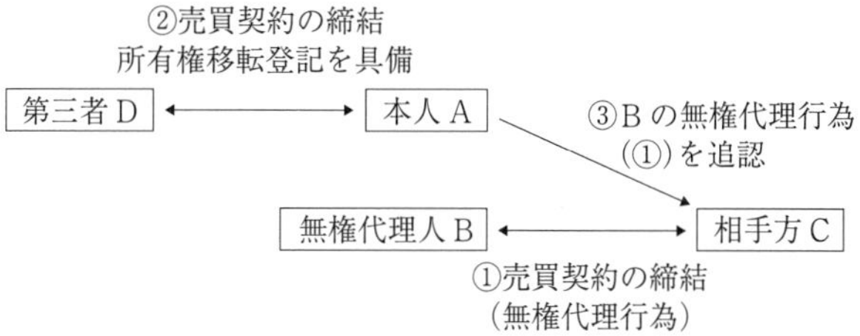

判例は、本人ＡのＹに対する債権について無権代理人Ｂが当該債権の弁済を受領した後に、本人Ａの債権者Ｄが弁済は無効であるとして当該債権を差し押さえ、転付命令を得た事案で、本人Ａが無権代理人Ｂの行為を追認して、債権者Ｄの差押命令・転付命令を無効にすることは、民法116条但書により許されないとしました（大判昭和５年３月４日民集９巻299頁）。

3　本人の追認拒絶

本人は、追認を拒絶することができます（民法113条）。本人の追認の拒絶により、無権代理行為の効果が本人に帰属しないこととなります。本人の追認拒絶は、無権代理人、取引の相手方のいずれにしてもよいですが、追認拒絶を相手方に対抗するためには、相手方に対してしなければなりません（民法113条２項本文）。ただし、相手方が本人の追認拒絶を知ったときは、この限りではありません（同項但書）。この点は、本人による追認の場合と同様です。

4　相手方の催告権・取消権

無権代理行為の相手方は、本人がその行為を追認するか否かわからないという不安定な地位に立たされることになります。そこで、相手方には、催告権（民法114条）と取消権（民法115条）が認められています。

(1) 催告権

相手方は、本人に対して、相当の期間を定め、その期間内に追認するかどうか確答するよう催告することができます。その期間内に本人からの確答が相手方に到達しない場合、本人は追認を拒絶したものとみなされます（民法114条）。みなすとは法律上擬制することをいい、追認を拒絶したことについて法律上反証を許さないことをいいます。この趣旨は、無権代理行為は原則として無効であり、本人が期間内に追認しない場合には、原則どおり追認拒絶を擬制して本人に効果が帰属しないこととする点にあります。

(2) 取消権

相手方は、本人が追認するまでの間、無権代理人がした契約を取り消すことができます（民法115条本文）。ただし、当該契約の当時、相手方が代理人に代理権がないことを知っていたとき（悪意）は、取り消すことはできません（民法115条但書）。相手方が契約時に悪意である場合には相手方保護の必要性は低く、取消権を認めて本人から追認の機会を奪う必要はないといえるからです。相手方の取消権の行使は、本人の追認がない間にのみ認められ、取消権が行使された後は本人が追認する余地はなくなります。したがって、本人の追認権と相手方の取消権は、いずれか先に行使した方が優先することとなります。

また、無権代理行為を取り消した場合、無権代理行為の効果が本人に帰属しないことが確定し、相手方は無権代理人の責任（民法117条）を追及することはできなくなります。無権代理行為の取消しによって、無権代理人との法律関係の一切が消滅するためです。

第5　無権代理人の責任

無権代理行為は、前述したとおり、本人にも無権代理人にも効果が帰属せず、代理権があると信頼して取引に入った相手方を害することとなります。そこで、民法は、無権代理人は善意無過失の相手方に対して責任を負うと定め、善意無過失の相手方を保護することとしています（民法117条）。すなわち、他人の代理人として契約をした者は、自己の代理権を証明したとき、または、本人の追認を得たときを除き、相手方の選択に従い、相手方に対して履行または損害賠償の責任を負います（民法117条１項）。このような無権代理人の責任を判例は、取引の安全および代理制度の信用を維持するために法律が特別に認めた無過失責任であるとしています（最判昭和62年７月７日民集41巻５号1133頁・百選Ⅰ［第８版］34事件）。たとえば、Ａの無権代理人ＢがＡの代理人と称してＡの所有する不動産をＣに対して売り渡した場合に、Ｂが自己に代理権があると信じ、または信じたことについて過失がなかった場合でも、Ｂは責任を免れないこととなります。

1　無権代理人の責任の要件

⑴ 無権代理であること

他人の代理人として契約をした者は、自己の代理権を証明したときは、無権代理人としての責任を負いません（民法117条1項）。代理権の存在の主張立証責任は、他人の代理人として契約をした者が負います。民法改正により、この主張立証責任の所在が明らかになるように民法117条1項の表現が改められました。

⑵ 本人の追認がないこと

本人が追認した場合には契約の時に遡って、代理行為の効果が本人に帰属することとなり（民法116条）、相手方は無権代理人に対して責任を追及できないこととなります（民法117条1項。最判昭和36年10月10日民集15巻9号2281頁）。

本人の追認の存在の主張立証責任は、他人の代理人として契約をした者が負います。上記⑴と同様、民法改正により、この主張立証責任の所在が明らかになるように民法117条1項の表現が改められました。

⑶ 相手方が取消権を行使していないこと

相手方が無権代理人がした契約を取り消した場合（民法115条）、無権代理人との法律関係の一切が消滅するため相手方は無権代理人の責任を追及できなくなります。

⑷ 相手方が悪意有過失でないこと

他人の代理人として契約をした者は、代理権を有しないことを相手方が知っていた場合、または代理権を有しないことを相手方が過失によって知らなかった場合（有過失）には、無権代理人としての責任を免れます（民法117条2項1号、2号）。ただし、無権代理人が代理権を有しないことを相手方が過失によって知らなかったときであっても、無権代理人が自己に代理権がないことを知っていたときは、無権代理人は責任を免れることができません（民法117条2項2号但書）。

⑸ 無権代理人が行為能力の制限を受けていないこと

無権代理人が行為能力の制限を受けていた場合には責任を免れます（民法117条2項3号）。この趣旨は、制限行為能力者の保護にあります。たとえば、未成年者ＢがＡの代理人と称してＡの所有する土地をＣに対して売却した場合、ＣはＢが未成年者であることを知らず、知らなかったことについて過失がなかったときでもＢに無権代理人としての責任を追及することはできません。

なお、無権代理人が意思能力を有しない場合には無権代理行為は無効となるため（民法3条の2）、民法117条2項3号のように特別の規定がなくても、意思能力を有しない者は当然に無権代理人の責任を負わないこととなります（一問一答29頁）。

2　無権代理人の責任の効果

無権代理人は相手方の選択に従い、相手方に対して履行または損害賠償の責任を負います（民法117条１項）。すなわち、相手方は無権代理人に対して、債務の履行または損害賠償を選択して請求できます。

⑴ 履行責任

相手方が履行を選択した場合、本来、本人との間で成立するはずであった一切の法律関係が無権代理人との間で生じます（大判昭和８年１月28日民集12巻10頁）。たとえば、無権代理人Ｂが本人Ａの代理人と称してＡ所有の土地をＣに対して売却した場合に、Ｃが履行を選択したときは、相手方Ｃは無権代理人Ｂに対して当該土地の所有権移転請求権を取得します。もっとも、ＢがＡから当該土地を入手できなければ履行は不可能となります。

このように無権代理人が土地のような特定物を本人に無断で売却した場合には、相手方が履行を選択しても無権代理人が実際に履行することが期待できないので、相手方は通常、損害賠償責任を追及する方法を選択することとなります。これに対し、目的物が不特定物（具体的な取引にあたって、物の個性に着目せず、種類、数量、品質等に着目して、取引した物をいいます）であり無権代理人が入手可能な物である場合には、無権代理人が本人に代わって履行することができる可能性があり、相手方が履行を選択する意義はあるといえます。

⑵ 損害賠償責任

相手方が損害賠償責任を選択した場合、無権代理人は、単に相手方が代理権があると信じたことによって被った損害（信頼利益）にとどまらず、有効な契約の履行があったのならば得たであろう利益（履行利益）を賠償する責任を負います（大判大正４年10月２日民録21輯1560頁）。相手方は無権代理人に対して履行を選択することも可能であり、損害賠償を選択した場合も履行を選択した場合と同一の利益を請求できると解されるからです。たとえば、相手方が無権代理人から目的物を60万円で仕入れ、相手方が第三者との間で当該目的物を100万円で転売する契約を締結していた場合には、相手方は無権代理人に対して転売によって得られたであろう利益について、損害賠償を請求できます。

3　無権代理人と表見代理の関係

無権代理行為について、相手方は、本人に対して表見代理（民法109条、110条、112条）を主張することと、無権代理人の責任（民法117条）を追及することの２つの手段を有します。両者の関係をいかに解するかについて、特に無権代理の相手方が本人に対する表見代理の主張と無権代理人に対する責任追及の双方を主張できるかという点で、以下の議論があります。

⑴ 補充的責任説

無権代理人に対する責任追及は、本人に表見代理が成立しない場合の補充的な救済手段であるとする見解です。この見解は、相手方は本人に対する表見代理責任を主張できれば本来の目的を達成することが可能であり、救済として十分であることを理由とします。この見解によれば、相手方が表見代理の成立を主張して本人に対して責任を問うことができる場合には、無権代理人に対して責任追及できないこととなります。

⑵ **選択責任説**（通説・判例）

両者は独立の選択的な手段であると理解する見解です。この見解は、無権代理人の責任と表見代理の責任とは互いに独立したものであることを理由とします。この見解によれば、相手方は表見代理が成立する場合でも表見代理の主張をすることなく、無権代理人に対して責任追及できることとなります。相手方からすれば表見代理の成立の主張・立証は困難である場合が多く、相手方保護の観点からいずれかの方法を選択できるという選択責任説が妥当と考えられます。判例は、この立場を採用しています（最判昭和33年6月17日民集12巻10号1532頁）。無権代理人は、表見代理が成立することを主張立証することによって自己の責任を免れることはできません（前掲最判昭和62年7月7日）。

⑶ **検　討**

補充責任説によれば表見代理が成立しない場合に初めて無権代理人の責任を追求することができます。しかし、表見代理の成立を主張立証することは困難であることが多く、相手方保護の観点から、相手方は表見代理の主張をしないで無権代理の責任を問うことを認めるべきでしょう。したがって、選択責任説が妥当であると考えます。

第6　無権代理と相続

無権代理人と本人との間で相続が生じた場合に、無権代理人の地位や本人の地位が相続人に対して、どのように承継されるかについて議論があります。以下では、無権代理人が本人を相続する場合と本人が無権代理人を相続する場合について検討します。

1　無権代理人が本人を相続した場合

無権代理人が本人を相続（民法896条）した場合について、無権代理人が単独相続した場合と共同相続した場合に区別して検討します。

⑴ **単独相続の場合**

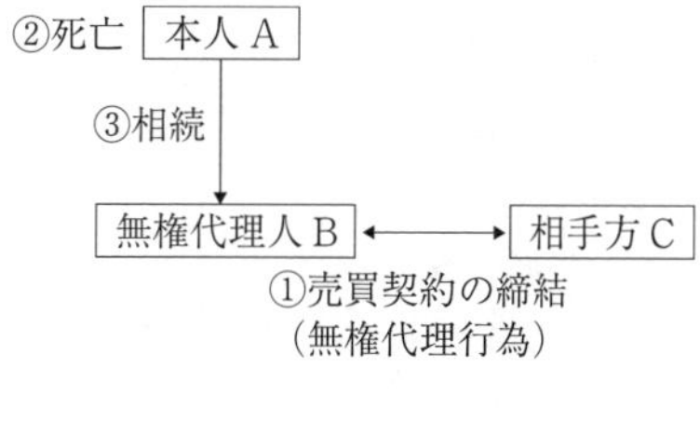

たとえば、本人Aの息子であるBがAの代理人と称してA所有の土地をCに売却した後、Aが死亡してBが唯一の相続人となった場合を考えます。この場合、BはCからの土地引渡請求に対

して、Aの追認拒絶権（民法113条2項）を相続により承継したとして追認拒絶できるかが問題となります。

① 追認拒絶肯定説

本人を相続した無権代理人の追認拒絶を認め、相手方は無権代理人の問題として処理すれば足りるとする見解です。この見解によれば、相手方は相続人が追認するまでは取消しができ、追認を拒絶されたときは無権代理人の責任を追及して履行または損害賠償を請求することとなります（民法117条1項）。相手方が履行請求をした場合には、以下の追認拒絶否定説とおおむね同じ結論となりますが、相手方が悪意・有過失のときは無権代理人の責任を問えない点で異なります。

② 追認拒絶否定説（通説・判例）

無権代理人の追認拒絶を認めない見解です。この見解は理由づけにより以下のように分類できます。

ア　人格承継説（人格融合説）

無権代理人と本人の人格が融合し、無権代理人は本人として追認拒絶する権利を喪失するという見解です。

イ　追完説

相続によって本人と無権代理人の資格が一体となり、追認があったのと同様に代理権の欠缺が追完されるという見解です。

ウ　信義則説

無権代理人は自ら無権代理を行ったものであり、本人を相続したからといって、本人の立場に立って追認拒絶権を行使することにより無権代理行為の効果帰属を否定することは、信義則に反すると考える見解です。

③ 検 討

判例は、無権代理人が本人を相続し本人と代理人の資格が同一に帰するに至った場合においては、本人が自ら法律行為をしたのと同様な法律上の地位を生じたものと解するのが相当であると判示して、無権代理人の追認拒絶権の行使を否定しています（最判昭和40年6月18日民集19巻4号986頁等）。判例が上記アからウのいずれの見解に立っているかは必ずしも明らかではありませんが、無権代理人に追認拒絶権の行使を認めて無権代理人を保護する必要はなく、無権代理人の追認拒絶を否定する判例の考え方は妥当と考えます。

なお、判例は、本人が生前に追認を拒絶していた場合には、その後に無権代理人が本人を相続したとしても、本人の追認拒絶の意思が明らかとなっている以上、無権代理行為を有効とするものではないとしています（最判平成10年7月17日民集52巻5号1296頁）。

(2) 共同相続の場合

たとえば、本人Aの息子であるBがAの代理人と称して（無権代理）A所有

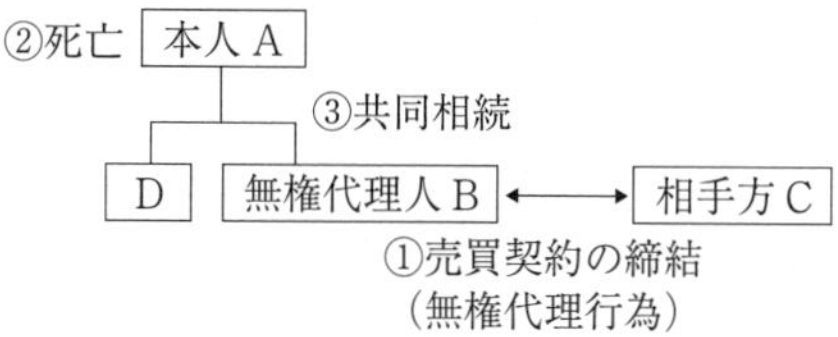

の土地をCに売却した後、Aが死亡してBとDが2分の1の相続分でAを相続した場合が考えられます。この場合、BおよびDは被相続人Aの有していた追認拒絶権を相続により承継したとして追認を拒絶できるかが問題となります。

① 学 説

ア 一部有効説

無権代理人以外の共同相続人（D）は追認を拒絶できるが、無権代理人（B）は追認を拒絶できないとし、無権代理行為は無権代理人の行為の限度で有効になるという見解です（最高裁判例解説民事篇昭和40年度193頁［栗山忍］）。この見解は、共同相続人の中で自ら無権代理行為を行った無権代理人に追認拒絶を認めるべきではないことを理由とします。この見解によれば、BとDが2分の1の相続分でAを相続した場合、Dは追認の拒絶ができるが、Bは追認の拒絶ができないこととなり、当該土地はCとDの共有となります。

イ 全面無効説

共同相続人全員の追認がない限り、無権代理行為は無効であり、無権代理人以外の共同相続人は追認を拒絶することができ、その場合には無権代理人も追認を拒絶することができるという見解です。この見解は、追認権は相続人全員に不可分的に帰属するため、共同相続人全員が共同して無権代理行為を追認しない限り、無権代理人の相続分についても無権代理行為を当然に有効とすべきではないことを理由とします。この見解によれば、Dが追認の拒絶をした場合には、無権代理人であるBも追認を拒絶できることとなります。

② 検 討

判例は、無権代理行為を追認する権利はその性質上相続人全員に不可分的に帰属し、無権代理行為の追認は、共同相続人全員が共同してこれを行使しない限り無権代理人の相続分に相当する部分においても、当然に有効となるものではない（ただし、他の共同相続人全員が無権代理行為の追認をしている場合に無権代理人が追認を拒絶することは信義則上許されない）と判示し、全面無効説に近い立場をとっています（最判平成5年1月21日民集47巻1号265頁・百選I［第8版］36事件）。判例の考え方によれば、Dが追認しない場合にはBの無権代理行為は有効とならず、Cは当該土地を取得することはできません。一方、Dが追認した場合には、Bは信義則上追認を拒絶することは許されず、Cは当該土地を取得できます。無権代理人以外の共同相続人が追認した場合に自ら無権代理を行った無権代理人に追認拒絶を認めるべきではなく、判例の見解は妥当であると考えます。

2　本人が無権代理人を相続した場合

(1) 本人の追認拒絶

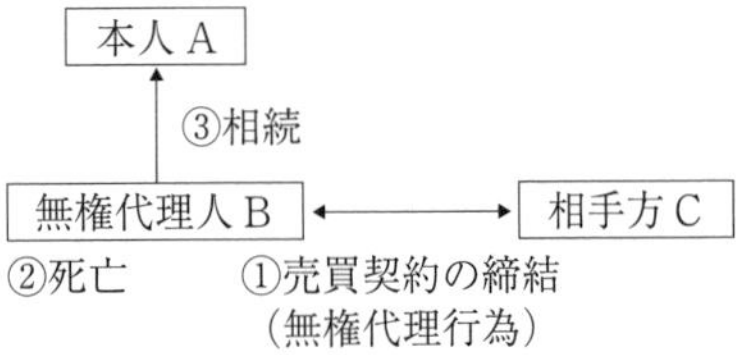

無権代理人Bは、Aに無断でA所有の土地を相手方Cに売却しました。その後、無権代理人Bが死亡し、本人Aが無権代理人Bを相続しました。この場合に本人Aは無権代理人Bの無権代理行為を追認拒絶できるでしょうか。

判例は、本人が無権代理人を相続した場合は、相続人たる本人が被相続人の無権代理行為の追認を拒絶したとしても、何ら信義に反することはないから、被相続人の無権代理行為は一般に本人の相続により当然に有効になるものではないと判示しました（最判昭和37年4月20日民集16巻4号955頁・百選Ⅰ［第8版］35事件）。したがって、無権代理人が本人の所有する特定物を無断で処分したときには、無権代理人を相続した本人は追認を拒絶することができます。

(2) 追認拒絶と民法117条の責任の関係

本人Aが無権代理人Bを相続した場合、(1)のように相手方Cに対して無権代理行為の追認拒絶ができるとしても、本人Aは無権代理人の責任（民法117条1項）を相続によって承継し、履行責任および損害賠償責任を負うか否かが議論されています。

たとえば、上記の例のように、無権代理人Bが本人Aに無断で本人Aの土地を相手方Cに売却した場合に、相手方Cは無権代理人Bを相続したAに対して、民法117条1項に基づいて当該土地の引渡しを請求することは認められるでしょうか。このような相手方Cの請求を認めた場合、無権代理人を相続した本人Aは追認を拒絶した場合でも当該土地の引渡しを免れることはできず、本人Aに追認拒絶を認めた趣旨が没却されると考えられることから問題となります。

① 学 説

ア　相続肯定説

本人が無権代理人の責任（民法117条）を相続することを肯定する見解です。この見解は、本人が相続によって無権代理人の地位を承継することを理由とします。この見解によれば、本人Aは相手方Cに対して追認を拒絶したとしても、相手方Cから民法117条に基づいて履行請求された場合には、当該土地の引渡債務を免れることはできないこととなります。

イ　相続否定説

本人が無権代理人の責任（民法117条）を相続することを否定する見解です。この見解は、本人は無権代理人を相続した場合に相手方に対して追認拒絶できるにもかかわらず無権代理人の責任を相続するとすれば、本人に追認拒絶を認めた意義が失われることを理由とします。この見解によれば、本人Aは無権代理人Bの責任を相続せず、相手方Cからの当該土地の引渡請求を拒むことができます。

ウ　中間説

本人が無権代理人の責任（民法117条）を相続することを肯定しながら、本人に固有に帰属する特定物の給付については追認拒絶を認めることによって本人保護を図るべきと考える見解です。この見解は、相続を肯定することによって追認拒絶を認めた趣旨が没却されるという不都合性を回避すべきであることを理由とします。この見解によれば、本人Aは無権代理人Bの責任を相続せず、相手方Cからの当該土地の引渡請求を拒むことができます。

② 検 討

判例は、以下のとおり、中間説に近い立場に立っていると考えることができます。

まず、無権代理人が本人の代理人と称して、本人に無断で連帯保証契約を締結した後、無権代理人が死亡した事案で、本人は相続により無権代理人の債務（民法117条）を承継し、本人として追認を拒絶できる地位にあってもこの債務を免れることはできないと判示して、本人が無権代理人の責任（民法117条）を相続することを肯定しました（最判昭和48年7月3日民集27巻7号751頁）。

一方で、特定物の給付義務については、判例は、履行義務を拒否できるという立場をとっていると考えられています。たとえば、他人物売買の事案で、権利者は「その権利の移転につき諾否の自由を保有しているのであって、それが相続による売主の義務の承継という偶然の事由によって左右されるべき理由はない」と判示しています（最判昭和49年9月4日民集28巻6号1169頁）。

金銭債務については、本人は履行責任を否定したとしても民法117条に基づく損害賠償責任を承継し、履行する場合と同等の金額の損害賠償債務を負うことから、損害賠償履行責任の承継を否定する意義は乏しいと考えられます。これに対し、特定物の給付義務については、履行責任の承継を認めれば、本人に追認拒絶を認めた意義が失われることとなり、本人を保護する必要があるといえます。したがって、上記のような判例の立場は正当であると考えます。

3　双方相続の場合

(1) 第三者が無権代理人を相続した後に本人が死亡した場合

たとえば、本人Aの無権代理人B（Aの妻）がAの代理人と称してAの不動産をCに売却し、その後、無権代理人Bが死亡してAとABの子であるDがBを相続し、さらにAも死亡したという場合を考えてみましょう。Dは本人と無権代理人の双方を相続することとなります。

この場合、DはCに対して、本人Aの地位で追認拒絶できるでしょうか。D

は、無権代理人Bの地位をも承継していることから、追認拒絶できるかが問題となります。

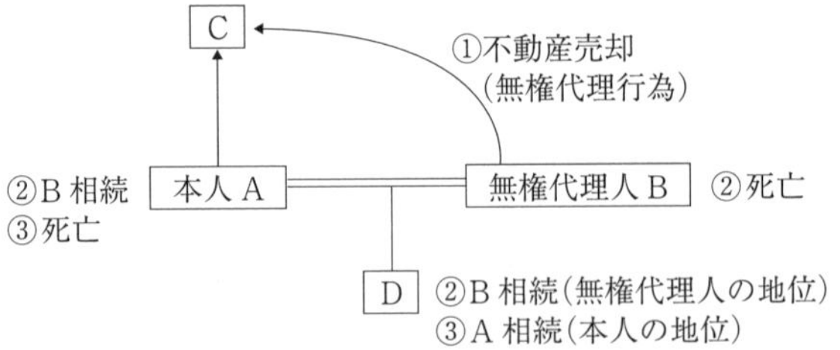

判例は、上記の事案について、Dは本人Aの資格で無権代理行為の追認を拒絶する余地はなく、本人Aが自ら法律行為をしたのと同様の地位ないし効力が生ずるとして、DのCに対する追認拒絶を否定し、無権代理人が本人を相続した場合と同じ結論をとりました（最判昭和63年3月1日判時1312号92頁）。

これに対して、学説では、相続の先後関係は偶然によって決まるものであり、下記(2)と結論を異にすべきではないこと、相続の先後関係にかかわらず本人と無権代理人の地位を承継したDは、本人の地位に基づいて追認拒絶をなしうるべきであるとして、この場合でもDは追認拒絶しうると解する立場があります（四宮・能見『民法総則』［第9版］383頁）。

(2) 第三者が本人を相続した後に無権代理人が死亡した場合

本人を相続した後に無権代理人を相続した場合にはどのように考えるべきでしょうか。たとえば、本人Aの無権代理人B（Aの妻）が本人Aの代理人と称してAの不動産をCに売却し、その後に本人Aが死亡してBとABの子DがAを相続し、Aの死亡後にBも死亡したという場合を考えてみましょう。この場合、DはCに対して、本人Aの地位に基づいて追認拒絶できるでしょうか。上記(1)の事案とは本人および無権代理人の地位の承継の順序が反対となった場合に、結論に影響が生じるかが問題となります。

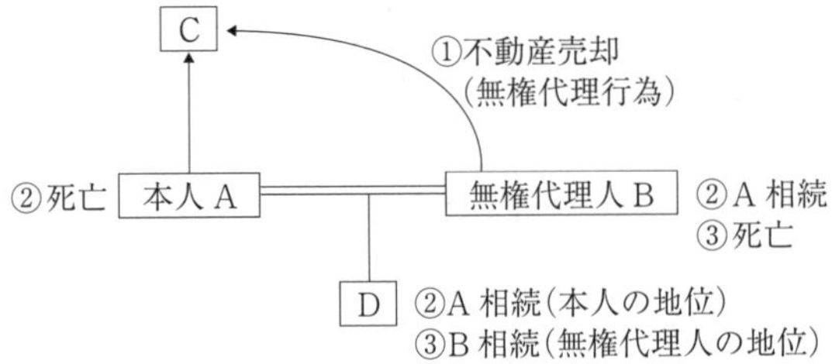

上記事案のような場合における判例はありませんが、本人と無権代理人の両方

の地位を承継したDは、無権代理人そのものとは異なることを根拠に、原則として本人の地位に基づいて追認拒絶をなしうると考えます。

4　無権代理と後見人就任

(1) 問題の所在

無権代理人が後見人に就任した場合、無権代理人が追認や追認拒絶をする権限を有することとなる点で、無権代理人が本人を相続する場合と類似する状況が生じます。そこで、無権代理人が後見人の立場で自らが行った無権代理行為を追認拒絶できるかが問題となります。

(2) 判 例

判例は、未成年者Aの事実上の後見人Bが未成年者A所有の建物を売却した後、Bが後見人に就任した事案で、Bは信義則上追認拒絶ができないとして、売買契約の効力がAに及ぶとしました（最判昭和47年2月18日民集26巻1号46頁）。この事案では無権代理行為が本人の利益に反するものではなく、後見人が黙示的に追認したといえる事情があったことから、判例は後見人が追認を拒絶することは許されないとしたものと考えられます。

その後の判例は、意思無能力者Aの事実上の後見人として世話をしていたBがA所有の建物について相手方Cとの間で賃貸借契約を締結した後に、Bと共に賃貸借契約の成立に関与していたA及びBの親族であるDがAの成年後見人に選任され追認を拒絶した事案で、成年後見人は原則として、その就職前に成年被後見人の無権代理人によって締結された契約の追認を拒絶できるが、例外的に信義則違反となるような事実がある場合には拒絶できないとしました（最判平成6年9月13日民集48巻6号1263頁）。

この判例は、追認拒絶が信義則に反するか否かは、契約の締結に至るまでの無権代理人と相手方との交渉経緯および無権代理人が契約の締結前に相手方との間で行った法律行為の内容と性質、契約を追認することによって成年被後見人が被る経済的不利益と追認を拒絶することによって相手方が被る経済的不利益、契約の締結から成年後見人が就職するまでの間に契約の履行等をめぐってなされた交渉経緯、無権代理人と成年後見人との人的関係および後見人がその就職前に契約の締結に関与した行為の程度、本人の意思能力について相手方が認識しまたは認識しえた事実等、諸般の事情を勘案し、本人の利益を保護するために追認拒絶するのがやむをえない場合に該当するか否かを勘案して決すべきとしました。

(3) 検 討

本人の死亡後に無権代理人が本人を相続する場合とは異なり、無権代理人が後見人に就任する場面では本人（制限能力者）の利益を保護する必要が生じます。後見人の職務は制限能力者を保護するものであり、後見人が就任前に無権代理行為を行った場合であっても、制限能力者を保護するために必要がある場合には、追認拒絶を認めるべきといえます。したがって、後見人は、原則として追認拒絶を認められ、信義則違反となるような事実がある場合には拒絶できないとする判例の見解は妥当であると考えます。

5　単独行為の無権代理

単独行為とは、一方当事者の意思表示によって、その法律効果の生ずる行為です。たとえば、解除や追認の意思表示が挙げられます。

⑴ 能動代理

能動代理とは、代理人が本人のために積極的に意思表示を行う場合の代理です。無権代理人が単独行為の無権代理行為をした場合、その行為の時に相手方が代理人と称する者が代理権を有しないで行為をすることに同意し、またはその代理権を争わなかったときに限り、民法113条から民法117条が準用されます（民法118条前段）。これは、単独行為は契約とは異なり相手方が関与しない行為であり、相手方の地位を安定させるために原則として無効であり、例外的な場合に限って本人の追認を認めたものです。

たとえば、本人Ａの無権代理人Ｂが相手方Ｃに対して解除の意思表示（単独行為）をした場合、相手方Ｃとしては無権代理であり無効であると思っていたところ、後日に本人Ａの追認によって解除の意思表示が有効とすることは相手方Ｃにとって、不測の事態となります。そこで、相手方Ｃが単独行為について同意したり、これを争わなかったときに限り本人Ａからの追認を認めています（民法118条）。たとえば、売買契約で売主の無権代理人が契約を解除した場合、買主が同意して目的物を返還した場合は、本人からの追認が認められます。

⑵ 受動代理

受動代理とは、代理人が本人のために他人から意思表示を受ける場合の代理です。相手方が無権代理人に対して行為をした場合、能動代理の場合と同様、無権代理人が同意をしたり、これを争わなかったときに限り民法113条から117条が準用され、本人の追認を認めることとなります（民法118条後段）。たとえば、相手方Ｃが無権代理人Ｂに対して解除の意思表示をした場合、相手方Ｃの意思表示は無効であるのが原則であり、無権代理人Ｂの責任は生じません。これに対し、無権代理人Ｂの同意を得たうえで相手方Ｃが解除の意思表示をしたときは、本人Ａの追認が可能となり、無権代理人Ｂの責任が生じることとなります。

第７　表見代理

1　表見代理の意義

代理権を有しない者が代理人と称して取引を行った場合には無権代理となり、本人に効果が帰属しないのが原則です。これに対し、無権代理の相手方が代理権の存在を信頼して取引に入った場合、一定の要件のもとに無権代理行為を有効な代理行為として、その効果を本人に帰属させる制度を表見代理といいます。

2　表見代理の根拠

表見代理として本人に効果を帰属させることの根拠は、あたかも代理権が存在するかのような外観を作出したという本人側の事情（外観作出についての本人の帰責性）と善意無過失で代理権の存在を信頼したという相手方の事情（相手方の外観信頼＝善意無過失）が存在する場合に本人の犠牲の下、取引の安全を保護した点にあります。このように真実に反する外観を作出した者は、その外観を信頼してある行為をした者に対し外観に基づく責任を負うべきであるという考え方を権利外観法理といいます。

3　表見代理の種類

表見代理には、代理権が存在するかのような外観が作出される方法に応じて、代理権授与表示による表見代理（民法109条１項）、権限外の行為の表見代理（民法110条）、代理権消滅後の表見代理（民法112条１項）の３つがあります。

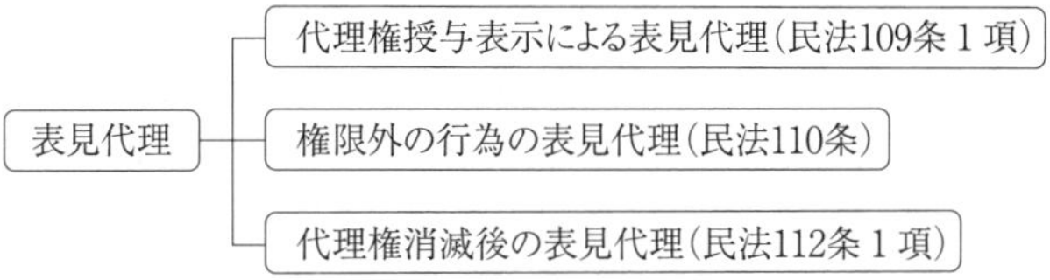

第８　代理権授与表示による表見代理（民法109条１項）

1　民法109条１項の意義

第三者に対して他人に代理権を与えた旨を表示した者は、その代理権の範囲内において、その他人が第三者との間でした行為について責任を負います（民法109条１項）。この趣旨は、代理権授与の表示を信頼して取引関係に入った相手方を保護するという点にあります。

2　要 件

(1) 代理権授与の表示（本人の帰責性）

① 意 義

民法109条１項の表見代理が成立するためには、本人が実際には代理権を与えていないにもかかわらず、第三者に対して他人に「代理権を与えた旨を表示をした」ことが必要です。たとえば、本人ＡがＢを代理人に選任した旨を相手方Ｃに告げたが、実はＢに代理権を与えていなかったという場合が挙げられます。

判例は、この要件を柔軟に解釈して、本人が自分の名前や商号の使用を他人に許した場合に広く民法109条１項の適用を認めています（最判昭和35年10月21日民集14巻12号2661頁・百選Ⅰ［第８版］28事件等）。このように本人が他人に対して自らの名前で取引することを承諾または黙認している場合を名板貸しといいます。また、Ａが所有する土地の売却をＢに委任して代理権授与の委任状を交付した後、代理権授与を撤回した場合に、Ａから委任状の返還を求められなかったことを奇貨としてＢが委任状を用いて第三者に当該土地を売却してしまった場合も、本人は委任状の流用を黙認しており、代理権授与の表示の要件を充足することとなります。

なお、商法、会社法は名板貸しについて特則を設けています（会社法９条、商法14条）。たとえば、Ａ会社がＢ会社に対して、「Ａ会社」という商号（名称）を使用して事業を行うことを許諾した場合、取引の相手方がＢ会社のことを「Ａ会社」と誤認したときには、Ａ会社はＢ会社の負う債務を連帯して弁済する責任を負います。この趣旨は、他人に代理権を与えた旨を表示した場合（民法109条１項）でなくとも、他人が自らの商号を使用して営業をすることを許諾した場合には、営業主体を誤認した相手方の信頼を保護すべきという点にあります。

② 白紙委任状の流用

委任状には通常、代理人の氏名と代理権の内容の両方を記載します。白紙委任状とは、このどちらか一方または双方を記載しないものをいいます。代理人の氏名や代理権の内容の記載について、白紙委任状を取得した者に補充を委ねる場合に利用されます。白紙委任状を作成した本人と受領者の間では通常、代理権を行使すべき者の範囲、代理権の内容について合意が存在します。ここで、代理人が本人との合意に従わずに白紙委任状を流用した場合の代理行為の効力がどうなるか、本人に表見代理が成立するかが問題となります。白紙委任状の流用は、権限逸脱の態様に応じて、以下の直接型と間接型に区別できます。

ア　白紙委任状の交付を受けた者が流用した場合（直接型）

本人から白紙委任状を直接受領した者が委任の趣旨を逸脱して、白紙委任状を補充した場合です。たとえば、以下のような例が考えられます。Ａが自分の土地を適当な人に売ってもらうために、Ｂに対して必要書類と代理人欄および代理権の内容（委任事項）欄を白紙にして委任状（白紙委任状）を交付しました。一方、ＢはＣから融資を受ける際の担保を探していたところ、Ｂは、白紙委任状の代理人欄に自らの氏名を、代理権の内容欄にＡの土地に抵当権を設定することと書き込み、Ａの代理人と称して、当該土地に抵当権設定登記を行い、Ｃから融資を受けました。この場合、ＡはＣに対して表見代理によって責任を負うでしょうか。

(i) 民法109条１項適用説（通説）

白紙委任状の交付は、本人が代理人に対して白紙部分をどのように補充しても差し支えないという外観を有する表示があるとする見解です。この見解によれば、AがBに対して白紙委任状を交付したことは代理権授与の表示に該当し、民法109条1項が適用され、同条のその他の要件を充足する場合には、AはCに対して責任を負うこととなります。

(ii) 民法110条適用説

代理人が本人の委任しなかった事項を補充した場合は委任状の偽造であり、本人による授権表示がないので民法109条は適用されないものの、本人は代理人に何らかの代理権（基本代理権）を与えていたのであるから、その代理権の範囲を越えた代理行為があったとして後述の民法110条の表見代理が成立するという見解です。この見解によれば、AがBに対して何らかの代理権を与え白紙委任状を交付したことは基本代理権の授与に該当し、民法110条が適用され、同条のその他の要件を充足する場合には、AはCに対して責任を負うこととなります。

(iii) 検 討

白紙委任状が交付された場合、取引の相手方からすれば、本人が代理人に対して白紙部分をどのように補充してもよいという権限を与えているような外観が生じているといえます。したがって、民法109条1項適用説が妥当と考えます。

イ　白紙委任状を転得者が流用した場合（間接型）

本人から白紙委任状を直接受領した者ではなく、転得した者が白紙委任状を流用した場合です。この場合は、さらに転得者が本人から直接の受領者に与えられた権限の範囲を越えていない場合と転得者が当初の委任の範囲を越えて濫用した場合に区別できます。

(i) 転得者D（委任状の利用を予定されていない者）が第三者Cとの取引に委任状を利用したが、委任事項の内容に関しては本人Aが直接受領者Bに与えた権限の範囲を越えていないという場合（委任事項非濫用型）

この場合、本人Aは転得者Dに何らの代理権も与えていないので、白紙委任状を利用したDの取引は無権代理です。もっとも、白紙委任状によってあたかもDに代理権を授与したかのような表示をしたといえるので、民法109条1項を適用して表見代理を認めることができます。

(ii) 転得者Dが委任事項についても当初の範囲を越える濫用をした場合（委任事項濫用型）

たとえば、以下のような例が考えられます。本人Aが自分の土地を適当な人に売ってもらうために、代理人Bに対して必要書類と代理人欄および代理権の内容（委任事項）欄を白紙にして委任状（白紙委任状）を交付しました。一方で、DはCから融資を受ける際の担保を探していました。そこで、代理人Ｂは、本人Ａから交付された白紙委任状をＤ（転得者）に渡しました。Ｄは、白紙委任状の代理人欄にＤの氏名を、代理権の内容欄にＡの土地に抵当権を交付することと書き込み、Ａの代理人と称して当該土地に抵当権設定登記を行い、Ｃから融資を受けました。この場合、ＡはＣに対して表見代理によって責任を負うでしょうか。

この場合は、白紙委任状を予定外の者（Ｄ）が利用したというだけでなく、委任事項についても逸脱があります。そこで、表見代理の３類型のいずれにも該当せず、民法109条、110条、112条を直接適用することは困難であるといえます。判例には、改正前民法109条の代理権授与表示を否定したものがあります（最判昭和39年５月23日民集18巻４号621頁・百選Ｉ［第８版］27事件）。もっとも、委任事項の範囲を越えた授権を表示したとして、後述のとおり民法109条と民法110条を重畳的に適用する余地があります（最判昭和45年７月28日民集24巻７号1203頁）。「重畳的に適用する」とは、表見代理の各条項を合わせて適用することにより相手方の保護を図ることをいいます。

⑵ 代理権の範囲内の行為であること

民法109条１項は、第三者に対して他人に代理権を与えた旨を表示した者は、「その代理権の範囲内において」他人が第三者との間でした行為について、責任を負うと定めています。そこで、民法109条１項の表見代理が成立するためには、実際に行われた（無権）代理行為が表示された「代理権の範囲」内であったことが要件となります。どこまでの代理権授与を表示しているかは、その表示の客観的な解釈によって決まります。代理権授与の範囲を越えて無権代理行為が行われた場合には、後述のとおり民法109条２項の適用の問題となります。

⑶ 相手方の善意無過失

相手方が善意無過失ではなかった場合、すなわち代理人と称する者に代理権が授与されていないことを知りまたは知らなかったことにつき過失ある場合には、民法109条１項の表見代理は成立しません（民法109条１項但書）。本人は、相手方が善意無過失でなかったことの証明責任を負います。これは、代理権授与の表示がなされた以上、相手方が代理権の存在を信じるのはやむをえないという価値判断によります。

なお、相手方の善意無過失は平成16年改正前の民法109条では文言上要件とされていませんでした。もっとも、判例・通説は、同条を相手方の信頼・取引安全の保護の制度として位置づけており、相手方の善意無過失を要求していました（最判昭和41年４月22日民集20巻４号752頁）。そこで、民法の現代語化に際して、相手方の善意無過失を要件とする規定が設けられました（民法109条１項但書）。

⑷「第三者」の範囲

民法109条１項の「第三者」は、代理権授与の表示を受けた直接の相手方を意味します。すなわち、本人が無権代理人に代理権を与えた旨の表示を受けた相手方が無権代理人と行為を行った場合に表見代理が成立し、本人の責任が生ずることとなります。

これに対して、代理権授与の表示を受けた相手方からの転得者は、「第三者」に含まれないと解されています。なぜなら、表見代理は代理権の存在を信頼して取引に入った者を保護する制度であるところ、転得者は代理権の存在を信じて取引するわけではないからです。したがって、代理権授与の表示を受けた直接の相手方が善意無過失の要件を満たさない場合に、相手方からの転得者が善意無過失であるとしても、民法109条１項の表見代理を主張できないことになります。

3　効 果

他人への代理権の授与を第三者に表示した本人は、当該他人と第三者との間の行為につき責任を負います。無権代理行為が有権代理となるわけではありませんが、有権代理の場合と同じく本人は第三者に対して責任を負うこととなります（民法109条１項本文）。

4　適用範囲

本人の代理権授与表示が要件となる民法109条１項は、法定代理には適用されないとの見解が通説・判例です（大判明治39年５月17日民録12輯758頁）。民法109条１項は代理権の「授与」を要件としていますが、法定代理には「授与」がないことを理由とします。

これに対して、法定代理の場合に一律に表見代理の成立を否定するのは妥当でなく、法定代理ごとに異なる取扱いを認めるのが適当であるとする少数説があります。この見解は、たとえば、制限行為能力者の法定代理のように本人が授権表示することが考えられず、また本人が代理人を監督することが不可能な法定代理については、本人の帰責性を問うことができないことから民法109条１項の適用を否定します。一方で、日常家事債務に関する夫婦の相互代理権（民法761条）のように本人の監督上の責任を問いうる場合には、民法109条１項の適用を肯定します。

第９　権限外の行為の表見代理（民法110条）

1　民法110条の意義

代理人が権限外の行為をした場合に、相手方がその代理人に権限があると信ずべき正当な理由があるときは民法109条１項本文が準用され、本人は代理人が第三者との間で行った行為について責任を負います（民法110条）。たとえば、Ａが有する土地を1000万円以上で売却することについてＡから代理権を授与されたＢが、当該土地をＣに対して500万円で売却した場合に、ＣがＢの行為を代理権の範囲であると信じたことについて正当な理由があるときは、ＡはBC間の行為について責任を負います。

この趣旨は、一定の範囲で代理権（基本代理権といいます）を有する者が権限の範囲を越えて行為を行い、第三者が代理人の権限を信じたことについて正当な理由がある場合に、取引の相手方である第三者を保護する点にあります。

2　要 件

(1) 基本代理権が存在すること

民法110条による表見代理が成立するためには、本人が代理人に基本代理権を与えていたことが必要です。なぜなら、本人が代理人に基本代理権を与え、越権行為をするような代理人を選任したことによって、代理権の越権行為の原因を作出したといえ、この点に本人の帰責性が認められるといえるからです。具体的には以下の場面で、基本代理権を付与していたといえるかが問題となります。

① 事実行為の委託

たとえば、以下のような場合が考えられます。ある会社の経理係Ｂは、取締役Ａから印鑑を預かり、会社の預金の出入れをしていました。Ｂは、当該印鑑を悪用し、Ａの代理人と称してＣから借入れを受けました。このような場合、本人から法律行為の授権を受けていないため、印鑑を預かるという事実行為の委託を受けていたにすぎないＢに基本代理権が付与されていたと認められるかが問題となります。

ア　法律行為授権限定説（判例）

この見解は、基本代理権が付与されていたというためには何らかの法律行為の授権を必要とし、事実行為の授権では足りないとする見解です。代理権は本人に代わって法律行為をすることを授権する行為であり、事実行為の代行権限は代理権ではないことを根拠とします。判例はこの見解に立っています（最判昭和34年７月24日民集13巻８号1176頁、最判昭和35年２月19日民集14巻２号250頁・百選Ⅰ［第８版］29事件）。

イ　事実行為授権包含説

この見解は、事実行為であっても法律行為に劣らぬ社会的、経済的に重要な行為（たとえば、印鑑を預ける行為）の授権や対外的な関係を予定した行為の委託があれば、民法110条の基本代理権は認められるとする見解です。事実行為を授権した場合であっても本人の帰責性を認めることができる場合には、本人は外観を作出したことに関与しており、相手方を保護すべく表見代理の成立を認めるのが妥当であることを根拠とします。

ウ　検 討

事実行為を授権した場合でも外観作出につき本人に帰責性を認めることができる場合には基本代理権を認めて相手方を保護すべき場合があるといえます。本人との利益調整は、善意無過失（「正当の理由」）の要件により図ることが可能といえます。したがって、事実行為授権包含説に賛成します。

② 公法上の行為についての代理権

印鑑証明書の交付申請や登記手続のような公法上の行為の代理権が基本代理権に含まれるかが問題となります。判例は、「取引の安全を目的とする表見代理制度の本旨に照らせば、民法110条の権限踰越による表見代理が成立するために必要とされる基本代理権は、私法上の行為についての代理権であることを要し、公法上の行為についての代理権はこれに当らないと解するのが相当である」としたうえで、印鑑証明書交付申請の代理権は公法上の代理権であり110条の基本代理権となりえないと判示しました（最判昭和39年4月2日民集18巻4号497頁）。

もっとも、判例は、Aから不動産の移転登記申請を委任されて印鑑および必要書類の交付を受けたBがこれらの印鑑等を冒用して、Aを自己の債務の保証人とするとともに、当該不動産について抵当権を設定した事案で、「単なる公法上の行為についての代理権は民法110条の規定による表見代理の成立の要件たる基本代理権にあたらないと解すべきであるとしても、その行為が特定の私法上の取引行為の一環としてなされるものであるときは、右規定の適用に関しても、その行為の私法上の作用を看過することはできない」として、移転登記申請の委託が基本代理権となることを肯定しています（最判昭和46年6月3日民集25巻4号455頁）。

判例は、私法上の行為か公法上の行為で一概に区別するのではなく、公法上の行為であっても、私法上の作用を有し、取引行為の一環としてなされる場合には基本代理権の授与があったものと認めており、正当であると考えます。

③ 法定代理権

後見人が有するような法定代理権が基本代理権に含まれるかについても、以下のとおり見解が分かれています。

ア　肯定説

この見解は、法定代理権を基本代理権として民法110条の適用を認める見解です。取引の安全を重視する立場です。判例は肯定説を採用しています（大判昭和17年5月20日民集21巻571頁）。

イ　否定説

この見解は、制限行為能力者等、法定代理制度における本人の保護の趣旨を重視して、民法110条の適用を否定する立場です（川島387頁）。

ウ　検 討

法定代理権を基本代理権に含めたとしても、「正当な理由」の有無を厳格に判断して調整することにより、本人の保護を図ることはできると考えられます。したがって、肯定説が妥当と考えます。

④ 日常家事権について

民法761条は、「夫婦の一方が日常の家事に関して第三者と法律行為をしたときは、他の一方は、これによって生じた債務について、連帯してその責任を負う」と定めています。この趣旨は、婚姻生活における家事に関する便宜および取引の相手方の保護を図る点にあります。この規定は、夫婦は相互に「日常の家事」に関して他方を代理することができることを定めたものとして、法定代理権のひとつであると考えられています。これを日常家事権といいます。判例は、「日常の家事」に関する法律行為の具体的な範囲は個々の夫婦によって異なるとしながら、単に夫婦の内部的な事情やその行為の個別的な目的のみを重視して判断すべきではなく、客観的にその法律行為の種類、性質等を考慮して判断すべきとします（最判昭和44年12月18日民集23巻12号2476頁・百選Ⅲ［第２版］９事件）。それでは民法761条の定める夫婦の日常家事権は民法110条の基本代理権となりうるでしょうか。たとえば、妻が夫の所有する不動産を夫に無断で売却した場合のように、日常家事の範囲を越えて代理行為をした場面で民法110条が適用されるかが問題となります。

ア　適用肯定説

日常家事権は基本代理権となり、民法110条が適用されるという「正当な理由」を「本人に代理権の有無・範囲についての問い合わせをすることが全く不要と感じさせるほどの客観的事情」と厳格に解することにより、夫婦の財産的独立を害しないとして、民法110条の適用を認める見解です。

イ　適用否定説

日常家事権を基本代理権として民法110条の適用を認めることは、夫婦の財産的独立を害することから、民法110条の適用を否定する見解です。

ウ　折衷説・類推適用説（判例）

日常家事権を基礎に民法110条は当然には適用されないが、相手方が日常家事の範囲と信ずるにつき正当な理由を有するときは、民法110条の趣旨が類推適用されるとする見解です。

判例は、妻Ａの不動産を夫Ｂが自己の経営する会社の債務の担保として債権者Ｃに譲渡したという事案で、「夫婦の一方が右のような日常の家事に関する代理権の範囲を越えて第三者と法律行為をした場合においては、その代理権の存在を基礎として広く一般的に民法110条所定の表見代理の成立を肯定することは、夫婦の財産的独立をそこなうおそれがあって、相当でないから、夫婦の一方が他の一方に対しその他の何らかの代理権を授与していない以上、当該越権行為の相手方である第三者においてその行為が当該夫婦の日常の家事に関する法律行為の範囲内に属すると信ずるにつき正当の理由のあるときにかぎり、民法110条の趣旨を類推適用して、その第三者の保護をはかれば足りるものと解するのが相当である」と判示して、折衷説を採用しています（前掲最判昭和

44年12月18日）。

エ　検 討

判例は、「民法110条の趣旨を類推適用」すると判示し、民法110条の適用を正面からは認めていません。民法110条適用説では、相手方が当該行為について代理権があると信ずるにつき正当な理由があった場合に表見代理が成立します。これに対し、判例は、相手方が当該行為について当該夫婦の日常の家事に関する法律行為の範囲内に属すると信ずるにつき正当の理由のある場合にのみ表見代理の成立を認める点で異なります。判例の見解は、夫婦の財産的独立と取引の相手方の保護のバランスを図ったものであり、妥当であると考えます。

⑵ 権限外の行為であること

代理人が基本代理権の範囲を越えて権限外の行為を行った場合に、民法110条が適用されることになります。

⑶ 第三者が代理人に権限があると信ずべき正当な理由を有すること

①「正当な理由」の意義

「正当な理由」があるときとは、取引の相手方が表見代理人に代理権があると信じ、かつそう信ずべき正当な理由を有することをいい、相手方の代理権の存在に関する善意無過失と同義であると解されています（最判昭和44年６月24日判時570号48頁）。この場合の善意とは相手方が代理権が存在しないことを知らないことをいい、無過失とは代理権が存在すると信じたことにつき過失がなかったことをいいます。「正当な理由」が存在することの証明責任は、相手方（第三者）が負います。

民法109条とは異なり、表見代理の成立を主張する第三者が証明責任を負うのは、次のように考えられるからです。すなわち、民法110条の適用場面では、本人は基本代理権を授与したのみであり、代理人が権限外の行為をすることは想定しないのが通常です。そこで、民法109条の適用場面よりも本人の帰責性が相対的に低いという価値判断により「正当な理由」の証明責任を相手方に負わせたのです。

また、判例は、相手方が代理権の存在を信じたことについて、本人の過失を考慮する必要はないとしています（最判昭和34年２月５日民集13巻１号67頁）。これに対し、学説では「正当な理由」に本人の過失を含む本人側の事情も考慮すべきとする見解が有力です。たとえば、本人が不動産の移転登記に必要な書類や委任状、印鑑等をすべて代理人に交付していた場合には、本人側に落ち度があり「正当な理由」があると認められやすくなると考えるものです。このような考え方は「正当な理由」に本人側の事情を含めて総合的に判断することによって本人と相手方の利益調整を図るもので、妥当といえるでしょう。

②「正当な理由」の具体的判断

「正当な理由」の有無は、具体的な事案に即して判断されます。判例は、代理人が本人の実印を提示した場合には、特段の事情がない限り相手方に正当な理由があるとしています（最判昭和35年10月18日民集14巻12号2764頁）。これに対し、本人の配偶者や同居人が本人の印鑑を提示した場合には、印鑑を持ち出すことが容易であり、相手方は配偶者に代理権が付与されたかを確認すべきであることから、正当な理由を否定する傾向があります（最判昭和36年1月17日民集15巻1号1頁、最判昭和39年12月11日民集18巻10号2160頁）。

また、本人の実印を提示した代理人と相手方の間で連帯根保証契約が締結された事案で、代理人が主債務者の代表取締役であったことや契約内容が保証期間および保証限度額の定めがなく連帯保証人となる本人の負担が大きい等の特段の事情がある場合には、相手方は本人に保証意思の存否を確認すべきであり、そのような手段を講ずることなく本人の意思に基づくものと信じた場合には正当な理由はないとしました（最判昭和51年6月25日民集30巻6号665頁・百選I［第8版］30事件）。

⑷「第三者」の範囲

民法110条の「第三者」は、通常は代理行為の直接の相手方ですが、これに加えて代理行為の相手方から代理行為によって生じた権利を転得した者が「第三者」に含まれるかが問題となります。

判例・通説は、民法109条の場合と同様に、「第三者」は、代理行為の直接の相手方のみを意味し、相手方からの転得者は「第三者」に含まれないとします（大判昭和7年12月24日新聞3518号17頁）。

3　効果

民法110条の表見代理の要件が満たされる場合には、代理権の権限外である代理人の行為が本人との関係で有効となります。

第10　代理権消滅後の表見代理（民法112条1項）

1　民法112条1項の意義

かつて代理人であった者が委任契約を解除されたり、本人の死亡等によって代理権が消滅した後も、依然として本人からの委任状や実印を所持していることがあります。このような場合、代理権の消滅を第三者が判別することは困難です。

したがって、代理権授与の外観が残っている場合、代理権がまだ存続していると信じて取引をした相手方を保護する必要があります。そこで、他人に代理権を与えた者は、代理権の消滅後にその代理権の範囲内においてその他人が第三者との間でした行為について、代理権消滅の事実を知らなかった第三者に対してその責任を負うとし、ただし、第三者が過失によってその事実を知らなかったときはこの限りでないとしました。（民法112条1項）。

2 要 件

⑴ 代理権消滅後も代理権存続の外観が存続すること

本人には代理権が存在するかのような外観を撤回しなかった点に帰責性が認められます。たとえば、本人が代理人との委任契約を解除したのであれば、直ちに委任状を取り戻すべきであり、それをしないで放置していた場合には、民法112条1項の表見代理の適用が問題となります。

これに対して、本人が代理人に交付した実印や委任状等を回収する等して、代理権存続の外観を除去した場合には、かつて代理人であった者が無権代理行為をし、それを相手方が信頼したとしても、代理権存続の外観が存しない以上、民法112条1項の適用が否定されます。判例では、社会福祉法人の理事長が辞任し、退任の登記がなされた後に、自己の在任中に使用していた理事長印を利用（冒用）して約束手形を振り出したという事案が問題となりました。判例は、理事長の退任は登記されており第三者に対抗することができることから、特段の事情がない限り、民法112条1項の適用ないし類推適用は認められないとしています（最判平成6年4月19日民集48巻3号922頁）。

⑵ 従前の代理権の範囲内で代理行為が行われたこと

従前の代理権の範囲を越えた行為が行われた場合には、後述する民法112条2項の適用の問題となります。

⑶ 相手方の善意無過失

民法112条1項の表見代理の成立には、相手方の善意無過失が要求されます。この場合の善意は「相手方が代理権消滅の事実を知らなかったこと」をいい、無過失とは代理権消滅の事実を知らなかったことにつき過失がなかったことをいいます。

民法112条1項は、本文で「代理権の消滅の事実を知らなかった第三者に対してその責任を負う」と定め、但書で「第三者が過失によってその事実を知らなかったときは、この限りでない」と定め、善意と過失を区別して規定しています。したがって、法文上は善意については相手方が立証責任を負い、過失については本人が立証責任を負うようにも読めます。

これに対し、判例は相手方の善意・無過失の証明責任は、どちらも本人が負うとしています（大判明治38年12月26日民録11輯1877頁）。これは代理権が消滅していたとしても、相手方が代理権の消滅を判別することは一般的に困難であり、外観が存続している以上、相手方が代理権の存在を信頼するのは当然であるとの価値判断によるものと推察できます。

3 効 果

本人は、代理権の消滅を善意無過失の第三者に対抗することができず、民法109条1項、民法110条の場合と同様に、代理人であった者の行為について責任を負います。

4　適用範囲

後見人のような法定代理に民法112条１項が適用されるかが問題となりますが、通説は民法110条と同様に民法112条１項の適用を肯定します。これに対し、法定代理の場合は、代理権の授権や消滅に本人の関与がないことを理由に民法112条１項の適用を否定する見解も有力です。判例は、適用を肯定しています（大判昭和２年12月24日民集６巻754頁）。

第11　表見代理の重畳適用

1　表見代理の重畳適用の意義

たとえば、本人Ａから Ａ所有の不動産を担保として第三者から融資を受けることを委任されていた代理人Ｂが、その後当該委任契約を解除されたにもかかわらず、従前のＡの書類・実印等を利用して、当該不動産をＣに売却した場合を検討してみましょう。この場面では、旧民法においては、109条２項、112条２項に相当する条項が存在していなかったため、権限外の行為をしている点では民法110条の適用が問題となり、代理権が消滅している点では民法112条１項が問題となっていました。しかし、従前本人Ａが代理人Ｂに対して付与していた代理権はすでに消滅している以上、基本代理権は存在せず民法110条の要件を満たしません。さらに、Ｂはもともと当該不動産を売却する代理権限を授与されていないことから、Ｂの行為は越権行為であり、民法112条１項の要件を満たしません。

このように代理権消滅後に代理権の範囲を越える無権代理行為がなされた場合、旧民法では、いずれの条文も直接適用できませんでした。もっとも、この場合も代理権の存在を信頼した第三者を保護する必要があるといえます。そこで、改正前民法においては、民法109条、110条、112条がそれぞれ独立して、無権代理人と取引をした相手方を保護する規定であると読むのではなく、これらの条項を表見代理制度として統一的に理解し、上記の例のように重畳性・競合性が見られるような事例の場合に、通説・後述する判例は、各条項を合わせて適用することにより相手方の保護を図っていました。これを表見代理の重畳適用といいます。

そこで、改正後の民法は当該通説・判例を明文化し、代理人であった者が代理権消滅後に過去に有していた代理権の範囲外の行為をした場合に関して、当該代理人であった者は表見代理責任を負う旨を規定しました。これは、民法110条と112条１項（改正前民法112条）の重畳適用につき定めたものです。

同様に、改正後の民法109条２項は、代理権授与の表示はなされたものの代理権を有しない者が表示された代理権の範囲外の行為をした場合につき、当該行為をした者が表見代理の責任を負う旨を定めました。これは、改正前民法109条

（改正後の民法109条１項）と110条の重畳適用につき定めたものです。

2　民法109条２項（改正前民法109条と110条の重畳適用）

改正前民法における民法109条（代理権授与表示による表見代理。改正後の民法109条１項）と民法110条（権限外の行為の表見代理）を重畳適用した判例に最判昭和45年７月28日民集24巻７号1203頁・百選Ⅰ［第８版］32事件があります。

事案は次のとおりです。Ａは、自己所有の山林をＣに売り渡し、Ｃの代理人Ｂを介して、白紙委任状、名宛人白地の売渡証書等の登記関係書類をＣに交付しました。また、本件山林の所有権を取得したＣは、本件山林をＤ所有の山林と交換することをＢに委任して、Ａから受け取った登記関係書類をＢに交付しました。しかし、Ｂは、Ａから何ら権限を与えられていないにもかかわらず、Ｃの代理人であることを告げず、関係書類をＤの代理人Ｅに示してＡの代理人のごとく装いました。Ｅが契約の相手方をＡであると誤信したことにより、ＡＤ間で交換契約を締結しました。そこで、Ｄは、Ａを相手方として本件山林の所有権移転登記手続を請求しました。

判例は、「右各書類はＡからＢに、ＢからＣに、そしてさらに、ＣからＢに順次交付されてはいるが、Ｂは、Ａから右各書類を直接交付され、また、Ｃは、Ｂから右各書類の交付を受けることを予定されていたもので、いずれもＡから信頼を受けた特定他人であって、たとい右各書類がＣからさらにＢに交付されても、右書類の授受は、Ａにとって特定他人である同人ら間で前記のような経緯のもとになされたものにすぎないのであるから、Ｂにおいて、右各書類をＥに示してＡの代理人として本件交換契約を締結した以上、Ａは、Ｅに対しＢに本件山林売渡の代理権を与えた旨を表示したものというべきであって、Ｄ側においてＢに本件交換契約につき代理権があると信じ、かく信ずべき正当の事由があるならば、民法109条、110条によって本件交換契約につきその責に任ずべきものである」と判示しました。

このように判例は、まずＡからＢに代理権が授与されていない点について、白紙委任状等の提示によりＢはＡから信頼を受けた他人であり、改正前民法109条の代理権を与えた旨の表示を認めました。また、Ａから交付を受けた各書類から推認される代理権は売買契約の締結を内容とするものであるところ、実際には交換契約が締結されたものであり、ＡからＢには何らの代理権は授与されていませんでしたが、改正前民法109条の適用で認められた表見代理権を基本代理権と同視したうえで、これを基礎に改正前民法109条、110条の重畳適用を認めました。

民法109条２項は、以上の判例法理を明文化し、第三者に対して他人への代理権授与を表示した者は、当該代理権を有しない他人が表示された代理権の範囲外の行為をしたときは、第三者がその行為についてその他人の代理権があると信ずべき正当な理由があるときに限り、その行為についての責任を負う旨を定めています。

3　民法112条２項（改正前民法110条と112条の重畳適用）

改正前民法における民法110条（権限外の行為の表見代理）と民法112条（代理権消滅後の表見代理。改正後の民法112条１項）を重畳適用した事案として、大判昭和19年12月22日民集23巻626頁・百選Ⅰ［第８版］33事件があります。

事案は次のとおりです。Ａの叔父Ｂは、Ａが未成年者の当時から、約15年にわたってＡの母親からＡの実印を預かり保管していましたが、それは実印が悪用されないようにするためであり、Ｂは任意の使用を許されていませんでした。その後、代理権が消滅したにもかかわらず、Ｂはその実印を利用して、Ａを自己の連帯保証人としてＣ銀行から借入れをしたところ、Ｃ銀行はＡに対して保証債務の履行を請求しました。

判例は、「民法110条は、……或代理権を有する代理人が権限外の行為を為したる場合に於ても、其の相手方に於て正当の理由を有する限り其の相手方を保護するが故に、右両条の法意より推論するときは、当該代理人の従前の代理権の消滅に付善意無過失の相手方が、右代理人の現に為したる行為に付其の権限ありと信ずべき正当の理由を有する場合に於ても亦、均しく相手方を保護するを正当とせざるべからず」と判示して、Ｂの代理権は消滅しており、かつ、保証契約の締結はかつて存在した代理権の範囲を越えるものでしたが、改正前民法110条と112条の重畳適用を認めました。

民法112条２項は、以上の判例法理を明文化し、他人に代理権を与えた者は、代理権の消滅後に当該他人が第三者との間で過去に有していた代理権の範囲外の行為をしたときは、第三者がその行為についてその他人の代理権があると信ずべき正当な理由があるときに限り、その行為についての責任を負う旨を定めています。

第7章

法律行為の無効・取消し

第1　法律行為の無効

1　無効の意義

法律行為の無効とは、法律行為から当事者の意図した法律効果を生じないことをいいます。無効となる理由は様々なものがありますが、公益的利益を保護するための無効と表意者を保護するための無効に分類することができます。公益的利益を保護するための無効の例としては、公序良俗違反（民法90条）、強行法規違反（民法91条）が挙げられます。また、表意者を保護するための無効の例としては、意思無能力者の行為（民法3条の2）、心裡留保（民法93条1項但書）、通謀虚偽表示（民法94条1項）が挙げられます。

2　無効の基本的効果

(1) 無効の効果

法律行為が無効である場合、当事者が意図した法律効果ははじめから当然に発生しません。これに対して、法律行為の取消しの場合、法律行為の効力がいったん有効に発生したうえで、取消権者が取消しの意思表示をすることにより遡って法律行為の効力が消滅します（民法121条）。

無効の法律行為は、当初から当然に法律効果が発生せず、誰でも誰に対しても無効を主張できるのが原則です。このようにすべての人に対する関係で無効である場合を絶対的無効といいます。

これに対して、意思無能力者の行為（民法3条の2）のように表意者保護を目的とするための無効は、表意者のみに無効の主張が認められます（錯誤の効果を無効としていた改正前民法95条に関し、最判昭和40年9月10日民集19巻6号1512頁）。この場合、表意者が無効を主張するまでは、契約は有効として取り扱われます。また、通謀虚偽表示の無効は、善意の第三者に対して主張することができません（民法94条2項）。この趣旨は、取引の安全の観点から法律行為をした本人と第三者の利害を調整する点にあります。第三者との利害調整について明文の規定がない場合でも、表意者保護の観点から無効とされる場合（意思無能力を理由とする場合等）には、表意者保護の必要性と第三者に与える影響を考慮して、通謀虚偽表示の場合と同様に善意の第三者に対しては無効を主張できないと解すべきと考えられています（民法94条2項類推適用）。このように相手方や第三者からの主張が制限される無効や善意の第三者に対して主張できない無効を相対的無効といいます。

⑵ 受領物の返還

無効な法律行為に基づいてすでに給付が履行されていた場合、受領者は相手方に対して原状回復義務を負い、受領物を返還しなければなりません（民法121条の2第1項）。双務契約（売買契約等）が無効となる場合、契約当事者は相互に受領物を返還する義務を負います。これらの義務は、原則として同時履行の関係に立ちます（民法533条。民法は、双務契約について、相手方が債務の履行を提供するまでは、自己の債務を履行しないと主張することができるとしています）。たとえば、売買契約の買主が売買代金を支払い、目的物を受領していた場合に、当該売買契約が無効であったときは買主は売主が当該売買代金を返還するまでは目的物の返還を拒むことができます。

⑶ 無償行為、意思無能力者の返還義務の特則

無効な無償行為（贈与契約等）に基づく債務の履行として給付を受けた者は、給付を受けた時その行為が無効であることを知らなかったときは、その行為によって現に利益を受けている限度において、返還の義務を負います（民法121条の2第2項）。「現に利益を受けている限度」を現存利益といい、ここでは表意者の手元に現存している利益を意味します。たとえば、AがBに対して自動車を贈与し、Bに自動車を引き渡したところ、Bが自己の過失により自動車を損傷させた場合において、Aに意思能力がなく当該贈与は無効であり、Bが自動車の引渡しを受けた当時に贈与が無効であることに善意であったときは、Bは損傷した自動車を返還すれば足り、減損した自動車の価値の相当額を返還する必要はありません。

また、意思無能力者の保護を図る観点から、行為の時に意思能力を有しなかった者は、その行為によって現に利益を受けている限度において、返還の義務を負います（民法121条の2第3項前段）。たとえば、意思無能力者が目的物を浪費した場合には、その部分を返還する必要はありません。

これに対して、意思無能力者が負担していた債務を弁済したり、生活費に充てた場合には、他の財産についてそれだけ支出を免れており利益は現存していることから、全額を相手方に返還しなければなりません。たとえば、意思無能力者Aが不動産をBに売り渡して金銭を受領し、Aがその金銭を生活費に充てたあとで売買の無効を主張したときは、Aは当該金銭の全額を返還する義務を負います。

3　一部無効

法律行為の内容の一部に無効の原因があるとき、法律行為全体を当然に無効とせず、法律行為の一部だけを無効とし残部は有効となる場合があります。このような無効を一部無効といいます。一部無効とすることが民法上明文で定められて

いる場合があります（民法133条２項、410条等）。民法の規定以外でも、利息制限法に定める最高利息を超える利息の約定をした場合には、強行法規違反となり無効となります。この場合も全部が無効となるのではなく、超過部分に限って無効となる旨が規定されています（利息制限法１条）。

このように一部無効について明文の規定がある場合には、それに従うこととなります。明文の規定がない場合でも、無効な部分以外を有効として取り扱うことが契約当事者の合理的意思に合致することは多く、私的自治の観点からは残部を有効と認めることが望ましいといえます。もっとも、無効の原因がある部分と残部が密接不可分の関係にあり一体として考えられる場合は、法律行為全体が無効となります。たとえば、判例は、芸娼妓契約は稼働契約部分と消費貸借部分とは不可分であるとして、契約全体を無効と判示しています（最判昭和30年10月７日民集９巻11号1616頁）。また、公序良俗に反する等、法律行為全体を無効としなければ無効とした目的が達成できない場合も全体が無効となります。

４　無効行為の転換

⑴ 意 義

ある法律行為が無効であっても、他の法律行為としての要件を充足している場合には、要件を充足した法律行為として有効とすることが当事者の合理的意思に合致する場合があります。このような場合、一部無効の場合と同様に、当事者が他の法律行為の効果を欲するときには、無効行為の転換によりその効力を認めることがあります。このように、無効の法律行為が他の法律行為の要件を備える場合に当該要件を充足する法律行為としての効力が生じることを認めることを無効行為の転換といいます。明文の定めをもって無効行為の転換を認める場合として、遺言の方式に関する規定があります。たとえば、秘密証書による遺言が方式に欠けている場合であっても、民法968条に定める方式を具備しているときは、自筆証書による遺言としてその効力を有します（民法971条）。

⑵ 無効行為の転換が問題となる場面

無効行為の転換が特に問題となるのは、家族法上の要式行為への転換の場面です。要式行為とは、一定の方式に従わなければ不成立または無効となる法律行為をいいます。たとえば、非嫡出子を本妻の嫡出子として届出したことの有効性について、判例は、嫡出子出生届としては無効であるが、認知届として有効であると判示しています（最判昭和53年２月24日民集32巻１号110頁・百選Ⅲ［第２版］30事件）。また、他人の子を養子とする際に嫡出子出生届をした事案において、嫡出子出生届として無効であるが、養子縁組届として有効となるかが問題となりました。判例は、養子縁組の要式性を理由に養子縁組への転換を否定しました（最判昭和25年12月28日民集４巻13号701頁、最判昭和56年６月16日民集35巻４号791頁）。

5　無効行為の追認

⑴ 追認の可否

民法は「無効な行為は、追認によっても、その効力を生じない」と規定しています（民法119条本文）。この趣旨は、法律行為の無効が公益的利益を保護するための規定であることを前提に、法的に無効とされた行為を当事者の意思で遡及的に有効であったとすることはできないという点にあります。このような趣旨からすれば、民法119条本文の適用範囲は、公益的利益を保護するための無効に限定されるべきであり、当事者の一方を保護するために法律行為が無効とされるような場合には、第三者の利益を害しない限り、追認を認めてよいと考えられます。

無効行為の追認が認められる場合として、民法が明文で認めている場合があります。たとえば、本人が無権代理行為を追認した場合、第三者の利益を害しない限り当該行為は遡及的に有効となります（民法116条）。これは、無権代理行為は、単に本人に効果を帰属させるための要件である代理権授与が欠けているのみであり、本人が自己に効果帰属することを認めるならば、遡及的に有効とすることが当事者の意図に適うといえるからです。また、明文の規定はありませんが、改正前民法下における錯誤のように本人（表意者）を保護するための無効は、本人の追認を認めてよいと解されます。本人が自ら錯誤に気づいたうえで追認する場合は、本人を保護するために無効とする必要がないからです。また、判例は、他人物売買がなされた場合において、当該売買の目的物の真の権利者が当該売買を追認したときには、民法116条を類推適用して、当該売買はさかのぼって有効となると判示しています（最判昭和37年８月10日民集16巻８号1700頁・百選Ⅰ［第８版］38事件）。

⑵ 民法119条但書の追認の効果

当事者がその行為が無効であることを知って追認したときは、新たな行為とみなされます（民法119条但書）。すなわち、当事者の追認によりもとの法律行為が遡及的に有効となるのではなく、追認により新たに法律行為がなされたこととなります。この趣旨は、無効な行為は追認があった場合でも当事者の意思で遡及的に有効であったとすることはできないのが原則であり（民法119条本文）、当事者が追認したときはその時点で新たな行為があったことを法律上擬制する点にあります。

第２　法律行為の取消し

1　取消しの意義

法律行為の取消しとは、いったん有効に成立した法律行為の効力を遡及的に無効とすることをいいます（民法121条）。法律行為の行為者が行為能力を有しない場合や詐欺・錯誤による意思表示等、意思が正常に形成されない場合には、表意者を保護する必要があることから、取消制度が規定されています（民法5条2項、9条本文、13条4項、17条4項、95条1項、96条1項）。

2　取消権者

法律行為の取消しは表意者を保護するために認められた制度であり、取り消すことができる者（取消権者といいます）を以下のように限定しています（民法120条）。

⑴ 制限行為能力者の行為（民法5条2項、9条本文、13条4項、17条4項参照）

行為能力の制限によって取り消すことができる行為は、制限行為能力者（他の制限行為能力者の法定代理人としてした行為にあっては、当該他の制限行為能力者を含みます）またはその代理人、承継人もしくは同意権を有する者に限り、取り消すことができます（民法120条1項）。たとえば、未成年者が親権者の同意を得ずに不動産を第三者に売り渡した場合、その親権者は売買を取り消すことができます。

① 制限行為能力者

制限行為能力者は、その能力を制限する原因がまだ存在する場合でも、単独で取り消すことができます（民法120条1項）。ただし、成年被後見人は、意思能力がある場合でも自ら法律行為ができないことから、成年後見人の同意を得たとしても取消しの意思表示をできません。

② 制限行為能力者の代理人

制限行為能力者の代理人とは、たとえば未成年者の場合の親権者や未成年後見人、成年後見等が開始した場合の成年後見人等をいいます。

③ 制限行為能力者の承継人

制限行為能力者の承継人とは、包括承継人（相続人・包括受遺者等）、特定承継人（契約上の地位の譲受人等）をいいます。これに対して、たとえば取消権者である買主から売買目的物を転得したにすぎない者は、ここでいう承継人に含まれません。

④ 制限行為能力者について同意権を有する者

成年後見制度のもとでの保佐人は、民法13条の規定する範囲の行為について同意権を有し（民法13条）、また補助人も特定の法律行為について同意権を有することがあります（民法17条）。これらの同意なしになされた制限行為能力者の行為は、同意権を有する保佐人・補助人が取り消すことができます（民法120条1項、13条4項、17条4項参照）。

⑵ 錯誤・詐欺・強迫による意思表示がなされた場合

錯誤・詐欺または強迫によって取り消すことができる行為は、瑕疵ある意思表示をした者またはその代理人もしくは承継人に限り、取り消すことができます（民法120条2項）。

① 瑕疵ある意思表示（錯誤・詐欺・強迫による意思表示）をした者

錯誤・詐欺・強迫により、意思表示をした本人です。

② 瑕疵ある意思表示をした者の「代理人」

錯誤・詐欺・強迫により意思表示をした者が制限行為能力者である場合や、錯誤・詐欺・強迫による意思表示をした後に、本人（表意者）の行為能力が制限され、法定代理人がついた場合には、その法定代理人が取消権を行使できます。任意代理人の場合には、本人から取消権行使についての代理権を付与されている必要があります。

③ 瑕疵ある意思表示をした者の承継人

瑕疵ある意思表示をした者の承継人とは、錯誤・詐欺・強迫により意思表示をした者の包括承継人（相続人・包括受遺者等）、特定承継人（契約上の地位の譲受人等）をいいます。これに対して、たとえば取消権者である買主から売買目的物を転得したにすぎない者は、ここでいう承継人に含まれません。また、瑕疵ある意思表示をした者の保証人は、取消しについて利害関係はありますが、判例は、承継人ではないとしています（大判昭和20年5月21日民集24巻9頁）。

3　取消しの方法

取消しは単独行為であり、取消権者の一方的意思表示によって効果が生じます（民法123条）。このように権利者の一方的意思表示によって法律関係を変動させることができる権利を形成権といいます。取消権は形成権のひとつです。相手方の地位を不安定にしないように、取り消すことができる行為の相手方が確定している場合には、相手方に対する意思表示によって取消しを行います（民法123条）。

4　取消しの基本的効果

⑴ 遡及的無効

取り消された法律行為ははじめから無効であったものとみなされます（民法121条）。すなわち、法律行為の行われた時点に遡って無効となります（遡及的無効といいます）。取消し前に法律行為に基づいて債務が履行されていた場合、受益者は原状回復義務を負い、受領したものを返還しなければなりません（民法121条、121条の2第1項）。

⑵ 無償行為についての特則

贈与契約など無償行為が取消しによって無効となった場合、当該無償行為に基づく債務の履行として給付を受けた者は、給付を受けた当時その行為が取り消すことができるものであることを知らなかったとき（民法121条の2第2項括弧書参照）は、その行為によって利益を受けている限度において、返還の義務を負います（民法121条の2第2項）。

たとえば、AがBに対して自動車を贈与し、Bに自動車を引き渡したところ、Bが自己の過失により自動車を損傷させた場合において、当該贈与がAの錯誤に基づくものであったことを理由にAが当該贈与を取り消した場合を想定します。この場合において、Bが自動車の引渡しを受けた当時に贈与が取り消すことができるものであることに善意であったときは、Ｂは損傷した自動車を返還すれば足り、減損した自動車の価値の相当額を返還する必要はありません。

⑶ 制限行為能力者の返還義務の特則

未成年者が親権者の同意が必要な行為を同意なく行った場合（民法５条１項、２項）等、制限行為能力者が行った法律行為は一定の場合に取り消すことができます（民法９条本文、13条４項、17条４項参照）。このような取消しにより制限行為能力者が返還義務を負う場合には、制限行為能力者の保護を図るため、現存利益を返還すれば足りることとなります（民法121条の２第３項後段）。たとえば、制限行為能力者が目的物を浪費した場合には、その部分を返還する必要はありません（大判昭和14年10月26日民集18巻1157頁）。これに対して、制限行為能力者が負担していた債務を弁済したり、生活費に充てた場合には、他の財産についてそれだけ支出を免れており利益は現存していることから、全額を相手方に返還しなければなりません（大判昭和７年10月26日民集11巻1920頁）。たとえば、未成年者Ａが法定代理人Ｂの同意を得ないで不動産をＢに売り渡して金銭を受領し、Ａがその金銭を生活費に充てた後、Ｂが売買を取り消したときは、Ａは当該金銭の全額を返還する義務を負います。

⑷ 第三者保護との関係

取消権者は、原則としてすべての者に対して取消しの効果を主張できます。ただし、錯誤・詐欺による取消しの効果は、取消し前に利害関係を有するに至った善意の第三者に対して主張できません（民法95条４項、96条３項）。たとえば、ＡがＢを詐欺してＢ所有の土地を安価に購入し、事情を知らない善意の第三者Ｃに対して転売した場合です。この場合にＢがAB間の売買契約を取り消して（民法96条１項）、Ｃに無効を主張できるとすれば、契約が有効に成立したことを信頼して取引をしたＣは不測の損害を被ることになるため、ＢはＣに取消しを主張できません。また、錯誤・詐欺以外の取消し一般については民法上に明文の規定はありませんが、取消後、登記の回復を怠っている間に利害関係を有するに至った第三者に対する関係では、民法94条２項を類推適用して保護を図るべきであると解されています。

5　取り消すことができる行為の追認

⑴ 追認の意義

取り消すことができる行為は、取消権者の追認の意思表示によって、以後、取り消すことはできなくなります（民法122条）。民法122条の「以後、取り消すことができない」とは取消権の放棄を意味し、追認の意思表示によって有効な法律行為であることが確定します。

① 追認の要件

追認できるのは、民法120条が規定する取消権者です。ただし、制限行為能力者や瑕疵ある意思表示をした者が追認するには、取消しの原因となっていた状況が消滅し、かつ、取消権を有することを知った後であることが必要です（民法124条1項）。なぜなら、制限行為能力者の場合は行為能力者となった後、詐欺によって意思表示をした場合は詐欺されたことを知った後、または強迫によって意思表示をした場合は強迫状態の終わった後でなければ、追認の意思表示自体が取消原因のある状態での意思表示となり、取り消すことができるものとなるからです。

なお、法定代理人（または制限行為能力者の保佐人、補助人）は、本人が制限行為能力者である間でも追認することができます（民法124条2項1号）。同様に、制限行為能力者（成年被後見人を除きます）は、本人が制限行為能力者である場合でも法定代理人（または制限行為能力者の保佐人、補助人）の同意を得て追認することができます（民法124条2項2号）。法定代理人は制限行為能力者の行為を正しく認識することができるからです。

② 追認の方法

追認の方法は取消しの場合と同様であり、取り消すことができる行為の相手方が確定している場合には、相手方に対する追認の意思表示によって行います（民法123条）。

③ 追認の効果

追認によって、法律行為は最初から有効なものとして確定し、取り消すことができなくなります（民法122条）。なお、旧民法122条但書は、「追認によって第三者の権利を害することはできない」と規定していましたが、追認は取消しがされないことが確定するだけで、これによって第三者の権利を害する事態は生じないと解されることから、当該但書は民法改正により削除されています（一問一答34頁）。

(2) 法定追認（民法125条）

追認権者が追認をすることができる時以後に、取り消すことができる行為について、民法125条で定める一定の行為をしたときは、一律に追認をしたものとみなされます（民法125条本文）。これを法定追認といいます。「追認をすることができる時以後」とは、追認可能な状態になければならないことを意味します。

法定追認が成立するには、民法125条の要件を充足する必要があります。法定追認の第1の要件は、(i)全部または一部の履行、(ii)履行の請求、(iii)更改、(iv)担保の供与、(v)取り消すことができる行為によって取得した権利の全部または一部の譲渡、(vi)強制執行のいずれかの行為があったことです（民法125条各号）。第2の要件は、追認権者によって上記の行為が行われたことです。第3の要件は、取消権者が異議をとどめなかったことです（民法125条但書）。

(3) 取消権の消滅（民法126条）

① 取消権の行使期間

取消権は、追認をすることができる時から５年間行使しなければ時効により消滅します（民法126条前段）。また、行為の時から20年間を経過したときも同様です（民法126条後段）。この趣旨は、取消権を長く存続させることは法律関係を不安定にすることから、取消権の行使期間に制限を設けた点にあります。判例は、「時効によって消滅する」という文言のとおり、これらの短期と長期の期間制限をいずれも取消権の消滅時効であるとしています（大判昭和15年６月１日民集19巻944頁）。消滅時効とした場合、（「追認をすることができる時」のため）時効の完成猶予および更新が生じうることとなり（民法147条、148条）、時効の援用が必要となります（民法145条）。

② 短期の期間制限

短期の期間制限は、追認できる時から５年です（民法126条前段）。追認できる時とは民法124条に定める時をいい、制限行為能力者の場合は行為能力者となり、詐欺・強迫を受けた者の場合は詐欺・強迫の状況が消滅し、かつ、取消権を有することを知った時を意味します。５年の期間制限の起算点は取消権者によって異なることがありえますが、法定代理人について取消権が消滅した場合、制限行為能力者の取消権も消滅すると解されています。このように解しても制限行為能力者保護の趣旨を果たすことが可能であり、法律関係の早期の安定を図った民法126条の趣旨に沿うからです。

③ 長期の期間制限

長期の期間制限は、行為の時から20年です（民法126条後段）。短期の期間制限では、たとえば制限行為能力者の能力が回復せず法定代理人が選任されない状態が長期化したような場合に取消権がいつまでも消滅しないこととなります。そこで、このような場合も取消権を消滅させて、法律関係を確定するために長期の期間制限が設けられています。

④ 取消権の行使により生ずる債権の消滅時効

取消権が追認できる時から５年間、行為の時から20年間で時効消滅する一方で、取消権の行使により生じる原状回復請求権（民法121条の２）等の債権の消滅時効がいつから進行するかについて、議論されています。たとえば、以下のような場合に問題となります。

> ＡがＢに対して贋作であることを隠して絵画を100万円で売り渡した。その４年後、ＢはＡに欺かれたことを知り、知った時から４年後に売買契約を取り消した。さらにその３年後、ＢはＡに対して100万円の売買代金の返還を求めた。

判例は、民法126条の期間制限の規定は、取消権自体に関するものと捉え、取消権の行使によって発生する返還請求権は取消権を行使した時から進行するとしています（大判昭和12年5月28日民集16巻903頁）。判例によれば、取消権の行使により原状回復請求権が発生した場合には、原状回復請求権の消滅時効は取消権を行使できることを知った時から5年となります（民法166条1項1号）。上記の例の場合、Bの売買契約の取消しは、追認をなしうる時から4年後であり、有効な取消しとなります（民法124条1項）。また、BのAに対する売買代金の返還請求は、取消権を行使した時から3年後であり、有効な請求となります（民法166条1項1号）。

これに対して、学説では、民法126条は取消権の行使により生じる返還請求権の期間制限も含めて定めたものであり、返還請求権も期間内に行使すべきという見解があります。この見解は取消権を行使した時から消滅時効が進行するとすれば、法律関係の早期の安定を図った民法126条の趣旨を没却することを理由とします。上記の例の場合、Bの売買契約の取消しは、判例の場合と同様、有効な取消しとなりますが、BのAに対する売買代金の返還請求は追認をなしうる時から7年後であり、時効消滅することとなります（民法124条1項）。

民法が取消権について5年という短期の期間制限を設けたのは、取消権者に権利を迅速に行使させることにより、法律関係を早期に安定させる点にあります。判例の見解は、長期にわたって法律関係が不安定な状態が継続することとなり、このような趣旨にそぐわないといえます。したがって、学説の見解が妥当と考えます。

第3　無効と取消しの関係

1　無効と取消しの差異

伝統的な理解では、民法上の無効・取消しの相違点は以下の点にあると考えられています。

無効は、特定人の行為を必要とせず、最初から当然に無効である。取消しは特定の者（取消権者）による取消しがあるまでは有効であり、取消しがあって初めてその法律行為・意思表示の効力が遡及的に無効となる（民法121条）。

無効は、誰からでも主張できる。取消しは、取消権者のみに限定される（民法120条）。

無効には追認が認められない。取り消すことができる行為は追認により有効となる（民法122条）。

無効は時の経過による影響を受けずいつでも主張できる。取消しは一定期間経過するとできなくなる（民法126条）。

2　無効と取消しの二重効

ある法律行為が無効であると同時に、取り消しうる行為であるという場合があります。たとえば、意思無能力である成年被後見人が行った法律行為は、無効であると同時に取り消しうると考えられます（民法3条の2、9条）。このような場合に無効と取消しのどちらも主張できるのか、いずれか一方しか主張できないのかという点が問題となります。これは「無効と取消しの二重効」として議論されています。

この点、いずれか一方しか主張できないという見解として、取消しは有効な行為についてのみ可能であり、無効な行為を取り消すことはできないと考えて無効のみを認める考え方があります。また、無効とは異なり、取消しが取消権者を限定している（取消権者に契約を有効にするか否かの選択権を与えている。民法120条）点を重視して、取消しのみを認める考え方もあります。

しかし、無効事由と取消事由の双方が認められるにもかかわらず、いずれか一方しか主張できないとすれば、表意者の保護に欠けるといえます。また、前述のとおり、意思無能力者の行為（民法3条の2）のように表意者保護を目的とするための無効は、当該表意者しか無効を主張できないと考えた場合には、取消しと無効の差異は際立ったものではなくなります。そこで、無効と取消しはどちらを主張してもよいと考えるのが妥当であると考えます。

なお、民法改正前は、法律行為の要素に錯誤があった場合の意思表示は無効とすると規定していたため（改正前民法95条）、たとえば相手方の詐欺によって錯誤に陥った者が行った売買につき、改正前民法95条（錯誤）に基づく無効と民法96条1項（詐欺）に基づく取消しについて無効と取消しの二重効の問題が生じていました。これに対して、改正後の民法95条1項は、錯誤の効果を意思表示の取消しとし、同条4項が錯誤取消しの効果を詐欺取消しの場合（民法96条3項）と同様に善意無過失の第三者に対抗できないと規定したため、今後は、錯誤と詐欺の場面では無効と取消しの二重効の問題は生じないと解されています（四宮・能見『民法総則』［第9版］322頁）。

第8章

条件・期限・期間

第1　条 件

1　条件の意義

条件とは、法律行為の効力の発生または消滅を将来の不確実な事実に係らせる法律行為の付款をいいます。法律行為の付款とは、法律行為の効力の発生または消滅を制約するために付される約定をいいます。

⑴ 停止条件・解除条件

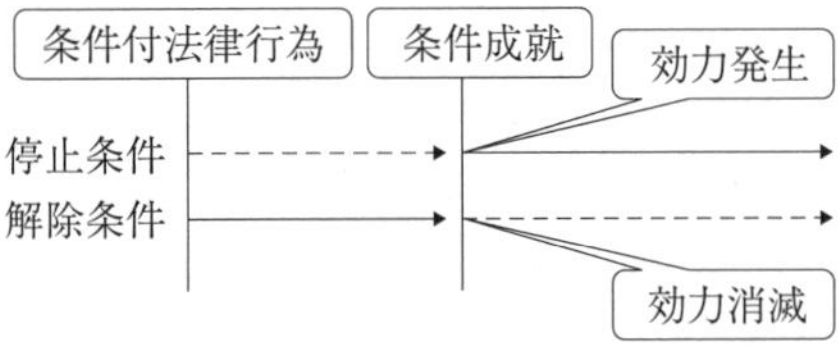

条件には、停止条件と解除条件とがあります。停止条件とは、当該条件が成就することによって法律行為の効力が発生する条件をいいます（民法127条1項）。たとえば、A大学に合格したら自転車を買ってあげようという条件は、停止条件です。「A大学に合格」するという条件が成就することによって「自転車を買ってあげる」という贈与契約の効力が発生することとなります。

解除条件とは、当該条件が成就することによってすでに発生している法律行為の効力が消滅する条件をいいます（民法127条2項）。たとえば、留年したら学費の援助をやめるという条件は、解除条件です。「留年する」という条件が成就することによってすでに発生している「学費の援助」という法律効果が消滅することとなります。

⑵ 条件となりうる事実

① 発生不確実な事実

条件となる事実は、発生することが不確実なものでなければなりません。この点で、法律行為の効力の発生または消滅を発生することが確実な事実に係らせる「期限」と異なります。

この点に関して、いわゆる「出世払い特約」（たとえば、金銭消費貸借契約において、「将来、出世したら返済する」という約定をする場合）を条件と解するか期限と解するかが問題となります。

出世払い特約を条件と解した場合、「出世したら」という条件が成就しない限り、貸主は返還を受けることができないこととなります。

しかし、貸主としては、借主が「出世する」までいつまでも返済を待つという意図ではなく、(i)借主が「出世した」場合、または(ii)「出世する見込みがなくなった」場合のいずれかに返済を受ける意思を有していると考えるのが合理的です。これら(i)および(ii)のいずれかは、将来必ず発生する事実であると考えられます。したがって、出世払い特約は条件ではなく期限であると解されます（大判大正４年３月24日民録21輯439頁）。

② 将来の事実

条件となる事実は、将来の事実でなければなりません。そのため過去の事実で、すでに確定している事実は条件とすることができません。なお、既成の事実を条件とした場合を「既成条件」といい、法律行為を無効としたり無条件としたりする等法律上特別な扱いがされています（民法131条）。既成条件については後に説明します（３(2)②参照）。

③ 法定条件との違い

条件は、当事者が任意に定めたものでなければなりません。法律上当然に一定の条件が付けられている場合に当該条件を法律行為の内容とする合意をしても意味がないからです。

当事者が任意に定めたものではなく、法律上定められた条件を「法定条件」といいます。たとえば、農地法３条で農地の所有権の移転について農業委員会または都道府県知事の許可が必要とされていることは、法定条件にあたります。

法定条件に関して、民法127条以下の規定が類推適用されるかが問題となります。類推適用の可否は、当該法定条件が付けられた趣旨に照らして個別の問題ごとに考える必要があると解されています。

たとえば、判例は、農地の売主が農地の売買における都道府県知事の許可を受けることを故意に妨げた事案について、民法130条の類推適用を否定し、許可を受けたものと擬制することはできないとしました（最判昭和36年５月26日民集15巻５号1404頁）。この理由は、知事の許可は公益上の必要から要求されているため、一方当事者の条件成就妨害行為によって条件成就が擬制されるとするのは適当ではない点にあります。

④ 反対給付との違い

条件は、反対給付とは異なります。反対給付とは、双務契約において一方当事者からの給付に対応する相手方からの給付をいいます。反対給付は当該法律行為の本質的内容であるため、反対給付をしない旨の合意は法律行為の有効性に影響します。これに対し、条件は法律行為の付款であり、本質的内容ではありません。そのため条件を付けなくても法律行為の有効性に影響しません。

たとえば、ＡがＢに対して「荷物の運搬を手伝ってくれたら１万円支払う」という場合、「荷物の運搬を手伝うこと」は「条件」ではなく、単にＡがＢに対して1万円を支払うという約束と対価関係にある、BのAに対する「反対給付の約束」でしかありません。

2　条件に親しまない行為

法律行為の中には、公序良俗の観点から条件を付けることが適切ではないものがあります。これを条件に親しまない行為といいます。条件に親しまない行為には身分行為と単独行為があります。

(1) 身分行為

身分行為に条件を付けることは、身分秩序を不安定にすることから、公序良俗（民法90条）に反し許されないと考えられています。したがって、たとえば婚姻や養子縁組、認知、相続等に条件を付することはできません。

(2) 単独行為

単独行為に条件を付けることも、相手方を一方的に不安定な状態に置くこととなるため、原則として認められないと考えられています。したがって、たとえば取消し、追認、解除、相殺（民法506条1項後段）等の単独行為に条件を付すことはできません。

もっとも、契約の相手方に債務不履行があった場合に、「一定期間内に債務を履行しないときは、契約を解除する」旨の停止条件付解除の意思表示は有効と解されています。なぜなら、相手方は債務を履行すればよいのであって、条件を付けることで相手方が不安定な地位に置かれるわけではないからです。

3　条件付法律行為の効力

(1) 一般的効力

条件付法律行為の効力は、停止条件の場合は条件成就時に効力を生じ、解除条件の場合は条件成就までの間効力を有します。もっとも、民法上特殊な条件が付された法律行為は、以下のように特別な取扱いを受けることとなります。

① 不法条件

不法条件とは、公序良俗に反する事項にかかる条件をいいます。不法な条件を付した法律行為および不法行為をしないことを条件とした法律行為は、当該法律行為全体が無効となります（民法132条）。この趣旨は、不法条件が付いた法律行為は条件のみならず法律行為全体が公序良俗に反するといえる点にあります。

たとえば、「Aを殺したら1億円を支払う」という契約は、「Aを殺したら」という条件部分だけではなく、当該契約全体が無効となります。

② 不能条件

不能条件とは、実現不可能な事項にかかる条件をいいます。不能の停止条件を付した法律行為は、全体として無効となります（民法133条1項）。停止条件が成就する余地がない以上、当該法律行為の効力が生じることはないからです。たとえば、すでに死亡しているAについて「Aを生き返らせたら10万円を支払う」

という契約は、「Aを生き返らせたら」という条件部分だけではなく、当該契約全体が無効となります。

これに対し、不能の解除条件を付した法律行為は、無条件の法律行為となります（民法133条2項）。解除条件が成就する余地がない以上、当該法律行為の効力が失われることはないからです。たとえば、「10万円をあげるが、Aが生き返ったら返還せよ」という契約は、無条件の契約となるため、単なる10万円の贈与契約となります。

③ 純粋随意条件

純粋随意条件とは、条件成就するか否かが債務者の意思のみにかかる停止条件をいいます。

純粋随意条件を付した法律行為は、当該法律行為全体が無効となります（民法134条）。この趣旨は、純粋随意条件の付された法律行為には、法律効果を発生させる当事者の意思が認められない点にあります。たとえば、「借主の気が向いたら返済する」という金銭消費貸借契約には法律効果を発生させる当事者（債務者）の意思が認められないため、当該契約全体が無効となります。

これに対し、債務者ではなく債権者の意思のみにかかる停止条件を付した法律行為は有効となります（大判大正7年2月14日民録24輯221頁）。この場合には、法律効果を発生させる当事者の意思が認められるからです。たとえば、「貸主の気が向いたら返済せよ」という金銭消費貸借契約は有効です。

(2) 条件成就の効果

① 条件の効力発生時期

停止条件付法律行為は、条件成就の時からその効力を生じます（民法127条1項）。これに対し解除条件付法律行為は、条件成就の時からその効力が失われます（民法127条2項）。

なお、当事者が条件が成就した場合の効果をその成就した時以前にさかのぼらせる意思表示をしたときは、その意思に従うこととなります（民法127条3項）。私的自治の原則のもとでは、条件の効力発生時期は当事者の意思によるべきものといえるからです。たとえば、「3月の昇給試験に合格したら、合格時から遡って1月分からの給与を増額する」と約することが可能です。

② 既成条件付法律行為

条件が法律行為の時にすでに成就していた場合、その条件が停止条件であるときは、当該法律行為は無条件となります（民法131条1項前段）。停止条件がすでに成就している以上、法律効果もすでに発生しているといえるからです。たとえば、「自動車の運転免許を取得することができたら自動車を贈与する」という停止条件を付けた場合に、相手方がすでに自動車の運転免許を取得していたときは、無条件の贈与契約となります。これに対し、その条件が解除条件であるときは、当該法律行為は無効となります（民法131条1項後段）。解除条件がすでに成就している以上、法律効果が発生する余地はないからです。たとえば、「転居したときは家賃の援助をやめる」という解除条件を付けた場合に、相手方がすでに転居していたときは、家賃を援助する旨の贈与契約は無効となります。

また、条件が成就しないことが法律行為の時にすでに確定していた場合、その条件が停止条件であるときは、当該法律行為は無効となります（民法131条2項前段）。停止条件が成就しないことがすでに確定している以上、法律効果が発生する余地はないからです。たとえば、「今年A大学に合格したら自転車を贈与する」という停止条件を付けた場合に、相手方がすでに今年の入学試験で不合格になっていたときは、自転車の贈与契約は無効となります。これに対し、その条件が解除条件であるときは、当該法律行為は無条件となります（民法131条2項後段）。解除条件が成就しないことがすでに確定している以上、法律効果が失われる余地はないからです。たとえば、親が息子に対して「本試験までに模擬試験でA判定をとれなかったら仕送りをやめる」という解除条件を付けた場合に、息子がすでにA判定をとっていたときは、無条件の贈与契約となります。

⑶ 条件の成就・不成就の擬制

① 条件成就の擬制

ア　意 義

条件が成就することによって不利益を受ける当事者が故意にその条件の成就を妨げたときは、相手方は、その条件が成就したものとみなすことができます（民法130条1項）。この趣旨は、故意に条件成就を妨害された当事者の条件成就に対する期待を保護する点にあります。

たとえば、AがBとの間で「Bの子CがD大学に合格したら、Aは入学祝いとしてBに10万円贈与する」という約束をした場合に、AがCの大学入試を受けるのを妨害した場合には、BはCがD大学に合格していなくても「CのD大学合格」という条件が成就したものとみなして、Aに対して10万円を請求できます。

イ　要 件

民法130条1項の要件として「故意」、すなわち、自分の行為が条件成就を妨げる行為であることを知っていることが求められます。もっとも、条件成就を妨げることとなる行為をしたとしても、それが信義則に反するとはいえない場合には、民法130条1項は適用されません。

たとえば、AがBとの間で「自分がCと結婚したら、今乗っている自動車をBに贈与する」という約束をした場合に、AがCとの婚約を破棄しても、条件成就を妨害したという評価はなされず、民法130条1項の責任は生じません。この理由は、結婚するか否かは本人が自由に決められるべきものであり、婚約を破棄したとしても信義則に反するものとはいえない点にあります。

ウ　効果

民法130条１項の要件を充足する場合、条件が成就したとみなされるという効果が生じます。すなわち、その条件が停止条件であれば、法律行為の効果が生じることとなります。また、その条件が解除条件であれば、法律行為の効果が消滅することとなります。

② 条件不成就の擬制

ア　意義

条件が成就することによって利益を受ける当事者が不正にその条件を成就させたときは、相手方は、その条件が成就しなかったものとみなすことができます（民法130条２項）。改正前民法は、条件成就の擬制のみを規定し（改正前民法130条）、条件不成就の擬制について規定を置いていませんでしたが、両者の利益状況は共通するものがあります。また、条件の成就により利益を受ける当事者が不正に条件を成就させた場合にはその当事者に条件の成就による利益を与えるのは相当ではなく、条件が成就しなかったものとみなすのが相当であると考えられます。判例（最判平成６年５月31日民集48巻４号1029頁・百選Ⅰ［第８版］40事件）も、事例判断ではありますが改正前民法130条を類推適用して条件不成就の擬制を認めていたことから、改正後の民法は130条２項を新たに規定しました（一問一答38頁）。

イ　要件

民法130条２項は、同条１項のように「故意に」ではなく「不正に」との文言を用いています。この趣旨は、単に「故意に」とすると、当事者が意欲的に条件を成就することが想定されているケースにおいて条件の成就が不当に否定されるおそれがあるため、これを避ける点にあります。

たとえば、Ｂが大学受験に合格したらＡはＢに10万円を贈与するという停止条件付の贈与をしたケースにおいて、Ｂの努力によりＢが大学受験に合格したケースは「不正に」には該当せず、Ｂがカンニング行為を行って大学受験に合格して条件を成就させたような場合に「不正に」に該当することとし、民法130条２項の適用対象を絞り込むことが想定されています（一問一答38頁）。

ウ　効果

民法130条２項の要件を充足する場合、条件が成就しなかったとみなされます。すなわち、その条件が停止条件であれば、法律行為の効果が生じないこととなります。また、その条件が解除条件であれば、法律行為の効果が消滅しないことが確定します。

⑷ 条件の成否未定の場合の保護（期待権の保護）

条件付法律行為に関して条件成就によって利益を受ける者は、条件の成否が未定の場合もその利益に対する期待を有します。

たとえば、停止条件付法律行為でいえば、BがAとの間で「Aが自動車の運転免許を取得したら、BはAに自動車を贈与する」という約束をした場合、Aが有するのは停止条件付権利であり、停止条件が成就する前の時点では、Aは自動車の所有権を有しておらず、Bに対する自動車の引渡請求権も有しません。しかし、Aは条件が成就すれば自動車の所有権を得られるという期待を有しています。そのため、このAの期待を法的に保護すべきという要請が働きます。このように法的保護に値する利益を条件付権利（期待権）といいます。

① 条件付権利（期待権）の処分・相続・保存・担保提供

条件付権利（期待権）は厳密には権利ではありません。しかし、条件付権利には経済的価値があるため、その処分（譲渡のほか条件付権利自体を担保の対象とする行為が含まれます）が認められ、相続の対象にもなります（民法129条）。たとえば、AとBが「Bの子CがD大学に合格したら、Aは入学祝いとしてBに10万円贈与する」という契約をした場合、Bの有する条件付権利は処分や相続の対象となります。また、給付目的物が不動産のときは、Bは所有権移転登記請求権保全の仮登記（不動産登記法105条）をすることで条件付権利を保存することができ、条件成就後に本登記をすることで仮登記の時点の順位を保全することができます（不動産登記法106条）。

② 条件付権利の侵害に対する保護

ア　一方当事者による条件付権利の侵害

条件付法律行為の各当事者は、条件の成否が未定である間は、条件が成就した場合にその法律行為から生ずべき相手方の利益を害することができません（民法128条）。この趣旨は、条件付法律行為の各当事者が有する条件付権利（期待権）を法的に保護する点にあります。

たとえば、停止条件付売買契約の売主が目的物を故意または過失によって毀損する等して、将来条件が成就したときの履行が不可能となった場合、条件付権利（期待権）を有する買主に対して、債務不履行または不法行為に基づき損害賠償責任を負います。

一方当事者が故意に条件成就を妨げた場合や不正に条件を成就させた場合、債務不履行または不法行為に基づく損害賠償責任が生じるほか、相手方は当該条件が成就したまたは成就しなかったものとみなすことによる保護を受けることができます（民法130条）。

イ　第三者による条件付権利（期待権）の侵害

第三者が条件付権利（期待権）の目的物を滅失毀損したり、条件成就を妨害したりした場合には、条件付権利（期待権）を有していた当事者に対する期待権侵害に基づく不法行為が成立する余地があります（民法709条）。たとえば、B

がAとの間で「Aが自動車の運転免許を取得したら、BはAにBが所有している自動車を贈与する」という約束をした場合に、第三者Cが当該自動車を故意に滅失させたときは、自動車の免許を取得したAは、Cに対して取得することのできたはずの自動車の時価相当額の損害賠償を請求することができると考えられます。

③ 既成条件への準用

民法128条と民法129条は、既成条件に準用されます（民法131条3項）。準用とは、ある事項に関する規定を、他の類似事項について必要な修正を加えつつあてはめることをいいます。既成条件付法律行為は、客観的にはすでに条件が成就または成就しないことが確定しているため、無条件で法律効果が発生しているか、または無効となっています。

しかし、当事者がすでに条件が成就または成就しないことが確定していることを知らない場合、当事者の認識は通常の条件付法律行為をした場合と違いがありません。したがって、当事者がすでに条件が成就または成就しないことが確定していることを知らない場合は将来の事実の成否を条件とした場合と同様に、当事者に条件付権利（期待権）としての保護を与えるべきといえます。

もっとも、民法131条1項または2項の場合、権利関係は確定的に生じていることが前提となります。したがって、条件付権利に関する民法128条または民法129条を準用する余地がありません。

すでに確定的に権利が生じている場合は当該権利の侵害や処分の有効性を検討することができるため、条件付権利として検討する必要がありません。また、権利が生じないことが確定している場合には、もはや権利の侵害や処分は問題となりません。たとえば、AがBに対して「Bの子Cが自動車の運転免許を取得することができたら、Aの所有する自動車をBに贈与する」という停止条件付贈与契約を締結した場合に、Cがすでに自動車の運転免許を取得していたときは、無条件の贈与契約となります（民法131条1項）。この場合に、Aが当該自動車を第三者に譲渡する等Bの利益を害する行為をしたときは、BはAに対して債務不履行に基づく損害賠償請求をすることができます（民法415条1項）。このとき、BのAに対する自動車の引渡請求権はすでに確定的に生じているため、AおよびBがCの運転免許取得の事実を知らなかったとしても、条件付権利の侵害（民法128条）として検討する必要がありません。

また、たとえばAがBに対して「AはBにAの所有する自動車（甲）を贈与するが、Bの子Cが自動車（乙）を購入したら返還する」という解除条件付贈与契約を締結した場合に、Cがすでに自動車（乙）を購入していたときは、無効な贈与契約となります（民法131条1項）。この場合に、Aが当該自動車を第三者に譲渡する等Bの利益を害する行為をしたとしても、BのAに対する自動車の引渡請求権はすでに確定的に生じていないため、ＢはＡに対して債務不履行に基づく損害賠償請求をすることができません。このとき、ＡおよびＢがＣの自動車（乙）購入の事実を知らなかったとしても、条件付権利の侵害（民法128条）として検討する必要がありません。

このような理由から、一般に民法131条３項は無意味な規定と考えられています。

第２　期限

１　期限の意義

期限とは、法律行為の効力の発生・消滅または債務の履行を将来到来することの確実な事実の発生まで延ばす法律行為の付款です。たとえば、債務の弁済期を３か月後とすることや、建物賃貸借期間の満了日を５年後とすることが挙げられます。

⑴　始期と終期

①　始　期

始期とは、その事実の到来によって債務者が債務の履行をしなければならない履行期限をいい、一般には単に履行期と呼びます（民法135条１項）。たとえば、金銭消費貸借契約において「弁済期を令和○年○月○日とする」と約定した場合が挙げられます。

始期と類似するものに、停止期限があります。停止期限とは、その事実の到来によって法律行為の効力が発生する場合をいいます。たとえば、建物賃貸借契約において「建物を令和○年○月○日から貸す」と約定した場合が挙げられます。民法135条１項は停止期限について規定していませんが、停止期限の合意をするか否かは当事者が自由に決めることができます。

②　終　期

終期とは、その事実の到来によって、法律行為の効力が消滅するものをいいます（民法135条２項）。たとえば、建物賃貸借契約において「建物を令和○年○月○日まで貸す」と約定した場合が挙げられます。

⑵　確定期限と不確定期限

①　確定期限

確定期限とは、事実の到来時期が確定しているものをいいます。たとえば、「令和４年３月31日」という場合です。

②　不確定期限

不確定期限とは、到来することは確実であるが、それがいつ到来するのかが不明であるものをいいます。たとえば、「次に雨が降った時」という場合です。

⑶ 終期と期間

終期と期間は類似する概念です。期間とは、その始期と終期の間の時間的間隔に着目した観念であり、たとえば1週間、3か月、1年間が期間です。これに対し、終期は一定の時点に着目した観念であり、たとえば「令和5年3月31日で賃貸借契約が終了する」という約定は終期を定めたものです。

2　期限に親しまない行為

期限は、到来することが確実である点で条件と比べ相手方の地位を不安定にする程度は低いといえます。しかし、期限の付されていない法律行為と比べると相手方の地位を不安定にする側面を有するため、単独行為や身分行為に期限を付すことは原則として認められません。たとえば、単独行為である相殺に期限を付することは民法506条1項後段で禁止されています。この趣旨は、相殺に期限を付すると一方的意思表示によって相手方の地位を不安定にするため、これを禁止する点にあります。また、身分行為に期限を付けることも認められません。この趣旨は、たとえば婚姻のような身分行為は当事者間の全人格に密接に関係する行為であるため、期限を付することになじまない点にあります。

もっとも、遺贈（民法964条）は単独行為であるものの、相手方の地位を不安定にするものではないため、民法上有効な制度として認められています。

3　期限付法律行為の効力

⑴ 期限の到来

期限は必ず到来する事実にかかるものであるため、出世払い特約（たとえば、金銭消費貸借契約において、「将来、出世したら返済する」という約定をする場合）のように不確定な事実の到来を弁済期と定めた場合に当該不確定な事実が到来しないことが確定したとき（「出世する見込みがない」等）も、期限が到来することとなります。

⑵ 期限到来の効果

期限が到来したときは、当該期限が履行期限の場合には、債権者は債務者に対し債務の履行を請求することができます（民法135条1項）。これに対し、当該期限が停止期限の場合には、法律行為の効力が生じることとなります。終期が到来した場合には、法律行為の効果が消滅することとなります。

条件の場合とは異なり、期限の到来に遡及効を与える旨の合意は無効であると考えられます。期限は必ず到来する事実にかかるものであるため、当事者は任意に効力の発生時期を定めればよく、遡及効を認める必要がないからです。

⑶ 期限付法律行為の期限到来前の効力

債務の履行について始期を付した場合（すなわち、履行期限の場合）、期限到来前であっても債権は成立しています。そのため、通常の債権としての保護を考えればよく、特別の問題を生じません。

これに対して、法律行為の効力の発生・消滅に期限が付されている場合（すなわち、停止期限や終期の場合）、当該期限の到来によって利益を受ける者は、期限到来前は具体的権利が発生しておらず、期限が到来すれば権利を取得できるという期待を有するにとどまります。この点で、期限の到来によって利益を受ける者は、条件付権利（期待権）を有する者と同様の地位にあるといえます。したがって、条件に関する民法128条および民法129条を類推適用すべきと考えられます。たとえば、ＡとＢの間で「Ｂの子Ｃが小学校を卒業したときは、ＡはＢに自己の所有する自転車を贈与する」という停止期限付贈与契約が締結されている場合に、停止期限の到来前にＡが故意または過失により当該自転車を滅失毀損したときは、Ｂは停止期限到来後Ａに対して自転車の時価相当額の損害賠償を請求することができます（民法128条類推適用）。

4　期限の利益

⑴ 期限の利益の享受者

「期限の利益」とは、期限が付されていることによって、その間に当事者が受ける利益をいいます。一般に、期限の利益は債務者の履行の猶予のために付与されているため、期限は債務者の利益のために定めたものと推定されます（民法136条１項）。

たとえば、Ａが友人Ｂから中古のテレビを５万円で買い取った際、手持ちのお金がないのでアルバイト代が入る１か月後に支払う約束をした場合、Ａは１か月間はＢに５万円を支払わなくてよいという利益を得ていることとなります。この利益を「期限の利益」といいます。

⑵ 期限の利益の放棄

期限の利益を受ける者は、これを放棄することができます（民法136条２項本文）。放棄とは、自らの意思で利益を失わせることをいいます。ただし、これによって相手方の利益を害することはできません（民法136条２項但書）。

① 一方当事者のための期限の利益

期限の利益が当事者の一方のために存在するときは、当該利益を受ける当事者はいつでも期限の利益を放棄することができます。ただし、それによって相手方が損害を受けるときは、当該損害を塡補しなければなりません（民法136条２項但書）。

たとえば、電気店ＡがＢ社から冷蔵庫を100台購入した際、冷蔵庫の納入を２か月後としました。ところが、Ｂは１か月後に冷蔵庫を納入したとします。この場合、Ａが在庫を保管するため１か月間別の倉庫を借りたとき、この１か月間の倉庫賃料が損害となり、ＢはＡに損害を賠償する責任を負うこととなります。

② 双方当事者のための期限の利益

期限の利益が当事者双方のために存在するときは、債務者と債権者のいずれが期限の利益を放棄するかによって以下のような違いがあります。

ア　債務者は、期限の利益の喪失によって債権者が被る損害を塡補する場合、一方的に期限の利益を放棄できます。

たとえば、銀行は、定期預金債権を有する債権者に対して返還期日までの約定利息を支払う場合には、期限の利益を放棄して債権者に預金を返還することができます。

イ　債権者が期限の利益を放棄できるか否かは、債務者が失う期限の利益を塡補することができるか否かによって決まります。

たとえば、有償寄託の寄託者は、受寄者が得られるはずであった期限までの寄託料を塡補すれば、期限の利益を放棄して受託者に対して寄託物の返還を請求することができます。これに対し、利息付きの金銭消費貸借契約の貸主は、借主が元本および利息について有する期限の利益を一方的に失わせることはできないと考えられます。

③ 期限の利益の放棄の効果

期限の利益を放棄すると、期限が到来したのと同じ効果が発生します。たとえば、金銭消費貸借契約の借主が期限の利益を放棄した場合、貸主は期限の利益が放棄された時から借主に対して貸金の返還を請求することができます。期限の利益の放棄の効果は将来に向かって生じ、遡及効はありません（大判大正元年11月8日・民録18輯951頁）。すなわち、債務者が遡及的に履行遅滞に陥ることはありません。

(3) 期限の利益の喪失

① 民法上の期限の利益の喪失

期限の利益を有する債務者に信用を失わせるような一定の事実があった場合、当該債務者は期限の利益を主張することができなくなります。期限の利益を喪失させる事由には、破産手続開始決定（破産法30条参照）、担保の毀損または減少、担保供与義務の不履行があります（民法137条）。たとえば、債務者が抵当権の設定された建物を毀損して価値を減少させた場合は、期限の利益を喪失することとなります。

期限の利益を喪失した場合には、期限が到来したこととなり債務者は直ちに弁済をする必要が生じます。

② 期限の利益喪失約款

当事者間の契約でも、一定の事実が存するときに期限の利益を失う旨を定めることができます。このような条項を「期限の利益喪失約款」や「期限の利益喪失条項」といいます。

期限の利益喪失約款は、定められた事実が発生すると当然に期限が到来するという趣旨の約款（債権者の意思表示を必要とせずに期限の利益が失われるもの）と、定められた事実が発生したときに債権者が期限の利益を失わせることができるという趣旨の約款（債権者の意思表示を必要とするもの）があります。たとえば、前者は、債務の弁済を２か月遅滞した場合には当然に期限の利益を失うとする場合、後者は、債務の弁済を２か月遅滞した場合には債権者の催告により期限の利益を失わせることができるとする場合です。

第３　期間の計算

１　期間の意義

期間とは、時間の経過によって権利の得喪や変更という法律上の効果が生じる場合に、ある時点からある時点までの継続した時の区分をいいます。

期間は法律行為だけでなく、法律の規定や裁判所の命令によっても定められます。民法は、期間に関する一般的な計算方法を定め、「法令若しくは裁判上の命令に特別の定めがある場合又は法律行為に別段の定めがある場合を除き」これを適用するものとしています（民法138条）。「特別の定め」とは、たとえば、後述する初日不算入の原則を否定する規定として、刑法23条１項等があります。

したがって、特別の規定がない限り、公法上の規定にも民法の期間に関する規定が適用されることとなります。

２　期間の計算方法

民法は、時・分・秒を期間の単位とする場合と、日・週・年を期間の単位とする場合で異なる計算方法を採用しています。

⑴ 短期間の計算方法

「時間」（時・分・秒）を単位とする短期間の場合、期間は「即時から起算」し（民法139条）、瞬間から瞬間までを計算する自然的計算法が採用されています。

⑵ 長期間の計算方法

「日、週、月又は年」を単位とする長期間の場合、暦に従って計算する暦法的計算法が採用されています（民法140条以下）。

① 起算点

ア　原則――初日不算入

期間を計算する場合、初日は算入しません。これを「初日不算入の原則」といいます。この趣旨は、初日を算入すると初日が完全に使えない場合でも１日として計算されることとなり適当でない点にあります。そのため、初日が完全に１日ある場合（午前０時から始まるとき）を除いて、その翌日が起算点となります（民法140条）。

たとえば、令和４年11月８日午後１時に「今日から３か月間」という期間を定めた場合、令和４年11月８日午前０時から午後１時まではすでに経過してしまっているため、令和４年11月８日という「初日」は期間の計算として参入せず、11月９日から３か月間を計算することとなります。

イ　例外——初日算入

期間の定め方で初日が端数にならないときは、初日を算入します（民法140条但書）。

たとえば、令和４年11月８日午後１時に、「令和４年11月15日から10日間」という期間を定めた場合、令和４年11月15日という「初日」が端数とならないため、初日を参入して期間を計算します。

また、初日不算入の原則を否定する「特別の定め」（民法138条）として、たとえば刑法23条１項は刑期の計算について初日を算入することとしています。この趣旨は、初日を算入しないと初日分刑期が長期化するため受刑者に不利益となるため、このような不利益を生じさせない点にあります。

このほか、年齢の計算（年齢計算に関する法律１項）や戸籍届出期間（戸籍法43条）については、初日を算入します。

② 満了点

民法141条は「期間は、その末日の終了をもって満了する」と規定しています。

ア　期間を日・週で定めた場合

起算日から所定の数だけ数えて、その最後の日・週の末日の終了時点（その日の午後12時）が満了点となります（民法141条）。たとえば、「令和４年７月６日から３日間」という期間を定めた場合、「令和４年７月８日の午後12時」が満了点となります。

イ　期間を月または年で定めた場合

民法143条１項は「暦に従って計算」すると規定しています。

(i) 月または年のはじめから計算する場合は、最後の月または年の末日が期間の末日となります。

たとえば、「令和４年１月１日から６か月間」という期間を定めた場合、「令和４年６月30日」が満了点となります。

(ii) 月または年のはじめから計算をしないときは、最後の月または年においてその起算日にあたる日（これを「応当日」といいます）の前日が期間の末日となります（民法143条２項本文）。

たとえば、「令和４年11月８日から１か月間」という期間を定めた場合、起算日の応当日である令和４年12月８日の前日の「令和４年12月７日」が満了点となります。

(iii) 最後の月または年において起算日の応当日がなければ、その月の末日が期間の末日となります（民法143条２項但書）。

たとえば、「令和４年10月31日から１か月間」という期間を定めた場合、起算日の応当日が存在しない（令和4年11月31日は存在しない）ため、11月の「末日」である「令和4年11月30日」が満了点となります。

ウ　期間末日が休日の場合

期間の末日が日曜日、国民の祝日に関する法律に規定する休日その他の休日にあたるときは、その日に取引をしない慣習がある場合に限って、その翌日が満了点となります（民法142条）。

「取引をしない慣習」という場合の「慣習」とは、商取引はもちろん、公証人や執行官の職務に関する慣習を含みます（大判明治37年10月22日民録10輯1297頁）。また、債務者側に取引をしない慣習がある場合だけではなく、債権者側に取引をしない慣習がある場合を含みます（大判明治36年5月5日民録9輯531頁）。

(3) 過去に遡る場合の計算方法

民法の規定はありませんが、過去に遡る場合の計算方法にも民法の規定を類推適用すべきと考えられています（大判昭和6年5月2日民集10巻232頁）。起算日から過去に遡る計算を要する場合としては、たとえば時効期間満了前6か月以内の間に未成年者または成年被後見人に法定代理人がいない場合の時効の完成猶予に関する規定（民法158条1項）が挙げられます。

第9章

時効制度

第1　時効制度の意義・存在理由

1　時効制度の意義

時効は、一定の事実状態が永続する場合に、それが真実の権利状態と一致するか否かを問わず、その事実状態を尊重して、その事実状態に即した権利関係を確定できるという制度です。

時効には、取得時効と消滅時効があります。取得時効は、他人の物を一定期間占有することで、その物の所有権を取得することができるという時効制度です。消滅時効は、権利を一定期間行使しないことによってその権利が消滅するという時効制度です。

2　時効制度の存在理由（時効制度の存在理由をめぐる議論）

時効により、他人の物を「取得」したり、自己の有する権利が「消滅」するという効果が生じます。これは、真実の権利者からすれば自己の権利を勝手に取得されたり、消滅させられたりすることを意味します。

たとえば、消滅時効では、XがYに対して土地を売買代金を1000万円と定めて売り渡した後、YがXに売買代金を支払わなかった場合、Yは、売買代金を支払っていなくても、Xが権利を行使することができることを知った時から5年間行使しなかったこと（民法166条1項1号）、あるいはXが権利を行使することができる時から10年間行使しなかったこと（同2号）を理由に、XのYに対する売買代金請求権は消滅したと主張できます。

このような時効制度がなぜ必要か、その存在理由が従来から議論されてきました。従来の見解は、取得時効と消滅時効をともに時効制度として統一的、一元的に捉えようとしていました（一元説）。他方で、取得時効と消滅時効はそれぞれ別の正当化根拠を有しているとして二元的に捉えようとする見解があります（二元説）。

(1) 一元説

一元説は、以下の3点を時効制度を正当化する根拠として挙げ、時効制度を統一的、一元的に捉えようとする見解です。

① 事実状態の尊重

長期にわたって存続している事実状態を尊重して、その事実状態を前提として構築された社会秩序や法律関係の安定を図るという点に時効制度の正当化根拠を見出します。

② 証明の困難性

過去の事実の証明の困難を救い、真実の権利者を保護するという点に時効制度の正当化根拠を見出します。たとえば、上記の例でいえば、YがXに10年前に1000万円を支払っていたとしても、支払った事実を証する証拠をYがすでに廃棄しており、1000万円を支払ったことを立証できない場合には、Xの請求は認められることとなります。このような場合、Yが消滅時効を援用することで、Xの請求は棄却され、Yという真実の権利者が保護されることとなります。

③「権利の上に眠る者は保護に値しない」

「権利の上に眠る者（＝権利行使を怠っていた者）は保護に値しない」というローマ法諺に由来するもので、特に、消滅時効により権利を喪失することを正当化する根拠として挙げられます。

(2) 二元説

二元説は、一元説の正当化根拠はいずれも時効制度全体を一元的に解する根拠とはならないとして、取得時効と消滅時効のそれぞれに正当化根拠が別に存在すると解する見解です。取得時効は上記①および②、消滅時効は上記②および③に正当化根拠があると考えます。

3　時効の法的構成

民法は、一方で時効によって取得時効や消滅時効の効果が生じる旨を定めていながら（民法162条1項は「所有権を取得する」と定め、民法166条1項は「債権は……消滅する」と定める）、他方で民法145条は「時効は、当事者（消滅時効にあっては、保証人、物上保証人、第三取得者その他権利の消滅について正当な利益を有する者を含む）が援用しなければ、裁判所がこれによって裁判をすることができない」と定めています。これらの条文を素直に読むと、時効によって確定的に効力が生ずるかのような定めがある一方で、当事者が時効を援用しないと裁判所がこれによって裁判をすることができないとの定めがあるため、実体法上は時効の効力が生じたとしても、訴訟の場では当該効力は認められないこととなりそうです。

そこで、まず、時効制度が実体法に影響を及ぼすものであるか、それとも訴訟法に影響を及ぼすものであるかという点について、時効制度の本質をどのように解するかによって、以下のとおり考え方が対立しています。

(1) 実体法説

時効は権利者の権利を消滅させ、無権利者が権利を取得する制度、すなわち、実体法上の権利得喪原因であるとする見解です。たとえば、消滅時効によって債権者の債権が消滅し、取得時効によって無権利者が所有権を取得するというものです。この見解は、時効の存在理由に関する上記①および③に親和的です。

⑵ 訴訟法説

時効は、債務者が弁済の事実を証明し、あるいは所有者が自らの所有権を証明する困難を緩和する制度であるとする見解です。この見解によれば、時効の効果は訴訟法上の法定証拠（その証拠が提出されれば法律上当然に一定の事実認定がなされる証拠）と理解することとなります。たとえば、債権の消滅時効が援用されれば弁済があった事実を認定する証拠として機能します。この見解は、時効の存在理由に関する上記②に親和的です。

しかし、訴訟法説に対しては、時効について、「所有権を取得する」（民法162条）、「債権は……消滅する」（民法166条）と規定する民法の条文構造に反するとの指摘があります。そこで、本書は、実体法説の立場に賛成します。

第２　時効の援用と時効利益の放棄

１「時効の援用」の位置づけ

「時効は、当事者（消滅時効にあっては、保証人、物上保証人、第三取得者その他権利の消滅について正当な利益を有する者を含む。）が援用しなければ、裁判所がこれによって裁判をすることができない」と定め、当事者の援用を要求しています（民法145条）。

この「時効の援用」について時効制度の本質に関する考え方を前提にいかに位置づけるかが議論されています。

２　学説の対立

時効制度の本質に関する考え方は、前述のとおり実体法説と訴訟法説とが対立しています。これらの考え方を前提に、「時効の援用」をどのように位置づけるかという点について、以下のとおり見解が分かれています。⑴および⑵の見解は実体法説に親和性があり、⑶の見解は訴訟法説に親和性があります。

⑴ 確定効果説

この見解は、時効完成によって権利の得喪が実体法的には確定的に生じると解する見解です。時効の援用は、民事訴訟における弁論主義（事実と証拠の収集を当事者の権能と責任に委ねる原則）の要請による訴訟法上の攻撃防御方法（法律上および事実上の主張とこれらを立証するための証拠方法）にすぎないと位置づけます。

確定効果説に対しては、当事者が時効を援用しない場合にも、実体法的には時効完成によって権利を失っている者が裁判上は権利者として扱われることになり、実体法的な権利関係と裁判での権利関係との不一致が生じるため、適当でないとの批判があります。

また、確定効果説だと民法145条を弁論主義を規定したものと理解することとなりますが、民法が民事訴訟法とは別になぜ特に時効についてのみ弁論主義を規定したのかという疑問に答えられないとの批判があります。

⑵ 不確定効果説

この見解は、時効関係によって権利の得喪の効果は不確定的に発生するが、時効利益の放棄により確定的に時効の利益を失い、援用があれば権利の得喪が確定的になると解する見解です。不確定効果説は、さらに解除条件説と停止条件説に分かれます。

① 解除条件説

解除条件説は、時効の利益の放棄を解除条件とし、援用があれば時効の効果はそのまま確定し、放棄があればいったん取得した権利を失い（取得時効の場合）、あるいは免れた義務が復活する（消滅時効の場合）と説明します。

この見解は、「……所有権を取得する」（民法162条１項）、「債権は……消滅する」（民法166条１項）という実体法的な権利の得喪を示す民法上の文言に適合します。しかし、時効の利益の放棄を解除条件とするものであり、時効の援用の位置づけが明らかでないとの批判があります。

② 停止条件説（最判昭和61年３月17日民集40巻２号420頁・百選Ⅰ［第８版］41事件、通説）

停止条件説は、時効の援用を停止条件とし、援用があって初めて時効の効果が確定的に発生し、時効の利益の放棄により時効の効果が発生しないことが確定すると説明します。しかし、この見解は、民法162条や166条の文言から離れているという点に問題があると指摘されます。

⑶ 法定証拠説

この見解は、時効を訴訟上の制度として捉え、援用は、期間の経過による権利の得喪という法定証拠（その証拠が提出されれば法律上当然に一定の事実認定がなされる証拠）を裁判所に提出する行為であると解する見解です。

確定効果説が時効によって実体的な権利の得喪が生じたことを前提とするのに対して、法定証拠説は時効による権利の得喪が生じたことを前提とせず、時効は訴訟法上の証拠方法であり、援用は法定証拠の提出であるとする点に違いがあります。

しかし、この見解は、援用を訴訟上の主張と捉える点で民法145条を弁論主義を規定したものと理解することとなりますが、確定効果説と同様に、民法が民事訴訟法とは別になぜ特に時効についてのみ弁論主義を規定したのかという疑問に答えられないとの批判があてはまると考えられます。

3　援 用

⑴ 援用権者

通説である不確定効果説の立場によれば、時効の援用とは、時効の完成による権利の得喪の効果を確定的にする意思表示を意味します。

この時効の援用をすることのできる者（援用権者）について、民法は「当事者」

として定めています（民法145条）。また、改正後の民法は、消滅時効について判断基準を示すため、「当事者（消滅時効にあっては、保証人、物上保証人、第三取得者その他権利の消滅について正当な利益を有する者を含む。）」という規定を追加しました。

民法改正前より、時効の援用権者である「当事者」をどのように解するかが問題とされてきました。

まず、所有権の取得時効の要件を満たした占有者や消滅時効が完成した債権の債務者等、時効に係る権利関係の当事者が援用できることに異論はありません。また、連帯債務者の一人のために時効が完成したときは、他の連帯債務者もその一人の負担部分について義務を免れると定める民法439条のように、特別の規定がある場合にはそれによります。

問題は、時効の援用により直接利益を受ける者に限定されるのか、時効の援用により間接的に利益を受ける者も含むのかという点です。

判例は、援用権者を「時効により直接利益を受ける者」（大判明治43年１月25日民録16輯22頁、最判昭和44年７月15日民集23巻８号1532頁）としており、援用権者の範囲を狭く解しています。しかし、消滅時効に関しては、援用権者の範囲は徐々に拡大される傾向にあります。

① 消滅時効の場合

民法改正では、消滅時効に関しては、下記の判例を踏まえて、「保証人、物上保証人、第三取得者その他権利の消滅について正当な利益を有する者」が時効の援用権者に含まれることを明文化しました（民法145条）。

民法改正前の判例は、主債務者の責任を肩代わりすべき責任のある者を援用権者として認めていました。具体的には、保証人（大判大正４年７月13日民録21輯1387頁）、連帯保証人（大判昭和７年６月21日民集11巻12号1186頁）、債務者のために自己の所有物件に抵当権を設定した物上保証人（最判昭和42年10月27日民集21巻８号2110頁）は主債務の消滅時効を援用することができるとしていました。主債務が時効により消滅した場合には、保証人や物上保証人の責任が消滅する関係にあるためです。前述のとおり、保証人や物上保証人が消滅時効を援用することができる「当事者」に含まれることは、民法改正により明文化されました（民法145条）。

また、物上保証の一種として、他人の債務のために自己所有不動産を譲渡担保に供した者（前掲最判昭和42年10月27日）、抵当不動産が譲渡された場合に、物上保証人とほぼ同様の法的地位に立つ抵当不動産の譲受人（最判昭和48年12月14日民集27巻11号1586頁）、仮登記担保権が設定された不動産を譲り受けた第三者（最判昭和60年11月26日民集39巻７号1701頁）は、いずれも被担保債権の消滅時効を援用することができると解していました。担保権が実行された場合には、被担保債権の負担を甘受すべき立場にあり、被担保債権の時効消滅について利害を有するためです。

さらに、売買予約に基づく所有権移転請求権保全の仮登記がなされた不動産について所有権移転登記を経由した第三取得者（最判平成４年３月19日民集46巻３号222頁）、売買予約に基づく所有権移転保全の仮登記に劣後する抵当権を有する者（最判平成２年６月５日民集44巻４号559頁）は、仮登記された予約完結権の消滅時効を援用することができると解していました。予約完結権の消滅により、所有権や抵当権を完全に取得することとなるためです。

詐害行為の受益者（最判平成10年６月22日民集52巻４号1195頁）は、詐害行為取消権（民法424条）を行使している債権者の債権（被保全債権）の消滅により直接に利益を受ける者であるといえ、その消滅時効を援用できます。

他方で、後順位抵当権者は先順位抵当権者の被担保債権の消滅時効を援用できません（最判平成11年10月21日民集53巻７号1190頁・百選Ⅰ［第８版］42事件）。先順位抵当権者の被担保債権が消滅し、後順位抵当権者の取り分が増えたとしても、あくまで間接的・反射的な利益にすぎないためです。

② 取得時効の場合

取得時効は比較的厳格に「直接に利益を受ける者」を限定的に解されています。Ｘの甲土地上に乙建物を所有するＺから乙建物を賃借しているＹは、Ｚの甲土地に対する所有権の取得時効を援用できません（最判昭和44年７月15日民集23巻８号1520頁）。Ｙは時効により直接利益を受ける者でないためです。

⑵ 援用の方法

① 裁判外の援用の可否

ア　確定効果説や法定証拠説のように時効の援用を訴訟法上の行為とみる立場は、時効の援用を裁判上行う場合に限定します。

イ　不確定効果説のように時効の援用・時効の利益の放棄を時効発生の停止条件・解除条件とみる立場は、裁判上援用する場合に限定する必然性はなく、裁判外で援用する場合も認められると解します。

② 援用の時期

時効の援用は、事実審の口頭弁論終結時までにしなければなりません（大判大正12年３月26日民集２巻182頁）。裁判上の攻撃防御方法は事実審（控訴審）の口頭弁論終結時（最終口頭弁論期日）までに提出する必要があるためです。また、時効の援用をしないまま敗訴判決が確定した後に、別訴で援用することは認められません（大判昭和14年３月29日民集18巻370頁）。敗訴判決により既判力（民訴法114条１項）が生じ、これに反する主張は許されないこととなるためです。

⑶ 援用の効果の及ぶ範囲

時効の利益を享受するか否かは、時効の援用権者の意思に委ねられるべきであるとの考え方から、時効援用の効果は相対的であると解されています。相対的とは、援用権者が数人いる場合に、その一人が援用した効果は、原則として他の者に影響を及ぼさないことを意味します。

⑷ **援用の撤回**

援用を撤回することが可能か否かは、援用をどのように位置づけるかによります。援用を実体法上の効力を確定するものと位置づける見解（不確定効果説）からすれば、援用の撤回は許されません。援用を訴訟法上の攻撃防御方法にすぎないものと位置づける見解（確定効果説・法定証拠説）からすれば、援用の撤回は許されると解されます。なお、確定効果説を採用していた時代の判例は、援用の撤回が可能であるとしています（大判大正８年７月４日民録25輯1215頁）。

4　時効利益の放棄

⑴ **時効利益の放棄**

時効利益の放棄とは、完成した時効の利益を享受しない意思を表明することをいいます。

① 時効完成前の放棄（民法146条）

時効完成前にあらかじめ時効の利益を放棄することは禁止されます。時効完成前の放棄を認めると、永続した事実状態を尊重しようとする時効制度の趣旨に反するためです。また、債権者が債務者に対して時効の利益を強制的に放棄させる等濫用するおそれがあるためです。

② 時効完成後の時効利益の放棄

時効完成後にその利益を享受できる地位にある者（援用権者）は、時効の援用をせずに時効利益を放棄することができます（民法146条の反対解釈）。

時効利益の放棄は相手方のある単独行為（形成権）であり、相手方の同意を要しませんが、相手方に対してなされる必要があります。明示の意思表示のみならず、黙示の意思表示でも構いません。たとえば、債権の消滅時効の完成後に弁済したり、支払猶予を要請することでも時効利益の放棄となりえます。意思表示であるため、意思表示に関する規定（民法93条以下）が適用されます。

時効利益の放棄は、権利の喪失または義務の存続という権利の処分に該当するため、処分の行為能力または権限のあることが必要とされます。

時効利益の放棄も援用と同様、その効力は相対的です。すなわち、援用権者が数人いる場合に、一人が時効の利益を放棄したとしても、他の援用権者に影響を及ぼしません。

⑵ **時効援用権の喪失**

① 意 義

時効利益の放棄は、援用権者が時効の利益を享受しうることを知っていることを前提とします。これに対して、時効援用権の喪失は援用権者が時効完成を知らずに、自己の無権利や義務を自認した場合（たとえば、自己の債務につき消滅時効の完成後に時効が完成していることを知らずに弁済期限の延期を求めるとか、債務の一部を弁済する等）を意味します。

② 判例・通説の立場

時効の完成を知らないにせよ、自己の無権利や義務を自認した者に時効の利益を享受させることは先行行為に矛盾する言動であり、信義に反するといえます。そこで、判例・通説は、時効援用権の喪失の場合も時効利益の放棄と同様の扱いをするべきであると解しています。

判例（最判昭和41年４月20日民集20巻４号702頁・百選Ⅰ［第８版］43事件）は、債務者Ｘが時効の完成を知らずに、分割払いにし利息を免除してくれるなら支払うという手紙を債権者Ｙに出していたにもかかわらず、その後に請求異議訴訟を提起し、消滅時効を援用した事案において、信義則を理由に時効を援用することはできないとしました。

③ 主債務の消滅時効完成前の保証人の一部弁済

主債務について消滅時効が完成する前に、保証人が保証債務を一部弁済した場合について、最判平成７年９月８日金法1441号29頁は「主債務が時効により消滅するか否かにかかわりなく保証債務を履行するという趣旨に出たものであるときは格別、そうでなければ、保証人は主債務者の時効を援用する権利を失わない」とします。保証人が保証債務を一部弁済したとしても、主債務の承認とはならない（承認による中断効の相対性）ためです。したがって、その後、主債務の消滅時効が完成した場合には、保証人も主債務の消滅時効を援用し、保証債務の附従性による保証債務の消滅を主張することができます。

なお、物上保証人が被担保債権の消滅時効完成前に当該物上保証と被担保債権を承認した場合について、物上保証人は債務者ではないため被担保債権の消滅時効は中断しないことから、物上保証人は被担保債権の消滅時効を援用できるとする判例があります（最判昭和62年９月３日判時1316号91頁）。

第３　時効障害

１　総 論

時効障害とは、時効の完成を妨げる制度をいいます。時効障害には時効の完成猶予と時効の更新があります。

時効の完成猶予とは、時効が完成していない段階において時効を完成させることが妥当でない事由がある場合に、時効の完成を一時的に猶予することをいいます。たとえば、売買代金支払請求に関する訴えが提起された場合、判決が確定するまで売買代金支払債権の時効の完成が猶予されます（民法147条１項１号）。

時効の更新とは、時効の完成が猶予された場合に、それまでの時効期間の経過をなかったものとして、新たに時効期間を開始することをいいます。たとえば、前述の例で売買代金支払請求に関する訴えが提起がされ、判決が確定するまでの間、時効の完成が猶予されているとき（民法147条1項1号）、その後に原告勝訴の判決が確定した時は時効が更新され、以後、売買代金支払請求権の時効期間は新たに（ゼロから）進行を始めます（民法147条2項）。

民法改正前は、時効障害は、時効の停止（改正前民法158条以下）と時効の中断（改正前民法147条以下）に整理されていました。

時効の停止とは、時効の完成間際に権利者が時効中断の措置をとることが不可能または著しく困難な事情（停止事由）が発生したときに、時効の完成を一定期間猶予する制度をいいます。

時効の中断とは、時効の進行中に時効を覆すような事情（中断事由）が発生したことを理由として、それまでの時効期間の経過を時効の完成にとってまったく無意味なものとし、新たに時効を進行させることをいいます。

民法改正により、時効の停止は完成猶予に、時効の中断は更新という新たな概念にそれぞれ整理されました。この趣旨は以下の点にあります。

改正前民法における「時効の中断」は、時効が完成すべき時期が到来した場合でも時効の完成を猶予するという「完成猶予」の効果と、新たに時効期間を進行させるという「更新」の効果を有していたにもかかわらず、これらの効果を合わせて「中断」という概念を用いていたため、その意味内容が理解しにくいという指摘がされていました（一問一答44頁）。また、改正前民法における「時効の停止」は、停止事由の発生後も時効は進行するものの、本来の時効の完成時期が到来しても時効は完成せず、時効の完成が猶予される効果を有するものでしたが、「停止」という言葉からは時効期間の進行自体が途中で止まり、停止事由が消滅した後に残存期間が再度進行するかのような誤解を生むことがあり、用語から意味内容を理解しにくいとの指摘がありました（一問一答44頁）。そこで、改正後の民法ではその効果に着目して、「完成猶予」と「更新」という概念で再構成することにより、効果を理解しやすいものとしました。

改正後の民法の下では、時効障害は、「完成猶予および更新」が生じる場合（民法147条、148条）、「完成猶予」のみが生じる場合（民法149条～151条、158条～161条）、「更新」のみが生じる場合（民法152条）の3つに分類することができます。

効　果	条　文
完成猶予および更新	裁判上の請求（民法147条１項１号）
	支払督促（民法147条１項２号）
	和解・調停（民法147条１項３号）
	破産手続参加等（民法147条１項４号）
	強制執行・担保権の実行等（民法148条）
完成猶予のみ（暫定的権利行使）	仮差押え・仮処分（民法149条）
	催告（民法150条）
	協議を行う旨の合意（民法151条）
更新のみ	承認（民法152条）
完成猶予のみ	権利行使が困難な場合（民法158条～161条）

2　裁判上の請求等による時効の完成猶予と更新

(1) 時効の完成猶予

訴えの提起があった場合等、次のア～エに掲げる事由がある場合には、その事由が終了する（確定判決または確定判決と同一の効力を有するものによって権利が確定することなくその事由が終了した場合は、その終了の時から６カ月を経過する）までの間は、時効は完成しません（民法147条１項）。

① 裁判上の請求（民法147条１項１号）

裁判上の請求とは、訴えを提起することをいいます。訴えは給付の訴え・確認の訴え・形成の訴えのいずれでも構わず、反訴でも構わないと解されてます（民訴法146条）。反訴とは、係属中の訴訟手続を利用して被告が原告に対して提起する訴えをいいます（民訴法146条）。

訴えが提起された場合、判決が確定する時までは時効の完成が猶予され（民法147条１項１号）、判決が確定した時に更新の効果が生じます（民法147条２項）。

改正前の判例は、債務者からの債務不存在確認訴訟に応訴した債権者が勝訴した場合にも当該債権の消滅時効の中断を認めていました（大判昭和14年３月22日民衆18巻238頁）。また、取得時効の対象となっている権利が当該訴訟で形式的には訴訟物となっていない場合でも、時効の中断を認めていました。すなわち、最判昭和43年11月13日民集22巻12号2510頁は、所有権に基づく登記手続請求訴訟（訴訟物は登記手続請求権であり、所有権ではない）において被告が自己に所有権があると主張して勝訴した場合に、原告の取得時効の中断を認めていました。

これに対して、訴えの提起後に判決が確定しなかった場合（訴えの却下、訴えの取下げの場合）は、時効の完成猶予および更新の効果は生じません（民法147条１項柱書）。この場合、訴えの却下や訴えの取下げの時から６か月間は時効の完成が猶予されますが（民法147条１項柱書）、６か月が経過した後は、以前の時効期間が継続して進行することになります。

また、訴え提起後に請求が棄却された場合には、権利の存在が確定しないため、時効の完成猶予および更新の効果は生じません。この点、請求が棄却された場合には、当事者間では権利の不存在が確定するため、そもそも当事者間では消滅時効の問題は生じないと考えられます。

改正前の判例は、一部請求の趣旨が明示されていない場合には、請求額を訴訟物たる債権の全部として訴求したものと解すべく、この場合には、訴えの提起により、右債権の同一性の範囲内において、その全部につき時効中断の効力を生ずるものと解するのが相当であるとしています（最判昭和45年７月24日民集24巻７号1177頁）。また、同じく改正前の判例ですが、債権の一部のみを請求する旨を明らかにして訴えを提起した場合には、原告が審判対象としているのは債権の一部の存否であって全部の存否でないのであり、訴訟物となるのは債権の一部であるとし、訴訟物が債権の一部であることを前提に、債権の残額について時効中断の効力が生じないとしています（最判昭和34年２月20日民集13巻２号209頁）。この点につき、明示的一部請求の訴えの提起は、残部についての裁判上の請求があったとはいえないとの判断を維持しつつ、残部につき権利行使の意思が継続的に表示されているとはいえない特段の事情のない限り、残部について裁判上の催告としての効力を生ずるとした近時の判例（最判平成25年６月６日民集67巻５号1208頁）があります。

② 支払督促（民法147条１項２号）

支払督促とは、金銭その他の代替物または有価証券の一定数量の給付を目的とする請求について、債権者の申立てによって裁判所が発する命令をいいます（民訴法382条）。

支払督促は、その申立てが訴えの提起に擬制され（民訴法395条）、支払督促自体が確定判決と同一の効力を有するため（民訴法396条）、「裁判上の請求」と同様に時効の完成猶予の効力が認められています。

なお、判例は、借受けの旨が記載された公正証書が、保証契約の締結の趣旨で作成された場合において、その記載どおり、保証債務の履行ではなく貸金の返還を求める旨の支払督促がされたとき、当該支払督促は、保証債務の履行請求権につき消滅時効の中断（完成猶予）の効力を生ずるものではないとしています（最判平成29年３月13日判時2340号68頁）。

③ 和解および調停（民法147条１項３号）

民法147条１項３号にいう和解とは、訴え提起前の和解をいいます。訴え提起前の和解とは、民事上の争いについて当事者が請求の趣旨および原因並びに争いの実情を表示して、相手方の普通裁判籍の所在地を管轄する簡易裁判所に和解の申立てをすることをいいます（民訴法275条１項）。簡易裁判所は、当事者間の和解が成立すれば、和解調書を作成します。同調書は確定判決と同一の効力を有します（民訴法267条）。

民事調停とは、民事上の争いについて当事者が簡易裁判所に申立てをし、調停委員および裁判官が間に入り、話合いをすることにより相互に合意することで紛争の解決を図る手続です。

訴え提起前の和解による和解調書や民事調停における調停調書は、確定判決と同一の効力を有するため、和解や調整の申立てがあった時は、時効の完成が猶予され（民法147条1項3号）、和解や調停が成立した時に時効が更新されます（民法147条2項）。

これに対して、たとえば相手方が期日に出頭しない場合や、出頭しても和解が成立しない場合等には、時効の完成猶予および更新の効力は生じません。この場合でも、和解不調、調停不調の時から6か月を経過するまでは時効の完成が猶予されます（民法147条1項柱書括弧書）。そこで、たとえば和解が成立することなく終了した場合には、和解終了の時から6か月を経過するまでの間は時効は完成しないため、その間に訴えを提起すること等により、民法147条1項1号により時効の完成猶予の効果が生じることになります。

④　破産手続参加等（民法147条1項4号）

破産手続参加は、時効の完成猶予事由となります。破産手続参加とは、破産手続開始後、破産手続による配当を受けるために自己の債権を裁判所に届け出ることをいいます（破産法111条以下）。債権者の権利主張としての意味を有するほか、届出債権が債権表に記載され、破産債権が確定すると確定判決と同一の効力が認められます（破産法131条2項）。破産手続参加により時効の完成が猶予され、その手続の終了時に時効が更新されます（民法147条2項）。債権者がその届出を取り下げ、またはその届出が却下されたときは、時効の完成猶予および更新の効力は生じませんが、その時点から6か月を経過するまでの間は時効の完成が猶予されます（民法147条1項柱書括弧書）。

民事再生法による再生手続への参加（民事再生法86条）、会社更生法による更生手続への参加（会社更生法138条）についても同様です。

⑵ 時効の更新

裁判上の請求等による時効の完成猶予事由が存在し、時効の完成が猶予された場合において、確定判決または確定判決と同一の効力を有するものによって権利が確定したときは、時効は時効の完成猶予事由が終了した時から新たにその進行を始めます（民法147条2項）。

ここにいう時効の完成猶予事由が終了した時とは、訴訟を提起し確定判決を得た時、支払督促が確定した時、和解または調停が成立した時、倒産手続において権利の確定に至り手続が終了した時を意味します。

3　強制執行等による時効の完成猶予と更新

⑴ 時効の完成猶予

強制執行、担保権の実行、民事執行法195条に規定する担保権の実行としての競売の例による競売、民事執行法196条に規定する財産開示手続の事由がある場合は、その事由が終了するまでの間は、時効の完成が猶予されます（民法148条1項）。

強制執行とは、民事上、執行機関が債権者の請求権を強制的に実現する手続をいいます。たとえば、判決により金銭債務の存在が確定した場合、支払を命じられた金銭に相当する預金債権等を差し押さえることが該当します。

なお、判例は、債権執行における差押えにおいて、請求債権の消滅時効の中断の効力（完成猶予）が生ずるためには、その債務者が当該差押えを了知し得る状態に置かれることを要しないとしています（最判令和元年9月19日民集73巻4号438頁）。

担保権の実行とは、債権者が債務者の財産について抵当権などの担保権を有しているときに、これを実行して当該財産から満足を得る手続をいいます。

財産開示手続とは、権利実現の実効性を確保する見地から，債権者が債務者の財産に関する情報を取得する手続をいいます。

⑵ 時効の更新

強制執行等の事由が存在し、時効の完成が猶予された場合は、強制執行等の各事由が終了した時から新たに時効が進行を開始します（民法148条2項）。これに対して、強制執行等の申立てが取り下げられたり、または法律の規定に従わないことにより強制執行等が取り消された場合は、時効の完成猶予および更新の効力は生じませんが、その終了の時から6か月を経過するまでは時効の完成が猶予されます（民法148条2項）。この場合、6か月が経過した後は、以前の時効期間が継続して進行することになります。

なお、判例は、強制競売の申立てが取り下げられ配当等の実施に至らなかった事案において、不動産競売手続において建物区分所有法66条で準用される同法7条1項の先取特権を有する債権者が配当要求をしたことにより、当該配当要求における配当要求債権について、差押え（改正前の民法147条2号）に準ずるものとして消滅時効の中断（完成猶予・更新）の効力が生ずるためには、法定文書により当該債権者が当該先取特権を有することが当該手続において証明されれば足り、債務者が当該配当要求債権についての配当異議の申出等をすることなく配当等が実施されるに至ったことを要しないとしています（最判令和2年9月18日民集74巻6号1762頁）。

4　仮差押・仮処分による時効の完成猶予

仮差押えとは、金銭債権につき強制執行ができなくなるおそれがある場合の権利の保全のための差押えをいいます（民事保全法20条）。

仮処分とは、現状の変更により債権者が権利の実行ができなくなるおそれがある場合の権利の保全のための処分をいいます（民事保全法23条）。

仮差押え等は、その手続の開始にあたって債務名義を取得する必要がなく、後に裁判上の請求によって権利関係が確定することが予定されているものであって、その権利の確定に至るまで債務者の財産等を保全する暫定的なものにすぎません。そのため、仮差押え等には時効の完成猶予の効果のみが認められ、時効の更新の効果を有しません。もっとも、仮差押え等に引き続いて本案訴訟が提起された場合、これは裁判上の請求（民法147条１項１号）に該当するため、その確定判決により権利が確定したときは時効の更新の効果が生じます（一問一答47頁）。

5　催告による時効の完成猶予

⑴ 催告の意義と時効の完成猶予

催告とは、権利者が裁判外で請求をすることをいいます。たとえば、債権者が債務者に対して内容証明郵便で支払を求める手紙を送付することは催告に該当します。

催告をした場合は、その時から６か月を経過するまでの間は時効の完成が猶予されますが（民法150条１項）、更新の効果は生じません。

⑵ 催告の繰り返し

一度催告した後６か月以内にまた催告するというように、催告を繰り返しても、時効の完成猶予の効力は認められません（民法150条２項）。催告を繰り返していくことで、永久に時効の完成が猶予されるというのは妥当でないためです。

6　協議を行う旨の合意による時効の完成猶予

⑴ 意　義

権利についての協議を行う旨の合意が書面または電磁的記録によりされたときは、①その合意があった時から１年を経過した時（民法151条１項１号）、②その合意において当事者が協議を行う期間（１年を満たないものに限る）を定めたときは、その期間を経過した時（民法151条１項２号）、③当事者の一方から相手方に対して協議の続行を拒絶する旨の通知が書面または電磁的記録でされたときは、その通知の時から６か月を経過した時までの間は（民法151条１項３号）、時効の完成が猶予されます（民法151条１項柱書）。

これは、民法改正で新たに設けられた規定です。改正前は、当事者間で権利をめぐる争いを解決するために協議を継続している場合でも、時効の完成が迫ったときは、その完成を阻止するためだけに訴訟提起する等の措置をとらなければならず、当事者間での自発的で柔軟な紛争解決の障害となっていました。そこで、改正後の民法は、時効の完成猶予事由として、協議を行う旨の合意が書面でされたときを追加しました。

⑵ 要　件

① 権利についての協議を行う旨の合意

時効の完成猶予が認められるためには、当事者間で、問題とされている権利の存否や内容について協議を行う旨の合意をしていることが必要であり、単に権利についての協議をしているという事実状態のみでは足りません（民法151条１項）。協議ではなく「協議を行う旨の合意」の存在を要件とした趣旨は、どの程度の話合いを行った場合に協議といえるのかが不明瞭であるのに対して、合意の存否は比較的明瞭であるため、事後的な紛争を招きにくい点にあります。

② 書面または電磁的記録

「協議を行う旨の合意」は、書面または電磁的記録によって行わなければなりません（民法151条１項、４項）。この趣旨は、時効の完成猶予をめぐる事後的な紛争を回避する点にあります。

書面または電磁的記録には、当事者双方の協議意思が現れていることを要しますが、その様式に制限はなく、当事者の署名や記名・押印が要求されるわけではありません。また、一通の書面であることも要求されておらず、たとえば、電子メールで協議の申入れがされ、その返信で受諾の意思が表示されていれば、電磁的記録によって協議を行う旨の合意がされたことになります。

⑶ 協議を行う旨の合意と催告との関係

催告がされたことにより時効完成が猶予されている間に、「協議を行う旨の合意」をしても、この合意には時効の完成猶予の効力はなく、催告による完成猶予のみが認められます（民法151条３項前段）。

また、「協議を行う旨の合意」による時効の完成猶予が認められている間に催告をしても、この催告には完成猶予の効力は認められず、「協議を行う旨の合意」による完成猶予のみが認められます（民法151条３項後段）。

⑷ 再度の合意

協議を行う旨の合意によって時効の完成が猶予されている間に、再度、書面または電磁的記録で協議を行う旨の合意がされた場合、その合意の時点から、民法151条１項の規定による時効の完成猶予の効力が生じます（民法151条２項本文）。その後も、この合意を複数回繰り返すことができます。ただし、協議を行う旨の合意による時効の完成猶予は、本来の時効が完成すべき時（時効の完成が猶予されなかったとすれば時効が完成すべき時）から通算して５年を越えることができません（民法151条２項但書）。なぜなら、時効制度は不確定な状態が長期間にわたり継続することを防止する機能を有するところ、時効の完成猶予の効力の延長を私人である当事者に無制限に委ねることは妥当とは言い難いためです。

⑸ 完成猶予または更新の効力が及ぶ者の範囲

裁判上の請求等（民法147条１項各号）または強制執行等（民法148条）による時効

の完成猶予または更新の効力は、完成猶予又は更新の事由が生じた当事者とその承継人の間においてのみ相対的に効力を生じます（民法153条１項）。

また、仮差押え・仮処分（民法149条）、催告（民法150条）協議を行う旨の合意（民法151条）による時効の完成猶予は、当事者およびその承継人に対してのみ相対的に効力を生じます（民法153条２項）。たとえば、時効によって利益を受ける者が数人いるとき、１人についての時効の完成猶予および更新は、他の者には効力を及ぼさないこととなります。これは事実状態を尊重する時効は、当該事実状態を破壊する中断事由についても、実際に事実の生じた範囲においてのみその効力を認めるべきであるという趣旨に基づきます。

7　権利行使が困難な場合の完成猶予

権利を行使することが困難な事情がある場合には、時効の完成が一定期間猶予されます（民法158条以下）。これは、民法改正前は、時効の停止として認められていたものですが、改正後は時効の完成猶予事由に整理されました。民法は、以下の５つの場合に時効の完成猶予を認めます。⑴ないし⑷を人的障害、⑸を外部的障害と呼びます。

⑴ 未成年者・成年被後見人の場合Ⅰ

時効の期間満了前６か月の時点で未成年者または成年被後見人に法定代理人がないときは、その者が行為能力者となり、または法定代理人が就職して６か月を経過するまで、これらの者の不利益となる時効の完成が猶予されます（民法158条１項）。これらの者は自身で財産を保存することができないためです。

⑵ 未成年者・成年被後見人の場合Ⅱ

未成年者または成年被後見人が、その財産を管理する父母または後見人に対して有する権利については、その者が行為能力者となり、または後任の法定代理人が就職した時から６か月を経過するまでは時効の完成が猶予されます（民法158条２項）。このような事情があるときは、その権利を行使すること、または時効を中断することが実際上困難であるためです。

⑶ 夫婦の場合

夫婦の一方が他方に対して有する権利は婚姻解消の時から６か月を経過するまで時効の完成が猶予されます（民法159条）。このような事情があるときは、その権利を行使すること、または時効を中断することが実際上困難であるためです。

⑷ 相続の場合

相続財産に属する権利のみならず、相続財産に対する権利もともに、相続人が確定するか、相続財産の管理人が選任されるか、または相続財産に破産手続開始決定があった時から６か月を経過するまでは時効の完成が猶予されます（民法160条）。相続財産を管理する者がはっきりしないと相続財産を保存することが困難なばかりでなく、相続財産に対する権利の保存も困難であるためです。

⑸ 天災等の場合

時効期間満了の際に、天災その他避けることのできない事変が生じ、民法147条１項（裁判上の請求等による時効の完成猶予および更新）または民法148条１項（強制執行等による時効の完成猶予および更新）に掲げる事由に係る手続を行うことができないときは、その障害が消滅した時から３か月を経過するまでの間は、時効の完成が猶予されます（民法161条）。

天災等により時効の完成猶予や更新の方法を講じることができない場合に、その障害が消滅するまでだけでなく、さらに、その障害が消滅した時から一定期間が経過するまでの時効の完成猶予を認めたものです。

8　承認による時効の更新

承認とは、時効によって利益を受ける者が時効によって権利を失う者に対して、その権利が存在することを認識している旨を表示することをいいます。たとえば、支払猶予の要請、証文の書換え、債務の一部弁済等の行為が該当します。通常、相手方の承認は権利が存在することの明らかな証拠であると考えられます。そこで、承認があったときは、時効の完成を猶予するのではなく、その時から直ちに時効が更新されます（民法152条１項）。

承認は、特別の方式を必要としません。明示でも黙示でも認められますし、書面によるか否かも自由です。もっとも、承認は時効によって利益を受ける者またはその代理人により権利者に対してしなければなりません。

承認は、権利の存在を認識しているという事実の表明であるため、時効を更新しようとする効果意思は不要です（観念の通知）。相手方の権利の存在を事実のままに認めるにすぎないため、その権利について処分行為をするほどの行為能力も権限も必要ありません（民法152条２項）。

なお、判例は、同一の当事者間に数個の金銭消費貸借契約に基づく各元本債務が存在する場合において、借主が弁済を充当すべき債務を指定することなく全債務を完済するのに足りない額の弁済をしたときは、それにより借主は特段の事情のない限り各元本債務の全てにつきその存在を知っている旨を表示するものと解されるため、当該弁済は、特段の事情のない限り、各元本債務の承認として消滅時効を中断（更新）する効力を有するとしています（最判令和２年12月15日民集74巻９号2259頁）。

9　時効の完成猶予・更新の効果が及ぶ範囲

時効の完成猶予または更新の効力は、その事由が生じた当事者およびその承継人の間においてのみ、その効力を生ずるのが原則です（民法153条）。これを時効の完成猶予・更新の相対効といいます。たとえば、時効によって利益を受ける者が数人存在する場合、一人についての時効の完成猶予または更新は、他の者に効力を及ぼさないこととなります。これは、事実状態を尊重する時効制度の下では、当該事実状態を破壊する完成猶予事由・更新事由についても、実際に事実の生じた範囲においてのみその効力を認めるべきであるという趣旨に基づきます。

ただし、例外的に絶対効が生ずる場合があります。たとえば、地役権について、要役地が数人の共有に属する場合において、その一人のために時効の完成猶予または更新があるときは、その効力は他の共有者のためにも生じます（民法292条）。また、連帯債権者または不可分債権者の一人がした請求は、他の連帯債権者または不可分債権者のためにも効力が生じます（民法432条、428条）。主債務者に対する履行の請求その他の事由による時効の完成猶予および更新は、保証人に対しても効力が生じます（民法457条）。

第4　取得時効

取得時効とは、一定期間、「所有の意思」をもって、平穏にかつ公然と、他人の「物」を占有したときに、その物の所有権を取得する時効制度をいいます。

1　取得時効の認められる権利

(1) 取得時効の認められる財産権

取得時効は、所有権その他の財産権についてのみ認められます（民法162条、163条参照）。その他の財産権（民法163条）とは、占有を伴う財産権をいい、質権、地上権、永小作権、地役権、不動産賃借権等がこれに該当します。

(2) 取得時効の認められない財産権

取得時効は長期間の占有を要件とします。そこで、占有に馴染まない以下のような権利は取得時効の対象となりません。

① 金銭債権は取得時効の対象となりません。もっとも、不動産賃借権は不動産を占有・使用することを内容とするものであるため、取得時効の対象となります。

② 継続的な権利行使が考えられない権利は取得時効の対象となりません。長期間の占有という要件を満たさないためです。たとえば、1回の行使で消滅する権利（形成権）や不表現（外形上認識できない）または不継続の地役権は取得時効の対象となりません（民法283条参照）。これに対して、継続的給付を目的とする債権は取得時効の対象となりえます。たとえば、不動産賃借権は不動産を継続的に占有・使用することを内容とするものであるため、取得時効の対象となります。

③ 身分権は取得時効の対象となりません。身分権は財産権ではないためです。たとえば、長年事実上親子関係が存続しても、時効により法律上の親子関係を取得することはありません。

④ 直接法律の規定に基づいて成立する留置権や先取特権は取得時効の対象となりません。法律の定める要件を満たしていないにもかかわらず、その成立を認め

るのは適当でないためです。

2　取得時効の要件

取得時効は「所有の意思」をもって「平穏に、かつ、公然」と「他人の物」を10年または20年「占有」することによって生じます（民法162条）。

⑴「所有の意思」をもった占有（自主占有）

① 意 義

取得時効の成立には、「所有の意思」をもった占有がなければなりません。このような占有を自主占有といいます。

賃借人や受寄者（寄託契約により目的物を預かっている者）は、他人の物を占有します。もっとも、この場合は所有の意思を伴わない占有にすぎず、何年占有していたとしても取得時効は成立しません。このような占有を他主占有といいます。

所有の意思の有無は、占有を生じさせた原因たる事実の性質によって外形的・客観的に定まると解されています（最判昭和45年６月18日判時600号83頁）。たとえば、目的物を売買で購入した買主等は自主占有者ですが、賃借人や受寄者は所有者（賃貸人・寄託者）の所有権を前提にしているため、自分が所有者であるとの内心を有しても、所有の意思は認められず他主占有者となります。また、共同所有者（目的物を共有している者）も、他の共同所有者との関係では他主占有であると解されます。

②「所有の意思」の証明責任

所有の意思は、民法186条１項で「推定」されます。「推定」とは特段の反証がない限り、当該事実が存在すると認めることをいいます。したがって、他主占有であることを主張する者が占有者に「所有の意思がないこと」を証明する必要があります（証明責任がある、といいます）。

具体的には、占有取得の原因である権原から客観的外形的に所有の意思がないこと（他主占有権原。たとえば、占有者が賃貸借契約に基づいて占有している事実）を証明するか、または、所有者であれば通常とらないような態度を占有者が示した等、客観的外形的に見て占有者が他人の所有権を排斥して占有する意思を有していないと解される事情（他主占有事情。たとえば、所有権移転登記を求めないとか固定資産税を負担していないといった事情）が存在することを証明すれば、自主占有の推定は覆されます（最判昭和58年３月24日民集37巻２号131頁）。

③ 他主占有から自主占有への転換

以下アまたはイの場合には、他主占有から自主占有への転換が認められます（民法185条）。転換とは、占有の性質が変更することをいいます。

ア　占有者が「自己に占有させた者に対して所有の意思があることを表示」した場合

たとえば、賃借人が賃貸人に対して所有の意思を表明する場合です。

判例では、農地の小作人が農地解放後に最初の賃料支払期日に賃料を支払わず、それ以降所有者が小作人が地代を支払わず自由に耕作し占有することを容認していたという事案で、上記期日に占有者である農地の小作人が「所有者に対して所有の意思を表示」したと認められると判示したものがあります（最判平成6年9月13日判時1513号99頁）。

イ　「新たな権原により更に所有の意思をもって占有を始め」た場合

たとえば、賃借人が賃貸人から賃借物件を買い取る売買契約を締結し、賃借人が所有者となる場合が挙げられます。判例は、賃借人が賃貸借の目的物を買い取ったが、その売買契約が無効である場合（農地調整法上の知事の許可を受けていなかった場合）について、「新たな権原」による自主占有が始まるとしました（最判昭和52年3月3日民集31巻2号157頁）。

相続が発生し、相続人が遺産に属する財産を被相続人の所有に属していたものと信じて承継した場合、当該相続人が「新たな権原」により所有の意思をもって占有を始めた（自主占有への転換）といえるかが問題となります。

たとえば、所有者（賃貸人）Aから目的物を賃借していた賃借人Bが死亡した後、その相続人Cが「所有の意思」を有している場合は、相続人Cは「新たな権原」により自主占有を始めたと解してよいかが問題となります。

判例は、これを肯定します（最判昭和46年11月30日民集25巻8号1437頁）。また、共同相続が発生したときに、共同相続人の一人が自己の単独相続であると信じて疑わなかった事案で、判例は、相続人の自主占有を肯定しています（最判昭和47年9月8日民集26巻7号1348頁）。しかし、他の共同相続人がいることを知らないことについて合理的な理由がない場合には、自主占有となりません（最判昭和54年4月17日判時929号67頁）。

(2)「平穏」かつ「公然」の占有

「平穏」とは、暴力的でないことをいいます。判例によれば「平穏の占有」とは、占有者がその占有を取得しまたはこれを保持するについて「法律上許されざる強暴の行為を以てしたるにあらざる」場合（大判大正5年11月28日民録22輯2320頁）、または「暴行強迫などの違法強暴の行為を用いていない占有」をいいます。「公然」とは、隠秘でないことをいいます。隠秘でないとは占有を秘匿しないことをいいます。

いずれも民法186条1項により、占有者の占有が平穏かつ公然であることは推定されるため、取得時効の成立を争う者が、その推定を覆す主張・立証責任を負います。

(3)「他人の物」の占有

① 取得時効の対象となる「物」

取得時効の対象となる「物」には、不動産と動産が含まれます。土地の取得時効の場合には、一筆の土地の一部の時効取得も認められます。たとえば、100平方メートルの一筆の土地の一部である30平方メートル分を占有していた場合、当該30平方メートル分の土地について時効取得することが可能です。樹木も取得時効の対象となり、他人の所有地に無権限で植栽した樹木につき時効取得の成立を認めた判例があります（最判昭和38年12月13日民集17巻12号1696頁）。

② 自己の所有物の時効取得

自己の所有物についても所有権の取得時効は成立するでしょうか。民法162条１項が「他人の物」と規定しているため問題となります。

判例は、ＢはＡからその所有する不動産を買い受け、未登記のままこれを占有してきたところ、ＣがＡから当該不動産を二重に買い受け、ＣがＢに対して当該不動産の明渡しを求めたという事案で、ＢのＣに対する自己の所有物についての取得時効の抗弁を認めています（最判昭和42年７月21日民集21巻６号1643頁・百選Ⅰ［第８版］45事件）。

所有権に基づく占有者であっても、登記を経由していない等の理由から所有権取得の立証が困難であったり、所有権取得を第三者に対抗することができないという場合があります。このような場合に自己の所有物について取得時効を認めることは、永続した占有という事実状態を尊重し、当該事実状態に即した権利関係を認めるという取得時効制度の趣旨に合致するといえます。

そこで、自己の所有物であっても取得時効を認めることが妥当であると解されます。

③ 公物の取得時効

公物とは、官庁の建物、公園、道路、河川敷といった国または地方公共団体等の行政主体によって直接に公の用に供される有体物をいいます。このような公の用に供される有体物を長期間占有することにより時効取得することが可能であるのか、公物の取得時効を認めると公共の利益を害するおそれがあるため問題となります。

かつての判例は、国有道路等の公物について、公物のままでは取得時効の対象とならず、公用廃止処分のない限り時効取得できないとしていました（大判大正10年２月１日民録27輯160頁等）。

しかし、その後、判例が変更され、水路が水田等の一部となり「公共用財産としての形態、機能を全く喪失」した場合につき、「黙示的に公用が廃止された」として取得時効を肯定するに至りました（最判昭和51年12月24日民集30巻11号1104頁）。

⑷ 一定期間の占有の継続（時効期間）

① 時効期間の起算点

判例は、時効期間の起算点として占有開始時を確定し、当該時点から時効期間を計算すべきであるという立場に立ちます（最判昭和35年7月27日民集14巻10号1871頁)。これに対し、起算点を確定することができなくても、訴え提起の時から逆算して所定の期間占有していることが証明されれば足りるとする学説も有力です。

本書は、20年の取得時効の場合は取引行為を介在しないで占有を取得する場合が多く、このような場合に占有開始時を確定することは困難であるため、訴え提起の時から逆算して時効期間を計算すべきと考えます。他方で、10年の取得時効の場合は取引行為を介在するため、占有開始時を確定し、当該時点から時効期間を計算すべきと考えます。

② 20年の占有継続（民法162条1項）

20年間の占有がある場合には、占有者は占有のはじめに善意（自分に所有権があると信じること）である必要はありません。悪意（自分に所有権がないことを知っていること）または善意有過失（自分に所有権があると信じることにつき過失があること）で占有を開始した場合でも取得時効は成立します。

③ 10年の占有継続（民法162条2項）

10年の取得時効は、売買契約等の取引行為を介在して占有を取得した者を保護（取引の安全を保護）するための制度であるため、「占有の開始の時」に「善意であり、かつ、過失がなかった」ことが必要とされます。

ア　善意・無過失の意味

ここにいう「善意」とは、自分に所有権があると信じることを意味します。善意は、民法186条1項で推定されます。物の支配の秩序を維持することを目的とする占有制度の下、現に存在する占有は瑕疵を帯びない正当なものであると推定することが当該制度の目的に適するためです。

また、「無過失」とは、自分に所有権があると信じることにつき過失がないことを意味します。無過失は民法186条1項による推定を受けないため、取得時効を主張する側が立証する必要があります。

イ　善意・無過失が要求される時期

「占有の開始の時」に善意・無過失であれば足り、後に悪意に変わったとしても構いません。民法162条2項は「その占有の開始の時に」と時点を限定しており、善意の継続までは求められていないためです。

善意のAから悪意のBへと占有が承継され、BがA・Bの占有を併合主張した場合、その占有は善意占有であるか、悪意占有であるかが問題となります。判例は、民法162条2項が占有の開始時に善意・無過失であればよいというのは、占有主体に変更がない場合だけでなく、占有主体に変更があって2つ以上の占有が併合主張された場合も変わりないとして、善意占有となるとします（最判昭和53年3月6日民集32巻2号135頁・百選Ⅰ［第8版］46事件)。

④ 占有の承継（民法187条）

自分の占有期間だけでは、20年に満たないときに前主・前前主等の占有を併せて20年を越えることを主張することもできます（民法187条）。したがって、占有の承継人は、自己の占有のみを主張することもできますし、前主等の占有を併せて主張することもでき、これらを選択できます。

⑸ **占有の継続（自然中断がないこと）**

① 占有者が「任意にその占有を中止」し、または「他人によってその占有を奪われた」場合には（ただし、占有の訴えによって取り戻せば中断しなかったこととなります〈民法203条但書〉）時効は中断します（民法164条、自然中断。所有権以外の財産権の取得時効について準用されます。民法165条）。自然中断により占有の継続がなくなるためです。

② 占有継続の証明

前後する２つの時点で占有した証拠があれば、その間の占有は継続したものと推定されます（民法186条２項）。この趣旨は20年間または10年間占有を継続したことを時効取得を主張する者が立証することは困難であるため、推定規定を用意した点にあります。

たとえば、平成11年11月30日の占有と平成21年11月30日の占有を証明すれば、その間占有が継続していたと推定されます。

③ 他人から占有を承継した者は、自己の占有のみを主張しても、前主の占有を合算しても構いません（民法187条1項）。前主の占有を合算する場合には、前主の占有の瑕疵（悪意・有過失・非公然・非平穏の性質）をも承継します（民法187条２項）。

たとえば、Ａが悪意で占有を開始して10年後にＢが善意無過失でＡの占有を承継し、その後10年間占有を継続した場合、Ｂは、Ａから承継した「悪意で占有を開始した20年間」を選択しても構いませんし、自己の「善意無過失で占有を開始した10年間」を選択しても構いません。

3　取得時効と登記

⑴ 登記の機能

登記とは、一定の事項を公示するために公開された公簿に記載することをいいます。不動産登記は、不動産登記法に基づき不動産の表示および不動産に関する権利を公示するための登記をいいます。登記は取得時効の成立要件ではありません。不動産の物権変動を第三者に対抗するためには登記が必要です。この場合の登記は、対抗要件として機能します。

では、時効による所有権の取得を第三者に対抗するために登記が必要となるでしょうか。民法177条の権利の得喪変更の「得」に時効取得が該当するかという問題があります。

判例は、取得時効にも民法177条が適用されるという立場を採用しており、以下のように整理できます。

一般に物権変動の当事者間では登記なくして所有権の取得を主張できるため、取得時効の場合にも、時効完成時の登記名義人Aとの関係では、占有者Bは登記なくして時効による所有権取得を主張できます（最判昭和41年11月22日民集20巻9号1901頁等）。

所有者Aが時効完成前に不動産を第三者Cに譲渡し、その後に時効が完成した場合には、占有者Bは時効完成時の当事者である第三者Cに対して登記なくして所有権取得を主張できます（前掲最判昭和41年11月22日）。

Bによる時効完成後に、所有者AがCに不動産を譲渡した場合には、AからBへの時効による所有権移転と、AからCへの譲渡による所有権移転の二重譲渡があったのと同じように考えて、Bは登記がなければCに対して時効による所有権取得を主張できません（大判大正14年7月8日民集4巻412頁）。

時効の起算点は客観的に決まり、当事者が起算点をずらして主張することはできません（前掲最判昭和35年7月27日）。

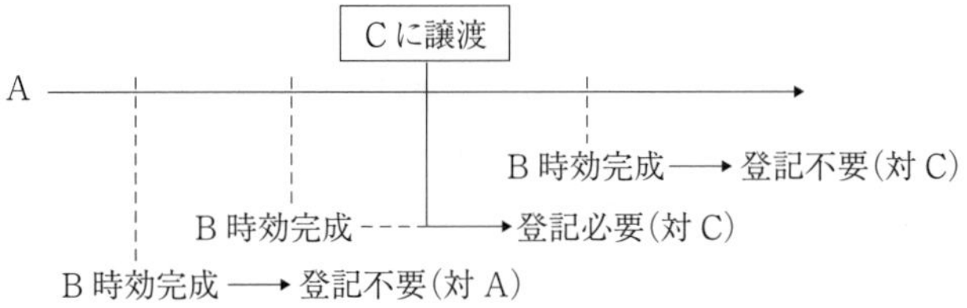

判例の立場では、AからCへの不動産の譲渡があった場合に、それが時効完成の前である場合には、Bは登記を経ずして時効取得をCに対抗できます。他方で時効完成の後である場合には、Bは登記を経ずしては時効取得をCに対抗できないこととなります。

この点について、時効完成の前後により結論が異なる（極端にいえば、AからCへの不動産の譲渡が1日早いか遅いかで結論が異なる）のは、アンバランスであるという批判があります。

⑵ **類型論**

近時、学説では、判例への批判を踏まえて、時効が主張される局面に応じて類型的に扱いを異にしていこうとする類型論が主張されています。

類型論では、取得時効が主張される典型的なケースを二重譲渡型と境界紛争型に区別します。

二重譲渡型は、上記の例でいえば、Bの時効取得とCの承継取得が競合した場合を想定しています。二重譲渡型は、有効未登記型と原因無効型に分かれます。有効未登記型は、Bが有効に承継取得したが登記を移転しないうちに、AがCに二重譲渡した場合を想定しています。原因無効型は、Bが取得した原因が無効であったが占有を継続しており、AがCに二重譲渡した場合を想定しています。

境界紛争型は、隣接地で境界について紛争が生じた場合を想定しています。

① 二重譲渡型

ア　有効未登記型

有効未登記型は、本来対抗問題として処理すべき関係であるとして、時効完成前の第三者との関係でも登記を要求すべきと解されています。すなわち、時効完成前の第三者との関係でも時効完成後の第三者との関係でも、登記により優劣が決まることとなり、取得時効に独自の意味はなくなるといえます。

イ　原因無効型

原因無効型では、取得時効がBの所有権取得原因の瑕疵（無効）を治癒して、BとCを対抗関係に立たせるという意味を持つと解されています。原因無効型も、時効完成前の第三者との関係でも時効完成後の第三者との関係でも、登記により優劣が決まることとなります。

② 境界紛争型

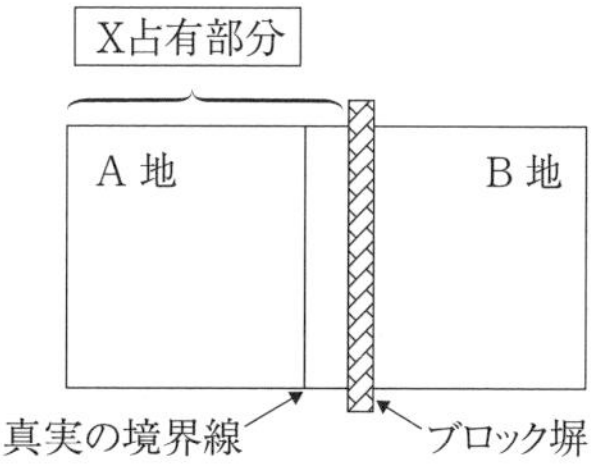

境界紛争型では、A地を占有しているXは、そこに隣地であるB地の一部が含まれていたとしても、もともとその一部分はA地に含まれると信じているのであるから、その一部分に関する登記を要求するのは酷といえます。また、B地所有者から同地を譲り受けたYは、通常、B地にXの占有する部分が含まれるとは期待していないのが通常です。したがって、XはYに対して登記なしに時効を主張できると解すべきであると解します。

4　取得時効の効果

⑴ 原始取得

取得時効の完成によって、占有者は所有権その他の財産権を取得します。

占有者は、所有権を承継取得するのではなく、原始取得すると考えられています。原始取得とは、他人（前主）の権利と無関係に物権を取得することをいいます。承継取得とは、他人（前主）が有する物権に基づく物権の取得をいいます。占有者Bは、もとの所有者Aからその所有権を引き継ぐのではなく、時効完成によってBが原始的に所有権を取得することとなり、その結果として、もとの所有者Aが所有権を失うと考えられています。

⑵ 遡及効

遡及効とは、法的効力がある時点に遡って生じることをいいます。「時効の効力は、その起算日にさかのぼる」（民法144条）とされているため（時効の遡及効）、起算点である占有開始の時に占有者が原始取得したものとされます。

第5　消滅時効

消滅時効とは、一定の期間の経過によって権利の消滅が生ずる時効制度をいいます。

1　消滅時効の対象

(1) 消滅時効の対象となる権利

消滅時効の対象となるのは「債権」および「債権又は所有権以外の財産権」です（民法166条1項、2項）。後者の例には、地上権・永小作権・地役権があります。なお、所有権は消滅時効にかかりませんが、他人が取得時効によって所有権を取得することの反射的効果として、それまでの所有者が所有権を失うことはあります。

(2) 消滅時効の対象とならない権利

① 担保物権

担保物権とは、債権者が有する債権の履行を確保するため、債務者または第三者が所有する一定の物・権利に対して、その物・権利が有する価値から、債権者が優先的に債権の弁済を受けることができる物権をいいます。

担保物権は債権を担保するものであり、被担保債権が消滅しないにもかかわらず、被担保債権とは別に担保物権のみ時効で消滅するのは妥当でないため、消滅時効の対象となりません（民法396条参照）。

② 物権的請求権

物権的請求権とは、物権による物に対する円満な支配が妨げられたときに妨害者たる人に対して妨害の除去を求め、物権の内容を実現する権利をいいます。

物権から派生する物権的請求権は、物権を保護するための手段的な権利であるため、物権自体が時効にかからない限りは時効で消滅しないと解されています。ただし、所有権に基づく物権的請求権は、所有権自体が時効にかからない以上、所有権から派生する物権的請求権も消滅時効にかかりません。

③ 形成権

形成権とは、権利者の一方的な意思表示で法律関係の変動を生じさせる権利をいいます。

形成権について、判例はそれ自体の消滅時効を認めます（大判大正7年4月13日民録24輯669頁）。しかし、形成権はその行使によって生じる請求権に実質的な意味があるため、独立の消滅時効を考えるのは適当でないとの批判があります。

④ 抗弁権

抗弁権とは、相手方の請求権の行使に対し、当該請求権の効力の発生を阻止し請求を拒絶することのできる権利をいいます。

たとえば、売買契約から発生する「売主の代金支払請求権」と「買主の目的物引渡請求権」は同時履行の関係にあります（民法533条）。売主が目的物を引き渡さずに代金の請求を求めた場合には、買主は目的物の引渡しがなされないうちは代金を支払わないとして、代金請求を拒むことができます。同時履行がない限り自己の履行を拒絶することができる権利を同時履行の抗弁権といいます。

このような抗弁権は、何人かの請求に対抗して現状の維持を主張して防御的にのみ行使されるものであるため、長期間行使されないからといって時効消滅させるのは適切でないと考えられます。

そこで、抗弁権ないし抗弁的に主張される権利は消滅時効の対象とならない、という考え方（抗弁権の永久性理論）が有力に主張されています。

2　消滅時効の要件

(1) 消滅時効の起算点（民法166条１項）

① 法律上の障害の不存在

消滅時効の起算点は、「権利を行使することができる時」から進行します（民法166条１項）。権利行使ができない状態にもかかわらず、時効期間のみ進行するのは妥当でないためです。

「権利を行使することができる時」とは、権利行使について法律上の障害（期限未到来等）が存在しないことをいうとされ、権利者が権利を行使することができることを知る必要はないと解されています。

債権者の病気や不在等の個人的事情で権利行使ができないといった事実上の障害は、法律上の障害ではないため、消滅時効の進行を止めることとなりません。

② 具体例

ア　確定期限付債権

期限とは、履行期の到来を将来発生することの確実な事実にかからしめる付款をいいます。その発生時点が確定している場合を確定期限といいます。たとえば、12月31日に売買代金を支払うといった場合の弁済期が確定期限となります。

確定期限付債権は、期限到来時から消滅時効が進行します。

イ　不確定期限付債権

不確定期限とは、期限のうち発生時点が不確定なものをいいます。たとえば、Ａが死亡した時に支払うといった場合の「Ａが死亡した時」は不確定期限となります。

不確定期限付債権も、期限到来時から消滅時効が進行します。

ウ　期限の定めのない債権

期限の定めのない債権については、債権者は債権の成立後、いつでも請求できるため、消滅時効は原則として債権の成立時から進行します（大判大正６年

2月14日民録23輯152頁）。

エ　停止条件付債権

停止条件付債権は、条件成就時から消滅時効が進行します。

オ　解除条件付債権

解除条件付債権は、債権成立時から消滅時効が進行し、条件成就未定の間も時効期間は進行します。

カ　法定債権

法の規定によって発生する債権（法定債権）は、「その要件が満たされた時」から消滅時効が進行します。

(i) 不当利得返還請求権（民法703条、704条）

債権発生時に消滅時効が進行します。

(ii) 不法行為に基づく損害賠償請求権（民法709条）

不法行為の損害賠償請求権は、損害発生時に成立するため、損害発生時より「権利を行使することができる」といえます。しかし、不法行為に基づく損害賠償請求権については、一般の債権の消滅時効とは別に短期の消滅時効が定められており、「損害及び加害者を知った時から3年間」（民法724条）となっています。

(iii) 債務不履行による損害賠償請求権（民法415条）

債務不履行による損害賠償請求権の消滅時効について、判例は、「本来の債務の履行を請求しうる時」から進行するとします（大判大正8年10月29日民録25輯1854頁）。債務不履行に基づく損害賠償請求権は、履行請求権が形を変えたものにすぎず、両者は債務として同一であるためと説明されます。

キ　割賦払債務に期限の利益喪失約款がある場合

割賦払債務において、債務者が1回でも支払いを怠ると債権者は全部の残債権の履行ができるという約定（期限の利益喪失約款）がある場合、残債権の消滅時効がいかに進行するかについて、見解が分かれます。

(i) 当然時効進行説

債務者が1回でも遅滞した時に当然に残債権全部の消滅時効が進行するという見解です。

(ii) 請求時進行説（最判昭和42年6月23日民集21巻6号1492頁）

債務者が1回でも遅滞した時に、債権者は当然に残債務を履行請求すべき義務はなく、かつ、期限利益喪失約款は債権者の利益のためにあり、意思表示によって本来の弁済期を変更しうる権利を取得するにとどまるという立場から、原則として各割賦債権の約定弁済期ごとに消滅時効が進行し、特に債権者は残債権全部の弁済を請求する意思表示をした場合に限り、その時から残債権全部の時効が進行するという見解です。

ク　不作為債権

建築協定・騒音防止協定・公害防止協定等で債務者が一定の行為をしないことを約束した不作為債権では、違反行為があった時から責任追及ができる（＝権利を行使することができる）ため、その時点から消滅時効が進行します。

⑵ 消滅時効期間

① 債　権

ア　原　則

債権は、①債権者が権利を行使することができることを知った時から5年間行使しないとき（1号）、または、②権利を行使することができる時から10年間行使しないとき（2号）、時効によって消滅します（民法166条1項）。

改正前民法では、権利を行使することができる時から10年間という客観的起算点からの時効期間のみを定めていました。改正民法では、「債権者が権利を行使することができることを知った時」から5年間という主観的起算点からの時効期間を新たに設け、いずれか早く到来した時点で、債権が時効によって消滅するとしています。

この趣旨は、以下の点にあります。すなわち、改正民法では短期消滅時効の特例を廃止していますが、これらの特例を単純に廃止するだけでは、消滅時効期間が1年間～3年間から10年間に大きく伸長されることになり、領収書の保存費用など弁済の証拠保存のための費用や負担が増加する懸念がありました。また、民法改正に伴い、商事債権について5年間という短期の消滅時効期間を定めていた商法522条も削除されていますが、商事債権の短期消滅時効は安定した実務運用が行われているため、改正の影響を極力抑える必要がありました。他方で、債権の原則的な消滅時効期間を単純に5年間とすることに対しては、権利行使が可能であることを容易に知ることができない債権（不当利得に基づく債権、安全配慮義務に基づく損害賠償請求権等）について、債権者が大きな不利益を被る可能性が指摘されていました。

このような観点から、民法改正では、客観的起算点から10年間という消滅時効を維持した上で、主観的起算点から5年間という消滅時効を新たに追加し、そのいずれかが完成した場合には時効により債権が消滅することとしました。

ここで、「債権者が権利を行使することができることを知った」（民法166条1項1号）というためには、権利行使を期待されてもやむをえない程度に債権者が権利の発生原因等を認識する必要があり、具体的には、権利の発生原因についての認識のほか、権利行使の相手方である債務者を認識することが必要であるとされています。また、客観的に権利を行使することができる状態でなければ、主観的起算点からの時効期間が進行することはありません（一問一答57頁）。

イ　人の生命または身体の侵害による損害賠償請求権

人の生命または身体の侵害による損害賠償請求権は、客観的起算点からの時効期間が伸長され、権利を行使することができる時から20年間行使しないとき、時効によって消滅します（民法167条、166条）。

この趣旨は、人の生命または身体の侵害による損害賠償請求権は、他の利益の侵害の場合と比べて保護すべき要請が高く、また、生命や身体に深刻な被害が生じた場合には債権者が通常の生活を送ることが困難となり時効完成の阻止に向けた措置を速やかにとることが期待できない場合もありうることから、消滅時効期間を伸長した点にあります。

なお、生命または身体の侵害による損害賠償請求権の主観的起算点からの時効期間については特則を設けておらず、原則どおり、債権者が権利を行使することができることを知った時から５年間行使しないとき、時効によって消滅します（民法166条１項１号）。

ウ　定期金債権

定期金債権とは、定期に一定の金銭その他の代替物を給付させることを目的とする債権をいいます。

たとえば、年金を受領できる基本権としての年金債権等が定期金債権にあたります。基本権としての定期金債権は、次のいずれかの期間の経過により時効消滅します（民法168条１項）。

(i) 債権者が定期金の債権から生じる金銭その他の物の給付を目的とする各債権（定期給付債権）を行使することができることを知った時から10年（民法168条１項１号）

(ii) 定期給付債権を行使することができる時から20年（民法168条１項２号）

判例は、日本放送協会の受信料債権は定期金債権であるが、将来生ずべき受信料の支払義務についてまで免れ得ることは、放送法の趣旨に反するから、民法168条１項２号（改正前民法168条１項前段）の規定は適用されないとしています（最判平成30年７月17日民集72巻３号297頁）。

なお、改正前民法の下では、定期金債権は、支分権である定期給付債権の最後の弁済期から10年間行使しないときは、時効により消滅するとしていました（改正前民法168条１項後段）。しかし、すべての支分権が発生した後は、各支分権と別個に定期金債権の消滅時効を問題とする必要性に乏しいため、民法改正により同条項の消滅時効期間を廃止しました。

定期金債権者は、消滅時効の更新の証拠を得るために、いつでも債務者に対して承認書の交付を求めることができます（民法168条２項）。

エ　定期給付債権

定期給付債権とは「年又はこれより短い期間によって定めた金銭その他の物の給付を目的とする債権」をいいます。

基本権である定期給付債権から派生する支分権として発生する利息、賃料、地代、年金、扶養料といった債権が該当します。

この定期給付債権の消滅時効期間は、一般の債権の場合と同様です。

オ　特別短期消滅時効

改正前民法は、日常取引から生じる債権で、通常速やかに弁済され、かつ、証拠書類の作成または書類の保存を期待しづらいものについて、1年～3年の特別の短期消滅時効を定めていました。もっとも、どの規定が適用されるのか確認する手間がかかり、適用の誤りや規定の見落としの危険が生じること、現代社会においては取引が極めて複雑・多様化しているため、特別短期消滅時効の対象となる債権に該当するか否かの判断が困難であること、制定後の社会状況の変化によって取引内容が多様化する中で新たに生じた債権が、特別短期消滅時効の対象となる債権に類似しているにもかかわらず特別短期消滅時効の対象とならないために、特別短期消滅時効の対象となる債権の時効期間と大きな差を生じていること等が問題点として指摘されていました。その結果、民法改正により特別短期消滅時効を廃止しました。

② 債権・所有権以外の財産権

ア　債権・所有権以外の財産権一般の消滅時効期間は、権利を行使することができる時から20年です（民法166条2項）。たとえば、地上権、永小作権、地役権の消滅時効期間は、権利を行使することができる時から20年となります。

イ　公に確定した権利

確定判決またはそれに準じる公権力（裁判上の和解等）によって確定された権利は、短期時効期間の定めのあるものについても、時効期間は一様に10年となります（民法169条1項）。ただし、確定の当時まだ弁済期が到来していなかった場合（将来給付判決等）には上記の原則は適用されません（民法169条2項）。

3　消滅時効の効果

⑴ 債権の消滅

消滅時効の援用によって債権が消滅します（民法145条）。当事者は任意に時効の援用ができるため、複数の援用権者が存在する場合に時効を援用しない者が存在する場合は、援用した者との関係でのみ債権が消滅することとなります（相対効）。

⑵ 債権の消滅の意味

時効による債権の消滅は、債権が不存在の状態とまったく同一となるわけではありません。

① 相 殺

相殺とは、2人の者が相互に相手方に対して同種の債権を有する場合に、一方から相手方に対する意思表示によりその債務を対当額で消滅させることをいいます（民法505条１項）。

時効によって消滅した債権の債権者が、時効消滅前に、債務者に対して債務を負っていた場合には、債権者は時効消滅した債権で反対債権との相殺を主張することができます（民法508条）。反対債権を有していた債権者は、相殺適状にある債権債務を相殺することについて合理的な期待（すでに決済されているとの期待）を有しているのが通常であり、この期待を保護するために、時効消滅した債権による相殺を認めています。

② 非債弁済

非債弁済とは、債務者が債務のないことを知りながら弁済することをいいます。

債務者が消滅時効の完成を知りつつ債務を弁済した場合には、債権者の弁済受領は不当利得となりません（民法705条）。

⑶ 遡及効

遡及効とは、法的効力がある時点に遡って生じることをいいます。時効の効果は遡って発生する（民法144条）ため、債権は時効により起算日に遡って消滅します。したがって、一般的に債権の消滅時効は、その弁済期に消滅したものとされます。債務者は、起算日以降の利息・遅延利息の支払義務はなくなります。

4　消滅時効と類似の制度

⑴ 除斥期間

除斥期間とは、起草者によると、権利が特に速やかに行使されることを目的として、権利行使に期間の制限を加えたものをいいます。

① 消滅時効と除斥期間との判別基準

一般的に、長短２つの権利消滅期間が定められている場合には、長期の期間制限が除斥期間であることが多いです。

２つの権利消滅期間が定められていない場合には、権利の性質や規定の趣旨によって実質的に判断されるべきと解されます。

② 除斥期間と消滅時効との相違点

除斥期間は、以下の点で消滅時効と異なります。

ア　中断が認められない。

イ　当事者の援用を必要としない。

ウ　権利の発生した時を起算点とする。

エ　権利消滅の効果は遡及しない。

③ 具体例

取消権については、短期の期間制限（５年）が消滅時効であり、長期の期間制限（20年）が除斥期間であると解されます（民法126条）。なお、民法改正により、不法行為に基づく損害賠償請求権について、不法行為の時から20年間の期間の性質は、除斥期間ではなく、消滅時効の期間に変更されました。

⑵ 権利失効の原則

権利失効の原則とは、消滅時効にかからない所有権に基づく請求権や、消滅時効の期間が満了していない権利について、権利者が権利行使を長期間放置し、そのために権利行使がないであろうという信頼を相手方に与えた場合に、権利が失効したとする原則をいいます。この根拠は信義則（民法１条２項）に求められます。

判例（最判昭和30年11月22日民集９巻12号1781頁）は、一般論として権利失効の原則を認めています。判例の事案は以下のとおりです。

> 土地を賃借し、当該土地の上に建物を所有していたＸは、地主Ａの承諾を得ずにＢに建物および賃借権を譲渡した。その後同建物は空襲により焼失し、Ｙが焼け跡となっていた当該土地を地主Ａから直接賃借し建物を新築した。これに対して、Ｘは自己の賃借権を主張し、Ｙに対して仮処分を申請した後、建物収去土地明渡しの本案訴訟を提起した。

本訴訟が提起された後、地主ＡがＸの賃借権の無断譲渡を理由として、無断譲渡の日から７年半、本件訴訟が提起されてから４年余りを経過した後に至り、賃貸借契約を解除しました。

本訴訟は、地主ＡのＸに対する解除の有効性が争点となりました。判例は、「解除権を有するものが、久しきに亘りこれを行使せず、相手方においてその権利はもはや行使せられないものと信頼すべき正当の事由を有するに至ったため、その後にこれを行使することが信義誠実に反すると認められるような特段の事由がある場合には、もはや右解除は許されないものと解するのを相当とする」と判示し、一般論として権利失効の原則を認めています。もっとも、本訴訟の事実関係の下では、解除は有効であると判示しています。

第Ⅱ篇

物　権

第1章

物権法の一般理論

第1　物権総論

1　物権の意義と性質

(1) 物権の意義

物権とは、一定の物を直接に支配する排他的な権利をいいます。

(2) 物権の性質

物権は以下の4つの性質を有します。

① 直接的な権利であること

物権は権利であり、物に対する支配権です。これに対して、債権は特定の者に対する行為請求権をいい、債権が成立している場合、当該債権の対象となる者は、当該債権に対応する義務（債務）を負います。物権の場合、物権という権利に対応する義務を特定人が負うものではありません。しかし、物権の権利者が特定の他人に対して、自らの権利を主張することができる点は債権と同様です。

物権の意義における「直接に」とは、他人の行為の介在を必要とせず物を利用（使用・収益・処分）できることを意味します。債権である賃借権（民法601条）や使用借権（民法593条）も物を利用する権利ですが、これらは債務者による使用収益させる行為があって初めてその内容を実現できる権利です。

② 物を客体とする権利であること

物権は、物を客体とする権利です。ただし、これには若干の例外も存在します。たとえば、権利質（民法362条以下）や地上権等の権利の上に設定された抵当権（民法369条2項）は、財産権を客体としています。

③ 物の支配を内容とする権利であること

物権の意義における「支配」とは、物理的支配ではなく、物が有する価値や物から派生する価値の把握を意味します。その具体的な内容は、物権の種類によって様々です。たとえば、所有権は法令の制限内において自由に所有物の使用、収益および処分をすることができる権利（民法206条）であり、所有物に対して広汎に支配することができます。他方で、抵当権は所有者が抵当目的物の占有を移さずに設定する物権であり（民法369条）、抵当目的物の交換価値を支配する権利です。

④ 物を排他的に支配する権利であること

物権を有する者は、その権利の限度において、他者を排除して物権の価値を独占することができます。これを物権の排他性といいます。

物権の排他性の帰結として、同一物の上に相互に抵触する内容を持つ複数の物権は同時に成立しないこととなります。すなわち、１個の物の上に同一内容の物権は１個しか成立しません。たとえば、Ａがある土地を所有する場合には、当該土地に別の所有権は成立しえません。

物権を有する者は、競合する債権を有する者に対して優先されることとなります。これを物権の優先的効力といいます。たとえば、Ｂが自転車を所有者Ｃから購入した場合（売買契約により、当該自転車の所有権がＣからＢに移転する）には、ＢはＣから当該自転車を賃借していたＤに対して当該自転車の返還を求めることができます。

さらに、債務者の所有に属する物に抵当権の設定を受けた債権者は、当該債務者が破産手続開始決定を受けた場合や強制執行手続を申し立てられた場合、当該物を換価する等して他の債権者に優先して弁済を受けることができます。

これに対して、債権では、同一内容を目的とし現実にそれらが両立しない場合でも債権自体は併存することが可能です。たとえば、Ｅという歌手がＦとの間で、ある日時に武道館に出演する契約を締結したとしても、Ｇとの間でそれと同一の日時・内容で現実に両立しえない東京ドームに出演する契約を締結することもできます。この場合、ＦもＧも、Ｅに対して同一内容の債権（出演を求める権利）を有することとなります。仮にＥが東京ドームに出演しなかった場合には、Ｇとの契約違反となりＥは債務不履行責任（民法415条）を問われることとなります。

2　物権法定主義と物権の種類

⑴ 物権法定主義

① 物権法定主義とは

ア　物権法定主義の意義

物権は、法律（民法その他の特別法）で定められたもの以外は創設できません（民法175条）。これを物権法定主義といいます。

物権法定主義には、以下の２つの内容が含まれています。

(i) 民法および特別法で定めている以外の種類の物権を創設できないこと

(ii) 民法および特別法で定めている種類の物権につき、それらの規定に定めるのとは異なった内容を与えることはできないこと

イ　物権法定主義を採用した理由

民法が物権法定主義を採用した理由は、以下のとおりです。

(i) 歴史的理由

民法制定以前は、特に土地について所有権を拘束する様々な権利（土地所

有権に対する封建的拘束）が存在し、土地をめぐる権利関係が極めて複雑であり、円滑な取引の妨げとなっていました。

そこで、民法の起草者は、絶対的かつ自由な所有権を確立し、権利関係が再び複雑になることがないように、それ以外の権利は法律の認めるわずかな種類に限ることとしました。

(ii) 実質的理由

排他性等の強力な効果を持つ物権の取引が円滑かつ安全に行われるように、第三者にとって内容が明らかでない物権が取引の対象となることを回避するために、あらかじめ物権の種類と内容を定型化することとしました。

排他性のある物権は、他者の行動の自由を確保するために、その存在と内容を公示させる必要があります。しかし、物権の種類や内容を自由に決められるとするとそれぞれについて公示方法を用意することが難しくなります。そこで、物権法定主義を採用し、物権の種類と内容を定型化することにより、あらかじめ公示方法を用意することができるようにし、他者の行動の自由を確保することができるようにしました。

② 物権法定主義の限界

物権法定主義を貫徹すると、民法典制定以前から社会的な必要性により物権としての性質が認められていた権利や民法典制定後に社会的に承認されるに至った権利（これらを「慣習法上の物権」といいます）についても、法定されていなければ物権としての性質が認められないという帰結となります。

たとえば、上記「慣習法上の物権」には、以下のようなものが挙げられます。

ア　民法典制定以前から慣習法上の物権としての性質を備えていたにもかかわらず、民法典には物権として採用されなかった権利

イ　民法典制定当時には存在しなかったが、その後の経済活動等が多様に展開される中で、新たな取引慣行が形成され、物権としての性質が社会的に承認されるに至った権利

判例は、慣習法上の物権の存在を容認しています。その意味で物権法定主義は厳格に貫徹されているわけではないこととなります。

民法典制定以前から慣習法上の物権としての性質を備えていた権利（上記ア）については、河川等の水を排他的に利用する権利である水利権（大判明治32年２月１日民録５輯１頁等）、地下から湧き出る温泉を排他的に管理・使用できる権利である温泉専用権（大判昭和15年９月18日民集19巻1611頁・百選Ⅰ［第８版］49事件）等が認められています。他方で、他人の土地を開墾した者に認められる永代の小作権である上土権は認められていません（大判大正６年２月10日民録23輯138頁）。

民法典制定後に社会的に承認されるに至った権利（上記イ）については、根抵当権、仮登記担保権、譲渡担保権等が判例によって認められるに至っています。

このうち根抵当権と仮登記担保権は、すでに法律によって承認されています（民法、不動産登記法および仮登記担保契約に関する法律）。

このように法律の定めがない場合でも、慣習法上の物権が認められることがあります。どのような場合に慣習法上の物権が認められるかが問題になります。

この点、通説は、以下の条件を満たした場合に認められると解しています。

ア　当該権利が自由な所有権に対する支障となるような封建的権利ではないこと

イ　当該権利の存在と内容が社会的に承認を受けているほどに固まっていること

ウ　当該権利の存在と内容を公示する適当な方法があること

⑵ 物権の種類

民法は、物権として10の権利を明文で定めています。これらは、その性質に照らして占有権、所有権、制限物権の３種類に区分できます。さらに制限物権は用益物権と担保物権の２種類に区分できます。

民法上の物権の分類

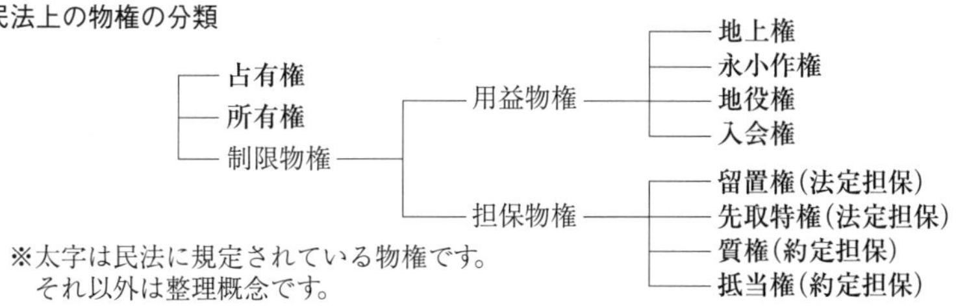

① 占有権（民法180条以下）

占有権とは、占有という人が物を支配（所持）している状態を保護する権利をいいます。

② 所有権（民法206条以下）

所有権とは、物（の価値）を全面的に支配する権利をいいます。「全面的な支配」とは、所有者が、「所有物の使用、収益及び処分」（民法206条）をできること、すなわち、物を管理使用すること、物から利益を収めること、物を処分することができることを意味します。

所有権は、(i)権利者が物を自ら使用する、または他人に使用させて収益を得られる側面である利用価値と(ii)権利者が物を他人に譲渡して収益を得られる側面である交換価値という２つの経済的な価値を把握する権利です。

なお、所有権を含めた以下で述べる物権は、物の直接的利用または担保的利用を正当化する権利であり、「本権」といいます。本権のうち、物の占有を正当化する権利を「権原」といいます。これに対し、占有権は、本権の有無にかかわらず人が物を支配（所持）している状態を保護するものであり、いわば「仮の権利」です。

③ 制限物権

所有権者に物に対する所有権が帰属したまま所有権が把握する利用価値（上記②(i)）と交換価値（同(ii)）の一部を他人に付与する場合があります。他人に付与される利用価値または交換価値を把握する権利は、所有権の効力を「制限」するものであることから「制限物権」といいます。

ア　用益物権

制限物権のうち、他人の土地の利用価値を支配する物権を用益物権といいます。用益物権には、地上権、永小作権、地役権、入会権があります。

(i) 地上権（民法265条）

地上権とは、工作物や竹林を所有するために他人の土地を使用する物権をいいます。

(ii) 永小作権（民法270条）

永小作権とは、耕作や牧畜のために他人の土地を使用する物権をいいます。

(iii) 地役権（民法280条）

地役権とは、自己の土地の便宜を図るために他人の土地を使用する物権をいいます。自宅から公道に出るために他人の土地を通行する権利、他人の土地から水を引く権利、日照確保のために他人の土地に建築制限をかける権利が含まれます。

(iv) 入会権（民法263条、294条）

入会権は、村落共同体に属する住民が、実質的に村落に帰属する山林や原野等（入会財産）を共同で利用する慣習上の物権をいいます。

上記のとおり、入会権は慣習上の物権であり、その内容は慣習に従います。そのため、具体的内容は民法で定められていません。

イ　担保物権

担保物権とは、債権者が有する債権の履行を確保するため債務者または第三者が所有する一定の物・権利に対して、その物・権利が有する価値から、債権者が優先的に債権の弁済を受けることができる物権をいいます。

担保物権には、法定担保物権と約定担保物権があります。法定担保物権とは、一定の立法政策に基づき一定の債権の保護のために法律上当然に成立する担保物権をいいます。約定担保物権とは、担保権者と担保権設定者との担保権設定契約によって成立する担保物権をいいます。

留置権と先取特権が法定担保物権に分類され、質権と抵当権が約定担保物権に分類されます。

(i) 留置権（民法295条以下）

留置権とは、ある物に関して生じた債権が存する場合に、当該物が債権者の手元にあるときに債権者が有する債権について弁済を受けるまで当該物を自らのもとにとどめ置く（物の返還を拒む）ことができる権利です。当該物の所有者は、債務を弁済するまで使用権能を制限され、これにより間接的に弁済が促されることとなります。

(ii) 先取特権（民法303条以下）

先取特権とは、債務者が債務を弁済しない場合に、法律の規定によって債権者に債務者の目的財産の競売による換価金から他の債権者に優先して配当（弁済）を受けることができる物権です。

先取特権は、公平の観念、当事者の通常の期待の保護、社会的弱者の保護、特定産業の保護の理由から、一定の債権を強く保護するために法律上当然に成立が認められました。民法で15種類、民法以外の法律によっても多数のものが規定されています。民法上の先取特権には、特定の動産を目的物とする動産先取特権、特定の不動産を目的物とする不動産先取特権、債務者の総財産を目的とする一般先取特権があります。

(iii) 質　権（民法342条以下）

質権とは、債権者が担保として目的物を預かり、弁済期限に債務が弁済されなければ目的物を競売にかけて、その換価金から他の債権者に優先して配当（弁済）を受けることができる物権です。質権は、留置権や先取特権と異なり、法律上当然に成立するものではなく、当事者の合意により設定される約定担保物権です。

質権には、動産を目的物とする動産質権（民法352条）、不動産を目的物とする不動産質権（民法356条）、所有権以外の財産権を客体とする権利質権（債権を質権の目的とするものを債権質といいます。民法362条）があります。動産質権と不動産質権では、質権者は弁済を受けるまで目的物を占有します。権利質権では、第三債務者への質権設定の通知・承諾（民法364条）により債務者に対して債務の弁済を間接的に強制します。

質権者は債務不履行の場合に目的物を処分（任意売却または民事執行法に基づく競売）してその換価金から優先弁済を受けます。したがって、質権の設定によって目的物の所有者は、物の使用権能を制限され、また自己が債務の履行を怠った場合に当該目的物の所有権そのものを喪失するという制限を受けます。

(iv) 抵当権（民法369条以下）

抵当権は、債権者が弁済を受けられなかった（債務不履行）場合、担保目的物たる不動産について競売手続を申し立て、その換価金から他の債権者に優先して配当（弁済）を受けることができる物権です。質権と同様に、法律上当然に成立するものではなく、当事者の合意によって設定される約定担保物権です。抵当権は、不動産の所有権のみならず、地上権や永小作権を対象とすることができます。抵当権の設定を受けた債権者を抵当権者、抵当権を設定した債務者を抵当権設定者といいます。

抵当権を設定したとしても、債務不履行となるまでは目的物の占有が所有者（あるいは地上権者や永小作権者）にとどめられます。抵当権設定者の債務不履行があった場合に抵当権を実行すると、目的物が競売手続により処分されたり、所有者が目的物の管理権を奪われて管理人（裁判所が選任します。民事執行法188条、94条１項）によって管理されます。処分や管理により生じる換価金や収益が抵当権者に優先的に配当されます。抵当権の設定によって目的物の所有者は、債務不履行の場合に所有権を喪失するか、物の管理・収益権能を奪われるという制限を受けることとなります。

3　物権の客体

物権の客体である物は、以下の要件を満たす必要があります。

⑴ 有体性と排他的支配可能性

民法上、「この法律において『物』とは、有体物をいう」（民法85条）と規定され、物権の客体としての物には有体性が求められます。

しかし、すべての有体物が物権の客体となるわけではありません。なぜなら、物権は権利者に客体の排他的支配を認める権利であるため、物権の対象は排他的支配が可能であり、かつ、排他的支配を承認してよい有体物に限られるからです。

たとえば、深海底や宇宙等は、人間の力が及ばないところにあるため排他的支配可能性が否定されます。したがって、物権の客体とはなりません。

また、大気や海洋等、公共用物として扱うのが適当である有体物は、排他的支配が及びうる場合でも、そのままの状態では原則として物権の客体とはならないと考えられています（最判昭和61年12月16日民集40巻７号1236頁）。

⑵ 特定性

物権は物に対する直接的支配権であり、客体が特定されていることを要します。これを特定性といいます。

特定性は、経済的・社会的観念から決定されるものであり、必ずしも物理的な意味に限られません。

⑶ 独立性と単一性

物権は、その排他性を前提に、権利が及ぶ範囲が明確であることが要請されます。そこで、物権の客体は独立した単一の物でなければならないと考えられています（これを「一物一権主義」といいます）。この一物一権主義は、以下の独立性と単一性という性質に分類することができます。

①　独立性

物権の客体は独立した物でなければなりません。つまり、物の一部の上に物権は成立しません。

たとえば、自転車はフレームやペダル、ブレーキ等の様々なパーツから構成されていますが、これらのパーツはもともと独立の有体物です。しかし、これらのパーツは、組み立てられ１台の自転車として構成されることによって独立性を失い、当該自転車の一部になったと認められます。結果として、自転車そのものが物権の客体になり（１台の自転車に対して１個の所有権が認められます）、これらのパーツは物権の客体とはなりません。

② 単一性

複数の独立の物の上にまとめて１個の物権を成立させることはできません。つまり、独立した物の上には１個の物権が成立します。

たとえば、自転車として組み立てられる前のフレーム、ペダル、ブレーキはそれぞれ独立の物として認められ、フレーム、ペダル、ブレーキのそれぞれに物権が成立します。フレーム、ペダル、ブレーキをまとめて１つの物権の客体とすることはできません。また、自転車が３台あるときには、３台それぞれについて所有権が認められることとなります。

③ 独立性と単一性の例外

独立性と単一性は、取引安全を図るために、権利の及ぶ範囲を明確にすることを目的とした概念です。そこで、取引安全を害さない場合には、例外が認められます。以下はその一例です。

ア　独立性の例外

(i) 土地は、登記簿上「筆」という単位に人為的に区画され、１筆の土地が１個の所有権の対象となります。しかし、取得時効等によって、１筆の土地の一部について所有権が成立することが認められています。

(ii) 建物は、マンション等では、１棟の建物の一部分に区分所有権という独立の所有権が認められます（建物の区分所有等に関する法律）。

(iii) 土地の一部に地役権を設定することができます（民法282条２項）。

イ　単一性の例外

(i) 判例上、特定の倉庫内にある商品を一括して債権担保のために譲渡することが認められています（最判昭和54年２月15日民集33巻１号51頁）。これは、集合物譲渡担保と呼ばれます。倉庫内の商品という「集合物」を担保目的物とすることによって、担保としての価値が高まり、取引が円滑になることから認められています。

(ii) 抵当権の効力は、付加一体物にも及びます（民法370条）。

(iii) 立木・未分離の果実・稲立毛は、伐採・収穫前であっても、明認方法を施すことにより土地から独立して取引の対象となります。

4　物の分類

民法上、物について以下のように分類できます。

⑴ 不動産と動産

① 不動産

民法は、「土地及びその定着物は、不動産とする」と規定しています（民法86条1項）。

土地の定着物とは、土地に固定され容易に移動できないもので、取引観念上も土地に継続的に固定された状態で利用されると認められるものをいいます。建物、樹木、塀、石垣、庭石や灯籠等は定着物となります。定着物は、原則として、その付着する土地と一体をなすものと扱われます。

なお、建物は土地と別個独立の不動産として扱われます（不動産登記法2条1項）。また、土地に生育する樹木も、立木法により土地とは別個の不動産と認められます（大判大正5年3月11日民録22輯739頁）。

② 動　産

不動産以外の物は、すべて動産となります（民法86条2項）。

なお、自動車・飛行機・船舶等の登記・登録制度が備えられている物は、当該登記・登録により不動産と同様の扱いを受けます。

⑵ 主物と従物

① 主物と従物の区別

民法は、主物と従物という区別を用意しています（民法87条）。複数の物の間に、経済的に見て一方が他方の効用を補う関係がある場合に、効用を補われている物を主物、補っている物を従物といいます。民法87条2項は「従物は、主物の処分に従う」と定めているため、主物と従物とを区別することが必要です。

② 従物の要件

従物というためには、以下の要件を満たす必要があります。

ア　物としての独立性があること（たとえば、自転車を構成するパーツは、独立した自転車という物の一部であり、独立性がないためパーツは従物たりえないこととなります）

イ　主物に付属していると認められること

付属とは、従物が主物に従属すると認められる程度の場所的関係に置かれることを意味します。

ウ　主物の効用を高めていること

従物の存在が主物の経済的効用を高めていることが必要です。

エ　主物と同一の所有者に帰属すること

主物と従物の典型例には、刀と鞘、絵画と額縁があります。

⑶ 元物と果実

① 意 義

ある物から生じる経済的利益を果実といいます。果実を生じる元になる物を元物といいます。

果実は、元物の経済的用途に従って収取される産出物である天然果実と、元物を他人に使用させた対価として収受される金銭その他の物である法定果実に区別できます（民法88条）。

天然果実の具体例には、果樹から収穫される果実があります。法定果実の具体例には、建物を賃貸した場合の賃料があります。

② 天然果実と法定果実の区別の意義

天然果実は、元物から分離する時にそれを収取する権利を有する者に帰属します（民法89条１項）。分離する時に元物から独立した物となるためです。収取する権利を有する者の代表例として、元物の所有者が挙げられます。たとえば、蜜柑の樹木を所有する者は、当該樹木に結実した蜜柑の果実を収取することができます。

一方、法定果実は、これを収取する権利の存続期間に応じて日割り計算によって分けられます（民法89条２項）。たとえば、賃貸建物が譲渡されると賃料は所有権存続期間に応じて日割り計算され、分配されます。

第２　物権の効力

１　物権の一般的効力の内容

物権は、絶対的・排他的権利であることから、各種の物権に共通して以下の２つの効力（これを「物権の一般的効力」といいます）を有しています。

⑴ 物権の優先的効力

物権の優先的効力とは、同一の物の上に互いに相容れない複数の物権が競合するときには、先に成立した物権があとから成立した物権に優先し、また、物権と債権とが衝突するときには、常に物権が債権に優先するという効力をいいます。

⑵ 物権的請求権

物権的請求権とは、物権の円満な支配状態が違法に侵害されているときに、これを排除することができる権利をいいます。

２　物権の優先的効力

⑴ 物権相互間の優先的効力

① 原 則

原則として、内容の衝突する物権相互間では、その効力は物権成立の順序に従って決定します。

たとえば、Aが所有権を有する物について、Bが重ねて所有権を取得して当該物を使用収益することはなく、Aのための所有権が成立している以上、Bのための所有権が成立する余地はありません。

② 例 外（修正）

物権相互間の優先的効力には、以下の例外（修正）が認められています。

ア　公示の原則による修正

物権変動は、公示がなければ第三者に対抗することができません（民法177条、178条）。公示とは、一定の事柄を周知させるため、公衆が知ることのできる状態に置くことを意味します。

第三者がその物権の存在を知りえない状況で、物権の排他性を認めると第三者が不測の不利益を被り、取引の安全を害するおそれがあります。そこで、民法は、物権の変動は法の定める方法（不動産物権変動は登記、動産物権変動は引渡し）によって公示しなければ第三者に対抗することができないこととしました。これを公示の原則といいます。

たとえば、同一の不動産がAとBに二重に譲渡された場合、当該不動産の所有権の移転時期にかかわらず、登記を備えなければ他方に対して所有権を対抗することができません。

このように公示の原則の下では、物権の成立時期の先後ではなく、公示方法の具備の先後によって決められます。

イ　公信の原則等による修正

公信の原則とは、実際には権利が存在しないが権利が存在するような外形的事実（公示）がある場合に、その外形的事実を信頼した者のためにその権利が存在するものとみなす原則をいいます。外形的事実を信頼し、権利があると信じて取引をした者を保護するためです。

公信の原則の現れとして即時取得（民法192条）があります。即時取得とは、物権の客体が動産の場合、実際には当該動産の所有者でない者から、所有者でない（＝所有権を有していない）ことを知らずに当該動産を譲り受けた者がその所有権を取得することをいいます。たとえば、XがYに動産を売却して引渡しも完了した後、XがYから当該動産を賃借して直接占有していたとします。Zが、Xが当該動産を直接占有しているという外形を善意・無過失で信頼し、Xから当該動産を買い受け、直接の引渡しを受けた場合、Zは民法192条により、当該動産の所有権を取得することとなります。

また、目的物の占有を継続していた場合、時効取得（民法162条）によって所有権を取得することがありえます。

このように善意取得や時効取得によって、無権利者が物権を取得することが認められており、その限りで優先的効力が否定されることがあります。

ウ　特別の順位の規定

法律が特別の理由により、物権相互間に特殊な順位を定めている場合には、その順位に従います（民法329条ないし332条、334条、339条等）。

(2) 債権に対する優先的効力

① 原 則

物権を有する者は、競合する債権を有する者に対して優先します。これを物権の優先的効力といいます。

たとえば、Aが所有する不動産にBが地上権（民法265条）、Cが債権である使用借権（民法593条）を有している場合、Bは誰にでも地上権を主張できますが、Cは債務者Aに使用借権を主張できるもののBに対しては使用借権を主張できません。これは地上権と使用借権の成立の先後にかかわりません。また、ある物が売却された場合、その物について担保物権を有する債権者はその売却代金から一般債権者に優先して弁済を受けることができます。

② 例 外

ア　所有権移転請求権その他の不動産物権変動に関する債権

これらの債権は、仮登記（不動産登記法105条2号）を備えることによって、物権に優先する効力を取得したのと同じ効果を持ちます（不動産登記法106条参照）。仮登記とは、将来本登記が行われたときに、その本登記の順位を保全するためにあらかじめ行う登記をいいます。仮登記を備えた場合には、本登記の順位が保全されるため、仮登記後に不動産を譲り受けた者が存在したとしても、仮登記を備えた者が将来本登記を行った場合には、仮登記を備えた者が優先します。

イ　不動産賃借権

不動産賃借権とは、賃貸人から賃貸借契約に基づいて不動産を借り受けた者が有する賃借権をいいます。不動産賃借権は債権ですが、民法その他の法律の定める公示方法を備えることによって物権と同等の効力を取得します（民法605条、借地借家法10条、31条等）。

3　物権的請求権

(1) 物権的請求権の意義・根拠

本来、物権は物を直接的に支配する権利であり、物に対する権利です。しかし、物権の円満な支配が妨げられたときは妨害者に対して妨害の除去を求め、物権の内容を実現する権利が当然に認められています。この権利を「物権的請求権」といいます。

民法は、物権的請求権を正面から認める規定を置いていません。しかし、物権という物に対する直接支配性を有する権利を認める以上は、物の円満な支配を回復するための権利として物権を有する者に物権的請求権を認める必要があると考えられます。

また、民法は、占有権について占有訴権を認めています（民法197条以下）。占有権とは、物を事実上支配（占有）している者に認められる権利です。仮の権利と呼ぶことがあります。占有の訴えのほかに「本権の訴え」を認めていること（民法202条）、物権的請求権によって保護する必要のない場合にはこれを否定する趣旨の明文の規定が置かれていること（民法302条、333条、335条等）からも、民法は物権を有する者に物権的請求権を認めることを当然の前提としていると考えることができます。

(2) 物権的請求権の種類

物権的請求権には、以下の３種類（物権的返還請求権、物権的妨害排除請求権、物権的妨害予防請求権）があります。物権的請求権は、問題となる状態が発生すれば当然に成立します。なお、物権的請求権はすべての物権につき認められているわけではありません。留置権は目的物の占有を喪失することにより消滅するため（民法302条本文）、物権的返還請求権が認められません。また、質権は目的物を占有していることが対抗要件となり、占有を喪失することにより第三者に対抗できなくなる（民法352条）ため、物権的返還請求権が認められません。抵当権、先取特権はそもそも権利の内容として目的物の占有機能が含まれていないため、物権的返還請求権が認められません。

① 物権的返還請求権

占有を奪われる形で物権を侵害された場合に、侵害者に対して物を返還するよう求める権利をいいます。たとえば、自己の所有地に他人所有の建物が建築された場合、自己の所有地の占有が奪われているため、土地の所有者は、所有権に基づいて自己の所有地の返還を求めることができます。

② 物権的妨害排除請求権

占有侵奪以外の方法で物の支配が妨げられている場合に、妨害状態を生じさせている者に対して妨害をやめるよう求める権利をいいます。たとえば、自己の所有地に隣地の柵が倒れてそのままになっている場合、自己の所有地の物の支配が妨げられているため、土地の所有者は、隣地の柵の所有者に対し、土地の所有権に基づいて倒れている柵を排除するよう求めることができます。

③ 物権的妨害予防請求権

妨害が現に生じているわけではないが、妨害発生のおそれが大きい場合に、妨害状態を生じるおそれのある者に対して妨害を生じさせないよう予防措置を求める権利をいいます。たとえば、自己の所有地の隣地の柵が倒れそうになっている場合、土地の所有者は隣地の柵の所有者に対し、土地の所有権に基づいて倒れそうになっている柵の補修を求めることができます。

(3) 物権的請求権の法的性質

① 問題の所在

物権的請求権が相手方の積極的な行為（物の返還・妨害物の除去・妨害予防工事等）を請求するものなのか（行為請求権説）、それとも、請求者自らが回復ないし予防のための措置を講ずることを相手方が受忍すべきことを求めるものにすぎないのか（認容請求権説）について学説上、争いがあります。これは、回復または予防のための費用を権利者と相手方のいずれが負担すべきかという問題（費用負担の問題）に関わります。行為請求権説によれば、相手方が費用負担をし、認容請求権説によれば請求者が費用負担をすることとなります。

② 各学説

ア　行為請求権説

行為請求権説とは、物権的請求権が相手方の積極的な行為（物の返還・妨害物の除去・妨害予防工事等）を請求するものであると解する見解です。行為請求権説は、判例（大判昭和５年10月31日民集９巻1009頁、大判昭和７年11月９日民集11巻2277頁）の原則的な立場です。学説上も通説的立場といえます。行為請求権説によれば、請求権者が相手方に対して回復または予防のための費用を請求することができることとなります。

しかし、行為請求権説を貫徹すると、以下のような不都合が生じます。

すなわち、Ａ所有地の石垣が崩れて隣接するＢ所有地上に土砂が堆積した場合にＡのＢに対する土砂返還請求権とＢのＡに対する妨害排除請求権が競合して、先に請求権を行使した者が相手方の費用によって円満な支配状態を回復できるという不都合が生じます。

イ　認容請求権説

認容請求権説とは、請求者自らが回復ないし予防のための措置を講ずることを相手方が受忍すべきことを求めるものにすぎないと解する見解です。認容請求権説によれば、請求権者は相手方に対して回復または予防のための費用を請求することができません。ただし、不法行為（民法709条等）が成立する場合には、これを根拠に費用を請求することができます。

もっとも、認容請求権説を貫徹すると、先の例で相手方が物権的請求権を行使するのを待って、請求を受けた方が費用負担しないこととなり、この間、違法状態が継続してしまうという不都合が生じます。

ウ　物権の侵害の捉え方に関する学説

以上のように物権的請求権の性質として行為請求権説と認容請求権説のいずれを採用した場合でも不都合が生じます。

そこで、物権の侵害はひとつであると捉え、物権の双方侵害という事態は生じないと解することを前提に、当該侵害を受けた者だけが物権的請求権を有することになるという侵害基準説が有力に主張されています。たとえば、先の例では、Ａの所有地から崩落した土砂によりＢの所有権が侵害されているだけで、ＢによるＡの土砂の侵害はないと考えることとなります。この侵害基準説は、そもそも物権侵害が競合しないと解する見解であり、物権的請求権の性質を議論する行為請求権説と認容請求権説の対立の問題とは別の視点から展開されています。

⑷ 物権的請求権と他の請求権との関係

物権が侵害された場合、被侵害者から侵害者に対する不当利得（民法703条）や不法行為（民法709条）が認められる可能性があります。

① 不当利得との比較

不当利得（民法703条）とは、法律上の原因なく他人の財産または労務によって利益を受け、そのために他人に損失を及ぼした者には、その利益を返還する義務を負うことをいいます。不当利得では、妨害の予防を求めることができません。

これに対して、物権的請求権の場合は妨害の予防を求めることができます（物権的妨害予防請求権）。

② 不法行為との比較

不法行為（民法709条）では、侵害者の侵害行為についての故意・過失が要件として必要です。また、不法行為では、目的物の返還は認められません。

これに対して、物権的請求権が成立するためには、相手方の故意・過失は不要です。また、現物の返還も認められます（物権的返還請求権）。

③ その他

不当利得（民法703条）や不法行為（民法709条）は、消滅時効に関する規定の適用を受けます（不当利得につき民法166条１項、不法行為につき民法724条、724条の２）。

これに対して、物権的請求権は請求権の根拠となる所有権等の権利が存在する限り物権的請求権のみが独立して消滅時効により消滅することはありません。

⑸ 物権的請求権の請求権者と相手方

① 物権的返還請求権

ア　請求権者

占有を失った者が請求権者となります。

したがって、そもそも抵当権や先取特権のように目的物の占有を権利の内容としない物権には、物権的返還請求権は認められません。

イ　請求の相手方

(i) 原 則

現にその物を占有することによって違法に物権を有する者の占有を妨げている者が相手方となります。

(ii) 例 外

無権原で建てられた建物の実際の所有者と登記名義人が異なるときには、登記名義人を請求の相手方とすることも認められる場合があります。

たとえば、以下の事案を前提に検討します。

Ａが所有する甲土地にＡが知らないうちにＢによって乙建物が建てられていました。乙建物には、Ｂ名義の所有権保存登記がなされていました。Ａは、乙建物を収去して甲土地を明け渡すよう求めてＢを訴えたところ、乙建物はすでにＢからＣへと譲渡されていました。

上記原則によると、Ａの乙建物収去・甲土地明渡請求権の相手方は現に乙建物を所有して甲土地を権原なく占有しているＣということとなります。これは当然に認められます。

しかし、原則どおりにＡがＣに対してのみ請求できるとすると物権を有する者であるＡが乙建物の現実の所有者（Ｃ）を探し出す負担を強いられ、Ｂは乙建物の所有権移転を口実にして明渡義務を容易に免れられるという不都合が生じます。

そこで、判例（最判平成６年２月８日民集48巻２号373頁・百選Ⅰ［第８版］51事件）は、上記事案と同様の事案において、Ｂが自己の意思に基づいて乙建物の所有権取得の登記をしていた場合、乙建物をＣに譲渡したとしても、引き続きＢが登記名義を保有する以上、Ｂは土地所有者であるＡに対し、譲渡による建物所有権の喪失を主張して建物収去土地明渡しの義務を免れることはできないとしました。

② 物権的妨害排除請求権

ア　請求権者

現に権利内容の実現を妨害されている物権の保有者が請求権者となります。

イ　請求の相手方

現に違法な妨害状態を生じさせている者が相手方となります。

たとえば、隣地に設置されている塀が倒れて、自己の所有する土地に塀が存在する場合には、妨害排除請求の相手方は隣地の塀の所有者となります。

③ 物権的妨害予防請求権

ア　請求権者

権利内容の実現を妨害される可能性のある物権の保有者が請求権者となります。

イ　請求の相手方

違法な妨害状態を生じさせる可能性のある者が相手方となります。

たとえば、隣地に設置されている塀が倒れかけていて、自己の所有する土地に倒れてくるおそれがある場合には、妨害予防請求の相手方は隣地の塀の所有者となります。

第2章

物権変動

第1　物権変動総論

1　物権変動の意義と種類

物権変動とは、物権の発生・変更・消滅をいいます。物権を有する者からすれば物権の取得・変更・喪失と表現することができますが、両者の意味内容は同一です。

(1) 物権の取得

① 承継取得

承継取得とは、他人（前主）が有する物権を引き継ぐ形で取得することをいいます。たとえば、他人の所有地を売買により取得する場合です。承継取得では、前主の物権上に成立していた権利や負担・瑕疵等もそのまま存続します。

ア　移転的承継

移転的承継とは、前主の物権を同一性を保って後主が取得すること、すなわち物権の主体の変更をいいます。たとえば、他人の所有地の売買による取得があります。

イ　設定的承継

設定的承継とは、既存の物権者の権利を基礎として内容の制限された別個の物権を設定・取得することをいいます。たとえば、地上権や抵当権の設定があります。

② 原始取得

原始取得とは、他人（前主）の権利と無関係に物権を取得することをいいます。たとえば、無主物先占（民法239条1項）、遺失物拾得（民法240条）、埋蔵物発見（民法241条）、付合（民法242条以下）、時効取得（民法162条以下）があります。

(2) 物権の喪失

物権の喪失とは、従来の権利主体が物権を失うことをいいます。物権の消滅ともいいます。目的物の滅失、物権の放棄、他人による所有権の原始取得、所有権以外の物権の時効消滅、混同等を原因として生じます。以下、放棄と混同について説明します。

① 放 棄

放棄とは、権利を消滅させることを目的とする法律行為をいいます。物権は放棄によって消滅します。放棄には相手方がない場合（所有権・占有権の放棄）とある場合（所有権・占有権以外の物権の放棄）があります。

物権者は、原則として自由に物権を放棄できます。なぜなら、物権を有する者は、物権の対象となる物に対する支配権を有しており、その支配権には物権を消滅させることも含まれるからです。しかし、物権が他人の権利の目的になっているときは、当該他人の権利を保護するため、物権者の放棄の自由が制約されます（民法268条１項但書、398条等）。

② 混 同

混同とは、２つの法律上の地位が同一人に帰属した場合、双方を存続させる意味がないときに、一方が他方に吸収されて消滅することをいいます。

ア　所有権と他の物権との混同

原則として「他の物権」が消滅します（民法179条１項本文）。なぜなら、所有権は物（の価値）を全面的に支配する権利であり、所有権を有する者が他の物権（制限物権）を合わせて保有する必要がないためです。しかし、目的物または他の物権が第三者の権利の目的となっているときは、混同による他の物権の消滅は生じません（民法179条１項但書）。なぜなら、このような場合に混同を認めると所有権者の権利関係が従前のものよりも不利益となってしまうためです。

たとえば、甲土地の地上権者であるＡが甲土地の所有者Ｂから甲土地の譲渡を受けた場合、原則として混同によって地上権は消滅します（民法179条１項本文）。ただし、ＡがＢから甲土地の譲渡を受ける前にＣが甲土地に抵当権の設定を受けていたとすると、甲土地は第三者Ｃの権利の目的になっているため、Ａの地上権は消滅しません（民法179条１項但書）。Ａの地上権を消滅させてしまうとＡに劣後するＣの抵当権実行により、Ａが甲土地の使用権原を失ってしまい妥当でないためです。

また、同様にＡがＢから甲土地の譲渡を受ける前にＣがＡの地上権の上に抵当権の設定を受けていた場合も、他の物権である地上権が第三者Ｃの抵当権の目的になっているため、Ａの地上権は消滅しません（民法179条１項但書）。Ａの地上権を消滅させてしまうとＣが抵当権を実行することができなくなってしまい妥当でないためです。

イ　所有権以外の物権とそれを目的とする他の権利の混同

原則として「他の権利」が消滅します（民法179条２項前段）。なぜなら、所有権以外の物権を有する者が当該物権を目的とする他の権利を合わせて保有する必要がないためです。しかし、いずれかの権利が第三者の権利の目的となっているときには、混同による他の権利の消滅は生じません（民法179条２項後段）。なぜなら、このような場合に混同を認めると所有権以外の物権を有する者の権利関係が従前のものよりも不利益となってしまうためです。

たとえば、甲土地の地上権の上に抵当権の設定を受けていたAが地上権者であるBから当該地上権の譲渡を受けた場合、原則として抵当権は消滅します（民法179条2項前段）。ただし、AがBから地上権の譲渡を受ける前に、Cもその地上権の上に抵当権を取得していたとすると、Aの地上権は第三者Cの抵当権の目的になっているため、Aの抵当権は消滅しません（民法179条2項後段）。Aの抵当権を消滅させてしまうとAに劣後するCの抵当権実行により、Aは優先弁済を受けることができずに甲土地の地上権を失うことになり妥当でないためです。

また、同様にAの抵当権の上に、Cのための転抵当権（抵当権の上に設定される抵当権）が設定されていた場合も、「他の権利」である抵当権が第三者Cの転抵当権の目的になっているため、Aの抵当権は消滅しません（民法179条2項後段）。Aの抵当権を消滅させてしまうとCが転抵当権を実行することができなくなってしまい妥当でないためです。

ウ　占有権の例外

占有権については、混同による権利の消滅は生じません（民法179条3項）。たとえば、土地を占有する（占有権を有する）者が当該土地の所有権を取得したとしても、占有権は消滅しません。なぜなら、占有権は物を占有しているという事実状態を法的に保護する権利であり、他の物権と併存する権利であるためです。

2　物権変動の意思主義

(1) 意思主義の意義

物権変動の効力を生じさせるのに必要な行為は何かという問題があります。ここでは、意思主義と形式主義の2つの考え方が存在します。

意思主義とは、物権変動が生じるには当事者の意思表示のみで足りるとする考え方です。また、形式主義とは、物権変動が生じるには物権的合意のほかに一定の形式（登記・引渡等）を必要とする考え方です。

以上の考え方のうち、民法は、物権の変動は当事者の「意思表示のみによって、その効力を生ずる」（民法176条）と規定していることから、意思主義を採用していると解されます。

(2)「意思表示」の意義と物権行為の独自性

① 物権変動に関する法律行為

物権変動を生じる原因のうち最も重要なものは、法律行為です。法律行為とは、意思表示を基本的な要素とする法律効果の発生を目的とする行為をいいます。物権変動に関する法律行為には2種類あると考えられます。

ひとつは、売買や贈与のように債権・債務を発生させると同時に物権の移転を目的とする法律行為です。これを債権行為といいます。

もうひとつは、抵当権や地上権の設定のように債権・債務の発生を伴わずに物権の設定や移転だけを目的とする法律行為です。これを物権行為といいます。

② 物権行為の独自性

物権変動に関する法律行為が債権行為と物権行為に分けられるとすると、民法176条との関係で物権変動に際して債権行為とは別個に物権行為が必要か否かが問題となります。

たとえば、売買契約によって物の譲渡を行う場合に、目的物引渡請求権や売買代金請求権といった債権の発生を目的とする債権行為に加えて、物権そのものの移転を目的とする物権行為も必要かという問題です。この場合に債権行為以外に物権行為も必要であるとする考えを物権行為の独自性肯定説、不要であるとする考えを物権行為の独自性否定説といいます。

物権行為の独自性肯定説は、代金支払い、引渡し、登記といった外部的に物権変動が表れた時に所有権が移転されるというわが国の取引実態に照らして、そのような時点に「物権行為」がされたと見るべきであると解します。

物権行為の独自性否定説は、物権変動は債務の履行行為の効果としてなされるものであると考えればそれで足り「物権行為」に独自の法的意味を与える必要がないと解します。

判例・通説は、物権行為独自性否定説を採用し、物権変動に際しては、債権行為のみで足り物権行為は不要であると解しています（大判大正2年10月25日民録19輯857頁）。

3　物権行為の無因性

判例・通説の考えるように物権行為の独自性を否定した場合、債権行為によって物権変動が生じることとなります。たとえば、土地の売買契約を締結した時点で、土地の所有権が売主から買主に移転します。

では、この債権行為が無効や取消しによって効力を失った場合、物権変動はどのような影響を受けるのでしょうか。

物権行為の独自性否定説では、物権の変動は債権行為の結果として生じていると解されるため債権行為が無効や取消しによって効力を失った場合、物権変動も否定されることとなります。たとえば、土地の売買契約が錯誤（民法95条）により取消しとなった場合、土地の所有権移転の効果も否定されます。

物権行為の独自性肯定説では、一般的に物権行為が債権行為の無効や取消しの影響を受けず（無因性）、債権行為が有効であることを条件とした物権行為のみが影響を受ける（有因性）と解しています（相対的無因説と呼ばれます）。たとえば、土地の売買契約で契約の意思表示が有効であることを条件として所有権が移転される旨を定めていない場合は、意思表示が無効な場合も所有権移転の効果が否定されないこととなります。

4　物権変動の時期

民法は、物権変動は意思表示のみによって生じると規定します（民法176条）が、物権変動がいつの時点で生じるのかが明らかでないため、物権変動の生じる時期をいかに解するかが問題となります。

物権行為の独自性否定説は、債権行為に物権変動の合意が含まれているとの理由で、原則として物権変動の原因となる法律行為の成立時に物権変動が生じると解しています。判例も物権行為の独自性否定説に依拠し、この考えを採用していますが、以下の２点の例外を認めています（前掲大判大正２年10月25日、最判昭和33年６月20日民集12巻10号1585頁・百選Ⅰ［第８版］52事件）。

第一の例外は、物権変動が生じるのに支障がある場合です。この場合は当該支障がなくなった時点で物権変動が生じるとします。たとえば、不特定物売買で物が特定された時点、他人物売買で売主が所有権を取得した時点や所有者が所有権移転に同意した時点、将来の物の売買において物が現存するに至った時点等です。

第二の例外は、当事者が物権変動の時期を合意（特約）した場合です。この場合は当該合意（特約）で定められた時に物権変動が生じるとします。たとえば、当事者間の合意（特約）で売買契約の締結日よりあとに、売買の目的物の所有権移転時期を定めた場合、当該所有権移転時期に所有権の移転という物権変動が生じることとなります。

5　公示の原則と公信の原則

⑴ 公示の原則

公示の原則とは、物権変動が生じた場合に、それを第三者に主張するためには外部から認識しうる一定の徴表を必要とするという原則をいいます。

物権は物に対する直接的な排他的支配権であり、同一物につき他人の物権の成立を許さない強力な権利であるため、その所在・変動は物権者以外の者の利害に与える影響が大きいといえます。そこで、物権の現状を外部から認識できるよう何らかの表象で公に示すことが必要となります。この公に示す方法を公示方法と呼び、公示方法で物権の現状を公示する制度を公示制度と呼びます。

民法は、公示の原則を採用し、不動産に関する物権について「登記」（民法177条）、動産に関する物権について「引渡し」（民法178条）を公示方法として求めています。

⑵ 公信の原則

公信の原則とは、物権の存在の公示を信頼した者は、たとえその公示が真実の権利関係と異なっていたとしても、その信頼を保護するという原則をいいます。

公信の原則が認められる場合には、物権取引の安全は保護されますが、その反面、真実の権利者がその権利を反射的に失うこととなります。そこで、公信の原則を認めるか否かは、こうした真実の権利者を犠牲にしても取引の安全を図るべきかどうかという問題と関連することとなります。

民法は、動産について公信の原則を認めています（即時取得。民法192条）。即時取得とは、所有権その他の処分権限を有していない動産の占有者を正当な権利者と誤信して取引をした者に、その動産について完全な権利取得を認める制度をいいます。動産は不動産に比べて財産としての重要性が乏しく、代替物が比較的容易に見つかることも多いため、権利喪失によって権利者が被る不利益が不動産に比べれば小さいといえます。また、動産は日常極めて頻繁に取引されるため、取引者に物権の所在の調査を求めることは取引の停滞を招きかねないと考えられます。これらの理由から、民法は動産について公信の原則を認めています。

これに対して、民法は、不動産について公信の原則を採用していません。その理由は、以下のとおりです。不動産は、生活や生産の基礎となる非常に重要な財産であり、代替物が容易に見つからないことも多いといえます。そのため、権利喪失によって権利者が深刻な不利益を被ることが多く、権利者から権利を容易に奪うべきではないと考えられます。また、不動産は高価であり、動産ほど頻繁に取引されるわけではないという不動産取引の性質と、登記官には登記申請の形式的審査権限しか与えられておらず実体関係についての審査権限を有しないというわが国の登記制度の現状から、取引者に、登記簿上の情報に頼らずに権利関係を慎重に調査し、それでも万一の不利益をおそれるならば取引を見合わせるよう求めることも不当とはいえないと考えられます。

もっとも、実務上は登記の外観を信用して取引した者が民法94条2項の類推適用によって保護されることがあります。この場合は、不動産に公信の原則が認められるのと同じ結果となります。

第2　不動産物権変動

1　不動産物権変動

⑴ 不動産物権変動における登記

民法は、不動産に関する物権の得喪および変更は不動産登記法その他の登記に関する法律に定めるところに従いその登記をしなければ、第三者に対抗することができないと規定しています（民法177条）。その趣旨は、物権変動の公示を通して同一不動産に関して正当な権利または利益を有する者に不測の損害を被らせないようにすることにあります。

物権変動に関する意思主義（民法176条）に基づき、物権変動は当事者の意思表示のみによって生じますが、登記がなければ当事者以外の第三者に当該物権変動を対抗することができません（公示の原則）。「対抗」とは、当事者以外の第三者に対してある法律関係の効力が及ぶ旨の主張をいいます。たとえば、土地の買主が売主以外の第三者に、自己への所有権移転の効力が及ぶことを主張するためには、当該土地に関する登記をする必要があります。

① 不動産登記

不動産登記とは、不動産に関する権利関係について、一定の国家機関があらかじめ定められた手続に従って一定の公簿に記載すること、またはこのようにしてなされた記載そのものをいいます。

② 登記簿

登記簿とは、登記記録が記録される帳簿であり、磁気ディスク（これに準ずる方法により一定の事項を確実に記録することができる物を含む）をもって調整するものをいいます（不動産登記法２条９号）。表題部・甲区・乙区により構成されます。甲区は、所有権に関する事項を記録する欄であり、乙区は、所有権以外の権利に関する事項を記録する欄です。

登記記録は、表題部および権利部に区分して作成されます（不動産登記法12条）。表題部には登記記録のうち表示に関する登記が記録され（不動産登記法２条７号）、権利部には登記記録のうち権利に関する登記が記録されます（不動産登記法２条８号）。

③ 登記申請手続

原則として登記権利者（たとえば不動産の買主）と登記義務者（不動産の売主）が共同で申請しなければなりません（不動産登記法60条）。たとえば、不動産に関する売買契約を締結した場合には、売主と買主が共同で申請することとなります。例外として、判決、相続または法人の合併による登記の場合があります（不動産登記法63条）。

④ 登記の要否

登記を対抗要件とする物権として、所有権、地上権、永小作権、地役権、先取特権、質権、抵当権（不動産登記法３条１号ないし７号）が挙げられます。対抗要件とは、当事者以外の第三者に対して、ある法律関係の効果が及ぶ旨を主張するための要件をいいます。

物権以外の権利で登記を対抗要件とするものとして、不動産賃借権（民法605条、不動産登記法３条８号）、採石権（採石法４条、不動産登記法３条10号）等が挙げられます。

登記を対抗要件としない物権として、占有権、留置権、一般先取特権、入会権が挙げられます。

特別法が、登記に代わるものに対抗力を認めている権利として、借地権（借地上建物の登記。借地借家法10条１項）、借家権（引渡し。同法31条）、農地（引渡し。農地法18条１項）が挙げられます。

(2) 民法177条の効果

①「対抗することができない」の意味

「対抗することができない」とは、一般に、ある法律事実や法律効果が発生していても、その事実や効果を当事者以外の第三者に対して積極的に主張することができないことをいいます。民法177条は、不動産物権変動が有効に存在することを前提として、登記を備えなければ「第三者」に該当する者に対して、当該物権変動の事実や効果を主張できないことを意味します。

具体的には、第三者が物権変動に基づく法的主張を受けた場合に、登記を具備するまで物権変動を認めないとして、その法的主張を退けることができることを意味します（「対抗要件欠缺の抗弁」）。「第三者」とは、一般的に、当事者およびその包括承継人以外の者のうち、不動産に関する物権の得喪および変更の登記欠缺を主張する正当な利益を有する者を意味します。具体例については、後述します。

なお、「対抗することができない」とは、あくまで物権変動を第三者に対して主張できないという意味であり、当事者間の物権変動そのものがなかったとされるわけではありません。そのため第三者の側から、登記が具備されていない物権変動を認めることは可能です。また、物権変動を主張する者は、民法177条の「第三者」に該当しない者に対しては、登記がなくても物権変動を主張できます。たとえば、土地の売主は当事者であり「第三者」ではないため、当該土地の買主は売主に対して、登記がなくても当該土地の所有権の移転を主張できます。

② 具体例

たとえば、Ａが、その所有している土地について、まずＢとの間で売買契約を締結し、Ｂがまだ登記を自己名義に移転しないでいるうちに、同一の土地についてＡがＣとの間でも売買契約を締結したとします（このような場合を二重譲渡といいます。Ｂを第１譲受人、Ｃを第２譲受人と呼びます。ＢとＣは「対抗関係」にあるといいます）。このような場合、ＢとＣはともにその土地について自分が所有権を持っていると相手方に主張できません。それは、ＢとＣはいずれも、その土地について自己名義の登記を具備していないため、民法177条によって物権変動を相手方に対抗できないからです。

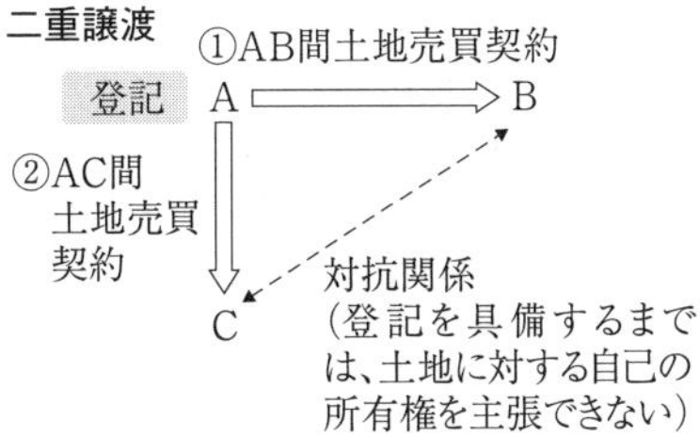

民法が意思主義（民法176条）を採用しているという前提を踏まえると、土地の所有権移転という物権変動は、ＡとＢとが契約を締結した時点に生じています。つまり、契約の締結と同時に、Ｂはその土地の所有権を取得し、他方Ａは土地所有権を喪失していると考えられます。ＣがＡと契約を締結した時点では、すでにＡはその土地につき無権利者となり、何ら土地の処分権を有しないことと

なります。そこで、Ｃはこのような無権利者であるＡから所有権を取得することはできないのではないか、ＡはＢとＣに対して二重に不動産を売却するといったことがそもそも可能かという点が問題となります（二重譲渡の法的構成）。

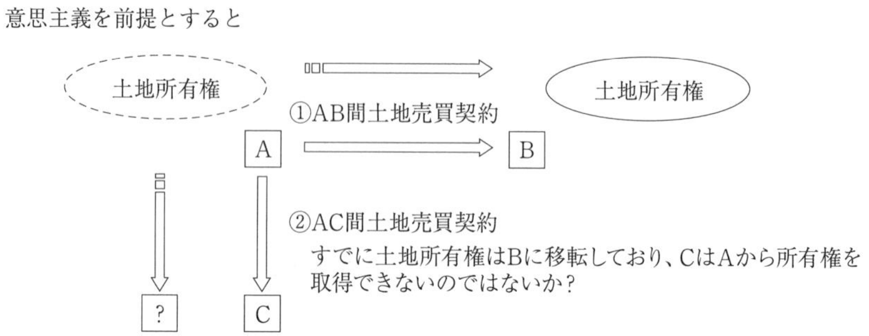

③　民法177条の意義に関する学説

学説では、民法177条は二重譲渡を禁止しているわけではなく、登記がなければ第三者に対して対抗できない（主張できない）と定めていることから、二重譲渡自体は可能であるという前提に立ったうえで、民法177条の意義をいかに説明するかについて議論が展開されています。もっとも、いずれの説によっても実際の結論には大きな差はないといえます。

ア　相対的無効説

この見解は、登記がなくても当事者間では完全に物権変動の効力が生じるが、第三者に対する関係では物権変動の効力が生じないと解し、当事者間と第三者との関係とを区別して、それぞれとの関係で（相対的に）効力の有無を判断する見解です。

イ　否認権説・反対事実主張説

この見解は、登記がなくても、当事者間でも第三者に対する関係でも完全に物権変動の効果が生じるが、第三者の側から登記が欠けているという積極的主張がなされ（第三者の側に登記の欠缺という主張を可能とする権利〔否認権〕を認める）、あるいは、自分も同じ不動産を譲り受けたといった当事者間の物権変動と両立しない事実の主張がなされると（反対事実主張説）、この第三者に対する関係では物権変動の効力がなかったものとされると解する見解です。

ウ　不完全物権変動説（通説的見解）

この見解は、登記がなくても、当事者間でも第三者に対する関係でも物権変動の効果が生じるが、登記を備えない限り当該物権変動は完全に排他性のある効果を生じないと解する見解です。この見解は、二重譲渡が可能である理由として、譲渡人も完全な無権利者とはならず、譲渡人がさらに他の者に譲渡することが可能であると説明します。

エ　法定制度説

この見解は、民法176条と民法177条の成立の経緯（民法では176条と177条を同時に導入している）を踏まえて、難しい理論的説明をする必要はなく、そのような法定の制度であると説明すれば足りると解する見解です。民法176条は意思表示のみによる物権変動を定めているが、その物権変動は民法177条が存在することによって制約を受けるのであり、民法が二重譲渡の第2譲受人の権利取得が認められうることを前提としていることは明らかであり、それ以上の説明は不要であることを論拠とします。

(3) 物権変動の原因に制限はあるか

① 問題の所在

民法は不動産に関する物権の「得喪及び変更」があった場合、すなわち物権変動が生じた場合に登記を要することを規定しています（民法177条）。

物権変動には、意思表示によるものや相続・遺贈のように人の死亡を契機とするもの、時効によるものというように様々な原因が存在します。そこで、物権変動のうちある種の原因に基づくものは、民法177条を適用せず登記をしなくても第三者に対抗できることを認めるべきではないかという考えが主張され、民法177条が登記を要求する物権変動にはあらゆる原因を含むのか、それとも物権変動のうちある種の原因は含まれないのかが議論されています。

② 判例・学説

ア　変動原因制限説

(i) 結　論

変動原因制限説とは、民法177条はすべての物権変動に適用があるわけではないと主張する見解です。

登記を要する物権変動をどのように制限するかについては、(ア)意思表示による物権変動についてのみ登記を要するとする見解や(イ)現存する当事者間の権利関係に起因する物権変動についてのみ登記を要するとする見解、(ウ)既存の権利に基づく物権変動は登記がなければ対抗できないが、新たに生じた不動産について原始的に取得された所有権（たとえば、新築建物について最初に取得される所有権）は登記なしに対抗できるとする見解、(エ)対抗問題を生じる物権変動についてのみ登記を要するとする見解と多岐にわたります。

(ii) 理　由

変動原因制限説は、以下の理由に基づきます。

(ア) 民法177条は、意思主義を規定する民法176条の直後に位置することから、民法177条は意思表示による物権変動のみを対象としていると考えることができる。

(イ) 相続人や受遺者が被相続人の死亡を知らないうちに相続や遺贈によって不動産物権を取得した場合等、当事者が物権変動の事実を知らないことがある。このような場合にまで登記をしなければ物権変動の効果を主張できないとすると、帰責事由のない者に所有権の喪失という重大な不利益を課すこととなるため、妥当でない。

(ウ) ある一定の物権変動については、登記の存否にかかわらず当該物権変動の対外的主張を認めるべきである。たとえば、時効による所有権取得は、長期間の占有の継続という事実状態を保護するために認められているものである。このような事実状態が継続している限り、登記の存否にかかわらず占有者による所有権取得の対外的主張を認めるべきである。

イ　変動原因無制限説（判例・通説）

(i) 結　論

変動原因無制限説とは、民法177条は意思表示を原因とする物権変動に限らず、すべての物権変動に適用があると主張する見解です。

たとえば、意思表示による物権変動（契約、遺贈による物権変動、取消しや解除による物権変動の遡及的消滅）、強制競売・担保不動産競売による物権変動（大判大正８年６月23日民録25輯1090頁）、公用徴収による物権変動（大判明治38年４月24日民録11輯564頁）、相続による物権変動、会社合併による物権変動（大判昭和７年４月26日新聞3410号14頁）、取得時効による物権変動等について、登記がなければ第三者に対抗することができないとし、意思表示を原因とする物権変動に限らず、民法177条を適用します。

(ii) 理　由

変動原因無制限説は、以下の理由に基づきます。

(ア) 民法177条が民法176条の次に位置するからといって、民法177条は民法176条を前提とし、意思表示による物権変動のみに妥当する規定であると解する理由はない。

(イ) 民法177条は、同一の不動産に関して正当な権利や利益を有する第三者に登記により物権変動の事実を知らせることで不測の損害を被らせないようにするという第三者（取引の安全）保護の規定である。物権変動がどのような原因によって生じたかは第三者の関知するところではないため、第三者（取引の安全）保護の観点から、民法177条が適用される物権変動の原因を制限するべきではない。

(ウ) 物権変動の当事者に登記可能性があり、登記するよう求めることも可能であったのであれば、それをしなかった当事者には物権変動原因のいかんにかかわらず登記懈怠の帰責性を認めることができる。

⑷ 民法177条の第三者

① 問題の所在

民法177条によると不動産の物権変動は登記をしないと「第三者」に対抗しえないこととなります。この点、民法177条の「第三者」は、文理上解釈される「当事者およびその包括承継人以外の者」をいうのか（無制限説）、それとも「当事者およびその包括承継人以外の者のうち制限された範囲の者」をいうのか（制限説）が議論されています。

② 判例・学説

初期の学説・判例は、民法177条は単に「第三者」と規定し、これを制限する文言がないという条文の文理解釈を根拠に、民法177条の「第三者」を「当事者および包括承継人以外の者」をいうと解する無制限説を採用していました。

しかし、無制限説によると、たとえば、真の権利者が偽造した書類を利用して登記名義を取得した者に対しても、登記がないために登記の回復を請求できなかったり、権利者が建物を権限なく破壊した不法行為者に対して、登記がないことを理由に損害賠償を請求できないといった不当な結果が生じかねないこととなります。

そこで、不動産取引の安全の保護を図るという民法177条の趣旨から再考し、判例は制限説を採用しました（大判明治41年12月15日民録14輯1276頁）。

制限説は、民法177条の「第三者」とは、当事者およびその包括承継人以外の者のうち「不動産に関する物権の得喪変更の登記の欠缺（不存在）を主張する正当な利益を有する者」をいうと解します。

その理由は、以下のとおりです。

ア　民法177条が規定する「対抗」という問題は、利害が対立するときに初めて生じるものである。そのため、当該物権変動に利害関係を有しない者（たとえば、無権利者）は、民法177条の「第三者」に該当しない。

イ　民法177条の趣旨は、物権変動の公示を通して、同一不動産に関して正当な権利または利益を有する者に不測の損害を被らせないようにすることにある。この趣旨に照らせば、利害関係を有する者でも保護の必要性に乏しい者（たとえば、不法行為者）は、民法177条の「第三者」には該当しない。

③ 登記をしなければ対抗できない第三者

判例は、民法177条の「第三者」につき、当事者およびその包括承継人以外の者のうち、不動産に関する物権の得喪および変更の登記欠缺を主張する正当な利益を有する者であると解します。

ここで「正当な利益を有する者」とは、どのような者かが問題となります。以下では、具体例を挙げて検討します。

ア　物権取得者

同一不動産上に所有権、地上権、抵当権等の物権を取得した者は、「不動産に関する物権の得喪および変更の登記欠缺を主張する正当な利益を有する者」として、民法177条の「第三者」に該当します。

たとえば、AからBが不動産の所有権を譲り受けても（あるいは地上権や地役権等の用益物権や抵当権の設定を受けても）、Bは登記をしないと同一不動産につき所有権を譲り受けたCに対抗できないこととなります。

同じく、Bは登記をしないと同一不動産上に地上権の設定を受けたCに対抗できず、Cが地上権設定の登記をした場合、Bは地上権の負担の付いた所有権を譲り受けたこととなります。

さらに、Bは登記をしないと同一不動産上に抵当権の設定を受けたCに対抗できず、Cが抵当権設定の登記をし、抵当権を実行した場合、Bの所有権も失われることとなります。

いずれもCはBが取得した不動産上に所有権、地上権、抵当権といった物権を取得した者であり、民法177条の「第三者」に該当するためです。

イ　賃借人

賃借人との関係では、不動産の譲受人が当該賃借人に対して明渡請求をする場合と賃料請求・解約の申入れ・解除（以下「賃料請求等」といいます）をする場合に分けて議論されています。

(i) 明渡請求の場合

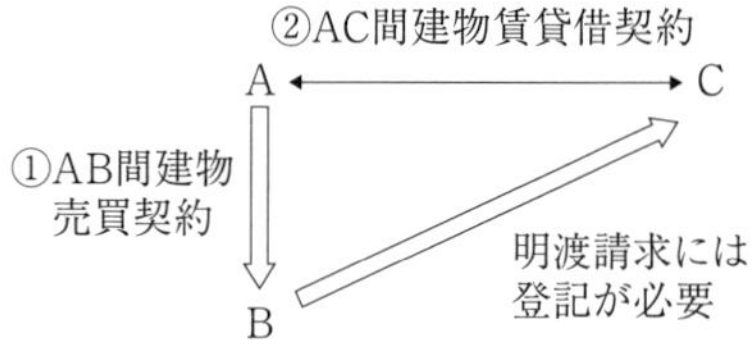

不動産の譲受人Bが前主Aとの間で賃貸借契約を締結した賃借人Cに対して明渡請求をする場合、当該賃借人Cは「不動産に関する物権の得喪および変更の登記欠缺を主張する正当な利益を有する者」に該当し、民法177条の「第三者」にあたります。その結果、不動産の譲受人Bが前主Aと賃借人Cとの賃貸借関係を否認して賃借人に対し不動産の明渡しを求めるには、登記を具備する必要があります（大判昭和6年3月31日新聞3261号16頁）。

なお、不動産の譲受人が登記を備える前に、賃借人が賃借権の対抗要件（民法605条の賃借権登記、借地借家法10条1項による建物登記、同法31条による建物の引渡し）を備えている場合には、賃借人は不動産の譲受人に賃借権を対抗することができます。

(ii) 賃料請求等の場合

不動産の譲受人が前主との間で賃貸借契約を締結した賃借人に対して賃料

請求等をする場合には、不動産の譲受人は登記が必要であるとする登記必要説と登記を不要とする登記不要説が対立しています。

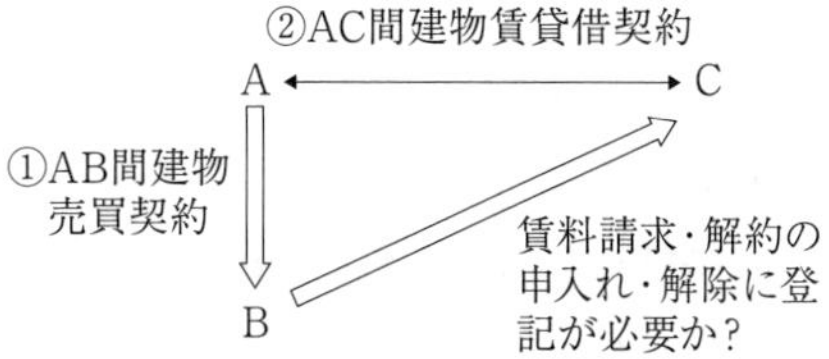

⑺　登記必要説（賃借人は民法177条の「第三者」に該当する）

上記図のＢに登記は不要であるとすると、賃借人Ｃは最終的に所有権を取得しないかもしれない（Ｄに二重譲渡され、Ｄが登記を具備した場合には、ＤがＢに対抗することができることとなる）Ｂに対して賃料を支払ったり、そのようなＢから賃貸借を解除されたりすることとなり、賃借人Ｃの立場が不安定となってしまいます。

そこで、登記必要説は、これらの不都合を回避するために、上記図のＢには登記が必要であると解します。

判例は、登記必要説の立場を採用し、明渡請求のみならず賃料請求等の場合にも賃借人は民法177条の「第三者」に該当するとし、賃料請求等をする権利者に登記の具備を求めています（賃料請求について、大判昭和８年５月９日民集12巻1123頁。賃貸借契約の解約申入れについて、最判昭和25年11月30日民集４巻11号607頁。賃貸借契約の解除について、最判昭和49年３月19日民集28巻２号325頁）。

⑷　登記不要説（賃借人は民法177条の「第三者」に該当しない）

上記図のＢに登記は不要であるとする見解は、賃料請求等は債権者としての主張であり、債権譲渡の対抗要件（第三者への確定日付のある譲渡通知等。民法467条）を備えることや賃料の二重払いの危険は債権の準占有者への弁済の規定（民法478条）によって防止できることを理由とします。

ウ　一般債権者

不動産の譲受人Ｂにとって、譲渡人Ａの一般債権者Ｃが民法177条の「第三者」に該当するかが問題となります。

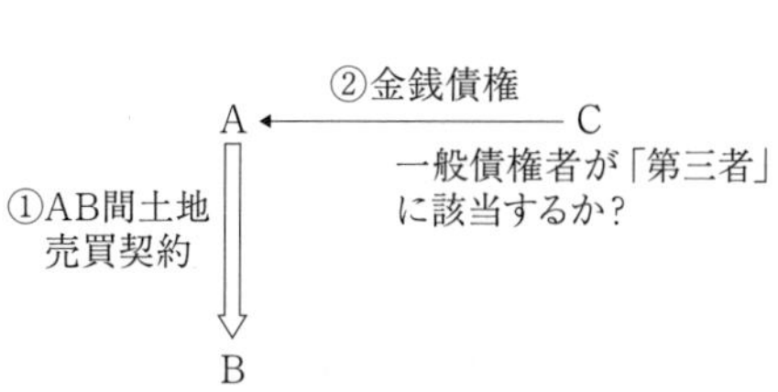

一般債権者Ｃは、債務者Ａの財産一般から回収を図る地位しか有しておらず、Ｂに譲渡した特定財産（土地）について利害関係を有していません。したがって、「不動産に関する物権の得喪および変更の登記欠缺を主張する正当な利益を有する者」に該当せず、一般債権者は、民法177条の「第三者」に該当しないと解されます。不動産の譲受人Ｂは、譲渡人Ａの一般債権者Ｃに対して、登記なくして土地の所有権を主張することができます。

エ　差押債権者

不動産の譲渡人Ａの一般債権者Ｃが、ＡがＢに対して不動産を譲渡した後に、当該不動産を差し押さえた場合、Ｂは当該土地につき、登記を具備している必要があるか、すなわちＣは民法177条の「第三者」に該当するかが問題となります。

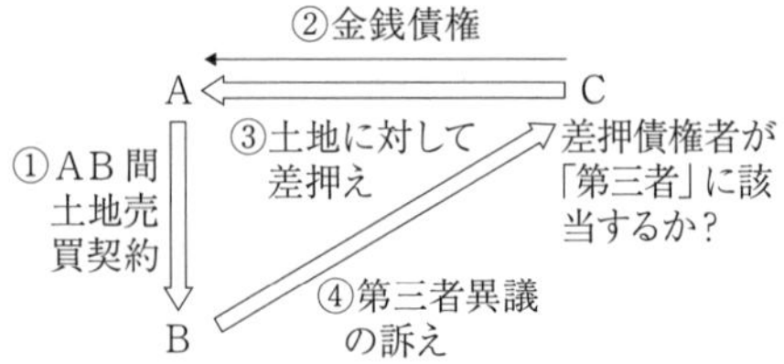

判例・通説は、一般債権者が債務者の有する不動産に対して差押え（民事執行法45条１項）をした場合、当該差押債権者は不動産物権変動の有無について利害関係を有することになり、「不動産に関する物権の得喪および変更の登記欠缺を主張する正当な利益を有する者」として民法177条の「第三者」に該当すると解します（差押債権者について、前掲大判明治41年12月15日。仮差押債権者について、大判昭和９年５月11日新聞3702号11頁。仮処分債権者について、最判昭和30年10月25日民集９巻11号1678頁）。

債権者はもともと債務者の財産一般に対して、債務不履行（民法415条）の場合にその後の民事執行法に基づく強制的な債権回収の原資にできるという意味で潜在的な支配権能を有していると考えられます。この一般債権者によって債務者の所有する不動産に対して差押え（民事執行法45条１項）等がなされると、この潜在的な支配権能が特定の財産について具体化されたことになるということができます。したがって、差押債権者は、差押対象財産について物権者に類似する地位にあり、民法177条の「第三者」と認めることができると解されます。

オ　実質的無権利者

真の権利者ＡからＢが土地を購入し、無権利者であるＣが登記名義人となっている場合、ＢがＣに対して当該土地につき所有権移転登記手続請求をするのに登記を具備している必要があるか、Ｃが民法177条の「第三者」に該当するかが問題となります。

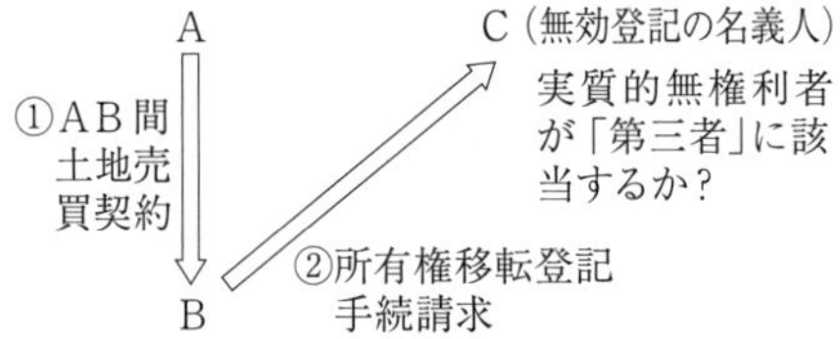

同一の不動産に関し正当な権原によらずして権利を主張する者（実質的無権利者）は、「不動産に関する物権の得喪および変更の登記欠缺を主張する正当な利益を有する者」とはいえないため、「第三者」に該当しないと解されます（前掲大判明治41年12月15日）。

実質的無権利者の具体例としては、無効登記の名義人であって実体的権利を有しない者（大判昭和５年３月31日新聞3112号13頁等）とその承継人（大判明治32年６月７日民録５輯17頁等）、表見相続人とその承継人（大判大正３年12月１日民録20輯1019頁）、無効な法律行為に基づく譲受人（大判昭和５年４月17日新聞3121号11頁）とその承継人（最判昭和34年２月12日民集13巻２号91頁）等が挙げられます。

カ　不法行為者、不法占拠者

真の権利者ＡからＢが土地を購入し、当該土地を不法占拠しているＣに対して、損害賠償請求訴訟を提起したとき、Ｂは当該土地につき、登記を具備している必要があるか、すなわちＣは民法177条の「第三者」に該当するかが問題となります。

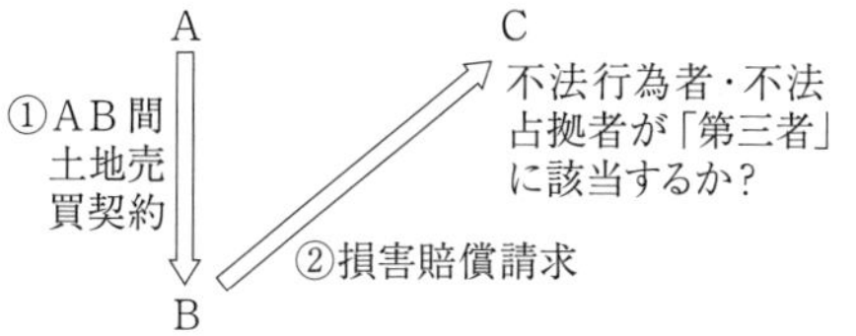

不法行為者や不法占拠者は、「不動産に関する物権の得喪および変更の登記欠缺を主張する正当な利益を有する者」とはいえないため、「第三者」に該当しないと解されます（最判昭和25年12月19日民集４巻12号660頁・百選Ⅰ［第８版］62事件）。

キ　転々譲渡した場合の前主

不動産がＡからＢ、ＢからＣと転々譲渡した場合に、ＡはＣにとっての民法177条の「第三者」に該当しません。ＡはＢに対して所有権移転登記をすべき義務を負担しているにもかかわらず、その登記への協力を怠りながら、Ｃに対して登記の欠缺を主張することは許容されず、「不動産に関する物権の得喪および変更の登記欠缺を主張する正当な利益を有する者」とはいえないためです（最判昭和39年２月13日判タ160号71頁）。

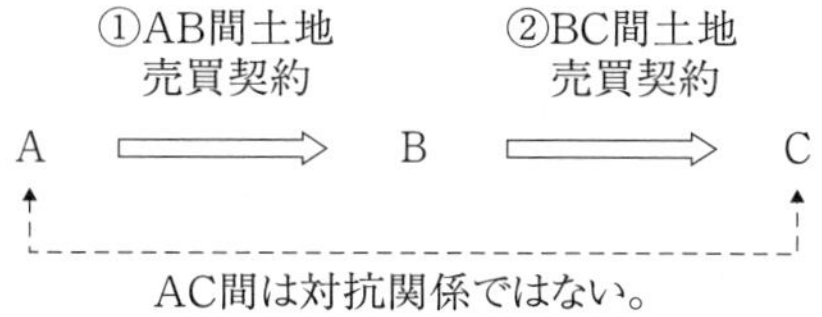

④ 第三者の主観的要件

民法177条は「第三者」について、条文上善意・悪意という主観的要件を定めていません。そこで、たとえば、真の権利者Ａが先行してＢに土地を売却し、ＣがＢへの売却を知っていながら（悪意）Ａから同一の土地を譲り受け、登記を具備した場合、Ｂは登記を具備していないためＣに対抗することができないか、第三者Ｃの主観的要件を要しないかが問題となります。

ア　原 則（善意悪意不問説）

条文の文言上、民法177条は「第三者」には主観的要件を必要としていません。文理解釈によれば、第三者が登記の欠缺について善意（知らない）であるか悪意（知っている）であるかは、第三者の判断に影響を与えないと考えられます。このような考えに従うと権利者の登記の欠缺について悪意の第三者でも、登記を具備すれば確定的に所有権を取得することとなります。

このように民法177条の「第三者」に該当するためには、善意・悪意を問わないという考え方を善意悪意不問説と呼びます。判例・学説は原則として善意悪意不問説を採用します。善意悪意不問説は、登記の有無による紛争の画一的処理による取引安全の確保を根拠として挙げていました。

しかし、この根拠に対して、登記制度が取引安全の保護を目的とするものであれば、登記を信頼した者（つまり善意者）を保護するだけで十分であるとの批判がなされました。

この批判を受けて、善意悪意不問説は、条文の文言以外の根拠として自由競争原理を挙げるようになりました。すなわち、自由競争が認められる社会では、物の取得をめぐって他人と競争し、他人よりも有利な条件を提示して物を取得することも当然に許されるはずです。これは、他人が物権を取得した場合も同様であると考えられます。物権を取得した者は、登記を得て自己の権利を保全すべきであるのにそれを怠った以上、二重譲渡により事後的に物権を取得した者に敗れて当該権利を失っても自由競争原理に照らして是認されるべきといえることとなります。

イ　例 外（背信的悪意者排除論）

自由競争原理を貫徹すると、本来法的に保護されるべきでない者も民法177条の登記を具備することにより保護されることとなります。そこで、自由競争原理の下においても保護されるべきでない者は民法177条の「第三者」に該当しないとの考え方が有力に提唱されるようになりました。

この考え方を採用する場合、どのような者が自由競争原理の下において保護されるべきでない者といえるかが問題となります。この点、不動産登記法５条によって民法177条の「第三者」から除外される者は、自由競争の枠外にある者の典型と考えられます。判例・通説は、この不動産登記法５条を手がかりに、登記の欠缺につき知っているという悪意者のうちでも信義に反する悪意者（背信的悪意者）は自由競争原理の下において保護されるべきでない者であるとし、民法177条の「第三者」から除外するという立場を採用するに至りました。このような立場を「背信的悪意者排除論」といいます。

背信的悪意者の意義については、「先行する物権取得者があることを知る悪意者のうち、先行する物権取得者の登記の欠缺を主張することが信義に反すると認められる者」とか、「実体法上物権変動があった事実を知る者であって、かつ、物権変動について登記欠缺を主張することが信義に反すると認められる事情のある者」と表現されます。このように、登記欠缺についての悪意と取引上の信義に反する事情（背信性）の有無が背信的悪意者か否かの判断に際し、重要な要素となります。

(i) 判　例（最判昭和43年8月2日民集22巻8号1571頁）

判例は、ある者が所有する山林について、これを購入した第一買主が未だ所有権移転登記をしていないことを奇貨として、第二買主が高値で売りつけて利益を得る目的で当該山林を当初の売主から購入したという事案で、「……実体上物権変動があった事実を知る者において右物権変動についての登記の欠缺を主張することが信義に反するものと認められる事情がある場合には、かかる背信的悪意者は、登記の欠缺を主張するについて正当な利益を有しない者であって、民法177条にいう第三者に当らない」と判示しました。

(ii) 学説による整理

学説は、背信的悪意者であるか否かの判断要素を以下のとおり整理しています。

(ア) 不動産登記法5条に準じる事情

第三者が不動産登記法5条の該当者に準じる者である場合、背信的悪意者であると解されます。

たとえば、Aの所有する土地についてAB間、AC間の順で売買が行われたとして、CがAによるBへの登記妨害に協力していたときやAB間の売買をめぐる紛争の和解を仲介していた場合が挙げられます。

前者の場合、Cは不公正な妨害者であって自由競争者とはいえません（不動産登記法5条1項の「詐欺又は強迫によって登記の申請を妨げた第三者」に準じます）。後者の場合、CはAB間の売買の関係者であって、Aと競争する地位に身を置くことが許されません（不動産登記法5条2項の「他人のために登記を申請する義務を負う第三者」に準じます）。

(イ) 当事者に準じる者

第三者が実質的に当事者と同視される地位にあるという事情がある場合、背信的悪意者であると解されます。

たとえば、Aの所有する土地についてAB間、AC間の順で売買が行われたとして、CがBの近親者である場合やBが法人でCがその代表者である場合が挙げられます。

これらの場合のCはBと密接な関係性を有するため、AB間の売買について競争者の地位に身を置くことが許されず、背信的悪意者に該当する可能性があります。

(ウ) 不当に利益を上げようとする意図や他人の利益を害そうとする意図を有する者

第三者が不当に利益を上げる目的や他人の利益を害する目的で不動産物権を取得しようとする事情（取引倫理に反する事情）がある場合、背信的悪意者に該当すると解されます。

たとえば、Aの所有する土地についてAB間で売買が行われたが、AB間の売買とBへの移転登記の未了を知ったCが、Bに以前から抱いていた恨みを晴らすためにBから所有権を奪うことを目的として、あるいはすでに土地を長期間占有していたBに高値で買い取らせることを目的として、Aから土地を極めて低廉な価格で購入して移転登記も得た場合が挙げられます。このような場合には、Cは不公正な妨害者と評価され、背信的悪意者に該当する可能性があります。

(エ) 矛盾的態度をとった者

第三者が譲受人の権利取得を前提とする行動をしながら、後にそれと矛盾する主張をする場合、背信的悪意者に該当すると解されます。

たとえば、Aが所有していた土地をBに売買し、所有権に関する登記がAに残存していたとき、C（国）が土地所有権はBに属することを前提としてBから固定資産税を徴収していたにもかかわらず、その後に一転して、登記がA名義であることを奇貨としてAに対する滞納処分により土地を差し押さえて公売処分に付したような場合が挙げられます。

このような場合には、CはBの権利を認めた時点でBと競争しうる地位を失ったと考えられ、背信的悪意者に該当する可能性があります。

ウ　背信的悪意者からの転得者

たとえば、真の権利者Aが自己所有地をBとCに二重譲渡し、背信的悪意者であるBがさらにDに譲渡したような場合、Dは民法177条の「第三者」に該当するか、Dが民法177条の「第三者」に該当する場合、Cは登記を具備しなければDに対抗できないこととなるため、背信的悪意者からの転得者をいかに扱うかが問題となります。

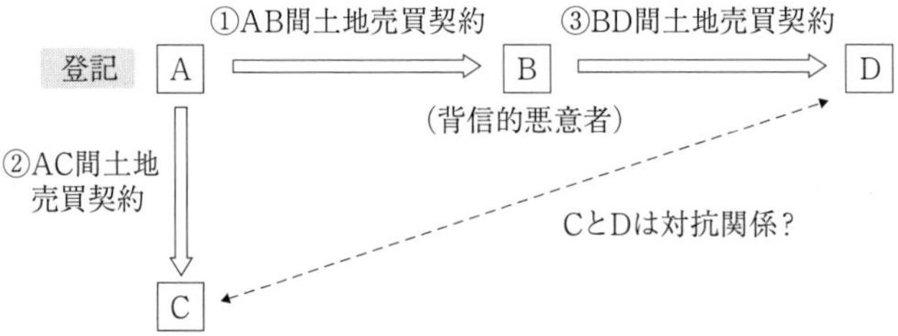

この点、AからBへの物権変動は有効であることが前提となります。すなわち、背信的悪意者であることとは、背信的悪意者自らは民法177条の「第三者」であると信義則上主張できないことを意味します（最判平成8年10月29日民集50巻9号2506頁・百選Ⅰ［第8版］61事件）。したがって、実体法上の物権変動

が否定されるわけではなく、背信的悪意者が無権利者とされるわけではないため、AからBへの物権変動は否定されません。

(i) 背信的悪意者からの転得者の地位

背信的悪意者であることは民法177条の「第三者」であるとする主張を信義則上封じられるにすぎず、AB間の物権変動そのものが否定されるわけではありません。したがって、AB間の物権変動は実体法上は有効であり、BD間の物権変動が有効であれば、DはBが有する土地の権利を承継取得することとなります。

つまり、CとDはAを基点とする二重譲渡の関係にあり、DはCの登記欠缺を主張することに正当な利益を有している者として、民法177条の「第三者」に該当することとなります（前掲最判平成8年10月29日）。その結果、Cは登記を具備しなければ、民法177条の「第三者」に該当するDに土地の権利を対抗できないこととなります。ただし、D自身に背信的悪意者と評価される事情がある場合は、Cは登記を具備せずにDに土地の権利を対抗することができます。

(ii) 転得者が背信的悪意者であった場合

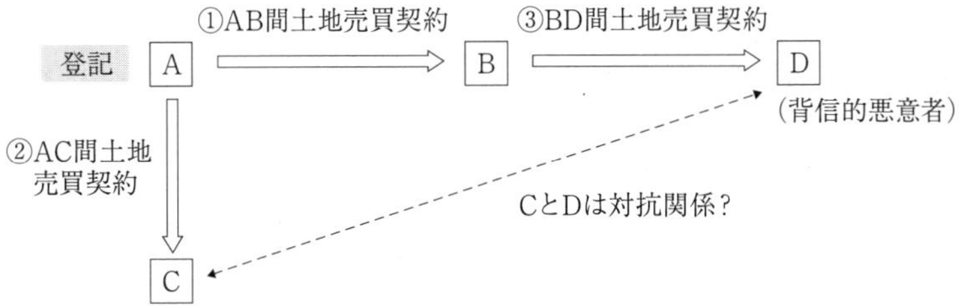

次に、上記の例でBは背信的悪意者でなく、Dが背信的悪意者であった場合はどのように考えればよいかが問題となります。

この問題については、Bが背信的悪意者でない以上は、それ以後に現れたDが背信的悪意者であるか否かを問題にしないという見解（絶対的構成）とBが背信的悪意者でなくともDがCとの関係で背信的悪意者であれば、「第三者」に該当しないという見解（相対的構成）が主張されています。

絶対的構成では、Dが背信的悪意者であったとしても、Cは登記を具備しなければ、Dに対して土地の権利を対抗できないこととなります。これに対して、相対的構成では、Dが背信的悪意者の場合には、Cは登記を具備せずにDに土地の権利を対抗することができます。

絶対的構成は法的安定性を重視し、いったん背信的悪意者でないBという譲受人が現れた以上、その時点でCはBに対抗するためには登記の具備が必要であったのであり、その後に背信的悪意者が現れたとしてもCの立場に変更は及ぼさないと解する見解であるといえます。相対的構成はDが信義に反する背信的悪意者である以上、Cの保護を図る必要があるとして、具体的妥当性を重視した見解であるといえます。

2　登記を必要とする物権変動

判例・通説は民法177条が対象とする物権変動があらゆる原因を含むかという問題について、民法177条は意思表示を原因とする物権変動に限らず、すべての物権変動に適用があると解する変動原因無制限説を採用しています。もっとも、実際に物権変動を主張する者に登記が必要となるのは、対抗問題が生じる場合です。そこで、対抗問題が生じるのはいかなる場面かが問題となります。この点、学説は対抗問題とは「同一客体上の物的支配を相争う相互関係が存在する場合」等と説明します。以下、具体的に検討をします。

⑴ 法律行為

売買や贈与等の債権契約や抵当権設定等の物権契約によって物権変動が生じた場合には、対抗要件としての登記が必要となります。たとえば、AからB、AからCへの二重譲渡の場合であり、先に登記を備えた方が優先することとなります。

⑵ 法律行為の取消し

法律行為は、取消しによって遡及的に無効となります（民法121条）。その法律行為が物権変動の原因となるものであれば、当該法律行為の取消しによって、一度有効に生じた物権変動がなかったものとされます。このとき、法律行為を取り消した者が第三者に対して、民法177条に基づき、「一度有効に生じた物権変動がなかったものとされる」という効果（当初の物権変動の遡及的消滅）を主張するのに登記が必要かが問題となります。

たとえば、AがBに強迫行為を行ってB所有の不動産をAに売却させた後、AがCに当該不動産を売却した場合、Bが強迫取消し（民法96条1項）によってAB間売買を取り消した後に、BがCに対して当該不動産の所有権を主張するために登記を具備していることが必要か、BC間が対抗関係といえるか、民法177条が適用される場面かが問題となります。

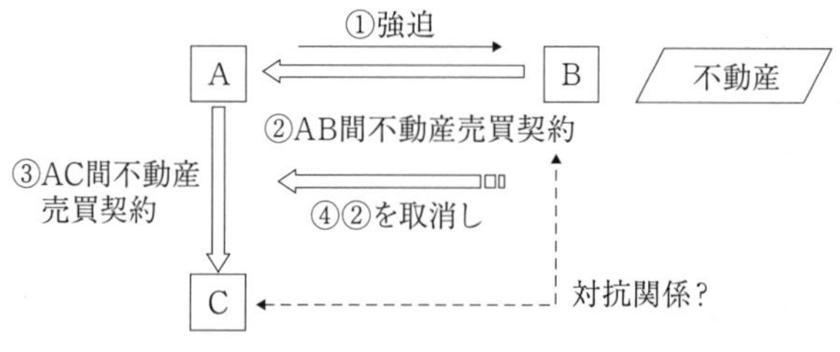

① 判 例

判例は、第三者が取消しの前に利害関係を有するに至った場合と取消しの後に利害関係を有するに至った場合の２つの場合を区別しています。

ア　取消前に第三者が利害関係を有するに至った場合（上記図）

取消前に第三者が利害関係を有するに至った場合は、法律行為を取り消した者は当該利害関係人に対して権利を主張するために登記は不要であると解しています（大判昭和４年２月20日民集８巻59頁）。取消前の第三者との関係で取消権者は法律行為を取り消す前に、あらかじめ自己の権利を登記しておくことはできず、登記の具備を要求することは取消権者に酷なためです。

結局、ＣがＢの取消前にＡから不動産を譲り受け、利害関係を有するに至ったという場面では、ＢはＣに対して不動産の権利を主張するのに登記を具備する必要はないこととなります。

もっとも、詐欺取消しの場合には、善意かつ無過失の第三者に対して取消しを主張できません（民法96条３項。大判昭和17年９月30日民集21巻911頁・百選Ⅰ［第８版］55事件）。したがって、ＣがＡの詐欺行為を知らなかった（善意）場合には、ＢはＣに対して取消しを主張できません。

イ　取消後に第三者が利害関係を有するに至った場合（下記図）

取消後に第三者が利害関係を有するに至った場合には、当該利害関係人に対して権利を主張するのに登記が必要であると解しています（前掲大判昭和17年９月30日）。

民法上、法律行為が取り消された場合は、「初めから無効であったものとみな」されます（民法121条）。しかし、判例は、取消後に第三者が利害関係を有するに至った場合には、新たに物権変動が生じるという構成を採っています。このような新たな物権変動を復帰的物権変動といいます。取消後に第三者が不動産を取得した場合には、当該取得と取消しによる復帰的物権変動を二重譲渡類似の関係（すなわち取消権者と第三者が対抗関係に立つ）と捉えています。取消後には取消権者は直ちに登記を具備することができ、登記を怠っている者が登記を具備していないことにより不利益を受けてもやむをえないためです。

結局、ＣがＢの取消後にＡから不動産を譲り受け、利害関係を有するに至

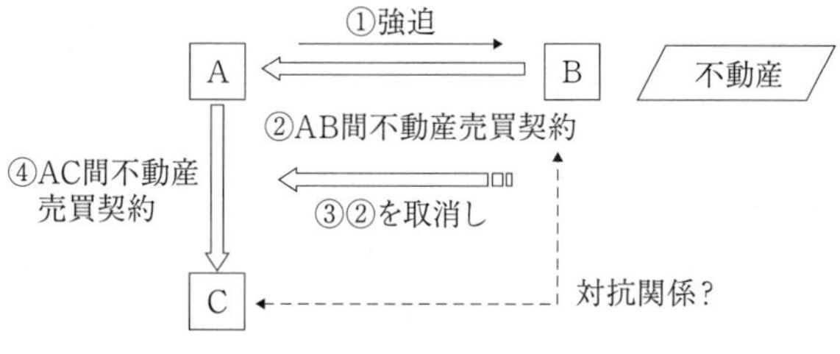

ったという場面では、ＢはＣに対して不動産の権利を主張するのに登記を具備する必要があることとなります。

② 学 説

学説上は、以下のように判例法理を批判する見解が有力となっています。

ア　判例法理に対する批判

(i) 判例法理は、取消権者の取消しによって、取消前の第三者との関係では当初の物権変動が遡及的に無効となるとされるのに、取消後の第三者との関係では取消権者に物権が復帰するかのように扱っています。第三者の登場時期が取消しの前か後かによって取消しの効果が異なり、取消しの効果の理解に矛盾があります。

(ii) 判例法理によると、いち早く取消しをした者は、取消後に利害関係を有するに至った者に対して登記がなければ物権の回復を対抗できない一方、取消しの時期を遅らせれば詐欺取消しの場合（民法96条３項）を除いて、取消前に利害関係を有するに至った者に対しては、善意の第三者にすら対抗することができることとなり、取消しの時期を遅らせた方が保護されることとなるため、不都合です。

イ　近時の見解

上記の判例に対する批判を踏まえて、近時は、以下のような見解が主張されています。

(i) 取消しの前後を問わず復帰的物権変動が生じるとの構成を徹底する見解

取消しの前後を問わず復帰的物権変動が生じることを前提として、取消しが可能となれば、取消しの意思表示をし登記をすることにより自己の権利を保全できるのにこれを怠ったのだから不利益を受けてもやむをえないと考える見解です。この見解は、さらに２つの考え方に分かれます。

(ア) ひとつは、取消しの意思表示だけでなく、給付物の返還請求・抹消登記請求の時を基準として、その前に第三者が現れた場合には物権変動の遡及的消滅を来し、その後の場合には対抗問題として登記の先後によるとする見解です。

上記の例でいえば、ＢがＡに対して売却した不動産の返還を求める前にＣが現れた場合には、ＢはＣに対して自己の所有権を主張するのに登記の具備は不要であるのに対し、返還を求めた後にＣが現れた場合には、ＢはＣに対して自己の所有権を主張するのに登記の具備を要するとの帰結となります。

(イ) もうひとつは、取消しの意思表示ではなく、取消し可能となった時を基準として、その前であれば物権変動の遡及的消滅、後の場合には対抗問題として登記の先後によるとする見解です。

上記の例でいえば、BがAとの売買契約を取り消しうべきものであることを認識した時点または具体的に取消権を行使することができるようになった時点を基準として、その前にCが現れた場合には、BはCに対して自己の所有権を主張するのに登記の具備は不要であるのに対し、その後にCが現れた場合には、BはCに対して自己の所有権を主張するのに登記の具備を要するとの帰結となります。

(ii) 取消しの遡及的無効を徹底する見解

法律行為の取消しによって物権変動も遡及的に無効となる（民法121条）ことを徹底し、取消前に現れたか取消後に現れたかを問わず、第三者は無権利者であるとする見解です。そのうえで、取り消しうべき法律行為に基づく登記を有効に除去しうる状態にあるのに放置する者は、民法94条2項の類推適用によって取消しの効果を善意・無過失の第三者に対抗しえないとの考えの下、当該無権利者を民法94条2項の類推適用によって保護すると考えます。

上記の例でいえば、Bが取消権の行使を放置し、Aが当該不動産の権利者であるとの外観を作出したことにつきBに帰責性が認められ、第三者であるCがAB間の売買契約が取り消しうべきものであることについて善意・無過失であった場合には、民法94条2項を類推適用しCを保護するとの帰結となります。

(3) 法律行為の解除

法律行為が解除（民法540条以下）された場合も、取消しの場合と類似の問題が生じます。

たとえば、AがBから不動産を買い受け、AはCに当該不動産を売却したが、AのBに対する売買代金の不払いでBがAB間の売買契約を解除（民法541条）した場合に、BはAからの買受人Cに対して当該不動産の所有権を主張するために登記が必要か、BC間が対抗関係といえるか、民法177条が適用される場面かが問題となります。

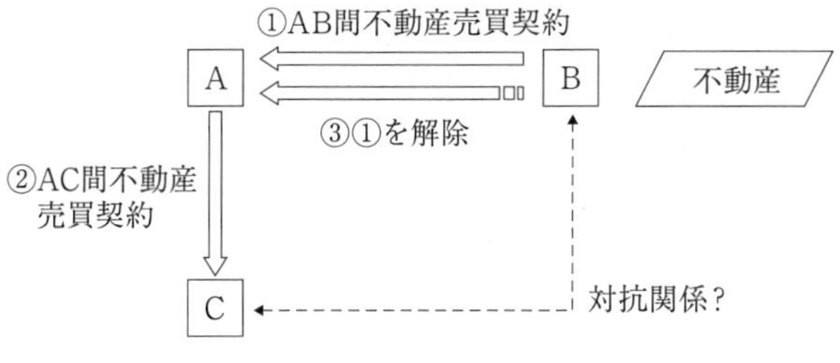

① 解除の意義・効果

契約当事者の一方が意思表示によって契約関係を終了させることを解除といい

ます。

解除がなされると各当事者は原状回復義務を負います（民法545条１項本文）。もっとも、解除によって第三者の権利を害することはできないとされています（民法545条１項但書）。

民法545条１項は、各当事者が原状回復義務を負うとしか定めていません。そこで、解除により契約が遡及的に効力を失うのか否か、解除の効果をどのように解するかについて、学説上議論されています。

ア　直接効果説

解除によって契約は当初から存在しなかったこととなり、契約から生じた効果は遡及的に消滅すると解する見解です。

この見解の帰結として、解除時点で履行していない債務（未履行債務）は消滅し、すでに履行している債務（既履行債務）は法律上の原因を失い、不当利得（民法703条）となります。

契約の効果が遡及的に消滅するため、取消しの場合と同様の処理が考えられます。直接効果説の立場では、第三者が解除の前に利害関係を有するに至った場合と解除の後に利害関係を有するに至った場合の２つの場合を区別し、前者の場合には解除者は第三者に対して権利主張するために登記の具備は不要であり、後者の場合には解除者は第三者に対して権利主張するために登記の具備が必要となります。

もっとも、民法545条１項但書により第三者保護が図られることとなります。

イ　間接効果説

解除によって契約自体は消滅せず、契約の作用が阻止されるのみであると解する見解です。

この見解の帰結として、解除時点で未履行債務については履行拒絶の抗弁権が生じ、既履行債務については新たな返還請求権としての原状回復請求権が生ずることとなります。

解除によって契約は消滅せず、新たに原状回復請求権が生ずる（復帰的物権変動が生ずる）と解するため、第三者が解除前に現れたか解除後に現れたかを問わず解除者と当該第三者とは対抗関係にあると解することとなります。解除の前後を問わず民法177条の問題となります。

ウ　判　例

判例は、直接効果説の立場を採用しています（大判明治44年10月10日民録17輯563頁、最判昭和51年２月13日民集30巻１号１頁・百選Ⅱ［第８版］45事件）。直接効果説によれば、解除によって契約は遡及的に消滅することとなります。

したがって、法律行為の解除の場合も、取消しの場合と類似の問題が生じることとなります。

もっとも、解除の場合には民法545条１項但書が「第三者の権利を害することはできない」と定め、第三者保護規定を設けています。

判例は民法545条１項但書を解除の遡及効が第三者との関係で制限されることを定めたものであると解しています（大判大正10年５月17日民録27輯929頁）。また、民法545条１項但書で保護される「第三者」とは、解除された契約の効果に基づいて解除前に新たに利害関係を有するに至った者であり、登記を備えた者であると解しています（前掲大判大正10年５月17日、最判昭和33年６月14日民集12巻９号1449頁）。ここにいう登記は、対抗要件としての登記ではなく権利保護要件としての登記（ある段階の地位を築いた者を保護する場合の基準として登記が機能し、確実に権利を得た者を保護するという意味での登記）を意味します。

② 判例による処理

取消しの場合と同様に第三者が解除前に現れた場合か解除後に現れた場合かに分けて考えることができます。

ア　解除前に第三者が利害関係を有するに至った場合

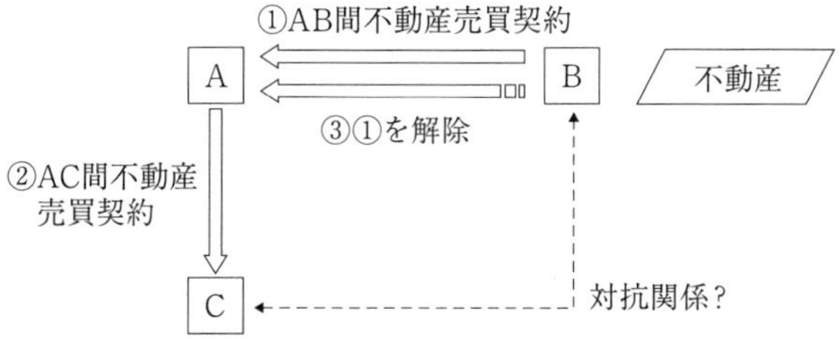

当該第三者が権利保護要件としての登記を具備し、民法545条１項但書の「第三者」に該当する場合は、解除の遡及効が制限され、解除者は当該第三者に復帰的物権変動を主張できません。

他方で、当該第三者が登記を備えていない場合、すなわち解除者が登記を備えている場合または解除者が登記を備えていなくとも当該第三者以外の者が登記を備えている場合は、解除者は当該第三者に対して自己が不動産の所有者であると主張できます。

イ　解除後に第三者が利害関係を有するに至った場合

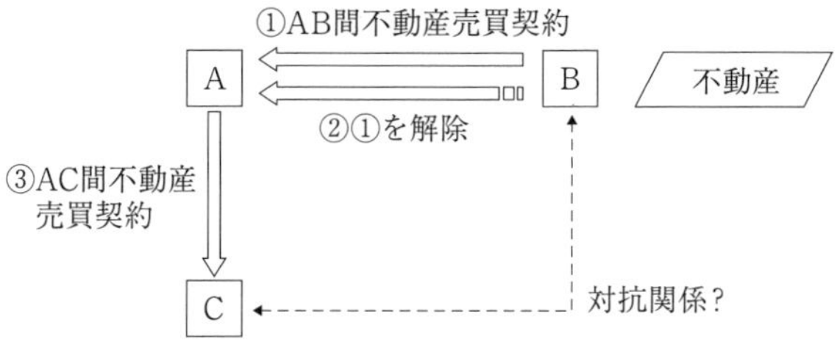

この場合は、取消権者と取消後の第三者との関係と同様に、解除者と解除後の第三者には二重譲渡類似の関係（AC 間の売買契約による物権変動と AB 間の売買契約の解除による復帰的物権変動）が生じることから、解除者と解除後の第三者は対抗関係に立ち民法177条により解除者は登記を具備しなければ自己が不動産の所有者であることを当該第三者に対抗できないとしています（大判昭和14年７月７日民集18巻748頁、最判昭和35年11月29日民集14巻13号2869頁・百選Ⅰ［第８版］56事件）。

⑷ **相 続**

相続とは人の死亡により開始される（民法882条）もので、相続人が死亡した被相続人の法的地位を包括承継します。そのため、一般的には対抗問題が生じる余地はないかとも思えます。

たとえば、Ａを被相続人、Ｂを相続人、Ｃを第三者とします。この場合、Ａが死亡後に不動産をＡからＣに譲渡することはありえません。仮にＡが死亡前に不動産をＣに譲渡していたとしても、相続によりＢはＡの地位を承継するため、ＢとＣは当事者の関係といえます。したがって、いずれにしても対抗関係は生じないとも思えます。

しかし、以下のように相続人が複数存在する場合に、問題が生じることとなります。

① 共同相続人の一人が単独相続の登記をして特定の相続財産を第三者に譲渡した場合

特定の相続財産につき、共同相続人の一人が単独相続の登記をしてこれを第三者に譲渡した場合に、他の共同相続人は自己の相続分を登記なしに当該第三者に対抗できるかが問題となります。

たとえば、Ａの不動産を共同相続（共同相続の場合、相続人は相続財産を共有する〔民法898条〕こととなります）したＢとＣ（持分は各２分の１ずつとする）のうちＢが当該不動産を自己名義に単独相続の登記をしてＤに譲渡した場合に、Ｃは自己の２分の１の持分を登記なくして対抗できるかが問題となります。

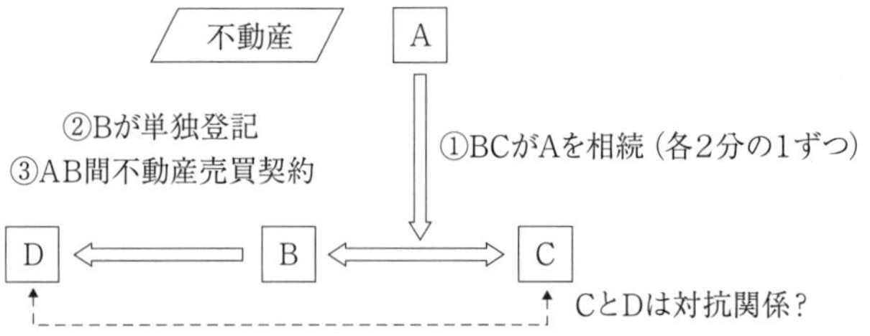

ア　判 例

判例は、共同相続人の一人は他の共同相続人に対して自己の持分を登記なくして対抗することができると解しています（最判昭和38年２月22日民集17巻１号235頁・百選Ⅰ［第８版］59事件）。

これは上記の例でいうとＢはＣの持分について無権利者であり、無権利者Ｂからの承継人であるＤも無権利者であるため、民法177条の「第三者」に該当せず、ＣとＤは対抗関係に立たないといえるからです。

イ　学説

(i) 登記不要説

判例同様、単独相続の登記をした共同相続人Ｂは他の共同相続人Ｃの持分については無権利者であり、その無権利者からの承継人Ｄも無権利者であるため、当該承継人Ｄは民法177条の「第三者」に該当しないと解する見解です。

したがって、他の共同相続人Ｃは自己の持分を単独相続の登記をした共同相続人からの承継人Ｄに対して、登記なくして対抗することができることとなります。

(ii) 登記必要説

共有では、各共有者は共有物につき完全な所有権を有しています。ただ、他に共有者がある場合にはその所有権によって制限を受けているにすぎません。他の共有者の権利が消滅したならば、その権利は他の共有者に帰属し（民法255条）、他に共有者がいなくなれば制限のない単独所有権が復元されることとなります。これを「共有の弾力性」と呼びます。

この共有の弾力性を前提とすると、共同相続人ＢもＡの死亡により相続した共有物（不動産）について（他の共有相続人Ｃの存在により制限はあるものの）完全な所有権を有していると解されます。そのため、Ｂの単独相続の登記もＢが完全な所有権を有しているとの実体をまったく反映していないものとはいえず、そのＢからの承継人Ｄは、民法177条の「第三者」に該当すると解する見解です。

したがって、他の共有相続人ＣはＤに対して登記なくして自己の持分を主張できないこととなります。

② 共同相続人の一人が持分権を第三者に譲渡し、遺産分割による他の相続人による単独相続が生じた場合

遺産分割により、相続と同時に生じた物権状態が変更され、その変更には遡及効が認められます（民法909条本文）。しかし、遺産分割の遡及効は、第三者との関係では制限を受けます（民法909条但書）。

以上の遺産分割による法的効果は、遡及効が認められている点および第三者との関係で遡及効に制限が加えられている点で、解除（民法545条１項本文と但書）の問題と類似しています。

そこで、解除の場合と同様、第三者への持分権譲渡の時期が遺産分割の前か後かに分けて検討します。

ア　遺産分割の前に持分権が譲渡された場合

特定の不動産につき、共同相続人の一人が持分権を第三者に譲渡し、その後、遺産分割が行われ、他の相続人がこれを単独で相続した場合、他の共同相続人は第三者に対して登記なくして持分権を主張できるかが問題となります。

たとえば、Aの不動産を共同相続したBとCのうち、Bが自己の持分（2分の1）をDに譲渡した後Cが遺産分割により不動産を単独相続した場合、CはDに対して自己の所有権を登記なくして対抗することができるかが問題となります。

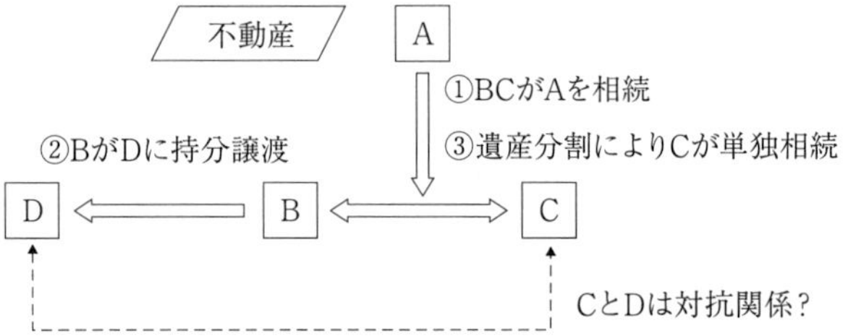

解除の場合と同様、Bからその持分を譲り受けたDが民法909条但書の「第三者」に該当するのかが問題となります。民法909条但書の「第三者」として保護されるために、当該第三者が登記を具備する必要があるか否かが議論されています。

この点について判例は存しませんが、学説はいわゆる権利保護要件としての登記を必要とするのが一般的です。

したがって、当該第三者が登記を具備し、民法909条但書の「第三者」に該当する場合には、遺産分割の遡及効が制限され、単独相続した相続人は当該第三者に自己が不動産の所有者であると主張できないこととなります。

他方で、当該第三者が登記を備えていない場合、すなわち単独相続した相続人が登記を備えている場合または単独相続した相続人が登記を備えていなくとも当該第三者以外の者が登記を備えている場合には、単独相続した相続人は当該第三者に対して自己が不動産の所有者であると主張できることとなります。

イ　遺産分割の後に持分権が譲渡された場合

特定の不動産につき遺産分割が行われて、共同相続人の一人がこれを単独で相続した後に他の共同相続人が第三者に持分権を譲渡した場合、不動産を単独相続した相続人は当該第三者に対して持分権を主張できるかが問題となります。

たとえば、Aの不動産を共同相続したBとCのうち、Cが遺産分割により不動産を単独相続した後にＢが持分をＤに譲渡した場合、ＣはＤに対して自己の所有権を登記なくして対抗することができるかが問題となります。

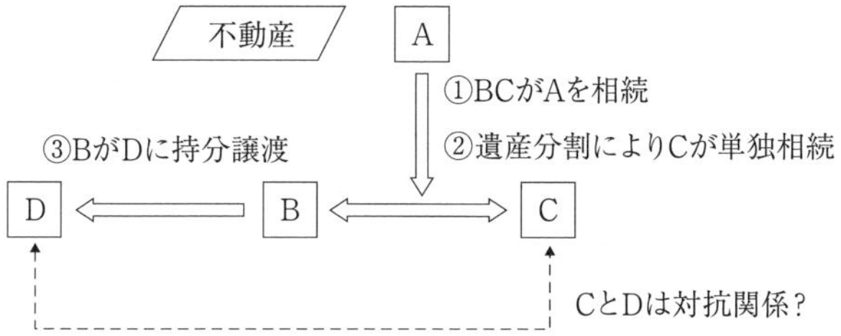

判例は、遺産分割が、第三者に対する関係では相続人が相続によりいったん取得した権利につき分割時に新たな変更を生ずるのと実質上異ならないことを理由に、持分権を譲り受けた第三者は対抗関係にある民法177条の「第三者」に該当するとして、不動産を単独で相続した相続人は登記なくして持分権を譲り受けた第三者に対して自己の所有権を主張できないとしています（最判昭和46年１月26日民集25巻１号90頁・百選Ⅲ［第２版］72事件）。

学説も判例の見解を支持しています。

ウ　共同相続人の一人が相続放棄を行った場合

相続放棄により、放棄者ははじめから相続人にならなかったものとみなされます（民法939条）。相続放棄については、遡及的効果を絶対的なものとするため、遺産分割のように第三者を保護するために遡及的効果を制限する規定は存在しません。

共同相続人の一人が相続を放棄し、特定の不動産につき他の共同相続人の一人がこれを単独で相続したが、放棄者が相続を放棄しなかったならば有したであろう自己の持分を第三者に譲渡した場合、他の共同相続人は登記なくして第三者に対して不動産の権利を主張できるかが問題となります。

たとえば、Ａの不動産を共同相続したＢとＣのうち、Ｂが相続を放棄してＣが当該不動産を単独で相続したが、Ｂが相続を放棄しなければ有したであろう自己の持分をＤに譲渡した場合、ＣはＤに対して自己の持分を登記なくし

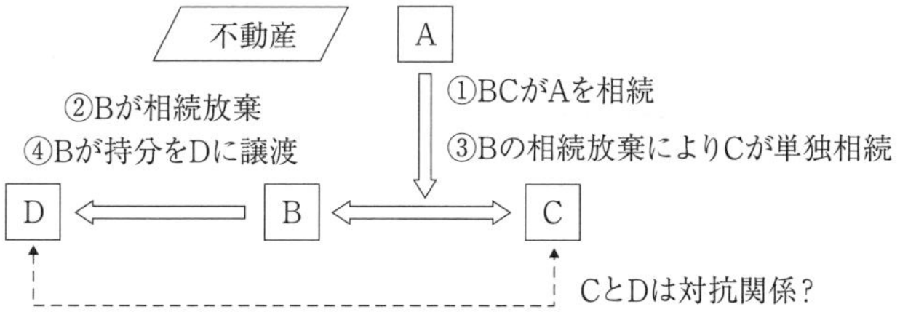

て対抗することができるかが問題となります。

(i) 判　例

判例は、相続放棄の遡及効は絶対的な効力であり、登記等なくしてその効力の発生を主張できることを理由に、他の共同相続人は相続放棄者から持分権を譲り受けた第三者に対して登記なしに相続財産の権利を主張できるとしています（最判昭和42年１月20日民集21巻１号16頁・百選Ⅲ［第２版］73事件）。

(ii) 学　説

学説も判例の結論を支持しています。

主な理由としては、相続放棄が相続資格の遡及的消滅（民法939条）であり、絶対的な効力を有すること、相続放棄の有無は家庭裁判所で確認でき、Dのような第三者を保護する必要はないこと、相続放棄できる期間には制限があり短期に決着するため、Dのような第三者が出現する可能性は低いことが挙げられています。

(5) 時効取得

不動産を一定期間占有することにより取得時効が完成し、占有者は当該不動産を取得します。

取得時効の効果は、占有開始時に遡って生じるとされています（民法144条）。ここで、時効取得者は時効完成時の所有者に対して登記なくして所有権を主張することができるかが問題となります。これは、取得時効の制度目的である占有尊重の要請と民法177条の公示の原則が衝突する場面といえます。

① 時効完成時の所有者との関係

時効取得者は、時効完成時の所有者に対して権利取得を登記なしに主張できるかが問題となります。

たとえば、Aの不動産をBが占有を継続して時効取得した場合（民法162条）に、BはAに対して自己の権利取得を登記なくして主張できるかが問題となります。

判例は、時効取得者と時効完成時の所有者との関係を物権変動の当事者と同視し、登記を必要としないとしています（大判大正７年３月２日民録24輯423頁）。すなわち、BにとってAは民法177条の「第三者」に該当しないと解しています。

時効による権利の取得は、前主の権利が移転される承継取得ではなく、占有を根拠として認められる原始取得です。よって、原始取得である以上、時効取得者

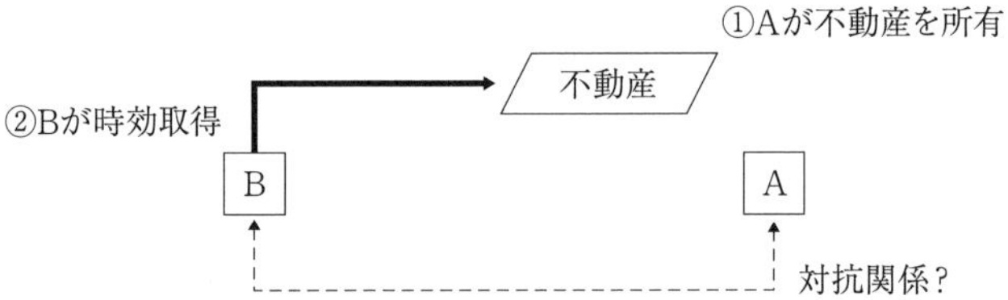

と時効完成時の所有者との間で物権変動が生じるものではなく、両者は物権変動の当事者ではないといえます。しかし、一方の権利取得の結果として他方が権利を失うという関係は権利移転の場合と同視できます。

通説も判例の結論を支持しています。登記なくして時効取得を対抗できないとすると、登記の具備が取得時効完成の要件であると解されることとなり、占有者が時効の完成を知らないことも珍しくないことからすれば適当ではないことを理由とします。

② 時効完成前の第三者との関係

時効取得者は、時効取得完成前にもとの所有者から不動産を譲り受けた第三者に対して権利取得を登記なくして主張できるかが問題となります。

たとえば、Aの不動産をBが占有を継続して時効取得したところ、Aが不動産をBの取得時効完成前にCに譲渡していた場合、BはCに対して権利取得を登記なくして対抗することができるかが問題となります。

この点、CはBの時効完成時の所有者であるため、考え方としては上記①と同様に、Cは物権変動の当事者と同視され、民法177条の「第三者」に該当しないと解されます。

判例は、上記①の場合と同様に登記なくして権利取得を主張できるとしています（最判昭和41年11月22日民集20巻9号1901頁）。不動産の譲渡が時効完成前に行われているのであれば、当該譲渡に関する登記がいつ具備されたかは問いません（最判昭和42年7月21日民集21巻6号1653頁）。

通説も判例の結論を支持しています。

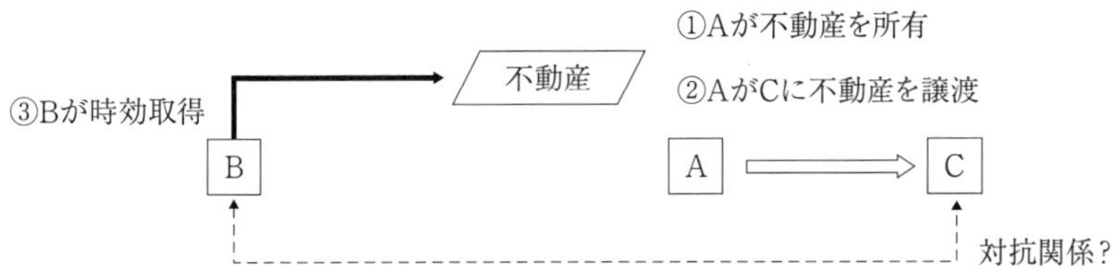

③ 時効完成後の第三者との関係

時効取得者は、時効取得完成後にもとの所有者から不動産を譲り受けた第三者に対して権利取得を登記なくして主張できるかが問題となります。

たとえば、Aの不動産をBが占有を継続して時効取得したところ、Aが不動産をBの取得時効完成後にCに譲渡していた場合、BはCに対して権利取得を登記なくして対抗することができるかが問題となります。

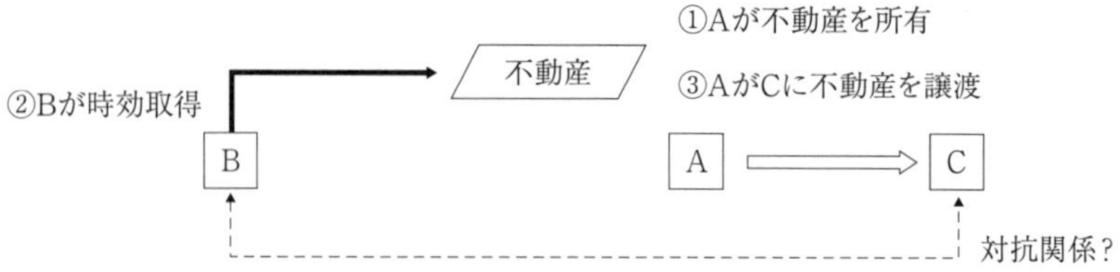

ア　判 例

判例は、時効取得者Bは第三者Cに対して権利取得を登記なくして主張できないとしています（大判大正14年7月8日民集4巻412頁等）。判例は、もとの所有者Aから第三者Cへの譲渡、時効取得者Bの時効成立（もとの所有者Aから時効取得者への物権変動）を二重譲渡と同視し、Bとの関係でCが民法177条の「第三者」に該当すると解します。また、時効完成後の第三者Cが背信的悪意者に該当するためには、第三者Cが不動産の譲渡を受けた時に、時効取得者Bが多年にわたり不動産を占有している事実を認識し、時効取得者Bの登記の欠缺を主張することが信義に反すると認められる事情が存在する必要があるとしています（最判平成18年1月17日民集60巻1号27頁・百選Ⅰ［第8版］60事件）。

判例の立場によれば、第三者Cが時効取得者Bよりも先に登記を具備すれば、時効取得者Bは第三者Cに権利取得を主張できないこととなります。もっとも、判例は、第三者の登記の時からさらに引き続き占有を継続して時効期間を経過すれば、新たに取得時効が完成し、時効取得者は第三者に対して登記なくして権利取得を主張することができると解します（最判昭和36年7月20日民集15巻7号1903頁）。この場合の第三者は、取得時効完成時の所有者であり、民法177条の「第三者」に該当しないためです（上記①の場合）。

また、判例は不動産の時効取得の完成後、時効取得者が所有権転登記をすることのないまま、第三者が原所有者が抵当権の設定を受けて抵当権設定登記をした後、不動産の時効取得者が引き続き占有を継続し、再度の時効期間経過後に取得時効を援用したときは、不動産を時効取得し、抵当権は消滅するとしました（最判平成24年3月16日民集66巻5号2321頁・百選Ⅰ［第8版］58事件）。

イ　学 説

学説の中には、判例を支持するものもありますが、これを批判する見解が有力です。

(i) 判例に対する批判

判例は、時効完成前の第三者を時効による物権変動の当事者としています。これは時効完成によって時効の効果が生じることを前提としているといえます。この点、時効の効果は取得時効の援用権者の援用の意思表示によって初めて生じるとする判例（最判昭和61年3月17日民集40巻2号420頁・百選Ⅰ［第8

版］41事件）・通説に反すると指摘されています。

また、時効取得者が善意占有者である場合、当該時効取得者は時効の完成を知らないため、登記をするよう期待することはできません。したがって、このような時効取得者も登記がなければ第三者に対抗できないとすることは不当であると指摘されています。

さらに、判例によると、時効完成前の第三者との関係では登記なくして時効取得を主張でき、時効完成後の第三者との関係では登記なくして時効取得を主張できないこととなります。しかし、長期間占有すればするほど時効完成後の第三者が出現する可能性はあり、長期占有者が短期占有者に比べて不利に扱われるおそれがあると指摘されています。

善意占有者は事実上、登記を具備することができない一方、悪意占有者は時効完成後、直ちに登記を具備することができます。また、第三者との関係で、善意占有者による時効取得（10年）の場合には時効完成後、悪意占有者による時効取得（20年）の場合には時効完成前という事態が生じることが想定されます。このような場合、判例によると、悪意占有者の方が善意占有者よりも厚く保護されることになりかねないと指摘されています。

なお、判例は、不動産が二重譲渡された場合に第1譲渡人が取得時効を主張するとき、その起算日は第2譲渡人が登記を備えた時点ではなく、第1譲渡人が占有を取得した時から起算するとします（最判昭和46年11月5日民集25巻8号1087頁・百選Ⅰ［第8版］57事件）。

これらの判例に対する批判を踏まえて、学説上、以下のような見解が提唱されています。

(ii) 占有尊重説

民法は占有の継続のみを取得時効制度の基礎とし、登記を要件としていないから、時効の効果を優先させるべきであることを理由として、時効取得が争われている時から遡って（逆算して）時効期間が過ぎているかどうかを問題にすればよいと解する見解です。

(iii) 登記尊重説①

登記に一種の時効中断的効力を認める考え方です。時効完成後にもとの所有者から第三者に登記された場合には、時効取得者は当該第三者に対抗できないが、その時からさらに時効期間を経過すると時効取得者は時効取得するという判例の考え方を時効完成前にも及ぼし、時効完成前にもとの所有者から第三者に登記された場合にも、さらに新たに時効期間を経過しなければ時効取得しないと解する見解です。

(iv) 登記尊重説②

時効の遡及効（民法144条）を理由とするもので、時効取得者の所有権の取得は、自主占有の開始・継続という実体を伴っているから起算日に所有権を取得したものとしての実質を有するが、民法177条の「第三者」の登場を許容し、時効取得者は登記しなければもとの所有者からの譲受人である第三者に対抗しえないと解する見解です。

また、判例のように第三者が登記をしてから、上記時効取得者がさらに占有を継続し時効期間を経過すれば第三者に対して登記なしに時効を主張しうるし、第三者がもとの所有者から不動産を譲り受けた時に時効取得者の取得時効の完成を知っていた場合には、背信的悪意者として扱われるべきであると解します。

(v) 類型論

取得時効の制度目的である占有尊重の要請と民法177条の登記を通じた不動産取引の安全保護の要請のいずれかの要請の一方のみを尊重することにより適切な解決を図ることはできないとして、事案の類型に応じた解決を求める見解です。

たとえば、AがBに譲渡し、その後AがCに譲渡して移転登記したが、Bが占有を継続し時効期間を経過したので、登記なしに時効を主張するという事案（二重譲渡型）の場合には、端的に民法177条の問題として解決するとします。

BとCが土地の境界を争っている事案（越境紛争型）の場合には、民法177条の問題として処理すべきではないとします。越境の事実を時効取得者が知っていた場合には、時効完成後は登記することができるため、時効取得者は登記がなければ時効取得を第三者に対抗できないと解します。他方、越境の事実を時効取得者が知らない場合には、登記するよう期待できないため、時効取得者は登記がなくとも時効取得を第三者に対抗できると解します。

3　登記の効力と有効要件

(1) 登記の効力

① 登記の推定力

登記には推定力が認められます。推定力とは、登記があれば登記簿に記載されているとおりの実体的権利関係が存在するものと推定される、という効力をいいます。

物権変動があれば、その旨の登記がなされるのが通常です。また、登記制度は国の機関によって厳格に管理・運用されており、真正の登記がなされるよう、たとえば登記権利者と登記義務者の共同申請による登記といった種々の工夫が施されています。これらのことからすれば、登記簿に記載された権利関係は実際の権利関係に合致している蓋然性が高いといえます。わが国の登記にはこれらを根拠に推定力が認められています。

判例は、反証がない限り登記に記載されたとおりの権利関係があると推定すべきものとし、登記の推定力を認めています（最判昭和34年１月８日民集13巻１号１頁）。

なお、この推定は物権変動の登記簿上の直接当事者間で当該物権変動の存否が争われる場合には働きません（最判昭和38年10月15日民集17巻11号1497頁）。なぜなら、登記をした本人が当該登記が真正のものでないと争う以上、実際の権利関係に合致している蓋然性が高いとはいえないためです。

② 登記の公信力

公信力とは、実際には権利が存在しないが権利が存在するような外形的事実（公示）がある場合に、その外形を信頼し、権利があると信じて取引をした者を保護するために、その権利が存在するものとみなす効力をいいます。

わが国の登記には公信力が認められていないため、実体関係に合わない登記を信頼して取引をしても登記に記載されたとおりの法律効果は認められません。

もっとも、判例は民法94条２項の類推適用により登記に記載された権利関係を善意・無過失で信頼した者を保護しており、一定の範囲で登記に公信力を認めたのと同様の結果をもたらしています。

⑵ 仮登記

① 仮登記が行われる場合

物権変動の対抗力を生ずるのは本登記をしたときです。仮登記とは、本登記をする手続上・実体上の条件が備わっていない場合に、後になされる本登記に備えて順位を保全するためにする登記をいいます。

仮登記は、㈠不動産登記法３条各号に掲げる不動産に関する権利（所有権、地上権、永小作権、地役権、先取特権、質権、抵当権、賃借権、採石権）について保存等があった場合において、登記申請のために登記所に提供しなければならない情報であって、同法25条９号の申請情報と併せて提供しなければならないものとされているもののうち法務省令で定められるものを提供することができないとき（不動産登記法105条１号。「１号仮登記」と呼ばれます）、㈡同法３条各号に掲げる権利の設定、移転、変更または消滅に関して請求権を保全しようとするとき（不動産登記法105条２号。「２号仮登記」と呼ばれます）に認められます。

② 仮登記の効力

仮登記は、将来本登記がなされた場合に備えて順位を保全するという効力（順位保全効）を有しています。すなわち、仮登記をした場合は、後になされる本登記の順位は仮登記の順位によることとなります（不動産登記法106条）。たとえば、ある不動産に抵当権設定の仮登記をした後に、他の者が抵当権設定の本登記をしたとしても、仮登記をした者がその後に本登記をした場合、仮登記をした者が第１順位の抵当権設定登記を得ることとなります。

(3) 登記の手続

不動産登記法に基づく登記は、登記所（法務局もしくは地方法務局もしくはこれらの支局またはこれらの出張所。同法6条1項）に登記手続を申請して行います。

不動産にかかる登記は、「表示に関する登記」（同法2条3号）と「権利に関する登記」（同法2条4号）に区分されます。「表示に関する登記」とは、不動産の物理的状況を公示する登記です。「権利に関する登記」とは、不動産に関する所有権や抵当権といった権利を公示する登記です。

「権利に関する登記」は、原則として登記権利者（権利に関する登記をすることにより、登記上、直接に利益を受ける者をいい、間接に利益を受ける者を除きます。同法2条12号）と登記義務者（権利に関する登記をすることにより、登記上、直接に不利益を受ける登記名義人をいい、間接に不利益を受ける登記名義人を除きます。同法2条13号）が共同して申請する必要があります（同法60条）。

登記権利者は、登記義務者の協力を得られない場合に、「権利に関する登記」をすることができなくなります。そこで、登記権利者には登記請求権という権利が認められます。登記請求権とは、登記権利者が登記義務者に対して登記申請の協力を請求しうる権利をいいます。

登記請求権は、実体的権利関係と登記の不一致が生じた場合、物権そのものの効力として発生します（物権的請求権）。また、権利変動と登記の不一致が生じた場合、権利変動を反映するために当事者間に発生します（物権変動的請求権）。たとえば、土地を売主Aから購入した買主Bが所有権移転登記を経ていない間にさらに第三者Cに転売した場合、買主Bはすでに所有権を喪失していますが、依然として売主Aに対して移転登記請求権を有します（大判大正5年4月1日民録22輯674頁）。売主Aから買主Bという権利変動を登記に反映するためです。

さらに、当事者の特約が存在する場合、債権的効果として登記請求権が発生することもあります（債権的請求権）。

(4) 登記の有効要件

登記は、不動産登記法に定める手続に従って行われなければなりません（不動産登記法25条参照）。また、実体的権利関係に合致していなければなりません。前者を登記の形式的有効要件、後者を登記の実質的有効要件といいます。

① 形式的有効要件

登記は不動産登記法に定める手続に従って行われなければならないため、手続に従わない登記申請は原則として却下されます（不動産登記法25条）。

手続に従わない登記申請が行われ、登記が行われた場合、同法25条1号から3号および13号に該当する登記は当然に無効となり、登記官は職権でこれを抹消することができます（同法71条）。他方で、同法25条4号から12号に該当する登記は当然に無効となるわけではありません。手続違反の登記を一律に無効としてしまうと無効の登記が増えてしまい、結果的に登記制度への信頼が失われることになりかねないためです。

② 実質的有効要件

登記は実体的権利関係に合致していなければなりません。

たとえば、建物が実在していないのに実在しているものとして保存登記がなされた場合や建物が滅失していないのに滅失したものとして抹消登記がなされた場合、権利名義人がまったく権利を有していない場合等は、いずれも登記は無効となります。

もっとも、登記の記載と実体との間に多少の不一致があっても両者の間に同一性が認められ、その登記が公示機能としての役割を果たしていると認められる場合には有効となります。判例は、移築改造後の建物が登記簿上の地番と同一の地番に存在し、かつ従前の建物との同一性が認められる場合には、登記簿上の表示が移築改造後の建物の表示と認められ、当該登記は有効であるとしています（最判昭和31年７月20日民集10巻８号1045頁等）。

ア　建物保存登記の流用

建物が滅失した場合、新建物の保存登記を行うと登録免許税が必要となります。そこで、登録免許税の節約のために滅失した建物の保存登記を新建物の保存登記として流用した場合、その登記の効果はどうなるかが問題となります。

判例は、滅失した旧建物についての登記は、新建物についての登記としては無効であるとします（大判大正６年10月27日民録23輯1860頁、最判昭和40年５月４日民集19巻４号797頁）。前掲最判昭和31年７月20日とは異なり旧建物と新建物の同一性が認められないこと、登記の流用を認めるとその後に新建物について保存登記がなされた場合に１個の建物について２個の有効な登記が存在することとなり、登記の公示性が著しく害されることを理由とします。

イ　抵当権設定登記の流用

貸金返還請求権を被担保債権として抵当権設定登記をし、元利金の返還がなされた直後に、従前と同額の金銭消費貸借契約を締結し、同一不動産につき抵当権を設定する合意をした場合、従前の抵当権設定登記を流用することができるか、その登記の効果はどうなるかが問題となります。

この点、抵当権設定登記についても流用登記は無効であると解されます。もっとも、判例は、流用登記にかかる当事者は当該登記の無効を主張することができないとしています（最判昭和37年３月15日集民59号243頁）。

また、流用登記後に利害関係を有するに至った第三者も、特別な事情がない限り、流用登記の無効を主張することができません（大判昭和11年１月14日民集15巻89頁等）。これは、第三者の登場時点では流用登記にほぼ合致する実体的権利関係が存在していたことと、第三者は流用登記後の登記を前提として法律関係に入っていることから、この第三者は登記の無効を主張する正当な利益を有しないと考えられるためです。

ウ　中間省略登記

たとえば、不動産がＡからＢ、ＢからＣへと売買によって移転したとき、登記費用の節約やＢが譲渡所得を隠すためにＡとＣが申請書副本を添える等して共同申請することによって、ＡからＣへの所有権移転登記がなされることがありました。ＡからＢ、ＢからＣへの所有権移転登記を省略するという意味で、中間省略登記と呼びます。旧不動産登記法（明治32年法律第24号）下で、登記は物権の現状を表すだけでなく、その過程をもできる限り忠実に反映すべきであるとして、その効力が問題となりました。

判例は、AC間の中間省略登記に中間者Ｂが同意した場合には有効であると解していました（大判大正５年９月12日民録22輯1702頁、最判昭和40年９月21日民集19巻６号1560頁・百選Ⅰ［第８版］53事件）。また、中間者Ｂの同意なしに中間省略登記が行われた場合でも、登記上利害関係を有する第三者が現れたあとでは、Ｂが中間省略登記の抹消を求める正当な利益がないときには中間省略登記の抹消を求めることができないと判示しました（最判昭和35年４月21日民集14巻６号946頁）。さらに、中間者Ｂの同意を必要とするのは中間者の正当な利益を守るためであるから、第三者の側からＢの同意の欠缺を理由に中間省略登記の無効を主張することはできないと判示しました（最判昭和44年５月２日民集23巻６号951頁）。その後、判例は、「不動産の所有権が、元の所有者から中間者に、次いで中間者から現在の所有者に、順次移転したにもかかわらず、登記名義がなお元の所有者の下に残っている場合において、現在の所有者が元の所有者に対し、元の所有者から現在の所有者に対する真正な登記名義の回復を原因とする所有権移転登記手続を請求することは、物権変動の過程を忠実に登記記録に反映させようとする不動産登記法の原則に照らし、許されないものというべきである」と判示し、ＣがＡに対して直接の移転登記請求をすることを一般的に認めない立場にあることを明確にしました（最判平成22年12月16日民集64巻８号2050頁）。

なお、現行不動産登記法（平成16年６月18日法律第123号）下では、登記の申請に際して、申請情報と併せて売買契約書等の「登記原因を証する情報」を提供しなければならなくなったため（不動産登記法61条）、中間省略登記は手続上不可能になっています。

第３　動産物権変動

１　動産物権変動の対抗要件

⑴ 引渡し

① 不動産物権変動との相違点

民法177条は不動産物権変動の対抗要件が登記であることを定めています。この趣旨は、物権変動の公示を通して、同一不動産に関して正当な権利または利益を有する者に不測の損害を被らせないようにする点にあります。

これに対し、民法178条は動産物権変動の対抗要件について、「その動産の引渡しがなければ、第三者に対抗することができない」と定めています。民法178条は民法177条と同じ趣旨ですが、以下の点で異なります。

ア　対象が動産であること

民法177条は不動産に関する物権変動に適用されますが、民法178条は動産に関する物権変動に適用されます。

もっとも、すべての動産について民法178条が適用されるわけではありません。動産の中には、公示方法として登記や登録等の制度が用意されているものがあり、これらの動産については民法178条の適用対象外となります。たとえば、商法上の船舶（登記および船舶国籍証書への記載。商法684条、687条）、登録されている自動車（登録。道路運送車両法５条１項、自動車抵当法５条１項）や航空機（登録。航空法３条の３、航空機抵当法５条）等が挙げられます。また、不動産の従物たる動産も民法178条の適用対象外となります。従物自体の引渡しがなくても、主物たる不動産の所有権が移転されてその旨の登記がなされた場合には、従物の所有者は第三者に対抗できます（大判昭和８年12月18日民集12巻2854頁）。さらに、金銭も民法178条の適用対象外となります。なぜなら、金銭は所有と占有が一致するという性質があり、金銭の所有権の移転は現実の占有の移転によって行われるため、民法178条の適用はないと解されているからです。

イ　「動産に関する物権の譲渡」であること

民法178条は、「動産に関する物権の譲渡」に適用されます。

「動産に関する物権の譲渡」とは、具体的には、動産の所有権と質権の譲渡等を指します。ここにいう「譲渡」には、売買等の取消しや解除による当初の譲渡の遡及的消滅（物権の遡及的復帰）も含まれます（大判昭和13年10月24日民集17巻2012頁）。

ウ　対抗要件が引渡しであること

民法177条が定める対抗要件は登記ですが、民法178条が定める対抗要件は引渡しです。

② 引渡しの意義

引渡しとは、民法にいう「占有の移転」をいいます。民法は、引渡しの方法として以下の４つを定めています。

ア　現実の引渡し（民法182条１項）

現実の引渡しとは、譲渡人が目的物の物理的支配を譲受人（または占有代理人）に移す方法をいいます。

たとえば、甲動産の売主Ａが買主Ｂに、甲動産を手渡す場合がこれにあたります。

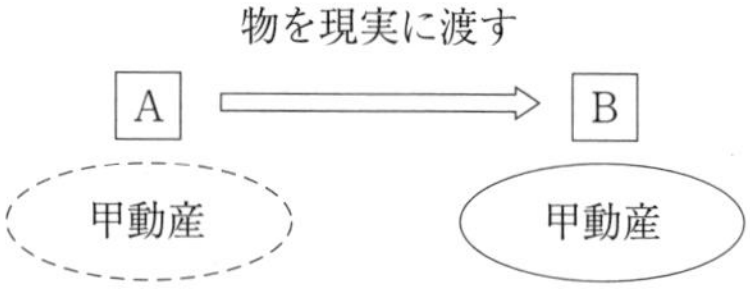

イ　簡易の引渡し（民法182条２項）

簡易の引渡しとは、譲受人（または占有代理人）が目的物をすでに所持している場合に、目的物の現実の移動なしに譲渡人と譲受人の占有移転の合意のみにより占有を移転する方法をいいます。

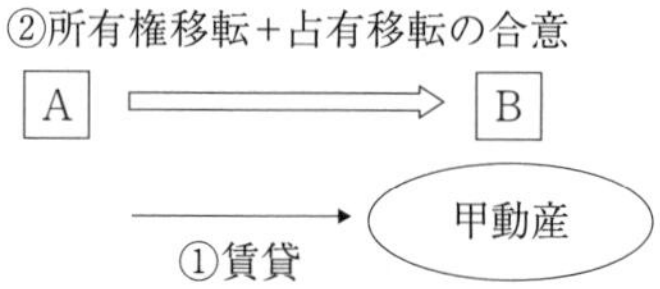

たとえば、ＡがＢに甲動産を賃貸しＢが甲動産を所持している場合に、ＡからＢに甲の所有権が譲渡されたときがこれにあたります。

ウ　占有改定（民法183条）

占有改定とは、譲渡人が目的物を現実に所持し、譲渡後も譲渡人がその所持を続けることを前提に、目的物の現実の移動なしに、譲渡人が譲受人に対して譲渡後は譲受人のために占有する意思表示をすることにより占有を移転する方法をいいます。

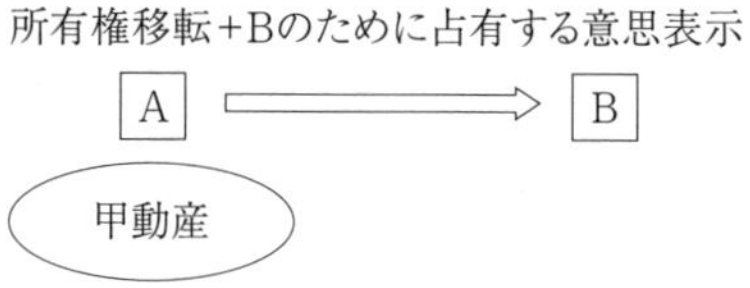

たとえば、ＡがＢに甲動産を譲渡したが、しばらくはＡが甲動産を借りておくことにした場合や、ＣがＤに乙動産をＤの債権を担保するために譲渡したが、債務不履行がない限りＣが乙動産の占有を続けるものとされた場合がこれにあたります。なお、これらの場合におけるＢやＤの占有を間接占有といい、物を所持しているＡやＣの占有を直接占有といいます。

エ　指図による占有移転（民法184条）

指図による占有移転とは、譲渡人の占有代理人が目的物を現に所持している場合において、譲渡後もその者に所持を続けさせるときに、譲渡人と譲受人の間の占有移転の合意のみにより占有を移転する方法をいいます。

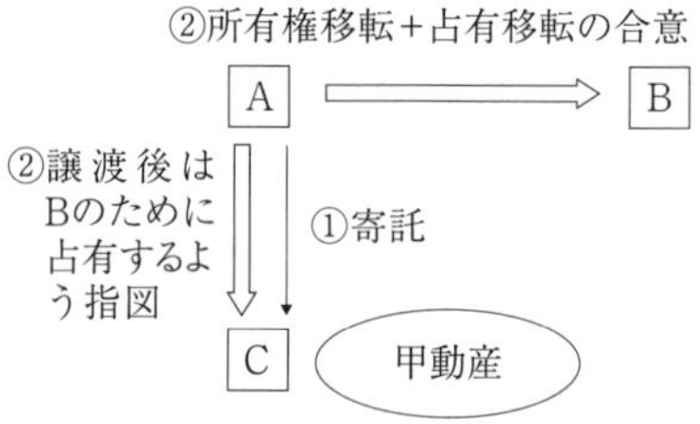

たとえば、ＡがＣに保管させている甲動産をＢに売却したところ、Ｂも甲動産をそのままＣに保管させることにし、ＡがＣに対してＢへの所有者の交代を伝えたときがこれにあたります。

⑵ 民法178条の「第三者」

① 第三者の意義

民法178条は、「動産に関する物権の譲渡は、その動産の引渡しがなければ、第三者に対抗することができない」と定めています。

ここでの第三者の意味と範囲は、おおむね民法177条の「第三者」と同様です。すなわち、民法178条の「第三者」とは、当事者およびその包括承継人以外の者であって、引渡しの欠缺を主張する正当な利益を有する者を意味します（大判大正５年４月19日民録22輯782頁、最判昭和33年３月14日民集12巻３号570頁等）。

当該動産に関して一定の客観的地位を取得した者は原則として正当な利益を有する者と認められます。しかし、その者に固有の事情によって、例外も認められます。たとえば、不動産物権変動で述べた背信的悪意者がこれにあたります。

② 動産賃借人と動産受寄者の第三者性

指図による占有移転の場合に関して、動産を賃借している者（動産賃借人）や動産を預かっている者（動産受寄者）といった直接占有者が民法178条の「第三者」に含まれるのかという問題があります。

たとえば、ＡがＢの所有する動産を所持していたところ、Ｂは当該動産をＣに売却したが、このことをＢがＡに伝えていなかったという事案で、Ｃが所有権に基づきＡに当該動産の返還を求めることが認められるかという問題です。

Ａが動産賃借人の場合、判例は、Ａが民法178条の「第三者」に該当するとしています（大判大正４年４月27日民録21輯590頁）。この場合、指図による占有移転が認められないＣは民法178条の対抗要件を具備していないため、Ａに対して当該動産の返還を求められないこととなります。判例は、賃借人が第三者に該当することについて、特に理由を付していません。

他方、Ａが動産受寄者の場合、判例は、Ａが民法178条の「第三者」に該当しないとしています（最判昭和29年８月31日民集８巻８号1567頁）。この場合、ＣによるＡに対する当該動産の返還は認められます。受寄者が第三者に該当しないことについては、受寄者は寄託者から請求があればいつでも目的物を返還しなければならない（民法662条１項）立場にあることを理由としています。

学説上は、賃借人でも受寄者でも誰に返還すべきかについて重大な利害を有しているといえるため、いずれも指図による占有移転が必要といえ、賃借人も受寄者も民法178条の「第三者」に該当すると解するのが多数説となっています。買主であるＣはＢからＡに通知させれば対抗要件を具備することができ、Ｃに多大な負担を課すものではないといえますし、Ａは当該動産の返還先に関して利害関係を有しているといえます。

⑶ 登 記

動産物権変動についての登記制度も用意されています（動産譲渡登記制度）。動産譲渡登記制度では、法人が動産を譲渡する場合、登記が動産物権変動の対抗要件となります。

① 登記制度創設の理由

近年、中小企業等を中心に債権や動産を利用して資金調達を可能とするニーズが強まり、債権については平成10年に債権譲渡特例法（平成10年６月12日法律第104号）が制定され、債権譲渡登記制度が導入されました。動産については、一部の特定動産（船舶や自動車、航空機等）について抵当制度が認められているほか、非典型担保（民法に定めのない担保権）として譲渡担保が存在しました。しかし、民法が定める動産物権変動の対抗要件である引渡しは外部から認識することが容易ではなく、公示方法として不完全であるため、動産について譲渡担保の設定を受けて資金を貸し付けることは第三者が出現した場合に劣後するリスクを伴うと指摘されていました。

そこで、債権譲渡特例法を改正（平成16年法律第148号）し、動産譲渡登記制度を創設しました。個別の動産や集合動産を担保化して資金調達をする道を開き、さらには動産を特定目的会社に譲渡しそれを証券化して資金調達を可能とするようにしたのが「動産及び債権の譲渡の対抗要件に関する民法の特例等に関する法律」（以下「動産・債権譲渡特例法」といいます）です。

② 動産譲渡登記制度の適用範囲と特定

動産譲渡登記制度は、法人が動産（当該動産につき貨物引換証、預証券および質入証券、倉荷証券または船荷証券が作成されているものを除きます）を譲渡した場合に適用されます。動産は、個別の動産でも在庫商品のような集合動産でも構いません。

個別の動産の場合には、たとえば、その動産の型式、製造番号等その動産を他の動産と区別するに足る特質を法務省令に従って登記事項とすることにより特定されます。また、集合動産の場合には動産の名称、種類に加えて、その動産の保管場所の所在地等を登記事項とすることにより特定されます（動産・債権譲渡特例法７条２項５号、動産・債権譲渡登記規則８条１項）。

③ 登記による対抗と登記の存続期間

当該動産の譲渡につき動産譲渡登記ファイルに譲渡の登記があったときは、当該動産について民法178条の引渡しがあったものとみなされます（動産・債権譲渡特例法３条１項）。

登記の存続期間は、原則として10年を超えることができません（動産・債権譲渡特例法７条３項）。

④ 登記所等

指定法務局に磁気ディスクをもって調整する動産譲渡登記ファイルが備えられています。動産譲渡登記ファイルに記録されている事項を証明した書面を登記事項証明書といいます。これは譲渡人・譲受人その他当該動産の譲渡につき利害関係を有する者のみがその交付を請求できます（動産・債権譲渡特例法11条２項）。動産譲渡担保の設定の情報が自由に知られることにより譲渡人の資産状態が外部から自由に把握されるのを防ぐためです。

もっとも、何人も指定法務局等の登記官に対し、登記事項の概要を証明した書面（「登記事項概要証明書」）の交付を請求できます（動産・債権譲渡特例法11条１項）。また、本店所在地法務局等にはその概要が通知され、登記事項概要ファイルが備えられます（動産・債権譲渡特例法12条２項、３項）。何人も本店所在地法務局等の登記官に対し、登記事項概要ファイルに記録されている事項を証明した書面（「概要記録事項証明書」）の交付を請求できます（動産・債権譲渡特例法13条１項）。これらの書面により、動産の譲渡があったか否かの概要がわかるため、取引の対象となっている動産の法的状況を知ることができます。

2　即時取得（善意取得）

(1) 即時取得の概要

① 即時取得の意義

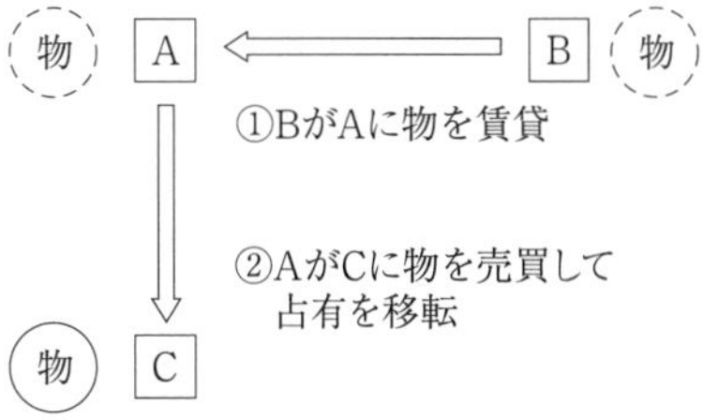

民法は、「取引行為によって、平穏に、かつ、公然と動産の占有を始めた者は、善意であり、かつ、過失がないときは、即時にその動産について行使する権利を取得する」と定めています（民法192条）。

動産の占有取得者の占有という動産に関する権利の外形に対する信頼を特に保護することとし、無権利の動産占有者と取引をした者に権利取得を認める制度です。この制度を即時取得（善意取得）と呼びます。

たとえば、ＢがＡに動産を賃貸していたところ、ＡがＣに対して当該動産を譲渡した場合、Ｃは一定の要件を満たせば、Ａが真実の所有者でないとしても、即時取得により物の所有権を取得できることとなります。

② 即時取得の趣旨

即時取得は、公信の原則が現れている制度です。

動産物権変動の対抗要件は引渡しによって公示されます（民法178条）が、その公示性は十分ではありません。動産を現実に所持する者が真の権利者であるとは限りません。また、引渡しの方法として占有改定（民法183条）や指図による占有移転（民法184条）が認められているため、権利者が目的物を現実に所持しないまま民法178条に定める「引渡し」という対抗要件を備えていることがあります。

さらに、物の現実の所持者は、その物をめぐる権利関係に関する照会に回答する義務を負わず、照会に対して正しく回答するとも限りません。

このように動産物権変動に関する対抗要件の公示性が必ずしも十分ではないといえます。しかし、動産取引は日常極めて頻繁に行われるものであるため、動産を取得しようとする者に権利関係の慎重な調査を求めることも、真の権利者からの対抗を受ける危険を甘受させることも適当ではないといえます。

そこで、民法は、取引の安全を保護するために動産取引において「公信の原則」を採用しました。公信の原則とは、実際には権利が存在しないが権利が存在するような外形的事実（公示）がある場合に、その外形的事実を信頼した者のためにその権利が存在するものとみなす原則をいいます。即時取得は、以下の要件を充足する場合に、無権利の動産占有者と取引をした者に権利取得を認めています。

(2) 即時取得の要件

① 取引の客体が動産であること

取引の客体が動産の場合に民法192条が適用されます。動産とは、不動産以外の物です（民法86条２項）。

② 取引による承継取得であること

即時取得は取引の安全を保護する制度であるため、取引行為による承継取得であることが必要となります。たとえば、売買、贈与、代物弁済等です。承継取得とは、他人（前主）が有する物権に基づく物権の取得をいいます。

たとえば、他人の動産を自己の物と誤信して占有し始めても取引行為による取得ではないため即時取得は適用されません。また、他人の山林を自己の山林と誤信して伐採し、動産となった立木を占有しても取引行為による取得ではないため即時取得は適用されません（大判大正４年５月20日民録21輯730頁等）。相続によって相続財産中にある他人の動産を取得しても取引行為による取得ではないため即時取得は適用されません。

また、即時取得制度は、無効な取引行為を有効とする制度ではないため、取引行為自体は有効でなければなりません。したがって、取引行為が行為能力の制限、錯誤、詐欺、強迫等によって無効または取り消された場合には、即時取得は適用されません。

③ 前主が無権利ないし無権限であること

前主が無権利ないし無権限であることが要件となります。たとえば、無権利者ＡからＢが取引によって動産を承継取得した場合で、Ａが当該動産を借りていた場合（賃借人）、Ａが当該動産を預かっていた場合（受寄者）、Ａが当該動産を担保にとっていた場合（質権者）、Ａが当該動産を売買によって取得していたが当該売買が無効であったり取り消された場合等が挙げられます。

④ 譲受人の取得が平穏・公然、善意・無過失であること

ア　平穏・公然

「平穏」とは暴力的でないことをいいます。判例によれば「平穏の占有」とは、占有者がその占有を取得しまたはこれを保持することについて「法律上許されざる強暴の行為を以てしたるにあらざる」場合（大判大正５年11月28日民録22輯2320頁）、または「暴行強迫などの違法強暴の行為を用いていない占有」をいいます。

「公然」とは隠秘でないことをいいます。隠秘でないとは占有を秘匿しないことをいいます。

即時取得の成立には、取引行為が前提となるため、平穏・公然の要件を満たすのが通常です。

そこで、占有者の占有が平穏かつ公然であることは民法186条１項により推定され、即時取得の成立を争う者が、その推定を覆す主張・立証責任を負います。たとえば、即時取得の成立を争う者が、占有取得が強暴の行為により行われたことや占有を秘匿していたことを主張・立証する必要があります。

イ　善意・無過失

善意も民法186条１項により推定されます。即時取得における善意とは、取引の相手方に権利があると信じていたことを意味します。

また、占有者が占有物の上に行使する権利はこれを適法に有するものと推定されます（民法188条）。即時取得は、取引行為による承継取得が要件であり、取引の相手方が占有者であることを前提としているため無過失も推定されることとなります（最判昭和41年６月９日民集20巻５号1011頁）。即時取得における無過失とは、取引の相手方に権利があると信じていたことにつき過失がないことを意味します。

ウ　占有の取得

取引の相手方から占有を取得することが即時取得の要件となります。

引渡しの４つの方法のうち、現実の引渡しと簡易の引渡しが占有の取得に該当することは特に問題ありません。占有改定と指図による占有移転は、即時取得を主張する者が現実に直接占有しないこととなるため、占有の取得といえるか否かが問題となります。

(i) 占有改定の場合

無権限者ＡからＣが動産を譲り受け、占有改定によって占有を取得することがあります。このような占有改定が即時取得の成立要件である占有の取得に該当するのかが問題となります。

このような問題が生じる場合として、以下の３つの場面が考えられます。第１に、ＢからＡに無権限で物の占有が移転した後、ＡからＣに物が譲渡

無権限で処分

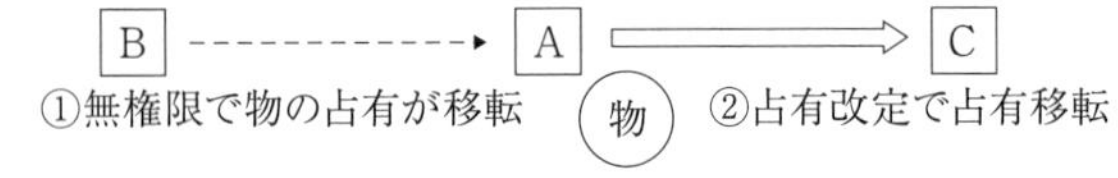

二重譲渡

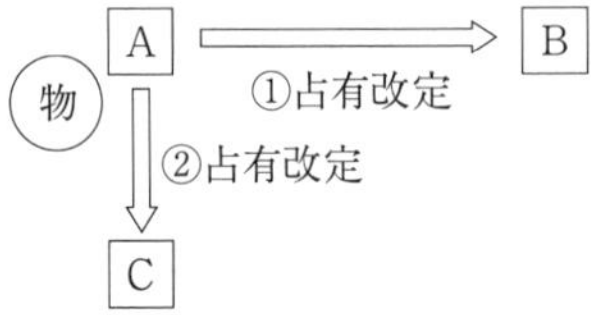

無権限で処分かつ二重譲渡

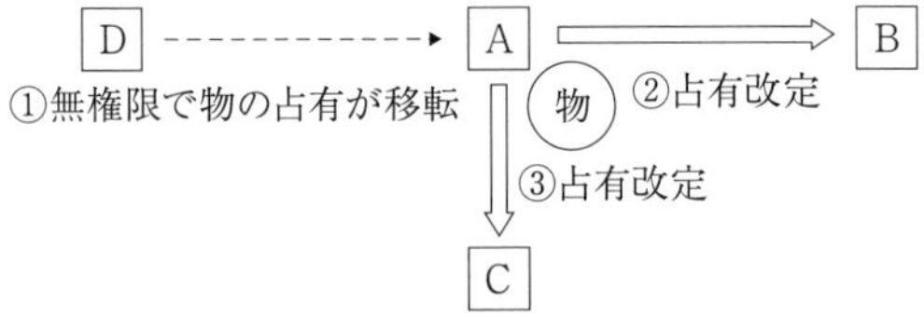

され占有改定によりＣに占有が移転した場合、第２に、Ａが自己が占有する所有物をＢに譲渡して占有改定を行った後、さらにＣに対しても当該物を譲渡し占有改定を行った場合、第３に、ＤからＡに無権限で物の占有が移転した後、Ａが当該物をＢに譲渡して占有改定を行い、さらにＣに対しても当該物を譲渡し占有改定を行った場合です。いずれもＡが現実に動産を占有しており、Ｃが動産を譲り受けた後もＡが現実に動産を占有することとなり、Ｃが占有を取得したといえるか否かが問題となります。

判例は、占有改定は即時取得の要件たる占有の取得に該当しないとしています（大判大正５年５月16日民録22輯961頁、最判昭和32年12月27日民集11巻14号2485頁、最判昭和35年２月11日民集14巻２号168頁・百選Ⅰ［第８版］68事件）。なぜなら、即時取得の成立には無権利者からの譲受人が一般外観上従来の占有状態に変更を生ずるような占有を取得することが必要であるところ、占有改定の方法による占有取得は外観上従来の占有状態に変更を生ずる占有ではないためです。

学説では以下のとおり議論が分かれています。

判例の立場を支持する見解は、原権利者または第一買主の利益を考慮し、これらの者にとって外見からはっきりしない占有改定による即時取得を成立させるのは酷であるという点を根拠とします。この見解は、判例同様、占有改定では即時取得は成立しないとの帰結となります。

他方で、判例の立場に反対し、占有改定でも即時取得は成立するという見解もあります。この見解は、即時取得が取引安全のための制度であることを強調し、占有の取得は即時取得の本来的要件ではなく単に民法178条に基づく対抗要件として必要であるにすぎないという点を根拠とします。この見解は、占有改定でも即時取得が成立するとの帰結となります。

占有改定でも即時取得することを前提としつつ、現実の引渡しを受けるまではその取得は確定的でなく、現実の引渡しを受けて初めてその取得が確定的なものとなると解する折衷説もあります。この見解は、占有改定でも即時取得が成立するが、その取得を確定的とするためには現実の引渡しが必要となるとの帰結となります。

(ii) 指図による占有移転の場合

無権限者から動産を譲り受けた者が指図による占有移転によって占有を取得することもあります。この場合に動産を譲り受けた者が即時取得を主張することができるかが問題となります。

判例は、指図による占有移転は即時取得の成立要件たる占有の取得に該当するとしています（最判昭和57年９月７日民集36巻８号1527頁）。

学説は、指図による占有移転は第三者たる所持人に対する命令が必要であり、占有の移転を外部から認識しうるという理由で判例を支持するものが多数説です。

(3) 即時取得の効果

即時取得が成立した場合、動産の占有者が「即時にその動産について行使する権利を取得する」こととなります（民法192条）。

即時取得は、原始取得です。原始取得とは、他人（前主）の権利と無関係に物権を取得することをいいます。したがって、即時取得により、前主が有していたときに存在していた権利の制限（たとえば抵当権設定）は原則として消滅します。

即時取得が成立した場合、即時取得者はもとの権利者に対して不当利得返還義務を負わないとするのが判例・通説です。既時取得者に不当利得返還義務を認めたのでは公信の原則を認める即時取得制度の意味がなくなるためです。

(4) 盗品・遺失物の特則

真の所有者は自己の意思に基づかずに動産の占有を失う場合もあります。そこで、民法はこのような場合に所有者の利益に配慮する規定を定めています。

① 回復請求権（民法193条）

民法は、「前条の場合において、占有物が盗品又は遺失物であるときは、被害者又は遺失者は、盗難又は遺失の時から２年間、占有者に対してその物の回復を請求することができる」と定めています（民法193条）。

この「回復」の意義について、いったん善意取得者に帰属した所有権が回復するということか、それとも単に占有を回復するということを意味するのかが議論されています。本条の適用がある２年間の期間、前者は目的物の所有権が善意取得者に帰属すると解し、後者は目的物の所有権が所有者に帰属すると解します。

この点について、判例は、２年間は所有者に所有権が帰属し、回復請求の「回復」は占有の回復を意味すると解しています（大判大正10年７月８日民録27輯1373頁）。他方で、民法192条の善意取得が取引の安全を図る制度であるという点を重視する見解は、２年間は善意取得者に所有権が帰属し、所有者が回復請求することにより所有者に所有権が復帰すると解しています。

回復請求の主体は、盗難または遺失によって直接占有を失った者であり、物の所有者に限られるわけではありません。たとえば、所有者が他人に物を貸したり、預けたりしていた場合には、借主や受寄者が回復請求できます（前掲大判大正10年７月８日、大判昭和４年12月11日民集８巻923頁）。

② 対価の弁償（民法194条）

民法は、「占有者が、盗品又は遺失物を、競売若しくは公の市場において、又はその物と同種の物を販売する商人から、善意で買い受けたときは、被害者又は遺失者は、占有者が支払った代価を弁償しなければ、その物を回復することができない」と定めています（民法194条）。

所有者が盗難または遺失により目的物の占有を失ったとしても、現在の占有者が競売や公の市場でまたは同種の物を販売する商人から善意で購入した者である場合、当該占有者に落ち度はないため取引安全を保護する必要性が高いといえます。そこで、民法は、目的物の占有者（善意取得者）は、所有者から代価弁償を受けるまで目的物の返還を拒絶することができるとしています（民法194条）。このときの所有者の代価弁償義務と占有者（善意取得者）の返還義務は同時履行の関係（民法533条参照）にあります。判例は、盗品または遺失物の占有者は、民法94条に基づいて引渡しを拒むことができる場合には、代償の提供があるまで使用収益する権利を有するとして、使用利益の返還請求を認めませんでした（最判平成12年６月27日民集54巻５号1737頁・百選Ⅰ［第８版］69事件）。

もっとも、占有者が古物商または質屋である場合は、所有者は盗難または遺失の時から１年間、無償で回復を請求することができます（古物営業法20条、質屋営業法22条）。この趣旨は、古物商や質屋については、商品を買い取る専門家として一般人よりも特別の注意を要求してもよいことおよび盗取者や盗取・遺失の事実を知っている前主との通謀を防ぐことにあります。

3　立木等の物権変動と明認方法

土地に生立する樹木や刈取り前の稲（稲立毛）、摘取り前の果実（未分離の果実）、温泉等は、土地の定着物（民法86条１項）または土地の一部であり、本来、土地とその法的運命を共にするはずです。しかし、わが国では古くから、これらは土地と別個に取引の対象とされてきました。そこで、これらの取引については以下のとおり民法上の公示方法とは別の公示方法が認められています。

⑴ 立 木

１筆の土地または１筆の土地の一部に生立する樹木の集団（立木）は、立木ニ関スル法律（以下「立木法」といいます）によって所有権保存登記をすることができます。この登記がなされると、立木は土地とは独立した不動産とみなされます（立木法２条１項）。その結果、立木は土地と別個に所有権譲渡や抵当権設定の客体となり（立木法２条２項）、土地の所有権または地上権の処分は立木には及ばないこととなります（立木法２条３項）。たとえば、土地の地上権を有する者が、その土地に植栽し、成長した立木につき立木法に基づく登記を経た場合、立木の所有権を留保したまま地上権を第三者に譲渡することができます。

立木の譲渡や抵当権設定等の一切の処分は立木登記簿上の登記により公示すべきものとされ（立木法12条以下）、その登記が物権変動の対抗要件となります。

⑵ 立木法の適用のない立木、稲立毛、未分離の果実等

立木法の適用対象は１筆の土地または１筆の土地の一部に生立する樹木の集団であり、立木法の適用対象とならない立木や稲立毛、未分離の果実等については、立木法上の登記をすることができません。

そこで、立木法の適用対象とならない立木や稲立毛、未分離の果実等については、慣習上、権利の所在を公示する方法で、対抗要件としての効力を有する明認方法という公示方法が認められています。

① 明認方法の態様

明認方法の態様としては、以下の方法が認められています。これらの明認方法は、第三者が利害関係を持つ時まで存続していなければなりません（大判昭和６年７月22日民集10巻593頁、最判昭和36年５月４日民集15巻５号1253頁・百選Ⅰ［第８版］65事件）。

ア　木の皮を削り、誰が所有者であるかを墨書する方法（大判大正９年２月19日民録26輯142頁）

イ　山林内に炭焼小屋を作って伐採に着手する方法（大判大正４年12月８日民録21輯2028頁）

ウ　立木に自分の名前を表示した刻印を押し現場に標札を立てる方法（大判昭和３年８月１日新聞2904号12頁）

② 明認方法による公示の効果

立木法の適用のない立木や、稲立毛、未分離の果実等を土地と別個に譲り受けた場合には、譲受人は明認方法を施さなければ自己の所有権を第三者に対抗することができません（前掲大判大正９年２月19日）。

明認方法によって公示される物権変動は、立木等の所有権の譲渡と、これに同視される解除や取消し等による所有権の復帰（大判昭和８年６月20日民集12巻1543

頁)、所有権の留保（最判昭和34年８月７日民集13巻10号1223頁）に限られています。これは、明認方法が登記のように権利の内容を詳細に安定して公示することに適していないためです。

なお、明認方法と登記が競合する場合には、物権変動の優劣は両者の先後関係によって決まります（最判昭和35年３月１日民集14巻３号307頁)。

⑶ 温 泉

温泉は土地所有権の一部になるはずです。しかし、これを土地（地盤）の所有権と切り離して独立に権利の客体とすることが慣習で認められてきました（源泉権ないし温泉専用権、湯口権ともいいます。大判昭和15年９月18日民集19巻1611頁・百選Ⅰ［第８版］49事件)。

判例は、それぞれの地方の慣習により、温泉組合ないし地方官庁への登録、立札その他の標識、温泉所在の土地自体に対する登記等が源泉権の明認方法となるとしています（前掲大判昭和15年９月18日、仙台高判昭和63年４月25日判時1285号59頁)。

第3章

物権各論

第1　占有権

1　占有制度の根拠

⑴ 占有制度の意義

物に対する事実上の支配は、一般的には所有権・地上権・賃借権等の権原（このような権原を本権といいます）に基づく場合が多いでしょう。しかし、物に対する観念的な権利関係（所有権等）と事実的な支配状態（占有）は別個に成立しうるため、本権に基づかない物に対する事実上の支配もありえます。占有制度は、このような物に対する事実的支配である占有自体を保護するものです。

物に対する事実的支配である占有を法律上の根拠や権原の有無と切り離して独自に保護する理由は、各個人が物を事実上支配している状態を法的に保護することで、占有者による自力救済を抑制（自力救済禁止の原則）し、社会の平和と物権的な物支配秩序を維持する点にあります。

⑵ 占有を要件とする法律効果の根拠

民法は、占有に伴う法的効果を様々規定しています（民法180条以下）。

近代法における占有制度は、ローマ法のポセッシオとゲルマン法のゲヴェーレとが交錯して発展してきたものであるといわれています。

ポセッシオとは、占有を本権と完全に切り離して、事実を事実として保護しようとする立場です。これに対して、ゲヴェーレとは、占有を基礎として本権を推定する、つまり、物の支配という事実を権利そのものの現象形態として扱う立場です。

わが国の民法の「占有訴権」（民法197条以下)、「善意占有者の果実取得権」（民法189条）は、ポセッシオの立場から説明され、「占有による権利推定」（民法188条)、「即時取得」（民法192条）は、ゲヴェーレの立場から説明されます。

⑶ 占有権と本権の区別

民法は、占有権という権利を認め、物に対する事実的支配である占有に基づいて占有権が生じ、占有権から種々の効果が認められるという構成を採用しています。

占有権と本権（占有を可能とする権利）とは、明確に区別がされます。後者は、所有権・賃借権等の占有を適法ならしめる観念的な権利を意味します。たとえば、時計を詐取された所有者は、占有を可能とする権利（本権）は有していますが、時計を事実的に支配しなくなったため占有権を失います。他方で、詐取した者は占有を可能とする権利（本権）は有していませんが、時計を事実的に支配しているため占有権を取得します。

2　占有権の成立要件

⑴ 占有権の成立要件

民法180条は、占有の意義について、「自己のためにする意思をもって物を所持する」と定めています。

占有権は、物の所持と自己のためにする意思の２つの要件を充足することで成立します。これは、占有者が「占有の意思」を放棄したり、「占有物の所持」を失うと占有権が消滅（民法203条）することからも明らかといえます。

⑵ 物の所持

物の所持とは、ある者が物を支配していると評価することのできる客観的状態をいいます。社会観念上、物がその者の事実的支配下にあると認められる客観的関係があればよく、必ずしも物を直接物理的に支配していることを要しません。

たとえば、建物の場合には、現実にそこに居住していなくても、出入口を施錠してその鍵を保管していれば所持があるということができます。また、施錠されていない建物の隣家に住み、常に出入り口を監視して他人の侵入を容易に制止できる状況にしていた建物所有者に所持を認める判例もあります（最判昭和27年２月19日民集６巻２号95頁）。

他方で、物理的支配があっても、物の所持が認められないこともあります。たとえば、他人の物をごく一時的に借用しているだけの場合や、他人の物を奪ったものの追跡を受けている場合等です。このような場合は事実的支配が未確立で不安定であり、占有権に伴う法律効果を生じさせる基礎とするに値しないといえるためです。

⑶ 自己のためにする意思

「自己のためにする意思」とは、物の所持によって事実上の利益を受けようとする意思をいいます。

事実上の利益とは、積極的に利益を受けることのほか、物の所持により法的不利益を免れることも含みます。たとえば、保管を委ねられて物を所持する者は、物の所持につき積極的な利益を有するわけではありません。しかし、物を預けるという寄託契約の場合、受寄者が当該物の所持を失うと寄託者から寄託契約上の義務違反による債務不履行責任（民法415条１項）を問われるという法的不利益を被る可能性があります。つまり、受寄者は物を所持することによりこの法的不利益を避けられることとなり、これも事実上の利益に含まれます。したがって、受寄者による占有も「自己のためにする意思」が認められます。

「自己のためにする意思」は、一般的・潜在的に存在すれば足ります。一般的・潜在的に存在するかどうかは、物の所持を生じさせた原因の性質から客観的に判断します。たとえば、売買や賃貸借、寄託等の契約は買主、借主、受寄者に物の管理・利用・処分をさせるという性質を有する契約であるため、買主、借主、受寄者は自己のためにする意思をもって物を所持するといえます。物を盗取したり、無断借用して所持する者も、当該行為は物を利用・処分するために行ったものであり、「自己のためにする意思」を有すると認められます。

以上のとおり、「自己のためにする意思」という占有権を認める要件は極めて緩和されているといえます。

(4) 代理占有

① 代理占有と自己占有

占有権は、占有者が物を直接所持する場合のほか、占有代理人に物を所持させることによっても取得することができます（民法181条）。

占有代理人とは、本人に代わって物を占有する者をいいます。直接の所持が占有代理人にある場合には、占有代理人だけでなく、本人にも物の占有が認められます。この占有代理人を介した占有を代理占有または間接占有といいます。これに対して占有者が物を直接支配する場合を自己占有または直接占有といいます。

たとえば、賃貸人が賃借人に対し建物を賃貸している場合、建物を直接所持し、占有しているのは賃借人ですが、賃貸人もまた賃借人の占有を介してその建物を間接的に所持し、占有していることとなります。この場合には、賃借人が直接占有者、賃貸人が間接占有者となります。物を他人に貸したり預けたりしている者（間接占有者）も社会観念上では物に対する事実的支配をなお維持しているため、そのような者にも占有権の法的効果を認めています。

② 代理占有の要件

代理占有の要件を直接定める規定はありませんが、一般的に以下の要件が必要であると解されています。

ア　占有代理人の所持

占有代理人が目的物を所持することが必要となります。この場合の所持は直接占有の際の所持と同様で、ある者が物を支配していると評価することができる客観的状態をいいます。

イ　占有代理人と本人との間に代理占有を基礎づける関係（代理占有関係）

代理占有関係は、賃貸借契約における貸主と借主の間、寄託契約における寄託者と受寄者の間に認められるほか、売買・贈与・賃貸借・寄託等の物の引渡しを伴う契約の無効・取消し・解除の場合に、その契約に基づいて物を引き渡していた者（売主、貸主等）と引渡しを受けていた者（買主、借主等）の間でも認められます。この場合には、後者が前者に対して物を返還すべき地位にあり、前者に代わって占有することとなるためです。

ウ　占有代理人が本人のために占有する意思（代理占有意思）

代理占有意思については、必要説と不要説とに議論が分かれています。

必要説は、民法204条１項２号が、代理人が自己または本人以外の第三者のために物を所持する意思を本人に表示すると本人は占有を失うと規定していることから、代理占有意思を有することが代理占有の要件になると理解します。

これに対して、不要説は、代理占有関係（要件イ）がある場合とは、占有代理人本人のために物を占有する義務を負う場合の意味であり、代理占有意思を独立の要件として捉える必要はないと理解します。

③ 代理占有の効果

代理占有によって、本人と占有代理人はともに占有に基づく権利を有し、義務を負います。両者とも占有訴権を有し、他人の不動産を不法占有している場合には明渡しの義務を負います。

占有取得が代理人を介して行われる場合には、平穏・公然、善意・無過失といった占有の態様は、原則として占有代理人について判断されます。ただし、本人に悪意や過失があるときは、本人は占有代理人の善意や無過失を主張できません（民法101条類推適用）。

④ 占有補助者（占有機関）

本人が他人に物を所持させている場合に、代理占有とは異なり本人だけに占有権が認められ、物を所持する他人に占有権が認められないことがあります。この場合の他人を占有補助者（占有機関）といいます。

たとえば、建物賃借人の配偶者や子、他人の使用人として家屋に居住する者（最判昭和35年4月７日民集14巻５号751頁）、法人の機関（最判昭和32年２月15日民集11巻２号270頁・百選Ⅰ［第８版］66事件）等が占有補助者（占有機関）に該当します。これらの者は、いわば本人や雇い主の手足ないし機関として所持するにとどまり、独立した占有者として保護する必要がないため、占有権を認める必要がないといえます。

実際の所持者が占有補助者（占有機関）か否かは、問題となっている占有の態様等を考慮しながら個別具体的に判断することとなります。たとえば、他人の使用人として家屋に居住する者でも、自己の家族と同居し、かつ建物の居住用部分についての賃料を負担している等の事情がある場合には、占有権が認められることもあるでしょう。

3　占有の態様

⑴ 自主占有と他主占有

① 自主占有と他主占有の区別

占有者に「所有の意思」のある占有を自主占有、それ以外の占有を他主占有といいます（民法185条参照）。

取得時効（民法162条）、無主物先占（民法239条）、物の滅失・損傷に対する占有者の責任（民法191条但書）等について実益のある区別です。

すなわち、取得時効は自主占有者にのみ認められますし（民法162条）、無主物（所有者のない動産）についても自主占有者が所有権を取得します（民法239条）。所有の意思のない者に所有権を取得させる必要がないためです。また、占有者による占有物の滅失・損傷に対する占有者の責任は、他主占有者の場合には善意の場合でも全部の賠償をしなければならないこととなります（民法191条但書）。所有の意思のない者である以上、他人の物を慎重に保管することを求めても酷でないためです。

② 所有の意思の判断基準

所有の意思の有無は、占有を生じさせた原因たる事実の性質によって外形的・客観的に定まります（最判昭和45年6月18日判時600号83頁）。占有者の内心によって定まるものではありません。

たとえば、物を買い受けた買主の占有は、所有の意思のある占有（自主占有）です。売買契約は、買主に物の所有権を与える原因になる契約であるためです。これに対し、物を賃借した借主の占有は、所有の意思のない占有（他主占有）です。賃貸借契約は、借主に物の所有権を与える原因にならない契約であるためです。

③ 他主占有の自主占有への転換

他主占有者が「自己に占有をさせた者に対して所有の意思があることを表示し」または「新たな権原により更に所有の意思をもって占有を始める」場合には、他主占有は自主占有に転換します（民法185条）。

前者の例としては、Zから甲建物を無償で借りていたXが、Zの死亡により甲建物を単独で相続したYに対して、Zから甲建物を借りた後に贈与を受けていたとして甲建物の移転登記手続を求めた場合が挙げられます。後者の例としては、甲建物の賃借人Xが賃貸人Yから甲建物を譲り受けた場合が挙げられます。

自主占有に転換した後は、自主占有を要件とする取得時効（民法162条）や無主物先占（民法239条）が成立する可能性があります。

⑵ 善意占有と悪意占有

占有には、善意占有と悪意占有という区別があります。

善意占有とは、占有を可能とする権利（本権）がないのに、それがあると信じて占有する場合をいいます。これに対して、悪意占有とは、占有を可能とする権利（本権）のないことを知りまたはその存在に疑いを有して占有する場合をいいます。

取得時効（民法162条）、即時取得（民法192条）、果実取得権（民法189条）等につ

いて実益のある区別です。すなわち、取得時効では、占有開始時に善意占有であったか悪意占有であったかによって時効期間の長短が変わります（民法162条）。即時取得は善意占有者のみに認められます（民法192条）。また、善意占有者は占有物から生じる果実を取得する権利を有しますが、悪意占有者は当該果実を返還する義務を負います（民法189条、190条）。

善意占有はさらに、本権の存在を信じていたことに過失があったかどうかにより、過失なき占有と過失ある占有に分かれます。たとえば、登記簿等による調査をすれば他人の土地であることが明らかとなるにもかかわらずこれを怠ったため、当該他人の土地を自己所有地と信じて占有した場合は、過失ある占有にあたります。

⑶ 瑕疵なき占有と瑕疵ある占有

瑕疵なき占有とは、占有が善意・無過失・平穏・公然になされている場合をいいます。これらのうちひとつでも欠けている場合の占有は瑕疵ある占有となります。

占有の承継との関係で実益のある区別です。占有者の承継人が前の占有者の占有を併せて主張する場合には、その前の占有者の占有の瑕疵をも承継することとなります（民法187条２項）。

⑷ 推定規定

占有者の占有は、上記で問題となった「所有の意思」「善意」「平穏」「公然」が推定されます（民法186条１項）。

このうち「所有の意思」は、その推定を覆すために、(i)占有取得の原因が、その性質上「所有の意思」がないとされるものであること（他主占有権原。たとえば、賃貸借、使用貸借、用益物権の設定）か、(ii)占有者に所有の意思がないものと推断される外形的事情（他主占有事情。たとえば、所有権移転登記を求めないとか固定資産税を負担していないといった事情）が存在することを主張立証する必要があります。これらを主張立証することにより、その推定が覆ることとなります（最判昭和58年３月24日民集37巻２号131頁）。

「無過失」は、即時取得の場合を除いて推定されないと解されています。占有者が占有物について行使する権利はこれを適法に有するものと推定されます（民法188条）。即時取得は、取引行為による承継取得が要件であり、取引の相手方が占有者であることを前提としているため、無過失が推定されることとなります（最判昭和41年６月９日民集20巻５号1011頁）。

また、ある時点に物の引渡しを受けたことと現在占有していることの証拠があるときは、占有はその間継続していたものと推定されます（民法186条２項）。この趣旨は、占有の継続を主張する者がその継続を立証することは困難であるため、立証の困難さを緩和させる点にあります。取得時効を主張する場合に、占有開始時点と時効完了時点の両時点での占有を立証することにより、占有の継続が推定されることとなるため、取得時効の主張の際に重要な意味を持つ規定となります。

4　占有権の取得

(1) 原始取得と承継取得

占有権は、原始的に取得すること（原始取得）も、前主から承継的に取得すること（承継取得）もできます。

① 原始取得

原始取得とは、他人（前主）の権利と無関係に占有権を取得することをいいます。無主物先占（民法239条）や遺失物拾得（民法240条）の場合等が原始取得にあたります。

② 承継取得

承継取得とは、前主の占有権が当事者の合意により同一性を保ちながら新占有者に移転することをいいます。

ア　具体的方法

占有権は引渡しによって移転します。具体的には、現実の引渡し（民法182条１項）、簡易の引渡し（民法182条２項）、占有改定（民法183条）、指図による占有移転（民法184条）のいずれかの方法によることとなります。

イ　承継取得の効果

占有を承継取得した承継人は、前主の占有を継続します。また、占有が物の事実的支配を基礎として成立することを考えれば、承継人は自ら新たな占有を原始取得したといえます。

この点に鑑み、占有の承継人は、その選択に従って、自己の占有のみを主張してもよいし、自己の占有に前主の占有を併せて主張してもよいとします（民法187条１項）。ただし、前主の占有を併せて主張する場合には、その瑕疵（悪意・有過失・非公然・非平穏の性質）も承継しなければなりません（民法187条２項）。

ここにいう前主は、承継人の直前の占有者に限られず、占有の承継がある限り、承継人に先立つすべての占有者が含まれます。なお、前の占有者の占有を併せて主張するかどうかと同様に、どの占有者の占有から併せて主張するかというのも承継人の選択に委ねられています。たとえば、Ａ→Ｂ→Ｃと占有が承継された場合、ＣはＡの占有とＢの占有を併せて主張してもよいし、Ｂの占有と併せて主張してもよいし、自己の占有のみを主張してもよいこととなります。前主の占有を併せて主張する場合には、その瑕疵をも承継する（民法187条２項）ため、たとえば取得時効を主張する場合には、瑕疵のない占有を選択して主張することもできます。

(2) 相続と占有の承継取得

① 相続の性質（包括承継）

判例・通説は、相続により、相続人が被相続人から当然に占有を承継取得すると解しています（最判昭和28年4月24日民集7巻4号414頁、最判昭和44年10月30日民集23巻10号1881頁）。相続人がその物を所持または管理しているか否かや相続の開始を知っているか否かにかかわりません。相続は包括承継を生じさせ、相続人を被相続人と同一の地位に置く効果を有するためです。

② 相続による占有の承継と新権原

ア　相続人による自己の占有の主張の可否

承継取得の場合には、承継人は前主の占有を自己の占有と併せて主張することも、自己の占有のみを主張することもできます（民法187条1項）。

他方、相続による承継は法律上当然に発生するため、相続人は相続を契機とした自己の占有を主張することはできず、被相続人から取得した占有のみを主張できると考える立場があります。つまり、民法187条1項は相続に適用はないと考えられ、従前の判例もこの立場でした。

しかし、相続人が現実に相続財産の所持を取得した場合には、相続人は、他の方式での占有承継の場合と同様に、その所持の事実によって新たに自己の固有の占有をも取得できます。そうであれば、この二面性を相続人に認めない理由はないといえます。

そこで、判例は、相続人も自己の占有のみを主張することもできるとして、立場を改めました（最判昭和37年5月18日民集16巻5号1073頁）。その結果、民法187条1項は承継の原因にかかわらず、占有を承継取得した者すべてに適用されると解されることとなりました。具体的には、相続人は被相続人から取得した占有も相続を契機とした自己の占有もいずれも主張できます。

イ　相続を契機とした自主占有への転換の許否

新権原に基づいて所有の意思をもって占有を開始する場合には、他主占有から自主占有への転換が認められます（民法185条）。

単に相続が発生し、相続人が被相続人の占有を承継したにすぎない場合には、相続人の占有の性質（自主占有か他主占有か）は、被相続人の占有の性質によって当然に決まります。

しかし、相続人が現実の占有を開始する場合に、当該相続人の占有が自主占有であると評価できる場合があります。そこで、判例は、相続を契機として相続人が占有を開始した事案で、「事実的支配が外形的客観的にみて独自の所有の意思に基づくものと解される事情」（自主占有事情）を立証できる場合には、新権原に基づく占有が開始したとして、民法185条による他主占有から自主占有への転換を認めました（最判昭和46年11月30日民集25巻8号1437頁）。自主占有事情とは、たとえば、相続人が登記済証を所持していること、固定資産税を継続して納付していること、物の管理使用を専行していること等が挙げられます。

5　占有訴権

(1) 占有訴権の意義

占有訴権とは、物の占有者がその物の占有を妨害されたときは、その占有が正当な権利に基づくものか否かにかかわらず妨害の除去を請求できるとする権利をいいます（民法197条以下）。

占有訴権制度の目的・機能は、以下の３点が挙げられます。

① 擾乱された秩序を回復し、社会秩序の維持を図るという社会秩序維持（自力救済の禁止）

② 所有権等の本権の証明が困難である場合に、証明しやすい占有に基づく訴訟によって本権の保護に奉仕するという本権保護

③ 賃借人のような債権に基づいて物を利用する者を保護するという物の債権的利用保護

(2) 占有訴権の内容

① 物の円満な状態の維持・回復

占有訴権は、占有権の侵害を排斥して完全な占有状態を回復する権利です。これは占有権という物権に基づく物権的請求権であり、相手方の故意・過失は問いません。

② 損害賠償請求権

占有訴権の内容として、損害賠償の請求が認められます。その性質は物権的請求権ではなく、不法行為（民法709条）に基づくものです。すなわち、占有権侵害を理由とする損害賠償請求権を意味します。不法行為に基づくものであるため、侵害者の故意または過失が要件となります（民法709条）。

(3) 占有訴権の当事者

原告となるのは占有者であり、自主占有者だけでなく、占有代理人も自己の名において提起できます（民法197条）。これに対して、占有補助者（占有機関）は独自の占有権を有しないため、占有訴権を有しません。

被告となるのは占有の侵害者または侵害をなすおそれのある者です。

(4) 占有訴権の種類

① 占有保持の訴え（民法198条）

占有を奪われるまでには至らないものの、占有を妨害されているときに妨害の停止と損害賠償を請求できます。これが占有保持の訴えです。

たとえば、占有する土地の上に他人が勝手に土砂を搬入した場合や隣家の松の木が倒れてきた場合がこれにあたります。

妨害停止請求の要件は、以下のアおよびイです。損害賠償請求を伴う場合には、ウからオの要件がさらに加わります。

ア　請求者による目的物の占有

イ　相手方が（占有侵奪以外の方法で）占有を妨害する事実の発生
ウ　損害の発生とその額
エ　イとウとの因果関係の存在
オ　相手方の故意または過失

占有保持の訴えは、妨害の存在する間またはその消滅後１年以内に提起しなければなりません（民法201条１項本文）。工事により損害が生じた場合で、工事着手時から１年を経過したか、工事が完成したことのいずれかの事情があるときは占有保持の訴えの提起は認められません（民法201条１項但書）。

② 占有保全の訴え（民法199条）

将来占有を妨害されるおそれがあるときに、隣家の所有者等に対し、妨害予防の手段を講ずるか、または発生するおそれのある損害の賠償のための担保提供を請求できます。これが占有保全の訴えです。

たとえば、隣家の松の木が倒れてきそうな場合がこれにあたります。

妨害予防請求の要件は、以下のアからウです。損害賠償のための担保提供請求を伴う場合には、エの要件がさらに加わります。

ア　請求者による目的物の占有
イ　その占有を相手方が妨害する危険の発生
ウ　妨害予防のために訴えにおいて求める措置を講じる必要性
エ　その妨害が生じた場合に請求者が被るべき損害額

占有保全の訴えは、妨害の危険の存在する間に提起しなければなりません（民法201条２項前段）。もっとも、工事により占有物に損害を生ずるおそれがあるときは、工事着手から１年を経過したか、工事が完成したことのいずれかの事情があるときは占有保全の訴えの提起は認められません（民法201条２項後段、201条１項但書）。

③ 占有回収の訴え（民法200条）

占有を奪われたときは、その物の返還と損害賠償を請求できます。これが占有回収の訴えです。

たとえば、動産を奪われたり、居住する建物から実力で追い出された場合がこれにあたります。請求者が任意に物を他人に移転した場合、物を詐取された場合（大判大正11年11月27日民集１巻692頁）、賃貸借終了後も賃借人が占有を継続する場合等は、「占有を奪われたとき」に該当しないため、占有回収の訴えは認められません。

また、占有回収の訴えは、占有侵奪者からその事情を知らないで占有を取得した善意の特定承継人（たとえば盗品の買受人）に対しては提起することができません（民法200条２項本文）。ただし、悪意の特定承継人に対しては提起することができます（同項但書）。目的物が善意の特定承継人から悪意の特定承継人に移転した場合にも提起することができません（大判昭和13年12月26日民集17巻2835頁）。

占有回収請求の要件は、以下のアおよびイです。損害賠償請求を伴う場合には、ウからオの要件がさらに加わります。

ア　請求者が目的物を占有していたこと

イ　相手方が目的物を占有していること

ウ　損害の発生とその額

エ　イとウとの因果関係の存在

オ　相手方の故意または過失

占有回収の訴えは、占有を奪われた時から１年以内に提起しなければなりません（民法201条３項）。

⑸ 交互侵奪と自力救済

占有回収の訴えについては、占有侵奪の応酬（交互侵奪）があった場合に、後続の侵奪行為に対して占有回収の訴えを提起することが許されるかという問題があります。

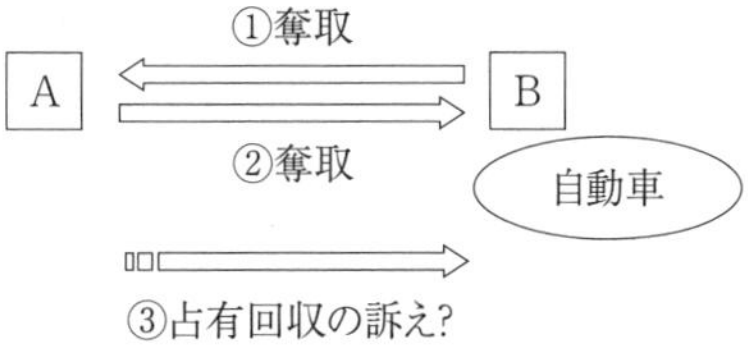

たとえば、Ｂが所有者に無断で借用していた自動車をＡが盗み自宅前に駐車していたところ、たまたまこれを発見したＢが鍵を壊して持ち帰った場合に、ＡはＢに対して占有回収の訴えを提起することができるかという問題です。

大審院の判例には、占有訴権では相手方の善意・悪意は問題とならないため、ＡはＢに対して占有回収の訴えを提起できるとしたものがあります（大判大正13年５月22日民集３巻224頁）。これは、自力救済の禁止の原則を実現するという占有訴権の趣旨を重視したものといえます。

学説には、Ｂの奪還がＡの奪取行為から１年以内（Ｂが占有回収の訴えを提起できる期間内）である場合には、Ａの占有回収の訴えは認めるべきでないとする見解があります。その理由は、Ａの占有回収の訴えを認めたとしても、Ａの奪取行為に対してＢはＡに対する占有回収の訴えを提起することができるため、審理が重複し訴訟不経済であるという点にあります。

しかし、この見解は、Ａの奪取行為後から１年間はＢの自力救済を許容する結果になります。Ｂが本権者である場合は問題とならないとしても、Ｂが無権原占有者でＡが本権者であるようなときには、実際の結果自体に疑問が残ります。

⑹ 本権の訴えとの関係

占有訴権は物の事実的支配に基づく妨害排除の請求権であるため所有権・地上権等の本権に基づく訴え（本権の訴え）とは何ら関係がありません。したがって、たとえば占有を侵奪された所有者は、占有回収の訴えと所有権に基づく返還請求の訴えの双方を同時にでも別々にでも提起できます（民法202条1項）。

また、二つの訴えがまったく別個のものである以上、占有の訴えにおいて裁判所が本権の有無を考慮して判断を下すことも許されません（民法202条2項）。たとえば、真の所有者であるAが無権原占有者であるBから占有を侵奪した場合でも、Bの占有回収の訴えは、Aの本権に関する主張（自己が真の所有者であるとの抗弁）とは無関係に認められることとなります。

この場合、Aが後に本権の訴えを提起して勝訴すれば、占有を結局Aに帰属させることができるのに、占有の訴えではAの本権に基づく主張を一切認めないのは不都合ではないかと考えられます。そこで、AがBから提起された占有の訴えの中で所有権等に基づいてBに目的物の返還を求める反訴を提起できないかが問題となります。反訴とは、係属中の訴訟手続を利用して被告が原告に対して提起する訴えをいいます（民訴法146条）。

判例は、本権者が反訴を提起することを認めます（最判昭和40年3月4日民集19巻2号197頁・百選Ⅰ［第8版］70事件）。この場合にはひとつの手続の中で行われているとはいえ、占有の訴えと本権の訴えは別のものであり、それぞれの訴えが根拠づけられれば両方とも請求が認容されることとなることから、反訴を認めることは、占有の訴えを本権に基づいて判断してはならないとする民法202条2項に反することにはならないためです。

6　占有者と回復者の間に生じる法律関係

占有は、占有者にとって有利な効果の基礎になるばかりではありません。義務や不利益負担の根拠となることもあります。すなわち、不法な占有が占有者に占有物の返還を義務づけることもあります。この返還義務に関連して、占有者と物の回復者（典型的には所有者）との間に種々の法律関係が生じます。

(1)　果実の取扱い

①　善意者・悪意者

不法占有中に占有物から生じた果実が誰に帰属するかについては、民法は189条と190条で規定しています。果実とは、ある物から生じる経済的利益をいいます。果実は天然果実と法定果実に区別されます。天然果実は元物の経済的用途に従って収取される産出物をいい、法定果実は元物を他人に使用させた対価として収受される金銭その他の物をいいます。

まず、善意の占有者は、占有物の果実を取得し（民法189条1項）、回復者に対して返還義務を負いません。ここにいう善意とは、果実を収取する権利がある本権を有すると誤信することをいいます。たとえば、土地の賃貸借契約が無効であることを知らずに、自己が正当な賃借人であると誤信して、当該土地を耕作し果実を収取した者がこれにあたります。

悪意の占有者は、残存する果実を返還する義務を負うほか、果実を消費した場合、過失によって損傷した場合または果実の収取を怠った場合には、果実の代価を償還する義務を負います（民法190条1項）。また、暴行、強迫または隠匿による占有者は、たとえ善意でも悪意の占有者と同様の扱いを受けます（民法190条2項）。さらに、本権の訴えに敗訴した善意占有者は、訴え提起の時点から悪意とみなされます（民法189条2項）。

悪意占有者について定めた民法190条は、他人の所有権侵害の可能性を知っていた占有者に所有者が受けた不利益の塡補を命じるものであり、当然の内容を定めている規定であるといえます。

他方で、善意占有者について定めた民法189条は、善意占有者といえども、他人の所有権を侵害していることに変わりがないから、少なくとも受けた利益のうち残存する部分は所有者に返還するべきだと解することもできるため、当然の規定であるとまではいえません。民法189条が正当化される理由としては、(ア)果実は元物に労力と資本を投下した結果として生じるものと見ることができ、現実に元物を支配している者はこの労力と資本を投下していることが多いこと、(イ)果実は日常生活に用いられることが多く、自己の占有権限を信じた占有者にその返還を命じることは酷であること、(ウ)無権限者が元物から果実が生じるほどの期間占有していた場合には、一般的には所有者（回復者）に対して所有権侵害を長期間放置していたことについて非難が可能であることが多いことが挙げられます。

② 民法のその他の規定との関係

民法189条や190条の適用が問題となる場合には、不当利得（民法703条、704条）に関する規定や不法行為（民法709条）に関する規定の適用要件を満たすことがあります。

善意占有者は、民法189条によれば果実の返還を一切免れるのに対し、民法703条によれば、現存する果実は返還しなければならないこととなります。そこで、所有者（損失者）が物の不法占有者（受益者）に対して民法703条に基づく不当利得返還の請求をなしうるのかが問題となります。

この点について、判例は、民法189条の適用がある場合には不当利得の規定の適用は排除されると解しています（大判大正14年1月20日民集4巻1頁、最判昭和42年11月9日判時506号36頁）。

また、これらの果実の取得に関する規定は、法律行為の無効・取消しや契約の解除等により物を返還すべき場合にも適用されるかという点も問題となります。判例は、適用を肯定しています（前掲大判大正14年1月20日）。

さらに、所有者が占有者の過失を主張立証して（悪意の立証まで要することなく）、民法709条によって果実の代価相当額の賠償を求めることができるのかも問題となります。

判例は、民法190条は民法709条の適用を排除する趣旨を含まず、民法709条に先だって適用されるべきものではないとして果実の代価相当額の請求を認めます（大判昭和18年６月19日民集22巻491頁、最判昭和32年１月31日民集11巻１号170頁）。

⑵ 占有物の滅失・損傷に対する占有者の賠償義務

不法占有中に占有物が占有者の責めに帰すべき事由によって滅失または損傷した場合における占有者の損害賠償義務について、民法191条が規定しています。滅失には物理的滅失だけでなく、紛失の場合や第三者に譲渡されてその第三者が即時取得したために物の回復が不可能になった場合も含まれます。また、損傷には物理的損傷によるほか、濫用による価値下落も含まれます。

まず、善意かつ自主占有者は滅失・損傷によって利益を受けた限度で賠償義務を負います（民法191条本文後段）。たとえば、占有物を売却して代金を受け取った場合や、占有物を滅失させた第三者から賠償金を受け取った場合がこれにあたります。悪意の占有者と他主占有者は損害全部の賠償義務を負います（民法191条本文前段、但書）。

このように、民法191条は善意の自主占有者を保護する規定です。不法占有者または他主占有者は占有物を所有者に返還すべき立場にあり、物を所有者のために保管するべき立場にあります。したがって、その責めに帰すべき事由によって占有物を滅失・損傷させたときには、賠償義務を負うのが当然であるといえます。しかし、不法占有者であっても、所有権を有すると信じていた（善意かつ自主占有者）とすれば、自己の物として扱う（＝滅失・損傷したとしても損害賠償義務を負わないと考える）のが当然であるといえます。そこで、善意かつ自主占有者については賠償義務が軽減されています。

⑶ 占有物に関する費用の償還

不法占有者が占有物の維持や改良のために支出した費用の償還を回復者に請求できるかについて、民法は196条で規定しています。費用については、必要費と有益費に分かれます。必要費とは、物の原状を維持して保存するための費用（たとえば、修繕費）や物の維持に当然に伴う費用（たとえば、租税）をいいます。有益費とは、物の改良等のための費用をいいます。

① 必要費の償還

必要費については、占有者は回復者に全額償還を請求できるのが原則です（民法196条１項本文）。その理由は、必要費が投入されたことによって回復者は原状を維持した状態で物を回復できることになるため、その費用は回復者が負担すべきであるからです。ただし、占有者が果実を取得した場合には、通常の必要費は占有者の負担となり、回復者に償還を請求できません（民法196条１項但書）。ここで通常の必要費とは、物の原状維持のために平常必要な費用のことをいいます。物を普通に使用していれば生じる損耗の修理費や、物の維持に当然伴う税の負担等がこれにあたります。果実を取得した占有者が通常の必要費の償還を請求できないとされるのは、果実は元物が保存された結果として生じる利益と考えることができ、その利益を取得した者はそのための費用を負担するのが当然であるからです。

これに対して、突発的な事情で物が壊れた場合の修理費等は、通常の必要費にあたらないため、占有者が果実を取得したとしても回復者に償還を請求することができます。

② 有益費の償還

有益費についても、物の返還時に価格の増加が現存する限り、占有者は回復者に償還を請求できます。償還額については、回復者が占有者の支出額と増価額のいずれかを選択することができます（民法196条2項本文）。回復者がこの選択をしなかった場合には、占有者に選択権が移転します（大判明治35年2月22日民録8輯93頁）。

有益費の償還については、利得の押しつけを避けるために、単に物の価格が増加したというだけでは十分ではなく、それが行われなければその物の通常の利用にも支障を来しかねないと認められることを要すると解されます。

なお、占有者が投下した費用によって占有物の価格が返還時に増加している場合、民法196条2項のほかに、民法703条、704条の要件も充足することがあります。このような場合、占有者がこれらの規定によって利得の返還を回復者に請求できるかが問題となりますが、回復者の償還義務を有益性の認められる場合に限定した民法196条2項の趣旨に鑑み、利益の返還請求は否定されると解されます。

7　占有の消滅と準占有

⑴ 占有の消滅

① 自己占有の消滅

占有は、目的物の滅失の場合のほか、占有者が占有の意思を放棄するか、または占有物の所持を失うことによって消滅します（民法203条本文）。ただし、占有者がいったん所持を失っても占有回収の訴えを提起して勝訴したときは、占有は消滅することなく継続していたものとみなされます（民法203条但書。最判昭和44年12月2日民集23巻12号2333頁）。

② 代理占有の消滅

代理占有の場合には、以下の事由によって本人の間接占有が消滅します（民法204条1項）。

ア　本人が占有代理人に占有させる意思を放棄したこと（同項1号）

イ　占有代理人が本人に対し、以後自己または第三者のために占有するという意思を表示したこと（同項2号）

ウ　占有代理人が占有物の所持を失ったこと（同項3号）

なお、賃貸借契約が終了した場合のように、本人と占有代理人の間の法律上の占有代理関係が消滅しても、代理占有そのものは当然には消滅しません（民法204条2項）。賃貸借契約等の代理占有を生じる原因が消滅するだけでは、占有代理人の物を返還すべき地位は消滅しないためです。

⑵ 準占有

占有は物の事実的支配の状態を問題とするものですが、財産権についてもその事実的支配という状態を考えることができます。たとえば、債権者でない者が債権証書を所持している場合等です。同様の状態は、地役権、抵当権、先取特権、著作権、特許権、商標権、鉱業権等についても考えられます。

自己のためにする意思をもってこれらの財産権を行使する場合には、占有に関する諸規定が準用されます（民法205条）。これを、準占有といいます。

占有に関する規定の準用の中で最も重要な意味を持つのは、占有の訴えに関する規定の準用です。これによって、物以外の財産権の事実的支配が保護されることとなります。

もっとも、財産権のうち所有権や地上権、賃借権等の場合にはその行使に占有を伴うので準占有を問題とする余地がありません。また、債権の準占有については、民法478条とその類推適用で解決される場合がほとんどであるといえます。

具体的には、債権譲渡行為が無効な場合に債務者が事実上の譲受人（大判大正7年12月7日民録24輯2310頁）に対して善意かつ無過失で弁済した場合には、民法478条によりその弁済は有効とされます。

第2　所有権

1　所有権の意義・内容

⑴ 所有権の意義と性質

所有権は、所有者が所有する物（有体物）を、法令の制限内において自由に使用・収益・処分する権利です（民法206条）。他人の物の使用・収益のみができる用益物権や、他人の物の担保価値のみを把握する担保物権と異なり、物に対する全面的支配権である点に最も基本的な特質があります。

その他、所有権は以下の性質を有します。

① 渾一性

所有権は、物を使用・収益・処分する権利が渾然一体となった支配権です。所有者のもとで使用・収益・処分する権利がそれぞれ分離されることはありません。渾然一体となっていることから、渾一性といいます。

② 弾力性

他人に地上権等を設定し、所有者の使用・収益する権利が制限された場合でも、その制限が消滅すれば所有権は本来の完全な状態（使用・収益・処分する権利を有する状態）に戻ります。制限された状態から完全な状態に戻ることから、弾力性といいます。

③ 恒久性

所有権は、存続期間が限定されず、永遠に存続することとなります。この性質を恒久性といいます。所有権はこのような恒久性を有するため、消滅時効の対象となりません（民法166条２項参照）。

⑵ 所有権の内容

① 所有権の内容

所有権者は、法令の制限内において、物を自由に使用・収益・処分することができます（民法206条）。

使用とは物の即物的利用をいいます。たとえば、自分が所有する自転車に乗る、といった所有物の利用です。収益とは物の果実の取得をいいます。たとえば、自分が所有する果樹から果実（天然果実）を収穫したり、自分が所有する建物を他人に賃貸して賃料（法定果実）を収受することです。処分とは、物を物理的に処分（消費・改造・毀滅・放棄等）したり、物を法律的に処分（所有権の譲渡や用益物権・担保物権の設定等）することをいいます。たとえば、自分が所有する家具を廃棄したり、自分が所有する土地に抵当権を設定することです。

② 法令による所有権制限の目的と態様

所有権は、法令による制限を受けることがあります。

ア　法令による所有権制限の目的

法令が所有権を制限する場合、制限する目的として、以下のようなものが挙げられます。

(i) 社会一般の保安や安全のための制限

防火・防災、衛生、公害防止等を目的として所有権が制限されることがあります。

(ii) 公共の施設の建設・維持のための制限

公共の施設とは、道路・鉄道・河川等です。これらの公共の施設を建設したり維持するために所有権が制限されることがあります。

(iii) 自然・環境・景観や文化財保護のための制限

自然や環境、景観、文化財を保護するために所有権が制限されることがあります。

(iv) 特定の産業の維持・開発を含めた経済政策の遂行のための制限

鉱業や各種の産業を維持したり開発するために所有権が制限されることがあります。

(v) 国土の合理的利用や良好な都市環境の維持・形成のための制限

国土を合理的に利用するためや都市環境を維持・形成するために所有権が

制限されることがあります。

イ　法令による所有権制限の態様

公法上の制限として、所有権や使用権の強制取得（公用徴収）、一定の利用方法の制限・禁止（建築規制等）、積極的な作為義務の法定（公害防止施設の設置義務等）等があります。

私法上の制限として、民法１条３項の権利濫用規定による個別的制限のほか、借地借家法による不動産所有権の制限、区分所有建物（いわゆるマンションやアパート）についての特別の規制等があります。

2　土地所有権の内容

(1) 土地所有権についての特別の考慮

① 土地所有権の特殊性

土地は、人が生産するものではなく自然にあるものであり、有限の物です。また、土地は人にとって必要不可欠なものであるうえ、利用されて初めて価値を持つ物です。人が生産する物とは異なる特殊な性質を有しているといえます。

このように土地は特殊な性質を有しているため、土地を所有する権利である土地所有権は他の物の所有権よりも社会的・公共的性格を有し、他の物よりも使用・収益する権利（利用する権利）が重視されています。

② 土地所有権の制限の必要性

土地は地続きにつながっているという物理的な特性を有するため、土地所有権相互の関係および範囲に関する特別の定めが必要となります。

まず、ある範囲の土地を所有している場合、当該土地には必ず隣接地が存在し、隣接地を所有する者が必ず存在します。そこで、隣接する土地の所有権相互の利用関係の調整が必要となります。これは民法209条以下の「相隣関係」に関する規定により規律されます。

次に、土地を利用する場合、地表のみならず土地上の空間や地下を利用することもあります。そこで、土地所有権といった場合に、どこまでが土地所有権の範囲といえるかが問題となります。この点、民法207条は「土地の所有権は、法令の制限内において、その土地の上下に及ぶ」と規定しています。したがって、たとえば他人の土地の上の空間に送電線を通したり、他人の土地の地下にトンネルを掘るためには土地所有者の承諾を必要とし、勝手にそのような行為を行うと、違法な所有権侵害となります。ただし、この上下の範囲には合理的な限界があるため、たとえば航空機が上空を通過するような場合、土地の上の空間を通過しているとしても、当該土地の所有権を侵害しているとはいえません。また、大深度地下と呼ばれる土地所有者が通常利用しない深い地下の公共的使用に関しては「大深度地下の公共的使用に関する特別措置法」という特別法が存在します。

⑵ 相隣関係

① 相隣関係の意義

隣接する土地同士の間では、一方の土地の利用が他方の土地の利用を妨げる結果となることも珍しくありません。しかし、そのことにより一方の土地が活用されないことは社会的損失につながります。そこで、民法209条以下は、土地所有権について、特に隣接する土地相互の利用の調整という観点からの制限を定めています。この利用調整関係を相隣関係と呼びます。

相隣関係に関する民法の規定は多岐にわたりますが、明治中期の社会を前提とした規定であるため、建設技術が発達し都市化の進んだ今日の実態から見ると、現代社会で生ずる新しい問題に十分対処できないところがあります。そこで、現在では公法上の規制や、相隣関係が争点となった判例が重要な役割を果たしているといえます。

② 相隣関係規定の準用

民法は、相隣関係の規定を地上権にのみ準用しています（民法267条）。

しかし、隣接地相互の土地の利用に関する調整という趣旨は、同様に土地を利用する権利である永小作権や土地賃借権等にも準用ないし類推適用すべきであると解されます。

判例は、民法213条の隣地通行権を土地賃借人に認めています（最判昭和36年３月24日民集15巻３号542頁）。また、建物建築を目的とする土地の使用借権者が行う通路工事のために民法209条の隣地使用権を認めた裁判例もあります（東京高判平成18年２月15日判タ1226号157頁）。

③ 隣地使用に関する規定

ア　隣地使用権（民法209条）

改正前民法は、境界またはその付近において障壁または建物を築造しまたは修繕するために必要な範囲内で、隣地の使用を請求することができると定めていましたが（改正前民法209条１項）、改正後の民法は、隣地使用権の内容を整備しました。改正前民法の下では、土地所有者は、所定の目的のために必要な範囲内で隣地を使用できます（改正後の民法209条１項本文）。所定の目的とは、①境界またはその付近における障壁、建物、その他の工作物の築造、収去または修繕、②境界標の調査または境界に関する調査、③枝の切取り（改正後の民法233条３項）をいいます（改正後の民法209条１項各号）。築造や修繕を行うためには足場を組んだり、材料を搬入するのに隣地を使用することが必要となることがあるため、民法は土地の有効利用のために、必要な範囲において隣地を使用することを認めています。もっとも、住家についてはその居住者の承諾がなければ立ち入ることはできません（民法209条１項但書）。

また、隣地使用の日時、場所、方法は、隣地所有者および隣地使用者のために損害が最も少ないものを選ばなければなりません（改正後の民法209条２項）。隣地使用に際しては、あらかじめ、その目的、日時、場所および方法を隣地所有者および隣地使用者に通知しなければなりません（改正後の民法209条３項本文）。ただし、あらかじめ通知することが困難なときは、隣地の使用を開始した後、遅滞なく、通知することをもって足ります（同項但書）。

また、隣地使用により隣人に損害が生じた場合には、当該隣人はその償金を請求することができます（改正後の民法209条４項）。これは、隣人に民法209条１項の隣地使用を受忍させるとともに、損害が生じた場合の償金請求を認めることにより、公平を期すためです。「償金」という文言が使われているのは、債務不履行や不法行為といった違法行為に基づく損害賠償請求とは性質が異なることを表現するためです。

イ　隣地通行権（囲繞地通行権）

(i) 隣地通行権の意義

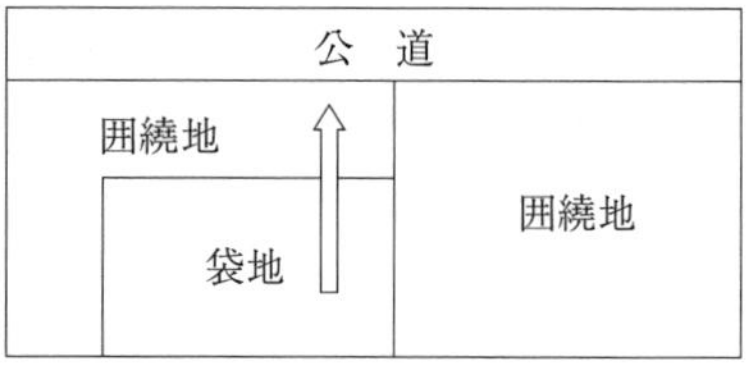

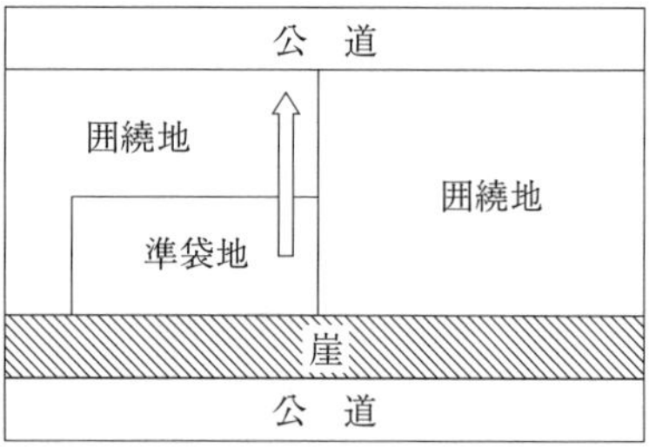

公道に出られない土地の所有者に隣地を通行する権利が認められます。この権利を隣地通行権または囲《い》繞《にょう》地《ち》通行権（以下、単に「隣地通行権」といいます）といいます。公道に出られない土地も有効に利用することができるようにするためにこのような権利が認められています。

隣地通行権は、他の土地（民法210条１項）、池沼・河川・水路・海（民法210条２項前段）、または著しい高低差のある崖（民法210条２項後段）を通らなければ公道に出られない土地の所有者および利用権者に認められます。

この場合に、他の土地に囲まれて公道に通じない土地を「袋地」、袋地を囲んでいる土地を「囲繞地」、池沼等を通らなければ公道に出られない土地を「準袋地」と呼びます。

(ii) 隣地通行権の内容――原則

民法211条１項は、民法210条により隣地通行権が認められる場合、通行の場所および方法は、通行権を有する者のために必要であり、かつ、他の土地のために損害が最も少ないものを選ばなければならないと定めています。通行のために隣地所有者に与える損害を最小限にとどめるためです。また、通行権者は、必要があるときには通路を開設することができます（民法211条２

項)。たとえば、砂利を敷いたり、障害物を除去することです。

民法に定める隣地通行権によって通行地の所有者は損害を被ることがあります。そこで、民法は、通行権を有する者は通行地の損害に対して償金を支払わなければならないと定めています（民法212条本文)。通行権を有する者と通行地の所有者の利害を調整するためです。通路の開設のために生じた損害に対する償金は、一時金として支払わなければならず、それ以外の損害に対する償金は、一時金のほか定期金としての支払いも認めています（民法212条但書)。隣地の通行により継続的に損害が生じることがあるためです。

(iii) 隣地通行権の内容――例外

袋地（準袋地）が土地の分割や一部の譲渡によって生じたときは、通行権はもとの土地の他の部分（残余地）の上にしか認められません（民法213条１項本文)。この場合、償金の支払いは必要ありません（同項後段)。残余地となる土地の所有者は、土地の分割や一部の譲渡によって袋地（準袋地）が生ずることを事前に認識でき、通行の必要性を当然予期できる以上、残余地の所有者は通行を甘受すべきであるためです。また、人為的に袋地（準袋地）を生じさせた場合に隣地所有者に負担を与える通行権を認めるべきでないためです。

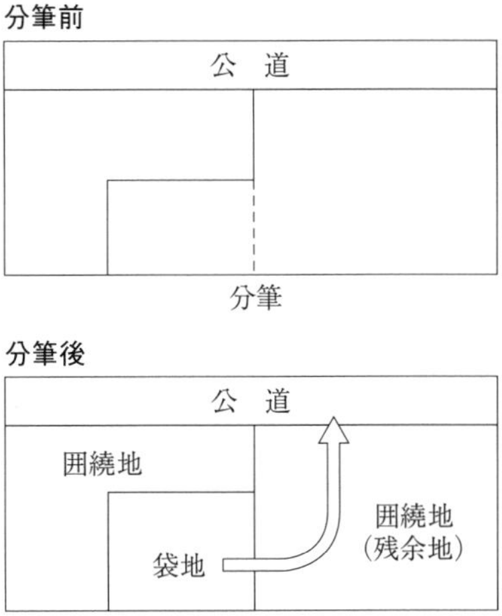

判例は、この規定は１筆の土地の全部が同時に分筆され、複数の者に分譲された場合の譲受人相互間にも適用されるとしています（最判昭和37年10月30日民集16巻10号2182頁)。また、袋地または残余地が第三者に譲渡された場合においても、従前の通行権が新所有者との間で存続・承継されます（最判平成２年11月20日民集44巻８号1037頁・百選Ⅰ［第８版］71事件)。

(iv) 隣地通行権の拡張適用等

判例は、既存の通路が土地の産出物（石材）の搬出に不適当であった事案で、民法210条による通行権を認める余地があると判示しています（大判昭和13年６月７日民集17巻1331頁)。

また、自動車の通行を前提とする民法210条の通行権については、その成否と通行権の具体的内容は、自動車による通行を認める必要性、周辺の土地の状況、その通行権が認められることにより他の土地の所有者が被る不利益等の諸事情を総合考慮して判断されます（最判平成18年３月16日民集60巻３号

735頁)。

建物の増築や建替えを希望する袋地所有者が建築基準法等の接道要件を満たすために従来より幅員の広い道路の通行権を主張することはできないとされています(最判昭和37年3月15日民集16巻3号556頁、最判平成11年7月13日判時1687号75頁)。

(v) ライフラインの設備の設置・使用権

改正前民法の下では、他人の土地や設備(導管等)を使用しなければ各種ライフラインを引き込むことができない土地の所有者は、解釈上、相隣関係規定等の類推適用により、他人の土地への設備の設置や、他人の設備の使用をすることができると解されていました。改正後の民法は、ライフラインの設備の設置・使用権に関する規律を整備しました(改正後の民法213条の2、213条の3)。

ウ　水に関する規定

(i) 水 流

民法は、人工によらずに隣地から自然に流れてくる雨水、地下水等を妨げるのを禁止しています(民法214条)。自然に流れてくるものを妨げる(たとえば、土手により水をせき止める)と隣地に水が停滞し、土地利用または衛生上の障害が生じるおそれがあるためです。また、水流が天災その他避けることのできない事変により低地において閉塞したときは、高地の所有者は自己の費用で水流の障害を除去するため必要な工事ができます(民法215条)。地震や洪水、崖崩れ等の低地の所有者の責めに帰すことのできない事由により水流が閉塞した場合に、高地の所有者が自費で必要な工事を行うために低地へ立ち入ることを認めた規定です。民法は、「高地の所有者は、……できる」と規定しているため(民法215条)、低地の所有者が高地の所有者に対して閉塞しないような工事を請求できるわけではありません。

民法は、土地の所有者が直接に雨水を隣地に注ぐ構造の屋根その他の工作物を設けることを禁止しています(民法218条)。隣地所有者は人工的工作物により雨水が自己の土地に注がれることを受忍する義務はないためです。また、ある他の土地に貯水、排水または引水のために設けられた工作物が破壊または閉塞されることにより、自己の土地に損害が及び、または及ぶおそれがある場合には、当該土地の所有者は他の土地の所有者に対して、工作物の修繕もしくは障害の除去、または必要があるときは予防工事をさせることができます(民法216条)。これらの工事の費用は、他の土地の所有者が負担することとなります。なお、民法215条の高地の所有者による工事と民法216条の他の土地の所有者による工事の費用負担については、別段の慣習があるときにはその慣習に従います(民法217条)。

高地の所有者は、自己の土地が浸水し、これを乾かしたり余水を排出するために、低地を使用しなければ公の水流または下水道に達することができない場合は、低地に水を通過させることができます。その際には、低地にとって最も損害の少ない場所・方法を選ばなければなりません（民法220条）。また、土地の所有者は、高地または低地の所有者の設けた通水用の工作物を使用することができます（民法221条１項）。この場合、通水用の工作物を使用する者はその利益を受ける割合に応じて、工作物の設置および保存にかかる費用を分担しなければなりません（民法221条２項）。民法221条は、公の下水道が高地の側に設置された場合の低地のためにも類推適用されるべきであると解されます。

(ii) 水流の利用

溝、堀その他の水流の敷地の所有者は、水流が所有地内を貫流する場合には、その所有地に限って水路や幅員を変更することができます（民法219条２項本文）。対岸が他人の所有地である場合にはその権利はありません（民法219条１項）。これらの規定と異なる慣習がある場合には、当該慣習に従います（民法219条３項）。

また、水流の敷地の所有者は、対岸の土地が他人の所有に属するときでも堰を対岸に付着させて設けることができます（民法222条１項本文）。ただし、これにより対岸の土地に損害が生じた場合には償金を支払う義務を負います（民法222条１項但書）。対岸の土地の所有者も同様に民法222条１項本文により堰を設けることができますが、既存の堰があるのであればそれを使用した方が経済的であるため、対岸の土地の所有者も堰を使用することができることとしました（民法222条２項）。この場合、堰の使用者はその利益を受ける割合に応じて、堰の設置および保存にかかる費用を分担しなければなりません（民法222条３項、221条２項）。

エ　境界に関するもの

(i) 境界標および囲障設置権

土地所有者は、隣地の所有者と共同の費用で、境界標（土地の境界を表示するもの）および囲障（隣り合った土地の間を仕切る工作物）を設置することができます（民法223条、225条１項）。囲障については、当事者間の協議が調わない場合には、板塀または竹垣その他これらに類する材料で２メートルの高さのものを設置することとなります（民法225条２項）。また、相隣者の一人はこれらの材料より良好なものを用い、または２メートルより高い囲障を、増加額を負担して設置することができます（民法227条）。境界標および囲障の設置および保存の費用は原則として当事者が等しい割合で負担します（民法224条本文、226条）。境界標の測量費用は土地の広狭に応じた分担となります

（民法224条但書）。なお、囲障については、異なる慣習があれば当該慣習に従います（民法228条）。

(ii) 境界線上の工作物

境界線上の境界標・囲障・障壁・溝・堀は、相隣者の共有に属するものと推定されます（民法229条）。この共有物については、一方の意思だけでの分割は認められません（民法257条）。また、１棟の建物の一部を構成する境界線上の障壁、および高さの異なる２棟の隣接する建物を隔てる障壁の高さが低い建物の高さを超えるときの低い建物を超える部分の障壁については、民法229条は適用されません（民法230条１項、２項本文）。ただし、民法230条２項の障壁が防火障壁の場合には民法229条が適用されます（民法230条２項但書）。防火障壁ははじめから建物の高さを超えているのが通常であるため、双方の建物の高さが異なっていても双方の共有に属すると推定せざるをえないためです。

また、相隣者の一人は共有の障壁の高さを増すことができ（民法231条１項本文）、この場合には高さを増した部分は工事をした者の単独所有となります（民法231条２項）。障壁が高さを増す工事に耐えられないときは、工事をする者が自己の費用で、必要な工作を加え、または当該障壁を改築しなければなりません（民法231条１項但書）。共有の障壁を高くする工事により隣人が損害を受けた場合には、隣人は工事をした者に対して償金を請求することができます（民法232条）。

オ　竹木の切除等に関するもの

土地の所有者は隣地の竹木の枝が境界線を越えるときは、その竹木の所有者にその枝を切除させることができます（改正後の民法233条１項）。改正前民法の下では竹木の共有者が越境した枝を切除するには変更行為として、共有者全員の同意が必要と解されていましたが、改正後の民法の下では、竹木が共有物である場合には、各共有者が越境している枝を切り取ることができます（改正後の民法233条２項）。改正前民法の下では、竹木の所有者が枝を切除しない場合には、訴えを提起し、切除を命じる判決を得て、強制執行の手続をとるしかありませんでした。しかし、改正後の民法の下では、越境された土地の所有者は、①竹木の所有者に越境した枝を削除するよう催告したが、竹木の所有者が相当の期間内に切除しないとき、②竹木の所有者を知ることができず、またはその所在を知ることができないとき、③急迫の事情があるときには、枝を自ら切り取ることができます（改正後の民法233条３項）。

これに対して、竹木の根が境界線を越えるときは、隣地の所有者自身がその根を切り取ることができます（改正後の民法233条４項）。隣地の所有者は、土地の上下を自由に使用することができ（民法207条）、枝や根が隣地内にまで伸びてきた場合には、隣地の所有権が侵害されることとなるためです。なお、根に関する民法233条４項の規定は、自力救済（民事執行法上の強制執行によらずに、自力で執行をすること）が許容されている一例です。

カ　境界付近の工作物に関するもの

(i) 建物と境界線との距離

隣接する土地の一方の所有者が先に境界線に接して建物を築造すると、他方の所有者だけが、建物の築造や修繕のために自己の土地に空き地を確保せざるをえなくなるおそれがあります。また、仮にそのおそれがなくても、日照・通風の確保のために、他方の所有者が境界線付近の使用方法を制約されることもありえます。さらに、防火という公益的見地からも、他方の所有者が接境建築を避けるよう求められることもありえます。しかしながら、これでは建物の築造が早い者勝ちになってしまい公平とはいえません。

そこで、民法は、建物を境界線から50センチメートル以上離して築造しなければならないと定めています（民法234条１項）。違反する建築物に対しては、隣地所有者は、建築の中止または変更を請求できます（民法234条２項本文）。ただし、建築に着手した時から１年を経過し、または建物が完成した後は、損害賠償の請求のみをすることができます（同項但書）。建築が進んだ建物や完成建物を除去することは、社会的損失が重大であり、公益に反するためです。

なお、境界線からの距離保持について異なる慣習がある場合は、それに従います（民法236条）。

(ii) 建築基準法の規定

建築基準法65条は、「防火地域又は準防火地域内にある建築物で、外壁が耐火構造のものについては、その外壁を隣接境界線に接して設けることができる」と定めています。当該規定と民法234条の関係が問題となります。

防火地域・準防火地域は、市街地の中心部等、特に土地の利用度が高く建物が密集している地区を対象に、防火機能の向上の見地から設定されるものです。建築基準法65条の趣旨は、それらの地区において、防火対策として有効であるが費用のかかる耐火建築の促進を図るとともに、土地の合理的・効率的な利用を実現することにあります。それでもなお、民法234条が適用されるとなると、建築基準法65条の趣旨を没却します。判例は、以上を理由に、建築基準法65条所定の建築物については同条が適用され、民法234条の適用は排除されるとしています（最判平成元年９月19日民集43巻８号955頁）。

なお、建築基準法には、他にも建物の外壁の後退距離に関する特則があります（建築基準法54条）。また、第一種および第二種低層住居専用地域では、高さ制限（建築基準法55条）に加えて、いわゆる北側斜線や日影規制等の制限が定められています（建築基準法56条１項３号、56条の２）。

(iii) 観望の制限

境界線から１メートル未満の位置に他人の宅地を見通すことのできる窓や縁側やベランダを設けるときは、異なる習慣がない限り、目隠しを付す義務があります（民法235条、236条）。

(iv) 掘削の制限

境界線付近で井戸、用水だめ、下水だめまたは肥料だめを掘るには境界線から２メートル以上、池、穴蔵またはし尿だめを掘るには境界線から１メートル以上の距離を保たなければなりません（民法237条１項）。また、導水管を埋め、または溝・堀を掘るには、境界線からその深さの２分の１以上（１メートルを超えることを要しない）の距離を保たなければなりません（民法237条２項）。隣地の土砂崩壊のおそれや隣地への水または汚液の漏出を防止するためです。なお、これらの工事をするときには、土砂の崩壊または水もしくは汚液の漏出を防ぐため必要な注意をしなければなりません（民法238条）。

3　所有権の取得（無主物先占・遺失物拾得・埋蔵物発見）

民法239条以下は、所有権の取得原因として、無主物先占・遺失物拾得・埋蔵物発見・添付について規定しています。

(1) 無主物先占

無主物とは、所有者がいない物をいいます。

無主の動産を所有の意思をもって占有取得した者は、その動産の所有権を取得します（民法239条１項）。たとえば、海や川に住む魚や野生の動物を捕獲した場合です。これに対して、不動産は、ほかに所有者がいなければ国庫に帰属します（民法239条２項）。

(2) 遺失物拾得

遺失物とは、占有者の意思によらずにその所持を離れた物であって、盗品でない物をいいます。いわゆる落し物や忘れ物です。

遺失物を拾得した者は、遺失物法の定めるところに従い公告をした後３か月が経過すれば、その物の所有権を取得します（民法240条）。拾得とは、遺失物の占有を取得することをいい、所有の意思をもってすることを要しません。

(3) 埋蔵物発見

埋蔵物とは、土地その他の物の中に外部から容易に目撃できない状態で包蔵されていて、所有者が判別しにくい物をいいます。たとえば、江戸時代に土中に埋められ、その後忘れ去られた金貨です。

埋蔵物を発見した者は、遺失物法の定めるところに従い公告をした後６か月が経過すれば、その物の所有権を取得します（民法241条本文）。ただし、他人の物の中にある埋蔵物を発見したときは、その物の所有者と発見者とが等しい割合で、埋蔵物の所有権を取得します（民法241条但書）。

発見とは、物の存在を認識することをいい、占有の取得を要しません。

4　添付

(1) 添付の意義

① 添付の種類

所有者の異なる2つ以上の物が結合したり混合した結果、元に戻すことが著しく困難であるか、損傷することなしには分離不可能な状態になることがあります。このような場合、無理に分離・復旧をさせることは社会経済上むしろ不利益をもたらすこととなります。そこで、民法は、その全体を1個の物として扱い、当事者にその分離・復旧の請求権を認めないこととしました。

付合とは、所有者の異なる2個以上の物が結合して1個の物になったと認められる場合をいいます（民法242条、243条）。付合によって生じる物を合成物といいます。

混和とは、所有者の異なる者が混ざり合って識別できなくなる場合をいいます（民法245条）。混和によって生じる物を混和物といいます。

加工とは、ある者が他人の動産に工作を加えて新たな物（加工物）を作り出す場合をいいます（民法246条）。加工によって生じる物を加工物といいます。

民法はこれらの3種を合わせて「添付」と呼びます。

② 添付の一般的効果

ア　合成物・混和物・加工物は1個の物として単一の所有権の客体となり、その一部となり消滅した元の物の所有権は消滅します（民法247条）。

イ　新しく生じた合成物・混和物・加工物の所有権は、原則として主な物の所有者に帰属します（民法242条、243条、245条、246条）。

ウ　消滅した他の物の旧所有者または加工者は、民法703条・704条の規定に従って償金（利得の返還）を請求できます（民法248条）。

エ　添付により物の所有権が消滅すると、その物について存した他の権利（第三者の賃借権や担保物権等）もまた消滅します（民法247条1項）。しかし、その物の所有者が合成物・混和物・加工物の単独所有者や共有者となったときは、他の権利は、これらの物または共有持分の上に存続します（民法247条2項）。

(2) 付　合

① 不動産の付合

ア　不動産の付合の意義と効果

不動産の付合とは、不動産にその所有者以外の者が所有する別の物（以下「付属物」といいます）が結合して、その物が不動産の一部になったとされる場合をいいます（民法242条本文）。不動産の付合によって、不動産所有者は「不動産に従として付合した物」の所有権を取得します。しかし、民法は「権原によってその物を附属させた他人の権利を妨げない」と定めています（民法242条但書）。たとえば、他人の植栽した樹木等が根を張ったときは、原則としてその所有権は土地所有者に帰属しますが、その他人が当該土地について地上権を有していたり当該土地の賃借人等であって、土地を使用する権原を有しているときには、その者が樹木等の所有権を保有することとなります。

付属物の所有者は所有権を失いますが、不動産の所有者に対して民法703条および704条の規定に従って償金を請求することができます（民法248条）。付属物の上に存した他の権利も消滅します（民法247条１項）。

民法242条の趣旨については、社会経済上の不利益を考慮したものという通説と、取引の目的となる所有権の客体の範囲を明確ならしめ、取引の安全を図るための制度であるという有力説の対立があります。不動産と物が結合した場合に不動産と物の所有権が従前の権利者に帰属したままであるならば、いずれか一方の請求により分離されることになります。しかし、分離によりその一方または双方が損傷し、大きな社会経済上の不利益となることがあります。民法242条はこのような社会経済上の不利益を避けるべく設けられた制度であると解すべきです。

イ　付合の成否

不動産の付合は、不動産に物が従として付合したときに生じます（民法242条本文）。この「従として付合」したときとは、民法242条の趣旨が分離による社会経済上の不利益を回避するという点にあることから、分離によって社会経済上容認できない不利益が生じる場合をいいます。

ウ　権原による付属の例外

権原による付属の場合、付属物は不動産所有権に吸収されず、附属物の所有者は付属後も付属物の所有権を保有することとなります（民法242条但書）。権原とは、他人の不動産に物を付属させてその不動産を利用する権利をいいます。たとえば、地上権、永小作権、建物所有や植栽、耕作等を目的とする土地の賃借権です。

なお、付属物が不動産の構成部分になったとされる場合（不動産と別個独立の取引客体として認めることができない場合）には、民法242条但書は適用されず、付属物に所有権の留保は認められないと解されます。たとえば、Ａ所有の土地をＡから賃借していたＢが、自己の所有する土砂を投入して土地の土壌を改良したというような場合です。

エ　建物の増改築と付合

権原による付属物の所有権の留保に関して、建物の増改築の場合に問題があります。既存建物に建物所有者以外の者が増改築をした場合に、増改築部分について民法242条但書によって増改築をした者に所有権が帰属するか否かという問題です。

(i) 付合の成否の判断基準に関する特別な考慮

建物は、１棟の建物が１個の物です。したがって、一物一権主義からすると１棟の建物が１個の所有権の客体になるはずです。

しかし、建物については、マンション等から明らかなように建物の一部も構造上・利用上の独立性が認められる場合には、それが建物内部に作りこまれた部分であっても独立の所有権（区分所有権）の客体になりうるとされています（建物の区分所有等に関する法律１条）。

そこで、判例上、既存建物に建物所有者以外の者が増改築を施した場合には、増改築部分に構造上・利用上の独立性が認められるときは、増改築部分に区分所有権が成立しうるとされています（最判昭和38年10月29日民集17巻９号1236頁）。

これに対し、増改築部分に構造上・利用上の独立性のいずれかでも認められない場合には、増改築部分は建物に付合し、その所有権は建物所有権に吸収されます（大判大正５年11月29日民録22輯2333頁、最判昭和43年６月13日民集22巻６号1183頁）。

(ii) 権原の問題

増改築部分に構造上・利用上の独立性が認められるときは、増改築部分に区分所有権が成立しうるといえます。しかし、民法242条但書の権原を有する者による増改築でなければ、増改築部分に区分所有権は成立しません。

この点、建物賃借人（または使用借人。以下同じ）は、権原を有していないものと解されます。建物賃借人は、建物を善管注意義務に従って保存し（民法400条）、賃貸借契約終了時には原状に復して返還する義務を負い（民法616条、598条）、建物賃借権は建物に変更を加える権能を含まないと考えられるためです。

では、建物賃借人が建物所有者たる賃貸人の承諾を得た場合はどう考えればよいでしょうか。たとえば、農作物栽培のための借地権の設定は、そこで栽培された農作物を借地人に帰属させることを当然の前提とするといえます。しかし、増改築の承諾はこれと異なり、通常、建物に変更を加えることを認めるだけであり、その変更部分を賃借人に帰属させる趣旨を含むものではないと考えられます。したがって、増改築の承諾が増改築部分の所有権を賃借人に帰属させる趣旨を含むときに、賃借人は権原を有すると認めるべきであると解されます。

オ　保留した所有権を第三者に主張するための公示方法の要否

民法242条但書によって付属物の所有者の所有権が留保される場合に、第三者に所有権を主張するにあたって、何らかの公示方法が必要かという問題があります。付属物は原則として不動産の所有権に吸収され（民法242条本文）、第三者からすれば付属物の所有権が留保されているか否かが明らかでないため、何らかの公示方法により付属物の所有権の留保を明らかにする必要がないかという問題です。

この点、判例は、権原についての公示方法か付合物自体についての公示方法を備えなければ、第三者に対抗することができないとします（最判昭和35年３月１日民集14巻３号307頁、最判昭和37年５月29日判時303号27頁）。その理由は、第三者の利益と取引安全の確保（第三者からすると付属物は客観的に不動産の一部になっており、動産所有権の留保を知ることは容易ではない）および不動産の付合において付属物が物権の客体として独立させられることは一種の物権変動と理解できることにあります。付属物の所有者はもともと付属する前の物の所有権を有しますが、付属後に不動産の所有権に吸収されず付属物の所有権を維持することができるという点で「一種」の物権変動であると解することができます。

② 動産の付合

ア　動産の付合の意義

動産の付合とは、所有者を異にする複数の動産が結合して１つの物になることをいいます（民法243条）。たとえば、Ａ所有の船体にＢ所有のエンジンが溶接される場合です。民法243条の趣旨は、民法242条と同様に、結合した物の分離による社会経済上の不利益の防止にあります。

イ　動産の付合の要件

動産の付合は、所有者の異なる複数の動産が結合して、損傷しなければそれらを分離できないか、分離するために過分の費用を要するときに成立します。

ウ　動産の付合の効果

付合が成立すると付合した動産の所有権は消滅し、合成物が所有権の新たな客体となります。

付合した動産の間に主従の区別ができるときは、合成物の所有権は主たる動産の所有者に帰属します（民法243条）。付合により所有権を失った者は、合成物の所有権を取得した者に対して償金債権を取得します（民法248条）。付合した動産の間に主従の区別ができないときは、合成物は各動産の所有者の共有となり、各共有者の持分の割合は、付合当時の各動産の価格の割合によります（民法244条）。主従の区別については、各動産の価格が大きな意味を持つことが多いですが、最終的には取引通念に従って判断されます（大判昭和18年５月25日民集22巻411頁）。

⑶ 混　和

① 混和の意義

混和とは、所有者を異にする複数の物が混ざり合って識別できなくなることをいいます。たとえば、別人所有の米が混ざり合った場合や別人所有の酒が混ざり合った場合です。

② 混和の効果

混和の場合には、動産の付合に関する民法243条、244条が準用されます（民法245条）。混和によりもとの物が識別できなくなり分離できなくなるという点で、動産の付合と性質を共通にするためです。

したがって、混和した動産の間に主従の区別ができるときは、混和物は主たる動産の所有者に属します（民法245条、243条）。混和により失った者は、合成物の所有権を取得した者に対して償金債権を取得します（民法248条）。所有権を混和した動産の間に主従の区別ができないときは、混和物は各動産の所有者が共有し、各共有者の持分の割合は、混和当時の価格の割合の持分によります（民法245条、244条）。

(4) 加　工

① 加工の意義

加工とは、他人の所有する動産（材料）に工作を加えて新たな物（加工物）にすることをいいます。たとえば、AがB所有の生地を洋服に仕立てる場合です。

② 加工の要件

民法246条は「他人の動産に工作を加えた者があるとき」に工作によって生じた加工物の所有権の帰属について定めています。しかし、「工作を加えた」としか規定していないため、民法246条の要件として、工作によって新たな物が生じたことが必要であるか否かが問題となります。

通説・判例は、民法246条は、材料に工作を加えて生じる加工物は材料と同一性を有しないため、加工物の所有権が材料の所有者に帰属するのか、加工をした者に帰属するのか、加工物の所有権の所在を明確にするために設けられた規定であると理解しています。この理解を前提に、通説・判例（大判大正8年11月26日民録25輯2114頁）は、加工の要件として、工作によって新たな物が生じたことが必要であると解しています。

他方で、「新たな物」が生じたといえるか否かの判断は必ずしも容易ではないといえます。そこで、近時の多数説は、重要なのは「新たな物」の製作ではなく、「新たな価値」の創造であるとして、新たな価値が作り出されたと認められる場合には加工に関する規定が適用されると解します。

たとえば、古美術品に大修繕が施された場合には「新たな物」が生じるわけではないため、判例・通説の立場では民法246条は適用されませんが、多数説の立場では、新たな価値が創造されたのであれば民法246条が適用されます。

③ 加工の効果

ア　原 則

加工により加工物の所有権は、原則として材料の所有者に帰属します（民法246条１項本文）。材料に工作を加えるのであって、工作のために材料を用いるのではないのが通常であるためです。この場合には、加工者は材料の所有者に対して償金債権を取得します（民法248条）。

イ　例 外

次の民法246条１項但書または民法246条２項が適用される場合、加工物は加工者に帰属します。この場合には、材料の所有者は加工者に対して償金債権を取得します（民法248条）。

(i) 加工者がまったく材料を供していない場合に、工作によって生じた価格が材料の価格を著しく超えるとき（民法246条１項但書）

この場合は、工作のために材料を用いたと考えることができるためです。たとえば、有名彫刻家が他人の木を使って木彫り人形を作った場合です。

(ii) 加工者が自己の材料を供した場合に、材料の価格と工作によって生じた価格の合計価格が他人の材料の価格を超えるとき（民法246条２項）

この場合は、必ずしも他人の材料をもって主たるものとみることができないためです。民法246条１項但書と異なり、材料の価格を著しく超える必要はありません。たとえば、他人の小麦粉に自己の所有する玉子や砂糖等を加えてケーキを作った場合です。

(5) 建物の建築と添付

建物の建築と添付に関する規定の適用には、特殊な取扱いがなされています。

① 請負人が建物を完成させた場合の建物所有権の帰属

ア　請負人が材料の全部または主要部分を提供する場合

通常、建築請負においては、請負人が材料の全部または主要部分を提供することが多いといえます。この場合、建物所有権は完成と同時に請負人に帰属します。その後、建物の引渡しがなされると請負人から注文者に所有権が移転します（大判大正３年12月26日民録20輯1208頁等）。建物は土地と別個独立の不動産と解され、土地に付合しません。

イ　注文者が材料の全部または主要部分を提供した場合

この場合は、建物所有権は完成と同時に注文者に帰属します（大判昭和７年５月９日民集11巻824頁）。民法246条１項但書と同条２項は適用されません。これは、当事者の意思に適すると解されるためです。

ウ　注文者と請負人が一部ずつ材料を提供した場合

判例はありませんが、民法246条により決着するべきであると解されます。

エ　当事者間に特約がある場合

当事者間に特約がある場合は、それによって建物所有権の帰属が決まります。請負人が材料の全部または主要部分を提供している場合であっても、注文者帰属とする特約があれば、建物所有権は完成と同時に注文者に帰属します（大判大正5年12月13日民録22輯2417頁、最判昭和46年3月5日判時628号48頁）。注文者帰属とする特約が明示的に存在しないときも、注文者が請負代金の全部または大部分を建物完成前に支払済みである場合には、注文者帰属の特約の存在が推認されます（大判昭和18年7月20日民集22巻660頁、最判昭和44年9月12日判時572号25頁）。

② 建物の完成前部分（建前）の所有権の帰属

建物建築の着工後・完成前の段階では、未完成の建前（出来形）が土地に定着した状態で存在することとなります。この建前は、土地に付合せず、独立の動産であるといえます。この場合には、加工に関する規定（民法246条）が適用されるべきであると解されます。

なお、判例（最判昭和54年1月25日民集33巻1号26頁・百選Ⅰ［第8版］72事件）は、請負人がその資材で中途まで建築した建物を、注文者の依頼を受けた別の請負人が自己の材料を供して独立の不動産たる建物に仕上げたという場合には、請負人間で民法246条2項を適用したうえで建物所有権の帰属を決定すべきとしています。そのため、原則として建物所有権は当初の請負人に帰属しますが、後の請負人提供の材料価格に工作によって生じた価格を加えたものが当初の建前の価格を超えるときは、後の請負人に帰属します。この価格の比較は、当該建物が建物としての要件（判例上、床および天井を張っていなくても屋根瓦を葺き荒壁を塗り終えた段階で建物として独立の不動産と認められます〈大判昭和10年10月1日民集14巻1671頁〉）を具備した時点ではなく、後の請負人が工作を終了した時点でなされるべきです。

5　共有の形態

⑴ 共同所有とは

共同所有とは、1つの物を複数人が共同で所有することをいいます。

共同所有も物を所有する形態のひとつであり、共同所有者は、物を管理・利用・処分することができます。もっとも、他の共同所有者との関係があるため、単独所有者とはおのずと異なります。共同所有には複数人が物所有の団体をなすという側面もあり、共同所有者は、その団体の一員として物を管理・利用・処分することとなります。したがって、共同所有者に認められる法的地位は、共同所有者の所有者としての側面と団体構成員としての側面を考慮して決められなければなりません。

このように共同所有者の物に対する権利は、単独所有の場合とはおのずから異なった性質を有します。民法は、これを「（広義の）共有」と呼んでいます。

⑵ 共有の形態

共有には、以下の3種の形態があります。

①（狭義の）共 有

共同所有の原則形態が（狭義の）共有です。（狭義の）共有とは、１つの物に対し複数の所有者がいる所有形態をいいます。この場合には、共有者の間には特別な人的関係は存在しません。各共有者は目的物に対しそれぞれ持分権と呼ばれる権利を有し、これを自由に処分でき、また、いつでも目的物の分割を請求し（民法256条１項本文）、共同所有関係を解消して単独所有を実現できます。

共有者の持分権は共有物の全体に及ぶ権利であるとしても、共有物の現実の管理・利用・処分については、相互に制約し合うことにならざるをえません。そこで、共有物の管理が共有者の持分の割合に応じた多数決によるものとされたり（民法252条１項前段）、共有物の処分は共有者全員の一致によらなければならないものとされます（民法251条１項）。

② 合 有

合有とは、数人が１つの物に対し共同所有をしながら、何らかの目的のために各共有者の持分が拘束され、持分処分の自由や持分に基づく分割請求が否定される所有形態をいいます。たとえば、組合員が共同所有する組合財産における共同所有の性質は合有であると解されています。この場合には、一定の共同の目的による団体的拘束が存在するため、各共同所有者は各自の持分は有するものの、その処分の自由を制限され、目的物の分割請求も禁止されます。さらに、共同の目的の遂行のために各共同所有者の管理権能が制約されます。

③ 総 有

総有とは、数人の１つの物に対する共同所有ではありながら、共同所有者の持分が否定されるか、または不明確なものとして潜在的なものにとどまり、その結果共同所有者は主として物の利用権を有するのみで、持分処分の自由や分割請求の自由が否定される所有形態をいいます。たとえば、入会財産や権利能力なき社団の財産がその代表的な例です。

総有では、各構成員が団体的統制の下で目的物を各自使用・収益する権利は認められても、個人的な持分は持たないのが原則です。持分の処分や分割請求もできません。各共同所有者の権利は、集団の構成員としての地位と不可分であって、その地位を失うと権利もまた消滅します。

入会とは、特定の所有者に属するわけではない山林を長年にわたって一定の地域の住民が共同で管理、利用している場合をいいます。この場合の山林を入会財産といいます。入会財産は当該一定の地域の住民の集団に属する財産であり、入会団体の定めに従って管理・処分されます。住民一人ひとりは持分を有せず、分割請求もできないため、総有に該当すると解されます。

共同所有の形態

	共有	合有	総有
意義	数人が1つの物を共同所有するが、共有者は何らの人的結合関係も持たない関係	数人が共同目的達成のため、共同で目的物を所有する関係	各人が収益権を持つが、目的物の管理・処分権は団体に総体として帰属するという共同所有形態
人的結合関係	×	○	○
持分権	○	○	△
持分処分の自由	○	△	×
分割請求権	○	×	×
具体例	一般の共有（民法249条以下）	組合財産（民法668条）	入会財産、権利能力なき社団の財産

(3) 準共有

数人が所有権以外の財産権（地上権等の用益物権、抵当権等の担保物権、債権といった民法上の財産権）のほか、漁業権、鉱業権、著作権等の知的財産権といった民法以外で認められている財産権を共同して有することがあります。この場合を準共有といい、共有に関する規定が準用されます（民法264条本文）。ただし、法令に特別の定めがあるときは、共有に関する規定が適用されません（民法264条但書）。

6　共有の法律関係

(1) 持分権

① 持分権の意義

持分権とは、共有者が共有物について有する権利をいいます。

各共有者が共有物に対して有する持分権の割合を持分割合と呼びます。持分割合は、法律の規定がある場合は、当該規定に従います（民法241条但書、244条、245条）。規定がない場合には、持分割合は均等であると推定されます（民法250条）。共有者間に合意がある場合は、持分割合は当該合意に従います。

また、持分割合が定まった後に、共有者の1人の持分権が消滅したとき（持分権の放棄または死亡して相続人がないとき）は、その持分権は他の共有者に持分割合に応じて帰属します（民法255条）。たとえば、5人で均等の持分割合で物を共有していた場合、1人の持分割合は20パーセントとなりますが、その1人が持分権を放棄した場合には、20パーセント分の持分権が他の共有者である4人に持分割合に応じて帰属することとなり、その結果、4人のそれぞれの持分割合は25パーセントとなります。共有の場合、所有権は共有者間の持分権により相互に制限されている状態にあります。所有権は常に円満で無制限の状態に復帰しようとする性質（弾力性）があるため、持分権が消滅した場合も所有権の性質により他の共有者に帰属することとなります。

② 持分権の内容

各共有者は、共有物の全部について持分に応じた使用・収益をすることができます（民法249条１項。同項は「使用」とのみ規定していますが、収益も同様にすることができると解されています）。もっとも、共有者すべてが共有物全部の使用収益権を有するため調整が必要となります。たとえば、２人が自動車を共有し、１人が75パーセントの持分割合、もう１人が25パーセントの持分割合を有していた場合には、それぞれその比率に応じた回数・時間で自動車の全部を使用することができます。ただし、共有者間で具体的な使用・収益の方法が定まっている場合には、それに従います。

また、持分権には、共有物を処分する権能も含まれています。もっとも、この処分権能も共有者すべてが有するため調整が必要となります。具体的には、共有物の処分は、共有者全員の持分権の処分を意味するため共有者全員の同意がなければできません（民法251条１項）。

これに対して、各共有者は自己の有する持分権を自由に処分することができます。持分権は共有者各人の権利であり、その処分は他の共有者の持分権に影響を及ぼさない（共有者が変更となるのみである）ためです。

⑵ 共有に関する法的関係

① 共有者相互間の関係

ア　共有物の利用、変更および管理

(i) 共有物の利用

各共有者は、その持分の割合に応じて共有物の全部を使用・収益できます（民法249条１項）。ただし、共有者間で具体的な使用・収益の方法が定まっている場合には、それに従います。

改正前民法の下では、共有物を使用する共有者が他の共有者との関係でどのような義務を負うかが明確でありませんでした。改正後の民法の下では、共有物を使用する共有者は、共有者間で別段の合意をした場合を除き、他の共有者に対し、自己の持分を超える使用の対価を償還する義務を負います（改正後の民法249条２項）。

また、共有者は、善良な管理者の注意をもって、共有物を使用する義務を負います（改正後の民法249条３項）。

(ii) 共有物の変更

共有物の変更とは、事実上共有物を変形させることや法律的に処分することをいいます。判例上、田の畑への変更、山林の伐採、共有物の損傷・改変等（最判平成10年３月24日判時1641号80頁）のほか、共有物の法律的な処分（売却や地上権・抵当権の設定等。地上権の設定につき、最判昭和29年12月23日民集８巻

12号2235頁）が共有物の変更に該当すると解されています。

共有物に変更を加えるには、その形状または効用の著しい変更を伴わないものを除き、共有者全員の同意が必要です（民法251条１項）。共有物の変更により、共有者全員の持分権の内容が変更されるためです。改正前民法の下では、共有物に軽微な変更を加える場合であっても、共有者全員の同意が必要と解されていましたが、改正後の民法の下では、軽微な変更は持分の過半数で決することができます（改正後の民法251条１項、252条１項）。

共有物の変更には原則として共有者全員の同意が必要であるため、共有者の一部の者が他の共有者の同意を得ずに共有物に変更を加えようとしている場合には、他の共有者は変更の禁止を求めることができます（大判大正８年９月27日民録25輯1664頁）。すでに変更が加えられた場合も、原則として原状回復を求めることができます（最判平成10年３月24日判時1641号80頁）。ただし、原状回復が不可能である等の特段の事情がある場合は、原状回復を求めることはできません。

改正前民法の下では、所有者等不明共有者（必要な調査を尽くしても氏名等や所在が不明な共有者）がいる場合には、その所在等不明共有者の同意を得ることができず、共有物の変更について、共有者全員の同意を得ることができないという問題がありました。改正後の民法は、所在不明共有者以外の共有者全員の同意により、共有物に変更を加えることができることとしました（改正後の民法251条２項）。

(iii) 共有物の管理

共有物の管理とは、共有物の変更（軽微な変更を除きます）を伴わずに共有物の価値を維持・実現・増大させる行為をいいます。共有物の変更を伴わない共有物の保存・利用・改良行為の一切がこれにあたります。

(ア) 変更を伴わない利用・改良

変更を伴わない利用・改良を行うには、各共有者の持分権の価格に従い、その過半数の同意が必要です（改正後の民法252条１項前段）。

第三者に共有物の利用権（使用借権、賃借権、用益物権）を設定する契約を結ぶこと、すでに存在する利用権設定契約を解除することも共有物の利用または改良にあたると解されます（最判昭和38年４月19日民集17巻３号518頁、最判昭和29年３月12日民集８巻３号696頁、最判昭和39年２月25日民集18巻２号329頁）。長期間の賃貸借等については、共有者全員の同意が必要と解されますが、改正後の民法は、期間を明確に定め、短期の賃借権等の設定が管理に該当することを明らかにしています（改正後の民法252条４項）。改正前民法の下では、共有物を使用する共有者がいる場合に、その共有者の同意がなくても、持分の過半数で共有物の管理に関する事項を決定できるかが明確でありませんでした。改正後の民法は、共有物を使用する共有者がいる場合でも、持分の過半数で管理に関する事項を決定することができる旨を定めています（改正後の民法252条１項後段）。管理に関する事項の決定が、共有者間の決定に基づいて共有物を使用する共有者に特別の影響を及ぼすときは、その共有者の承諾を得なければなりません（改正後の民法252条３項）。

改正前民法の下では、共有物の管理に関心を持たず、連絡をとっても明確な返答をしない共有者がいる場合には、共有物の管理が困難な状況がありました。改正後の民法は、管理に関する事項を決することについて賛否を明らかにしない共有者がいる場合には、裁判所の決定を得て、その共有者以外の共有者の持分の過半数により、管理に関する事項を決定することができることとしました（改正後の民法252条２項２号）。また、共有者が他の共有者を知ることができず、またはその所在を知ることができないときも、所在不明等共有者以外の共有者の持分の過半数により、管理に関する事項を決定することができます（同項１号）。改正前民法は、共有物の管理者について、明文の規定を設けておらず、その選任の要件や権限の内容が判然としなかったことから、共有物の管理者に関する制度を新設しました（改正後の民法252条の２）。

⑷ 保存行為

保存行為とは、共有物の現状を維持する行為をいいます。保存行為は各共有者が単独ですることができます（改正後の民法252条５項）。共有物の現状の維持であり、各共有者の持分権に影響を及ぼさないためです。

共有物の修繕等が典型的な例ですが、判例はさらに、妨害排除請求や共有物の返還請求といった他の共有者の不利益にならないような行為を広く保存行為と認める傾向にあります（妨害排除請求につき大判大正10年７月18日民録27輯1392頁、返還請求につき大判大正10年6月13日民録27輯1155頁）。

イ　共有物に関する費用の負担

(i) 費用等の負担

各共有者は持分割合に応じて、共有物の管理費用等を負担します（民法253条１項）。共有物の維持、改良等のための必要費、有益費は「管理の費用」に該当します。租税等は「その他共有物に関する負担」に該当します。共有者がこの負担義務を１年経過しても履行しなかったときは、他の共有者は、相当の償金を支払ってその者の持分権を取得することができます（民法253条２項）。その行使は、不履行者に対する一方的意思表示によって行われますが、持分権取得の効果が生じるためには、「相当の償金」を現実に提供することが必要であると解されます。

(ii) 共有物に関して他の共有者に対して有する債権

他の共有者に対して共有物に関する債権を有する共有者には、債権確保のために以下の規定が設けられています。

(ア) 特定承継人に対する請求

債権者たる共有者は、債務者たる共有者の特定承継人に対しても債権を行使することができます（民法254条）。

民法254条が適用されるためには、他の共有者に対する共有物に関する債務の承継を要すると解されます。しかし、こうした債務の存在が公示されるわけではないため、持分権の特定承継人が不測の損害を被るおそれがあります。そこで、民法254条が適用される債権は一定範囲に限定されるべきだと考えられます。

(イ) 共有物分割に際しての弁済

共有物分割に際して、債権者たる共有者は債務者たる共有者に帰属すべき部分をもってその弁済をさせることができます（民法259条）。

ウ　持分権の主張

持分権は一個の所有権としての実質を有するため、各共有者は単独で以下のとおり他の共有者に種々の主張をすることができます。

(i) 持分権の存在や範囲を争う者に対する持分権の確認請求

(ii) 共有持分の譲受人の譲渡人に対する移転登記の請求

(iii) 約定に反する使用・収益をしたり、他の共有者の使用・収益を妨害する者に対する差止・妨害排除の請求

(iv) 一部共有者が無断で行う共有物の変更行為の禁止や原状回復請求（最判平成10年３月24日判時1641号80頁）

(v) 不動産の共有者の一部の者が勝手に自己名義で所有権移転登記を経由した場合における、他の共有者の一人が行う自己の持分についての一部の抹消（更正）登記手続請求

他方で、共同相続人の一人が目的物の全部を占有するような場合には、その共同相続人も自己の持分に基づいて共有物の全部を占有使用する権原を有するため（民法249条）、他の共同相続人は、その持分の価格が過半数であっても当然には共有物の明渡しを請求できず、さらに明渡しを求めるべき理由を主張・立証しなければなりません（最判昭和41年５月19日民集20巻５号947頁・百選Ⅰ［第８版］74事件）。

共有者の一部の者から共有者間の協議に基づかないで共有物の占有使用を承認された第三者に対して、その他の共有者が明渡しを請求する場合も同様です（最判昭和57年６月17日判時1054号85頁、最判昭和63年５月20日判時1277号116頁）。

このような場合、持分に応じた使用を妨げられる各共有者は、持分割合に応

じた不当利得の返還ないし損害賠償を請求できると解されます（最判平成12年4月7日判時1713号50頁）。

エ　持分権の処分

各共有者は、その持分権を自由に譲渡し、処分することができます。たとえば持分権についての担保権の設定や持分権の放棄等です。民法に規定はありませんが、持分権が所有権たる本質（民法206条参照）を持つ以上、当然のことであると解されます。共有者がその持分割合を超えて、他の共有者の持分権を第三者に譲渡しえないことはいうまでもありません。

したがって、不動産の共有者の一人が無断で単独所有名義をなし、それを第三者に譲渡して所有権移転登記を行っても、他の共有者は、自己の持分部分につき更正登記を請求できます（最判昭和38年2月22日民集17巻1号235頁・百選Ⅰ［第8版］59事件）。

② 共有者と第三者の関係

ア　持分権の主張

各共有者は第三者に対して、以下の請求を単独で行うことができます。

(i) 持分権の確認請求（大判大正6年2月28日民録23輯322頁、大判大正11年2月20日民集1巻56頁）

(ii) 共有者に対する妨害排除（大判大正10年7月18日民録27輯1392頁）や不法占有者に対する返還請求（大判大正10年6月13日民録27輯1155頁）

(iii) 共有不動産の全体について第三者名義でなされた不実な登記の抹消登記（大判大正8年12月25日民録25輯2392頁）や更正登記（大判大正9年12月17日民録26輯2043頁）の請求

判例は、これらがいずれも改正前民法252条但書（改正後の民法252条5項）の保存行為ないしは所有権（持分権）に基づく妨害排除請求に該当するとしています。

不動産の共有持分の一部につき第三者名義の不実の所有権移転登記がなされたとき、その余の共有持分中の一部の共有権者は、単独でその持分移転登記の抹消を請求できるかが問題となります。この点について、判例は当該請求を肯定しています（最判平成15年7月11日民集57巻7号787頁・百選Ⅰ［第8版］75事件）。不実の持分登記によって共有不動産に対する妨害状態が生じている以上、共有者の一人はその持分権に基づき、共有不動産に対して加えられた妨害を排除することができるというのがその理由です。

第三者の違法な行為に対する損害賠償請求権は、各共有者に持分の割合に応じて分割帰属するため、各共有者は、単独ではその持分相当額の損害賠償しか請求できません（最判昭和41年3月3日判時443号32頁、最判昭和51年9月7日判時831号35頁）。共有物の売却代金や賃貸料等の請求の場合も同様です。

イ　共有関係の対外的主張

共有者が共有関係にあることを第三者に主張する場合（共有権確認やそれに基づく所有権移転登記の請求等）には、固有必要的共同訴訟（民訴法40条）として、共有者全員が原告にならなければなりません（最判昭和46年10月７日民集25巻７号885頁）。固有必要的共同訴訟とは、合一確定が要請される必要的共同訴訟のうち、数人が共同して訴訟を追行することにより初めてある請求をめぐる訴えにつき当事者適格が認められ、個別に訴えまたは訴えられたのでは本案判決をなしえないという形で合一確定が法律上当然に強制される共同訴訟をいいます。

③ 共有物の分割

ア　分割契約と不分割契約

各共有者は、原則としていつでも共有物の分割を請求できます（民法256条１項）。他方、共有者が不分割の契約をすれば、５年間は分割することができません（不分割契約の更新の場合も同様です。民法256条１項但書、同条２項）。この不分割契約は民法254条の債権に含まれうるといえますが、目的物が不動産である場合には、登記をしないと特定承継人に対抗できないと解されます（不動産登記法59条６号）。

また、境界線上に設けられた境界標、囲障、障壁、溝および堀は、民法229条により相隣者の共有に属すると推定されることから、これらの共有物についての分割請求は禁止されます（民法257条）。これらの共有物が性質上当然に分割ができないことを確認する規定です。

イ　分割の手続・方法等

(i) 分割の手続・方法

分割の手続・方法は、共有者間の協議が整えば、当該協議によります。たとえば、共有物の現物分割、売却したうえでの代金の分割、あるいは一部の共有者が現物を取得し他の者にはその代価を支払う等の方法があります。

共有者間の協議が調わない場合、または、協議をすることができない場合には、裁判所に分割を請求することができます（改正後の民法258条１項）。この場合、現物分割が原則とされます。現物分割が不可能なとき、または現物分割によると著しく目的物の価格が減ずるおそれがあるときには、競売による代金分割が行われます（改正後の民法258条４項）。

しかし、判例は裁判上の分割の場合でも、当該共有関係の具体的諸事情と共有者間の実質的公平の確保に配慮しつつ、現物分割と調整的な価格賠償との組み合わせ、分割請求者またはその他の共有者の一方の側についてのみの分割と他方の側についての共有関係の維持、さらには賠償分割（全面的価格賠償）の方法による分割等の、柔軟かつ多様な分割方法を認めています（最判昭和62年４月22日民集41巻３号408頁、最判平成４年１月24日判時1424号54頁、最判平成８年10月31日民集50巻９号2563頁・百選Ⅰ［第８版］76事件)。改正後の民法は、賠償分割（共有者に債務を負担させて、他の共有者の持分の全部または一部を取得させる方法）が可能であることを明文化しました（改正後の民法258条３項)。また、裁判所が、共有物の分割の裁判において、当事者に対して、金銭の支払、物の引渡し、登記義務の履行その他の給付を命ずることができることも明文化されました（改正後の民法258条４項)。

(ii) 分割への参加

共有物につき権利を有する者（地上権者、賃借人、担保権者）および各共有者の債権者は、分割方法のいかんによってはその利益を害されるおそれがあるため、自己の費用で分割に参加できます（民法260条１項)。参加の請求があったにもかかわらずその参加を待たないで行った分割は、参加を請求した者に対抗することができません（民法260条２項)。

ウ　分割の効果

分割により共有関係は消滅し、各共有者は、そのときから各自が取得した部分または金銭の単独所有者となります。ただし、各共有者は他の共有者に対し、その持分に応じて売主と同じ担保責任（民法561条から572条）を負います（民法261条)。分割は、実質的には、共有者間での持分の一部の交換または売買と同じ意味を持つためです。

また、共有物の分割が完了したときは、各分割者はその取得した物に関する証書を保存しなければなりません（民法262条１項)。共有者の全員またはそのうちの数人に分割した物に関する証書は、その物の最大の部分を取得した者（いない場合には、分割者間の協議により指定し、当該協議が調わない場合には裁判所が指定します）が保存します（民法262条２項、３項)。証書の保存者は、他の分割者の請求があるときは当該証書を使用させなければなりません（民法262条４項)。これらは、分割についての疑義が生ずる場合に備えて、分割に関する証書の保存の義務を定めたものです。

エ　分割と持分上の担保物権

分割によって持分上に設定されていた担保権はどのような扱いを受けるのかが問題となります。

たとえば、A、B、Cの３名が土地を共有しており、AがDのためにその持分上に抵当権を設定していた場合を例に検討します。

(i) AがB・Cに価格賠償をして共有地の全部を取得した場合

この場合、Dの抵当権は、当然に土地上に存続します。しかし、抵当権の効力は、Aが新たに取得した部分には当然には及ばず、元のAの持分権の範囲に限られます。

(ii) Aが共有地の一部のみを取得した場合

この場合、判例・通説は、Ｄが分割に参加してＡが取得した土地の一部に抵当権が集中して存続することを承諾したのでない限り、抵当権は元の持分の割合において共有地全体の上に存続すると解しています（大判昭和17年４月24日民集21巻447頁）。

(iii) Ａが持分の代価のみを取得した場合

(ii)の通説の立場によると、Ｄは代価につき物上代位（民法304条、372条）を主張しうるほか、土地所有権の取得者であるＢ・Ｃまたは第三者に対してＡの持分権上の抵当権をなお行使できると解されます。

オ　所在等不明共有者の不動産の取得

改正前民法の下では、共有者が他の共有者の持分を取得するには、裁判所の判決による共有分割か、共有者全員の協議（合意）による共有分割、あるいは、他の共有者から任意で持分の譲渡を受ける必要がありました。

改正後の民法は、共有者が、裁判所の決定を得て、所在等不明共有者（氏名等不特定を含みます）の不動産の持分を取得することができることとしました（改正後の民法262条の２）。

カ　所在等不明共有者の不動産の持分の譲渡

改正前民法の下では、不動産の共有持分を売却して得る代金よりも、不動産全体を売却し、持分に応じて受け取る代金の方が高額になりやすいが、所在等不明共有者がいると、不動産全体を売却することが不可能になるという問題がありました。

改正後の民法は、裁判所の決定によって、申立てをした共有者に、所在等不明共有者の不動産の持分を譲渡する権限を付与する制度を創設しました（改正後の民法262条の３）。

７　所有者不明土地・建物管理制度

改正前民法が定める財産管理制度は、対象者の財産全般を管理する「人単位」の仕組みとなっており、財産管理が非効率で、申立人等の利用者にとっての負担が大きいものでした。そこで、改正後の民法は、特定の土地・建物のみに特化して管理を行う所有者不明土地管理制度および所有者不明建物管理制度を創設しました（改正後の民法264条の２ないし264条の８）。

管理命令の効力は、所有者不明土地（建物）のほか、土地（建物）にある所有者の動産、管理人が得た金銭等の財産（売却代金等）、建物の場合はその敷地利用権（借地権等）にも及びますが、その他の財産には及びません（改正後の民法264条の２第２項、264条の８第２項）。

所有者不明土地・建物の管理について利害関係を有する利害関係人が、管理命令を申し立てることができます（改正後の民法264条の２第１項、264条の８第１項）。

管理命令は、調査を尽くしても所有者またはその所在を知ることができないこと、および、管理状況等に照らし管理人による管理の必要性があることを要件として発令されます（改正後の民法264条の２第１項、264条の８第１項）。

管理人は、所有者に対して善管注意義務を負います。また、数人の共有者の共有持分に係る管理人は、その対象となる共有者全員のために誠実公平義務を負います（改正後の民法264条の５、264条の８第５項）。

8　管理不全土地・建物管理制度

所有者による管理が適切に行われず、荒廃・老朽化等によって危険を生じさせる管理不全状態にある土地・建物は、近隣に悪影響を与えることがあります。

改正前民法の下では、危険な管理不全土地・建物については、物権的請求権や不法行為に基づく損害賠償請求権等の権利に基づき、訴えを提起して判決を得たり、強制執行をすることによって対応する必要がありました。しかし、管理不全状態にある不動産の所有者に代わって管理を行う者を選任する仕組みは存在しないため、対応が硬直化していました。

そこで、改正後の民法は、管理不全土地・建物について、裁判所が、利害関係人の請求により、管理人による管理を命ずる処分を可能とする管理不全土地・建物管理制度を創設しました（改正後の民法264条の９ないし264条の14）。

管理命令の申立権者は、管理不全土地・建物の管理についての利害関係を有する利害関係人です（改正後の民法264条の９第１項、264条の14第１項）。

管理命令は、所有者による土地または建物の管理が不適当であることによって、他人の権利・法的利益が侵害され、またはそのおそれがあり、土地・建物の管理状況等に照らし、管理人による管理の必要性が認められる場合に発令されます（改正後の民法264条の９第１項、264条の14第１項）。

管理命令の効力は、管理不全土地（建物）のほか、土地（建物）にある所有者の動産、管理人が得た金銭等の財産（売却代金等）、建物の場合はその敷地利用権（借地権等）にも及びますが、その他の財産には及びません（改正後の民法264条の９第２項、264条の14第２項）。

管理人は、所有者に対して善管注意義務を負います。また、管理命令が共有の土地・建物について発せられたときは、共有者全員のために誠実公平義務を負います（改正後の民法264条の11、264条の14第５項）。

9　建物区分所有

⑴ 総　論

今日では、各種の集合分譲住宅・マンション等のように、１棟の建物を構造上数個の部分に区分して多数の者で所有し、各所有者がそれぞれの部分を住居・店舗・事務所等に独立して利用することが一般化しています。この場合、建物の各部分につき独立した所有権（建物区分所有権）の成立が認められます（建物の区分所有等に関する法律１条、２条１項。以下「建物区分法」といいます）。他方で、共用部分の権利の帰属や建替えについて諸々の問題が存在します。

⑵ **区分所有建物の所有関係**

区分所有建物が存立するためには、区分されて独立の所有権の目的となる専有部分（建物区分法２条３項）、専有部分の共用に供される共用部分（建物区分法２条４項）、建物の敷地ないし敷地利用権（建物区分法２条５項、６項）が必要となります。

① 専有部分

専有部分は、それ自体１個の独立した建物として区分所有権の客体となり、譲渡や抵当権・賃借権の設定等につき、一般の建物所有権と同じ扱いを受けます。したがって、専有部分は、構造上区分された独立の部分で、かつ、用途上の独立性を持つことを要します（最判昭和56年６月18日民集35巻４号798頁、最判昭和56年６月18日判時1009号63頁、最判昭和56年７月17日民集35巻５号977頁、最判昭和61年４月25日判時1199号67頁等）。

用途上の独立性については、区分所有建物全体との関係で見た場合の利用上の独立性の有無も考慮要素となります（最判平成５年２月12日民集47巻２号393頁）。ただし、専有部分相互間には、単純な相隣関係以上の一層密接な利害関係が存するので、各区分所有者は、建物の保存や管理・使用に関し区分所有者の共同の利益に反する行為をしない義務を負います（建物区分法６条１項）。この規定は専有部分の占有者（賃借人等）にも準用されます（建物区分法６条３項）。

② 共用部分

共用部分は、構造上専有部分となりえない建物の部分（廊下・階段・外壁等）と建物の附属物（水道・ガス設備等。「法定共用部分」といいます）のほか、構造上は専有部分たりうる建物の部分（たとえば、管理人室、共用の応接室、ロビー等）または附属の建物で、規約によって共用部分とされたもの（「規約共用部分」といいます）が含まれます（建物区分法２条４項、４条）。ただし、規約共用部分は、その旨の登記をしないと、その部分が共用部分であることを第三者に対抗できません（建物区分法４条２項）。規約共用部分は、規約によって共用部分とされ、通常、第三者から共用部分であるか否かが明らかでないため、公示方法として登記することを要求しています。

共用部分は、原則として区分所有者全員の共有となりますが、一部の区分所有者のみの利用に供されるもの（一部共用部分）は、それらの者の共有となります（建物区分法11条１項）。各共有者の持分は、規約に別段の定めがなければ、その有する専有部分の床面積の割合によります（建物区分法14条）。この持分は専有部分の処分に随伴し、専有部分と分離して処分することができません（建物区分法15条）。共用部分の持分は専有部分の処分に随伴することとなり、専有部分の登記のみで足りるため、共用部分について民法177条は適用されません（建物区分法11

条3項)。

③ 敷 地

建物の本来の敷地（建物が所在する土地）のほか、それと一体して管理・使用する土地（庭・通路等）も規約で「建物の敷地」とすることができます（建物区分法2条5項、5条1項)。そして、その建物の敷地に関する権利（敷地利用権。建物区分法2条6項）が区分所有者の共有または準共有にかかる所有権、地上権、賃借権等である場合には、区分所有者は、規約に別段の定めがない限り、その敷地使用権の持分を専有部分と分離して処分することができません（建物区分法22条)。敷地に関する権利と建物に関する権利は、民法では別個のものですが、前述したような区分所有建物の特殊性に鑑み、両者を一体として取り扱えるようにしています。この分離処分が禁止される敷地利用権は、区分所有建物の表示登記中で「敷地権」として公示されることにより（不動産登記法44条1項9号、46条)、何人との関係でも専有部分と不可分一体のものとなります（建物区分法23条)。なお、敷地利用権の共有または準共有持分の割合は、規約に別段の定めがないときは、共用部分の場合と同様にして決定されます（建物区分法22条2項、14条)。

⑶ 区分所有建物の管理関係

区分所有建物には、共用部分と敷地利用権の共有（または準共有）関係が随伴するため、その維持管理には区分所有者の間の共同の意思決定が不可欠となります。また、多数の区分所有者が同一の建物内で生活し営業していることからも、建物等の管理や使用に関する共通のルールの定立が要請されます。そこで、建物区分法は、区分所有者は全員で「管理を行うための団体」（いわゆる管理組合）を構成し、集会を開き、規約を定め、管理者を置くことができるものとしました（建物区分法3条)。

たとえば、共用部分の変更（建物区分法17条1項本文）といった所有権の制限に及ぶような事項は、所定の要件を満たした区分所有者の集会の決議によって決定します。

また、区分所有者は全員で規約を定めます。規約は、建物・敷地・附属施設の「管理又は使用に関する区分所有者相互間の事項」を定める団体の根本規範であり（建物区分法30条1項)、その設定・変更・廃止は、区分所有者および議決権の各4分の3以上の多数による集会の決議によって行います（建物区分法31条1項)。この規約では、以下の事項を定めることができます。

① 区分所有者間の基礎的法律関係に関する事項（占有部分・共用部分の範囲、共用部分の共有持分の定め等）

② 区分所有者間の共同事務の処理に関する事項（団体の意思決定の方法や管理組合の組織・運営・会計等）

③ 建物等の使用方法や管理上の規律に関する区分所有者間の利害調節に関する

事項
④ 区分所有者の義務違反に対する措置に関する事項
このような規約や集会の決議は、区分所有者の特定承継人に対しても効力を生じ、建物等の使用方法に関しては専有部分の占有者（賃借人等）をも拘束します（建物区分法46条）。

また、一定の要件に従う集会の決議に基づいて、共同の利益に反する行為をした区分所有者の全員（または管理組合法人）に対して、違反行為の差止め（行為の停止・結果の除去・予防のための措置）、専有部分の使用禁止、区分所有権等の競売または賃貸借契約等の解除・専有部分の引渡しを、訴えをもって請求できます（建物区分法57条ないし60条）。

さらに、建物の共用部分・敷地・附属施設について生じた損害賠償金や損害保険金等の請求および受領については、管理者（または管理組合法人）は区分所有者を代理する権限を持ち、規約または集会の決議により訴訟を追行することができます（建物区分法26条、47条）。

(4) 復旧および建替え

建物区分法には、区分所有建物の一部滅失の場合の復旧および建物の建替えに関する規定が存在します。

① 復 旧

建物価格の2分の1以下に相当する部分の滅失（小規模一部滅失）の場合には、各区分所有者は、滅失した共用部分および自己の専有部分を復旧し、共用部分の復旧に要した費用を他の区分所有者に対し、その持分割合に応じて償還請求できます。ただし、共用部分の復旧・再建につき集会の決議があったときは、その決議が優先します（建物区分法61条1項ないし4項）。

上記以上の大規模一部滅失の場合の共用部分の復旧は、区分所有者および議決権の各4分の3以上の多数による集会の決議で決定します。決議に参加しなかった区分所有者は、賛成した区分所有者の全部または一部に対し、建物およびその敷地に関する権利を時価で買い取ることを請求できます。ただし、決議賛成者がその全員の合意により買取りをなすべき者を指定したときは、買取請求の相手方はその者となります。他方、決議賛成者または買取指定者の側から決議賛成者以外の区分所有者に対して、買取請求をするか否かの確答を催告することもできます（建物区分法61条5項以下）。

② 建替え

建替えとは、「建物を取り壊し、かつ、当該建物の敷地若しくはその一部の土地又は当該建物の敷地の全部若しくは一部を含む土地に新たに建物を建築する」ことをいいます。その決定は、区分所有者および議決権の各5分の4以上の多数による集会の決議でします（建物区分法62条1項）。

建替え決議は、再建建物の設計の概要・取壊しと再建費用の概算額とその分担・再建建物の区分所有関係等にかかる法定の事項を、各区分所有者の衡平を害しないように定めることを要します（建物区分法62条２項、３項）。また、区分所有者の十分な考慮と検討を保障するため、その決議を目的とする集会の招集者は、会日より２月以上前に、建替えを必要とする理由その他の法定の事項を付した通知を発したうえ、１月前までに区分所有者に対する説明会を開催しなければなりません（建物区分法62条４項ないし７項）。

建替え決議があったときは、集会の招集者は、決議に賛成しなかった区分所有者に対し、建替えに参加するか否かの回答を書面で催告しなければなりません。そのうえで、建替えに賛成もしくは参加する区分所有者またはそれらの者の全員の合意により指定された買取指定者は、建替えに参加しない区分所有者に対し区分所有権および敷地利用権の時価での売渡しを請求することができます（建物区分法63条１項ないし５項）。

(5) 団　地

① 団地への建物区分法の準用

地続きの一体の敷地（団地）上に複数の建物があり、その団地内の土地または附属施設がそれらの建物の所有者（専有部分のある建物では区分所有者）の共有に属する場合には、それらの団地建物所有者は、全員で「その団地内の土地、附属施設及び専有部分のある建物の管理を行うための団体」を構成（「団地管理組合」と呼ばれます）し、集会を開き、規約を定め、管理者を置くことができます（建物区分法65条）。

団地では、団地内の建物・土地・附属施設の全体を団地建物所有者の全員で管理することが合理的な場合が多いため、建物区分法は、１棟の区分所有建物の管理に関する多数の規定を一定の留保や特例を設けつつ、団地管理のために準用するものとしています（建物区分法65条ないし68条）。

② 団地内の建物の建替え

団地内の各区分所有建物の建替えは、当該建物の区分所有者による建替え決議に加えて、団地管理組合の集会で議決権の４分の３以上の多数による承認決議を得ることにより実施できます（建物区分法69条１項・２項）。

団地内建物の全部が区分所有建物であり、かつ、団地内建物の敷地が団地内建物の区分所有者の共有に属する場合には、団地内の全建物の一括建替えも認められます。ただし、そのためには、団地管理組合の集会で団地内建物の区分所有者および議決権の各５分の４以上の多数による一括建替え決議をすることに加えて、棟ごとに区分所有者および議決権の各３分の２以上の賛成を得ることを要します（建物区分法70条１項・２項）。

第３　地上権

１　地上権の意義

⑴ 地上権とは

地上権とは、工作物または竹木を所有するために他人の土地を使用する物権をいいます（民法265条）。

工作物とは、地上および地下の一切の施設をいいます。典型例は、建物、橋梁、トンネル、電柱等です。また、竹木とは主として植林の目的となる植物をいい、耕作を目的とする場合は含まれません。耕作を目的とする場合には、後述の永小作権が問題となります。

他人の土地上の建物等の長期に存続すべき「工作物」を築造して所有しようとする場合、あるいは他人所有の山に「竹木」を植林して林業を営もうとする場合には、長期にわたる安定した土地利用権が必要となります。地上権は、そうした目的のために用意された他人の土地の使用権であり、物権的土地利用権（用益物権）の典型といえます。

⑵ 地上権と土地賃借権の違い

地上権は土地利用のために設定される点で、土地賃貸借契約と目的を同一にしていますが、土地賃貸借契約と比較すると以下のような違いがあります。

地上権は土地に対する直接の使用権（民法265条）です。これに対し、土地賃借権は特定の賃貸人に対する土地使用の請求権（民法601条）です。

地上権には相続性と譲渡性が当然に認められ、これを抵当権の目的とすることもできます。これに対し、土地賃借権の譲渡性は制限され（民法612条）、これに抵当権を設定することもできません。

地上権は登記請求権が認められ、登記をすればその権利を第三者に対抗できます（民法177条、不動産登記法３条、78条）。これに対し、土地賃借権では、賃借人には登記請求権がないと解されているため、賃借人が登記によって第三者対抗力を得ることは容易ではありません（民法605条、不動産登記法３条）。

地上権の存続期間は比較的長期なものであることが予定され（民法268条２項）、地主からの解約申入れもありません。これに対し、土地賃借権は、存続期間が比較的短期で（民法604条）、かつ、期間の定めがないときは賃貸人が容易に解約することができます（民法617条）。

地上権は地代を要素としません。これに対して土地賃借権は地代を要素とします。

上記のとおり、地上権は、土地の使用者の権利が賃借権による場合に比べて強いといえます。そのため、土地所有者が地上権の設定を嫌い、地上権が実際に利用されることは土地賃借権と比較して少ないのが現状です。

もっとも、安定した土地使用権に対する社会的必要性の観点から、土地賃借権について借地借家法による保護・強化がなされています。その結果、地上権と建物所有のための土地賃借権との差異は大幅に相対化しています。また、借地借家法は、建物所有を目的とする地上権または土地賃借権を併せて「借地権」と呼び（借地借家法２条１号）、統一的に規律しています。

2　地上権の成立要件等

⑴ 地上権の成立要件

地上権は、土地所有者との設定契約のほか、土地所有者の遺言（民法964条）や取得時効（民法163条）によって成立します。また、民法388条や民事執行法81条によって地上権が成立することもあります（法定地上権）。その他、罹災都市借地借家臨時処理法や都市再開発法の規定により地上権が取得されることもあります。

⑵ 対抗要件

地上権の設定・移転等は、原則として登記をしなければ第三者に対抗することができません（民法177条）。ただし、建物所有目的の地上権については、地上権者がその土地の上に登記されている建物を所有していることで対抗することができます（借地借家法10条１項）。建物が滅失した場合、借地権者が所定の事項を掲示した掲示をすれば、２年を限度として対抗力が存続します（借地借家法10条２項）。

⑶ 存続期間

① 存続期間の約定がある場合

当事者が存続期間を約定した場合には、原則としてそれによります。「永久」とする約定も有効です（大判明治36年11月16日民録９輯1244頁）。他方で、「無期限」と登記されたものについては、判例には、反証のない限り存続期間の定めのない地上権となるとしたもの（大判昭和15年6月26日民集19巻1033頁）と、土地使用の目的に応じた不確定期限を付された地上権と解したもの（大判昭和16年８月14日民集20巻1074頁）とがあります。

建物所有を目的とする地上権については、存続期間は原則として最低30年となり、更新に関する規定が存在します（借地借家法３条、４条）。

② 存続期間の約定がない場合

当事者が存続期間を定めなかった場合には、慣習があればそれにより（民法268条１項）、慣習がなければ、当事者の請求により裁判所が地上権設定当時の事情等を考慮して20年から50年の間で存続期間を定めます（民法268条２項）。

建物所有を目的とする地上権については、存続期間は原則として最低30年となり、更新に関する規定が存在します（借地借家法３条、４条）。

⑷ 消滅原因

物権一般に共通する消滅原因のほか、地上権に特有の消滅原因として以下のものがあります。

①「引き続き2年以上」の地代の滞納を理由とする地主の消滅請求（民法266条1項、276条）

「引き続き2年」とは、継続した2年間を意味します（大判明治43年11月26日民録16輯759頁）。しかし、2年以上の滞納があれば地上権が自動的に消滅させられるわけではなく、滞納について地上権者の側の責めに帰すべき事由があることを要します（最判昭和56年3月20日民集35巻2号219頁）。

② 地上権者による地上権の放棄（民法266条1項、275条、268条1項）

地上権の放棄は、定期の地代がない場合には、期間の定めの有無を問わず自由に行うことができます。

他方、地代を支払う地上権では地主の利益にも関係するので、以下の場合に限られます。ただし、いずれの場合にも、地上権の放棄によって第三者の正当な権利（地上権を目的とする抵当権や地上建物の買主の権利等）を害することは許されません。

ア　期間の定めがなく、かつ別段の慣習もないときに、地上権者が1年前の予告または1年分の地代の支払いをする場合（民法268条1項）

イ　不可抗力による一定期間以上の無収益または地代額以下への減収を理由とする場合（民法266条1項、275条。期間の定めの有無を問いません）

3　地上権の内容

⑴ 地上権者の土地使用権

地上権者の土地使用権の内容は地上権の取得原因ごとに定まります。

ア　契約または遺言による設定の場合

契約または遺言の解釈により定まります。

イ　時効取得の場合

それまでの使用形態により定まります。

ウ　法定地上権の場合

地上建物の存続という制度趣旨に沿う形で定まります。

地上権者は、地主に対して土地を地上権設定の目的に従った使用に適した状態に置くよう求める権利を有しないと解されています。地上権は物権であり、その設定により目的物の排他的支配権能が地上権者に移転するためです。

⑵ 地上権に基づく物権的請求権

地上権は物権であるため、地上権者は物権的請求権を有します。地上権は土地占有機能を有するため、妨害排除請求権、妨害予防請求権のほか、返還請求権も含まれます。

⑶ 地上権の処分の自由

地上権は物権であるため、地上権者は地上権を自由に処分することができます。

たとえば、地上権の譲渡や地上権への担保権設定ができます。民法上、地上権の譲渡や賃貸に関する規定は存しませんが、物権の性質上当然のことと解されています。

⑷ 相隣関係の規定の準用

地上権は土地を使用する物権であるため、隣接地間の使用関係を調整する場合には地上権も対象にする必要があります。そのため、相隣関係に関する民法209条から238条の規定は、地上権者間または地上権者と土地所有権者の間に準用されます（民法267条本文）。

⑸ 地上権者の地代支払義務

地上権には、地上権者が地代を支払う場合と支払わない場合があります。地上権者が地代を支払う場合には、地上権設定時に一括して支払う場合と定期的に支払う場合があります。後者の場合には、永小作権に関する民法274条から276条の規定と賃貸借に関する規定が準用されます（民法266条）。

⑹ 地上物の収去と買取り

地上権が消滅した場合には、地上権者は土地を原状に復してその工作物および竹木を収去することができます（民法269条１項本文）。これは、地上権者の収去権を定めるとともに、収去義務をも定めるものと解されています。ただし、以下の例外が存在します。

ア　異なる合意がある場合

イ　異なる慣習がある場合（民法269条２項）

ウ　地主が時価相当額を提供してその買取りを請求した場合

この場合であっても、買取りを拒む正当な理由があるときは、地上権者は工作物および竹木を収去することができます（民法269条１項但書）。

エ　収去が不可能または著しく困難な場合

オ　建物所有を目的とする地上権が存続期間満了により消滅し、地上権者が権原により附属させた建物その他の買取りを地主に請求した場合（借地借家法13条１項）

4　区分地上権

地上権は、通常は他人の土地を全面的に使用する権利ですが、他人の土地の地下または空間の一部のみを、上下の範囲を限って使用するために設定することもできます（民法269条の２第１項前段）。たとえば、トンネル、電線、高架鉄道・道路等を敷設する場合には、土地を全面的に利用する必要はなく、その地下または上空の一定の範囲を利用することで十分といえます。こうした利用のために認められているのが、区分地上権です。

区分地上権は設定行為で定められた地下または上空の一定の範囲しか及ばないのが原則ですが（民法269条の２第１項前段）、設定行為により、区分地上権行使のために土地所有者等のその他の土地部分の使用に制限を加えることができます（同後段）。この制限は登記することができ（不動産登記法78条5号）、これにより第三者に対抗することができます。

区分地上権は、第三者がすでに使用収益権を有する土地についても、その第三者とその権利を目的とする権利を有する者（たとえば、地上権に抵当権の設定を受けた者）全員の承諾を得れば、土地所有者と区分地上権者の間の契約により設定することができます（民法269条の2第2項前段）。この場合に、土地の使用収益権者が区分地上権の行使を妨害したときは、区分地上権者はその妨害を排除することができます（同後段）。

第4　永小作権

1　永小作権の意義

永小作権とは、耕作または牧畜をするために他人の土地を使用する物権をいいます。

地上権と異なり、小作料の支払いを要素とします（民法270条）が、その性質は地上権に類似します。そのため、永小作権の設定によって、土地賃貸借に比べて強力な権利が耕作人（永小作人）に付与されることとなります。現実的には、わが国の小作関係のほとんどは賃貸借関係となっており、永小作権は例外的な存在となっています。

2　永小作権の成立要件等

⑴ 永小作権の成立

永小作権は、地上権と同じく地主との設定契約や遺言、取得時効により成立します。しかし、実際には、慣習上で古くから存在してきたものが多いと考えられます。これが永小作権か否かの判断は、当事者の権利義務の内容や地方の慣習を考慮して個別的に決せられることとなります。

判例は、容易に永小作権と認めない傾向にあります。たとえば、江戸時代からの小作で期間の定めがなく、権利の譲渡性があるというだけでは永小作とならないとする判例が存在します（大判昭和11年4月24日民集15巻790頁）。

⑵ 永小作権への制限

耕作または牧畜のために使用される土地については農地法の適用があります（農地法2条1項）。そこで、永小作権の設定または移転には原則として農業委員会の許可が必要であり（農地法3条1項）、この許可がなければ設定または移転の効力が生じません（農地法3条4項）。

⑶ 対抗要件

永小作権は、登記をすることによって第三者に対抗できます（民法177条、不動産登記法３条３号、79条）。なお、農地賃借人は、農地法上、土地の引渡しを受けた場合も賃借権を第三者に対抗することができるものとされており（農地法18条）、永小作権についてもこれを類推適用するべきだという見解があります。

⑷ 存続期間

民法施行後に設定される永小作権の存続期間は、20年以上50年以下で定められなければなりません。設定行為で50年を超える期間を定めても、50年に短縮されます（民法278条１項）。

他方、期間の定めがない場合には、慣習で期間が定まる場合（ただし、その上限はやはり50年と解される）を除いて、一律に30年となります（民法278条３項）。

永小作権は期間満了時に更新できますが、その期間は更新の時から50年を超えてはなりません（民法278条２項）。なお、黙示の更新も認められますが、農地法の法定更新や更新拒絶の制限に関する規定（農地法17条、18条）は永小作権には適用または準用されないと解されています（最判昭和34年12月18日民集13巻13号1647頁）。なお、存続期間は登記事項とされています（不動産登記法79条２号）。

⑸ 消滅原因

永小作権も物権一般の消滅原因や存続期間の満了で消滅します。

また、永小作権に特有の消滅原因としては、継続した２年以上の小作料の滞納を理由とする地主の消滅請求（民法276条）と不可抗力による一定期間以上の無収益または減収を理由とする永小作人の権利の放棄（民法275条）があります。これらの内容や効果は、地上権の場合と基本的に同一ですが、永小作権では慣習の作用する余地が明文で認められています（民法277条）。

なお、永小作人に用途違反があるときにも、地主は永小作権の消滅を請求できると解されています。

3　永小作権の内容

⑴ 永小作人の権利

永小作人は、設定目的（契約または遺言による設定の場合）または取得時効の基礎となった使用形態に従って、土地を使用収益することができます。ただし、土地に回復不可能な損害を生じる変更を加えることはできません（民法271条。異なる慣習があるときは別です〈民法277条〉）。違反行為に対しては、地主はその停止を請求できます（大判大正９年５月８日民録26輯636頁）。

永小作人は、物権的請求権を有します。物権的請求権には、妨害排除請求権、妨害予防請求権のほか、返還請求権も含まれます。

永小作人は、永小作権を処分し（譲渡につき民法272条本文、抵当権設定につき民法369条２項）、またはその権利の範囲内で土地を第三者に賃貸することができます（民法272条本文）。ただし、設定行為で禁じられたとき（民法272条但書）、別の慣習があるとき（民法277条）はこの限りではありません。

永小作権は土地を使用する物権であるため、永小作権者と所有者その他の土地使用権者の間に、相隣関係に関する民法209条から238条の規定が類推適用されます。

⑵ 永小作人の小作料支払義務

永小作権については、地上権と異なり、小作料の支払いが要素とされています。したがって、永小作人は小作料支払義務を負います。

なお、不可抗力による減収の場合にも永小作人には小作料の減免請求権はなく（民法274条）、継続して３年以上まったく収益がないか、５年以上小作料以下の収益しか得なかった場合にようやく永小作権の放棄が認められるにとどまります（民法275条）。この規定は、普通小作の場合（民法609条）以上に耕作者にとって厳しい規定といえます。

別段の慣習があれば、それによります（民法277条）。賃貸借の規定が準用されます（民法273条）。

実務的には、農地法の修正が重要な意味を持ちます（農地法20条）。

農地法20条

第１項「借賃等（耕作の目的で農地につき賃借権又は地上権が設定されている場合の借賃又は地代〈その賃借権又は地上権の設定に付随して、農地以外の土地についての賃借権若しくは地上権又は建物その他の工作物についての賃借権が設定され、その借賃又は地代と農地の借賃又は地代とを分けることができない場合には、その農地以外の土地又は工作物の借賃又は地代を含む〉及び農地につき永小作権が設定されている場合の小作料をいう。以下同じ）の額が農産物の価格若しくは生産費の上昇若しくは低下その他の経済事情の変動により又は近傍類似の農地の借賃等の額に比較して不相当となったときは、契約の条件にかかわらず、当事者は、将来に向かって借賃等の額の増減を請求することができる。ただし、一定の期間借賃等の額を増加しない旨の特約があるときは、その定めに従う」

第２項「借賃等の増額について当事者間に協議が調わないときは、その請求を受けた者は、増額を正当とする裁判が確定するまでは、相当と認める額の借賃等を支払うことをもって足りる。ただし、その裁判が確定した場合において、既に支払った額に不足があるときは、その不足額に年10パーセントの割合による支払期後の利息を付してこれを支払わなければならない」

第３項「借賃等の減額について当事者間に協議が調わないときは、その請求を受けた者は、減額を正当とする裁判が確定するまでは、相当と認める額の借賃等の支払を請求することができる。ただし、その裁判が確定した場合において、既に支払を受けた額が正当とされた借賃等の額を超えるときは、その超過額に年10パーセントの割合による受領の時からの利息を付してこれを返還しなければならない」

⑶ その他の永小作人の義務

小作料支払義務以外の永小作人の義務については、性質に反しない限り賃貸借の規定が準用されます（民法273条）。

⑷ 地上物の収去と買取り

永小作権消滅時に存在する地上物（果樹・牧柵・灌漑設備等）の処理に関する規定は、地上権におけるものとまったく同一です（民法279条、269条）。

第５　地役権

１　地役権の意義等

⑴ 地役権の意義

地役権とは、自己の土地の便益のために他人の土地を使用する物権をいいます（民法280条）。地役権によって便益を受ける土地を「要役地」、地役権の負担を引き受ける土地を「承役地」といいます。

たとえば、甲地の所有者が乙地を通行したり乙地を通って水を引くために、乙地の上に設定される通行地役権や引水地役権がその典型です。また、乙地の所有者に甲地の観望や日照を妨げるような建造物を建てさせないという不作為を目的とする場合もあります。いずれの場合にも、甲地の利用価値を増進するために乙地が一定の物権的な役務を負担することとなります。

⑵ 相隣関係との相違

地役権は、２つの土地の利用調整を目的として設定されるものであり、相隣関係の規定と類似性が認められます。しかし、相隣関係は、原則として隣接地相互間の利用調整につき、いわば必要最低限度の事項を法定したものであり、調整が不十分な場合が生じえます。地役権は、そうした場合のために、２つの土地の間で実際の必要に応じた利用調節のあり方を設定契約で定めることを可能にするものです。

相隣関係との具体的な相違点は以下のとおりです。

相隣関係は法律の規定に基づきます。他方、地役権は、原則として当事者の契約によって設定されます。

相隣関係は法律の規定によって認められた種類しかありません。地役権については目的となる便益の種類に制限がありません。

相隣関係は隣接地の間で生じます。地役権にはそのような制約はありません。

⑶ 地役権の特質

① 土地の便益のための権利

地役権は、土地の便益を増すための権利であり、要役地の所有者個人の便益のためのものではありません。たとえば、他人所有地での植物の採集・狩猟等のための権利は、要役地の所有者個人の便益のためのものであり、地役権が認められるわけではありません。

ア　付従性・随伴性

地役権は、2つの土地の利用関係を調節するために存立するものであるため、要役地と分離して譲渡したり、他の権利の目的とすることができません（民法281条2項）。また、要役地の所有権が譲渡されたり、他の権利（たとえば、抵当権や地上権）の目的となったときは、設定行為に別段の定めがない限り、地役権もそれと運命を共にすることとなります（民法281条1項）。

この場合、要役地の譲受人等が承役地の所有者に地役権を主張するには、所有権の移転登記があればよく、地役権の登記がなされていることを要しません。

イ　不可分性

地役権は、ある土地とある土地との物理的位置関係を前提として設定されるため、要役地または承役地が共有地であるときに共有者各人の権利（持分権）を個別・独立のものとして捉えると不都合を来す場合が生じます。そこで、民法は、共有地にかかる地役権をできるだけ共有地の全体につき合一に存続せしめるため、以下の特殊な取扱いを定めています。一般的に地役権の不可分性と呼ばれます。

(i) 要役地または承役地の各共有者は、自己の持分権について地役権を消滅させることができません（民法282条1項）。

(ii) 地役権の共有者の一人に生じた消滅時効の完成猶予・更新は、他の共有者にも効力が及びます（民法292条）。

(iii) 共有者の一人が地役権を時効により取得したときは、他の共有者もその地役権を取得します（民法284条1項）。

(iv) 地役権の取得時効の更新・完成猶予は、要役地の共有者全員につき更新の事由・停止の原因がなければ効力を生じません（民法284条2項、3項）。

(v) 要役地または承役地が分割されたり、その一部が譲渡されたりした場合には、地役権は原則として各部分につき存続します（民法282条2項本文）。ただし、要役地の一部にのみ建物があってそのための観望地役権が設定されていた場合や、承役地の一部の上にのみ通行地役権の目的となる通路が存在していた場合等には、全部の土地について地役権を存続させる必要は存在しないため、その余の土地についての地役権は消滅します（民法282条2項但書）。

(4) 地役権の種類・内容と態様

① 便益の種類等

地役権の目的たる便益の種類には制限がなく、要役地と承役地が隣接していることも必要としません。通行地役権、引水地役権、観望・日照地役権等のほか、電力会社が高圧送電線の通る土地を承役地として設定する電線路敷設のための地役権もあります。ただし、便益の内容については、相隣関係の規定中の公の秩序に関する強行規定に反してはならないという制限があるため（民法280条但書）、たとえば、袋地所有者の隣地通行権（民法210条以下）を否定するような内容の地役権は認められません。

② 地役権の態様

地役権は、権利行使の態様から、以下のような分類がなされます。

ア　地役権者の一定の行為を目的とする作為の地役権（通行地役権）と、承役地利用者の一定の不作為義務を目的とする不作為の地役権（観望地役権等）

イ　地役権の行使が常に継続している継続地役権（通路を開設する通行地役権と観望地役権等）と、間断のある不継続地役権（通路を設けない通行地役権）

ウ　地役権の行使が外形的に認識される事実を伴う表現地役権（通行地役権や地上に送水間を敷設する引水地役権等）と、これを伴わない不表現地役権（地下に送水間を通した引水地役権や不作為の地役権等）

2　地役権の成立要件等

(1) 地役権の成立要件

地役権は、承役地の所有者と要役地の所有者の設定契約によって設定することにより成立するほか、承役地所有者の遺言によって取得します（民法964条）。

また、「継続的に行使され、かつ、外形上認識することができるものに限り」時効によっても取得できます（民法283条）。これは、承役地たるべき土地の所有者が地役権の事実上の行使を容易に認識しえた場合を意味します。このように、時効による取得には土地の使用が外形上認識できなければならないため、たとえば、地上に水路が開設されている場合は地役権の時効取得の可能性がありますが、地中に送水管が通されている場合には地役権が時効取得されることはありません。外形上認識できることが要件とされているのは、承役地所有者が地役権の行使に気づかず、実際上時効中断の可能性がないままに地役権を負担させられることを避けるためです。土地の継続使用が要件とされているのは、時おりの使用ならば負担が少なく、承役地所有者が好意でそれを黙認することもありえ、社会的にそれが望ましい場合も珍しくなく、この場合に取得時効の成立を認めると承役地所有者に時効中断の措置をとるよう促すことになってしまうためです。

継続使用の要件は、通行地役権の取得時効に関して争われることが比較的多いです。判例によると、この要件が満たされるには、通路が開設されており、かつ、その開設が要役地所有者によってなされていなければなりません（最判昭和30年12月26日民集９巻14号2097頁、最判昭和33年２月14日民集12巻２号268頁、最判平成６年12月16日判時1521号37頁）。通路が開設されていない場合も、要役地所有者以外の者が通路を開設した場合も、承役地所有者が要役地所有者の通行を好意で黙認することが珍しくなく、地役権の時効取得を認めることが適当ではないためです。

⑵ 対抗要件

地役権は、登記をすることにより第三者に対抗できます。しかし、地役権の付従性の結果として地役権の権利者は常に要役地の所有者と一致するため、不動産登記法80条２項は、地役権者の名称と住所の記載を要しないとしています。また、通行地役権等では、未登記のものが少なくありません。

そこで判例は、通路としての使用が客観的に明らかであり、そのことを認識しえた承役地譲受人に対しては、通行地役権者は登記なくしてその権利を対抗でき、さらには地役権設定登記手続を請求しうることを認めています（最判平成10年２月13日民集52巻１号65頁・百選Ⅰ［第８版］63事件、最判平成10年12月18日民集52巻９号1975頁）。

⑶ 存続期間

地役権の存続期間について、民法には規定がありません。そのため、地上権と異なり永久と定めても特に問題はないと解されます。地役権は、土地相互間の客観的な利用調節のためのものであり、承役地の所有権を制限する程度が軽微であるためです。

⑷ 消滅原因

地役権は、物権一般に共通する消滅原因のほか、存続期間の満了や民法287条等の固有の消滅原因により消滅します。なお、時効について以下のように特別の規定が置かれています。

① 承役地の時効取得による消滅

第三者が地役権を排斥するような状態で承役地を占有し、その所有権を時効取得したときは、地役権も消滅します（民法289条）。

しかし、第三者の取得時効の完成前に地役権の行使があれば、第三者の占有は地役権を排除しないものとなるから地役権は消滅せず、第三者は地役権の負担付きの土地所有権のみを時効取得します（民法290条）。

② 地役権の消滅時効

地役権は、20年間の不行使により消滅しますが（民法166条２項）、その起算点は、「継続的でなく行使される地役権」（たとえば、通路の開設を伴わない通行地役権）については最後の行使の時であり、「継続的に行使される地役権」（たとえば、通路の開設を伴う通行地役権）についてはその行使を妨げる事実が生じた時となります（民法291条）。

地役権者がその権利の一部を行使しないとき（たとえば、通行地役権で予定された幅員を下回る通路しか開設しなかった場合）には、その部分のみが時効によって消滅します（民法293条）。

3　地役権の内容

⑴ 地役権者の承役地利用権

地役権者は、設定契約や遺言で定められた目的または取得時効の基礎となった使用形態に従って、承役地を使用することができます。

この使用は、地役権の目的を達するために必要であり、かつ、承役地利用者に最も損害の少ない範囲に限られるべきであると解されます。承役地の水を利用する用水地役権に関する民法285条や承役地上に設けられた工作物の共同使用に関する民法288条の規定は、このような考えを具体化したものと考えられています。

⑵ 地役権に基づく物権的請求権

地役権は物権であるので、地役権者は物権的請求権を有します。ここには、使用に対する妨害の排除請求権および予防請求権が含まれ、返還請求権は含まれません。地役権は、承役地の使用権能を有しますが、占有機能や管理権能を有しないためです。

⑶ 地役権の対価

対価の支払いは、地役権の要素ではありませんが、その特約があるときには、これも地役権の内容となります。地役権が譲渡された場合に譲受人が当然に地代支払義務を負うか（地代の支払いが地役権の内容を構成するか、言い換えると地代の支払の特約が債権的効力にすぎないか否か）については、争いがあります。判例には譲受人の地代支払義務を否定したものがあります（大判昭和12年３月10日民集16巻255頁）が、学説の多くは、対価を登記する方法がないだけで（不動産登記法80条１項）、承役地の譲受人は登記なくしてその支払いを請求できると解しています。

⑷ 承役地所有者の義務

承役地所有者は、地役権者の権利行使（たとえば、通行地役権者の通行）を認容し、あるいは一定の行為をしない（たとえば、眺望地役権者の眺望を妨げる建築をしない）義務を負います。もっとも、設定契約またはその後の契約により一定の行為（たとえば、通路や水路の設置、修繕）を積極的に行う義務を負うことが妨げられるわけではありません。承役地所有者が契約によって自己の費用で地役権行使のために工作物の設置・修繕の義務を負担したときは、承役地所有者の承継人もその義務を負担します（民法286条）。この義務は、地役権を保障するために、承役地の負担（地役権の内容）になるとされます。ただし、この義務は登記事項とされており（不動産登記法80条１項３号）、登記がなければ承役地所有者の特定承継人に対抗することができません。

この積極的義務は、承役地所有者、特にその承継人にとって重い負担となることがあります。そのため、承役地所有者は、地役権に必要な土地の部分の所有権を放棄して地役権者に移転（地役権者に対する一方的意思表示により地役権者に移転）することができ、これによりその義務を免れることができます（民法287条）。

第6　入会権

1　入会権の意義等

入会権は、一定の地域の住民集団（入会団体）が山林原野等（入会地）を共同で利用する慣習上の物権です。

民法は、共有の性質を有する入会権（民法263条）と、共有の性質を有しない入会権（民法294条）を認めています。入会地を入会権者が共有（総有）する場合が前者、第三者が所有し、入会権者はその用益権能のみを準共有（総有）する場合が後者にあたります（大判大正9年6月26日民録26輯933頁）。後者の入会権は、用益物権のひとつに位置づけられます。

民法は、慣習によるほか、前者については共有の規定を適用し（民法263条）、後者については地役権の規定を準用するものとしています（民法294条）。しかし、入会権については共有の規定が適用され、地役権の規定が準用される余地がほとんどないため、もっぱら慣習によって規律されます。入会権は実質的に入会団体に帰属するというのが実態であるため、入会団体の構成員に権利が帰属することを前提とする民法の規定を適用すると、実態に即した処理ができないためです。この実態に即した処理を可能にするために、総有という考え方がとられるようになっていきました。もっとも、入会権は、主として土地利用にかかる権利関係の近代化・明確化の要請から、解体の過程にあるといわれています。

2　入会権の内容と対外関係

(1) 入会権の主体

入会権は、慣習上その範囲が定まった村落等の入会集団の存在を前提として成立し、その構成員たる入会権者は、入会集団の統制に服しながら各自一定の使用収益権を行使します。その意味では、入会権の主体は、第一次的には入会集団そのものといえます。ただし、この集団は、入会権者の総体であって入会権者と別個の権利主体となるわけではないため、入会集団の権利と各入会権者の権利とは、本来不可分一体の関係にあるといえます。

入会集団を構成する入会権者の範囲、集団による入会地の管理支配のあり方、各入会権者の使用収益の方法等は、すべて慣習によって定まります。これらは、慣習に従った入会集団の意思決定によって変更することができます。

また、入会集団が構成員の総意に基づいて規約を定め、代表の方法・総会の運営・財産管理その他団体としての主要な点を確定し、組織を備え、集団の意思決定のために多数決の原則が行われるようになったときは、その入会集団は、権利能力なき社団に該当することとなります（最判平成6年5月31日民集48巻4号1065頁・百選Ⅰ［第8版］78事件）。

⑵ 入会権の内容

① 入会権者の権利

入会権者は、慣習と入会団体の規約に従って、採草、造林等のために入会地を共同して使用・収益することができます。使用収益の形態には、一般に、入会地を直接利用するのが個々の入会権者である場合（個別的利用形態）と、入会団体である場合（団体的利用形態）があるとされています。

個別的利用形態は、利用地が入会権者に個別的に割り当てられているかどうかによって次の２つに分けられます。ひとつは、入会権者が入会団体の規制の下で共同して入会地に立ち入り、個別に利用するという入会の古典的形態です（共同利用形態）。もうひとつは、各入会権者に入会地の一部が割り当てられ、入会権者がそれを独占的に利用する形態です（分割利用形態）。

団体的利用形態にも、２つの代表的な類型があります。ひとつは、入会団体が入会地を独占的に利用し、収益を得る形態です（たとえば、造林等の事業を行い、産物等を収取するという直接利用形態）。もうひとつは、入会団体が第三者に契約によって入会地の利用を認め、入会団体が収益を得る形態です（たとえば、第三者が、別荘地やゴルフ場の経営をするという契約利用形態）。

② 入会権者たる地位の得喪

入会権者たる地位は、各入会集団の慣習に従って世帯単位で決定されます。その範囲は、かつては当該地域の住民（世帯）とほぼ一致していたと見られますが、人口移動が激しくなった今日では、むしろ両者の間にずれがある場合が少なくありません。単に村落の住民となっただけで入会権者たる地位を認める慣習はまれであって、一般には、さらに一定の追加的な資格要件（居住の長期性、共同の出役作業への従事、一定の金銭的出捐の履行）等が要求されるためです。

他方、一般に地域内への居住が必須の資格要件とされているため、従来からの入会権者も、地域外に転出するとその地位を失い、入会権を喪失します。この権利の喪失は、かつては無償であることが多かったものの、各入会権者の持分の観念が顕在化し、貨幣経済的な価値を担うようになったところでは、相当額の対価ないし保証金が支払われる場合もあります。

⑶ 入会権の得喪

① 入会権の取得

入会権は慣習に基づく権利であるため、新たに設定されることはないと一般に解されてきました。近年では、入会集団が集団として土地の管理支配権を取得し、入会権と同様の共同の使用収益行為を行う場合には、新たな入会権が成立するという見解もあります。また、入会集団が契約によって債権的な使用収益権を総有的に取得したときは、債権的な入会権が発生するという見解も有力です。

② 入会権の変更・消滅

ア　変 更

入会地の利用形態の変更は入会権の行使形態の変更にすぎないため、入会権そのものの変更が問題となるのは、村々入会を分割して一村単独入会にする場合等に限られます。いずれも原則としては入会権者全員の同意が必要です。

イ　消 滅

入会権は、権利の放棄または廃止（地盤共有〔総有〕の入会地を入会集団が種々の開発目的で第三者に譲渡する場合）・入会規制の解体・消滅、入会林野整備事業による入会権の近代化（「入会林野等に係る権利関係の近代化の助長に関する法律」によるもので、入会権を消滅させて所有権〔狭義の共有を含む〕や地上権その他の使用収益権に置き換えることを内容とします）等によって消滅します。いずれも、原則として入会権者全員の同意を要しますが、公有地上の入会権では、さらに市町村議会の議決も必要とされる余地があります。

(4) 入会権の対外関係

① 入会権の公示

入会権は、不動産登記法上、登記することができません。そのため、入会権の変動は、登記なしに第三者に対抗することができると解されています（大判明治36年6月19日民録9輯759頁）。

現実には、入会団体の代表者や一部の構成員の名義で登記が行われることも珍しくありません。そのため、その登記を信頼して取引をした第三者との間で紛争を生じることがあります。しかし、この場合には、民法94条2項は適用も類推適用もされないと解されています（最判昭和43年11月15日判時544号33頁、最判昭和57年7月1日民集36巻6号891頁）。権利能力なき社団一般については、不動産の確実な保全を欲するならば法人化すればよいといえますが、入会団体については事情が異なり、民法94条2項の適用または類推適用の基礎となる帰責性が一般的には認められないためです。

② 入会にかかる権利の対外的主張

入会権者が入会にかかる権利を対外的に主張する場合にどのようにすればよいかについて、判例は次のように区別しています。

共有の場合における共有関係（共有権）確認に相当する入会権の確認の訴えと、共有における共有関係（共有権）に基づく請求に相当する入会権に基づく（抹消）登記手続請求は、入会権者全員が共同して行わなければなりません（固有必要的共同訴訟。最判昭和41年11月25日民集20巻9号1921頁）。

入会団体の構成員としての地位の確認（最判昭和58年2月8日判時1092号62頁）や、各入会権者の使用収益権に基づく請求（たとえば、使用収益権の確認請求や入会地の使用収益に対する妨害の排除請求）は、各入会権者が行うことができます。

ただし、入会地について無効な登記が行われた場合には、各入会権者がその抹消登記手続を請求することはできず、入会権に基づいて入会権者全員が共同して行わなければなりません（前掲最判昭和57年７月１日）。無効な登記によって害されるのは、入会権自体であって、各入会権者の使用収益権能の行使ではないためです。

なお、いわゆる権利能力なき社団に該当する入会団体は、入会財産が構成員全員の総有に属することの確認を求める訴えの原告適格を有します（最判平成６年５月31日民集48巻４号1065頁・百選Ⅰ［第８版］78事件）。

第Ⅲ篇

担保物権

第1章

担保物権の基礎理論

第1　担保物権の意義と債権者平等の原則

1　担保物権の意義

担保物権とは、金銭債権等の債権の回収を確実にする目的で、当該債権を被担保債権として、債権者が債務者または第三者の物または権利を対象に取得する物的な権利をいいます。債務者が債務の履行をしない場合、担保権設定者（担保権を設定する者）から目的物に対して担保権の設定を受けた担保権者は、担保物権を行使し、その目的物につき競売等を行うことにより、被担保債権の回収を図ることができます。

2　債権者平等の原則

債権者Ａが債務者Ｂに対して債権回収を行う際に、債務者Ｂの財産がＡやＡ以外の債権者に対する債務の支払いに十分な場合には、ＡはＢの財産に強制執行を行うことにより債権回収を図ることができます。これに対し、Ｂの財産がＡやＡ以外の債権者に対する支払いをするのに十分とはいえない場合には、Ａを含むＢの債権者がＢの財産に対して強制執行を実行したとしても、各自の有する債権額に応じて按分額で債権回収を図ることができるにすぎません。たとえば、Ｂの資産総額が5000万円であるのに対して、債権者ＡがＢに対し２億円、債権者ＣがＢに対し３億円の債権を有している場合、Ａは、Ｂから2000万円、ＣはＢから3000万円の債権を回収できるにとどまります。このように各債権者が債権額に比例して按分での支払いを受けることを債権者平等の原則といいます。

債権者平等の原則の下では、Ｂの資力が十分でない場合にＡは自らの債権を全額回収することができません。しかし、当事者間であらかじめ担保物権を設定した場合（約定担保物権）や法律の規定に基づく場合（法定担保物権）には、担保権者となった当事者は設定した担保物権の目的物を処分することにより優先的に自己の債権を回収できる権利が認められています。

債務者に対して担保物権を有する者を担保権者といいます。担保権者は、債権者平等の原則にかかわらず、担保物権の対象となる目的物から優先的に自己の債権回収を図ることが可能となります。

第2　担保物権の種類

担保物権には、法律の規定に基づき当然に発生する法定担保物権と当事者間の約定に基づき設定される約定担保物権があります。

1　法定担保物権

法定担保物権とは、法律の規定に基づき保護されるべき債権者に当然に付与される担保物権をいいます。法定担保物権の例として留置権（民法295条以下）、先取特権（民法303条以下）があります。

2　約定担保物権

約定担保物権とは、債権者と担保目的物の所有者との間の合意によって生じる担保物権をいいます。約定担保物権の例として質権（民法342条以下）、抵当権（民法369条以下）があります。

法定担保物権 ─┬ 留置権
　　　　　　　└ 先取特権

約定担保物権 ─┬ 質権
　　　　　　　└ 抵当権

3　典型担保物権と非典型担保物権

典型担保物権とは、民法典に規定のある担保物権をいいます。先に挙げた先取特権、留置権、抵当権、質権はいずれも民法典に規定のある典型担保物権です。

これに対して、民法典に規定のない担保物権を非典型担保物権といいます。たとえば、譲渡担保権、所有権留保が非典型担保物権に該当します。

第3　担保物権の特質

担保物権の特質として、付従性、随伴性、不可分性、物上代位性という4つの特性が認められています。以下では、これらの担保物権の特質を説明します。

1　付従性

付従性とは、担保する債権（これを被担保債権といいます）が発生しなければ担保物権は発生せず、また被担保債権が消滅すれば担保物権も消滅するという原則をいいます。担保物権に付従性を認めた趣旨は、担保物権が特定の債権を担保するために設定される権利であるため、担保物権は、被担保債権の発生、消滅と付随するものとしたという点にあります。

たとえば、AがBに対して有する債権を担保するためにBの所有する不動産に抵当権の設定を受けたとしても、ＡがＢから金銭の支払いを受けＡのＢに対する債権が消滅した場合、ＡのＢの不動産に対する抵当権も消滅します。

2　随伴性

随伴性とは、被担保債権の移転とともに担保物権も移転するという原則をいいます。随伴性を認めた趣旨は、担保物権が特定の債権（被担保債権）を保全する目的の制度であるため、被担保債権の移転とともに担保物権も移転するものとしたという点にあります。

たとえば、ＡがＢに対して有する債権を担保するためＢの所有する動産に質権の設定を受け、その後ＡがＢに対して有する債権をＣに債権譲渡した場合、質権も債権譲渡に伴いＣに移転します。

3　不可分性

不可分性とは、被担保債権の全額の支払いがなされるまでは、担保目的物の全部について権利行使することが認められる原則をいいます（民法296条、305条、350条、372条）。不可分性を認めた趣旨は、担保物権は、被担保債権の全額を優先的に保全するための制度であるため、被担保債権の全額の支払いがなされるまで、担保権者による権利行使を認めた点にあります。

たとえば、ＡがＢに対して有する債権を担保するためにＢの所有する不動産に抵当権の設定を受け、ＡがＢから債務の一部の支払いを受けたとしてもＡのＢに対する債権が全額消滅していない以上、ＡはなおＢの不動産に対する抵当権を実行することが認められます。

4　物上代位性

物上代位性とは、担保権者が、担保目的物の売却・賃貸・滅失または損傷によって債務者が受けるべき金銭その他の物等に対して優先的に弁済を受けることが認められる原則をいいます（民法304条、350条、372条）。物上代位性を認めた趣旨は、担保目的物が売却・賃貸・滅失・損傷等によって価値が別の物に変わった場合に、担保物権の効力（優先弁済効）を及ぼすことにより、担保権者の権利保護を図った点にあります。

たとえば、抵当権の目的物が火災により滅失し、当該目的物に対する火災保険金が債務者Ｂに対して支払われることになった場合、抵当権者Ａは、Ｂの火災保険金支払請求権に対して物上代位権を行使することが認められます。担保権者が物上代位権を行使する場合、債権の「払渡し又は引渡しの前に」目的債権（たとえば抵当不動産が売買された場合の売主〔抵当権設定者〕の第三取得者に対する売買代金債権）を差し押さえる必要があります（民法372条、304条１項但書）。

第２章

留置権

第１　留置権の意義

１　留置権の意義

留置権とは、物の占有者がその物に関して生じた債権を有する場合に、物の占有者がその債権の弁済を債務者から受けるまで当該物を留置することができる権利をいいます（民法295条１項）。留置とは、物の占有を自らの占有にとどめ置くことをいいます。

２　留置権の趣旨

留置権は、物を留置することを通じて、本来支払うべき当該物に関連して生じた債務の履行を促し、当事者間の公平を図るために法律が認めた担保物権です。たとえば、ＡがＢに対して指輪の修理を依頼し、Ｂが修理を終えたにもかかわらず、ＡがＢに対して修理代金を支払わない場合、ＢはＡから修理代金の支払いを受けるまで指輪を留置すること（引き渡さないこと）が認められます。

第２　留置権の要件

留置権が認められるためには、以下の要件が必要です（民法295条１項）。

① 他人の物を占有していること
② 債権がその物に関して生じた債権であること
③ 債権が弁済期にあること
④ 占有が不法行為によって始まった場合でないこと

以下では、各要件を検討します。

１　他人の物を占有していること

民法295条１項は、「他人の物の占有者」に留置権の成立を認めます。

民法295条１項は、「他人の物の占有者」とのみ規定し、「他人の所有物」と規定していません。「他人の物」の意義に関して、債務者の所有物である必要があるか否かにつき肯定説と否定説があります。たとえば、ＡがＢに対して物を賃貸した後、Ｂが当該物に不具合が発生したことを理由に、修理業者Ｃに修理を依頼し、Cが修理を実施したものの、BがCに対して修理代金の支払いを怠った場合、Cは当該物の修理代金（CのBに対する債権）を被担保債権としてAに対して留置権を主張できるかが問題となります。この点、商法521条は、「自己の占有に属した債務者の所有する物」に対して留置権の成立を認めているのに対し、民法295条1項は、「他人の物」と規定するのみで「債務者の所有する物」（商法521条）と規定していません。また、留置権は物権であり、本来であれば所有者が誰であるかは問わない性質の権利であり、債権者は留置の目的物が債務者の所有物であるかを認識せずに債権を有することになります。そこで、通説は、留置権の対象となる留置物は債務者（B）の所有物である必要はないと解しています。

2　債権がその物に関して生じた債権であること

留置権の制度趣旨は、他人の物を留置することによりその物に関して生じた債務の弁済を間接的に促すことで当事者間の公平を図る点にあります。そこで、留置する物と留置権者が有する債権との間には、物を留置することにより債権の弁済を促すことにつながる関連性のあることが必要となります。この関連性を指して物と債権との牽連性といいます。判例・通説は以下の場合に物と債権との間に牽連性を肯定しています。

⑴ 債権が物自体から発生した場合

債権が物自体から発生した場合、当該債権を有する者はその物を留置することができます。

たとえば、BがAに対しBの所有する絵画を預け、Aが当該絵画を保存するために必要な費用を支出した場合、AのBに対する必要費償還請求権が発生します（民法665条、650条）。この場合の必要費償還請求権は、物自体から発生した債権に該当するため、物と債権の牽連性が肯定されます。したがって、AはBから当該絵画の返還請求を受けたとしても、Aには当該絵画につき留置権が成立し、Bから必要費の支払いを受けるまで当該絵画を留置できます。

⑵ 債権が物の返還請求権と同一の法律関係または同一の生活関係から生じた場合

債権が物の返還請求権と同一の法律関係または同一の生活関係から生じた場合、当該債権を有する者は、物を留置することができます。

たとえば、AがBに対してテレビの修理を依頼した場合、BはAに対してテレビの修理を内容とする請負契約に基づく修理代金支払請求権を有することになります（民法633条）。この場合の修理代金支払請求権は、請負契約（民法632条）に基づいて生じる債権であり、物の返還請求権と同一の法律関係から生じた請求権に該当し、物と債権の牽連性が肯定されます。したがって、BはAから当該テレビの返還請求を受けたとしても、Aから修理代金の支払いを受けるまで当該テレビを留置することができます。

3　債権が弁済期にあること

民法295条1項但書は、「その債権が弁済期にないとき」は物を留置することができないと規定し、被担保債権の弁済期が到来していることを留置権の成立要件としています。留置権は、物の引渡請求に対して物を留置することにより間接的に債務の支払いを強制する権利です。弁済期前に留置権の成立を認めてしまうと、間接的に弁済期前の弁済を相手方に強いることになり妥当でないため、民法は、被担保債権が弁済期にあることを留置権の成立要件として要求しています（民法295条1項但書）。

たとえば、AがBに対して製品の修理を依頼し、Bが製品の修理をした場合、BのAに対する修理代金請求権が発生します。ただし、AとBとの間で修理代金の支払時期を物の引渡時期よりもあとにする旨の合意が成立している場合、BはAに対して修理代金請求権を被担保債権とする留置権を主張することはできません。

4　占有が不法行為によって始まった場合でないこと

⑴「占有が不法行為によって始まった場合」の意義

民法295条2項は、「占有が不法行為によって始まった場合」には留置権が成立しないと規定しています。不法行為とは、故意過失に基づき他人の権利を侵害する行為をいいます。

たとえば、Aが物を窃取し当該物の占有を開始した後、当該物を修理するために必要費を支出した場合に、所有者Bからの物の返還請求に対して当該物を留置することができるとするのは著しく不公平であり、当事者間の公平を図った留置権の制度趣旨に合致しません。そこで、民法は、占有が不法行為によって始まった場合でないことを留置権の成立要件として要求しています（民法295条2項）。

⑵ 適法に占有を開始した者が無権限占有者となった後に債権を取得した場合の留置権の成否

留置権者が適法に物の占有を開始したものの、その後、物の占有権原を失った留置権者が当該物に費用を支出し、留置権者が相手方に対して債権を取得した場合、留置権者の占有は「不法行為によって始まった場合」（民法295条2項）に該当しません。そこで、このように物の占有者が物の占有権原を喪失した後に当該物に関する債権を取得した場合に留置権が成立するか否かが問題となります。

たとえば、賃貸借契約に基づきAから建物の賃借を受けたBが賃貸借契約の終了に伴い占有権原を有しない占有者となった後、当該建物に必要費を支出した場合、Bの占有は「不法行為によって始まった場合」（民法295条2項）に該当しません。なぜなら、この場合、BはAから当該建物を適法に賃借して占有を開始しているためです。したがって、民法295条2項を直接適用して留置権の成立を否定することはできません。

もっとも、留置権の趣旨は、物を留置することを通じて本来支払うべき当該物に関連して生じた債務の履行を促し、当事者間の公平を図ろうとした点にあります。賃貸借契約が終了した場合のように賃借人Ｂに物の占有権原がなくなった場合、賃借人Ｂは賃貸人Ａに対して直ちに物の引渡しを行うべき立場にあります。ところが、賃借人Ｂが賃貸人Ａに対する物の引渡しをしない間に物に関して債権（必要費償還請求権）を取得したからといって、物を留置することができると解するのは、公平とはいえません。なぜなら、これを認めると引渡しを遅滞している間に物に費用を支出すれば、留置権が適法に成立することとなり、賃借人の履行遅滞責任を免れさせることになり妥当といえないためです。

判例は、民法295条２項を直接適用することはできないことを前提に、民法295条２項を類推適用して、債権者が債権取得時に占有権原を失っていることについて善意・無過失でない限り、留置権を主張することはできないと判示しています。

たとえば、最判昭和51年６月17日民集30巻６号616頁は、「土地占有者が所有者から所有権に基づく土地返還請求訴訟を提起され、結局その占有権原を立証できなかったときは、特段の事情のない限り、土地占有が権原に基づかないこと又は権原に基づかないものに帰することを疑わなかったことについては過失があると推認するのが相当であるところ、原審の確定した事実関係のもとにおいて、右特段の事情があるとは未だ認められない。したがって、右事実関係のもとにおいて、Ｂが、所論の有益費を支出した当時、本件土地の占有が権原に基づかないものに帰することを疑わなかったことについては、Ｂに過失があるとした原審の認定判断は、正当として是認することができる。そうすると、右のような状況のもとでＢが本件土地につき支出した所論の有益費償還請求権に基づき、本件土地について留置権を主張することが許されない」と判示しています。

第３　留置権の効力

１　留置的効力

留置権の留置的効力とは、留置権者が債権の弁済を受けるまで、その物を留置することができる効力をいいます（民法295条１項）。

留置権者は、債務者の承諾を得ることなく物を使用し、第三者に賃貸または担保に供与することはできません（民法298条１項、２項本文）。なぜなら、留置権は、債務者に対し物に関して生じた債務の弁済を促すことを目的とする担保物権であり、留置権者は当該目的物の保存に必要な限りで当該目的物の使用を認められるにすぎないためです。ただし、留置権者は、その物の保存に必要な使用をすることができます（民法298条２項但書）。

たとえば、留置権者ＡがＢから賃借を受けた物に対して賃貸借契約期間中に必要費を支出した場合、ＡはＢから必要費の償還がないときは、賃貸借契約終了後も物を留置し、当該物を占有し、使用することが認められます。

2　優先弁済的効力（事実上の優先弁済的効力）

抵当権者、質権者、先取特権者は、債務者から債務の弁済を受けることができないときに、目的物を民事執行法の定める執行手続で換価して、換価代金から他の債権者に優先して弁済を受けることが認められています。これを担保権の優先弁済的効力といいます。

これに対して、留置権には、抵当権、質権、先取特権と異なり、優先弁済的効力は認められていません。なぜなら、留置権は物を留置することを通じて、債務者に間接的に債務の支払いを促すことを目的とする担保物権であり、他の債権者に優先して弁済を受けることを目的とする担保物権ではないからです。

もっとも、留置権者は、留置権の留置的効力を何人に対しても主張することができます。すなわち、留置の対象となる不動産を他の債権者が強制執行により競売した場合、留置権者は不動産の買受人に対して留置権を主張でき、不動産の買受人が被担保債権の弁済をするまでは不動産を留置することができます（民事執行法59条４項）。また、目的物が動産であり、留置権者が強制執行を拒む場合、債権者は当該動産に対して差押えをすることができません（民事執行法124条、190条１項２号）。そのため、債権者は、留置権者の被担保債権を弁済しないと執行手続を開始することができません。

このように、債権者は強制執行を奏功させるためには留置権を消滅させるのに被担保債権を弁済する必要があります。留置権者からすれば、留置権の行使により債権者から弁済を受けられることを意味します。このような留置権の効力を事実上の優先弁済的効力と呼びます。

第４　留置権の消滅原因

留置権には、被担保債権の消滅に伴う留置権の消滅（付従性）のほか、以下の消滅原因があります。

1　消滅請求による場合

留置権者は、留置する物を善良なる管理者としての注意をもって保管する義務を負います（民法298条１項）。留置権者に保管義務違反が認められ、債務者が留置権の消滅請求をした場合、留置権は消滅します（民法298条３項）。なぜなら、留置権者に義務違反が認められる場合に留置権者に留置をそのまま認めることは公平でないといえるためです。

債務者が相当の担保を提供して留置権の消滅請求をした場合、留置権は消滅します（民法301条）。なぜなら、相当の担保の提供があれば、被担保債権は担保されることになるため物の留置を認める必要がないからです。相当の担保は、物的担保、人的担保のいずれでもよいと解されています。

2　留置権者が占有を喪失した場合

留置権者が物の占有を喪失した場合、原則として留置権は消滅します（民法302条本文、203条本文参照）。なぜなら、留置権は、物の占有者が物を留置することにより初めて成立する権利であり、物の占有を喪失した場合には留置する前提を欠くためです。

もっとも、留置権者が占有を侵奪した者に対して占有回収の訴え（他人に物を窃取、強奪された場合のように物の占有を侵害された場合に、占有を侵害した者に対して物の返還を求める訴訟）を提起して占有を回復した場合、例外的に占有権は消滅しないこととなり、留置権は消滅しません（民法203条但書）。なぜなら、占有回収の訴えによって占有は回復し継続していたものと扱われ（民法203条但書）、その結果、留置権の成立要件である他人の物の占有を継続していることになるからです。

先取特権

第1　先取特権の意義

1　先取特権の意義

先取特権とは、法律規定に従い債権者が債務者の一定の財産から他の債権者に優先して優先弁済を受ける権利をいいます（民法303条）。先取特権は、抵当権のように当事者間の合意により発生する約定担保物権とは異なり、法律で定める特定の債権を有する者が債務者の総財産または特定の動産・不動産につき優先弁済を受けることのできる法定担保物権です。

たとえば、売主が買主に対して動産を売買し、買主が売主に対して売買代金を支払わない場合に、売主は動産売買先取特権を行使して動産を競売することにより、優先的に売買代金債権を回収することが認められています（民法311条5号、321条）。

2　先取特権の趣旨

先取特権を認めた趣旨は、①債権者間の実質的平等を確保するという点、②社会的経済的弱者の有する債権を保護するといった社会政策上の要請を充足するという点、③特定の産業を保護するといった公益上の要請を充足するという点、④債権者の期待を保護するという点にあります。

第2　先取特権の種類

先取特権は、①一般先取特権（民法306条）、②動産先取特権（民法311条）、③不動産先取特権（民法325条）という3種類の先取特権に分かれます。②動産先取特権、③不動産先取特権を総称して特別先取特権といいます。

一般先取特権とは、共益の費用、雇用関係、葬式費用、日用品の供給により生じる債権を有する者が、債務者の総財産を引当てとして優先弁済を受ける権利をいいます。たとえば、労働者は使用者に対して雇用関係に基づく一般先取特権を有しており、債務者である使用者の総財産を引当てとして優先弁済を受ける権利を有しています（民法308条）。

一般先取特権には、共益費用の先取特権（民法306条1号、307条）、雇用関係の先取特権（民法306条2号、308条）、葬式費用の先取特権（民法306条3号、309条）、

- 一般先取特権
  - ① 共益費用の先取特権
  - ② 雇用関係の先取特権
  - ③ 葬式費用の先取特権
  - ④ 日用品供給の先取特権
- 特別先取特権
  - **(1) 動産の先取特権**
    - ① 不動産賃貸借の先取特権
    - ② 旅館宿泊の先取特権
    - ③ 運輸の先取特権
    - ④ 動産保存の先取特権
    - ⑤ 動産売買の先取特権
    - ⑥ 種苗・肥料供給の先取特権
    - ⑦ 農業労務の先取特権
    - ⑧ 工業労務の先取特権
  - **(2) 不動産の先取特権**
    - ① 不動産保存の先取特権
    - ② 不動産工事の先取特権
    - ③ 不動産売買の先取特権

日用品供給の先取特権（民法306条4号、310条）があります。

特別先取特権とは、動産および不動産を対象とする先取特権をいいます。

動産の先取特権には、不動産賃貸借の先取特権（民法311条1号、312条ないし316条）、旅館宿泊の先取特権（民法311条2号、317条）、運輸の先取特権（民法311条3号、318条）、動産保存の先取特権（民法311条4号、320条）、動産売買の先取特権（民法311条5号、321条）、種苗・肥料供給の先取特権（民法311条6号、322条）、農業労務の先取特権（民法311条7号、323条）、工業労務の先取特権（民法311条8号、324条）があります。

不動産の先取特権には、不動産保存の先取特権（民法325条1号、326条）、不動産工事の先取特権（民法325条2号、327条）、不動産売買の先取特権（民法325条3号、328条）があります。

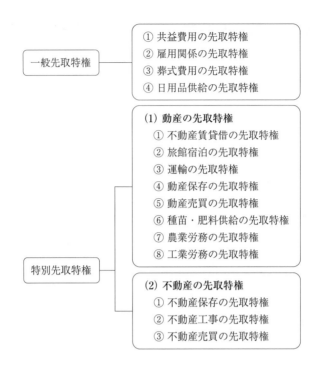

第3　一般先取特権

1　共益費用の先取特権（民法306条1号、307条）

共益費用の先取特権とは、各債権者の共同の利益のためになされた債務者の財産の保存、清算または配当に関する費用に関して公平の観点から認められた先取特権をいいます。この趣旨は、各債権者の共同の利益のためになされた費用に関する債権を優先的に保護することで債権者間の実質的な平等を図る点にあります。

たとえば、法人の清算のための費用は共益費用の先取特権に該当します。したがって、法人の清算に要した費用は他の債権に優先して弁済されることになります。

2　雇用関係の先取特権（民法306条２号、308条）

雇用関係の先取特権とは、給料その他債務者と使用人との間の雇用関係に基づき生じた債権について認められた先取特権をいいます。この趣旨は、雇用関係に基づき生じた債権を他の債権者に比べて優先的に保護することで労働者の保護を図る点にあります。

たとえば、雇用関係に基づき生じた労働者の使用者（会社）に対する賃金支払請求権につき雇用関係の先取特権が成立します。したがって、労働者は、使用者（会社）から優先弁済を受けることができます。

3　葬式費用の先取特権（民法306条３号、309条）

葬式費用の先取特権とは、葬式費用に関する債権について認められた先取特権をいいます。この趣旨は、葬儀社の有する葬式に関する債権を優先的に保護することにより葬儀品の供給を円滑に行わせ、国民各人に相応の葬式を主催することを可能にした点にあります。

たとえば、葬儀社が債務者のために葬儀品を支給した場合の当該葬儀品の代金支払請求権につき葬式費用の先取特権が成立します。したがって、葬儀社は、当該葬儀品の代金の支払いを優先的に受けることができます。

4　日用品供給の先取特権（民法306条４号、310条）

日用品供給の先取特権とは、日常の社会生活において必要となる日常品の供給に関する債権に成立する先取特権をいいます。この趣旨は、日常の社会生活において必要となる日常品の供給に関する債権を優先的に保護することで、小規模の商人の保護を図り債務者に必要な給付を行う契約を促進する点にあります。

たとえば、債務者が自己の生活に必要な６か月間の飲料水等を購入した場合の代金債権につき日用品供給の先取特権が成立します。したがって、債権者は債務者の一般財産から優先的に飲料水の代金の支払いを受けることができます。

第４　特別先取特権

1　動産の先取特権

⑴ 不動産賃貸借の先取特権（民法311条１号、312条ないし316条）

不動産賃貸借の先取特権とは、不動産の賃貸借契約により生じた賃貸人の債権を被担保債権として、当事者の合理的な意思に基づき不動産の賃借人の動産に対して成立する先取特権をいいます。この趣旨は、不動産の賃貸人は賃料支払請求権等の債権を被担保債権として、賃借物件内にある動産等を自らの債権の引当てとすることを期待しているため、当該動産に対して先取特権を認め、当該動産から優先弁済を受けることを認めた点にあります。

たとえば、賃貸人Ａから建物の賃借を受けた賃借人Ｂが建物内に動産を備え付けた場合、Ａは、未払いの賃料を回収するために当該動産に対して不動産賃貸借の先取特権を行使して優先弁済を受けることができます。

⑵ 旅館宿泊の先取特権（民法311条２号、317条）

旅館宿泊の先取特権とは、宿泊客が負担する宿泊料および飲食料に関する債権を被担保債権として、その旅館にある宿泊客の手荷物に対して成立する先取特権をいいます。この趣旨は、旅館に持ち込まれた手荷物は、宿泊料や飲食代の担保に充てるのが当事者の合理的意思に適うと考えられることから、債権者（旅館）に対して宿泊客の手荷物に対する先取特権を認め、当該手荷物から優先弁済を受けることを認めた点にあります。

たとえば、旅館業を営む旅館は、宿泊客が宿泊料の支払いをしない場合、代金債権を回収するために旅館に持ち込まれた当該手荷物に対して先取特権を行使して優先弁済を受けることができます。

⑶ 運輸の先取特権（民法311条３号、318条）

運輸の先取特権とは、旅客または荷物の運送費請求権を被担保債権として、運送人の占有する荷物に対して成立する先取特権をいいます。この趣旨は、旅館宿泊の先取特権と同様に運送人の占有する手荷物を運送費の担保に充てるのが当事者の合理的意思に適うと考えられることから、債権者（運送人）に対して運送人の占有する荷物に対する先取特権を認め、当該荷物から優先弁済を受けることを認めた点にあります。

たとえば、運送会社が荷物を運送した場合、当該運送会社は荷物の運送費を回収するために当該荷物に対して先取特権を行使して優先弁済を受けることができます。

⑷ 動産保存の先取特権（民法311条４号、320条）

動産保存の先取特権とは、動産の保存のために要した費用の支払請求権または動産に関する権利の保護、承認もしくは実行のために要した費用の支払請求権を被担保債権として、当該動産に対して成立する先取特権をいいます。この趣旨は、動産を保存したことにより当該動産の価値が維持され、他の一般債権者の利益につながるため、動産を保存した債権者の権利を保護することにより債権者間の実質的平等を図った点にあります。

たとえば、窃取された動産を取り戻すために動産の返還請求訴訟を提起した場合、訴訟を提起した原告は、当該訴訟における裁判手続費用を回収するために当該動産に対して先取特権を行使して優先弁済を受けることができます。

⑸ **動産売買の先取特権**（民法311条５号、321条）

動産売買の先取特権とは、動産の代価の支払請求権およびその利息の支払請求権を被担保債権として、当該動産に対して成立する先取特権をいいます。この趣旨は、動産の所有権は売買に伴い売主から買主に移転しますが、買主から売主に対する売買代金が支払われていない場合に、売主に当該動産の売買代金に対して先取特権を認めることにより、当事者間の公平を図った点にあります。

たとえば、商品を売却した売主は、買主が売買代金債権を支払わない場合には、買主の下にある当該商品に対して先取特権を行使して優先弁済を受けることができます。

⑹ **種苗・肥料供給の先取特権**（民法311条６号、322条）

種苗・肥料供給の先取特権とは、売主が買主に対して種苗・肥料等を売却した場合の種苗・肥料の代価支払請求権およびその利息支払請求権を被担保債権として、種苗または肥料を用いた後１年以内に用いた土地から生じた果実に対して成立する先取特権をいいます。この趣旨は、当事者間の公平を図るとともに、種苗・肥料の供給に関して先取特権を認め優先的に保護することを通じて農業金融の安定化を図った点にあります。

たとえば、種苗の買主が売主から買い取った種苗を用いて農作物を栽培し、種苗の代金の支払いを怠った場合、種苗の売主は、当該農作物に対して先取特権を行使して優先弁済を受けることができます。

⑺ **農業労務の先取特権**（民法311条７号、323条）

農業労務の先取特権とは、農業の労務に従事する者の最後の１年間の賃金に関し、その労務によって生じた果実について成立する先取特権をいいます。この趣旨は、農業労働者の保護を図った点にあります。

たとえば、他人のために農作業を行った農業労働者は、当該農作業によって栽培された農作物に対して先取特権を行使して優先弁済を受けることができます。

⑻ **工業労務の先取特権**（民法311条８号、324条）

工業労務の先取特権とは、工業労務に従事する者の最後の３か月の賃金支払請求権を被担保債権として、その労務によって生じた製作物に対して成立する先取特権をいいます。この趣旨は、工業労働者の保護を図った点にあります。

たとえば、製作物の製作につき労務を提供した労働者は、当該製作物に対して先取特権を行使して優先弁済を受けることができます。

2　不動産の先取特権

⑴ **不動産保存の先取特権**（民法325条１号、326条）

不動産保存の先取特権とは、不動産の保存のために要した費用の支払請求権または不動産に関する権利の保存、承認もしくは実行のために要した費用の支払請求権を被担保債権として、当該不動産に対して成立する先取特権をいいます。この趣旨は、不動産の保存のために費用を支出した者を保護することが公平に適うため、当該不動産に対して先取特権を認めることで債権者間の実質的平等を図った点にあります。

たとえば、不動産の修繕をした者は、不動産の所有者に対する当該修繕費用支払請求権を回収するために当該不動産に対して先取特権を行使して優先弁済を受けることができます。

⑵ 不動産工事の先取特権（民法325条2号、327条）

不動産工事の先取特権とは、工事の設計、施工または監理をする者が債務者の不動産に関して行った工事費用に関する支払請求権を被担保債権として、当該不動産に対して成立する先取特権をいいます。この趣旨は、不動産の工事を行い、当該不動産の価値が工事により増加した場合、工事を実施した者に当該不動産に対して優先的な権利を付与することにより当事者間の実質的平等を図った点にあります。

たとえば、不動産工事を行った者は、当該不動産に関する工事代金支払請求権を回収するため、当該不動産に対して先取特権を行使し優先弁済を受けることができます。

⑶ 不動産売買の先取特権（民法325条3号、328条）

不動産売買の先取特権とは、不動産の代価支払請求権およびその利息支払請求権を被担保債権として、当該不動産に対して成立する先取特権をいいます。この趣旨は、買主から売主に対する売買代金が支払われていない場合に、売主に当該不動産の売買代金に対して先取特権を認めることにより、当事者間の公平を図った点にあります。

たとえば、不動産を売却した売主は、買主が売買代金債権を支払わない場合、買主の下にある当該不動産に対して先取特権を行使して優先弁済を受けることができます。

第5　先取特権の順位

1　同一の目的物の上に複数の先取特権が競合した場合の優劣

同一の目的物の上に複数の先取特権が競合した場合、民法は、以下の順位に従って先取特権の優劣を法定しています（民法306条、329条1項）。

⑴ 特別先取特権

特別先取特権は、一般先取特権に優先します（民法329条2項）。この趣旨は、一般先取特権は債務者の総財産に対して効力が及ぶため、効力を特別の先取特権に劣後させることにより、その効力を制限した点にあります。ただし、一般先取特権のうち共益費用の先取特権は、その利益を受けたすべての債権者に対して優先する効力を有するため、特別先取特権に優先して保護されます。この趣旨は、各債権者の共同の利益のための費用については、特に優先的に保護することが公平に適うため、共益費用の先取特権を先順位に取り扱うこととした点にあります。

⑵ 動産の先取特権

次に、動産の先取特権は、(i)不動産賃貸借、旅館宿泊および運輸の先取特権、(ii)動産保存の先取特権、(iii)動産売買、種苗・肥料供給および農工業労務の先取特権の順で保護されます（民法330条1項)。

たとえば、不動産賃貸借の先取特権と動産売買の先取特権が競合した場合、不動産賃貸借の先取特権が動産売買の先取特権に優先します。

また、動産の買主が売主から動産の引渡しを受けて、当該動産に修繕工事を行った場合、動産保存の先取特権が動産売買の先取特権に優先します。

不動産賃貸借、旅館宿泊および運輸の先取特権を第1順位の先取特権とした趣旨は、他の先取特権が存在した場合でも債権者は他の先取特権の存在を認識することができないため、これらの先取特権を第1順位の先取特権として法定することにより債権者の通常の期待を特に保護しようとした点にあります。

次に、動産保存の先取特権を第2順位の先取特権とした趣旨は、先取特権の対象となる目的物の価値が動産の保存により維持されており、他の債権者も利益を受けているため、債権者間の実質的平等を図る観点から動産保存の先取特権を第2順位の先取特権として保護しようとした点にあります。

目的物が動産の場合の先取特権の優劣

①共益費用の先取特権

∨

特別先取特権──
- ② 不動産賃貸借、旅館宿泊、運輸の先取特権
- ③ 動産保存の先取特権
- ④ 動産売買、種苗・肥料供給、農工業労務の先取特権

∨

一般先取特権──
- ⑤ 雇用関係の先取特権
- ⑥ 葬式費用の先取特権
- ⑦ 日用品供給の先取特権

⑶ 不動産の先取特権

また、不動産の先取特権は、(i)不動産の保存、(ii)不動産の工事、(iii)不動産の売買の順で保護されます（民法331条1項、325条)。

たとえば、Aが当該不動産の外壁の塗装「工事」を行った後、Bが朽廃により倒壊しかけた不動産の柱を補強したことにより不動産を「保存」した場合、Bの

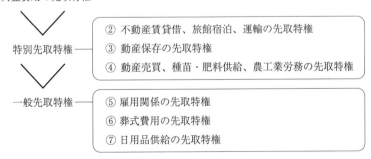

不動産保存の先取特権がＡの不動産工事の先取特権に優先します。

また、Ａが朽廃により倒壊しかけた不動産の柱を補強したことにより不動産を「保存」し、他方Ｃが不動産の所有者であるＢから当該不動産を買い受けた場合、Ａの不動産保存の先取特権がＢの不動産売買の先取特権に優先します。

不動産保存の先取特権を第１順位の先取特権とした趣旨は、不動産保存により、不動産の価値は維持されており、不動産工事の先取特権者を含めて債権者は利益を受けることになるため、不動産保存の先取特権を特に保護した点にあります。

次に、不動産工事の先取特権を第２順位の先取特権とした趣旨は、不動産工事により当該不動産の価値の増加につき不動産売買の先取特権者も利益を受けるため、不動産工事の先取特権を不動産売買の先取特権に優先して保護した点にあります。

目的物が不動産の場合の先取特権の優劣

①共益費用の先取特権

特別先取特権
- ② 不動産保存の先取特権
- ③ 不動産工事の先取特権
- ④ 不動産売買の先取特権

一般先取特権
- ⑤ 雇用関係の先取特権
- ⑥ 葬式費用の先取特権
- ⑦ 日用品供給の先取特権

2　不動産の先取特権と抵当権が競合した場合の優劣

不動産の先取特権と抵当権は、それぞれ対象物が不動産であるため、競合した場合にはその優劣が問題となります。

登記した不動産保存の先取特権と不動産工事の先取特権は、抵当権設定の前後を問わず、抵当権に優先します（民法339条）。この趣旨は、不動産保存や不動産工事に基づき生じた債権は目的不動産を改良するために生じた費用であり、抵当権者もその利益を享受することになるため、これらの先取特権を抵当権に優先して保護した点にあります。

不動産売買の先取特権と抵当権が競合した場合、民法177条に従い登記の具備の先後により順位を決定します（民法340条）。この趣旨は、登記の具備の先後という画一的な基準により優劣を決することにより、同一不動産に関して正当な権利または利益を有する者に不測の損害を被らせないようにした点にあります。

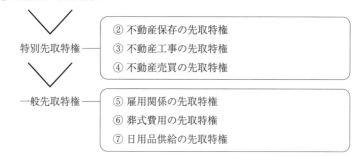

3　一般先取特権と抵当権が競合した場合の優劣

登記された一般先取特権と抵当権が競合した場合、民法177条に従い登記の具備の前後により順位が決定されると解されます。たとえば、抵当権者が登記を具備しなければ先取特権者に対して抵当権の存在を主張できません。また、抵当権者および先取特権者の双方が登記を具備しない場合、先取特権が優先すると解されます。なぜなら、抵当権者は、登記を具備しなければ一般債権者と同等の地位しか有していないのに対し、先取特権者は登記の有無にかかわらず一般債権者に優先するからです（民法336条本文）。

第６　先取特権の効力

1　優先弁済効

先取特権者には優先弁済効が認められており（民法303条）、民事執行法の定める方法に従って先取特権の対象となる物の競売の申立てを行うことができます。

具体的には、先取特権の対象が不動産の場合（一般先取特権または不動産の先取特権の場合）、先取特権者は担保不動産競売または担保不動産収益執行のいずれかの方法により優先弁済を受けることができます（民事執行法180条）。また、先取特権の対象が動産の場合（一般先取特権または動産の先取特権の場合）、先取特権者は動産競売により優先弁済を受けることができます（民事執行法190条）。

2　物上代位

先取特権者は、目的物が滅失・損傷したような場合に目的物の交換価値に対して優先弁済を受ける権利が認められています（民法304条）。このような権利を物上代位権といいます。物上代位権とは、担保権者が、担保目的物の売却・賃貸・滅失または損傷によって債務者が受けるべき金銭その他の物等に対して優先的に弁済を受けることが認められることをいいます（民法304条、350条、372条）。

物上代位権が認められた趣旨は、担保目的物が売却・賃貸・滅失・損傷等によって価値が別の物に変わった場合に、担保物権の効力（優先弁済効）を及ぼすことにより、担保物権者の権利保護を図った点にあります。

特に動産売買の先取特権の場合、先取特権の対象となる動産が第三者に転売されたときに、先取特権者は第三者に追及して動産を競売することは認められていません（追及効の否定）。この趣旨は、動産売買の先取特権は、登記による公示がなされないため、対象となる動産が転売された場合にまで先取特権の効力を及ぼすと転売先の第三者に不測の損害を与えるおそれがあるため追及効を否定した点にあります。

このように動産売買の先取特権では追及効が否定されるため、先取特権者は、転売された動産を差し押さえることはできません。そこで、先取特権の対象となる動産が転売された場合には、「目的物の売却……によって債務者が受けるべき金銭」（民法304条）に対して先取特権に基づく物上代位権を行使することが、債権回収の手段として重要な意義を有しています。

もっとも、先取特権に基づく物上代位権の行使のためには、金銭や動産等の「払渡し又は引渡し」の前に先取特権者は、「差押え」をすることが必要となります（民法304条１項但書）。この場合の物上代位に基づく「差押え」の法的性格をどのように捉えるかという点に関しては以下の見解に分かれます。

⑴ 特定性維持説

この見解は、「差押え」（民法304条１項但書）は、債務者の一般財産への混入を防ぎ、物上代位の対象物を特定するために必要なものであり、第三者からの「差押え」があれば物上代位の対象物は特定されると考える立場です。この見解は、他人が動産等を差し押えた場合でも、物上代位の対象物は特定し、先取特権者は物上代位権を行使できると考えます。この見解によれば、動産や金銭等の「払渡し又は引渡し」の前に先取特権者自らが「差押え」をする必要はないことになります。

⑵ 優先弁済保全説

この見解は、「差押え」（民法304条１項但書）は、自らの先取特権の優先権を保全するために必要なものであり、物上代位権を行使するため先取特権者は金銭、動産等の「払渡し又は引渡し」前に自ら差し押さえることを要すると考える見解です。この見解は、他人が金銭や動産等を差し押さえたとしても、金銭や動産等の「払渡し又は引渡し」前に先取特権者が自ら差押えをしなければ、物上代位権を行使することができなくなると考えます。

⑶ 判 例

判例は、動産売買の先取特権の物上代位について、債務者が破産手続開始決定を受けた後（最判昭和59年２月２日民集38巻３号431頁）や、転売代金債権の差押えを受けた後（最判昭和60年７月19日民集39巻５号1326頁・百選Ⅰ［第８版］82事件）でも先取特権者による物上代位権の行使を認めます。

債務者が破産手続開始決定を受けた場合や転売代金債権の差押えを受けた場合には、未だ代償物が他の財産に混入して特定性を喪失したとはいえず、また第三者が代償物につき排他的支配を有するに至っているとはいえないため、第三者を特に保護する必要は認められません。そのため、これらの場合には「払渡し又は引渡し」（民法304条１項但書）があったとはいえず、判例の立場が妥当であると解されます。

また、判例は、物上代位に基づく差押えの対象となる債権が第三者に譲渡された場合にはその後、物上代位に基づく差押えは認められないとしています（最判平成10年１月30日民集52巻１号１頁・百選Ⅰ［第８版］88事件）。すなわち、判例は抵当権と異なり公示方法のない動産売買の先取特権の場合、民法304条１項但書の差押えの趣旨には、物上代位の目的債権の譲受人等の第三者を保護する趣旨を含むと解し、動産売買先取特権者による物上代位と債権譲渡の優劣につき、第三者に対する対抗要件が備えられた後は目的債権を差し押さえて物上代位権を行使することはできないと判示しました（最判平成17年２月22日民集59巻２号314頁）。

このような場合、第三者が代償物である売買代金債権の譲渡につき対抗要件を備えており排他的な権利を有するに至っており、第三者を保護する必要性が高いこと、債権譲渡は「払渡し又は引渡し」（民法304条１項但書）に該当すると解されることから、判例の立場が妥当であると考えます。

第4章

約定担保論

1　金融取引の基礎

金融取引とは、一定の取引関係において、一方当事者が相手方に対して金銭を融通することをいいます。たとえば、金融機関が中小企業に対して金銭を貸し付ける場合が金融取引の典型例です。

他人から資金調達を受ける場合、融資を受ける者は、借入金については返済期限を定め期限の猶予（信用）を受けて借入れを行うのが一般です。なぜなら、融資を受けた者は、通常、借入金を元手にして原材料を仕入れ、商品を完成させて、これを第三者に販売するという一連の経済活動を通じて、融資金の返済資金を形成するからです。

2　信用と担保

信用の供与とは、金銭を融通する者が、相手方の返済能力と返済意思を信頼して金銭の貸付けを行うことをいいます。

もっとも、相手方の返済意思は、相手方の主観的・内面的な事情であり、相手方が貸付金を返済する意思を有しているかを客観的に把握することは困難です。また、相手方の資産は期間の経過に伴い減少するおそれがあるため、返済期限の時点で相手方が十分な返済能力を有しているとは限りません。

そこで、貸付けを行う者が相手方に信用を供与して貸付けを行う場合、相手方の返済意思や返済能力を担保するために、相手方の所有する資産について担保権の設定を受ける必要があります。相手方の資産について担保権の設定を受けることにより相手方が返済期限に貸付金の返済をしない場合に、担保権を実行して債権回収を図ることが可能となります。

当事者間の合意により成立する担保物権を約定担保物権といいます。約定担保物権の典型例は、質権と抵当権です。

3　直接金融と間接金融

金融取引には、企業が自ら直接資金調達を行う直接金融と他の第三者から資金の融通（貸付）を受ける間接金融があります。

たとえば、企業が不特定多数の第三者に対して出資を募り、出資者（株主となることを希望する者）から直接出資金を調達する場合が直接金融の典型例です。また、金融機関から融資を受け資金を調達する場合が間接金融の典型例です。わが国では、1980年代半ば頃までは、メインバンクを中心とした間接金融が中心でしたが、1980年代半ば以降は、直接金融によって資金調達を図る方法も増加しています。

第５章

質 権

第1　質 権

1　質権の意義

質権とは、債務者または第三者から受け取った担保の目的物を占有し、債権者は弁済があるまでこの目的物を留置して、間接的に弁済を強制するとともに、弁済がない場合にはその目的物について他の債権者に優先して弁済を受けることができる権利をいいます（民法342条）。質権は、目的物の占有を債権者に移転することにより設定する点に特色があり、質権の成立要件として目的物を債権者に引き渡すことが必要になります。

質権には留置的効力および優先弁済効が認められます。留置的効力とは、被担保債権の弁済があるまで担保の目的物を留置することにより、債務者を心理的に圧迫して間接的に弁済を強制する効力をいいます。また、優先弁済効とは、債務者が任意に弁済をしない場合に、目的物を売却して優先的に弁済を受けられる効力をいいます。

たとえば、ＡがＢから金銭を借りる際に、Ａの時計に質権を設定して、Ｂに引き渡すことが考えられます。ＢはＡが金銭を返還するまでその時計を手元に留置し、Ａに対して金銭を返済するように促すことができます。また、Ａが金銭を返還しない場合には当該時計を競売することにより、その売却代金から優先的に弁済を受けることができます。時計のような動産のほか、不動産や債権その他の財産権（民法362条）も質権の対象とすることができます。

2　質権の客体

抵当権の目的物が不動産の所有権、地上権、永小作権に限られるのに対して、質権は動産や不動産、債権その他の財産権を担保の対象とすることができます（民法362条）。

抵当権の場合には目的物が抵当権設定者の下に留保されるため、抵当権が設定されているか否かは外部から必ずしも明らかではありません。そこで、第三者に対して抵当権を公示する必要があるために、抵当権は原則として登記制度の整備された不動産を対象とします。

これに対して、質権の場合には目的物の占有が債権者に移転し、債権者の占有により質権の存在が公示されることとなるため、目的物を制限する必要がないといえます。そこで、質権は不動産のほか動産や債権その他の財産権を対象とすることができます。質権は、質権の対象となる目的物によって、動産質、不動産質、権利質に区別されます。

もっとも、担保権を設定した後も設定者が目的物を引き続き利用したいというニーズは大きく、質権設定者から質権者に目的物の占有が移転し、質権者が目的物を占有するという特色を有する質権は不便であるといえます。そこで、実務上は動産に関しては譲渡担保、不動産に関しては抵当権が多く利用され、質権はあまり利用されていません。これに対して、債権その他の財産権（たとえば株式や社債等）に対する質権（権利質）は、質権者の占有による不都合が生じないため比較的よく利用されています。

第2　動産質

1　動産質権の設定

(1) 動産質権の設定契約

① 意 義

動産質権とは、動産を目的とする質権をいいます。動産質権は約定担保物権であり、質権者（債権者）と質権設定者（債務者または第三者）の間における質権設定契約によって設定します。ここでいう「第三者」とは、債務者に代わって自己が所有する目的物に質権を設定する者であり、物上保証人といいます。

② 効力発生要件

質権設定契約は要物契約であり、当事者の意思表示のみでは効力が生じず、質権設定者が債権者に対して目的物を引き渡すことにより効力が生じます（民法344条）。この引渡しは簡易の引渡し（民法182条2項）、指図による占有移転（民法184条）を含みますが、占有改定（民法183条）を含みません（民法345条）。占有改定とは、目的物の占有者が目的物を手元に置いたまま占有を第三者に移転することをいいます。したがって、質権設定者が質権の目的物を占有したまま質権を設定することはできないことになります。

占有改定による質権の設定を認めず、厳格な「引渡し」を効力発生要件とする趣旨は、かつては、質権の存在を明確にするという公示の目的を徹底する点にあると説明されていました。もっとも、不動産質権の場合には質権の存在は登記により公示されるため、厳格な「引渡し」を効力発生要件とする必要は低いといえます。また、動産質権には登記制度はありませんが、質権よりも強い権利である所有権についても占有改定により第三者に対抗できる（民法178条）ことからすれば、質権の公示方法にのみ占有改定を認めない意義は小さいといえます。そこで、現在では、占有改定による「引渡し」を認めない民法345条の趣旨は、質権の留置的効力を確保する点にあるという見解が有力に主張されています。

③ 効力存続要件

いったん質権が有効に成立した後、質権者が質権設定者に対して任意に目的物を返還した場合に質権の効力が存続するか、すなわち質権者による目的物の占有が質権の効力存続要件であるかが問題となります。この点は、占有改定による質権の設定を認めない趣旨について、公示の目的を徹底する点と質権の留置的効力を確保するという点のいずれを強調するかという点に関わります。民法345条の趣旨が質権の公示の目的を徹底する点にあると考えた場合、目的物の占有は必ずしも重要な要素ではないため、質権者が質権設定者に対して任意に目的物を返還した場合でも質権は消滅せず、質権の対抗力が失われるにすぎないと解することとなります。これに対して、民法345条の趣旨が質権の留置的効力を確保する点にあると考えた場合、質権者が質権設定者に目的物を任意に返還したときは、もはや質権の留置的効力が認められなくなるため、質権は消滅すると解することとなります。

判例は、不動産質権の事案で、不動産の質権者が目的物の引渡しを受けて質権の設定を受け登記した後に、質権設定者に返還した場合には質権は消滅しないとしている（大判大正５年12月25日民録22輯2509頁）ことから、前者の立場をとったものと考えられます。

⑵ 動産質権の目的物

質権を設定する場合、質権設定者が所有するすべての動産が目的物となりうるのが原則です。ただし、法律上譲渡が禁止されている物（麻薬等の禁制品）に質権を設定することはできません（民法343条）。また、特別法で質権の設定を禁止している場合があります。たとえば、登録済みの自動車（自動車抵当法20条）や船舶（商法850条、851条）、航空機（航空機抵当法23条）、既登記の建設機械（建設機械抵当法25条）に質権を設定することはできません。これらの動産には登記・登録制度が用意され、抵当権を設定することが認められているため、抵当権を活用すべきといえるからです。

⑶ 動産質権の対抗要件

動産質権の対抗要件は、目的物の占有の継続です（民法352条）。同一の目的物に複数の質権が設定された場合、その順位は質権設定の前後によって決定します（民法355条）。

2　動産質権の効力

⑴ 質権の効力が及ぶ範囲

質権の効力は主たる動産のほか、これに付合した物にも及びます（民法243条）。また、主たる動産とともに質権設定者が質権者に従物を引き渡した場合には、質権の効力は従物にも及びます（民法87条２項）。

⑵ 使用・収益権の否定

動産質権の場合、動産質権者は、原則として目的物を使用・収益することはできません。したがって、目的物の保存に必要な場合を除いて、質権設定者の承諾を得ない限り、目的物を使用したり、賃貸することはできません（民法350条、298条2項）。これに違反した場合には、質権設定者は質権の消滅を請求することができます（民法350条、298条3項）。

質権者の合理的意思は、被担保債権が弁済された場合には当初の品質のまま質権設定者に目的物を返還することにあるのが通常です。仮に質権者に動産質権の目的物の使用・収益を認めた場合には目的物が消耗し、当初の品質を失うおそれがあります。このような観点から、動産質権者の使用・収益権を原則として否定しています。

もっとも、質権者は目的物の果実を優先的に収取することにより優先弁済を受けることができます（民法350条、297条）。この趣旨は、金銭以外の果実は競売により換価するのが原則であるところ、簡便な方法として弁済への充当を認めた点にあります。

⑶ 被担保債権の範囲

動産質権の場合、元本、利息、違約金、質権実行の費用、質物保存の費用、債務不履行または質物の隠れた瑕疵によって生じた損害賠償請求権が被担保債権となります（民法346条本文）。ただし、当事者が質権設定契約で特約を定めた場合には、被担保債権の範囲はこれに従うこととなります（民法346条但書）。契約で被担保債権の範囲を自由に定めることを認めた趣旨は、質権の成立要件として引渡しが要求されるため、同一物の上に多数の質権が成立する可能性は小さく、後順位質権者を保護する必要性が高くないという点にあります。

⑷ 物上代位

質権には物上代位が認められ、質権の目的物が売却、賃貸、滅失または損傷したことにより質権設定者が受けるべき金銭その他の物に対しても行使することができます（民法350条、304条）。ただし、どのような場面で動産質権について物上代位が問題となるかは、具体的に検討する必要があります。

まず、動産質権の目的物は質権者が占有するため、質権設定者により目的物が売却されることは通常ありません。仮に売却されたとしても、質権者は留置的効力により優先弁済を受けることが可能であるため、売却代金を差し押さえて物上代位権を行使する必要はないといえます。

また、賃料についても同様であり、質権者が占有する目的物を質権設定者が第三者に賃貸することは通常ありえず、仮に賃貸したとしても質権者は果実について優先弁済権を有するため、賃料を差し押さえて物上代位をする必要はありません。

したがって、動産質権について物上代位が意義を有するのは、質権の目的物が滅失または損傷した場合がほとんどであると考えられます。たとえば、第三者が質権の目的物を壊した場合、質権設定者の第三者に対する損害賠償請求権は、物上代位の対象となります。

(5) 留置的効力

質権者は、被担保債権全額の弁済を受けるまで目的物を留置することができます（民法347条本文）。ただし、動産質権者は、質権に優先する権利を有する債権者、すなわち先順位質権者（民法355条）、動産質権者に優先する動産先取特権者（民法334条、330条２項）には、留置的効力を対抗することはできません（民法347条但書）。したがって、これらの債権者が質権の目的物について競売を申し立てた場合には、動産質権者はこれを拒絶することはできません（民事執行法190条参照）。

(6) 動産質権者の義務

動産質権者は、善良な管理者の注意義務をもって目的物を保管する義務を負います（民法350条、298条１項）。質権設定者の承諾がない限り、目的物を使用したり、賃貸することや、担保に供することはできません（民法350条、298条２項）。

被担保債権の弁済やその他の事由により質権が消滅した場合には、質権者は質権設定者に対して目的物を返還する義務を負います。

3　優先弁済の実現

(1) 実現方法

被担保債権の弁済期が到来しても質権設定者が質権者に対して弁済しない場合には、質権者は、質権者または他の債権者が申し立てる競売によって、目的物から優先弁済を受けることができます（民事執行法190条、133条）。競売とは、債務者が負う金銭債務の弁済のため、債務者が所有する目的物を強制的に売却し、その代金を債務の弁済に充てることをいいます。

もっとも、競売を申し立てる場合には申立手数料等の費用が必要となります。動産質権の場合、目的物が廉価である場合が多く、競売手続を経なければ優先弁済権を実現できないとすれば費用倒れとなるおそれがあり、質権者にとって酷な結果を招くこととなります。そこで、質権者は正当な理由がある場合には、鑑定人の評価に従って目的物を直接弁済に充当することを裁判所に請求することができます（民法354条前段）。これを簡易な弁済充当といいます。この方法により優先弁済を実現する場合は、質権設定者の利益を害するおそれが大きいため、あらかじめ債務者にその旨を通知する必要があります（民法354条後段）。

(2) 流質契約の禁止

流質契約とは、債務者の債権者に対する債務が不履行となった場合に、質物の所有権を債務の弁済に充てる、または、質権者が法定の手続によらずに質権を実行し質権者が直ちに質物の所有権を取得することを質権者と質権設定者の間で約束することをいいます。

民法は、弁済期到来前に流質契約を締結することを禁止しています（民法349条）。この趣旨は、債務者の窮状に乗じて債権者が暴利を得ることを防止する点にあります。たとえば、100万円の金銭を借り入れた際に、500万円相当の宝石を質入れした場合に、「弁済期までに返済できなかった場合は、宝石の所有権を質権者に移転する」という流質契約を締結したときには、弁済期までに100万円を返済できなかった時点で、500万円相当の宝石の所有権は直ちに債権者（質権者）に移転し、債務者に不合理な結果が生じることとなります。したがって、流質契約の禁止は強行法規であり、これに反する契約は無効となります。

4　動産質権の消滅

動産質権は、物権一般の消滅原因である目的物の滅失、混同、質権の放棄によって消滅します。また、担保物権一般の消滅原因である被担保債権の消滅によって、動産質権は消滅します（付従性）。この場合、不可分性により被担保債権全額の弁済を受けるまで、目的物全部について質権は消滅しません（民法350条、296条）。

第3　不動産質

1　不動産質の意義

不動産質権とは、不動産を目的とする質権をいいます。不動産質権は、質権者が目的物を使用・収益することができるという特徴を有します（民法356条）。不動産質は動産質とは異なる制度であり、明治以前には不動産担保の一般的な形態として用いられていました。

もっとも、現代では不動産質が利用されることはほとんどありません。金融機関等の債権者が質権設定者から不動産の引渡しを受けて、自ら管理して使用・収益をするのは困難であり、むしろ債権者としては質権設定者が管理し、その収益から債務の弁済を受けられれば足りるといえるからです。

2　不動産質権の設定

(1) 不動産質権の設定契約

不動産質権は、質権者（債権者）と質権設定者（債務者または第三者）の間の質権設定契約および目的物の引渡しによって設定します。

質権者が質権設定者に任意に目的不動産を返還した場合、動産質と同様に質権が消滅するかが問題となります。判例は、質権の設定後に質権者が質権設定者に対して目的不動産を任意に返還したとしても、質権は消滅しないという見解をとっています（大判大正5年12月25日民録22輯2509頁）。

⑵ 対抗要件

不動産質権の対抗要件は動産質権の場合とは異なり、登記が対抗要件となります（民法177条）。登記では被担保債権の内容等を明示します。ただし、目的不動産の引渡しが不動産質権の効力発生要件であるため、不動産質権の登記をした場合でも、目的不動産の引渡しがない場合は質権は成立しません（大判明治42年11月8日民録15輯867頁）。

⑶ 存続期間

不動産質権の存続期間は、10年を超えることができません。仮に質権設定契約で10年より長い期間を定めた場合は、その期間は10年に短縮します（民法360条1項）。この期間を更新することができますが、更新の時から10年を超えることはできません（民法360条2項）。この趣旨は、長期にわたって他人の不動産を占有し、その不動産の効用を損なうことを防ぐ点にあります。

3　不動産質権の効力

⑴ 使用・収益権

不動産質権者は、特約を定めた場合や担保不動産の収益執行がなされた場合を除いて、目的不動産を使用・収益することができます（民法356条、359条）。

⑵ 質権の効力が及ぶ範囲

不動産質権には抵当権の規定が準用され、不動産質権の効力は目的不動産の従物（建物内の畳、建具、エアコン等）にも及びます（民法361条、370条）。また、不動産質権の場合は質権者は使用・収益権を有し、質権の効力はその果実にも及びます。

⑶ 被担保債権の範囲

動産質権と同様、不動産質権についても被担保債権の範囲について定めた民法346条が適用され、元本、利息、違約金、質権実行の費用、質物保存の費用、債務不履行または質物の隠れた瑕疵によって生じた損害賠償請求権が被担保債権となります。ただし、使用・収益する価値と利息は対等の価値を有するとみなされるため、特約がない限り利息を請求することはできません（民法358条、359条）。

⑷ 物上代位

不動産質権には物上代位が認められています（民法350条、304条）。しかし、不動産質権には使用・収益権が認められ、目的不動産を賃貸して、賃料を直接収取することが可能です。そのため、賃料債権に対する物上代位を論じる意義は小さいといえます。

⑸ 不動産質権者の義務

不動産質権者は、善良な管理者の注意をもって目的物を保管する義務を負います（民法350条、298条1項）。また、不動産質権者は目的物を使用・収益する権利を有するため、特約で定めた場合や不動産の収益執行がなされた場合を除いて、不動産の管理費用や公租公課等を負担する義務を負います（民法357条、359条）。

4　優先弁済の実現

(1) 実現方法

不動産質権には抵当権の規定が準用されます（民法361条）。そこで、被担保債権の弁済期が到来しても質権設定者が質権者に対して弁済しない場合、不動産質権者は、競売により目的物から優先弁済を受けることができます（民事執行法181条）。動産質権の場合とは異なり、簡易の弁済充当（民法354条前段）によることはできません。すなわち、不動産質権者は債権の弁済を受けないときでも、目的不動産を直接弁済に充当することはできません。

(2) 流質契約の禁止

動産質権の場合と同様、流質契約は禁止され（民法349条）、これに反する契約は無効となります。債務者の窮状に乗じて債権者が暴利を得ることを防止するためです。

5　不動産質権の消滅

不動産質権は、動産質権と同様の原因によって消滅します。具体的には、物権一般の消滅原因である目的物の滅失、混同、質権の放棄によって消滅します。また、担保物権一般の消滅原因である被担保債権の消滅によって、不動産質権は消滅します。その他、抵当権の規定が準用されるため、第三取得者による代価弁済および質権消滅請求によって消滅することがあります（民法361条、378条、379条）。

第4　権利質

1　権利質の意義

権利質とは、動産や不動産以外の財産権を目的とする質権をいいます。質権は、債権や株券、特許といった無体財産権等、様々な財産権の上に設定することができます。権利質の中でも重要な意義を有するのが債権を目的とする債権質です。そこで、以下では債権質を中心に説明します。

2　債権質の設定

(1) 債権質の設定契約

債権質は、動産質権や不動産質権と同様、質権者（債権者）と質権設定者（債務者または第三者）の間の質権設定契約によって設定します。

また、債権は有体物ではないため、効力要件として物の引渡しが問題とならないのが原則です。ただし、債権の中には、譲渡をするために証書の交付等が要求されるものがあります。改正後の民法は、このような債権を有価証券として整理したうえで（民法520条の2以下）、質権を設定する場合の効力発生について、下記の定めを設けています。

指図証券を目的とする質権の設定は、その証券に譲渡の裏書をして質権者に交付することが効力要件となります（民法520条の７、520条の２）。指図証券とは、証券上指名された者またはその者が証券上の記載によって指名した者（当該指名された者がさらに指名した者を含む）を権利者とする有価証券をいいます（一問一答212頁）。指図証券の例として、約束手形、為替手形、記名式小切手等があります。

記名式所持人払証券および無記名証券を目的とする質権の設定は、質権者に証券を交付することが効力要件となります（記名式所持人払証券につき、民法520条の17、520条の13、無記名証券につき、520条の20、520条の17、520条の13）。記名式所持人払証券とは、債権者を指名する記載がされている証券であって、その所持人に弁済すべき旨が付記されているものをいいます（民法520条の13）。記名式所持人払証券の例として、記名式持参人払小切手等があります。また、無記名証券とは、証券上特定の権利者を指名する記載がされておらず、その所持人が権利者としての資格を持つ有価証券をいいます（一問一答212頁）。無記名証券の例として、乗車券、入場券、商品券、無記名式小切手等があります。

その他の記名証券を目的とする質権は、債権質一般の方式により効力が発生します（民法520条の19第１項）。その他の記名証券とは、債権者を指名する記載がされている証券であって、指図証券および記名式所持人払証券以外のものをいいます（民法520条の19第１項）。その他の記名証券の例として、裏書禁止小切手等があります。

⑵ 債権質の客体

債権質の客体となる債権は譲渡可能なものである必要があります。なぜなら、質権を実行する場合、質権の目的となる債権は第三者に移転することとなるためです。債権は一般に譲渡性を有するため（民法466条１項）、質権の目的となるのが原則です。ただし、譲渡性のない債権や法律で譲渡が禁止されている債権、譲渡制限特約が付された債権（民法466条２項）は、質権の客体となりません（民法343条）。

⑶ 対抗要件

① 一般の債権を目的とする質権の対抗要件

一般の債権（有価証券以外の債権）を目的とする質権の対抗要件は、債権譲渡の場合と同様です（民法364条）。

したがって、質権設定者の第三債務者に対する質権設定の通知または第三債務者の承諾が、第三債務者に対する対抗要件となります（民法467条１項）。また、確定日付のある証書による質権設定者の第三債務者に対する質権設定の通知または第三債務者の承諾が、第三債務者以外の第三者に対する対抗要件となります（民法467条２項）。

② 有価証券を目的とする質権の対抗要件

改正後の民法は、有価証券に関する規定（民法520条の2以下）を設けたうえで、上記のとおり、有価証券を目的として質権を設定する場合の効力要件を規定しています。改正後の民法の下では、有価証券を目的とする質権の対抗要件は以下のとおりとなります。

ア　指図証券を目的とする質権の対抗要件

指図証券を目的とする質権の設定は、その証券に譲渡の裏書をして質権者に交付することが、第三者に対する対抗要件となります（民法520条の7、520条の2）。

イ　記名式所持人払証券および無記名証券を目的とする質権の対抗要件

記名式所持人払証券および無記名証券を目的とする質権の設定は、質権者に証券を交付することが、第三者に対する対抗要件となります（記名式所持人払証券につき、民法520条の17、520条の13、無記名証券につき、520条の20、520条の17、520条の13）。

ウ　その他の記名証券を目的とする質権の対抗要件

その他の記名証券を目的とする質権は、一般の債権と同様の方式で対抗要件を備えることになります（民法520条の19第1項）。

3　債権質の効力

⑴ 質権の効力が及ぶ範囲

債権質の効力は、元本債権のほかに利息債権に及ぶと解されています（民法87条2項の類推適用）。利息債権は元本債権に従属するといえるためです。したがって、質権者は、直接利息を取り立てて優先弁済に充てることができます（民法366条、350条、297条）。目的債権が保証債務や担保物権で担保されている場合、随伴性により債権質の効力はこれらに及びます。

⑵ 被担保債権の範囲

債権質についても、動産質や不動産質と同様、被担保債権の範囲について定めた民法346条が適用されます。具体的には、元本、利息、違約金、質権実行の費用、質権保存の費用、債務不履行または質物の隠れた瑕疵によって生じた損害賠償請求権が被担保債権となります。

⑶ 物上代位

債権質には物上代位が認められます（民法350条、304条）。もっとも、債権質の目的物は有体物ではないため滅失は問題となりえず、目的債権が譲渡されても追及効を有するため、物上代位が問題となるのは手形債権が質権の目的とされている場合に第三者がその証券を滅失したときの損害賠償債権等、限定的な場面に限られるといえます。

⑷ 留置的効力

債権質の目的物は有体物ではなく留置することを観念できないため、留置的効力は認められません。ただし、証書が発行される証券債権の場合は、証書を留置することによって弁済を促すことが可能となります。

⑸ 債権質権者の義務

債権質の質権の目的物は有体物ではないため、動産質や不動産質とは異なり、目的物を保管する義務を観念できないこととなります。ただし、債権質権者が証書の交付を受けた場合はこれを保管する義務を負います。また、被担保債権の弁済により質権が消滅した場合は証書を返還する義務を負います。

4　債権質の設定による拘束

⑴ 債権質設定者に対する拘束

債権質を設定した場合、質権設定者は質権者に対し、債権の担保価値を維持すべき義務を負い、債権の放棄、免除、相殺、更改等、債権の担保価値を害することは同義務に違反します（最判平成18年12月21日民集60巻10号3964頁・百選Ⅰ［第8版］83事件）。

したがって、質権設定者がこれらの債権を消滅・変更する行為を行っても、質権者に対抗することはできないと解されています。

⑵ 第三債務者に対する拘束

第三債務者とは、質権の目的となった債権の債務者をいいます。たとえば、質権設定者Ａが質権者Ｂとの間で、ＡのＣに対する売買代金債権について質権を設定した場合、Ｃが第三債務者となります。

第三債務者は、民法481条の類推適用により、債権質を設定した債権につき、原則として消滅、変更させない義務を負うと解されます。第三債務者は、質権を設定する際に通知を受けているか、質権設定を承諾しているため、かかる義務を負わせても酷ではないといえ、第三債務者が自由に質権の目的となった債権を消滅させることができるとすれば、質権者の地位が害されるためです。

したがって、第三債務者が質権設定者に対して弁済をしてもその効力を質権者に対抗することはできません。また、債権質設定後に取得した質権設定者に対する債権を自働債権とし、債権質の目的債権を受働債権として相殺することはできません。

もっとも、質権者が質権を実行するまで、第三債務者が債務を履行できないとすれば、第三債務者は不安定な地位に置かれることとなります。そこで、第三債務者は、弁済の目的物を供託することにより債務を免れることができると解されています（民法494条1項2号）。

5　優先弁済の実現

債権質の優先弁済を実現する方法として、債権質権者は、質権の目的となった債権を直接取り立てる方法（民法366条1項）と民事執行法に基づく執行の方法（民事執行法193条）によることができます。

⑴ 債権の直接取立て

質権の目的となった債権が金銭債権の場合には、質権者は、被担保債権に対応する範囲を限度として、第三債務者に直接目的債権の取立てを行い、自己の債権の弁済に充当することができます（民法366条1項、2項）。目的債権の弁済期が被担保債権の弁済期より前に到来したときは、質権者は第三債務者に対して弁済金額を供託することを請求できます。この場合、供託金返還請求権について質権が存続することとなります（民法366条3項）。

質権の目的となった債権が金銭債権でない場合、質権者は、被担保債権の弁済期が到来しなくても債権を取り立てることができ、質権は第三債務者から引き渡された物の上に動産質や不動産質として存続することとなります（民法366条4項）。

たとえば、質権設定者Ａが質権者ＢのＡに対する貸金債権を担保するために、ＡのＣに対する土地引渡請求権に質権を設定した場合、ＢはＣに対して当該土地を引き渡すように請求することができ、質権は当該土地の上に存続し、Ｂは不動産質権を取得します。

⑵ 民事執行法に基づく執行

質権者は、民事執行法に基づいて目的債権につき担保権の実行手続を行うことができます（民事執行法193条）。

⑶ 流質契約の禁止

債権質の場合も流質契約の禁止規定が適用されます（民法362条2項、349条）。債務者が債務と比較して高額の債権を質入れする場合がありうることから、流質契約の禁止の趣旨が妥当するためです。

6　債権質の消滅

債権質は、動産質・不動産質の場合と同様、目的債権が消滅した場合や、被担保債権が消滅した場合に消滅します。

第5　転 質

1　転質の意義

転質とは、質権者が質権の目的物（質物）にさらに質権を設定することをいいます。たとえば、ＡがＢから100万円を借り入れる際に、その担保としてＡ所有の時計に質権を設定した場合に、ＢがＣから80万円を借り入れるために、その担保としてＡから預かった時計にさらにＣのために質権を設定する場合です。この場合のＢのＡに対する質権を原質権といい、ＣのＢに対する質権を転質権といいます。また、Ａを原質権設定者、Ｂを原質権者または転質権設定者、Ｃを転質権者といいます。

転質には質権設定者の承諾を得て行う承諾転質と質権設定者の承諾なしに質権者が自己の責任で行う責任転質があります。

民法は、「質権者は、その権利の存続期間内において、自己の責任で、質物について、転質をすることができる」と定めています（民法348条）。原質権設定者の承諾を得てなされる承諾転質が認められるのは当然であるため（民法350条、298条2項）、民法348条は責任転質を認める趣旨で規定されたものと解されています（大決大正14年7月14日刑集4巻484頁）。

2　責任転質

(1) 責任転質の法的構成

責任転質をどのように解するかについて議論がなされており、大きく2つの見解が主張されています。質権とともに被担保債権を質入れするという見解（共同質入説）と被担保債権とは切り離された質物そのものを再度質入れするという見解（単独質入説）です。

共同質入説は、質権の付従性を根拠として、質権とともに被担保債権が質入れされると主張します。しかし、被担保債権の上に質権を設定すれば、担保物権の随伴性により原質権は被担保債権上の質権により拘束されるといえ、責任転質について共同質入説を採用した場合には民法348条を特別に定める必要はないといえます。

そこで、民法が転質権を民法348条で特別に規定する以上、単独質入説を採用すべきと解されます。判例（前掲大決大正14年7月14日）および学説の多くはこの見解をとっています。

(2) 責任転質の設定

責任転質は、原質権者と転質権者との合意と質物の引渡しによって設定することとなります。

また、責任転質は、原質権の設定者の承諾を得ることなく原質権者が行うものであり、原質権の設定者がこれによって損害を被らないようにする必要があります。そこで、かつては転質権の被担保債権額や存続期間が原質権の被担保債権額や存続期間を超過しないことが転質権の成立要件であると解されていました。

もっとも、転質権の被担保債権額が原質権の被担保債権額を超過する場合は、転質権者は原質権の被担保債権額の範囲でのみ優先弁済を受けられると解すればよく、現在の学説は、転質権の被担保債権額が原質権の被担保債権額の範囲内であることは転質権の成立要件ではないと解しています。また、原質権の設定者は、転質権の被担保債権の弁済期が到来しなくとも、原質権の被担保債権の弁済期が到来したときには原質権の被担保債権額を供託して原質権を消滅させることができ、その結果転質権が消滅し、転質権者は供託金請求権の上に質権（債権質）を存続させることができます（民法366条3項）。そのため、現在の学説は、転質権の弁済期が原質権の弁済期よりも前に到来することも、転質権の成立要件ではないと解しています。

⑶ 責任転質の効果

転質を設定した原質権者は、転質をしなければ生じなかったはずの損失については、たとえ不可抗力によるものでも所有者に対してその責任を負います（民法348条後段）。この趣旨は、原質権の設定者の承諾を得ることなく転質をすることとの均衡から、原質権者の責任を加重した点にあります。

また、転質権は原質権を基礎とするものであり、原質権が消滅した場合は消滅します。そこで、原質権者（転質権設定者）は、原質権やその被担保債権を消滅させない義務を負い、転質権者の承諾なく原質権を実行・放棄したり、原質権の被担保債権について弁済を受けることはできません。

原質権の設定者は、転質権の設定により拘束を受け、原質権者（転質権設定者）に対して債務の弁済をすることはできず、弁済を転質権者に対抗できないと解されています。ただし、責任転質は原質権の設定者の承諾なくなされるものであるため、原質権の設定者が転質権の存在を知らずに原質権の被担保債権の弁済をしてしまうおそれがあります。そこで、原質権の設定者が不測の損害を受けることのないように、転質権の設定を原質権の設定者に対抗するためには、原質権の設定者への通知または原質権の設定者の承諾が必要となると解されています。

⑷ 責任転質の実行

転質権者が責任転質を実行するためには、転質権の被担保債権の弁済期が到来するのみならず、原質権の被担保債権の弁済期が到来している必要があります。なぜなら、転質権者は、原質権者の権利の範囲内で、質物についての権利を取得するにすぎないためです。

転質権者が転質権を実行した場合、売却代金はまず転質権者の優先弁済に充当され、残余がある場合は原質権者の優先弁済に充てられることになります。

3　承諾転質

承諾転質とは、質権者が質権設定者の承諾を得て質権を設定することをいいます。承諾転質は質権設定者の承諾の下に新たに質権を設定するものであり、原質権から独立した権利であるといえます。したがって、承諾転質は、責任転質とは異なり原質権の被担保債権額や原質権の存続期間による制限を受けず、承諾転質の具体的な内容は合意によって定まり、転質権者に授与された権限によることとなります。

第6章

抵当権

第1　抵当権の意義

抵当権とは、債権者が債務者に対して有する債権を担保するため、債務者または第三者（以下「抵当権設定者」といいます）との間で抵当権設定契約に基づき設定する担保権をいいます。

抵当権は、抵当権設定者と抵当権者との間の約定により成立する約定担保物権である点で質権と共通します。もっとも、質権は、担保目的物を質権者に移転することが必要となる占有移転型の担保権であるのに対して、抵当権は、担保目的物の占有を抵当権者に移転する必要のない非占有担保権（民法369条）です。したがって、抵当権設定者は、担保目的物の占有を移すことなく担保目的物を担保に供することができるため、抵当権を設定した後も担保目的物を継続的に使用・収益することが可能です。

たとえば、抵当権設定者は会社の本社建物に対して抵当権を設定したうえで、当該建物の使用・収益を継続しながら、金融機関から金銭の借入れをすることが可能となります。

第2　抵当権の対象

1　原 則

抵当権の目的物は、不動産の所有権、地上権、永小作権に限定されます（民法369条）。この趣旨は、抵当権は、外形上占有の移転を伴わないため、占有移転の有無により担保権設定の有無を判断することができないことから、登記制度の完備した不動産の所有権、地上権、永小作権のみを対象とすることを通じて新たに利害関係を有することになる第三者の利益を保護しようとした点にあります。

2　例 外

登記・登録制度のある物（動産・不動産）については、登記・登録制度により抵当権設定の事実が第三者にとって明らかとなるため、新たに利害関係を有することになる第三者の取引の安全を害するおそれは低くなります。そこで、登記・登録制度のある物（動産・不動産）については、以下のとおり特別法により抵当権設定が認められています。

⑴ **動産抵当**

自動車抵当法（昭和26年6月1日法律第187号）は、登録制度の完備した自動車を抵当権の対象としています。次に、航空機抵当法（昭和28年7月20日法律第66号）は、登録制度の完備した航空機を抵当権の対象としています。

また、商法848条は、登記制度の完備した船舶について、抵当権の対象としています。さらに、農業動産信用法（昭和8年3月29日法律第30号）は、登記制度の完備した農業用の動産について、抵当権の対象としています。

このように自動車、航空機、船舶、農業用の動産等の動産は、登記・登録制度が完備しているため、特別法により抵当権を設定することが認められています。

⑵ **立木抵当**

「立木ニ関スル法律」（明治42年4月5日法律第22号）は、樹木の集団を登記することにより、これを独立した不動産とみなしています（立木ニ関スル法律1条、2条1項）。

⑶ **工場抵当**

工場抵当法（明治38年3月13日法律第54号）は、工場の所有者が工場に属する土地または建物に抵当権を設定した場合、担保目的物である土地および建物の付加一体物だけではなく、別段の定めがない限り、土地および建物に備え付けられた機械・器具その他工場の用に供する物に抵当権の効力が及ぶこととしています（工場抵当法2条）。もっとも、工場抵当法3条は、抵当権の目的となる工場供用物件については、第三者に対抗するために別途登記事項としています。そのため、工場供用物件について第三者に抵当権を対抗するためには、当事者の提供する情報により別途目録を作成する必要があります。

⑷ **財団抵当**

工場抵当法、鉄道抵当法、鉱業抵当法、運河法等は、企業経営のための土地・建物・機械その他の物的設備、工業所有権、賃借権等の権利を一括して財団として、これに抵当権を設定することを認めています。この趣旨は、企業が生産活動をするのに必要な設備や権利等に対して一括して抵当権を設定することにより金融機関から円滑に資金提供を受けることを可能とした点にあります。

⑸ **企業担保**

上記の財団抵当の場合、財団を組成する物件を財団目録に記載する必要があり、手続的な負担が大きいとの批判がありました。そこで、企業担保法（昭和33年4月30日法律第106号）は、財団抵当における事務手続の負担を軽減する観点から株式会社が発行する社債を担保するために、企業を構成する総財産を一体として担保の目的とすることを認めています（企業担保法1条）。もっとも、企業担保法は、個々の財産に対する公示機能が十分でないため、個々の財産に対する追及効が認められず、先取特権、質権、抵当権に劣後します（企業担保法7条）。この趣旨は、企業担保法の公示機能が十分でないため、他の先取特権者、質権者、抵当権者の利益の保護を図った点にあります。

第3　抵当権の設定

1　抵当権設定契約

抵当権は、抵当権者と抵当権設定者との間で締結する抵当権設定契約により成立します（民法369条）。

抵当権設定契約は諾成契約であり、抵当権者と抵当権設定者との間の意思表示が合致することにより抵当権は成立します。

2　対抗要件

(1) 登記事項

抵当権者が抵当権の存在を第三者に対抗するためには抵当権設定につき登記を具備する必要があります（民法177条）。たとえば、Aが金融機関Bから貸付けを受けるにあたり、A所有の不動産に抵当権を設定し、これを第三者に対して主張する場合、AB間の抵当権設定契約を締結するのみでは足りず、抵当権設定の事実を登記する必要があります。この登記を抵当権設定登記といいます。Bが抵当権設定登記を経ていない間に、Aが第三者Cのために当該土地に抵当権を設定した場合、Bは第三者Cに対して当該不動産に抵当権を設定している事実を主張することはできなくなります。

また、抵当権設定登記は抵当権の存在に加え、優先弁済権の範囲を確定するものであるため、抵当権者の表示、登記原因、債権額、債務者の表示、利息に関する定め、遅延損害金の定め等が登記事項とされています（不動産登記法59条4号、3号、83条1項1号、2号、88条1項1号、2号）。

(2) 無効登記の流用

債務者が抵当権者に対して被担保債権を全額弁済した場合、抵当権は被担保債権の消滅に伴い消滅するのが原則です。もっとも、実務上、同一当事者間で別の債権を担保する必要がある場合に、登記費用（抵当権設定登記をする場合、登録免許税として、被担保債権の額の1000分の4の割合の金額を要します）を節約するため、抵当権者と抵当権設定者との間ですでに付従性により消滅した抵当権の登記を利用する旨の合意がなされることがあります（無効登記の流用）。判例は、登記の流用をしたときまでに、第三取得者や後順位抵当権者が現れた場合、流用登記は無効であるが、登記の流用後に現れた第三取得者や後順位抵当権者は、新たに設定された抵当権の欠缺を主張する正当な利益を有しないとして、抵当権者は流用登記をもって第三者に対して対抗できるとしています。具体的には、大判昭和11年1月14日民集15巻89頁は、弁済によって消滅した不動産の抵当権の登記を、抵当権者Ａと抵当権設定者Ｂの間の合意により新たな抵当権の登記として流用した場合（旧抵当権者から新抵当権者Ａに対する抵当権譲渡の付記登記をした場合）、その後に抵当権設定者Ｂから当該不動産を買い受けた第三者Ｃは、登記の欠缺を主張するにつき正当な利益を有するものとはいえないと判示しました。

第４　被担保債権

１　金銭債権の担保

抵当権は金銭債権を担保するための担保権であるため、被担保債権は金銭債権であることが一般です。

もっとも、金銭債権以外の債権について債務者の債務不履行があれば、最終的には損害賠償債権に転化し金銭債権となるため、金銭債権以外の債権も抵当権の被担保債権となります（不動産登記法83条１項１号参照）。

たとえば、ＡがＢとの間の建物賃貸借契約終了に基づくＢのＡに対する建物明渡請求権を被担保債権として、Ｂの所有する不動産に抵当権を設定する場合を挙げることができます。

２　一部の債権に対する抵当権の設定

金銭債権は可分であるため、金銭債権の１個の債権の一部に対して抵当権を設定することも認められています。たとえば、貸付金債権5000万円のうち3000万円の部分を被担保債権とする抵当権を設定する場合です。

３　複数の債権に対する抵当権の設定

同一の債権者の有する複数の債権に対して１個の抵当権を設定することが可能です。たとえば、債権者Ａが債務者Ｂに対して３本の金銭債権を有している場合、Ａはこれらの金銭債権を被担保債権としてＢの所有する不動産について抵当権の設定を受けることができます。

これに対して、複数の債権者が同一の債務者に対して有する複数の異なる債権について１個の抵当権の設定を受けることができるか争いがあります。たとえば、ＡおよびＢがそれぞれＣに対して債権を有する場合、ＡのＣに対する債権とＢのＣに対する債権を担保するために、Ｃの所有する家屋に１個の抵当権を設定することはできるでしょうか。

学説では、各債権者は、自身の債権を担保するため抵当権を準共有すると解する立場が有力です（民法264条）。なぜなら抵当権も財産権であり、数人が共同で有する（準共有する）ことが可能と解されるからです。

もっとも、登記実務上、他人の債権について抵当権者となることはできないことを理由に複数の債権者が他人と共同して登記することを認められていないため、実務上は、複数の債権者は独立して債務者に対してそれぞれ同一順位の抵当権の設定を受けるのが一般です。

4　付従性の緩和

(1) 将来発生する債権

抵当権は、被担保債権が存在しなければ成立しないのが原則です。もっとも、将来発生する特定の債権を被担保債権とする抵当権は有効に成立すると解されています。

たとえば、金融機関が債務者に対して貸付けを行う場合、金銭を貸し付ける前に抵当権設定を合意し、その登記をした後に金融機関から債務者に対して金銭を貸し付ける場合があります。要物契約としての金銭消費貸借契約（民法587条）は、本来であれば金銭の交付がなければ被担保債権たる貸金債権は発生しないこととなります。もっとも、判例は、将来発生する貸金債権を被担保債権とする抵当権の設定も有効であると解しています（大判昭和７年６月１日新聞3445号16頁）。

また、判例は、保証人が保証契約を締結した時点で、主債務者に対する将来の求償権を担保するために抵当権を設定することを認めています（最判昭和33年５月９日民集12巻７号989頁）。求償債権は、将来発生する債権ですが、保証人が保証契約を締結する時点で求償権発生の基礎となる具体的法律関係が存在し、将来の求償権を担保するため抵当権設定を認める必要があるためです。

(2) 消費貸借契約が無効である場合

抵当権の被担保債権の発生原因となる消費貸借契約が無効である場合、付従性により抵当権も無効となるのが原則です。この場合、借主の金銭の保有は法律上の原因がないため、貸主は借主に対して金銭の不当利得返還請求権を有することとなります。判例は、消費貸借契約の無効原因が借主側にあるにもかかわらず、借主が不当利得返還債務を弁済することなく、借主が抵当権の無効を理由に貸主による抵当権の実行手続の無効を主張することは信義則上許されないと判示しています（最判昭和44年７月４日民集23巻８号1347頁・百選Ⅰ［第８版］84事件）。

第５　抵当権の効力

1　被担保債権の範囲

抵当権の被担保債権の範囲は、後順位抵当権者や一般債権者の保護を図るために以下のとおり制限されています。

(1) 元　本

元本債権は、全額担保されます（ただし、第三者との関係では登記された債権額の範囲で優先弁済を受けることとなります）。

(2) 利息・遅延損害金

利息は、満期となった最後の２年分についてのみ担保されます（民法375条１項本文)。また、遅延損害金は、債務不履行によって生じた最後の2年分についてのみ担保され、利息と通算して2年分を超えることができません（民法375条2項)。これらの趣旨は、利息および遅延損害金の範囲を2年間に限定することにより、抵当不動産の担保余力（抵当不動産の価値から抵当権により把握された価値を除いた残存価値）に利害関係のある後順位抵当権者や一般債権者（以下「第三者」といいます）に抵当不動産の担保余力を予測できるようにして不測の損害を被らせないようにした点にあります。ただし、上記の限定の趣旨は第三者に不測の損害を与えないようにする点にあるため、これらの第三者が存在しない場合には、抵当権者は、利息・遅延損害金の全額を回収することができます。

2　抵当権の効力の及ぶ目的物

民法は、「抵当権は、抵当地の上に存する建物を除き、その目的である不動産に付加して一体となっている物に及ぶ。ただし、設定行為に別段の定めがある場合及び第424条第3項に規定する詐害行為取消請求をすることができる場合は、この限りでない」と規定しています（民法370条)。

この趣旨は、どの対象物に抵当権の効力が及ぶかを明確にして、抵当権の効力の及ぶ対象物となるか否かにつき取引の相手方が把握することを可能とすることによって取引の相手方の保護を図った点にあります。

なお、抵当権設定契約で抵当権の効力が及ぶ範囲につき別段の定めをした場合、当事者の意思に基づき、付加一体物であっても抵当権の効力は及びません。もっとも、これを第三者に対抗するためには、その旨の定めを登記する必要があります（不動産登記法88条1項4号)。

⑴ 付合物

抵当権の効力は、付加一体物に対して及びます（民法370条)。付加一体物とは、抵当不動産に付加して一体となっている物をいいます。

付加一体物には、不動産と一体となった付合物が含まれます（民法242条)。付合物とは、物が他の物に結合し、物理的に分離できないか、または分離が著しく困難な物をいいます。付合物は物理的経済的にみて不動産と一体性が認められるため、付加一体物として抵当権の効力を及ぼすべきであるといえるため、抵当権の効力が及びます。

⑵ 従 物

従物とは、物の所有者が、その物の常用に供するため、自己の所有に属する他の物をこれに附属させた物をいいます（民法87条1項)。判例は、「従物は、主物の処分に従う」（民法87条2項）ことを理由に、抵当権の効力は抵当不動産の従物にも及ぶとしています。たとえば、不動産に対する抵当権設定当時に存在した石灯籠や庭石は従物として抵当権の効力が及びます（最判昭和44年3月28日民集23巻3号699頁・百選Ⅰ［第8版］85事件)。

もっとも、抵当権設定後に抵当不動産に附属させた従物に抵当権の効力が及ぶかどうかについては、学説上争いがあります。

通説は、抵当権者および抵当権設定者は、抵当不動産の価値を従物を含めて一体的なものとして把握しているのが通常であり、抵当権設定後に附属させた従物に抵当権の効力が及ばないのは妥当でないとして、抵当権設定の前後を問わず従物に対して抵当権の効力は及ぶと解しています。

⑶ 従たる権利

抵当権の効力は、抵当不動産の従たる権利にも及びます。たとえば、借地上に建物が存在し、当該建物に抵当権を設定した場合、従たる権利である借地権にも抵当権の効力が及びます。

⑷ 果 実

民法は「抵当権は、その担保する債権について不履行があったときは、その後に生じた抵当不動産の果実に及ぶ」と規定しています（民法371条）。この趣旨は、債務者に債務不履行があった後は天然果実（たとえば、木になった果物）と法定果実（たとえば賃借物件の賃料）のいずれにも抵当権の効力が及ぶことを明確にし、抵当権者が不動産の収益から優先的な債権回収を図ることを可能とした点にあります。

たとえば、債務者（抵当権設定者）が債権者（抵当権者）との間で債務者（抵当権設定者）所有の不動産に抵当権を設定した後、第三者（賃借人）に当該不動産を賃貸し、その後、債務者（抵当権設定者）が債権者（抵当権者）に対する金銭支払債務の履行を怠った場合、債権者（抵当権者）は、上記金銭支払債務の不履行以降に発生した債務者（抵当権設定者）の賃料債権を差し押さえて賃料債権を回収することができます。

⑸ 分離物

抵当不動産の付加一体物が抵当不動産から分離して搬出された場合に搬出された当該物に対して抵当権の効力が及ぶか否かについて争いがあります。

具体的には、抵当不動産に存在する木を伐採して、搬出した場合、当該伐木は抵当不動産から分離されることになるため、当該伐木に抵当権の効力が及ぶか否かが問題となります。

この点につき、学説は、①抵当権の効力は及ばなくなるとする見解、②物上代位に基づき効力が及ぶとする見解、③抵当権設定の登記に基づく対抗力は物が搬出された時点で失われ、当該物が第三者の所有に帰属した以上、抵当権の効力を主張することはできないとする見解、④第三者に民法192条に基づく即時取得が成立するまで抵当権の効力が及ぶとする見解等が存在します。

付加一体物が抵当不動産から分離して搬出された後も抵当権の効力が及ぶと解した場合には取引の安全を害するといえます。したがって、抵当権者は付加一体物が抵当不動産から分離して搬出された場合には、当該物につき、第三者に対して抵当権の効力を主張することはできないと解されます。

判例は、立木が伐採されて動産となった場合、抵当権の効力は及ばないとしています（大判明治36年11月13日民録９輯1221頁）。また、抵当権者が抵当権を実行して競売を開始したときは、差押えの効力によって、それ以後の伐採や搬出は禁止されるとしました（大判大正５年５月31日民録22輯1083頁）。さらに、抵当権の実行前でも抵当権の効力として伐木の搬出禁止を認めました（大判昭和７年４月20日新聞3407号15頁）。

判例は、工場抵当権の目的とされた機械が抵当権者の同意なく工場から搬出された場合について、第三者が即時取得しない限り、抵当権者は元の備付場所に機械を戻すよう請求できるとしています（最判昭和57年３月12日民集36巻３号349頁・百選Ⅰ［第８版］90事件）。

3　物上代位

⑴ 物上代位の意義

物上代位とは、担保の目的物が滅失・損傷し、抵当権設定者が金銭その他の物を受け取ることができる場合に、当該抵当権設定者の有する債権に対して抵当権の効力を及ぼすことをいいます。

たとえば、抵当権を設定した建物が火災により滅失した場合、抵当不動産が滅失するため、原則として抵当権は消滅します。

もっとも、建物が火災によって滅失したことにより抵当権設定者が火災保険金の支給を受ける場合には、抵当権者は当該火災保険金に対して抵当権の効力を及ぼすことが認められます。これが抵当権の物上代位権です（民法372条、304条）。

抵当権に物上代位権を認めた趣旨は、目的物が滅失・損傷した場合に当該目的物の価値代替物（目的物から転化した損害賠償債権）に対しても抵当権の効力を及ぼすことにより、担保物権の優先弁済的効力の保護を図った点にあります。

⑵ 物上代位の目的債権

民法372条は民法304条を準用し、抵当権の「目的物の売却、賃貸、滅失又は損傷によって債務者が受けるべき金銭その他の物」に対して物上代位権が及ぶことを認めています。以下では、物上代位の目的債権を具体的に検討します。

① 売却代金

従来の通説は、抵当不動産が売却処分された場合も、「目的物の売却、賃貸、滅失又は損傷によって債務者が受けるべき金銭その他の物」に抵当権が及ぶことを理由に（民法372条、304条）、抵当不動産の売却代金債権に対する物上代位を認めるべきと解しています。

もっとも、抵当権の場合、先取特権の場合と異なり、担保目的物たる不動産が売却されても抵当権設定登記のある不動産については、抵当権の効力が及びます。

この場合、抵当権者は、売却後の抵当不動産につき抵当権を実行して債権回収を図ることが可能です。

そのため、近時は、抵当権設定者が第三者に対して抵当不動産を売却した場合の売却代金については物上代位を認めないと解する立場も有力です。

抵当権者は抵当不動産について登記（対抗要件）を具備していれば、第三者に対しても抵当権の効力を対抗できるため、抵当不動産の売却代金に対して物上代位権の行使を認める必要性は乏しいといえますが、条文上は、「目的物の売却……によって債務者の受けるべき金銭」（売却代金）に対する物上代位を否定していない以上、従来の通説の立場が妥当であるといえます。

② 賃 料

抵当権は、抵当不動産に対する占有を抵当権設定者の下にとどめ、抵当権設定者が抵当不動産を自ら使用しまたは第三者に使用させることを認めるという担保権であり、民法304条により物上代位権の行使が認められる先取特権と異なるものではありません。判例は、抵当権設定者が抵当不動産を第三者に使用させることによって対価を取得した場合に、その対価について抵当権を行使することができるものと解したとしても、抵当権設定者の抵当不動産に対する使用を妨げることにはならないとして、抵当不動産について抵当権を実行しうる場合であっても、抵当権者は賃料債権に対して物上代位権を行使できると判示しています（最判平成元年10月27日民集43巻９号1070頁・百選Ⅰ［第８版］87事件）。

③ 抵当不動産の滅失・損傷による損害賠償債権・保険金請求権

判例は、抵当不動産が滅失・損傷した場合の不法行為に基づく損害賠償債権や保険金請求権に対する物上代位を肯定します（大判大正５年６月28日民録22輯1281頁、大判大正12年４月７日民集２巻209頁）。

たとえば、火災により抵当不動産が滅失した場合において、抵当権設定者が加害者に対して有する損害賠償債権や保険会社に対する保険金請求権は抵当不動産の価値代替物といえるため、物上代位を肯定する判例の立場が妥当であるといえます。

⑶ 物上代位権行使の手続

抵当権者が物上代位権を行使する場合、債権の「払渡し又は引渡しの前」に物上代位の目的債権（たとえば抵当不動産が売買された場合の売主〔抵当権設定者〕の第三取得者に対する売買代金債権や抵当不動産が第三者に賃貸された場合の賃貸人〔抵当権設定者〕の賃借人に対する賃料債権）を差し押さえる必要があります（民法372条、304条１項但書）。すなわち、物上代位権を行使するためには、売買代金債権や損害賠償債権が第三債務者から抵当権設定者に支払われる前に差押えを行い、抵当権者から第三債務者に対して支払いを求める必要があります。

物上代位権行使のために差押えが必要となる趣旨について、以下の見解の対立があります。

① 優先性維持説

この見解は、目的物の滅失により抵当権の目的物たる抵当不動産が消滅するため本来であれば抵当権も消滅するところ、例外的に物上代位権を行使することで、優先性を主張できると考える立場です。この見解は、抵当権の効力を主張するためには、他の債権者に先立って抵当権者自らが差押えをする必要があると解します。

② 特定性維持説

この見解は、抵当権の効力は物上代位の対象物にも広く及ぶが、一般債権者など第三者保護の観点から、一般財産への混入を回避し、特定性を確保するために差押えを要求したと主張する見解です。この見解によれば、一般債権者による差押えがあれば、抵当不動産の代替物の特定性は保持されるため、抵当権者はその後物上代位権を行使することが認められます。

③ 判例の立場

判例は、物上代位の趣旨を主として、物上代位の目的債権の債務者である第三債務者が二重弁済を強いられる危険を回避した点にあると捉えます。

この点、最判平成10年1月30日民集52巻1号1頁・百選Ⅰ［第8版］88事件は、抵当権者が抵当不動産に抵当権を設定し、抵当権設定登記を具備した後、抵当不動産に関する将来の賃料債権が第三者に譲渡され、当該第三者が債権譲渡について対抗要件を具備した後に、抵当権者が物上代位権を行使して、将来発生する賃料債権を差し押さえた事案に関して、以下のとおり判示しました。

まず、「民法304条1項の『払渡又ハ引渡』という言葉は当然には債権譲渡を含むものとは解されない」としたうえで「抵当権者に目的債権の譲渡後における物上代位権の行使を認めても第三債務者の利益が害されることとはなら」ないとしました。そのうえで、「抵当権の効力が物上代位の目的債権についても及ぶことは抵当権設定登記により公示されているとみることができ、対抗要件を備えた債権譲渡が物上代位に優先するものと解するならば、抵当権設定者は、抵当権者からの差押えの前に債権譲渡をすることによって容易に物上代位権の行使を免れることができるが、このことは抵当権者の利益を不当に害する」と判示しました。

また、最判平成10年3月26日民集52巻2号483頁は、一般債権者の差押えと抵当権者の優劣に関して、以下のとおり判示しています。

「一般債権者による債権の差押えの処分禁止効は差押命令の第三債務者への送達によって生ずるものであり、他方、抵当権者が抵当権を第三者に対抗するには抵当権設定登記を経由することが必要であるから、債権について一般債権者の差押えと抵当権者の物上代位権に基づく差押えが競合した場合には、両者の優劣は一般債権者の申立てによる差押命令の第三債務者への送達と抵当権設定登記の先後によって決せられ」ると判示しました。そのうえで、「差押命令の第三債務者への送達が抵当権者の抵当権設定登記より先であれば、抵当権者は配当を受けることができないと解すべきである」と判示しました。

以上のとおり、判例は、登記制度の完備した抵当権に基づく物上代位の場合、抵当権設定登記と第三者からの差押えの先後により、抵当権者と差押えを行った第三者の優劣を決定しています。具体的には、抵当権設定登記が先になされていれば、第三者からの差押えより後に抵当権者が抵当権を実行して差押えを行った場合でも抵当権者が第三者に優先することとなります。

4　抵当権侵害

(1) 妨害排除請求権

抵当権は物権の一種である以上、抵当権が侵害され、または侵害されるおそれが生じた場合、抵当権者はその侵害の除去または予防を求める物権的請求権を行使することができます。ただし、抵当権には、他の物権と異なり非占有担保権であり、抵当権者が抵当不動産を占有しないという特殊性があります。そこで、たとえば、第三者が抵当不動産を不法に占有する場合、抵当権者は当該第三者に対して妨害排除請求権を行使できるかどうかが問題となります。

この点、かつての判例・通説は、抵当権は非占有担保権であり、抵当不動産の使用・収益に干渉できない権利であることを理由に、抵当権者は第三者による抵当不動産の不法占有を排除することはできないと解していました。

このような見解について、抵当不動産の不法占有を通じて執行妨害が生じていることに対して、有効な手立てを講じることができず不当であるとの批判がなされました。

その後、最判平成17年３月10日民集59巻２号356頁・百選Ⅰ［第８版］89事件は、以下のとおり判示し、抵当権者による妨害排除請求権の行使を肯定しました。

すなわち、「所有者以外の第三者が抵当不動産を不法占有することにより、抵当不動産の交換価値の実現が妨げられ、抵当権者の優先弁済請求権の行使が困難となるような状態があるときは、抵当権者は、占有者に対し、抵当権に基づく妨害排除請求として、上記状態の排除を求めることができる（最大判平成11年11月24日民集53巻８号1899頁）」と判示しました。そのうえで、「抵当不動産の所有者は、抵当不動産を使用又は収益するに当たり、抵当不動産を適切に維持管理することが予定されており、抵当権の実行としての競売手続を妨害するような占有権原を設定することは許されない」とし、「抵当権設定登記後に抵当不動産の所有者から占有権原の設定を受けてこれを占有する者についても、その占有権原の設定に抵当権の実行としての競売手続を妨害する目的が認められ、その占有により抵当不動産の交換価値の実現が妨げられて抵当権者の優先弁済請求権の行使が困難となるような状態があるときは、抵当権者は、当該占有者に対し、抵当権に基づく妨害排除請求として、上記状態の排除を求めることができるものというべきである」と判示しています。

なお、この判例は、抵当権者から占有者に対する不動産の明渡請求について、「抵当権に基づく妨害排除請求権の行使に当たり、抵当不動産の所有者において抵当権に対する侵害が生じないように抵当不動産を適切に維持管理することが期待できない場合には、抵当権者は、占有者に対し、直接自己への抵当不動産の明渡しを求めることができるものというべきである」と判示しています。

(2) 不法行為に基づく損害賠償請求権

第三者が故意・過失に基づき抵当不動産の交換価値を妨げ、抵当権者が抵当不動産から被担保債権を回収することができなくなったときは、抵当権者は第三者に対して不法行為に基づく損害賠償請求（民法709条）を行使できます。具体的には、第三者が抵当権の実行を不当に遅延させ抵当権者に損害が生じたような場合、抵当権者は第三者に対して不法行為に基づく損害賠償請求をすることができます。

5　抵当権の優先弁済的効力

抵当権者は、被担保債権の弁済期が経過したにもかかわらず債務者が被担保債権の弁済をしない場合、抵当不動産から優先弁済を受けることができます（民法369条1項）。

具体的には、抵当権者は、①担保不動産の競売を申し立てる方法（民事執行法180条1号）のほか、②物上代位権を行使して債権を差し押さえる方法（民法372条、民法304条、民事執行法193条）、③抵当不動産を管理人に管理させその不動産から生じる収益から優先弁済を受ける方法（担保不動産収益執行を申し立てる方法。民法371条、民事執行法180条2号）により抵当不動産から優先弁済を受けることができます。

このうち、上記③担保不動産収益執行は、賃借物件を管理するために必要な費用を除外した部分を抵当権者の配当に回す一方で、賃借物件の維持管理に必要な費用を確保することを通じて賃借物件の価値を維持するために認められた制度です。担保不動産の収益執行を行うことにより、物件が朽廃することを防ぐことが可能となります。担保不動産収益執行による場合、抵当権者は、賃料債権から目的物の維持管理に必要な費用を控除した部分のみを回収することができることになります。したがって、抵当権者が債務者から管理費を含めて回収することを望む場合、抵当権者は上記③担保不動産収益執行による方法ではなく、上記①担保不動産の競売を申し立てる方法または上記②物上代位による賃料債権を差し押さえる方法を採用する必要があります。

抵当権者が上記①担保不動産の競売を申し立てる方法または上記③担保不動産収益執行を申し立てる方法による場合、(i)抵当権が存在すること、(ii)被担保債権の弁済期が到来していることという要件を具備する必要があります。また、抵当権者は、抵当権の存在を証する登記事項証明等の一定の書類を裁判所に提出し

（民事執行法181条）、会社更生手続開始の申立てがない等障害事由が存在しないことを明らかにする必要があります。

第6　法定地上権

1　法定地上権の意義

民法は、土地と建物が同一の所有者に属する場合に、そのいずれか一方に抵当権が設定され、競売により土地所有者と建物所有者が異なるに至った場合は、抵当権設定者（土地所有者）は、競売の際に地上権を設定したものとみなすことを規定しています（民法388条）。この場合の法律が定めた地上権を法定地上権といいます。

2　法定地上権の趣旨

民法388条が法定地上権を認めた趣旨は、以下の点にあります。

土地と建物の所有権が同一人に帰属する場合には、建物を使用・収益または処分するに際して、土地利用権は問題となりません。もっとも、同一人に所有権が帰属する土地・建物のいずれか一方または双方に抵当権が設定され、その後、土地または建物のいずれか一方または双方の抵当権が実行され土地と建物が別の所有者に属するに至った場合、建物所有者の土地利用権がなくなり、建物所有者の利益を害するおそれがあります。

たとえば、債務者甲が土地を所有し、その土地上に建物を所有する場合に、抵当権者乙との間で当該土地に抵当権を設定し、その後、抵当権者乙が抵当権を実行し、第三者丙が当該土地の所有者となった場合、土地は第三者丙の所有、建物は債務者甲の所有となります。この場合、第三者丙の債務者甲に対する土地利用権がないことを理由とする建物収去土地明渡請求が認められるとすれば、建物所有者である債務者甲の利益を著しく害することとなります。

また、債務者甲が自己の所有する土地・建物のうち、抵当権者乙との間で当該建物に抵当権を設定し、その後、抵当権者乙が抵当権を実行し、第三者丙が当該建物の所有者となった場合、土地は債務者甲の所有、建物は第三者丙の所有となります。この場合、債務者甲の第三者丙に対する丙に土地利用権がないことを理由とする建物収去土地明渡請求がなされるおそれがあります。

こうした事態は、抵当権設定当時の当事者の合理的意思に反するものといえます。そこで、民法388条は、このような場合に、抵当権設定当時の当事者の合理的意思を尊重し、建物の法定の利用権を擬制することを通じて、建物所有者の保護を図っています。

3　法定地上権の成立要件

法定地上権の成立要件は、以下のとおりです。

(1) 抵当権設定時に土地上に建物が存在すること (2) 抵当権設定時に土地と建物が同一所有者に属すること (3) 土地または建物に抵当権が設定されること (4) 抵当権の実行により、土地と建物が異なる所有者に帰属したこと

(1) 抵当権設定時に土地上に建物が存在すること

抵当権設定時に土地上に建物が存在することが必要です。

① 抵当権設定時に土地が更地である場合

抵当権設定時に、土地が更地である場合、通常抵当権者は利用権の負担のないものとして担保評価をしているため、法定地上権の成立を認めると抵当権者の利益を害します。そこで、更地の土地に抵当権を設定した事案では、法定地上権は成立しないと解されます。

なお、土地に対する抵当権を設定した時点で建物は存在していたものの、その後、建物が滅失した場合に、法定地上権が成立するか否かが問題となります。この場合、法定地上権によって保護されるべき建物が存在しないため、法定地上権は成立しないと解されます。

② 抵当権設定時に存在した建物が滅失した後、再築された場合

次に、土地に対して抵当権が設定され、抵当権設定時に存在した建物が滅失し、その後、再築された場合について検討します。

ア　土地に対してのみ抵当権が設定された場合

通説・判例は、土地に対して抵当権を設定した時、建物は存在していたものの、当該建物が滅失し、抵当権実行時までに建物が再築された後、抵当権実行により土地と建物の所有者が別人になった場合について、法定地上権の成立を認めます。なぜなら、この場合、土地の抵当権者が抵当権設定を受けた時点で建物が現存した以上、土地の抵当権者は、法定地上権が成立することを予定していたといえるからです。

イ　土地および建物に抵当権が設定された場合

土地および建物に抵当権が設定された場合、建物に対する抵当権は建物と土地利用権の価額を把握し、土地に対する抵当権は底地価額を把握していると解する見解（個別価値考慮説）は、建物の滅失の結果、抵当権者は底地部分のみ担保価値を把握していたものと解し、建物につき法定地上権の成立を認めます。

これに対して、抵当権者は、抵当権設定時に土地と建物の全体価値を把握していたと解する見解があります（全体価値考慮説）。

判例は、全体価値考慮説の立場から、以下のとおり判示し、特段の事情のない限り法定地上権は成立しない旨を判示しました（最判平成9年2月14日民集51

巻２号375頁・百選Ⅰ［第８版］92事件）。

すなわち、「所有者が土地及び地上建物に共同抵当権を設定した後、右建物が取り壊され、右土地上に新たに建物が建築された場合には、新建物の所有者が土地の所有者と同一であり、かつ、新建物が建築された時点での土地の抵当権者が新建物について土地の抵当権と同順位の共同抵当権の設定を受けたとき等特段の事情のない限り、新建物のために法定地上権は成立しない」と判示しました。

この判例は、法定地上権の成立を否定する理由として、「土地及び地上建物に共同抵当権が設定された場合、抵当権者は土地及び建物全体の担保価値を把握しているから、抵当権の設定された建物が存続する限りは当該建物のために法定地上権が成立することを許容するが、建物が取り壊されたときは土地について法定地上権の制約のない更地としての担保価値を把握しようとするのが、抵当権設定当事者の合理的意思であ」るとし、「抵当権が設定されない新建物のために法定地上権の成立を認めるとすれば、抵当権者は、当初は土地全体の価値を把握していたのに、その担保価値が法定地上権の価額相当の価値だけ減少した土地の価値に限定されることになって、不測の損害を被る結果になり、抵当権設定当事者の合理的意思に反するからである」と判示しています。

⑵ 抵当権設定時に土地と建物が同一所有者に属すること

法定地上権が成立するためには、抵当権設定時に土地と建物が同一所有者に属することが必要です。なぜなら、抵当権設定時に土地と建物が別の所有者に属する場合には、土地上に約定利用権の設定がなされるのが通常であり、法定地上権の成立を認める必要がないからです。

① 抵当権設定後に土地と建物が同一所有者に帰属した場合

抵当権設定当時に土地と建物が別人に属していたものの、抵当権設定後に、土地と建物が同一所有者に属するに至った場合、法定地上権の成立を認める必要がないかが問題となります。

まず、建物所有者が有する土地の賃借権は、建物が土地所有者に譲渡されることによって、混同により消滅しないか否かが問題となります（民法520条１項本文）。

この場合、賃借権が第三者の権利の目的となっていないため、権利が第三者の目的となっている場合について混同の例外を定めた民法520条１項但書は適用されません。

もっとも、混同の例外を規定した民法179条１但書が類推適用される結果、土地の賃借権は消滅しないと解されます。したがって、抵当権設定時に土地と建物が別人に属していた場合、法定地上権は成立しません。

② 土地または建物に共有関係が生じている場合

抵当権設定時に土地または建物に共有関係が生じている場合、法定地上権が成立するか否かが問題となります。

判例は、建物がＡ、Ｂの共有で、土地がＡの単独所有である場合に、土地に設定された抵当権が実行されて第三者が競落したときは、法定地上権が成立するとしています。その理由として、土地所有者であり建物共有者であるＡは、自己のみならず他の建物共有者Ｂのためにも土地の利用を認めているといえることを挙げています（最判昭和46年12月21日民集25巻９号1610頁）。

次に、判例は、土地がＡ、Ｂの共有で、建物がＡの単独所有である場合に、Ａの土地の持分に設定された抵当権が実行され、第三者が競落したときについて、法定地上権の成立を否定しています。その理由として、共有者中一部の者だけがその共有地につき地上権設定行為をしたとしても、これに同意しなかった他の共有者の持分はその処分に服すべきいわれはなく、この理は法定地上権の場合も同様であることを挙げています（最判昭和44年11月４日民集23巻11号1968頁）。

さらに、判例は、土地がＡ・Ｂの共有で、建物がＡ・Ｃらの共有である場合に、土地共有者の全員が各持分に共同して抵当権を設定し、抵当権が実行されたとき（Ａだけについて民法388条本文の事由が生じていたとき）について、法定地上権の成立を否定しています。その理由について、「共有者は、各自、共有物について所有権と性質を同じくする独立の持分を有しているのであり、かつ、共有地全体に対する地上権は共有者全員の負担となるのであるから、土地共有者の一人だけについて民法388条本文により地上権を設定したものとみなすべき事由が生じたとしても、他の共有者らがその持分に基づく土地に対する使用収益権を事実上放棄し、右土地共有者の処分にゆだねていたことなどにより法定地上権の発生をあらかじめ容認していたとみることができるような特段の事情がある場合でない限り、共有土地について法定地上権は成立しない」と判示しています（最判平成６年12月20日民集48巻８号1470頁・百選Ⅰ〔第８版〕93事件）。

③ 法定地上権の基準となる抵当権

土地を目的とする１番抵当権の設定時には土地と建物の所有者が異なっていたが、２番抵当権の設定時には土地と建物の所有者が同一所有者に属していた事案において、１番抵当権が解除によって消滅した後、２番抵当権が実行された場合、民法388条の土地と建物が同一所有者に属するという要件を判断する時期について、１番抵当権設定時を基準とすべきか、２番抵当権設定時を基準とすべきかが問題となります。

判例は、同一の土地に甲抵当権と乙抵当権が設定され、甲抵当権が消滅した後に後順位の乙抵当権が実行された場合において、土地と地上建物が甲抵当権の設定時には同一の所有者に属していなかったとしても、乙抵当権の設定時に同一の所有者に属していたときは、法定地上権が成立するとしています。その理由について、「抵当権は、被担保債権の担保という目的の存する限度でのみ存続が予定されているものであって、甲抵当権が被担保債権の弁済、設定契約の解除等により消滅することもあることは抵当権の性質上当然のことであるから、乙抵当権者としては、そのことを予測した上、その場合における順位上昇の利益と法定地上権成立の不利益とを考慮して担保余力を把握すべきものであったというべきである」と判示しています（最判平成19年7月6日民集61巻5号1940頁・百選Ⅰ［第8版］91事件）。

⑶ 土地または建物に抵当権が設定されること

法定地上権が成立するためには、土地または建物のいずれか一方または双方に抵当権が設定されることが必要となります。なぜなら、土地または建物いずれか一方または双方に抵当権が設定され実行された結果、第三者が土地または建物の所有者となった場合、建物所有者に土地の約定利用権は存在せず、建物所有者の利益を著しく害することになるため、法定地上権の成立を認める必要があるからです。

⑷ 抵当権の実行により、土地と建物が異なる所有者に帰属したこと

法定地上権が成立するためには、抵当権の実行により、土地と建物が異なる所有者に帰属することが必要です。なぜなら、建物所有者の保護の観点からは、抵当権の実行により土地と建物の所有者が異なるに至った場合に初めて法定地上権の成立を認めれば足りるからです。

4　対抗要件

法定地上権は物権の一種である以上、地上権と同様第三者に対抗するためには対抗要件が必要となります（借地借家法10条）。たとえば、法定地上権者は地上建物を所有することを登記することにより、その後に現れた第三者に対して法定地上権の成立を対抗することができます（借地借家法10条）。

5　一括競売（民法389条）

民法389条は、土地に抵当権が設定された後、抵当権設定者によって建てられた建物については、抵当権者が土地とともに一括して競売することを認めています。これを一括競売といいます。一括競売を認めた趣旨は、以下の点にあります。

更地に抵当権を設定した後、土地上に建物を建築したとしても抵当権設定時に土地と建物が同一所有者に属していないため、法定地上権は成立しません。この場合、土地の抵当権が実行されると、土地の買受人は建物所有者に対して建物収去土地明渡請求を行い、建物の取壊しを請求することになります。しかし、すでに建築された建物の収去を常に行うこととすると建物を収去するまでに時間と労力を要し、建物の存在により土地の競落が円滑に進まなくなるおそれがあります。そこで、民法389条は、抵当権の円滑な実行を可能とするため、土地の抵当権者が土地とともに土地上の建物を一括して競売することを認めています。

なお、民事執行法61条は、同一の執行裁判所が数個の不動産を差し押さえて売

却する場合に、相互の不動産の利用上同一人に買受させることが相当と認められるときは、これらの不動産を一括して売却すること（一括売却）を認めています。この趣旨は、複数の不動産を同時に売却することを認めることでより高い価格での不動産の売却を可能とし、債権者および債務者の利益を図った点にあります。

このように一括売却（民事執行法61条）は、複数の不動産を個別に売却するのではなく同時に一括して売却することでより高い金額での売却を認めた制度です。これに対し、一括競売（民法389条）は土地上の建物の存続という社会経済上の損失を回避し抵当権の円滑な実行を可能とするための制度である点で一括売却とは目的を異にします。

第7　賃借人の保護

1　短期賃貸借制度の廃止

(1) 短期賃貸借制度の意義

不動産の所有者が抵当権を設定しその登記をした後に、所有者が抵当不動産を賃貸した場合、貸借人が貸借権について対抗要件（賃借権登記〈民法605条〉、借地上の建物の登記〈借地借家法10条〉、賃借物件の引渡し〈借地借家法31条〉）を備えたとしても、抵当権の対抗要件である抵当権設定登記に後れるものであるため、当該貸借人は抵当権実行により現れた不動産の買受人に当該貸借権を対抗できません。たとえば、ある建物の所有者が抵当権を設定しその登記をした後に、所有者が当該建物を賃貸し、賃借人が所有者から当該建物の引渡しを受けた（借地借家法31条）としても、賃借人は、建物抵当権実行後の建物競落人に、当該建物の賃借権を対抗することができません。

この点、平成15年改正前の民法は「第602条に定めたる期間を超えざる賃貸借は抵当権の登記後に登記したるものと雖も之を以て抵当権者に対抗することを得。但其賃貸借が抵当権者に損害を及ぼすときは裁判所は抵当権者の請求に因り其解除を命ずることを得」と定めていました（平成15年改正前の民法395条）。

平成15年改正前の民法は、民法602条に定める期間（山林につき10年、その他の土地につき5年、建物につき3年を超えない期間）の賃貸借に限り、抵当権設定登記後に賃借人が賃借権登記をした場合に当該賃借権を抵当権者に対抗できることとし、賃借人がその期間中は抵当権実行後もその不動産にとどまることができるようにしていました。この制度を短期賃貸借制度といいます。

短期賃貸借制度の趣旨は、抵当権者を害さない程度に抵当権設定者の使用収益権限（賃貸権限）を確保する点にありました。

(2) 短期賃貸借制度の弊害

もっとも、短期賃貸借制度は執行妨害に濫用されることが少なくありませんでした。具体的には、執行妨害を企図する者が、抵当権実行直前に、賃借物件を利用する意思がないにもかかわらず抵当不動産の所有者との間で短期賃貸借契約を締結し、賃借権登記を経由したうえで第三者に占有させる場合です（賃金を支払って占有させるいわゆる占有屋の場合もあります）。この賃借権は、短期賃貸借制度の下で抵当権に優先する賃借権となります。このような賃借権が存在することにより、買受人は短期賃貸借期間中は使用収益することができないため、競売手続での競落価格が低額になります。そこで、賃借人やその関係者が安く競落するということが行われていました。また、賃借人が抵当権者に対して立退料や賃借権登記の抹消承諾料名目で高額な金銭を要求するといった事態も発生していました。

⑶ 短期賃貸借制度の廃止

短期賃貸借制度は、平成15年改正により廃止され、その代わりに以下の明渡猶予制度（民法395条１項）および抵当権者の同意制度（民法387条）が創設されました。

2　明渡猶予制度

⑴ 意 義

明渡猶予制度とは、抵当権者による競売の実行後、建物賃借人に一定期間明渡しの猶予を与える制度をいいます（民法395条１項）。

短期賃貸借制度の廃止に伴い、民法上、抵当権設定登記に後れて賃借権を有するに至った者は、その期間の長短を問わず抵当権者に対抗できないこととなりました。抵当権の実行により不動産の買受人が現れた場合には、賃借人は直ちに不動産を明け渡さなければならないこととなります。

しかし、賃借人が買受人に明け渡す前に、短期間で次に居住する同一または類似の条件の賃貸物件を探索することは容易でないため、民法は、建物賃貸借に限り、明渡猶予制度を設けました（民法395条１項）。建物所有のための土地賃貸借は、短期間保護されても意味がなく、また、実際上も抵当権の対象となっている土地に賃借人が存在する例が少ないため、明渡猶予制度は建物賃貸借に限って認められることとなりました。

明渡猶予制度の趣旨は、建物賃借人に明渡しの準備に必要な期間の占有を確保させることで、直ちに建物を明け渡さなければならないという不利益を回避し、建物賃借人の保護を図る点にあります。

⑵ 対象者

明渡猶予制度の対象者は、以下の２通りです。

① 競売手続の開始前から建物を使用または収益する者（民法395条１項１号）

競売手続の開始後に建物の使用または収益を始めた者は、執行妨害目的でなされることが多く、保護する必要がないと考えられるためです。

なお、判例は、抵当権者に対抗することができない賃借権が設定された建物が担保不動産競売により売却された場合において、競売手続開始前から賃貸借により建物を使用収益していた者は、賃借権が滞納処分による差押え後に設定されたときであっても、民法395条1項1号の「競売手続の開始前から使用又は収益をする者」に当たるとしています（最決平成30年4月17日民集72巻2号59頁）。

② 強制管理または担保不動産収益執行の管理人が競売手続の開始後にした賃貸借により建物を使用または収益をする者（同2号）

強制管理または担保不動産収益執行の管理人がした賃貸借であれば、抵当権者を害することがないと考えられるためです。

(3) 明渡猶予期間

明渡猶予期間は、「買受人の買受けの時から6箇月」です。「買受けの時」とは、具体的には買受人が当該建物の所有権を取得する時であり、買受代金の納付時です（民事執行法79条）。本来であれば、買受人が建物の所有権を取得した時点から、賃借人は不法占有者となり直ちに建物を明け渡さなければならないため、その時点から明渡しの猶予を与えるという意味で、買受人の所有権取得時期を明渡猶予の起算点としています。

(4) 明渡猶予の効果

明渡猶予制度の対象者である建物賃借人は、明渡猶予期間中、賃借している建物の明渡しを猶予されます。賃借人は明渡しを猶予されるのみであり、買受人との間で賃貸借契約が存続するわけではありません。そのため、買受人は賃貸人として修繕義務（民法606条）を負担する必要はなく、建物賃借人が建物を明け渡すまでの期間について、建物賃借人に対して、建物使用の対価として賃料相当額の不当利得返還請求権を行使することができます。

建物賃借人の明渡しまでの建物使用の対価について、買受人が建物賃借人に対して、相当の期間を定めてその1か月分以上の支払いを催告したにもかかわらず、その相当の期間内に支払いがないときは、当該賃借人に明渡猶予の規定は適用されないこととなります（民法395条2項）。この趣旨は、買受人が建物賃借人から対価を得られないまま明渡しを猶予し続けなければならないという不利益を回避する点にあります。建物賃借人は、建物使用の対価を支払わなかった場合、相当の期間経過後に、建物を明け渡さなければなりません。

3　抵当権者の同意制度

(1) 意 義

抵当権者の同意制度とは、賃借権に優先する抵当権を有する抵当権者が賃借人に当該賃借権への対抗力の付与につき同意した場合に、賃借人に抵当権者に対して賃借権を対抗することができる対抗力を付与する制度をいいます（民法387条）。

本来、不動産の所有者が当該不動産に抵当権を設定し、その登記をした後に当該不動産を所有者から賃借した者は、その賃貸借期間の長短を問わず抵当権者に対抗できません。もっとも、賃貸不動産のように、競売後もその賃貸借を存続させることで、賃借人から賃料を収受することが抵当権者の被担保債権の回収に資する場合もあります。

そこで、民法は、抵当権設定登記に後れて賃借権を有するに至った者も当該賃借権に優先する抵当権を有する抵当権者の同意を得て、その旨の登記をすることにより、当該賃借権を抵当権者に対して対抗することができるようにしました（民法387条）。具体的には、競売によって抵当不動産が売却された場合には、買受人が新賃貸人となり、従前の賃貸借関係が継続することとなります。

なお、明渡猶予制度とは異なり、抵当権者の同意制度は、不動産賃貸借一般に適用され、土地賃貸借にも適用されます。

⑵ 要 件

① 賃借権設定登記の存在

抵当権者の同意制度の適用を受けるためには賃貸人と賃借人の共同申請（不動産登記法60条）による賃借権設定登記が必要となります。抵当権者の同意制度は、抵当権者の同意によりその劣後する賃借権に特別に対抗力を付与する制度であるため、権利関係の明確化・安定化という観点から、登記により賃貸借の内容を公示することを求めています。

② すべての抵当権者の同意

賃借権設定登記前に登記した抵当権を有するすべての抵当権者の同意を要します（民法387条１項）。

賃借人が賃借権設定登記前に登記した抵当権を有する一部の抵当権者から同意を得たとしても、同意をしなかった抵当権者が抵当権を実行した場合には、賃借人は当該抵当権者には賃借権を対抗できないため、結局賃借人は賃借権を喪失することとなります。

この同意の法的性質は、後順位の賃借権に対抗することができる利益の放棄を内容とする意思表示（単独行為）であり、賃借人の承諾は必要ありません。

③ 抵当権者の同意の登記

抵当権設定登記およびそれに後れる賃借権設定登記が行われていることを前提に、先順位のすべての抵当権者を登記義務者とし、賃借人を登記権利者とする「賃借権の先順位抵当権に優先する同意の登記」を要します（民法387条１項）。この趣旨は、法律関係の複雑化を避ける点にあります。

④ 不利益を受けるべき者の承諾

賃借権に優先する抵当権を目的とする権利を有する者（転抵当権者等）や抵当権者の同意によって不利益を受けるべき者の承諾を要します（民法387条２項）。抵当権者とは別に独自の利益を有する者であり、不利益が生じるこれらの者の意思を確認するためです。たとえば、賃借権に優先する抵当権を有する抵当権者が、自己の有する抵当権について転抵当権を設定していた場合に、当該抵当権者が賃借権への対抗力の付与について同意する場合には、賃借権の対抗力の付与につき、転抵当権者の同意を必要とします。

⑶ 効 果

賃借人は抵当権者の同意を受けこれを登記することにより、登記した賃借権を同意した抵当権者に対抗できます（民法387条1項）。たとえば、抵当権実行による競売によって抵当不動産が売却された場合には、買受人が新賃貸人となり、従前の賃貸借関係が継続することとなります。

第8　第三取得者の保護

1　第三取得者の保護の必要性

ある不動産に抵当権を設定した所有権者は、当該不動産を使用したり、第三者に賃貸したり、譲渡することができます。また、第三者のために、地上権や永小作権といった用益物権、後順位抵当権や質権といった担保物権を設定することもできます。これらの抵当不動産を譲り受けた第三者や賃借した第三者、用益物権や担保物権の設定を受けた第三者を「第三取得者」といいます。たとえば、抵当不動産を譲り受けた第三取得者は、あくまでも抵当権の負担の付いた不動産を譲り受けた者であり、当該抵当権にかかる被担保債権について債務者が弁済をしない場合には、抵当権の実行により当該不動産を失う立場にあります。

民法は、このような不安定な地位にある第三取得者の保護を図るため、抵当権を消滅させる手段として、以下の代価弁済（民法378条）と抵当権消滅請求（民法379条）を用意しています。

2　代価弁済

⑴ 意 義

代価弁済とは、抵当不動産につき、所有権または地上権を買い受けた第三者が抵当権者の請求に応じてこれに代価（抵当権者の提示した額）を弁済したときは、抵当権がその第三取得者のために消滅するという制度です（民法378条）。

⑵ 要 件

① 所有権または地上権の取得者

代価弁済の対象となる第三取得者は、抵当不動産の所有権または地上権を買い受けた者です。地上権の買受けとは、地上権の全存続期間の地代を一括して対価として支払って地上権を買い受けることをいいます。

② 抵当権者の代価弁済請求

代価弁済は、抵当権者が代価弁済請求をして、第三取得者がこれに応じて代価を弁済した場合に抵当権をその第三取得者のために消滅させる制度であり、抵当権者からの代価弁済請求が要件となります。

③ 代価の弁済

第三取得者が抵当権者からの代価弁済請求に応じて、抵当権者からの提示額である代価を弁済することにより、抵当権の消滅という効果が生じます。

(3) 効 果

① 抵当権の消滅

民法は、代価弁済により、抵当権は「第三者のために」消滅すると定めています（民法378条）。

第三取得者が所有権の取得者の場合には、抵当権は所有権者である第三取得者のために抵当権自体が消滅することとなります。

第三取得者が地上権の取得者の場合には、抵当権は地上権者のためにのみ消滅することとなります。地上権者から代価弁済を受けた抵当権者は抵当不動産の所有者に対して依然として抵当権を有することとなります。しかし、地上権者との関係では抵当権が消滅しているため、抵当権者は地上権者には抵当権を対抗できません。したがって、抵当権者が抵当権を実行して、買受人が現れた場合には、当該買受人は地上権者に自己の完全なる所有権を対抗することができず、地上権の負担付の不動産を所有することとなります。

② 代価弁済による債務の消滅

債務者は第三取得者が代価弁済した範囲で債務を免れます。残債務がある場合には債務者は債権者に対し無担保債務として負担することとなります。たとえば、被担保債権が１億2000万円であり、抵当不動産の価値が１億円の場合で、第三取得者が抵当権者に１億円の代価弁済をしたときには債務者の債権者に対する2000万円の債務は、無担保債務として残存することとなります。

3　抵当権消滅請求

(1) 意 義

抵当権消滅請求とは、抵当不動産につき所有権を取得した第三取得者は抵当権者に対し、自ら抵当不動産を評価した額を提供して、抵当権の消滅を請求することができる制度をいいます（民法379条）。代価弁済は抵当権者からの代価弁済請求を前提に、抵当権者と第三取得者の合意を必要とする制度であるのに対して、抵当権消滅請求は第三取得者が抵当権者に対して強制的に抵当権の消滅を求めることができる制度である点で、代価弁済と異なります。

民法341条は先取特権につき、民法361条は不動産質権につき、その性質に反しない限り、抵当権に関する規定を準用する旨を定めています。抵当権消滅請求に関する規定は、これらの準用規定により、不動産先取特権および不動産質権に準用されます。不動産先取特権や不動産質権の負担のある不動産の所有権を取得した第三取得者は、民法379条の規定により、不動産先取特権の消滅請求や不動産質権の消滅請求を行うことができます。以下では、第三取得者が抵当権者に対して抵当権消滅請求を行う場合を前提に解説します。

(2) 抵当権消滅請求の要件

① 抵当不動産の所有権を取得した第三取得者であること（民法379条）

抵当権消滅請求をすることができる者は抵当不動産の所有権を取得した第三取得者に限られます。代価弁済は、地上権を取得した第三取得者を含みますが、抵当権消滅請求は、所有権を取得した第三取得者に限定されます。

もっとも、主たる債務者、保証人およびその承継人は、抵当不動産の所有権を取得したとしても抵当権消滅請求はできません（民法380条）。主たる債務者および保証人は、被担保債務の全額について支払義務を負っている者であり、支払義務を負っている者自身が抵当権者に対して抵当不動産の評価額を提供することにより抵当権を消滅させるのは妥当でないと考えられるためです。

また、停止条件付第三取得者も条件未成就の間は抵当権消滅請求をすることができません（民法381条）。たとえば、親Aが自分の子Bが大学に合格した場合の居宅として、Bが大学に合格することを停止条件としてCから大学近辺の建物を購入した場合、Bが大学に合格する前は条件未成就であるため、建物に抵当権が設定されていたとしてもAは抵当権消滅請求をすることはできません。抵当権消滅請求制度が、抵当権者の承諾なくして強制的に抵当権を消滅させる制度であるため、確定的な第三取得者についてのみ認めるべきであるとの理由によります。

② 抵当権実行としての競売による差押えの効力が発生する前に抵当権消滅請求をしたこと（民法382条）

第三取得者は、抵当権実行としての競売による差押えの効力発生前までに抵当権消滅請求をしなければなりません（民法382条）。抵当権消滅請求制度は、抵当権者の抵当権の実行権限に影響を及ぼさない限度で、第三取得者に抵当権消滅請求という権利を認めるにすぎないためです。抵当権者が抵当権を実行して競売手続を開始した場合には、競売手続による処理に委ねられます。

③ 第三取得者の抵当権消滅請求（民法383条）

第三取得者は抵当権消滅請求する場合、抵当権者に対して、以下の書面を送付する必要があります（民法383条）。この趣旨は、抵当権消滅請求のために支払おうとする金額およびその金額の妥当性を判断するために各債権者が必要とする情報を明示する点にあります。

ア　取得の原因および年月日、譲渡人および取得者の氏名および住所ならびに抵当不動産の性質、所在および代価（取得金額）その他取得者の負担を記載した書面（民法383条1号）

イ　抵当不動産に関する登記事項証明書（現に効力を有する登記事項のすべてを証

明したものに限ります）（同２号）

ウ　債権者が２か月以内に抵当権を実行して競売の申立てをしないときは、抵当不動産の第三取得者が第１号に規定する代価または特に指定した金額を債権の順位に従って弁済しまたは供託すべき旨を記載した書面（同３号）

⑶ 抵当権消滅請求の効果

① 承諾による抵当権の消滅

民法383条各号の書面の送付を受けた抵当権者が、第三取得者の提供した代価（取得金額）または第三取得者が特に指定した金額を承諾し、かつ、第三取得者がその代価（取得金額）または第三取得者が特に指定した金額を抵当権の順位に従って払い渡し、または供託したときに、抵当権が消滅します（民法386条）。

② 承諾の擬制

以下のアないしエの場合には、民法383条各号の書面の送付を受けた抵当権者は、第三取得者が提供した代価（取得金額）または第三取得者が特に指定した金額について承諾したものとみなされます（民法384条）。

抵当権者は第三取得者が提供した代価（取得金額）または第三取得者が特に指定した金額を承諾できない場合、対抗手段として抵当権を実行し、競売を申し立てることができます。

民法384条１号が２か月以内という期間を設定している趣旨は、２か月以内に抵当権者に抵当権を実行するか否かの意思決定をさせることで、抵当権消滅請求を行った第三取得者の地位が長期にわたり不安定とならないようにする点にあります。抵当権者が競売の申立てを取り下げた場合や申立てが却下や取り消された場合（民法384条２号ないし４号）には、抵当権者に帰責事由が認められ、抵当権者に酷とはいえないため、抵当権者の承諾が擬制されます。これを承諾擬制といいます。

ア　抵当権者が前条（民法383条）各号に掲げる書面の送付を受けた後２か月以内に抵当権を実行して競売の申立てをしないとき（民法384条１号）

イ　抵当権者が前号（民法384条１号）の申立てを取り下げたとき（同２号）

ウ　第１号（民法384条１号）の申立てを却下する旨の決定が確定したとき（同３号）

エ　第１号（民法384条１号）の申立てに基づく競売の手続を取り消す旨の決定が確定したとき（同４号）

抵当権者に帰責性の認められない手続的取消しの場合には、承諾擬制の効果は生じません（民法384条４号括弧書）。具体的には、買受申出人がないことを理由とする取消しの場合（民事執行法188条が準用する63条３項または68条の３第３項による場合）、執行処分の取消しを命ずる旨を記載した裁判の謄本が提出されたことによる競売手続の取消しの場合（民事執行法183条２項による場合）が該当します。

③ 抵当権者の競売申立て

抵当権者は、第三取得者からの代価（取得金額）または第三取得者が特に指定した金額を承諾できない場合には、担保権の実行としての競売を申し立てることができます（民法384条1号、385条）。抵当権消滅請求制度は、抵当権者の抵当権の実行権限に影響を及ぼさない限度で、第三取得者に抵当権消滅請求という権利を認めるにすぎないため、第三取得者の抵当権消滅請求に対する対抗措置として、通常の担保権の実行としての競売を申し立てることができます。

抵当権者は競売を申し立てるに際し、この2か月の期間内に、債務者および抵当不動産の譲渡人に対して、その旨の通知をしなければなりません（民法385条）。これらの者は、抵当不動産の譲渡に関して利害関係（売主の担保責任や第三取得者の債務者に対する求償権等）を有するためです。

第9　抵当権の処分

抵当権は物権であり、本来自由に処分することができるため、抵当権者は、抵当権設定者・目的物所有者に抵当権設定契約において定められた以上の負担を課さなければ、自己の有する抵当権を自由に処分することができます。そこで、民法376条1項は、抵当権者が、自己の有する抵当権について、他の債権を担保するために抵当権を設定すること（転抵当）、他の債権者の利益のために抵当権もしくはその順位を譲渡し、もしくは放棄することを認めています。以下、それぞれについて説明します。

1　転抵当

(1) 転抵当の意義

転抵当とは、抵当権者が自己の有する抵当権について、他の債権を担保するために抵当権を設定することをいいます（民法376条1項）。抵当権者が他から融資を受けるときに、当該融資にかかる貸金債権を担保するために、自己の有する抵当権にさらに抵当権を設定することを意味します。

たとえば、抵当権者Aが債務者Xに対して有する被担保債権5000万円について債務者Xが所有する不動産に対して抵当権の設定を受けている場合に、抵当権者AがBから3000万円を借り入れる際に、Xに対する抵当権について、Bの貸金債権を担保するために抵当権を設定する場合です。この場合のAが有する抵当権をもともとの抵当権という意味で原抵当権、Bが有する抵当権を転抵当権といいます。原抵当権を設定した者を原抵当権設定者、原抵当権を有する抵当権者を原抵当権者、転抵当権を有する抵当権者を転抵当権者といいます。

(2) 転抵当権設定契約

転抵当権設定契約は、原抵当権者（A）と転抵当権者（B）の間で締結され、原抵当権設定者（X）の同意を要しません。

⑶ 転抵当の対抗要件

転抵当権の設定は不動産物権の設定であるため登記を必要とし、この場合の登記は抵当権設定登記の付記登記となります。付記登記とは、既存の特定の登記に付記してその一部を変更する登記を意味します。

転抵当権の設定を受けた者が数人いる場合の優劣は、付記登記の前後によります（民法376条2項）。たとえば、原抵当権について、YとZが転抵当権の設定を受け、それぞれ付記登記を具備した場合には、各付記登記の前後によりその優劣が決定します。

転抵当の設定について、主たる債務者、保証人、抵当権設定者（物上保証人）およびこれらの者の承継人に対して対抗するためには、主たる債務者（X）への転抵当をした旨の通知またはその承諾を要します（民法377条1項）。保証人、物上保証人およびこれらの者の承継人が主たる債務を弁済するにあたっては主たる債務者に被担保債務の存否等を確認するのが通常であり、主たる債務者が転抵当の事実を了知していれば足りるためです。

転抵当権者が対抗要件（通知または承諾）を具備した後に主たる債務者、保証人、抵当権設定者およびこれらの承継人が原抵当権者に対して弁済した場合、この弁済をもって受益者（転抵当権者）に対抗できません。しかし、受益者の承諾があれば対抗できます（民法377条2項）。受益者が承諾した場合には受益者を保護する必要がないためです。たとえば、債務者XがAに対して保有する不動産に抵当権を設定し、AがBに対して当該抵当権に転抵当権を設定し、Bが転抵当権の付記登記を具備し、Bが転抵当をした旨をXに通知した後XがAに対して債務を弁済した場合、原則としてXは転抵当権者であるBに対抗できません。もっとも、転抵当権者であるBが当該弁済を承諾すれば、XはBに対して当該弁済を対抗することができます。

⑷ 転抵当設定の効果

原抵当権者が、自ら設定した転抵当権の目的である原抵当権を消滅させることは許されません。具体的には、原抵当権者による原抵当権の放棄や被担保債権の取立て、相殺、免除をすることが禁止されます。これらの行為により転抵当権者が把握している担保価値が減少し、転抵当権者が不利益を被るためです。

⑸ 転抵当権の実行

転抵当権の対象が原抵当権であることからすれば、転抵当権者が転抵当権を実行する場合には、原抵当権を競売し、優先弁済を受けるべきこととなると考えられます。もっとも、抵当権が被担保債権に付従するものである以上、被担保債権と独立に抵当権を競売の目的とすることはできません。

したがって、転抵当権実行のためには、転抵当権の被担保債権の弁済期到来だけでなく、原抵当権の被担保債権の弁済期の到来を要します。転抵当権者は、原抵当権の被担保債権を限度として、優先弁済を受けることとなります。たとえば、債務者ＸがＡのＸに対する貸金債権1000万円を被担保債権としてＡに対してＸ保有の不動産について抵当権を設定し、ＡがＢのＡに対する売買代金債権1200万円を被担保債権としてＢに対してＡ保有の原抵当権について転抵当権を設定した場合、Ｂが転抵当権を実行するためには、ＢのＡに対する売買代金債権の弁済期の到来のみならず、ＡのＸに対する貸金債権の弁済期の到来を要します。また、転抵当権者は、原抵当権の被担保債権を限度として、優先弁済を受けることとなるため、ＡのＸに対する貸金債権1000万円を限度として、優先弁済を受けることとなります。

２　抵当権の譲渡・放棄

⑴ 抵当権の譲渡

① 抵当権の譲渡の意義

抵当権の譲渡とは、抵当権者が他の債権者の利益のために自己の抵当権を譲渡することをいいます（民法376条１項）。抵当権の譲渡人が無担保債権者である譲受人に対して自己の優先弁済権を譲渡することを意味します。

たとえば、抵当不動産の時価が１億円で、第１抵当権者Ａの債務者Ｘに対する被担保債権額が5000万円、第２抵当権者Ｂの債務者Ｘに対する被担保債権額が4000万円、第３抵当権者Ｃの債務者Ｘに対する被担保債権額が3000万円、無担保債権者Ｄの債務者Ｘに対する債権額が1250万円である場合に、ＡがＤに対して抵当権を譲渡するとします。

抵当権の譲渡がない場合で、抵当権が実行され抵当不動産が１億円で競落されたときには、配当手続でＡは5000万円、Ｂは4000万円、Ｃは1000万円の配当を受けることとなります。

これに対して、ＡがＤに対して抵当権を譲渡した場合には、Ａの優先枠5000万円をＤに対して譲渡したため、ＤがＡの優先枠5000万円のうち自己のＸに対する債権額である1250万円、Ａは優先枠の残余部分である3750万円の配当を受け、ＢとＣは本来受けられる4000万円、1000万円の各配当を受けることとなります。

したがって、抵当権の譲渡当事者以外の者（Ｂ、Ｃ）は影響を受けません。

② 抵当権の譲渡に関する契約

抵当権の譲渡に関する契約は、譲渡人（Ａ）と譲受人（Ｄ）の間で締結され、債務者・抵当権設定者（物上保証人）、中間の抵当権者（Ｂ、Ｃ）の同意を要しません。なぜなら、抵当権の譲渡当事者以外の者は、抵当権の譲渡に関する契約によって配当額に影響がないためです。

③ 抵当権の譲渡の対抗要件

ア　抵当権譲渡の譲受人が数人いる場合の優劣は付記登記の前後によります（民法376条２項）。たとえば、第１抵当権者が自己の有する抵当権を無担保債権者２名に対して譲渡した場合、その優劣は当該２名の付記登記の前後により決定します。

イ　主たる債務者、保証人、抵当権設定者およびその承継人に対して抵当権譲渡を対抗するには、主たる債務者への通知またはその承諾を要します（民法377条１項）。保証人、物上保証人およびこれらの者の承継人が主たる債務を弁済するにあたっては主たる債務者に被担保債務の存否等を確認するのが通常であり、主たる債務者が抵当権の譲渡の事実を了知していれば足りるためです。

ウ　上記イに掲げる者は、上記イの対抗要件（通知または承諾）を具備した後にした処分者への弁済を、抵当権譲渡の受益者（譲受人）に対抗できません。しかし、受益者（譲受人）の承諾があれば対抗できます（民法377条２項）。受益者が承諾した場合には受益者を保護する必要がないためです。たとえば、第１抵当権者Ａが無担保債権者Ｄに抵当権を譲渡し、その旨を債務者Ｘに通知をした後、ＸがＡに対して債務を弁済した場合、原則としてＸは第１抵当権の譲受人であるＤには対抗できません。第１抵当権の譲受人であるＤが当該弁済を承諾すれば、ＸはＤに対して当該弁済を対抗することができます。

⑵ 抵当権の放棄

① 抵当権の放棄の意義

抵当権の放棄とは、抵当権者が他の債権者の利益のために優先弁済の利益を放棄することをいいます（民法376条１項）。放棄した抵当権者は放棄の相手方（無担保債権者）に対して優先弁済権を主張しないことを意味します。

たとえば、抵当不動産の時価が１億円で、第１抵当権者Ａの債務者Ｘに対する被担保債権額が5000万円、第２抵当権者Ｂの債務者Ｘに対する被担保債権額が4000万円、第３抵当権者Ｃの債務者Ｘに対する被担保債権額が3000万円、無担保債権者Ｄの債務者Ｘに対する債権額が1250万円である場合に、ＡがＤに対して抵当権を放棄するとします。

抵当権の放棄がない場合で、抵当権が実行され抵当不動産が１億円で競落されたときには、配当手続でＡは5000万円、Ｂは4000万円、Ｃは1000万円の配当を受けることとなります。

これに対して、ＡがＤに対して抵当権を放棄した場合には、ＡはＡの優先枠5000万円についてＤに対して優先権を主張しないこととなるため、Ａの優先枠5000万円をＡとＤが各債権額により按分比例し、Ａは4000万円、Ｄは1000万円の配当を受け、ＢとＣは本来受けられる4000万円、1000万円の各配当を受けることとなります。

したがって、抵当権の放棄者および放棄を受けた者以外の者（Ｂ、Ｃ）は影響を受けません。

② 抵当権の放棄に関する契約

抵当権の放棄に関する契約は、放棄者（A）と放棄の相手方（D）の間で締結され、債務者・抵当権設定者（物上保証人）、中間の抵当権者（B、C）の同意を要しません。なぜなら、抵当権の放棄にかかる当事者以外の者は、抵当権の放棄に関する契約によって配当額に影響がないためです。

③ 抵当権の放棄の対抗要件

ア　抵当権放棄を受けた者が数人いる場合の優劣は付記登記の前後によります（民法376条２項）。たとえば、第１抵当権者が自己の有する抵当権を無担保債権者２名に対して放棄した場合、その優劣は当該２名の付記登記の前後により決定します。

イ　債務者、保証人、抵当権設定者およびその承継人に対して抵当権放棄を対抗するには、主たる債務者への通知またはその承諾を要します（民法377条１項）。保証人、物上保証人およびこれらの者の承継人が主たる債務を弁済するにあたっては主たる債務者に被担保債務の存否等を確認するのが通常であり、主たる債務者が抵当権の放棄の事実を了知していれば足りるためです。

ウ　上記イに掲げる者は、上記イの対抗要件を具備した後にした処分者への弁済を、抵当権放棄の受益者（放棄を受けた者）に対抗できません。しかし、受益者の承諾があれば対抗できます（民法377条２項）。受益者が承諾した場合には受益者を保護する必要がないためです。たとえば、第１抵当権者Ａが無担保債権者Ｄに抵当権を放棄し、その旨を債務者Ｘに通知をした後、ＸがＡに対して債務を弁済した場合、原則としてＸは第１抵当権の放棄を受けたＤには対抗できません。Ｄが当該弁済を承諾すれば、ＸはＤに対して当該弁済を対抗することができます。

3　抵当権の順位の譲渡・放棄

(1) 抵当権の順位の譲渡

① 抵当権の順位の譲渡の意義

抵当権の順位の譲渡とは、抵当権者間で、その順位の入替えをすることをいいます（民法376条１項）。抵当権の譲渡は、抵当権者が無担保債権者に対して自己の優先弁済権を譲渡することを意味するのに対して、抵当権の順位の譲渡は、抵当権者間でその順位の入替えをすることを意味する点で異なります。

たとえば、抵当不動産の時価が１億円で、第１抵当権者Ａの債務者Ｘに対する被担保債権額が5000万円、第２抵当権者Ｂの債務者Ｘに対する被担保債権額が4000万円、第３抵当権者Ｃの債務者Ｘに対する被担保債権額が3000万円である場合に、ＡがＣに対して抵当権の順位を譲渡するとします。

順位の譲渡がない場合で、抵当権が実行され抵当不動産が１億円で競落されたときには、配当手続でAは5000万円、Bは4000万円、Cは1000万円の配当を受けることとなります。

これに対して、AがCに対して抵当権の順位を譲渡した場合には、Aの優先枠5000万円とCの優先枠1000万円の合計額6000万円について、CがAに優先することとなり、Cは3000万円、Aは3000万円の配当を受け、Bは本来受けられる4000万円の配当を受けることとなります。

したがって、抵当権者の順位の譲渡当事者以外の者（B）は影響を受けません。

② 抵当権の順位の譲渡に関する契約

抵当権の譲渡に関する契約と同様、抵当権の順位の譲渡に関する契約は、譲渡人（A）と譲受人（C）の間で締結され、債務者・抵当権設定者（物上保証人）、中間の抵当権者（B）の同意を要しません。なぜなら、抵当権の順位の譲渡当事者以外の者は、抵当権の順位の譲渡に関する契約によって配当額に影響がないためです。

③ 抵当権の順位の譲渡の対抗要件

ア　順位譲渡の譲受人が数人いる場合の優劣は付記登記の前後によります（民法376条2項）。たとえば、第1抵当権者が自己の有する抵当権について、第2抵当権者および第3抵当権者に対して順位の譲渡をした場合、その優劣は当該2名の付記登記の前後により決定します。

イ　債務者、保証人、抵当権設定者およびその承継人に対して順位譲渡を対抗するには、主たる債務者への通知またはその承諾を要します（民法377条1項）。保証人、物上保証人およびこれらの者の承継人が主たる債務を弁済するにあたっては主たる債務者に被担保債務の存否等を確認するのが通常であり、主たる債務者が抵当権の順位の譲渡の事実を了知していれば足りるためです。

ウ　上記イに掲げる者は、上記イの対抗要件を具備した後にした処分者への弁済を、順位譲渡の受益者（譲受人）に対抗できません。しかし、受益者の承諾があれば対抗できます（民法377条2項）。受益者が承諾した場合には受益者を保護する必要がないためです。たとえば、第1抵当権者Aが第3抵当権者Cに抵当権の順位を譲渡し、その旨を債務者Xに通知をした後、XがAに対して債務を弁済した場合、原則としてXは第1抵当権の順位の譲渡を受けたCには対抗できません。Cが当該弁済を承諾すれば、XはCに対して当該弁済を対抗することができます。

(2) 抵当権の順位の放棄

① 抵当権の順位の放棄の意義

抵当権の順位の放棄とは、先順位抵当権者が後順位抵当権者に対し、自己の優先弁済の利益を放棄することをいいます（民法376条1項）。抵当権の放棄は、抵当権者が無担保債権者に対して優先弁済の利益を放棄することを意味するのに対して、抵当権の順位の放棄は、抵当権者間で先順位抵当権者が後順位抵当権者に対し、自己の優先弁済の利益を放棄すること（後順位抵当権者と同順位となること）を意味する点で異なります。

たとえば、抵当不動産の時価が１億円で、第１抵当権者Ａの債務者Ｘに対する被担保債権額が5000万円、第２抵当権者Ｂの債務者Ｘに対する被担保債権額が4000万円、第３抵当権者Ｃの債務者Ｘに対する被担保債権額が3000万円である場合に、ＡがＣに対して抵当権の順位を放棄するとします。

順位の放棄がない場合で、抵当権が実行され抵当不動産が１億円で競落されたときには、配当手続でＡは5000万円、Ｂは4000万円、Ｃは1000万円の配当を受けることとなります。

これに対して、ＡがＣに対して抵当権の順位を放棄した場合には、Ａの優先枠5000万円とＣの優先枠1000万円の合計額6000万円について、ＡとＣが同順位となり、Ａは3750万円、Ｃは2250万円の配当を受け、Ｂは本来受けられる4000万円の配当を受けることとなります。

したがって、抵当権者の順位の放棄者および放棄を受けた者以外の者（Ｂ）は影響を受けません。

② 抵当権の順位の放棄に関する契約

抵当権の放棄に関する契約と同様、抵当権の順位の放棄に関する契約は、放棄者（Ａ）と放棄の相手方（Ｃ）の間で締結され、債務者・抵当権設定者（物上保証人）、中間の抵当権者（Ｂ）の同意を要しません。なぜなら、抵当権の順位の放棄当事者以外の者は、抵当権の順位の放棄に関する契約によって配当額に影響がないためです。

③ 抵当権の順位の放棄の対抗要件

ア　順位の放棄を受けた者が数人いる場合の優劣は付記登記の前後によります（民法376条２項）。たとえば、第１抵当権者が自己の有する抵当権について、第２抵当権者および第３抵当権者に対して順位の放棄をした場合、その優劣は当該２名の付記登記の前後により決定します。

イ　債務者、保証人、抵当権設定者およびその承継人に対して順位放棄を対抗するには、主たる債務者への通知またはその承諾を要します（民法377条１項）。保証人、物上保証人およびこれらの者の承継人が主たる債務を弁済するにあたっては主たる債務者に被担保債務の存否等を確認するのが通常であり、主たる債務者が抵当権の順位の放棄の事実を了知していれば足りるためです。

ウ　上記イに掲げる者は、上記イの対抗要件を具備した後にした処分者への弁済を、順位放棄の受益者（放棄を受けた者）に対抗できません。しかし、受益者の承諾があれば対抗できます（民法377条２項）。受益者が承諾した場合には受益者を保護する必要がないためです。たとえば、第１抵当権者Ａが第３抵当権者Ｃに抵当権の順位を放棄し、その旨を債務者Ｘに通知した後、ＸがＡに対して債務を弁済した場合、原則としてＸは第１抵当権の順位の放棄を受けたＣには対抗できません。Ｃが当該弁済を承諾すれば、ＸはＣに対して当該弁済を対抗することができます。

4　抵当権の順位の変更

⑴ 抵当権の順位の変更の意義

抵当権の順位の変更とは、各抵当権者（影響を受ける抵当権者全員）の合意によって、抵当権の順位を変更することをいいます（民法374条１項）。

抵当権の順位の譲渡および放棄は、譲渡当事者または放棄者および放棄を受けた者の間で、もともと有していた優先弁済の利益を譲渡または放棄することを意味しています。

しかし、抵当権の順位の変更は影響を受ける抵当権者全員でその順位を変更するため、もともと各抵当権者が有していた優先弁済の利益とは関係がありません。

たとえば、抵当不動産の時価が１億円で、第１抵当権者Ａの債務者Ｘに対する被担保債権額が5000万円、第２抵当権者Ｂの債務者Ｘに対する被担保債権額が4000万円、第３抵当権者Ｃの債務者Ｘに対する被担保債権額が3000万円である場合に、Ｃを第１順位に、Ａを第２順位に、Ｂを第３順位に変更するとします。

順位の変更がない場合で、抵当権が実行され抵当不動産が１億円で競落されたときには、配当手続でＡは5000万円、Ｂは4000万円、Ｃは1000万円の配当を受けることとなります。

これに対して、Ｃを第１順位に、Ａを第２順位に、Ｂを第３順位に変更した場合には、その順位に従って優先弁済権を有することとなるため、Ｃは3000万円、Ａは5000万円、Ｂは2000万円の配当を受けることとなります。

⑵ 抵当権の順位の変更に関する契約

抵当権の順位の変更に関する契約は、影響を受ける抵当権者全員で合意することとなります。なお、転抵当権者、被担保債権の差押債権者等、順位の変更により利益を害される者がいる場合には、その承諾を必要とします（民法374条１項但書）。これらの利害関係人について、抵当権者全員の合意により不利益を強制されることがないようにするためです。

また、抵当権の順位の変更は、登記（順位変更登記）を効力発生要件とするため、順位変更登記をしなければその効力が発生しません（民法374条２項）。なぜなら、抵当権の順位の変更は、各抵当権者がもともと有していた優先弁済の利益と切り離して、順位を変更させる効力を有するためです。

第10　共同抵当

1　共同抵当の意義

共同抵当とは、同一の債権を担保するために、数個の不動産につき抵当権を有する場合（民法392条１項）をいいます。

共同抵当は以下のような場面で利用されます。第１に、ある債権を担保するために１つの不動産に抵当権を設定するだけでは不十分な場合、複数の不動産に抵当権を設定することにより担保の価値を十分なものとするという場面です。第２に、複数の不動産に抵当権を設定することにより、１つの不動産が滅失、損傷、または不動産市況の悪化等によって価値が下落したとしても、他の不動産の価値によって債権を担保することで、不動産の価値下落のリスクを避けるという場面があります。第３に、土地と同土地上の建物の双方に抵当権を設定するという場面があります。

2　共同抵当の設定

共同抵当は、同一の債権を保全するため数個の不動産に同時に抵当権を設定することにより成立します。また、ある不動産に抵当権を設定した後に追加的に別の不動産に抵当権を設定し、共同抵当とすることもできます。債務者が所有する不動産とあわせて第三者が所有する不動産に抵当権を設定し、共同抵当とすることもできます。

3　共同抵当の登記

抵当権者は共同抵当の登記をすることができます。たとえば、甲不動産と乙不動産について共同抵当の登記をした場合、甲、乙不動産のそれぞれの抵当権登記において、共同抵当関係にある他の不動産（乙、甲）が存在する旨の記載がなされます。具体的には、共同担保目録が作成され、その記号および目録番号が各不動産の抵当権登記の末尾に記載されます（不動産登記法83条１項４号、同条２項、不動産登記規則166条～170条）。なお、抵当権登記は、不動産の物権変動を公示するものであって対抗要件（民法177条）となりますが、共同抵当の登記は、共同抵当に関する権利関係を明らかにするためのものであって、対抗要件としての効力（対抗力）はありません。

4　共同抵当の実行

共同抵当権者は、同時に全部の抵当権を実行することも、一部の抵当権を実行することもできます。もっとも、後順位抵当権者が存在する場合、共同抵当権者の抵当権実行による配当の仕方については特別の考慮が必要となります。

たとえば、債権者Ａが債務者Ｘに対して有する5000万円の債権を担保するため債務者Ｘの甲土地（価格6000万円）と乙土地（価格4000万円）に共同抵当として１番抵当権の設定を受け、債権者Ｂが債務者Ｘに対して有する3000万円の債権

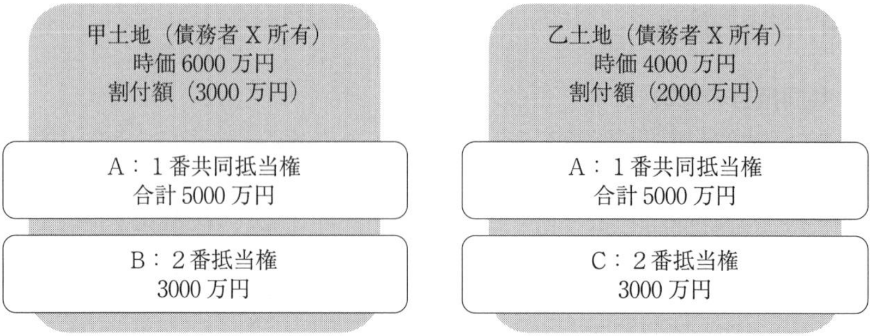

を担保するため甲土地に２番抵当権の設定を受け（後順位抵当権者）、債権者Ｃが債務者Ｘに対して有する3000万円の債権を担保するため乙土地に２番抵当権の設定を受けたとします（後順位抵当権者）。この設例に基づいて、配当の仕方について特別な考慮が必要となる場合を説明します。

5　同時配当の場合

同時配当とは、債権者が同一の債権の担保として数個の不動産につき抵当権を有する場合（共同抵当の場合）において、同時にその代価を配当する場合をいいます（民法392条１項）。

たとえば、先ほどの設例で、債権者Ａが甲土地、乙土地両方の共同抵当権全部を実行した場合、債権者Ａが甲土地の代価6000万円から債権全額（5000万円）の配当を受けるとすると、債権者Ｂは甲土地の代価の残額1000万円の配当を受け、債権者Ｃは乙土地の代価4000万円から債権全額（3000万円）の配当を受けることになります。他方、債権者Ａが債権（5000万円）について乙土地の代価4000万円および甲土地の代価から1000万円の配当を受けるとすると、債権者Ｂは甲土地の代価の残額5000万円から債権全額（3000万円）の配当を受けることができ、債権者Ｃは乙土地から債権の配当を受けることができません。このように共同抵当権者（債権者Ａ）が共同抵当権の実行を任意に行えるとすると、後順位抵当権者（債権者Ｂおよび債権者Ｃ）は自分が受けられる配当額を予測できないため、不動産の担保価値に余力があったとしても、後順位抵当権によっては債権を担保できない可能性があることから融資自体を控えるという事態になりかねません。

そこで、民法は、このような後順位抵当権者の配当予測可能性を確保するため、同時配当の場合には、その各不動産の価格に応じて、その債権の負担を按分する（割り付ける）と定めています（民法392条１項）。

先ほどの設例では、債権者Ａは甲土地の代価から3000万円、乙土地の代価から2000万円の配当を受けて債権全額を回収でき、債権者Ｂは甲土地の代価の残額3000万円から債権全額（3000万円）を回収できます。債権者Ｃは乙土地の代価の残額2000万円を回収することができます。

6　異時配当の場合

異時配当とは、債権者が同一の債権の担保として数個の不動産につき抵当権を有する場合（共同抵当の場合）において、一部の不動産の代価のみを配当する場合をいいます（民法392条2項）。

たとえば、先ほどの設例で、債権者Aが甲土地の抵当権のみを実行した場合、債権者Aは、甲土地の代価6000万円から債権全額（5000万円）の配当を受けます。債権者Bは甲土地の代価の残額1000万円の配当を受けることになります。債権者Aの債権が全額弁済を受けて消滅するのに伴い乙土地についてのAの1番抵当権が消滅するため、債権者Cは乙土地の抵当権を実行して乙土地の代価から債権全額（3000万円）の配当を受けます。他方、債権者Aがまず乙土地の抵当権を実行し、その後甲土地の抵当権を実行した場合、債権者Aは乙土地の代価から4000万円の配当を受け、甲土地の代価から2000万円の配当を受けます。債権者Bは甲土地の代価の残額4000万円から債権全額（3000万円）の配当を受けることができます。債権者Cは配当を受けることができません。このように共同抵当権者（債権者A）がいずれの不動産から抵当権を実行するかによって、後順位抵当権者（債権者Bおよび債権者C）は配当を受ける金額が変動してしまうという不安定な地位に置かれます。

そこで、民法は、共同抵当権者の抵当権の実行の順番によって後順位抵当権者の地位に有利不利が生じないように次のような規律を設けています（民法392条2項）。

① 共同抵当権者は、抵当権を実行した不動産の代価の全額について優先弁済を受けます。

② 共同抵当権者が抵当権を実行した不動産の後順位抵当権者は、仮に同時配当がなされていれば共同抵当権者が他の不動産から弁済を受けていたはずの額の限度で、共同抵当権者に代位して共同抵当権者の他の不動産上の抵当権を実行できます（民法392条2項）。

先ほどの設例で、債権者A（共同抵当権者）が甲土地の抵当権のみを実行して甲土地を競売した場合、債権者Aは甲土地の代価6000万円から債権全額（5000万円）を回収できます。債権者B（甲土地の後順位抵当権者）は甲不動産の代価の残額から1000万円の配当を受けます。そのうえ、債権者Aが同時配当の場合であれば乙土地から回収していたはずの2000万円を限度として、債権者Bは債権者Aに代位して債権者Aの乙土地の1番抵当権を実行することができます。この代位とは、債権者A（共同抵当権者）の有していた1番抵当権が債権者B（甲土地の後順位抵当権者）に移転することと解されています。つまり、債権者Bは、乙土地上の1番抵当権者となり、乙土地の抵当権を実行すると乙土地の代価から2000万円の配当を受けることができ、債権者C（乙土地の後順位抵当権者）は乙土地の代価の残額2000万円の配当を受けることとなります。

民法392条２項の文言は「次順位の抵当権者」となっていますが、これは共同抵当権者の次順位の抵当権者だけではなく、すべての後順位抵当権者を含むとされています（大判大正11年２月13日新聞1969号20頁）。

また、次順位の者が抵当権者である場合に限らず、次順位の者が不動産質権者や先取特権者である場合にも次順位の抵当権者と同様に扱われることとなります。具体的には、先ほどの設例において、債権者Ｂが甲土地に２番抵当権ではなく債権者Ａの１番抵当権（共同抵当権）に劣後する不動産質権の設定を受けていた場合には、債権者Ｂは２番抵当権を設定した場合と同じく、2000万円を限度として債権者Ｂが債権者Ａに代位して乙土地上の債権者Ａの１番抵当権を実行することができます。

共同抵当権者（債権者Ａ）が甲土地の抵当権のみを実行した場合、甲土地の後順位抵当権者（債権者Ｂ）は共同抵当権者（債権者Ａ）に代位して乙土地の１番抵当権を取得します。この甲土地の後順位抵当権者（債権者Ｂ）は抵当権代位の付記登記をすることで乙土地の１番抵当権の取得を第三者に対抗することができます（民法393条、不動産登記法91条）。付記登記とは、すでにされた権利に関する登記について変更、更正等するものであって、当該すでにされた権利に関する登記と一体のものとして公示する必要がある登記をいいます（不動産登記法４条２項参照）。この付記登記をすることにより、代位によって抵当権を行使する者（債権者Ｂ）は、付記登記後に抵当権者となった者に対して抵当権の代位を主張することができます。もっとも、代位が生じる前から代位される不動産（乙土地）上に権利を有している者（債権者Ｃ）に対しては、債権者Ｂは、登記なくして乙土地の１番抵当権の取得を対抗することができます（大決大正８年８月28日民録25輯1524頁）。

7　異時配当における諸問題

異時配当において後順位抵当権者が代位により取得する抵当権に関しては、共同抵当権者が一部弁済を受けた場合や抵当権を放棄した場合、抵当権が混同により消滅した場合等の取扱いについて複雑な問題が生じます。

⑴ 一部弁済と代位

先ほどの設例で、債権者Ａ（共同抵当権者）が乙土地（4000万円）の抵当権のみを実行した場合、債権者Ａは債権（5000万円）の一部しか配当による弁済を受けていないため、依然として甲土地の抵当権を有しています。このように、異時配当の場面で、共同抵当権者（債権者Ａ）が債権の一部しか配当による弁済を受けていない場合でも乙土地の後順位抵当権者（債権者Ｃ）は甲土地の共同抵当権者（債権者Ａ）の抵当権について代位をすることができるかが問題となります。

判例は、後順位抵当権者は先順位抵当権者の債権が完済されるなどにより先順位抵当権が消滅することによって初めて代位できるものであるから、先順位抵当権が消滅しない間は、後順位抵当権者は将来において代位して抵当権を行使しうべき地位を有するにすぎず、代位登記の仮登記（当時の不動産登記法2条2号）により権利を保全しうるにすぎないとしています（大判大正15年4月8日民集5巻575頁）。

これに対して、もともと抵当権を実行して弁済を受けうるという後順位抵当権者の地位を保護すべきとして、一部弁済の場合も直ちに代位することを認めるべきであるとする見解もあります。

(2) 共同抵当権の放棄と代位

共同抵当権者（債権者A）が任意に一部弁済を受ける等して、甲土地のみで担保として十分であると考え、乙土地の共同抵当権を放棄した場合、後に甲土地の抵当権を実行したときの後順位抵当権者（債権者B）は債権者Aが乙土地に有していた抵当権につき代位することができるかが問題となります。

先ほどの設例で、仮に債権者A（共同抵当権者）の放棄がない場合を考えます。債権者Aは甲土地の抵当権を実行することにより債権全額（5000万円）の配当を受けることができます。他方、債権者B（甲土地の後順位抵当権者）は甲土地の代価の残額から1000万円の配当を受けたうえ、債権者Aに代位して債権者Aの乙土地の1番抵当権を取得し、当該抵当権を実行して乙土地から配当を受けることができます。しかし、債権者Aが乙土地の共同抵当権を放棄した場合、債権者Bは、債権者Aに代位して債権者Aの乙土地の1番抵当権を取得することができないため甲土地から1000万円しか配当を受けられないこととなり、債権者Bの利益が害されるという問題があります。

判例・多数説は、このような債権者Bを保護する必要があるとして、債権者Aは乙土地の1番抵当権を自由に放棄することができるものの、本来ならば債権者Bが債権者Aに代位して債権者Aの乙土地の1番抵当権を取得し配当を受けることができたはずの額（2000万円）については甲土地の抵当権実行による配当において債権者Aは債権者Bに優先できないとしています（大判昭和11年7月14日民集15巻1409頁、最判昭和44年7月3日民集23巻8号1297頁）。

(3) 混同と代位

先ほどの設例で、共同抵当権者（債権者A）が乙土地の所有権を取得した場合、乙土地の1番抵当権と乙土地の所有権が債権者Aに帰属したことにより債権者Aの乙土地の1番抵当権が混同（民法179条）によって消滅すると考えると、甲土地の後順位抵当権者（債権者B）は債権者Aに代位して債権者Aの乙土地の1番抵当権を取得することができず、債権者Bは害されることになります。通説は、このような場合、後順位抵当権者（債権者B）が共同抵当権者（債権者A）に代位して債権者Aの乙土地の1番抵当権を取得できるという利益を保護するため、混同の例外として債権者Aの乙土地の1番抵当権は消滅しないと解しています。

8　物上保証人との関係

物上保証人が債務者に代わって債権者に対し被担保債権を弁済したときは（民法474条）、物上保証人の債務者に対する求償権（民法372条、351条）に基づいて、物上保証人は弁済を受けた債権者が有していた一切の権利を行使することができます（民法500条、501条）。これを法定代位といいます。物上保証人の所有する共同抵当の目的不動産が先に実行され異時配当となる場合、物上保証人の法定代位と異時配当の規定（民法392条２項）に基づく後順位抵当権者の代位の関係をどのように考えるべきかが問題となります。

⑴ 債務者と物上保証人とが共同抵当権の目的不動産を所有する場合

① 設 例

たとえば、債権者Ａが債務者Ｘに対して有する5000万円の債権を担保するため債務者Ｘ所有の甲土地（価格6000万円）と物上保証人Ｙ所有の乙土地（価格4000万円）に共同抵当として１番抵当権の設定を受け、債権者Ｂが債務者Ｘに対して有する3000万円の債権を担保するため甲土地に２番抵当権の設定を受け（後順位抵当権者）、債権者Ｃが債務者Ｘに対して有する3000万円の債権を担保するため乙土地に２番抵当権の設定を受けたとします（後順位抵当権者）。

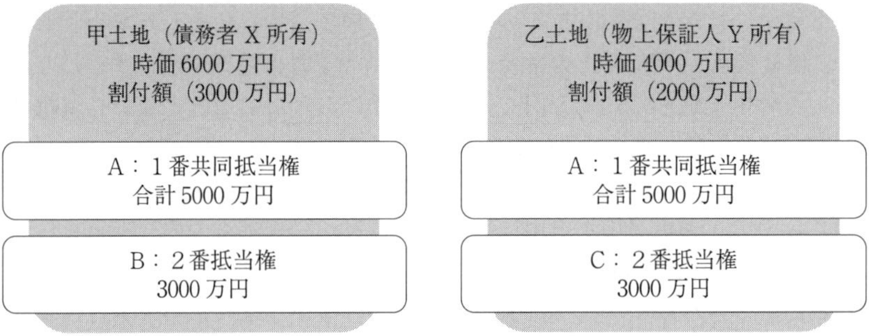

② 同時配当される場合

判例・通説は、物上保証人（Ｙ）はあくまで他人の債務の弁済を強制される立場にあることから、その負担はなるべく軽減されるべきと考えます。そこで、同時配当の場合を規律する民法392条１項により各不動産の価格に応じてその債権の負担を按分する（割り付ける）のではなく、まずは甲土地の代価が共同抵当権者（債権者Ａ）の債権に対する弁済に充てられるべきであるとして甲土地の抵当権が先に実行される場合の異時配当と同じ処理となるとしています（前掲最判昭和44年７月３日参照）。

したがって、上記の設例では、債権者Ａはまず甲土地の代価から5000万円の配当を受けます。債権者Ｂは、民法392条１項による割付けがないため、甲土地の代価の残額から1000万円の配当を受けることになります。債権者Cは乙土地の代価から3000万円の配当を受けます。物上保証人Yは乙土地の代価の残額1000万円を取得します。

③ 甲土地の抵当権が先に実行される異時配当の場合

判例・通説は、物上保証人は、他の共同抵当物件である甲土地から自己の求償権の満足を受けられることを期待して共同抵当権を設定したのであって、その後に甲土地に2番抵当権が設定されたからといってその期待を失わしめるべきではないと考えます。そこで、甲土地の後順位抵当権者（債権者B）は乙土地の抵当権につき民法392条2項の代位をすることはできないとします（前掲最判昭和44年7月3日参照）。

上記設例での配当は同時配当の場合と同様です。すなわち、債権者Aは甲土地の代価から5000万円の配当を受けます。債権者Bは、民法392条1項による割付けがないため、甲土地の代価の残額から1000万円の配当を受けることになります。債権者Aの債権が全額弁済を受けて消滅するのに伴い乙土地についてのAの抵当権が消滅するため、債権者Cは乙土地の抵当権を実行して、乙土地の代価から3000万円の配当を受けます。物上保証人Yは乙土地の代価の残額1000万円を取得します。

④ 乙土地の抵当権が先に実行される異時配当の場合

物上保証人所有の乙土地の抵当権が先に実行される異時配当の場合、物上保証人Yは抵当権の実行により乙土地を失います。乙土地の代価4000万円は債権者Aの債権の弁済に充てられ、物上保証人Yは債務者Xに対して4000万円の求償権を取得します（民法372条、351条）。この場合の処理は複雑であるため、物上保証人Yと甲土地上の後順位抵当権者（債権者B）との関係、物上保証人Yと乙土地上の後順位抵当権者（債権者C）との関係に分けて、以下検討します。

ア　物上保証人Yと甲土地上の後順位抵当権者（債権者B）との関係

判例は、物上保証人Yが乙土地の抵当権実行により債務者Xに対して取得する求償権4000万円の範囲で民法501条により共同抵当権者（債権者A）に代位して債権者Aの甲土地の1番抵当権を取得しうるとの立場に依拠しています（前掲最判昭和44年7月3日）。物上保証人Yの利益を甲土地上の後順位抵当権者（債権者B）の利益よりも優先させる立場です。Yは物上保証人になる時点で、債務者X所有の甲土地から自己の求償権の満足を得ることを期待していたのであり、その後の甲土地への後順位抵当権設定によりこの期待を失わせるべきではないことを理由としています。

この場合、乙土地の後順位抵当権者（債権者C）が存在しないものとして考えると、債権者Aは乙土地の代価4000万円と甲土地の代価6000万円から1000万円の配当を受けます。物上保証人Yは債務者Xに対する求償権4000万円の範囲内で民法501条により甲土地の代価の残額から4000万円の配当を受けます。甲土地上の後順位抵当権者（債権者B）は甲土地の代価の残額から1000万円の配当を受けることとなります。

イ　物上保証人Yと乙土地上の後順位抵当権者（債権者C）との関係

もっとも、実際には物上保証人Yの所有する乙土地について債権者Cが2番抵当権を有しています。判例は、物上保証人Yは自己所有の乙土地に債権者Cに対して抵当権を設定しているのであるから、民法392条2項の趣旨に鑑み、物上保証人Yは債務者Xに対して求償権を取得するとともに代位により債務者X所有の不動産（甲土地）に対する1番抵当権を取得しますが、物上保証人Y所有の不動産（乙土地）の後順位抵当権者（債権者C）は、民法372条、304条1項本文の規定により物上代位をするのと同様に、物上保証人Yに移転した1番抵当権から優先して弁済を受けることができると解しています（最判昭和53年7月4日民集32巻5号785頁、最判昭和60年5月23日民集39巻4号940頁・百選Ⅰ［第8版］94事件）。

したがって、先ほどの設例では、物上保証人Yは乙土地上の債権者Aの抵当権につき4000万円の範囲で代位することができ、甲土地の代価6000万円のうち、4000万円の範囲で債権者Bに優先できますが、債権者Cはこの4000万円の中から3000万円の限度で優先弁済を受けられるということになります。

⑵ 甲土地を物上保証人Z、乙土地を物上保証人Yが所有する場合

① 設 例

たとえば、債権者Aが債務者Xに対して有する5000万円の債権を担保するため物上保証人Z所有の甲土地（時価6000万円）と物上保証人Y所有の乙土地（時価4000万円）に共同抵当として1番抵当権の設定を受け、債権者Bが債務者Xに対して有する3000万円の債権を担保するため甲土地に2番抵当権の設定を受け（後順位抵当権者）、債権者Cが債務者Xに対して有する3000万円の債権を担保するため乙土地に2番抵当権の設定を受けたとします（後順位抵当権者）。

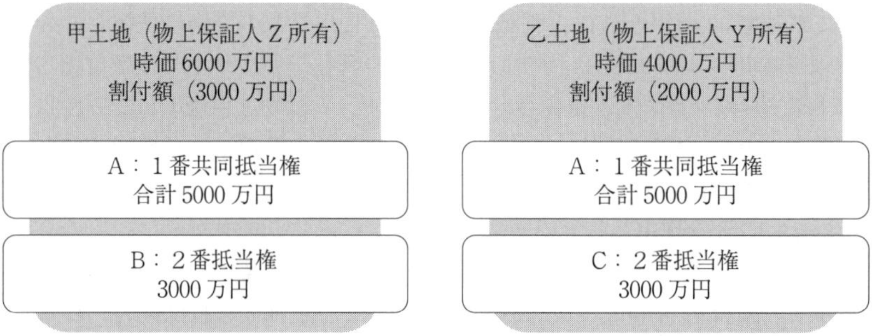

② 異時配当される場合

先ほどの設例で、債権者Ａが乙土地の１番抵当権から実行した場合を考えます。判例・通説は、次のように処理します。民法501条４号により、甲土地の時価6000万円と乙土地の時価4000万円に応じて債権者Ａの債権を按分した価格（割付額）を算出し（甲土地は3000万円、乙土地は2000万円）、甲土地の割付額3000万円の限度で、物上保証人Ｙは、債権者Ａに代位して物上保証人Ｚ所有の甲土地の債権者Ａの１番抵当権を取得します。そして、先に抵当権を実行された乙土地上の後順位抵当権者（債権者C）は乙土地の所有者である物上保証人Ｙが債権者Ａを代位して取得した甲土地の１番抵当権に物上代位するのと同様に優先弁済を受けることができ、物上保証人Ｙが代位により取得した１番抵当権から優先弁済を受けることができます（大判昭和11年12月９日民集15巻2172頁）。

したがって、債権者Ａは乙土地から4000万円、甲土地から1000万円の配当により債権全額（5000万円）の弁済を受けます。乙土地の物上保証人Ｙは甲土地の割付額3000万円の限度で債権者Ａに代位して、債権者Ａの甲土地の１番抵当権を取得しますが、乙土地の後順位抵当権者（債権者C）は物上保証人Ｙに優先するため、物上保証人Ｙが取得した割付額3000万円全額につき物上保証人Ｙに優先して債権全額（3000万円）の配当を受けます。債権者Ｂは甲土地の代価残額2000万円の配当を受けます。

⑶ 同一物上保証人が共同抵当の目的不動産を所有している場合

① 設 例

たとえば、債権者Ａが債務者Ｘに対して有する5000万円の債権を担保するため物上保証人Ｙの甲土地（時価6000万円）と乙土地（時価4000万円）に共同抵当として１番抵当権の設定を受け、債権者Ｂが債務者Ｘに対して有する3000万円の債権を担保するため甲土地に２番抵当権の設定を受けたとします（後順位抵当権者）。

その後、債権者Ａが甲土地の１番抵当権を実行した場合の処理を考えます。

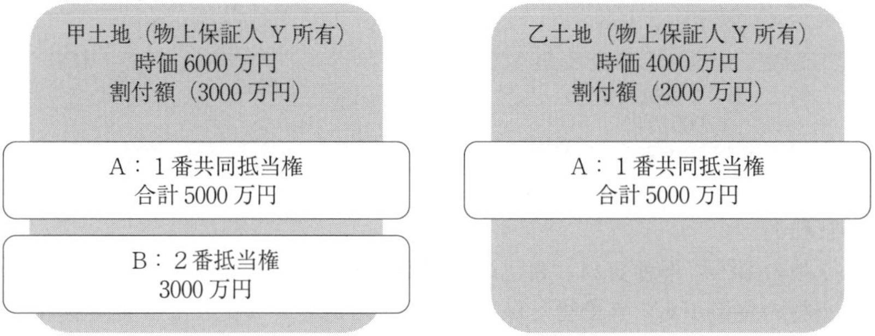

② 処 理

この場合、物上保証人Ｙが自己所有の不動産に代位する意味はありません。また、後順位抵当権者（債権者Ｂ）は共同抵当権（債権者Ａの5000万円）の負担は不動産の価格（甲土地6000万円、乙土地4000万円）に応じて各不動産に按分され（甲土地3000万円、乙土地2000万円）、甲土地に代価残額（2000万円）が生じることを期待しているため、このような期待を保護する必要があります。したがって、甲土地と乙土地がともに債務者Ｘ所有の場合と同様に、民法392条が適用されることとなります。判例も異時配当の事案で民法392条２項を適用しています（最判平成４年11月６日民集46巻８号2625頁・百選Ⅰ［第８版］95事件）。

したがって、民法392条２項により債権者Ａは甲土地の代価から3000万円、乙土地の代価から2000万円の配当により全額の弁済を受けます。債権者Ｂは、甲土地の代価の残額から3000万円の配当を受けます。乙土地の代価の残額2000万円は、乙土地の所有者である物上保証人Ｙが取得します。

9　第三取得者との関係

① 設 例

たとえば、債権者Ａが債務者Ｘに対して有する5000万円の債権を担保するため債務者Ｘの甲土地（時価6000万円）と乙土地（時価4000万円）に共同抵当として１番抵当権の設定を受け、債権者Ｂが債務者Ｘに対して有する3000万円の債権を担保するため甲土地に２番抵当権の設定を受けたとします（後順位抵当権者）。その後、乙土地を第三者Ｄが取得し乙土地について抵当権が実行された場合における第三取得者Ｄと甲土地の後順位抵当権者（債権者Ｂ）との関係について説明します。

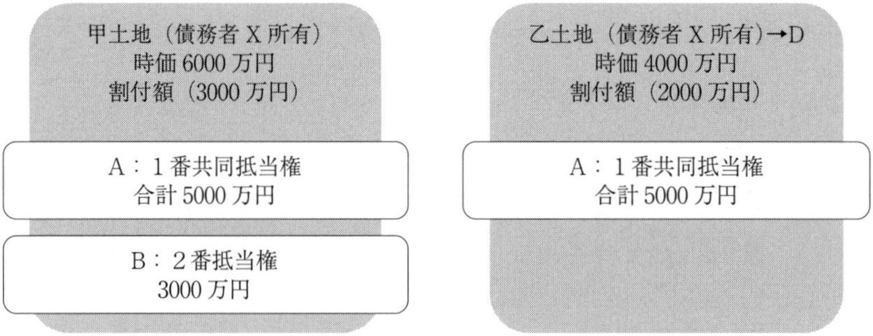

② 処 理

乙土地の第三取得者Ｄは、自己の所有不動産に他人の債務を被担保債権とする抵当権の負担がある点で物上保証人と同様であると考えれば、共同抵当権者（債権者Ａ）に代位して債権者Ａの甲土地の１番抵当権を取得しうることとなります（民法500条、501条）。一方で甲土地の後順位抵当権者（債権者B）はもともと乙土地も債務者X所有であったため、民法392条2項により乙土地の抵当権につき代位が生じることに対する期待があります。そこで、この両者の調整が必要となります。

この点、第三取得者Dが物上保証人である場合と同様に扱う見解もあります。しかし、多数説は、第三取得者と後順位抵当権者の利害の調整の観点から、以下のように、後順位抵当権者（債権者B）の抵当権設定と第三取得者Dの所有権取得の先後で区別します。

後順位抵当権者（債権者B）の抵当権設定前に第三取得者Dが乙土地を取得した場合は、第三取得者Dは甲土地には後順位抵当権が存在せず、仮に購入後に乙土地の抵当権が実行されたとすれば、債権者Aに代位して甲土地の1番抵当権を取得すること（民法500条、501条）を期待して乙土地を取得したと考えられます。このような期待は保護されるべきであるため、第三取得者Dは債権者Aに代位して債権者Aの甲土地の1番抵当権を取得します。これに対して、後順位抵当権者（債権者B）の抵当権設定後に第三取得者Dが乙土地を取得した場合は、後順位抵当権者（債権者B）は甲土地と乙土地がともに債務者の土地であることを前提として抵当権設定を受けたと考えられます。このような期待は保護されるべきであるため、この場合は後順位抵当権者（債権者B）が第三取得者Dに優先し、第三取得者Dは、甲土地の債権者Aの1番抵当権に代位することはできません。

先ほどの設例では、共同抵当権者（債権者A）は乙土地の代価から4000万円、甲土地の代価から1000万円の配当を受け債権額全額（5000万円）の配当を受けます。甲土地の後順位抵当権者（債権者B）の抵当権設定の方が第三取得者Dの乙土地の取得よりも先であるため、債権者Bが第三取得者Dに優先します。すなわち、債権者Bは甲土地の代価残額から3000万円全額の配当を受けることとなります。

第11　根抵当権

1　根抵当権の意義

根抵当権とは、一定の範囲に属する不特定の債権を、極度額という一定の枠の限度で担保する抵当権をいいます（民法398条の2）。

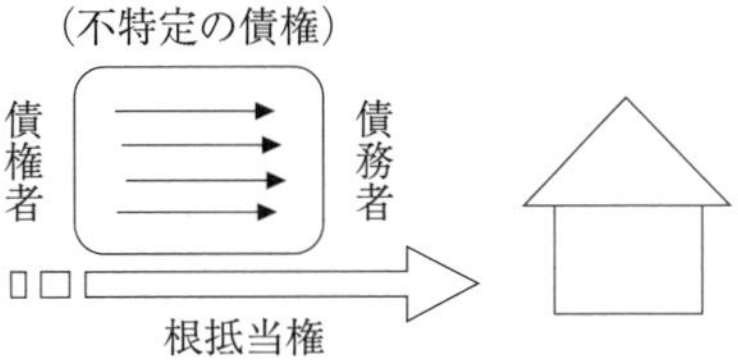

たとえば、継続的取引にある債権者が債務者に対して日々の日常取引から生じ

る債権を担保するため、一定の枠（たとえば1億円）を設定し、その範囲で債務者の不動産を担保とする場合に根抵当権を用います。

根抵当権を利用することにより継続的取引関係にある当事者間で、債権債務の消滅ごとに抵当権の抹消と設定を繰り返す必要がなくなり、債権管理に関する手続を簡易化することが可能となります。

根抵当権は、成立・存続・消滅に関し、普通抵当権と異なり付従性、随伴性が認められません。なぜなら、根抵当権は、普通抵当権と異なり、債権の発生と消滅を繰り返す債権を被担保債権として担保することを目的とする担保物権であり、この目的を達成するため成立・存続・消滅に関し被担保債権との付従性・随伴性が否定されているからです。

2　根抵当権の設定

(1) 根抵当権設定契約

根抵当権は、根抵当権者と根抵当権設定者の間の根抵当権設定契約により成立します。根抵当権を設定する場合、根抵当権者と根抵当権設定者との間で、債務者、担保される被担保債権の範囲、極度額を定める必要があります（民法398条の2）。

① 被担保債権の範囲

民法398条の2は、被担保債権の範囲の定め方として以下の4種類を法定しています。根抵当権は、元本が確定するまでの間不特定の債権を担保する担保権であり、後順位抵当権者やその他の債権者にとって根抵当権により把握された財産の範囲を予測しにくく、無限定に認めると後順位抵当権者やその他の債権者の利益を害するおそれがあります。そこで、後順位抵当権者やその他の債権者を保護するため、民法398条の2は、被担保債権となる債権を以下の4種類の債権に限定し、これ以外の債権を被担保債権とする根抵当権を否定しました。

ア　特定の継続的取引契約から生じる債権

たとえば、継続的に製品の原材料を供給する原材料供給取引上の代金債権を被担保債権とする場合がこれにあたります。

イ　一定の種類の取引から生じる債権

たとえば、売買取引や運送契約等一定の種類の取引から生じる債権の一切の債権を被担保債権とする場合がこれにあたります。

ウ　特定の原因に基づいて債務者との間に継続して生ずる債権

ア、イと異なり、一定の取引ではなく、たとえば継続的な不法行為により生じる損害賠償債権を被担保債権とする場合がこれにあたります。

エ　手形上の請求権、小切手上の請求権、電子記録債権

手形上または小切手上の請求権には、債務者が第三者のために振り出した手形・小切手を債権者が取得した場合に債権者が債務者に対して取得する手形上

または小切手上の請求権が含まれます。

電子記録債権とは、電子記録債権法（平成19年6月27日法律第102号）2条1項に規定する電子記録債権をいいます。改正後の民法は、手形および小切手と経済的に類似の機能を果たす電子記録債権を、被担保債権とすることを認めています（民法398条の2第3項）。

② 極度額

根抵当権者は、極度額という一定の枠の範囲内でのみ根抵当権の実行により優先弁済を受けることができます（民法398条の3第1項）。この趣旨は、極度額という一定の枠を明確にすることにより後順位抵当権者に予測可能性を与え、後順位抵当権者が不測の損害を受けることを回避する点にあります。

根抵当権の被担保債権には、確定した元本に加え、利息や違約金等も含まれ、これらについて極度額の範囲で優先弁済を受けることができます。

③ 確定期日

根抵当権者と根抵当権設定者は、根抵当権が確定することにより被担保債権の元本を確定する日をその設定をした日から5年以内の範囲であらかじめ定めることができます（民法398条の6第1項、第3項）。確定期日を5年以内に限定した趣旨は、根抵当権による拘束が長期間に及ぶことを防ぐ点にあります。

⑵ 対抗要件

根抵当権を設定したことを第三者に対抗するためには、対抗要件として登記を備える必要があります（民法177条）。

3　根抵当権の内容の変更

⑴ 被担保債権の範囲の変更および債務者の変更

根抵当権は、一定の期間の継続的関係を予定しているため、この期間内に事情が変化した場合に、被担保債権の範囲や債務者について当事者間で変更することを認める必要があります。そこで、民法398条の4第1項は、根抵当権者と根抵当権設定者は被担保債権の範囲や債務者を変更することを合意し、元本確定前に登記することにより、これらを変更することを認めています。

たとえば、当初根抵当権の被担保債権を原材料の供給取引に基づき生じる債権としていた場合、これを製品の継続的供給契約に基づき生じる債権に変更することは被担保債権の範囲の変更に該当します。

また、債務者をAから第三者Bに変更する場合が債務者の変更に該当します。

極度額の変更の場合、根抵当権によって把握する担保価値が変わるため、後順位抵当権者をはじめとする第三者に対して与える影響が大きいといえます。これに対し、被担保債権の範囲の変更や債務者の変更の場合、根抵当権によって把握された担保価値自体に影響を及ぼさないため第三者に対して与える影響は大きくありません。そこで、被担保債権の変更や債務者の変更の場合、後順位抵当権者その他第三者からの承諾は必要とされていません（民法398条の４第２項）。

⑵ 極度額の変更

民法398条の５は、極度額の変更は、利害関係を有する者の承諾を得なければすることができないと規定します。この趣旨は、極度額の変更は、根抵当権によって把握する担保価値の範囲を変更することになるため、利害関係を有する者の承諾を要求することにより、利害関係人の保護を図る点にあります。利害関係を有する者とは、極度額を変更することによって不利益を受ける者をいいます。たとえば、後順位抵当権者は、先順位根抵当権者が極度額を変更することにより、把握していた担保価値が減少するという不利益を受けるため、利害関係を有する者にあたります。

⑶ 確定期日の変更

根抵当権者と根抵当権設定者は、元本の確定期日を変更することを合意し、元本確定前に登記することにより元本の確定期日を変更することができます（民法398条の６第１項）。この趣旨は、当事者間の合意により元本期日の変更を自由に設定・変更することを認めるとともに、第三者に対して元本期日の変更があった事実を登記事項として情報開示することを通じて第三者の保護を図る点にあります。元本の確定の時期について、後順位抵当権者等の第三者は利害関係を有しないため、確定期日の変更について利害関係を有する者の承諾は必要ありません（民法398条の６第２項）。

4　根抵当権の処分

⑴ 根抵当権の譲渡

根抵当権は、債権の発生と消滅を繰り返す債権を被担保債権として担保することを目的とする担保物権であり、この目的を達成するため成立・存続・消滅に関し被担保債権との付従性・随伴性を否定されています。このように元本確定前の根抵当権は、普通抵当権と異なり随伴性が認められないため、被担保債権とは別に根抵当権自体を処分することができます（民法398条の12）。なお、元本確定前の根抵当権には、根抵当権を他の債権の担保とする場合（転抵当）を除き、普通抵当権の処分に関する規定は適用されません（民法398条の11第１項）。

根抵当権自体の処分とは、根抵当権の譲渡をいいます。根抵当権の譲渡には、根抵当権の全部譲渡、分割譲渡、一部譲渡があります。

① 根抵当権の全部譲渡

根抵当権の全部譲渡とは、根抵当権の元本確定前に根抵当権設定者の承諾を得て根抵当権全部を譲渡することをいいます（民法398条の12第１項）。根抵当権を全部譲渡した場合、旧根抵当権者が債務者に対して有していた債権は、当該根抵当権の被担保債権から外れ、無担保債権となります。

② 根抵当権の分割譲渡

根抵当権の分割譲渡とは、根抵当権の元本確定前に根抵当権設定者の承諾を得て、根抵当権を2個の根抵当権に分割してそのうちの一方の根抵当権を第三者に譲渡することをいいます（民法398条の12第2項）。この趣旨は、根抵当権者が根抵当権を譲渡するため分割を可能とした点にあります。たとえば、根抵当権者は元本確定前の1個の根抵当権（極度額1億円）を2個の根抵当権（極度額5000万円ずつの根抵当権）に分割してそのうち1個の根抵当権（5000万円の根抵当権）を第三者に譲渡することができます。この場合、2個の根抵当権は、同順位の根抵当権として取り扱われます。なお、分割譲渡する根抵当権を目的とする権利を有する者の承諾を得る必要があります（民法398条の12第3項）。

③ 根抵当権の一部譲渡

根抵当権の一部譲渡とは、根抵当権を譲渡する譲渡人と根抵当権の譲受人との間で、元本確定前の根抵当権を準共有となるよう根抵当権を分割せずに譲渡する場合をいいます（民法398条の13）。この趣旨は、根抵当権の準共有による極度額の共同利用を認めた点にあります。根抵当権の一部譲渡を実施した場合、分割譲渡を行った譲渡人と分割譲渡を受けた譲受人は、1つの根抵当権の極度額を共同利用することになり、準共有関係となった根抵当権者の被担保債権の合計額が極度額の範囲で担保されることになります（民法398条の13）。準共有関係となった根抵当権者は、別の割合を合意して登記しない限り、それぞれの被担保債権額に応じて優先弁済を受けることになります。たとえば、根抵当権者Aが第三者Bに1億円の根抵当権を一部譲渡した場合、A、Bに対する配当金は、それぞれの被担保債権額に応じて配当されることになります。

5　共同根抵当

共同根抵当とは、複数の不動産に極度額や被担保債権の範囲の共通する根抵当権を設定することをいいます（民法398条の18、398条の16）。共同根抵当のうち、それぞれの根抵当権がそれぞれ別個に極度額の範囲まで被担保債権を担保する根抵当権を累積式共同根抵当（民法398条の18）といいます。たとえば、継続的売買取引に基づく売買代金債権を担保するため、2つの不動産にそれぞれ極度額5000万円の根抵当権が設定された場合、根抵当権者はそれぞれの不動産から5000万円ずつの優先弁済を受けることが可能となります。

なお、根抵当権者と根抵当権設定者が、根抵当権設定と同時に同一の債権を担保として数個の不動産につき根抵当権を設定し、その旨の登記をした場合に限り、普通抵当における共同抵当の規定（民法392条、393条）の適用を受けます（民法398条の16）。この趣旨は、同一の債権を担保として複数の不動産に根抵当権を設定することを認め、これを登記することにより法律関係の混乱を回避するという点にあります。

6　根抵当権の元本の確定・実行

⑴ 元本の確定の意義

根抵当権の元本の確定とは、極度額の範囲で発生・消滅を繰り返す不特定の被担保債権を一定の時点で特定の元本に具体的に確定することをいいます。

元本の確定により根抵当権者は、根抵当権を実行して優先弁済を受けることが可能となります。

根抵当権の元本の確定により、その後に発生する債権は、当該根抵当権で担保されなくなります。たとえば、継続的売買契約に基づく売買代金債権を被担保債権とする根抵当権の元本が確定した場合、その後発生する売買代金債権は、当該根抵当権によって担保されません。

また、根抵当権は元本の確定により消滅に関する付従性を備えることになります。したがって、被担保債権である元本債権が確定した後当該元本債権が消滅すると根抵当権も付従性により消滅することになります。たとえば、極度額２億円の根抵当権の元本が１億5000万円に確定した場合、根抵当権設定者が根抵当権者に対して被担保債権である１億5000万円全額を弁済すれば、当該根抵当権は付従性により消滅します。

⑵ 元本の確定事由

以下の①から⑥の各事由が認められるときに根抵当権の元本は確定します。

① 元本確定期日の到来

根抵当権者と根抵当権設定者との間で元本確定期日を合意して定めた場合、当該元本確定期日が到来した時点で元本は確定します。

② 根抵当権の元本の確定請求

元本の確定期日を定めていない場合、根抵当権と根抵当権設定者は、いずれも元本の確定請求をすることができます。元本の確定請求とは、元本の確定期日の合意がないときに元本を確定させるために行われる一方当事者による請求（形成権）をいいます（民法398条の19）。根抵当権設定者からの元本の確定請求による元本の確定を認めた趣旨は、元本確定期日の定めがない場合、根抵当権設定者は長期間にわたって根抵当権を負担することとなり酷であるため根抵当権設定者側から元本の確定を請求することを認めた点にあります。また、根抵当権者からの元本の確定請求による元本の確定を認めた趣旨は、根抵当権者からの元本確定を認め、被担保債権の範囲にある債権を抵当権付きで譲渡する等の対応を可能にしようとした点にあります。

③ 根抵当権者が目的不動産につき競売や担保不動産収益執行、物上代位権行使のための差押えを申し立てたとき（民法398条の20第１項１号）

根抵当権者が根抵当権を実行するためには、元本債権を特定して実行する必要があります。根抵当権者が目的不動産につき競売、担保不動産収益執行、物上代位権行使のための差押えの申立てをした場合、根抵当権者が根抵当権を実行することが明らかとなります。そこで、民法398条の20第１項１号は、根抵当権者が根抵当権を実行するため目的不動産につき競売や担保不動産収益執行、物上代位権行使のための差押えの申立てにより元本債権が確定することを認めました。

④ 国、地方公共団体である根抵当権者が、抵当不動産に対して滞納処分による差押えをしたとき（民法398条の20第１項２号）

この場合、根抵当権者が、元本を確定して根抵当権を実行する意思が明らかとなります。そこで、民法398条の20第１項２号は、国、地方公共団体である根抵当権者が、抵当不動産に対して滞納処分による差押えをしたことを元本債権の確定事由としました。

⑤ 第三者の申立てによる抵当不動産に対する競売手続の開始または滞納処分による差押えがあったことを根抵当権者が知った時から２週間を経過したとき（民法398条の20第１項３号）

第三者の申立てによる抵当不動産に対する競売手続の開始または滞納処分による差押えがあった場合、根抵当権者は抵当不動産につき優先弁済権を行使する必要が生じます。そこで、民法398条の20第１項３号は、第三者の申立てによる抵当不動産に対する競売手続の開始または滞納処分による差押えがあったことを根抵当権者が知った時から２週間を経過したときに元本債権が確定することとしています。

⑥ 債務者または根抵当権設定者が破産手続開始決定を受けたとき（民法398条の20第１項４号）

債務者または根抵当権設定者が破産手続開始決定を受けた場合、根抵当権者に根抵当権実行による優先弁済権を行使させる必要があるため、債務者または根抵当権設定者が破産手続開始決定を受けたときに元本債権が確定することとしています。

(3) 元本の確定の効果

元本の確定により、確定時の元本債権が当該根抵当権により担保されることとなり、それ以降に生じた債権は当該根抵当権により担保されなくなります。たとえば、継続的取引に基づく売買代金債権を被担保債権とする極度額２億円の根抵当権の元本が１億5000万円に確定した場合、元本の確定後に生じた売買代金債権は、当該根抵当権によって担保されないこととなります。根抵当権者は、確定した元本債権およびその元本から生じる利息、損害賠償金を被担保債権とする根抵当権を実行することが可能となります。

根抵当権の元本が確定することにより普通根抵当権と同様に被担保債権との付従性、随伴性が認められることになります。したがって、元本確定後に被担保債権が消滅した場合、根抵当権も消滅します。

根抵当権が確定した場合でも民法375条の適用はありません。そのため、根抵当権者は極度額に達するまでは2年を超える利息・遅延損害金についても優先弁済を受けることが可能です。

もっとも、根抵当権の元本が確定した後、根抵当権設定者は、被担保債権の合計額が極度額を下回っている場合に、現に存在する債権額とその後2年間に生じるべき利息・遅延損害金を加えた額にまで極度額を減額することを請求することができます（民法398条の21第1項)。この趣旨は、根抵当権の元本の確定に伴い新たな元本債権が生じなくなった後に、根抵当権者に極度額までの利息を回収することを認める合理性が乏しいことから、根抵当権設定者に極度額の減額請求を認めた点にあります。

また、根抵当権の被担保債権が極度額を上回る場合、物上保証人、または抵当不動産に所有権、地上権、永小作権、もしくは第三者に対抗できる賃借権を取得した第三者は、極度額までの額を弁済することにより根抵当権を消滅させることを請求できる権利（根抵当権消滅請求権）を行使することができます（民法398条の22第1項)。この趣旨は、根抵当権者は極度額の限度で担保を把握しており、元本確定後も極度額まで回収できれば満足すべきであるため、当該不動産に利害関係を有する第三者に根抵当権消滅請求権を付与することにより第三者の保護を図った点にあります。

第12　抵当権の消滅

1　他の物権と共通の消滅原因

抵当権は、他の物権と同じく、抵当権を設定した目的不動産が滅失した場合（ただし、たとえば火災で滅失した不動産の火災保険金請求権等に対して抵当権者の物上代位権の行使が問題となる場合、その限りで抵当権は消滅しません)、混同（民法179条）が生じた場合、抵当権を放棄した場合（民法177条参照)、抵当権を設定した目的不動産の所有権を第三者が時効により取得した場合（民法162条）に消滅します。

なお、民法397条は、「債務者又は抵当権設定者でない者」が抵当不動産について取得時効に必要な要件を具備する占有をしたときは、抵当権は、これにより消滅すると規定します。この趣旨は、被担保債権を担保する目的で抵当権を設定した者や債務者が長期間占有したことにより取得時効によって抵当不動産を取得できるとすると、抵当権が消滅することになり不合理であるため、明文で「債務者又は抵当権設定者」が時効取得することを除外した点にあります。

2　被担保債権の消滅

抵当権は、被担保債権を担保するために存在する担保物権です。そのため、被担保債権が消滅した場合には、抵当権も被担保債権とともに消滅します（付従性)。

たとえば、被担保債権が時効により消滅した場合、抵当権も被担保債権の消滅に伴い消滅することになります。ただし、根抵当権の場合、元本確定前には、被担保債権との間の付従性が認められないため、被担保債権が消滅したとしても根抵当権は消滅しません。

3　抵当権の時効消滅（民法396条）

抵当権は債務者・抵当権設定者との関係では、被担保債権と同時でなければ時効によって消滅しません（民法396条）。なぜなら、被担保債権が時効により消滅していないにもかかわらず、債務者・抵当権設定者に抵当権のみの時効消滅の主張を認めることは被担保債権を担保するという抵当権の目的に反し妥当でないからです。

もっとも、民法396条は「抵当権は、債務者及び抵当権設定者に対してはその担保する債権と同時でなければ、時効によって消滅しない」と規定します。

そこで、判例・通説は、民法396条を反対解釈して債務者および抵当権設定者ではない第三取得者との関係では、改正後の民法166条２項の適用によって、被担保債権とは別に抵当権が20年の消滅時効にかかることを認めています（改正前民法の下における大判昭和15年11月26日民集19巻2100頁）。また、抵当権の被担保債権が免責許可の決定の効力を受ける場合には、民法396条は適用されず、債務者及び抵当権設定者に対する関係においても、当該抵当権自体が、民法166条２項（改正前民法167条２項）所定の20年の消滅時効にかかります（最判平成30年２月23日民集72巻１号１頁）。

4　代価弁済・抵当権消滅請求（民法378条、379条）

⑴ 代価弁済（民法378条）

代価弁済とは、抵当不動産につき、所有権または地上権を買い受けた第三取得者が抵当権者の請求に応じてこれに代価を弁済したときは、抵当権がその第三取得者のために消滅するという制度です（民法378条）。この制度の趣旨は、抵当権者の抵当権実行によって被担保債権全額を回収することができない場合があるため、抵当権者が抵当権実行によらずに第三者からの代価の弁済で満足する場合には、抵当権を消滅することを認めた点にあります。

抵当不動産の第三取得者が、抵当権者の請求に応じて抵当権者に対して代価を弁済した場合、抵当権は、その第三取得者のために消滅します（民法378条）。

⑵ 抵当権消滅請求（民法379条）

抵当権消滅請求とは、抵当不動産につき所有権を取得した第三取得者が抵当権者に対し、自ら抵当不動産を評価した額を提供して、抵当権の消滅を請求することができる制度をいいます。この制度の趣旨は、抵当権実行により、所有権を失う第三取得者に、一定の金額の支払いと引き換えに抵当権を消滅させる機会を付与することで第三取得者の保護を図った点にあります。

民法383条各号の書面の送付を受けた抵当権者が、第三取得者の提供した代価または特に指定した金額を承諾し、かつ、第三取得者がその代価または特に指定した金額を債権の順位に従って払渡しまたは供託したときに、抵当権は消滅します（民法386条）。この趣旨は、第三取得者が、すべての抵当権者によって承諾を受けた申出額の払渡しを完了したときに、被担保債権が全額の弁済を受けたか否かにかかわらず、抵当不動産上のすべての抵当権を消滅することを明らかにした点にあります。たとえば、抵当不動産の第三取得者が抵当権者から承諾を受けた申出額を後順位抵当権者を含む抵当権者に全額支払えば、被担保債権が全額回収されない場合でも、抵当権は消滅します。

第7章

非典型担保

第1　非典型担保

1　非典型担保の意義

非典型担保とは、民法典が規定する約定担保物権（質権・抵当権）を利用しないで担保の目的を達成する担保方法をいいます。

非典型担保として、不動産については買戻し、再売買の予約、譲渡担保、仮登記担保、動産については、譲渡担保、所有権留保が挙げられます。

2　非典型担保を利用する根拠

非典型担保は、質権や抵当権といった民法が規定する担保物権（典型担保物権）では、取引社会の要請に応えることができない場合に利用されます。

まず、非典型担保は、動産について抵当権が設定できないという点を補うために利用されます。抵当権は不動産を対象とする法定担保物権であり、動産に担保権を設定することは民法上認められていません。民法は、動産を担保とする方法として、質権を予定しています（民法342条）。もっとも、動産に質権を設定した場合、目的物の占有を質権者に移転する必要があるため、債務者は目的物の占有・利用を継続することはできません。したがって、質権は質権設定者の営業活動に不可欠な財産（工場の機械等）に設定できないという問題があります。そこで、工場の機械等を利用しながら、担保権を設定する方法として、非典型担保（譲渡担保等）を利用することになります。

また、非典型担保の必要性としては、抵当権の実行は裁判所の手続を経る必要があり時間や費用を要するため、抵当権よりも簡易・迅速な手続を認める要請があることが挙げられます。さらに、抵当権の実行により目的物を処分した場合には価格が下がるのが通常であり、必ずしも適正な価格を保証するものではないといえます。これに対して、非典型担保による場合、権利自体をあらかじめ債権者に移転し、債務が履行されない場合に権利の移転を終局的なものとするため、裁判所の手続によらずに実行することが可能となります。

3　非典型担保の種類

非典型担保として、一般に用いられているのは、以下の３種類です。

第１は、担保の目的となる権利をあらかじめ債権者に移転し、債務が履行された場合にはこの権利を設定者に返還する方法です。これを譲渡担保といいます。

第2は、売買代金債権を担保するために、売主が買主に売買の目的物を引き渡した後も、売買代金の完済があるまでは目的物の所有権を留保する方法です。これを所有権留保といいます。

第3は、債務不履行を条件として、担保の目的となる権利を債権者に移転する方法です。これは、債務不履行時に債権者が取得する権利移転請求権を仮登記によってあらかじめ保全しておくことから（不動産登記法105条以下）、仮登記担保といいます。

第2　譲渡担保

1　譲渡担保の意義

(1) 意　義

譲渡担保とは、債権の担保または満足を図ることを目的として、債務者または第三者の権利（所有権やその他の財産権）を債権者に譲渡することをいいます。

たとえば、Xが所有する機械を担保にYから資金を借り受けようとする場合、機械は動産であるため抵当権を設定することはできません。また、Xが機械にYを質権者とする質権を設定した場合、XはYに対して当該機械を引き渡すことが必要となります（民法342条、344条）。その結果、Xは当該機械を継続して利用することができなくなります。そこで、XはYに対して当該機械を売却したこととして、Yから代金に相当する金額を借り受けたうえで、債権者であるYから当該機械を借り受けることにより継続して使用するという方法が考えられます。

このように債権者と債務者の間で譲渡担保を設定する場合、債務を担保することを目的として、譲渡担保の目的物の所有権を債権者に移転することとなります。ただし、あくまで債権の担保を目的として所有権を移転するため、債務を弁済すれば当該所有権は債務者に復帰することを予定する点に特色があります。また、債務者は、占有改定（民法183条）の方法で所有権を移転することにより、債務不履行がない限り目的物の占有および使用を継続するのが通常です。

(2) 譲渡担保の機能

譲渡担保の目的物に制限はなく、譲渡可能な権利であれば譲渡担保の目的物とすることができます。

債務者が所有する動産（工場の機械や在庫商品等）に譲渡担保を設定した場合、債務者は債権者に対して当該動産に対する占有を移転することなく、当該動産に担保を設定することが可能となります。このように譲渡担保は動産抵当を実現するための手段として用いられます。

また、債務者が所有する不動産に譲渡担保を設定した場合、抵当権に関する複雑な強制執行手続（担保不動産競売）による時間や費用を節約し、簡易な方法で私的実行を実現することが可能となります。

さらに、譲渡担保によれば、通常の担保を設定することが困難な集合動産や集合債権等を担保の目的とすることも可能となります。

(3) 譲渡担保の方法

目的物の所有権を譲渡する方法により担保を設定する方法として、以下の2つがあります。

第1は、金銭消費賃借契約等から生じる債務を担保するために、債権者と債務者の間で当該債権の発生原因となった契約とは別個に譲渡担保設定契約を締結して、目的物の所有権を債権者に移転し、債務の弁済を条件としてその復帰を約束する方法です。これを狭義の譲渡担保といいます。

たとえば、資金調達の目的でAがBとの間で金銭消費貸借契約を締結してBから1000万円を借り受けるとともに、AはBとの間で譲渡担保設定契約を締結し、貸金債務の担保のために機械をBに譲渡し、Bから無償でこれを借り受ける場合です。この場合、譲渡担保設定契約において、AがBに対して消費貸借契約の弁済期までに借入金を弁済した場合には、当該機械の所有権をAに返還することを合意することとなります。

第2は、債務者が債権者に対して目的物を売却した後、債務者が債権者から目的物を賃借し、目的物について再売買の予約（民法556条）または買戻しの特約（民法579条）を締結する方法です。これを売渡担保といいます。

たとえば、AがBに対して1000万円で機械を売却し、AからBに当該機械の所有権を移転させ、その後、一定期間内にAがBに対して契約の費用または再売買代金として1000万円を支払った場合にはBからAに当該機械の所有権を返還するという場合です。この場合、AとBの間で金銭消費貸借契約を締結しませんが、狭義の譲渡担保による場合（機械を担保として1000万円の融資を受ける方法）と同様の目的を実現することができます。

判例は、狭義の譲渡担保と売渡担保を明確に区別していません。判例は、債権者と債務者の間で不動産について売渡担保（買戻しの特約を付した売買契約）を設定した場合でも、目的不動産の占有の移転を伴わず、売主とされる者が目的不動産を占有する場合は、特段の事情がない限り譲渡担保の目的で契約が締結されたものと推認され、その性質は譲渡担保設定契約であると解すべきとしています（最判平成18年2月7日民集60巻2号480頁・百選Ⅰ［第8版］96事件）。

2　譲渡担保の法的構成

(1) 所有権的構成と担保権的構成

譲渡担保設定契約を締結する場合、債務者（譲渡担保権設定者）から債権者（譲渡担保権者）に対して目的物の所有権を移転することとなります。もっとも、譲渡担保契約を締結した後も目的物の占有は債務者の下にとどまるのが通常であり、その実質は担保の設定であるといえます。

このような所有権の移転という法形式と担保権の設定という実質のいずれを重視するかにより、譲渡担保の法的構成をどのように理解するかが異なることとなります。

① 所有権的構成

所有権的構成とは、譲渡担保における譲渡担保設定者から譲渡担保権者に対する所有権の移転という形式を重視して、譲渡担保の設定により目的物の所有権は譲渡担保権者に完全に移転し、譲渡担保権者は譲渡担保権設定者との間で担保の目的を超えて所有権を行使しないという債権的拘束を受けるにすぎないと構成する立場をいいます。

所有権的構成によれば、譲渡担保権者が被担保債権の弁済期前に第三者に目的物を処分した場合、第三者は譲渡担保権者から有効に所有権を取得し、譲渡担保設定者は第三者に対して当該目的物を追及できないこととなります。

② 担保権的構成

担保権的構成とは、担保権の設定という実質を重視して、譲渡担保を設定した後も目的物の所有権は依然として譲渡担保設定者に帰属すると構成する立場をいいます。

担保権的構成によれば、譲渡担保権者が被担保債権の弁済期前に第三者に譲渡担保の目的物を処分した場合、譲渡担保権者は目的物の所有権を有するものではないことから、第三者はその所有権を直ちに取得できないこととなります。

担保権的構成を採用する学説は、大きく２つに区別できます。第１は、目的物の所有権は譲渡担保設定者に残り、譲渡担保権者は担保権を取得するにとどまるという立場です。第２は、目的物の所有権は譲渡担保権者に帰属することを一応認めたうえで、担保の目的に応じた部分以外の物権（設定者留保権）は譲渡担保設定者に留保されるという立場です。

⑵ 判　例

かつての判例は、譲渡担保を設定した場合、譲渡担保権者から譲渡担保の目的物を譲り受けた第三者は善意悪意を問わず完全に目的物の所有権を取得するとして、譲渡担保の設定により目的物の所有権が完全に譲渡担保権者に移転することを前提とした立場（所有権的構成）を採用していました（大判大正10年３月25日民録27輯660頁）。

その後、担保目的という実質を考慮した複数の判例が現れています。たとえば、最判昭和57年９月28日判時1062号81頁は、「譲渡担保は、債権担保のために目的物件の所有権を移転するものであるが、右所有権移転の効力は債権担保の目的を達するのに必要な範囲内においてのみ認められる」として、譲渡担保を設定した後も譲渡担保権者は担保の目的に必要な限度で所有権を有するにとどまる旨を判示しています。そのうえで判例は、譲渡担保設定者は譲渡担保が実行されるまでは被担保債権を弁済して完全な所有権を回復できることから、譲渡担保設定者は正当な権原なく目的物を占有する者に対して、特段の事情がない限り目的物の返還を請求できる旨を判示しています。

近時の判例においても、譲渡担保権者は、被担保債権の弁済期前は債権担保の目的を達成するのに必要な範囲内で目的不動産の所有権を有するにすぎず、不動産を処分する権能を有しない旨を判示しています（最判平成18年10月20日民集60巻８号3098頁）。

判例は、基本的には所有権的構成を維持しながら、譲渡担保権が実質的に担保としての性質を有することに鑑み、譲渡担保設定者から譲渡担保権者に対する所有権移転について、譲渡担保の目的を達成するのに必要な範囲内においてという限定を付しているものと解されます（最高裁判所判例解説平成18年度（下）1103頁［増森珠美］参照）。

3　譲渡担保の設定

⑴ 譲渡担保設定契約の締結

譲渡担保は、譲渡担保権者（債権者）と譲渡担保設定者（債務者または第三者）の間の譲渡担保設定契約の締結により成立します。合意の内容として、債権を担保するために目的物の所有権を譲渡担保設定者から譲渡担保権者に移転すること、債務者が譲渡担保権者に債務を弁済した場合には目的物の所有権を譲渡担保設定者に復帰することを定めます。

質権や抵当権の場合と同様に、債務者以外の第三者も譲渡担保設定者となることができます。この場合の第三者を物上保証人といいます。

⑵ 目的物

譲渡担保の目的物に制限はなく、譲渡可能な権利であれば譲渡担保の目的物とすることができます。たとえば、動産（機械や商品等）や不動産（土地や建物等）のほか、手形や小切手、ゴルフ会員権、株券等の有価証券、特許権等の権利に至るまで多様な物が挙げられます。

また、流動的な集合動産（工場内の在庫商品等）や集合債権（取引上で日常的に発生、消滅する債権）を譲渡担保の目的物とすることも可能です。

⑶ 対抗要件

譲渡担保権者が第三者に対して譲渡担保権の取得を対抗するためには、次のとおり対抗要件を具備する必要があります。

① 不動産譲渡担保（目的物が不動産の場合）

不動産譲渡担保の場合、所有権の移転登記が対抗要件です（民法177条）。譲渡担保の設定は売買の形式により行われるため、一般に「売買」を登記原因とする所有権移転登記が行われています。「売買」を登記原因とする所有権移転登記をした場合、登記簿上は譲渡担保権者が目的物の完全な所有者である外観が生じるため、譲渡担保が設定されたことを知らない第三者との関係で問題が生じる場合があります。

他方で、「譲渡担保」を登記原因とする所有権移転登記をすることも認められています。「譲渡担保」を登記原因とする場合には、担保目的で不動産が譲渡されたことや被担保債権の債権者を公示することが可能になるといえます。ただし、「譲渡担保」を登記原因とする場合でも、抵当権とは異なり、債権額等は登記事項として認められていないため、登記によってもこの点は明らかとなりません。

② 動産譲渡担保（目的物が動産の場合）

動産譲渡担保の場合、目的物の引渡しが対抗要件です（民法178条）。動産譲渡担保を設定する場合は、目的物の占有を設定者に留保して使用・収益を継続することが通常であるため、占有改定の方法による引渡しに対抗要件が具備されます。

占有改定とは、ある目的物を現実に占有する譲渡人が、当該目的物を第三者に譲渡した後も所持を続けることを前提に、目的物を現実に移動することなく譲渡人が譲受人に対して譲渡後は譲受人のために占有する意思表示をすることにより占有を移転することをいいます（民法183条）。判例は、動産譲渡担保を設定した場合について、占有改定による対抗要件の具備を認めています（最判昭和30年６月２日民集９巻７号855頁）。

また、動産譲渡担保設定者が法人である場合、その法人が所有する動産を譲渡したことを動産譲渡登記ファイルに登記することにより対抗要件を具備することができます（動産及び債権の譲渡の対抗要件に関する民法の特例等に関する法律３条１項）。

③ 債権譲渡担保（目的物が債権の場合）

債権譲渡担保の場合、指名債権譲渡の対抗要件、すなわち、第三債務者への確定日付のある通知、または、第三債務者からの確定日付のある承諾（民法467条２項）が第三者に対する対抗要件です（最判平成13年11月22日民集55巻６号1056頁・百選Ⅰ［第８版］100事件）。

債権譲渡担保設定者が法人であり、かつ目的債権が金銭の支払いを目的とする指名債権である場合には、債権譲渡をしたことを債権譲渡ファイルに登記することも対抗要件となります（動産及び債権の譲渡の対抗要件に関する民法の特例等に関する法律４条１項）。

4　譲渡担保の効力

(1) 効力が及ぶ目的物の範囲

① 付合物・従物

譲渡担保の効力は、目的物の所有権が及ぶ付合物にも効力が及びます（民法242条）。付合物とは付合によって生じた物をいいます。付合とは、所有者の異なる

２個以上の物が結合して１個の物になったと認められる場合をいいます（民法242条）。また、譲渡担保設定時の従物に対しても効力が及びます（民法87条２項）。従物とは、２個の物の間に、経済的にみて一方が他方の効用を補う関係がある場合に、一方（主物）の効用を補っている物をいいます。判例は、借地上の建物に譲渡担保を設定した場合、借地権にも効力が及ぶとします（最判昭和51年９月21日判時833号69頁）。

また、不動産譲渡担保の場合、目的不動産の占有は設定者に留保されるのが通常であり、第三者は現地を確認すれば譲渡担保が設定されていることを確認できるため、譲渡担保を設定した後の従物にも譲渡担保の効力は及ぶと解されています。

② 果 実

果実とは、ある物から生じる経済的利益をいいます。譲渡担保設定者は譲渡担保を設定した後も目的物を利用することが可能であることから果実の収取権は譲渡担保設定者に帰属し、譲渡担保の効力は果実には及ばないのが原則です。ただし、特約で譲渡担保権者が果実を収取できる旨を定めることは可能です。

⑵ 被担保債権の範囲

不動産譲渡担保を設定する場合、抵当権に関して「抵当権者は、利息その他の定期金を請求する権利を有するときは、その満期となった最後の２年分についてのみ、その抵当権を行使することができる」と定めた民法375条が類推適用されるかが問題となります。

判例は、不動産譲渡担保の場合、事実上後順位担保権者が生じる余地はないこと、利息等について公示方法がない以上、これに対する第三者の信頼は生じないことから、民法375条は類推適用されず、譲渡担保権者は元本、利息、遅延損害金の全額について優先弁済権を有すると解しています（最判昭和61年７月15日判時1209号23頁）。

5　対内的効力（譲渡担保権者と譲渡担保設定者の関係）

⑴ 譲渡担保の実行前

① 目的物の利用関係

譲渡担保権者と譲渡担保設定者のいずれが目的物を占有・譲渡担保利用するかは当事者間の合意によって自由に定めることができます。ただし、設定者に目的物の占有・利用を委ねることは、譲渡担保を設定する目的のひとつであり、譲渡担保設定者に目的物の占有を留保し、譲渡担保設定者は無償で目的物を利用できるように定めるのが通常です。

② 目的物の侵害

譲渡担保権者および譲渡担保設定者は、譲渡担保設定契約により互いに目的物を侵害してはならないという目的物保管義務を負うと解されます。譲渡担保設定者が債務を弁済した場合に目的物の完全な所有権を譲渡担保設定者に復帰することとなり、譲渡担保設定者は債務不履行時に譲渡担保を実行された場合には、目的物は譲渡担保権者の所有として確定するためです。

ア　譲渡担保権者による侵害

譲渡担保権者は、担保の目的で所有権の譲渡を受けるものであるため、それ以外の目的で権利を行使しない義務を負います（大判昭和８年４月26日民集12巻767頁）。したがって、譲渡担保権者が被担保債権の弁済期前に目的物を損傷・滅失させたり、第三者に目的物を処分した場合には、譲渡担保権者は譲渡担保設定者に対して譲渡担保設定契約の債務不履行に基づく損害賠償責任を負います（民法415条）。特に不動産譲渡担保の場合、譲渡担保権者が目的不動産につき自己名義の所有権登記を有することに乗じて、第三者に処分することがありえます。

イ　譲渡担保設定者による侵害

譲渡担保設定者は、譲渡担保権者に対して担保価値維持義務を負います。したがって、目的物を損傷・滅失させたり、第三者に目的物を処分した場合、譲渡担保設定者は譲渡担保権者に対して担保価値維持義務の債務不履行に基づく損害賠償責任を負います（民法415条）。

特に動産譲渡担保の場合、譲渡担保設定者は自ら占有している目的物を第三者に売却し、第三者が善意取得することがありえます。このように譲渡担保設定者が債務者である場合、譲渡担保設定者は譲渡担保権者に対して増担保を提供しない限り、被担保債権について期限の利益を喪失します（民法137条２号）。その結果、譲渡担保権者（債権者）は譲渡担保設定者（債務者）に対して直ちに被担保債権を請求できることとなります。

⑵ 譲渡担保の実行方法

譲渡担保権者が被担保債権につき弁済期に譲渡担保設定者（債務者）から履行を受けない場合、譲渡担保権を実行して、担保目的物から被担保債権を回収することになります。譲渡担保権者が債権の満足を得る方法には、処分清算型と帰属清算型があります。

処分清算型とは、債務不履行が生じた場合に譲渡担保権者が目的物を売却し、その代金から債権の満足を得る方法です。帰属清算型とは、債務不履行が生じた場合に譲渡担保権者が目的物の所有権を自己に帰属させることにより債権の満足を得る方法です。

譲渡担保権者がどのような方法により譲渡担保を実行するかは譲渡担保設定契約の内容によって定まります。もっとも、判例は、譲渡担保権者と譲渡担保設定者が帰属清算型とする旨を合意していたとしても、譲渡担保設定者が被担保債権につき履行を遅滞した場合には、譲渡担保権者は目的物を処分する権能を取得するとしています（最判平成6年2月22日民集48巻2号414頁・百選Ⅰ［第8版］98事件）。

また、処分清算型と帰属清算型のいずれの方法による場合でも、被担保債権の弁済がなされないことを理由に目的物の所有権を完全に取得できるとすれば、不当な結論が生じることとなります。たとえば、被担保債権が200万円であるときに500万円の機械に譲渡担保を設定した場合、200万円の被担保債権が弁済されないからといって、譲渡担保権者が500万円の機械を取得できるとすれば、譲渡担保権者を不当に利することになります。

そこで、判例は、譲渡担保権者は、譲渡担保の目的物と被担保債権の差額につき清算義務を負うことを認め、譲渡担保設定者の譲渡担保権者に対する清算金の支払請求と譲渡担保権者の譲渡担保設定者に対する目的物の引渡請求は同時履行の関係（民法533条）に立つ旨を判示しています（最判昭和46年3月25日民集25巻2号208頁）。上記の例でいえば、譲渡担保権者は、譲渡担保設定者に対して差額の300万円という清算金を支払わなければ機械の引渡しを受けられないこととなります。

処分清算型の場合には、譲渡担保権者が目的物を第三者に売却して、目的物の価額が確定したときに清算義務が具体化すると考えられます（最判昭和62年2月12日民集41巻1号67頁）。帰属清算型の場合には、譲渡担保権者が譲渡担保権の実行を通知し、清算金を支払いまたはその提供をしたとき、もしくは清算金がない旨を通知したときに清算義務が具体的に発生すると考えられます。

⑶ 受戻権

① 意 義

受戻権とは、譲渡担保設定者（債務者）が譲渡担保権者に対して被担保債権を弁済することにより、譲渡担保権者に帰属した目的物の所有権を取り戻すことができる権利をいいます。譲渡担保設定者は被担保債権について債務不履行に陥った後でも、譲渡担保権者が譲渡担保の実行を完了するまでは、譲渡担保設定者はなお受戻権を行使することにより目的物を取り戻すことができます。

② 受戻権の時的限界

そこで、譲渡担保設定者（債務者）はいつまで受戻権を行使することができるかが問題となります。

判例は、被担保債権の弁済期の経過後であっても、譲渡担保権者（債権者）が譲渡担保の実行を完了するまでの間は、譲渡担保設定者は譲渡担保権者に対して被担保債権の全額を弁済して譲渡担保を消滅させ、目的物の所有権を回復することができるとしています（前掲最判昭和62年2月12日）。したがって、譲渡担保設定者が債務不履行に陥った後も譲渡担保権者が譲渡担保の実行に着手しない限り、譲渡担保設定者は譲渡担保権者に対して被担保債権を弁済する（受け戻す）ことにより目的物の所有権を取り戻すことができます。

具体的には、処分清算型の場合は、譲渡担保権者が第三者に対して目的物を処分する時点まで受戻権を行使することができます（最判昭和57年１月22日民集36巻１号92頁）。これに対し、譲渡担保権者からの処分の相手方である第三者が譲渡担保の目的物を取得した時点で譲渡担保の実行は完了し、清算金が支払われていない場合でも譲渡担保設定者は譲渡担保権者に対して受戻権を行使することはできなくなります。ただし、譲渡担保権者が第三者に対して目的物を譲渡し、所有権移転登記がなされた場合でも、譲渡担保設定者は譲渡担保権者から清算金の支払いを受けるまでは譲渡担保の目的物について留置権を行使することができます（最判平成９年４月11日集民183号241頁）。

帰属清算型の場合は、㋐目的物の価額が被担保債権の額を上回るときは、譲渡担保権者が譲渡担保設定者に対して清算金の支払いまたはその提供する時点まで、㋑目的物の価額が被担保債権の額を下回るときは、譲渡担保権者が譲渡担保設定者に対して清算金がない旨を通知する時点まで、譲渡担保設定者は譲渡担保権者に対して受戻権を行使することができます。

③ 受戻権の放棄

譲渡担保権者が譲渡担保の実行を完了した場合には、譲渡担保設定者（債務者）の受戻権は消滅します。これに対して、譲渡担保権者が譲渡担保を実行する前に譲渡担保設定者が受戻権を放棄して、譲渡担保権者に対して清算金の支払いを請求することができるかが問題となります。判例は、譲渡担保設定者が受戻権を放棄しても譲渡担保権者に対して清算金の支払いを請求することはできないと判示しています（最判平成８年11月22日民集50巻10号2702頁）。なぜなら、このような主張を認めた場合、譲渡担保設定者が譲渡担保の実行時期を自由に設定できることとなり、譲渡担保権者の権利行使の自由を奪う点で妥当でないといえるためです。

6　対外的効力

⑴ 譲渡担保権者と譲渡担保設定者側の第三者

① 譲渡担保設定者による第三者に対する目的物の譲渡

譲渡担保設定者が第三者に対して譲渡担保の目的物を譲渡した場合における譲渡担保権者と第三者の法律関係について検討します。

不動産譲渡担保の場合、譲渡担保の目的物である不動産について譲渡担保権者名義で所有権移転登記がなされるのが通常です。この場合、譲渡担保設定者が第三者に対して当該不動産を譲渡したとしても、当該第三者は譲渡担保権者に対して所有権を対抗できません（民法177条）。したがって、譲渡担保権者が第三者に対して当該不動産を譲渡することは事実上不可能であるといえます。

動産譲渡担保の場合、譲渡担保設定者が譲渡担保の目的物である動産を現実に占有するため、譲渡担保設定者が第三者に対して当該動産を譲渡することがありえます。このように動産譲渡担保を設定した後に、譲渡担保設定者が第三者に譲渡担保の目的物である動産を譲渡した場合、第三者が当該動産の所有権を取得できるかは譲渡担保の法的構成をどのように理解するかにより異なります。

所有権的構成に立った場合、譲渡担保権者と第三者は設定者を起点とした二重譲渡類似の関係となります。この場合、譲渡担保権者は譲渡担保の設定により占有改定という対抗要件を具備します（民法183条）。したがって、第三者が即時取得をしない限り（民法192条）、譲渡担保権者に当該動産の取得を対抗できないといえます（民法178条）。担保権的構成に立った場合、譲渡担保設定者は第三者に対して譲渡担保権付きの目的物（動産）を譲渡したこととなります。したがって、第三者は当該動産について譲渡担保権付きの所有権を取得するにとどまるのが原則です。ただし、第三者が譲渡担保の存在について善意無過失で当該動産を取得した場合は、第三者は当該動産について完全な所有権を即時取得することとなります（民法192条）。この場合には、譲渡担保権者は第三者に対して譲渡担保を対抗できません。

② 譲渡担保設定者の一般債権者による差押え

譲渡担保設定者の一般債権者が譲渡担保の目的物を差し押さえる場面について検討します。

不動産譲渡担保の場合、譲渡担保権者が譲渡担保の目的物である不動産の登記を備えているときは、譲渡担保設定者の一般債権者は当該不動産を差し押さえることはできません（民事執行規則23条１号）。

動産譲渡担保の場合、譲渡担保設定者が譲渡担保の目的物である動産を現実に占有するため、譲渡担保設定者の一般債権者が当該動産を差し押さえることがありえます。

判例は、このような差押えがなされた場合について「譲渡担保権者は、特段の事情がないかぎり、譲渡担保権者たる地位に基づいて目的物件に対し譲渡担保権設定者の一般債権者がした強制執行の排除を求めることができるものと解すべきところ、譲渡担保権者がその目的物件につき自己の債権者のために更に譲渡担保権を設定した後においても、右譲渡担保権者は、自己の有する担保権自体を失うものではなく、自己の債務を弁済してこれを取戻し、これから自己の債権の満足を得る等担保権の実行について固有の利益を有しているから、前記の強制執行に対し譲渡担保権者たる地位に基づいてその排除を求める権利も依然としてこれを保有しているものと解するのが相当である」として、譲渡担保権者は第三者異議の訴え（民事執行法38条）の提起により差押えを排除することができるとしています（最判昭和56年12月17日民集35巻９号1328頁）。第三者異議の訴えとは、強制執行の対象となる目的物について、強制執行を妨げる権利（所有権等）を有する第三者が強制執行の排除を求める訴えをいいます（民事執行法38条）。

⑵ 譲渡担保設定者と譲渡担保権者側の第三者

① 譲渡担保権者による第三者に対する目的物の譲渡

譲渡担保権者が目的物を第三者に譲渡した場合における譲渡担保設定者と第三者の法律関係について検討します。

ア　被担保債権の弁済期前の譲渡

動産譲渡担保の場合、譲渡担保設定者は譲渡担保の目的物である動産を現実に占有するのが通常です。そこで、この場合は譲渡担保権者が当該動産を第三者に譲渡するという場面は生じにくいといえます。

不動産譲渡担保の場合、譲渡担保権者は譲渡担保の目的物である不動産について、所有権移転登記を具備するのが通常です。このような中で、譲渡担保権者が被担保債権の弁済期が到来する前に第三者に対して当該不動産を譲渡することがありえます。

譲渡担保権者が被担保債権の弁済期が到来する前に第三者に当該不動産を譲渡した場合において、当該譲渡が有効と認められるかは譲渡担保の法的構成をどのように理解するかにより異なります。

所有権的構成に立った場合、譲渡担保権者は譲渡担保設定契約の締結により目的物の完全な所有権を取得するため、譲渡担保権者の第三者に対する当該不動産の譲渡は有効であり、第三者は当該不動産を完全に取得することができます。

他方で、譲渡担保設定者は譲渡担保権者に対する被担保債権の弁済または受戻しによって、譲渡担保権者から目的物の所有権を取り戻すことができます。以上から、譲渡担保設定者と第三者は譲渡担保権者を起点とした二重譲渡に類似した関係に立ち、いずれが優先するかは対抗要件である登記の具備の先後によって決まります（民法177条）。

担保権的構成に立った場合、譲渡担保の実質は担保であると捉える以上、譲渡担保権者は譲渡担保の目的物について所有権を有しないことになります。したがって、譲渡担保権者から譲渡担保の目的物である不動産を譲り受けた第三者は、当該不動産について所有権を取得できず、第三者は譲渡担保設定者に対して当該不動産の引渡しを請求することはできないのが原則です。また、譲渡担保設定者は譲渡担保権者に対して被担保債権を弁済することにより完全な所有権を取り戻すことができるといえます。ただし、譲渡担保権者が完全な所有権を有していると信頼して譲渡担保権者から目的物の譲渡を受けた第三者は、民法94条２項の類推適用により、目的物の所有権を取得できる場合があります。

イ　被担保債権の弁済期後の譲渡

譲渡担保権者が被担保債権の弁済期が到来した後に目的物を第三者に譲渡した場合については、譲渡担保の実行方法に応じて検討すべきこととなります。

処分清算型の場合、弁済期の経過により譲渡担保権者に目的物の処分権限が生じ、第三者に対して目的物を処分した時点で譲渡担保設定者の受戻権は消滅します。したがって、譲渡担保権者は被担保債権の弁済期が到来した後は、第三者に対して目的物を有効に譲渡することができます。

帰属清算型の場合、譲渡担保権者が譲渡担保設定者に対して清算金を支払う時点までは譲渡担保設定者の譲渡担保権者に対する受戻権が存続します。そこで、被担保債権の弁済期の到来後、譲渡担保権者が譲渡担保設定者に対して清算金を支払う前に譲渡担保権者が第三者に目的物を処分した場合において、当該処分の効力の有効といえるかが問題となります。

判例は、被担保債権の弁済期到来後、譲渡担保権者の譲渡担保設定者に対する清算金の支払前に、譲渡担保権者が第三者に目的物を譲渡した事案で、「譲受人は目的物の所有権を確定的に取得し、債務者は、清算金がある場合に債権者に対してその支払を求めることができるにとどまり、残債務を弁済して目的物を受け戻すことはできなくなる……。この理は、譲渡を受けた第三者がいわゆる背信的悪意者に当たる場合であっても異なるところはない」と判示し、帰属清算型の場合も譲渡担保権者が弁済期後に目的物を第三者に処分した場合には、譲渡担保設定者の受戻権は消滅するとしています（最判平成６年２月22日民集48巻２号414頁）。すなわち、判例によれば、被担保債権の弁済期が到来した後は、処分清算型であるか帰属清算型であるかを問わず譲渡担保権者が第三者に目的物を処分した時点で譲渡担保設定者の譲渡担保権者に対する受戻権は消滅することになります。したがって、帰属清算型の場合でも、被担保債権の弁済期が到来した後は、譲渡担保権は第三者に対して有効に譲渡担保の目的物を譲渡することができます。

学説では、清算方式を問わず債権者に処分権限を認めることは、帰属清算型の場合における譲渡担保設定者の受戻権を害するおそれがあるとして、少なくとも帰属清算型の場合には、第三者が権利外観法理（動産の場合は民法192条、不動産の場合は民法94条２項の類推適用）により清算金の負担のない所有権を取得したと扱われる場合を除いて、譲渡担保権者の譲渡担保設定者に対する清算金の提供があるまでは、譲渡担保設定者は第三者との関係でも受戻権の行使を主張できると解すべきであるという見解が主張されています。

② 譲渡担保権者の債権者による差押え

不動産譲渡担保の場合、譲渡担保の目的物である不動産について譲渡担保権者は所有権移転登記を具備するのが通常です。このような中で、譲渡担保権者の一般債権者が目的物を差し押さえることがありえます。かかる場合、所有権的構成によれば差押えは有効となると考えられますが、譲渡担保設定者は第三者異議の訴え（民事執行法38条）を提起して差押えを排除できると解されています。ただし、一般債権者が登記名義を信頼して差押えをした場合には、民法94条２項の類推適用により保護される可能性はあります。

動産譲渡担保の場合、譲渡担保権者の一般債権者が譲渡担保の目的物である動産を差し押さえようとしても、譲渡担保設定者が当該動産を現実に占有しているのが通常であり、譲渡担保設定者が当該動産を執行官に提出しない限り、差押えをすることはできません（民事執行法124条）。したがって、動産譲渡担保の場合は、譲渡担保権者の債権者が譲渡担保の目的物である動産を差し押さえることは事実上不可能であるといえます。

7　集合動産譲渡担保

⑴ 意 義

集合動産譲渡担保とは、倉庫内に日々納入される商品のように流動性をもった一定の集合物に設定する譲渡担保をいいます。集合譲渡担保は、譲渡担保設定者の日々の営業活動の中で処分、補充が繰り返される流動性をもった動産を目的物として担保権を設定する点に特色があります。

集合動産譲渡担保を設定した後も店舗や倉庫内の商品は出入りを繰り返しますが、担保を実行する時点で存在する商品が譲渡担保の目的物として実行の対象となります。

⑵ 集合動産譲渡担保の設定

集合動産譲渡担保は、譲渡担保権者と譲渡担保設定者の間の譲渡担保設定契約により設定します。

集合譲渡担保の目的物は日々変動し、譲渡担保を設定する段階では倉庫や工場等に補充されていない動産も譲渡担保の目的物となりうるという特色を有します。このような集合動産譲渡担保の法律関係をどのように説明するかが問題となります。

集合動産譲渡担保について、一物一権主義を採用する民法の建前からは、個々の動産が譲渡担保の目的物となるといえます。かかる立場からは、集合動産譲渡担保においては、個々の動産は集合体に加入することを停止条件として譲渡担保の目的物となり、集合体からの離脱を解除条件として譲渡担保の目的物でなくなるものと説明することになります。これを分析論といいます。

通説は、このような説明は技巧的であるとして、集合動産を内容の変動するひとつの集合物として捉え、集合動産それ自体が譲渡担保の目的物となるとします。これを集合物論といいます。ここにいう「集合物」とは、一般に、一定の目的の下に集められた数個の物の集団であって、その各個の物が各独自の存在性と取引価値を失うことなく、かつ、集団自体も１個の統一的財産として特有の単一な経済的価値を有し、取引上一体として取り扱われるものをいうと定義づけられます（最高裁判例解説民事篇昭和54年度43頁［時岡泰］）。

判例は、「構成部分の変動する集合動産についても、その種類、所在場所及び量的範囲を指定するなどなんらかの方法で目的物の範囲が特定される場合には、一個の集合物として譲渡担保の目的となりうるものと解するのが相当である」と判示し、集合動産は1個の集合物として譲渡担保の目的物となることを認めています（最判昭和54年2月15日民集33巻1号51頁、最判昭和62年11月10日民集41巻8号1559頁）。

(3) 目的物の特定

集合動産に譲渡担保を設定する場合、譲渡担保の目的物をどのように特定するかが問題となります。この点について、前掲最判昭和54年2月15日は、①種類、②所在場所、③量的範囲という3つの基準を示しています。かかる基準により目的物が特定される場合には集合動産は譲渡担保の目的物となると考えられます。たとえば、「A社のB倉庫内に保管する（②）全ての（③）米（①）」という方法で特定することが考えられます。

これに対し、最判昭和57年10月14日判時1060号78頁では、「設定者Aの居宅及び店舗兼住宅の各建物内に納置する商品（酒類・食料品等）、運搬具、什器、備品、家財一切のうち、設定者A所有の物」という指定が集合動産としての特定性を有するかが争われました。

判例は、「本件譲渡担保契約においては、一応目的物につきその種類、所在場所及び量的範囲が指定されてはいるが、そのうち『家財一切』とある部分は、そこにいう家財が営業用の物件を除き家庭内で家族全体の共同生活に供用されるある程度の恒常性と経済的価値を有する物件を指すものと解しうるとしても、家族の共同生活に使用される物件は多種多様であって、右のような指定だけでは個々の物件が具体的にこれに該当するかどうかを識別することが困難な場合が当然予想されるから、これだけでは譲渡担保の目的物の種類についての特定があったとするのに十分であると考えられない」として、「家財一切」という種類の指定は特定として不十分であると判示しました。

さらに、「譲渡担保の目的物として本件建物内に存すべき運搬具、什器、備品、家財一切のうちA所有の物という限定が付されているところ、右にいうA所有の物とそれ以外の物とを明確に識別する指標が示されるとか、また、現実に右の区別ができるような適宜な措置が講じられた形跡は全くないのであるから、これらの物件については本件譲渡担保契約は契約成立の要件としての目的物の外部的、客観的な特定を欠くものと解するのが相当である」として、具体的事案において、「（設定者）A所有」という指定は不十分であるとして、集合動産としての特定性を欠く旨を判示しています。

また、前掲最判昭和54年2月15日では、「第1倉庫内にある乾燥ネギのうち28トン」という指定について、倉庫内に乾燥ネギが全部で44トン存在した場合には、そのうちどの部分が目的物を構成するかが不明であり、特定性を欠くと判示しています。

(4) 対抗要件

集合動産譲渡担保の対抗要件は、通常の動産譲渡担保と同様、占有改定（民法183条）によります。判例は、「債権者と債務者との間に、……集合物を目的とする譲渡担保権設定契約が締結され、債務者がその構成部分である動産の占有を取得したときは債権者が占有改定の方法によってその占有権を取得する旨の合意に基づき、債務者が右集合物の構成部分として現に存在する動産の占有を取得した場合には、債権者は、当該集合物を目的とする譲渡担保権につき対抗要件を具備するに至り、この対抗要件具備の効力は、その後構成部分が変動したとしても、集合物としての同一性が損なわれない限り、新たにその構成部分となった動産を包含する集合物について及ぶものと解すべきである」と判示して、集合動産譲渡担保の対抗要件具備の効力は、譲渡担保を設定した後に集合物の構成部分が変動したとしても、集合物としての同一性が損なわれない限り、新たにその構成部分となった動産を包含する集合物に及ぶとしています（最判昭和62年11月10日民集41巻８号1559頁）。

したがって、集合動産譲渡担保を設定する際に、集合動産譲渡担保の目的物について占有改定がなされた場合は、集合物の内容に変動が生じたとしても、新たに構成部分となった動産について占有改定をしなくとも、その動産を含む集合物が譲渡担保の目的物であることを第三者に対して対抗することができます。

(5) 個々の動産の処分

集合動産譲渡担保を設定する場合は、譲渡担保設定者が日々の営業活動の中で目的物を処分することが予定されています。したがって、譲渡担保設定者は、通常の営業の範囲内で譲渡担保の目的物となる集合物を構成する個々の動産を処分する権限を有し、処分を受けた第三者はその範囲内で譲渡担保の負担のない完全な所有権を取得することができます。

そこで、譲渡担保設定者が通常の営業の範囲を超えて集合物を構成する個々の動産を処分した場合の効力が問題となります。判例は、設定者が目的物である動産について通常の営業の範囲を超える売却処分をした場合、譲渡担保の目的である集合物から離脱したと認められる場合でない限り、当該処分の相手方は目的物の所有権を取得できないとして、譲渡担保設定者から処分を受けた第三者は、集合物内にとどまる動産を承継取得できないと判示しています（最判平成18年７月20日民集60巻６号2499頁）。

また、判例は、所有権留保がされた動産に対する集合動産譲渡担保権の成否について、金属スクラップ等の継続的な売買契約において、目的物の所有権が売買代金の完済まで売主に留保される旨が定められた場合に、所有権留保の趣旨が、一定期間内に発生する売買代金につき、目的物の引渡しから完済までの間、その支払を確保する限度のものであったこと、また、買主に対して転売を包括的に承諾した趣旨が、売買代金の支払資金を確保させるためであったことからすれば、買主が保管する金属スクラップ等を含む在庫製品等につき集合動産譲渡担保権の設定を受けた者は、売買代金が完済されていない金属スクラップ等につき売主に上記譲渡担保権を主張することができないと判示しています（最判平成30年12月7日民集72巻6号1044頁）。

8　集合債権譲渡担保

⑴ 意 義

集合債権譲渡担保（流動債権譲渡担保ともいいます）とは、次々と発生しては弁済により順次消滅していく金銭債権群に対して設定する譲渡担保をいいます。

⑵ 機 能

たとえばリース会社は売主から購入した機械等をユーザーに貸与して月々のリース料の支払いを受けており、このようなリース料債権を常時多数有しています。個々のリース料債権は高額とはいえないため、個々のリース料債権を担保とする方法によっては多額の融資を受けることは困難です。このような場合に少額のリース料債権群を担保に供することができれば、多額の融資を受けることが可能となります。また、仮にこのリース料債権を担保として融資を受けるためリース会社がこのリース料債権に質権を設定した場合（民法362条）、リース会社がリース料債権を取り立てて質権の目的である債権を消滅させて質権者の地位を害することを防ぐため、リース会社はリース料債権を取り立てても質権者に対抗することはできません（民法481条の類推適用）。さらに、第三債務者であるユーザーがリース会社に対してリース料債権を弁済しても質権者に対抗できないという制約を受けます（民法481条の類推適用）。このようにリース料債権に質権を設定するという担保の方法は不便であり、その不都合を回避して複数の債権をまとめて多額の融資の担保に供することを可能とするために、集合債権譲渡担保が利用されます。

⑶ 有効性

① 将来債権譲渡の有効性

集合債権譲渡担保の目的となる債権は、現時点で発生しておらず将来発生する可能性のある債権（将来債権）が含まれる場合が多いです。たとえば、リース会社がAという機械を1000人の顧客にリースしているとして平成30年1月1日現在、平成29年9月1日から平成30年8月31日までに発生するAについてのリース料債権を集合債権譲渡担保の目的債権とするような場合です。

しかし、将来のリース料債権は集合債権譲渡担保の設定時には未だ発生していません。そこで、このような将来債権を譲渡（担保）の対象とできるか、将来債権譲渡の有効性が問題となります。

この点について、従来債権発生の可能性が高度であることを要件とする議論がなされていました。しかし、担保を実行する際に債権が存在しているかどうかを問題とすれば足り、債権発生の可能性を問題とする必要はありません。

判例も、「譲渡人の営業活動等に対して社会通念に照らし相当とされる範囲を著しく逸脱する制限を加え、又は他の債権者に不当な不利益を与えるものであると見られるなどの特段の事情」のあるときは公序良俗違反として譲渡（担保）の効力が否定されうるとしながらも、適宜の方法により期間の始期と終期を明確にする等により、譲渡の目的とされる債権が特定されていれば将来債権の譲渡は可能であるとしています（最判平成11年1月29日民集53巻1号151頁）。

② 目的債権の特定

集合債権譲渡担保が有効に設定されるためには、目的債権の範囲が特定されている必要があります。なぜなら、目的債権の範囲が特定されない場合には譲渡担保設定者にとって予想外の範囲まで集合債権譲渡担保が設定されるおそれがあること、また、第三者としても集合債権譲渡担保の範囲が不明確である場合には譲渡担保設定者からある債権について譲渡を受けるにあたって予想外に集合債権譲渡担保権者から集合債権譲渡担保の目的債権であるとして対抗されるおそれがあるといった問題が生じるためです。

判例は、目的債権の範囲の特定の程度について、明確に理由を述べていないものの、「譲渡の目的となるべき債権を譲渡人が有する他の債権から識別することができる程度に特定されていれば足りる」としています（最判平成12年4月21日民集54巻4号1562頁）。たとえば、第三債務者、債権発生原因、債権発生時期、金額、弁済期等の債権の要素を用いて、ある債権が集合債権譲渡担保の目的債権にあたるか否かが明確になっていれば特定性が満たされると考えられます。

③ 集合債権譲渡担保の類型

集合債権譲渡担保は、講学上様々な類型に分けて分析されていますが、大きく次の2つに分けられます。(i)目的債権は譲渡担保設定者から譲渡担保権者に移転するが、譲渡担保設定者である債務者が債務不履行に陥らない限りは譲渡担保設定者が第三債務者に対する目的債権の取立権限を有する類型（取立権限留保型）と、(ii)譲渡担保設定者が債務不履行に陥ったときに初めて目的債権が譲渡担保設定者から譲渡担保権者に移転する類型（予約型・停止条件型）です。

上記(ii)の類型のうち、予約型（予約完結権型ともいいます）とは、契約締結時には集合債権についての譲渡予約契約をして、支払停止や破産手続開始の申立て等の事由が生じたときに譲渡担保権者が予約完結権を行使するという方式です。停止条件型とは、支払停止等の事由が生じたことを停止条件として、譲渡担保設定者から譲渡担保権者に集合債権が譲渡されるという方式です。

上記(ii)の類型は、譲渡担保設定者の資力状態が悪化したときに債権譲渡の効力が生じ、対抗要件が具備（第三債務者への通知等）されるという特色を有するため、第三債務者に債権譲渡担保の設定を知られないようにしたり、および支払の停止等があった後の対抗要件具備行為を否認の対象とする倒産法における否認権（破産法164条１項、民事再生法129条１項、会社更生法88条１項）の行使対象となることを避けるために用いられます。

ア　取立権限留保型

判例は、上記(i)の類型について、すでに生じまたは将来生ずべき債権が譲渡担保設定者から譲渡担保権者に確定的に譲渡されており、ただ譲渡担保設定者と譲渡担保権者の間において、譲渡担保権者に帰属した債権の一部について譲渡担保設定者に取立権限を付与する合意が付加されているものとみることができることを理由に有効であるとし、このような債権譲渡は指名債権譲渡の対抗要件（民法467条）によって第三者に対抗することができるとしました（最判平成13年11月22日民集55巻６号1056頁・百選Ⅰ［第８版］100事件）。

イ　予約型・停止条件型

上記(ii)の類型のうち予約型について、次のような判例があります。

ＡはＹに対して預託金を支払ってＹが経営するゴルフ場の預託金会員権を取得した。その際、Ａと金融機関Ｂは、ＡとＢとの取引から生じるＢのＡに対する一切の債権を被担保債権として、上記預託金会員権をＡからＢに譲渡することを予約し、第三債務者Ｙから確定日付のある証書による承諾を得た。その後、ＢはＡに債務不履行があったとして上記予約完結の意思表示をしたが、これについて確定日付のある通知や承諾はなかった。

その後、Ｘ（国）はＡに対する滞納処分として上記会員権を差し押さえた。上記預託金の返還事由が生じたため、ＸがＹに対して預託金の支払いを請求したところ、ＢはＹに補助参加し、当初の譲渡予約についての確定日付のある証書によるＡの承諾をもって、予約完結による指名債権譲渡の効果をＸに対抗できると主張した。

この事案で、判例は、「指名債権譲渡の予約につき確定日付のある証書により債務者に対する通知又はその承諾がされても、債務者は、これによって予約完結権の行使により当該債権の帰属が将来変更される可能性を了知するに止まり、当該債権の帰属に変更が生じた事実を認識するものではないから、上記予約の完結による債権譲渡の効力は、当該予約についてされた上記の通知又は承諾を以て、第三者に対抗することはできない」と判示しました（最判平成13年11月27日民集55巻６号1090頁）。

上記の判例は、指名債権譲渡の事例ですが、債権譲渡予約についての通知・承諾は予約の完結による債権譲渡の対抗要件とはならないと判示したものといえます。

また、上記(ii)の類型のうち停止条件型について、次のような判例があります。

譲渡担保設定者Ａは、譲渡担保権者Ｙとの間で、ＹのＡに対する一切の債権を被担保債権として、Ａの第三債務者に対する現在および将来の売掛債権等をＹに包括的に譲渡することとするが、Ａについて破産手続開始の申立てがされたとき、支払停止状態となったとき等の一定の事由が生じたことを停止条件とする旨の契約を締結した。

その後、Ａは手形不渡りにより支払停止状態となり停止条件が成就したため、第三債務者らに対し確定日付のある証書による債権譲渡の通知がされた。Ａは破産宣告（現在の破産手続開始決定）を受け、Ｘが破産管財人に選任された。ＸはＹに対し、旧破産法72項１号・２号、74条１項（現行破産法160条１項１号、162条１項１号、164条１項）に基づく否認権を行使し、Ｙが譲受債権の弁済として受領した金員の返還を求めた。

この事案では、停止条件付きの集合債権譲渡担保が否認の対象となるかどうかが争われました。

判例は、債務者の支払停止等を停止条件とする債権譲渡契約について、債務者の資力が悪化する時期（危機時期）が到来した後に行われた債権譲渡と同視すべきものであり、否認権行使の対象となると判示しました（最判平成16年７月16日民集58巻５号1744頁）。

以上から、上記(ii)の類型では、集合譲渡担保設定契約の段階で有効に対抗要件を備えることができないのみならず、判例によれば否認権の行使（破産法164条等）により、集合債権譲渡設定契約の効力自体が否定される可能性があることから、上記(ii)の類型の有用性は低いと解されています。

(4) 対抗要件

集合債権譲渡担保権者が他の債権譲受人に対して集合債権譲渡担保を対抗するためには、通常の債権譲渡担保と同様、確定日付のある証書による第三債務者に対する通知または第三債務者による承諾が要件となります（民法467条）。ただし、小口で継続的に大量に発生する短期の金銭債権群（たとえばリース会社のリース料債権等）の場合には、多数の第三債務者（ユーザー）に対し個々に確定日付のある証書による通知を行ったり、承諾を得ることは実務上きわめて困難であるといえます。

また、通常の債権譲渡担保と同様、集合債権譲渡担保設定者が法人であり、かつ目的債権が金銭の支払いを目的とする指名債権である場合には、債権譲渡をしたことを債権譲渡ファイルに登記することも対抗要件となります（動産及び債権の譲渡の対抗要件に関する民法の特例等に関する法律４条１項）。

第３　所有権留保

1　所有権留保の意義

所有権留保とは、売買の売主が代金債権を担保するために、目的物を引き渡した後も買主が代金を完済するまでは目的物の所有権を売主に留保する制度をいいます。

たとえば、所有権留保は自動車を割賦販売（代金を分割払いとすること）する場合に利用されます。すなわち、売主と買主の間で自動車を割賦販売する旨を合意した場合、売主は自動車に所有権留保を設定することにより、買主が売主に対して代金を支払わない場合には、買主は留保した所有権に基づいて自動車を取り戻して、代金債権を優先的に回収することが可能となります。

2　所有権留保の法的構成

所有権留保は、法形式的には売主に目的物の所有権を留保することになりますが、その実質は売買代金債権を担保することを目的とします。そこで、所有権留保は、所有権を留保するという法形式と担保の設定という実質のいずれを重視するかによって、どのようにその法的構成を理解するかが異なることとなります。

所有権的構成は、法形式を重視して、所有権留保を設定した場合には、売買契約を締結し目的物を引き渡した後も所有権は売主に帰属すると捉える立場をいいます。

担保権的構成は、担保の設定という実質を重視して、契約の方式にとらわれることなく売買契約の締結により目的物の所有権は買主に移転し、売主の代金債権のために担保権が設定されると捉える立場をいいます。

3　所有権留保の設定

⑴ 所有権留保の特約

所有権留保は、売買契約を締結する際に売主と買主の間で、目的物の所有権は買主が代金を完済した時に買主に移転する旨の特約を定めることにより設定します。たとえば、自動車の売買契約で、売主と買主が「売主は買主に対して、代金を完済した時に自動車の所有権を移転する」旨を合意する場合です。

⑵ 目的物

所有権留保の目的物の多くは動産であり、機械や電気製品、自動車等の耐久性を有するものが中心となります。所有権留保は代金債権を担保することを目的とするため、交換価値を維持できるものである必要があるためです。

また、不動産も所有権留保の対象となりえます。もっとも、購入者を保護する趣旨から、宅地建物取引業者が売主となって行う売買契約では所有権留保は原則として禁止されているため（宅地建物取引業法43条）、不動産売買では代金債権を確保するための手段として抵当権を用いる場合が多いといえます。

(3) 公示方法

所有権留保には特別の公示方法は存在しません。自動車等の登録制度のある動産に所有権留保を設定する場合、売主の所有名義の登録によって所有権が留保されていることが公示されるといえます。

それ以外の一般の動産の場合は、現実の占有が買主に移転することにより、売主が所有権を留保していることは外部から不明となります。そこで、実務上は、ネームプレート等の明認方法を利用して所有権留保付きの物件であることを表示することにより、第三者による善意取得や差押え等を防ぐ場合があります。

4　所有権留保の効力

(1) 対内的効力

売買契約の買主と売主の間で、所有権留保の特約が付いた売買契約を締結した場合、買主は目的物を現実に占有し、利用することができます。また、買主は売主に対して、所有権留保の目的物を滅失・毀損しないよう保管する義務を負います。保管義務に違反した場合には債務不履行に基づく損害賠償義務を負います（民法415条）。

売主は、買主が代金を完済するまで目的物の所有権を留保しますが、これは代金債権を担保する目的に限定され、買主に無断で目的物を譲渡することはできません。もっとも、売主は目的物を現実に占有するものではなく、実際上は売主が直接第三者に目的物を譲渡することは少ないといえます。

判例は、目的物が第三者の土地上に存在していてその土地所有権の行使を妨害している場合、留保所有権者は、弁済期到来前までは、目的物の交換価値を把握するにとどまるため、特段の事情がない限り、撤去義務や不法行為責任を負うことはないが、弁済期を経過した後は、目的物を占有し、処分する権能を有することから、撤去義務を免れず、土地所有権の妨害の事実を知ったときには不法行為責任を負うとしています（最判平成21年3月10日民集63巻3号385頁・百選Ⅰ［第8版］101事件）。

(2) 対外的効力

① 売主と買主側の第三者の関係

買主と売主の間で所有権留保を設定した場合、通常は買主は目的物を処分してはならない旨の特約が付されます。この特約に違反して、買主が第三者に対して目的物を譲渡した場合でも、目的物の所有権は売主に留保されることとなるため、第三者は無権利者（買主）から譲渡を受けたこととなり、所有権を取得できないのが原則です。もっとも、第三者は即時取得の要件を満たした場合には、保護される余地があります（民法192条）。ただし、所有権留保が付されることが通常といえる動産であり、所有権留保特約の存在が予想される場合や、第三者が職業上そのことを知りやすい立場にある場合には、即時取得の成立は否定されると考えられます。

また、売主と買主の間で所有権留保を設定した場合、買主が目的物を現実に占有するため、買主の一般債権者が目的物を差し押さえることがあります。判例は、この場合に売主が第三者異議の訴え（民事執行法38条）を提起することを認めています。

② 買主と売主側の第三者の関係

買主と売主の間で所有権留保を設定した場合、目的物を現実に占有するのは買主であり、売主が第三者に目的物を処分することは通常起こりえないといえます。

5　所有権留保の実行

買主が売主に対して代金を支払わない場合、売主は留保した所有権に基づいて目的物を引き揚げて換価する等の方法により、他の債権者に優先して代金債権に充当することができます。

目的物の価額が残代金債権を上回る場合、売主は超過分を買主に返還する義務（清算義務）を負います。売主が清算義務を履行するまでは、買主は残代金を支払って所有権留保を消滅させる（受け戻す）ことができます。

売主が目的物を引き揚げる前提として、売買契約を解除する必要があるかについて議論されています。多数説は、買主は売買契約に基づいて目的物を占有・利用する権利を有するため、目的物の返還を求めるためには売買契約を解除する必要があるとしています。他方で、所有権留保の実質が担保であることを重視して、被担保債権の不履行がある場合には売買契約を解除することなく、担保権の実行として引渡請求が認められるという見解が主張されています。

6　転売授権

買主が目的物を第三者に転売することを前提として所有権留保を付すことがあります。たとえば、自動車販売においてディーラー（D）→サブ・ディーラー（S）→ユーザー（U）と順次売買する場合、ＤとＳの間における所有権留保付きの割賦販売は、Ｕに対する転売を前提とする場合が通常です。これを転売授権といいます。

判例では、ＤとＳの間の売買に所有権留保が付されている場合において、ＵがＳに代金を完済したにもかかわらずＳがＤに代金を支払わず倒産した事案で、ＤはＵに対して目的物の引渡しを請求できるかが争われました。

判例は、「Ｄは、ディーラーとして、サブディーラーであるＳが本件自動車をユーザーであるＵに販売するについては、……その売買契約の履行に協力しておきながら、その後Ｓとの間で締結した本件自動車の所有権留保特約付売買について代金の完済を受けないからといって、すでに代金を完済して自動車の引渡しを受けたＵに対し、留保された所有権に基づいてその引渡しを求めるものであり、右引渡請求は、本来Ｄにおいてサブディーラーである Ｓに対してみずから負担すべき代金回収不能の危険をユーザーであるＵに転嫁しようとするものであり、自己の利益のために代金を完済したＵに不測の損害を蒙らせるものであって、権利の濫用として許されないものと解するを相当とする」と判示し、ユーザー（U）はサブディーラー（S）に代金を完済した以上は目的物の所有権を完全に取得できるとして、ディーラー（D）のユーザー（U）に対する引渡請求は権利濫用である旨を判示しました（最判昭和50年２月28日民集29巻２号193頁）。

第４　仮登記担保

1　仮登記担保の意義

仮登記担保とは、債権者と債務者の間で、債権を担保するために不動産を目的物として代物弁済予約や売買予約を行い、債務者が債務を履行することができなかったときに発生する所有権移転請求権を保全するために、仮登記（不動産登記法105条２号）をすることをいいます。

代物弁済予約とは、債務者が債務を履行することができなかったときに、本来の給付に代えて他の給付をすることを債権者と債務者の間であらかじめ約することをいいます。たとえば、ＡがＢに1000万円を貸し付ける際に、ＢがＡに対して弁済期に返済をしない場合にはＢ所有の不動産の所有権をＡに移転することをＡとＢの間であらかじめ合意しておく場合が挙げられます。

売買予約とは、債権者と債務者の間で将来における売買契約の締結をあらかじめ合意することをいいます。たとえば、ＡがＢに1000万円を貸し付ける際に、Ｂ所有の不動産をＡに貸付金額と同額（1000万円）で売却する契約を予約しておくことが考えられます。ＢがＡに対して弁済期に貸金債権を返済をしない場合、Ａは予約完結権を行使して当該不動産を取得し、ＡのＢに対する貸付金債権とＢのＡに対する不動産の売買代金債権を対当額で相殺することにより、満足を受けることができます。

仮登記担保は、仮登記担保の設定者（債務者または第三者）が債権者に目的物の所有権を移転する形式を有する点で譲渡担保と共通します。もっとも、譲渡担保の場合は、債務者と債権者の間で譲渡担保を設定する際に所有権移転登記をして、債務者が債務不履行となったときに債権者は目的物を換価して被担保債権の弁済に充てることとなります。

これに対して、仮登記担保の場合は、債務者と債権者の間で仮登記担保を設定する際は目的物の所有権を仮登記担保の設定者（債務者や第三者）に留保し、債務者の債務不履行による予約完結または債務不履行という条件成就により、初めて目的物の所有権を債権者に移転することとなります。

2　仮登記担保の設定

仮登記担保は、金銭債務の債権者（仮登記担保権者といいます）と仮登記担保の設定者（債務者または第三者）の間における合意によって設定します。この合意を仮登記担保契約といいます。

仮登記担保契約に関しては、仮登記担保契約に関する法律（以下「仮登記担保法」といいます）で定めています。仮登記担保法の適用を受ける仮登記担保契約は、⑴金銭債権を担保するためになされた契約であること、⑵債務不履行があるときに債務者または第三者に属する所有権その他の権利の移転等をすることを目的としてなされたこと、⑶代物弁済予約、停止条件付代物弁済契約その他の契約であること、⑷移転等をする権利が仮登記または仮登録できるものであること、という要件を満たす契約に限られます（仮登記担保法１条）。

⑴ 金銭債権を担保する目的であること

仮登記担保を設定できるのは、金銭債権を被担保債権とする場合に限られています。金銭債務であれば、契約時に債務が特定されていない場合でも仮登記担保を設定することは可能です。たとえば、将来債権や条件付きの債権を被担保債権とすることも可能です。

⑵ 債務不履行があるときに債務者または第三者に属する所有権その他の権利の移転等をすることを目的としてなされたこと

債務者の債務不履行を停止条件としたり、債務者の債務不履行を予約完結権の発生事由とすることにより、債権者に仮登記担保の目的物の権利を移転する場合がこれに該当します。「移転等」とは、所有権の移転に限らず、地上権の「設定」等を含むことを意味します。

また、債務者の権利に限らず、第三者の権利を仮登記担保の目的物とすることができます。この場合の第三者は抵当権における物上保証人と同様の地位に立つこととなります（民法351条、459条参照）。

⑶ 代物弁済予約、停止条件付代物弁済契約その他の契約であること

仮登記担保法は、仮登記担保契約の具体例として代物弁済予約と停止条件付代物弁済契約を挙げています。債務不履行があるときに権利の移転等を目的とする契約であれば、売買予約や贈与予約等によることもできます。

⑷ 移転等をする権利が仮登記または仮登録できるものであること

仮登記担保の目的物は、不動産の所有権である場合がほとんどです。もっとも、それ以外の権利も仮登記や仮登録によって保全できるものは仮登記担保の目的物となります。たとえば、地上権や永小作権等の用益物権や特許権等の工業所有権を取得する場合も仮登記担保法の適用を受けることとなります（仮登記担保法20条）。

3　仮登記担保の実行

仮登記担保の実行は、裁判所の競売手続によることなく、仮登記担保権者が目的物の所有権を取得し、仮登記に基づく本登記をすることにより行うのが通常です。仮登記担保の実行により、仮登記担保権者は債務者に対する被担保債権の優先的回収を図ることができます。

以下では、債務者の債務不履行を停止条件として、仮登記担保権者に対して債務者が所有する不動産（以下「目的不動産」といいます）の所有権を移転することを目的として、仮登記担保権者（債権者）と債務者の間で代物弁済予約をすることにより仮登記担保を設定した場合を例に、仮登記担保の実行を説明します。

⑴ 債務者に対する通知

仮登記担保権者と債務者の間で仮登記担保を設定した場合でも、債務者に債務不履行が生じない限り、仮登記担保権者に対する目的不動産の所有権移転の効力は生じません。したがって、不動産の所有者である債務者は、仮登記担保権者が仮登記担保を実行するまでは目的不動産を利用することができます。

また、債務者の債務不履行により停止条件が成就した場合でも、仮登記担保権者は直ちに不動産の所有権を取得せず、仮登記担保権者は目的不動産を評価して、被担保債権額との清算金の見積額（見積もりによれば清算金がない場合は、その旨）を債務者に通知しなければなりません（仮登記担保法２条１項）。

上記の仮登記担保権者から債務者に対する通知は、目的不動産の清算期間経過時における見積価額と債権等の額（元本、利息、遅延損害金、仮登記担保実行に要する費用）を明示して行わなければなりません（仮登記担保法２条２項）。この趣旨は、清算金の見積額の算定根拠を明示する点にあります。

⑵ 所有権の移転

上記の仮登記担保権者の債務者に対する通知が債務者に到達してから２か月（清算期間といいます）を経過した後に仮登記担保権者に対する目的不動産の所有権移転の効力が生じます（仮登記担保法２条１項）。仮登記担保権者が清算期間経過前に債務者に無断で目的不動産を第三者に譲渡した場合は、当該時点では目的不動産の所有権は債務者に帰属し、第三者は無権利者から当該不動産を譲り受けたこととなるため、譲渡は無効となるのが原則です。ただし、第三者は民法94条２項類推適用の要件を充足した場合には所有権を取得できる場合があります。

仮登記担保権者が清算期間経過後、清算金を支払う前に仮登記担保の目的物である不動産を譲渡した場合は、債務者から担保仮登記権利者に対する不動産の所有権移転の効力は生じていることから、第三者は仮登記担保権者から所有権を有効に取得することができます。ただし、債務者は、仮登記担保権者に対する清算金支払請求権を被担保債権として、留置権を行使できます（最判昭和58年３月31日民集37巻２号152頁）。その結果、仮登記担保権者が債務者に対して清算金を支払うまでは、目的不動産の所有権は債務者に帰属します。

⑶ **受戻権**

受戻権とは、債務者が担保仮登記権利者に対して被担保債権を弁済することにより、仮登記担保の目的物に対する権利を取り戻す権利をいいます。

清算期間経過前において、債務者が仮登記担保権者から通知を受けた清算金の金額に満足できない場合、債務者は債権者に対して債務を弁済することにより、目的不動産の所有権を留保できます。

これに対し、清算期間経過後は、目的不動産の所有権は仮登記担保権者に移転しますが、仮登記担保権者が債務者に対して清算金を支払うまでは、債務者は被担保債権額に相当する金銭を提供することにより、仮登記担保権者に目的不動産の受戻しを請求（受戻権を行使）することができます（仮登記担保法11条本文）。

債務者に受戻権を認めた趣旨は、仮登記担保権者は受戻権の行使によって被担保債権の満足を得られた場合には、目的物の所有権を取得できなくともその保護として十分であるという点にあります。

受戻権の行使は、清算期間経過後から清算金の支払時まで認められます（仮登記担保法11条本文）。ただし、清算期間の経過から５年を経過した場合、または第三者が仮登記担保権者から所有権を取得した場合には、受戻権は消滅します（同条但書）。受戻権をいつまでも行使できるとすれば、権利関係が不安定となるためです。

受戻権は形成権です。形成権とは、一方的な意思表示のみによって法律効果を生じさせることのできる権利をいいます。したがって、債務者が仮登記担保権者に対して受戻権を行使することによって、目的不動産の所有権は債務者に復帰します。債務者が受戻権を行使した後に仮登記担保権者が目的不動産を第三者に譲渡した場合、仮登記担保権者を起点とする二重譲渡となります（民法177条）。そこで、債務者または第三者が相手方に対して目的不動産の所有権を対抗するには目的不動産の登記を備える必要があります。

⑷ **清 算**

目的不動産の価額が被担保債権額を下回る場合は、被担保債権は目的不動産の価額を限度として消滅します（仮登記担保法９条）。この場合、担保関係は消滅し、残債権額について仮登記担保権者の債務者に対する無担保の債権が残ります。

目的不動産の価額が被担保債権額を超える場合は、被担保債権全額が消滅し、仮登記担保権者は債務者に対して、清算金（超過分に相当する額）を支払う義務を負います（仮登記担保法３条１項）。この場合の清算金とは、仮登記担保権者が債務者に対して通知した「清算金の見積額」（仮登記担保法２条１項）ではなく、清算期間経過時に判断された客観的な価額と被担保債権額の差額をいいます。

ただし、「清算金の見積額」が清算金の額を上回った場合は、仮登記担保権者は「清算金の見積額」を支払わなければなりません（仮登記担保法８条１項）。この趣旨は、後順位抵当権者は「清算金の見積額」を基準として清算金への物上代位権を行使するか（仮登記担保法４条１項）、目的物の競売を請求するか（仮登記担保法12条）を判断することとなるため、仮登記担保権者に判断の基礎となる「清算金の見積額」を覆すことを認めない点にあります。

仮登記担保権者による清算金支払義務の履行と債務者による本登記および目的不動産の引渡債務の履行は同時履行の関係に立ちます（仮登記担保法３条２項）。この趣旨は、仮登記担保権者の債務者に対する清算金支払義務の履行を実効的なものとする点にあります。

これによって、債務者は仮登記担保権者から清算金の提供を受けるまでは、仮登記担保権者からの本登記請求を拒絶することができます。これに反する仮登記担保権者に有利な特約の効力は認められません（仮登記担保法３条３項）。たとえば、債務者が本登記をして初めて仮登記担保権者が債務者に対して清算金を支払う旨の特約は無効となります。

4　他の担保権者との関係

仮登記担保の成立前に、第三者が目的不動産につき担保物権（たとえば、抵当権）を取得した場合、仮登記担保権者は第三者に後れて仮登記担保を設定したこととなります。この場合、仮登記担保権者は仮登記担保を実行しても、担保物権付きの不動産を取得できるにすぎません。したがって、この場合の第三者（先順位担保権者）は仮登記担保の実行により影響を受けないこととなります。

これに対して、仮登記担保に後れて登記を具備した先取特権者、質権者および抵当権者、後順位の仮登記担保権者（以下「後順位担保権者」といいます）は、仮登記担保権者が仮登記担保を実行して仮登記担保権者の仮登記が本登記となった場合、目的不動産にかかる担保物権を仮登記担保権者に対抗できないこととなります。

この場合、後順位担保権者は、仮登記担保権者から債務者に対して清算金が払い渡される前に当該清算金を差押えをすることによって、債務者の仮登記担保権者に対する清算金請求権に物上代位して、優先弁済を受けることができます（仮登記担保法４条１項）。なぜなら、後順位担保権者は、（担保仮登記権利者が把握した価値以外の）目的不動産の余剰価値について優先弁済を受ける地位を有するといえるからです。

後順位担保権者が物上代位権を行使できる範囲は、仮登記担保権者が債権者に通知した清算金の見積額の範囲に限られます（仮登記担保法４条１項）。清算金の見積額に不満を有する後順位抵当権者は目的不動産を競売することにより、清算金の見積額の正当性を争うことができるためです（仮登記担保法８条２項）。

後順位担保権者は、仮登記担保権者によって仮登記担保が実行されたか否かおよび清算金の金額を当然に知ることはできません。そこで、後順位担保権者に物上代位の機会を保障するため、仮登記担保権者は後順位担保権者に対して、遅滞なく、(1)債務者に対して清算金額の見積額を通知をした旨、(2)その通知が債務者に到達した日、(3)債務者に通知した事項を通知しなければなりません（仮登記担保法５条）。

また、後順位抵当権者は、被担保債権の弁済期到来前でも、清算期間経過前は目的不動産の競売を請求することができます（仮登記担保法12条）。これを競売請求といいます。そこで、清算期間経過前の段階において、後順位担保権者は、清算金の見積額に応じて上記の(i)物上代位、(ii)競売請求という２つの手段を選択することが考えられます。

第１に、後順位担保権者が、仮登記担保権者が債務者に対して提示する清算金の見積額に満足する場合は、清算金に物上代位して優先弁済を受けることとなります（仮登記担保法４条１項）。第２に、後順位担保権者が、仮登記担保権者が債務者に対して提示する清算金の見積額に満足しなかった場合は、見積額の正当性を争うべく、自ら目的不動産の競売を申し立てることにより（仮登記担保法12条）、仮登記担保権者による目的不動産の所有権取得を阻止することとなります。この意味で、仮登記担保法５条の通知は、後順位担保権者に対して物上代位と競売請求のいずれを選択するかを促す意義を有するといえます。

5　仮登記担保設定後の第三取得者等との関係

仮登記担保権者が目的不動産に仮登記担保を設定した後に、債務者から目的不動産の所有権や地上権等を取得した者（以下「第三取得者等」といいます）は、仮登記担保権者による仮登記担保の実行により対抗力を失います。第三取得者等は、仮登記担保権者に対して受戻権を行使することはできません（仮登記担保法11条参照）。もっとも、目的不動産の所有権や地上権等という自らの権利を保全するために、清算期間経過前に債務者に代わって被担保債権を第三者弁済することや、清算期間経過後に債務者の受戻権を代位行使することが考えられます。

そこで、仮登記担保権者は、仮登記担保権者が本登記をすることについて登記簿上利害関係を有する第三者で、後順位担保権者に対する通知（仮登記担保法５条１項）を受けない者に対して、(1)仮登記担保法２条１項による通知を債務者に対して行った旨、(2)その通知における債権等の額を遅滞なく通知しなければなりません（仮登記担保法５条２項）。この趣旨は、これらの者に対して、権利を保全する機会を保障する点にあります。

第５　代理受領・振込指定

１　代理受領

⑴ 意 義

代理受領とは、債権者（特に銀行）が、債務者へ金銭を貸し付けるにあたり債務者が第三債務者に対して有する債権の弁済を受領することについて委任を受け、そこで得た金銭を債務者に対して返還する債務と相殺して貸付金債権の回収を図るという方法をいいます。

たとえば、債権者Ａ（銀行）が、債務者である請負人Ｂに対し融資をするにあたって、債務者Ｂが第三債務者である注文者Ｃに対して有する将来の請負代金債権の弁済を受領することについてＢより委任を受け、債権者Ａが第三債務者Ｃから受領した金銭を債務者Ｂに返還する債務と、貸付金債権とを相殺して貸付金債権の回収を図る場合です。

⑵ 機 能

たとえば、債務者の第三債務者に対する債権が譲渡・質入を禁止されるもの（国または地方公共団体が注文者となる場合の工事請負代金債権等）である場合、債務者は債権を質権の対象として融資を受けることはできません。代理受領制度は、このような場合でも債務者が債権を担保として融資を受けることを可能にするために発達しました。

⑶ 法律関係

代理受領では、先の例のように債権者Ａ、債務者Ｂおよび第三債務者Ｃが登場します。以下では、債権者と債務者、債権者と第三債務者との関係に分けて検討します。

① 債権者と債務者の関係

債権者と債務者は、債権の弁済受領に関する委任関係（民法643条）となります。もっとも、代理受領を債権者の債務者に対する債権の担保として機能させるため、通常、(i)債務者が一方的に委任を解除（民法651条）しない旨、(ii)債務者が第三債務者から弁済を受領しない旨、(iii)債務者が同一債権について他の債権者に重ねて代理受領をしない旨の特約を締結します。

債務者が特約に違反した場合、債務者は担保権を毀損したとして期限の利益を失い（民法137条２号)、債権者は直ちに債権全額の弁済を請求できることとなります。

② 債権者と第三債務者との関係

ア　債権者の第三債務者に対する取立権

債権者は第三債務者から第三債務者の債務者に対する債務の弁済を受領する権限を有しているだけで第三債務者に対して直接取り立てる権限（取立権）を

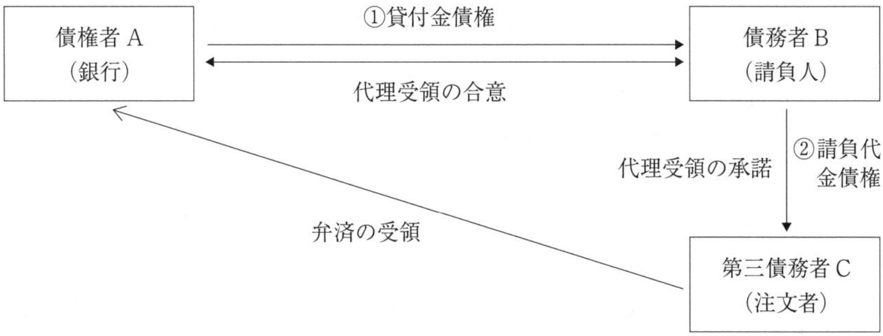

有していません。なお、学説では担保権としての実体を考慮して債権者に第三債務者に対する取立権を認めるべきとの議論があります。

イ　第三債務者による承諾

債権者と債務者の委任契約によっては契約当事者ではない第三債務者を拘束することはできません。そこで、たとえ債権者と債務者との間で代理受領の合意があったとしても、第三債務者はこれに拘束されることなく債務者に対して弁済することができます。しかし、それでは債権者にとって債権回収のために代理受領を利用する意味がありません。そこで、実務では、債権者と債務者の連名で、債権者のみが弁済受領権限を有することについて第三債務者の承認を求めるのが通常です。この第三債務者による承認によりいかなる法的効力が生じるかが問題となります。

判例（最判昭和44年３月４日民集23巻３号561頁）は、第三債務者が代理受領について承認をした場合、その承認は、「単に代理受領を承認するというにとどまらず、代理受領によって得られるＸ（債権者）の右利益を承認し、正当の理由がなく右利益を侵害しないという趣旨をも当然包含するものと解すべき（以上、括弧内は筆者注）」であるとし、第三債務者が承認の趣旨に反して債務者に弁済した行為は不法行為となる旨を判示しました。

なお、学説には、第三債務者が代理受領という形式で担保を設定することについて承認したことによって、債権者、債務者および第三債務者の間で第三債務者が債権者の担保権を侵害しない義務を負うという三者契約が成立し、第三債務者が債務者に弁済した場合、第三債務者はかかる義務違反による債務不履行責任や再度債権者に対して弁済を行う義務を負うとする立場もあります。

もっとも、第三債務者は、債務者に対するすべての抗弁をもって債権者に対抗することができます。したがって、たとえば、第三債務者は債権者に対して、承認前に債務者が債権者にすでに弁済をしていた事実を抗弁として主張することができます。

③ 第三者への効力

代理受領は物権変動（民法177条、178条）や債権譲渡（民法467条）とは異なり、第三者に対する対抗要件がありません。したがって、債権者は、債権譲受人、質権者、差押債権者、第三債務者が破産した場合の破産債権者、二重代理受領者等の第三者に対して優先的地位を主張することはできないと解されます。この点で、代理受領は質権や譲渡担保に比べて弱い効力のみが認められるといえます。

2　振込指定

⑴ 意 義

振込指定とは、債権者Ａ（銀行）が、融資先である債務者Ｂが第三債務者Ｃに対して有する債権の弁済について債権者Ａの債務者Ｂ名義の口座に振り込んで支払うよう指定し、債権者Ａが、それによって振り込まれた金銭についての預金債権と債権者Ａの債務者Ｂに対する貸付金債権を相殺して貸付金債権の回収を図るという方法をいいます（次頁の図参照）。

⑵ 機 能

銀行は、第三債務者から振込指定に基づいて債務者の預金口座に振込みがあれば債務者の預金債権と債務者に対する債権とを相殺して、自己の債権の優先的回収を図ることができます。代理受領と同様、国または地方公共団体が注文者となる場合の工事請負代金債権等のように債務者の第三債務者に対する債権につき債権譲渡や質入等が禁止されている場合等に利用することができます。

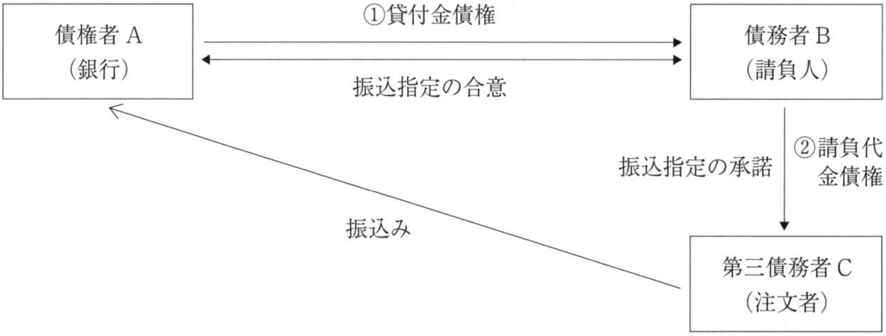

⑶ 法律関係

振込指定は、債権者（銀行）が第三債務者の債務者に対する債務の弁済を債務者に代わって受領する方法として、債権者（銀行）に有する債務者の預金口座への振込みという方法を指定することから、代理受領の一形態といえます。したがって、法律関係は代理受領と同様であると解されています。

すなわち、債権者と債務者の関係は債権の弁済受領に関する委任関係（民法643条）となります。また、債権者は第三債務者に対して債権を直接取り立てる権限を有していません。さらに、債権者と債務者の委任契約によっては契約当事者ではない第三債務者を拘束することができないため、実務では、振込指定について第三債務者の承認を求めるのが通常です。

振込指定を承認した第三債務者Ｃが債権者Ａ（銀行）の債務者Ｂ名義の口座に振り込むことなく、債務者Ｂに弁済をしてしまった場合につき、裁判例は第三債務者Ｃの債権者Ａ（銀行）に対する不法行為責任を認めています（福岡高判昭和59年６月11日判タ535号228頁）。

第Ⅳ篇

債権総論

第1章

総 論

第1 債権の意義

1 債権の意義

債権とは、ある者が他人に対して一定の行為を請求しうることを内容とする権利をいいます。たとえば、不動産の売買契約を締結した場合、売主は買主に対して売買代金の支払を請求できます。他方、買主は売主に対して、不動産の引渡しや移転登記を請求できます。

上記の例を契約の相手方からみた場合、買主は売主に対して売買代金を支払う義務を負い、売主は買主に対して不動産の引渡しや移転登記をする義務を負います。特定の人が他人に対して特定の行為をすることを内容とする義務を債務といいます。

債権を有する当事者を債権者といい、債務を負う当事者を債務者といいます。また、債権者が債務者に請求できる一定の行為を給付といい、債務者が債権の内容を実現することを履行といいます。給付の内容は作為に限らず、不作為の場合もあります。たとえば、ある者が他人に対して3年間は競業行為を行わないことを約束する場合です。

2 債権と物権の差異

物権とは物に対する直接的・排他的な支配権であり、債権と物権は以下の点で異なります。

(1) 債権の非排他性

排他性とは、ある物の所有権は特定人のみが有し、別の者が同時に所有権を有することはないことを意味します。1つの物について、同一内容の物権は1つしか成立しないことから（一物一権主義）、物権は排他性を有するといえます。これに対して、債権は、同一内容の権利を複数成立させることができるため、排他性を有しません。たとえば、Aが不動産をBとCの両方に販売した場合、AB間、AC間の売買はそれぞれ有効に成立し、BとCはともに債権者となりAに対して不動産の引渡請求権を有することとなります。

(2) 債権の相対性

物権を有する者は誰に対しても当該物権を主張できます。たとえば、Aが不動産を所有する場合に、第三者Bがこの不動産を不法占拠したときは、Aは第三者Bに対して所有権に基づいて妨害排除請求ができます。これに対して、債権は、特定人（債務者）に対して債務の履行を請求できるにとどまり、他の第三者に対して債務の履行を請求できません。たとえば、AB間の建物賃貸借契約で借主Bが貸主Aに対してピアノを演奏してはならないという債務を負っていた場合、貸主Aは借主Bに対してのみピアノの演奏をしないように請求することができ、その他の第三者に対しては請求できません。

(3) 債権自由の原則

物権を規律する原則に、物権法定主義があります。物権法定主義とは、民法その他の法律によって認められている物権のほかに、新たに物権を創設することはできないという建前をいいます（民法175条）。これに対して、債権の内容は法定されておらず、公序良俗に反しない限り（民法90条）、債権者と債務者の間で自由に内容を定めることができます。これを債権自由の原則といいます。

(4) 債権の譲渡性

物権は、自由に譲渡できます。債権も現在では自由に譲渡できますが（民法466条）、歴史的には債権の譲渡は自由ではありませんでした。これは、債権が特定の債権者と債務者の間でのみ効力を有するものであることを理由とします。現在でも債権の譲渡が制限される場合があります。たとえば、民法は「賃借人は、賃貸人の承諾を得なければ、その賃借権を譲り渡し、又は賃借物を転貸することができない」と定め、賃借権の譲渡や転貸を制限しています（民法612条1項）。

(5) 物権の優先性

物権と債権が競合した場合、物権が債権に優先するとされています。たとえば、建物の賃貸借で賃借人Aは賃貸人Bに対して賃借権を有しますが、賃貸人Bが第三者Cに対して建物を譲渡した場合、Cの建物に対する所有権はAの賃借権に優先し、AはCに対して賃借権を主張できないのが原則です。「売買は賃貸借を破る」という法格言はこのことを意味します。もっとも、今日では、建物所有を目的とする土地や建物、農地の賃借権等については、一定の要件を備えることにより賃借権を第三者に対抗することができます（民法605条、借地借家法10条1項、31条、農地法16条）。

第2　債権法の内容

1　債権法の意義

債権は、民法第3編（民法399条以下）で定められています。講学上、債権法と呼ぶことがあります。債権法は、債権総論と債権各論と称する2つの部分からなります。債権総論は、第1章の「総則」（民法399条～520条の20）をいいます。債権各論は、第2章「契約」（民法521条～696条）、第3章「事務管理」（民法697条

～702条)、第４章「不当利得」(民法703条～708条)、第５章「不法行為」(民法709条～724条の２）をいいます。本章では債権総論を説明します。債権総論は、債権の目的、債権の効力、多数当事者の債権および債務、債権の譲渡、債務の引受け、債権の消滅、有価証券の７節からなります。

債権法に関する特別法として、利息制限法、身元保証ニ関スル法律、供託法、割賦販売法、特定商取引に関する法律、消費者契約法、借地借家法、製造物責任法、失火ノ責任ニ関スル法律、自動車損害賠償保障法、原子力損害の賠償に関する法律等が挙げられます。

2　債権法の特色

債権法を、任意法規性、普遍性、信義則という観点から説明します。

(1) 任意法規性

債権法は、原則として任意法規です。任意法規とは、当事者が法律の規定とは異なる定めを設けた場合に適用しないことができる法律をいいます。債権は、特定の当事者の間でのみ効力を有するものであり（相対性といいます)、第三者に対する影響が少ないといえます。そこで、当事者の意思を優先させて、民法の規定を契約が定めていない部分を補充する役割にとどめています。もっとも、特別法は、経済的な弱者を保護するために民法の規定を修正しており、強行法規とするものも多いといえます。

(2) 普遍性

債権法の対象の多くは取引に関する事項であり、取引は合理性によって規律されるため債権法の内容は国際的にみて共通化する傾向があり、その意味で普遍的であるといえます。物権法や家族法のように国や地域ごとの慣習や道徳によって内容に差異が生じるものとは異なります。

(3) 信義則

債権は契約の当事者間で効力を有するものであり、契約関係では当事者間の信頼が重視されます。そこで、債権法では信義則（民法１条２項）が重要な意義を有しており、契約の解釈は信義則が基準となり（最判昭和32年７月５日民集11巻７号1193頁)、契約の内容が信義則に従って実質的に修正されることもあります。

第2章

債権の目的

第1　債権の目的

1　債権の目的の意義

「債権の目的」という表現は日常の用語法とは異なり、給付の内容を意味します。たとえば、不動産の売買契約の場合、買主の債権の目的は、不動産を引き渡すという売主の行為となります。債権が成立するためにはいかなる給付内容でもよいわけではなく、一定の要件を満たすことが必要です。まず、債権が法律の規定に基づいて発生する場合には、その規定に定める要件を充足することが必要です。また、債権が契約から生ずる場合、民法は「金銭に見積もることができないものであっても、その目的とすることができる」と定めるのみであり（民法399条)、給付の内容は当事者の自由な意思に委ねられています。これに対し、学説は、給付の適法性、可能性および確定性を給付の一般的有効要件として挙げます。ただし、以下に述べるとおり、給付の可能性を給付の一般的有効要件と解するか否かについては争いがあります。

2　給付の一般的有効要件

(1) 給付の適法性

給付の適法性とは、債務者が給付する内容が法律上適法であることをいいます。給付内容が不法ないしは公序良俗に反するような場合は、そのような給付を目的とする契約は公序良俗に反し無効となります（民法90条)。たとえば、麻薬の売買契約は、医療目的等の場合を除いて公序良俗に反し無効です。したがって、麻薬を引き渡すという内容の債権は発生しないこととなります。

(2) 給付の可能性

① 給付の可能性の意義

給付の可能性とは、債務者がなすべき給付が実現可能なものであることをいいます。たとえば、契約締結時に焼失して現存しない建物を引き渡す場合は、給付の実現可能性がないといえます。これに対して、他人物売買（他人の所有する財産権を売り渡すこと）は、単に実現が困難であるにすぎないことから、給付の実現可能性がないとはいえません。民法は、他人物売買が有効であることを前提とした規定を設けています（民法561条)。

第Ⅳ篇 債権総論

② 給付の可能性の要否

実現可能性がない給付を有効と解することができるか否かについては、以下のとおり議論があります。

ア　伝統的な学説

改正前民法下の伝統的な学説は、契約成立時にその内容が実現不可能である場合（この場合を原始的不能といいます）、これに法的効果を認めても意味がないため、その給付を無効と解していました。たとえば、売買契約の時点ですでに目的物が滅失していた場合です。原始的不能には、物理的な場合のほか、法律的または社会通念上不能と考えられる場合を含みます。たとえば、ある目的物の売買が法律上禁止されていた場合（法律的不能）や、ある目的物を紛失し発見が事実上不可能な場合（社会通念上不能）が挙げられます。

これに対して、法律行為の時点では給付が可能であったものの、その後給付が完了するまでの間に給付が不能となる場合（この場合を後発的不能といいます）、この給付は無効とはなりません。たとえば、売買契約当時は存在していた目的物が引渡期日までの間に滅失した場合です。後発的不能の場合、給付が不能となったことについて債務者に帰責性があれば債務不履行の問題となり、債務者に帰責性がなければ危険負担の問題となります。

イ　有力説

上記の伝統的な学説に対しては、原始的不能の原因を作った契約当事者に帰責性がある場合にも債務不履行責任を問うことができないのは適当でないという批判や、目的物が滅失したことによる不能の場合、その不能が契約締結直後に発生したのであれば債務不履行の問題になるにもかかわらず、契約締結直前に発生したときには契約が無効となることは適当でないという批判がなされていました。

そこで、原始的不能も後発的不能と同様に、不能について債務者に帰責性がある場合には債務不履行責任の問題とすることを認めるべきであるという見解が有力に主張されました。もっとも、この見解が、原始的不能の契約を有効としたうえで債務不履行の問題とすることを認めているか否かは必ずしも明らかではありませんでした。

ウ　改正後の民法の立場

改正後の民法は、「契約に基づく債務の履行がその契約の成立の時に不能であったことは、第415条の規定によりその履行の不能によって生じた損害の賠償を請求することを妨げない」と規定します（民法412条の２第２項）。この規定は、原始的不能の場合に債務不履行に基づく損害賠償請求をすることを妨げない旨を定めた規定です。もっともこの規定のみからは、改正後の民法が原始的不能の給付を有効と解するかについて、必ずしも明らかでないといえます。すなわち、同条項は、原始的不能は契約の無効原因とはならないという考え方を前提に、債務不履行に基づく損害賠償請求を認めることを明らかにした規定であると理解することが可能である一方で、原始的不能は契約の無効原因となるという考え方を前提に、原始的不能について債務者の帰責性がある場合には債務不履行に基づく損害賠償請求を認めることを明らかにした規定であるとの理解も可能であるためです（四宮和夫＝能見善久「民法総則［第9版］」299頁）。

⑶ 給付の確定性

給付の確定性とは、債務者が給付する給付の内容が確定したものであることをいいます。たとえば判例は、ゴルフ場の建設工事中に締結したゴルフクラブの入会契約について、「プレー的魅力があり戦略性に富む名門コースとするというだけでは、法律上の債務というには具体性がなく、この点についての債務不履行を認める余地はない」と判示しています（最判平成9年10月14日集民185号361頁）。

これに対して、契約成立時点では確定していなくとも契約後に給付の内容が確定しうる場合は、確定性の要件を満たします。たとえば、売買契約の代金額について、不動産鑑定機関の評価額に従うとするような場合です。

3　金銭に見積もることができない債権

民法は、「債権は、金銭に見積もることができないものであっても、その目的とすることができる」と定めており、債権の目的とするために給付が経済的価値を有することは必要ではありません（民法399条）。古い裁判例には、僧侶が依頼者のために念仏供養をなすことを給付の内容とする契約は有効に成立するとしたものがあります（東京地判年月日不明新聞986号25頁）。もっとも、経済的に価値のない給付を目的とする債権は、そもそも契約当事者に法律的拘束力を生じさせる意思がなく、たとえ不履行があっても、道徳的・社会的・宗教的な制裁に委ねる意思である場合も少なくないと考えられます。

第2　債権の種類

1　債権の内容の多様性

債権、特に契約に基づく債権は、当事者が原則として自由にその内容を定めることができます。契約から生じる債権の目的は多様です。たとえば、建物の売買契約の場合、買主には建物を引き渡せという債権が発生し、売主には代金を支払えという債権が生じます（民法555条）。賃貸借契約の場合、賃貸人には、賃料を支払えという債権や契約終了時に目的物を返還せよという債権が生じ、賃借人には目的物を使用収益させよという債権や目的物を修繕せよという債権が生じます（民法601条以下）。なお、契約に基づかない債権として、不法行為に基づく損害賠償請求権（民法709条）が挙げられます。

2　債権の種類

民法は、債権の種類に関する規定として、特定物債権、金銭債権、利息債権、選択債権について以下のとおり定めています（民法400条以下）。

(1) 特定物債権

特定物債権とは、特定物の引渡しを目的とする債権をいいます（民法400条）。債権の目的物である物の個性に着目した債権がこれに該当します。たとえば、中古車売買のほか、著名な絵画、土地に関する取引の多くがこれに該当します。中古車は１台ごとに状態が異なり、著名な絵画は１枚しか存在しません。また、土地は同じような区画に分割されていても、それぞれ位置や日当り等の環境が違うことから、どの区画でも同じであるとはいえません。

売買契約の当事者は、取引の際にその個性に着目するのが通常です。特定物はその物が滅失すれば直ちに履行不能となります。後述の種類債権とは異なり、債務者には類似の物を他から調達する義務はありません。

① 債務者の保管義務

特定物の引渡債務の債務者は、引渡しをするまで、契約その他の債権の発生原因および取引上の社会通念に照らして定まる善良な管理者の注意をもって目的物を保管しなければなりません（民法400条）。これを保管義務といいます。売買契約の売主が買主に目的物を引き渡すまで保管する場面が典型例ですが、保管義務は売買以外でも賃貸借等各種の契約で問題となります。賃貸借の借主は契約終了時に目的物の返還義務を負い、返還の時まで保管義務を負うからです。

「善良な管理者の注意」とは、具体的な債務者の能力に応じた注意ではなく、取引上一般的・客観的に必要とされる注意を尽くすことをいいます。これを善管注意義務といいます。改正後の民法は、善管注意義務の内容や程度を決する基準について、「契約その他の債権の発生原因及び取引上の社会通念に照らして定まる」と規定します（民法400条）。この趣旨は、善管注意義務の内容や程度が、契約の内容（契約書の記載内容等）に加え、契約の性質（有償か無償かを含みます）、当事者が契約をした目的、契約の締結に至る経緯をはじめとする契約をめぐる一切の事情を考慮し、取引上の社会通念をも勘案して定まることを明らかにする点にあります（一問一答66頁）。これと対比されるのは、自己の財産に対するのと同一の注意義務です。たとえば、他人の物を無報酬で預かる者は「自己の財産に対するのと同一の注意」（無償寄託。民法659条）を負うにすぎず、自分の財産の保管に際して払う主観的な注意を払えば足ります。

なお、民法は、「債権の目的が特定物の引渡しである場合において、契約その他の債権の発生原因及び取引上の社会通念に照らしてその引渡しをすべき時の品質を定めることができないときは、弁済をする者は、その引渡しをすべき時の現状でその物を引き渡さなければならない」と定めています（民法483条）。

改正前民法483条は、「契約その他の……定めることができないときは」に相当する文言を規定していませんでしたが、民法改正によりこの文言が設けられました。改正前民法の下では、仮に特定物の状態が悪化したとしても、他の物で代替することはできないとして、特定物の引渡債務の債務者は債務発生時から履行期（引渡しをすべき時）までの間に特定物の状態に変更が生じたとしても債務者は履行期の現状で引き渡せば足りると考えられていました（現状引渡しの原則。改正前民法483条）。そのうえで、特定物の引渡債務を負う債務者は現状引渡しで足りることとの均衡として、引渡しまで保管義務を負うこととされていました（改正前民法400条）。

これに対して、改正後の民法は、特定物であっても契約内容に反した品質の物を引き渡せば契約上の責任を負うべきであるという考え方を基本としています（一問一答274頁）。したがって、改正後の民法483条は、契約その他の債権の発生原因および取引上の社会通念に照らして引渡しをすべき時の品質を定めることができない場合についての補充的な規定であると理解することになります（一問一答187頁）。

② 履行不能

特定物債権は、目的物が滅失した場合には履行不能となります（民法412条の2第1項）。債務者が保管義務に違反して目的物が滅失・損傷した場合には、債務者は債務不履行として損害賠償義務を負います（民法415条）。

③ 弁済の場所

特定物の引渡場所は、別段の意思表示がないときは、債権が発生した時にその物が存在していた場所となります（民法484条1項）。

(2) 種類債権

種類債権とは、債権の目的物を示すのに種類と数量だけを指示した債権をいいます（民法401条1項）。たとえば、売買契約でりんご20個の引渡しを求める買主の債権をいいます。民法は、特定物の保管義務については特別の規定を置いていますが、種類物に関して保管義務の規定を設けていません。種類債権の場合、種類・数量が同等の物を履行期に引き渡せばよく、手元の物が滅失した場合には他から調達する義務を負うため、手元の物を保管する義務を負うことを要しないからです。

種類債権については、債務者が引渡しを予定していた物が滅失してもそれだけでは履行不能とはならず、その商品が市場に存在する限り債務者は新たに同種の物を調達する義務を負います。たとえば、冷蔵庫を売買する場合、売主の倉庫が全焼して倉庫内の冷蔵庫が滅失しても、売主の買主に対する引渡義務は消滅しません。

①　品　質

種類債権の場合、どのような品質の物を引き渡すかが問題となります。たとえば、りんご20個といっても、りんごの品質によって価格は様々です。取引においては品質が重要となり、法律行為の性質または当事者の意思によって定めるのが原則です（民法401条1項）。明示的な合意がなくとも、黙示的な合意によって定まることも多いといえます。これらによって定まらない場合は、中等の品質の物を給付することとなります（民法401条1項）。

②　目的物の特定

ア　意　義

特定とは、種類債権の給付の目的物を具体的に確定することをいいます。債務者が物の給付をするのに必要な行為を完了したり、または債権者の同意を得て引き渡す物を指定したときは、それ以後はその物が債権の目的物となります（民法401条2項）。

イ　特定の要件

特定は、次の事由によって生じます。

(i)　当事者間の合意

債権者と債務者が合意した場合には特定が生じます。合意によって給付の目的物を決定することができるのは当然であり、特別の規定はありませんが当事者間の合意によって特定が生じると考えられています。また、当事者が第三者に特定すべき物を指定する権利を与え、第三者がこれに基づいて指定した場合も特定が生じます。

(ii)　債権者が物の給付をするのに必要な行為を完了したこと

債務者が物の引渡しに必要な行為を完了したときは、特定が生じます。この具体的な時期は、持参債務・取立債務・送付債務に区別して検討する必要があります。

(ア)　持参債務の場合

持参債務とは、債務者が目的物を債権者の住所に持参して履行する債務をいいます。この場合、債務者が債権者の住所に持参し、債権者がいつでも受け取れる状態に置くこと、すなわち債権者の住所に現実に提供することが必要です（大判大正8年12月25日民録25輯2400頁）。

(イ)　取立債務の場合

取立債務とは、債務者の住所で引き渡す債務をいいます。この場合、目的物を分離し、債権者への通知をすることが必要です。

目的物の分離とは、債務者が給付すべき目的物を他の物と分離して、債権者が取りにきた場合にいつでも受領できる状態に置くことをいいます。債権者への通知とは、目的物を分離したことを債権者に通知して、受け取るように求めることをいいます。分離と通知の両方が必要であり、分離しないまま通知しても特定は生じません（最判昭和30年10月18日民集９巻11号1642頁・百選Ⅱ［第８版］１事件）。

㈦ 送付債務

送付債務とは、債権者の住所および債務者の住所以外の場所に目的物を送付すべき債務をいいます。この場合は、持参債務に準じて特定には現実の提供が必要です。また、債務者が債権者の要請に応じて当該場所に送付する場合には発送によって特定します。どちらによって特定するかは契約解釈の問題となります。

ウ　特定の効果

(i) 主要な効果

特定が生じた場合、債務者は特定物と同様の保管義務（民法400条）を負います。もっとも、債務者は特定によってその物を引き渡す債務を負うこととなるため、特定後に目的物が滅失した場合は履行不能となり、債務者は引渡債務を免れることとなります。この場合、債務者は同じ種類・品質の物を調達して引き渡す義務を負いません。

(ii) 債務者の変更権

債務者は特定後に目的物が滅失した場合は履行不能となり、引渡債務を免れますが、債務者に帰責事由がある場合は損害賠償責任を負うこととなります（民法415条）。もっとも、債務者は同じ品質・数量の他の物を調達することは可能であり、債権者に特に不利益がないという場合には、債務者が債権者に対して特定物と同じ品質・数量の他の物を引き渡すことを認めてよいと考えられます。そこで、債務者は変更権を行使して他の物を引き渡すことによって、損害賠償責任を免れることができると解されています。

③ 制限種類債権

制限種類債権とは、種類債権の一種であり、取引上同一の種類とみられるものをさらに特殊な範囲で制限したものを目的物とする債権をいいます。たとえば、Ａ社の倉庫にある特定のメーカーの洗濯機20台の引渡債務がこれに該当します。市場にあるそのメーカーの洗濯機を目的物とする場合は種類債権となりますが、さらにＡ社の倉庫にあるものという限定を付した場合には制限種類債権となります。制限種類債権と通常の種類債権は次の点で異なります。

第１は、履行不能の成否です。通常の種類債権は、特定前は債務者の手元にある物が滅失したとしても履行不能とならず、債務者は他から調達する義務を負います。これに対して、制限種類債権は、特定前でもその制限の範囲内の物がすべて滅失すれば履行不能となります。

第２は、目的物の品質です。通常の種類債権は、民法401条により定めています。これに対して、制限種類債権は対象が具体的に限定されていることから品質は問題となりません。

第３は、目的物の保管義務です。通常の種類債権の場合、債務者は特定前には保管義務を負わず、特定が生じた後に保管義務を負います（民法400条）。これに対して、制限種類債権の場合、債務者は特定前でも保管義務を負うと解されます。

3　金銭債権

⑴ 意 義

金銭債権とは、金銭を給付の対象とする債権をいいます。これに対して、金銭以外を給付の対象とする債権を非金銭債権といいます。たとえば、売買契約の場合、売主は買主に対して代金の支払いを請求するという金銭債権を取得し、買主は売主に対して物の引渡しを請求するという非金銭債権を取得します。

⑵ 金銭債権と通貨

通貨とは、法律によって国内における強制通用力を認められた貨幣をいいます。この場合の強制通用力とは、金銭債権の弁済として受領を強制されることをいいます。金銭債権の場合、債務者がどのような通貨で支払うかは、原則として債務者の任意の選択に委ねられています（民法402条１項）。たとえば、10万円を支払う場合、１万円札10枚で支払うか、千円札100枚で支払うかは債務者の選択に委ねられます（日銀法46条２項）。もっとも、１万円札のみで支払うという合意をするなど、「特定の種類の通貨」で支払う合意がある場合は、債務者はそれに従うこととなります（民法402条１項但書）。

また、外国の通貨（たとえば米ドル）で支払うとの合意がある場合でも、債務者はなお日本の通貨（日本円）で支払うことができます（民法403条）。また、債権者も外国通貨と日本通貨のいずれの通貨で支払うよう請求することもできます（最判昭和50年７月15日民集29巻６号1029頁）。外国通貨と日本通貨の為替換算は、履行地における弁済時の為替相場によります（民法403条）。

⑶ 金銭債権の特徴

金銭債権は、物の引渡しではなく通貨によって価値を移転することを目的とするものであり、以下の特徴を有します。

第１に、金銭債権は履行不能となりません。通貨が世の中からなくなることは考えられないからです。また、金銭債権について特定が生じることはありません。

第２に、金銭債務の不履行について一般の債務不履行に対する特則が定められています。通常の債務不履行は、通常生ずべき損害の賠償のほか（民法416条１項）、特別の事情による損害の賠償が認められています（民法416条２項）。金銭債務の不履行については、以下の特則が定められています。まず、損害賠償の額は原則として法定利率によって定めるとしたうえで、約定利率が法定利率を超えるときは約定利率によるとしています（民法419条１項）。また、金銭債務の損害賠償について、債権者は損害の証明をすることを要しません（民法419条2項）。さらに、金銭債務の債務者は、不可抗力をもって抗弁とすることができません（民法419条3項）。

⑷ 貨幣価値の変動と金銭債権

貨幣価値の変動が生じたことにより、貨幣の実質的価値が変化することがあります。金銭債権は影響を受けないのが原則であり、額面を基準に弁済することになります。これを名目主義といいます。

この点は、金銭債権に貨幣価値の変動による事情変更の原則の適用があるかという点に関連して議論されています。かつて、第一次世界大戦後のインフレーション等によってドイツでマルクの価値が著しく下がった際に、ドイツの判例は事情変更の原則に基づいて金銭債権の増額評価を認めました。日本でも、戦後のインフレ期に、戦前の金銭債務を戦後に弁済する際に貨幣価値の換算が問題となりました。判例は、慎重な判断を示し、抽象論としては事情変更の原則の適用の可能性を認めたものの、結論としてその適用を否定しています（最判昭和36年6月20日民集15巻6号1602頁）。

4　利息債権

⑴ 利息の意義

利息債権とは、利息を支払うことを目的とする債権をいいます。利息とは、元本を利用する対価であり、元本とその存続期間に応じて一定の割合（利率）で支払われます。消費貸借の借主が元金を返還するとともに、存続期間に応じて利息を支払うことを合意した場合、貸主が借主に対して元金の支払いを求めることができる権利を元本債権、元金の対価として利息の支払いを求めることができる権利を利息債権といいます。

利息債権は、基本権たる利息債権と支分権たる利息債権に分類されます。基本権たる利息債権とは、元金の存在を前提に、一定期間の経過により一定の割合で利息を支払うことを内容とする債権をいいます。支分権たる利息債権とは、基本権たる利息債権に基づいて具体的に発生した個々の具体的な利息債権をいいます。たとえば、100万円を年5分の利率で1年間貸し付けるという場合、1年後に5万円の利息が生じます。この場合、100万円が元金であり、この支払いを求める権利が元本債権です。また、年5分の利息を生じさせる合意が基本権たる利息債権であり、1年後に発生する5万円の利息の支払いを求めることのできる具体的権利が支分権たる利息債権に該当します。

基本権たる利息債権は元本債権に付従します。したがって、元本債権が消滅すれば利息債権は消滅し、元本債権が第三者に移転すれば利息債権も移転します。これに対して、支分権たる利息債権が弁済期に達しているときは、元本債権に独立します。したがって、これを独立して弁済することができます。また、元本債権が第三者に譲渡された場合でも、支分権たる利息債権は元本債権に随伴しません。さらに、支分権たる利息債権は、元本債権とは独立して消滅時効にかかります（大判大正10年11月15日民録27輯1959頁）。

⑵ 利息と遅延損害金

利息と遅延損害金は、期間に応じて一定の割合で発生するという点で共通しますが、その性質は異なります。利息は、元本を利用する対価であり、元本とその存続期間に応じて支払われる金銭その他の代替物をいいます。

遅延損害金は、履行期に弁済しないことを理由に生じる債務不履行に基づく損害賠償金です。遅延損害金は遅延利息ということもあります。債務不履行に陥った後は利息は発生せず、遅延損害金のみが発生します。

⑶ 法定利率

利息は、当事者の合意や法律の規定によって発生します。たとえば、金銭を消費貸借する場合、民法上は無利息が原則であり（民法587条）、当事者の合意によって利息が発生します。このように当事者の合意によって発生する利息を約定利息といいます。これに対して、商人間では商法の規定によって当然に利息が発生します（商法513条１項）。このように法律の規定によって発生する利息を法定利息といいます。

利息を付けることを合意し、利率の合意をしない場合や法律の規定によって利息を支払う場合、利率は法定利率によって定まります。改正前民法における法定利率は、年５％でしたが（改正前民法404条）、改正後の民法は、現在の市中金利の水準に合わせて同法施行時の法定利率を引き下げ、年３％としています（民法404条２項）。また、商行為によって生じた債務の法定利率（商事法定利率）を年６％と定めていましたが（改正前商法514条）、民法の改正に伴い、商事法定利率の規定を削除し（整備法３条）、民法所定の法定利率に統一しています。法定利率は利息債権に限らず、遅延損害金の額を定める場合（民法419条１項）や生命侵害の損害額の算定における中間利息控除の基準としても用いられます（民法417条の２。最判平成17年６月14日民集59巻５号983頁）。当事者が利率を合意している場合は、約定利率によります。なお、利率には、利息制限法および出資取締法による制限があります。

⑷ 法定利率の変動制

① 法定利率の変動制の趣旨

改正後の民法は、前述のとおり、現在の市中金利の水準に合わせて、同法施行時の法定利率を年３％に引き下げています（民法404条２項）。

しかし、市中の金利動向は今後とも変動する可能性があり、将来的には法定利率と金利水準とが大きく乖離する状況が予測されます。

そこで、改正後の民法は、このような金利水準の変動に備え、法定利率を機械的に見直す仕組みとして、法定利率の変動制を採用しています（一問一答81頁）。

② 法定利率の変動制の概要

法定利率の変動制は、金利の一般的動向を示す一定の数値を指標とし、その数値が大きく変動した場合に、法定利率をその変動に合わせて緩やかに上下させるものです（緩やかな変動制。一問一答81頁）。

改正後の民法は、同法施行時の法定利率を年３％としたうえで（民法404条２項）、法定利率について、法務省令で定めるところにより、３年を１期とし、１期ごとに、以下の基準により変動するものとします（民法404条３項）。

その具体的内容は、以下のとおりです（民法404条３項ないし５項、附則15条２項）。

ア　各期における法定利率は、直近変動期（法定利率の数値に実際に変動があった期のうち直近のもの。ただし、改正民法施行後最初の変動があるまでは、改正民法の施行後最初の期をいう〔附則15条２項〕）の基準割合と当期における基準割合との差に相当する割合（その割合に１％未満の端数があるときは、これを切り捨てます）を、直近変動期における法定利率に加算し、または減算した割合とする（民法404条４項）。

イ　上記の「基準割合」とは、法務省令で定めるところにより、各期の初日の属する年の６年前の年の１月から前々年の12月までの各月における短期貸付けの平均利率（当該各月において銀行が新たに行った貸付け〔貸付期間が１年未満のものに限る〕）の合計を60で除して計算した割合（その割合に0.1％未満の端数があるときは、これを切り捨てます）として法務大臣が告示するものをいう（民法404条５項）。

すなわち、基準割合は、日本銀行の発表する国内銀行における短期貸付けの貸出約定平均金利（新規）を指標とし、その５年間の平均値を指すものをいう（一問一答84頁）。

③ 利息の算定に用いる法定利率

改正後の民法は、前述のとおり、法定利率を引き下げるとともに、法定利率の変動制を採用したことから、ある債権についての利息を法定利率によって算定する際には、いつの時点における法定利率を用いるのかが問題となります。

そこで、改正後の民法は、利息を生ずべき債権について別段の意思表示がないときは、利息が生じた最初の時点における法定利率によることとしています（民法404条１項）。利息が生じた最初の時点とは、利息を生ずべき元本債権について利息が生じた最初の時点をいいます（一問一答86頁）。

⑸ 単利と複利

利息の算定方法には、単利と複利があります。単利とは、当初の元本に対してのみ利息が付される場合です。複利とは、利息が順次元本に組み入れられる場合です。複利は重利ともいいます。複利の方が債権者にとっては有利です。

民法は当事者間の合意がない限り、単利を原則としています。ただし、利息の支払いが１年以上遅延し、かつ債権者が催促してもなお支払いがない場合は、当事者間の合意がなくても、債権者は利息を元本に組み入れて複利とすることができます（民法405条）。これを法定重利といいます。当事者間で合意がある場合は、契約による複利を定めることができます。これを約定重利といいます。判例は、約定重利について利息制限法による制限を認めています（最判昭和45年４月21日民集24巻４号298頁）。

(6) 利息制限法による利息の制限

民法は、利息について法定利率および法定重利を定めるにとどまりますが、高金利から債務者を保護するために利息制限法が制定されています。利息制限法は、元本の額に応じて利息の上限を定めており（元本が10万円未満の場合は年20％、元本が10万円以上100万円未満の場合は年18％、元本が100万円以上の場合は年15％）、利息の上限額を超える部分の契約は無効です（利息制限法１条）。かつての利息制限法１条２項は、債務者が利息の超過部分（上限を超える部分）を任意に支払った場合は返還を請求できないと定めていました（平成18年改正前の利息制限法１条２項）。この規定に従った場合、利息制限法を知らずに任意に支払った債務者が保護されないこととなります。そこで判例は、任意に支払った超過部分について返還を認めるため様々な理論構成をしていました。

まず判例は、利息制限法の制限を超える利息が支払われた場合、その超過部分は改正前の民法491条により元本に充当されるとしました（最判昭和39年11月18日民集18巻９号1868頁）。また、制限利率を超える額の利息を元本が消滅してからも支払った場合、債務が消滅すれば利息は生じず利息制限法の適用がないことから、元本が消滅した部分について支払われた部分を不当利得として返還請求できるとしました（最判昭和43年11月13日民集22巻12号2526頁）。さらに、判例は、超過利息を元本と一括して同時に支払った場合でも、超過部分を不当利得として返還請求することを認めました（最判昭和44年11月25日民集23巻11号2137頁）。このような判例によって、改正前の利息制限法１条２項は意義を失うこととなりました。そこで、平成18年の改正により、利息制限法１条２項は廃止されました。

また、かつての貸金業（規制）法43条は、「債務者が法定利息を超える利息を支払った場合でも、一定の条件の元で超過部分の支払いは利息の弁済とみなす」と定めていたため、以上の判例法理は貸金業（規制）法43条により変更を受け、利息制限法１条に定める利息の上限額を超える場合でもあってもその超過部分の支払いは有効な利息の弁済とみなされると解されていました。

これに対して、判例は、債務者が利息制限法の制限を超える約定利息の支払いを遅滞したときには当然に期限の利益を喪失するという特約は貸金業（規制）法43条１項の趣旨に反して無効であり、この特約のもとで債務者が利息として、利息の制限額を超える額の金銭を支払った場合は、特段の事情のない限り、債務者が自己の自由な意思によって制限超過部分を支払ったものということはできないと解するのが相当であると判示して、貸金業（規制）法43条の規定は意義を失うこととなりました（最判平成18年１月13日民集60巻１号１頁・百選Ⅱ［第８版］56事件）。そこで、平成18年の改正により、貸金業（規制）法43条は廃止されました。

⑺ 出資取締法による制限

出資の受入れ、預り金及び金利等の取締りに関する法律（出資取締法）は、金銭の貸付けを行う者が年109.5％を超える利息の契約、あるいはその受領に対して、５年以下の懲役もしくは1000万円以下の罰金を科すこととしています（出資取締法５条１項）。貸金業を行う者が金銭を貸し付ける場合は、年20％が上限となっています（出資取締法５条２項）。

ここで、民事（利息制限法）上は無効であるが、刑事罰は生じないという領域（グレーゾーン）が生じることとなります。もっとも、改正によって出資取締法上の貸金業者についての上限の割合が上記の年20％に引き下げられたため、グレーゾーンの幅は縮小しています。グレーゾーンの部分について、貸金業者に関しては行政処分の対象となります。

5　選択債権

⑴ 意 義

選択債権とは、債権の内容が複数の給付の中からの選択によって定まる債権をいいます（民法406条）。たとえば、A、Bの２頭の馬のうちいずれか１頭を売るという場合です。選択債権であるためには、対象となる給付に選択に値するだけの個性のあることが必要です。個性がない場合には、種類債権となるためです。たとえば、売主が所有する土地のうち一部を買主に売却する場合、土地には個性があることから、制限種類債権ではなく選択債権となります（最判昭和42年２月23日民集21巻１号189頁参照）。

選択債権は当事者の契約によって発生するほか、法律の規定によって発生することもあります。たとえば、無権代理人の責任につき、相手方は履行請求権または損害賠償請求権を選択できます（民法117条１項）。

⑵ 選択債権の特定

選択債権を履行するためには、複数の給付から１つの給付に変更される必要があります。これを選択債権の特定といい、給付を特定させる権限を選択権といいます。選択権を誰が有するかは当事者間の合意によって定めるのが原則です。たとえば、売主が買主に対して、A、Bの２頭の馬のうち、どちらでも買主の好きな方を１頭売却するという場合は、買主（債権者）が選択権を有することとなります。

これに対して、選択権の所在が明らかでない場合、民法は債務者が選択権を有すると定めています（民法406条）。したがって、選択権の所在を明らかにせず、

A、Bの２頭の馬のうち１頭を売却するという場合、売主（債務者）が選択することとなります。選択債権が弁済期にある場合に、相手方が相当の期間を定めて催告をしたにもかかわらず、選択権を有する当事者がその期間内に選択をしないときは選択権は相手方に移転します（民法408条）。また、選択は第三者に委ねることもできますが（民法409条１項）、第三者が選択をすることができず、または選択をする意思を有しないときは、選択権は債務者に移転します（民法409条２項）。

⑶ 選択権の行使とその効果

債権者または債務者が選択権を行使する場合は、相手方に対する意思表示によってなされます（民法407条１項）。第三者が選択権を有する場合は、その者が債権者または債務者に意思表示をします（民法409条１項）。選択権は形成権であり、意思表示によって直ちに効果が発生し、その効力は債権発生時に遡ります（民法411条本文）。ただし、第三者の権利を害することはできません（民法411条但書）。

⑷ 給付不能による特定

数個の給付の中に不能のものがある場合において、その不能が選択権を有する者の過失によるものであるときは、残存する給付が当然に債権の目的になります（民法410条）。たとえば、自動車の売買契約で買主がＡ車とＢ車の選択権を有している場合に、買主の試運転中の事故によってＢ車が滅失したときは、Ａ車が売買契約の目的物となります。また、売主が選択権を有している場合に、売主の過失によってＢ車が滅失したときも、Ａ車が売買契約の目的物となり、買主は契約の解除等をすることはできません。

これに対して、給付の不能が選択権を有する者の過失によらない場合、選択権者は、不能の給付を選択することができます。たとえば、自動車の売買契約で買主がＡ車とＢ車の選択権を有している場合において、引渡し前に自然災害によりＢ車が滅失したときは、選択権を有する買主の過失により給付が不能となった場合に該当しないため、買主は、残存するＡ車の引渡しを請求することができるほか、滅失したＢ車を選択することもできます。不能となったＢ車を選択した場合、買主は売主に対しＢ車の引渡しを請求することはできませんが（民法412条の２第１項）、履行不能を理由に売買契約を無催告で解除することができ（民法542条１項１号）、これにより買主は代金支払債務を免れることができます。

⑸ 任意債権

任意債権とは、債務者が本来の給付に代えて他の給付をもって履行したり、債権者が他の給付で履行を請求できる債権をいいます。任意債権の場合、本来の給付の内容は決まっているため、その給付が不能になれば履行不能が生じる点で選択債権と異なります。

任意債権は、契約に基づいて生ずるもののほか、判例は「外国の通貨で債権額を指定したときは、債務者は、履行地における為替相場により、日本の通貨で弁済をすることができる」という民法403条の規定は、任意債権について定めたものとしています（最判昭和50年７月15日民集29巻６号1029頁）。

第3章

債権の効力

第1　債権の効力

債権は債務者に対して一定の行為を要求する権利です。債権は、原則として以下の効力を有します。

1　給付保持力

給付保持力とは、債務者が任意に履行する場合に債権者がその給付を受領してこれを保持することができることをいいます。

2　請求力

請求力とは、債務者が任意に債務を履行しない場合に債権者が債務者にその履行を請求できることをいいます。訴えを提起して給付判決を求めることができるという意味で訴求力ともいいます。

3　執行力

執行力とは、債権者が債務者に対して債権を強制的に履行することを請求できることをいいます（民法414条）。債権が金銭債権の場合に債務者の有する一般財産が強制執行の対象となります。この場合の執行の対象となる債務者の有する一般財産を責任財産といいます。

4　損害賠償、解除

債権者は、債務者が債務を履行しない場合には、債務不履行に基づく損害賠償請求権を有します（民法415条）。また、債権者は債務者の不履行に対して、契約を解除することにより自己の債務を免れるとともに、原状回復請求や損害賠償を請求できます（民法540条以下）。

第2　自然債務

1　自然債務の意義

自然債務とは、債務者が任意に履行すれば弁済の効力を認めるが、任意に履行しないときは債権者が履行を強制できない債務をいいます。すなわち、債権の効力のうち給付保持力のみが認められ、請求力および執行力を欠くものをいいます。債務が存在しない場合には債権者の受領は不当利得となり、債権者は受領したものを返還すべきこととなります（民法703条以下）。これに対して、自然債務の場合は債権者の受領は是認され、不当利得（民法703条以下）とはなりません。

2　自然債務の概念

旧民法は、「自然ノ義務ニ対シテハ訴権ヲ生セス」と定めていましたが（財産編294条）、現行の民法はこの規定を削除しています。そこで、現在においても自然債務という概念を認める必要があるかが議論されています。

⑴ 自然債務肯定説

この見解は、自然債務という概念を認めるものです。たとえば、自然債務の例として消滅時効（民法166条以下）にかかった債務を挙げます。消滅時効にかかった債権は裁判上は請求できませんが、当事者間で支払うこととして裁判上の争いとしない旨の合意があれば合意どおりの効果を認めることができると考えられるからです。

⑵ 自然債務否定説

この見解は、自然債務という概念を否定するものです。上記の債務はそれぞれ特殊なものであり、特例として説明すれば十分であり、これを統一して自然債務という観念を認める必要はないとします。

⑶ 判　例

判例は、馴染客がカフェーの女給の歓心を買うために相当多額の金銭を与えることを約束した事案で、その約束をもって裁判上の請求権を付与する趣旨に出たものと即断することは相当でなく、諾約者が自らすすんでこれを履行したときは債務の弁済となるが、要約者がその履行を強要することができないという特殊の債務関係が生じると判示しました（カフェー丸玉女給事件。大判昭和10年４月25日新聞3835号５頁）。通説は、この判例は自然債務を認めたものと解しています。

⑷ 検　討

この問題は自然債務を統一的に説明すべきか、個別的に説明すれば足りるかというものであり、議論自体にあまり実益はないといえます。自然債務という概念を肯定して、共通の要素を比較することは有用であり、差支えはないといえます。したがって、本書は自然債務肯定説が妥当と考えます。

第３　債務と責任

1　債務と責任の分離

債務が存在する場合、債務を実現するために債務者の財産が債務の引当てとなり、強制執行の目的となります。債権に基づいて債務者が給付の義務を負うことを債務といい、債務者の財産が強制執行の目的となることを責任といいます。たとえば、建物を賃借した借主が貸主に対して家賃を支払うための金銭を持たない場合、その者の財産が債権の強制執行の対象となります。債務は、債務者の財産に対する強制執行を伴うのが通常であり、債務は責任を伴うのが原則です。もっとも、債務と責任が分離することがあり、債務が存在しながら責任がない場合（責任なき債務）や責任が存在しながら債務が存在しない場合（債務なき責任）があります。責任と分離した債務は完全な債務といえず、不完全債務ということがあります。また、自然債務と責任なき債務をあわせて不完全債務と称する場合もあります。

2　責任なき債務

(1) 不執行特約付債務

当事者間で強制執行をしないという特約を付して債務を成立させることがあります。この場合、債務は成立しますが強制執行は排除されることとなるため、責任なき債務が成立します。

(2) 限定承認

限定承認とは、相続人が被相続人を相続する場合に相続財産の範囲内で債務を承継することをいいます。民法は、「相続人は、相続によって得た財産の限度においてのみ被相続人の債務及び遺贈を弁済すべきことを留保して、相続の承認をすることができる」と定めて（民法922条）、限定承認を認めています。たとえば、1000万円の借金を残して被相続人が死亡し、プラスの相続財産が300万円しかない場合、相続人が限定承認をすると被相続人の債権者は300万円について権利行使ができるのみであり、相続人の財産に対して強制執行することは許されなくなります。

このように、相続人は、限定承認によって相続財産の限度に責任を限定することが可能となります。

(3) 会社法上の有限責任

株式会社の株主（会社法104条）や合資会社や合同会社の有限責任社員（会社法580条２項、576条３項、４項）は出資の価額を限度とする有限責任を負うにとどまります。

3　債務なき責任

責任を負うのみで債務を負わない場合として、物上保証人が挙げられます。たとえば、貸主Ａから借主Ｂが借金をするために第三者Ｃが自己の所有する不動産に抵当権を設定する場合、債務を負うのはＢです。この場合、第三者Ｃは物上保証人であって債務者でないにもかかわらず、借主Ｂのために抵当権の実行によって自己の不動産の所有権を失うという責任を負います。

第4　第三者の債権侵害

1　債権侵害の可能性

債権は物権とは異なり、債権者と債務者という特定の者から特定の者に対する請求権であるため、第三者が債権を侵害することがありうるかが議論されていました。かつては、相対的な権利である債権を第三者が侵害することはありえないと考えていました。しかし、現在の多数説は、債権も権利である以上、他人がこれを侵してはならないという不可侵性を有し、第三者は他人の債権を侵害してはならないという消極的義務を負うと考え、債権侵害を肯定しています。判例も債権侵害を肯定しています（大判大正4年3月10日刑録21輯279頁・百選Ⅱ［第8版］19事件）。

2　債権侵害と不法行為の成立

(1) 不法行為の成否

第三者が債権を侵害する場合に、債権者は不法行為に基づいて損害賠償請求（民法709条）できるかが問題となります。たとえば、Aの土地をBが賃借したところ、第三者Cが土地を不法に占有しているためにBが土地を利用することができないという場合、Bは第三者Cに対して土地の賃借権を侵害されたことを理由に損害賠償請求できるでしょうか。

この場合、第三者CはAB間の債権関係（賃貸借契約）を認識することは必ずしも容易ではなく、債権関係は第三者にとって明白とはいえません。そこで、債権侵害を理由に不法行為（民法709条）が成立するには、原則として債権の存在を第三者が認識していることが必要であると解されています。

(2) 債権侵害による不法行為の態様

不法行為による債権の侵害は、以下のように分類されます。

第1は、債権の帰属自体を侵害する場合です。たとえば、受領権者としての外観を有する者が債権者と称して、債権者に代わって弁済を受けた場合（民法478条）が該当します。

第2は、債権の目的である給付を侵害して債権を消滅させた場合です。たとえば、AがBに対して労務を提供させる債権を有する際に、第三者CがBを拘束して労務の提供を不能とした場合が該当します。

第3は、債権の侵害により債権は消滅しないが、債務者と共謀して債務の履行を困難にした場合です。判例は、XからX所有の山林をできる限り高額で売却するよう委任されたAらが買主Bの代理人Yと通謀して、実際の売買価格より安く売れたこととして差額をAらとYが着服した事案で、Yは、XのAらに対する委任契約上の債権を侵害したとして、不法行為の成立を認めました（前掲大判大正4年3月10日）。

⑶ 債権に基づく妨害排除請求

① 不動産賃借権

妨害排除請求権とは物権的請求権のひとつです。そこで、物権の場合と同様に、債権に基づく妨害排除請求が認められるかについて議論がされています。債権は物に対する支配を内容とする権利ではなく、妨害排除請求権は否定されるのが原則です。

また、不動産賃借権は賃貸借契約により賃借人が賃貸人に対して物を使用させることを求めることを内容とする債権であり、物に対する賃借人の支配は賃貸人を通して初めて認められることから、改正前民法は、不動産賃借権の場合も原則として妨害排除請求を否定していました。

もっとも、債権の中でも不動産賃借権は、物の継続的利用を目的とする点で物権に類似する権利であるといえるにもかかわらず、不動産の賃借人が不法占拠者に対して不法占有の排除を一切請求することができないとすれば、その保護に欠けるといえます。

そこで、改正前民法下における判例は、一般的には不動産賃借権に基づく妨害排除請求権の行使を否定しながら、不動産賃借権でも民法605条その他の法律に基づく対抗要件を備えた者は、物権と同様に、排他性を有するに至ることから、妨害排除請求権を肯定していました（最判昭和28年12月18日民集7巻12号1515頁・百選Ⅱ［第8版］57事件）。

改正後の民法は、上記判例を明文化し、不動産の賃借人が対抗要件（民法605条、借地借家法10条、31条等）を備えた場合において、第三者が不動産の占有を妨害しているときは妨害の停止を求めることができ、第三者が不動産を占有しているときは返還を請求することができる旨の規定を設けています（民法605条の4）。

② 妨害排除請求権の代位行使

判例は、賃借人が直接請求権を行使できない場合には、賃貸人である物の所有者が不法占拠者に対して妨害排除請求権を有する点に着目して、賃借人はこれを代位行使できるとしています（大判昭和4年12月16日民集8巻944頁）。

第4章

債権の履行の強制

第1　履行の強制

1　履行の強制の意義

履行の強制とは、債務者が債権者に対して債務を任意に履行しない場合、債権者は債権の目的となった給付の内容を強制的に実現することをいいます。履行の強制は、強制執行という手続によって実現されます。履行の強制は実体法上の概念であり、強制執行は手続法上の概念です。

2　履行の強制の方法

民法は、履行の強制の方法として直接強制、代替執行、間接強制の３つを例示しています（民法414条１項）。民事執行法は、履行の強制の方法を実現する具体的な手続を定めています。改正前民法は、履行の強制の具体的な方法に関する規定を一部設けていましたが（改正前民法414条２項、３項）、これらの規定は手続法である民事執行法に一元的に定めるのが合理的であることから、改正後の民法はこれらの規定を削除し、その内容を民事執行法171条１項各号に設けています（一問一答69頁）。

(1) 直接強制

直接強制とは、債務者の意思にかかわらず、債権の内容を強制的に実現する方法です。たとえば、金銭の支払い（民事執行法43条以下）、物の引渡し（民事執行法168条以下）を実現する場合です。

(2) 代替執行

代替執行とは、債務者以外の第三者に債権の内容を実現させて、その費用を債務者から取り立てる方法です（民事執行法171条１項）。たとえば、建物を取り壊す債務や時計を修理する債務を実現する場合です。代替執行は、裁判所の授権決定により行われます（民事執行法171条１項柱書）。授権決定とは、債務者以外の第三者に対して、債務者に代わって一定の行為をなすことを命じる決定をいいます。

(3) 間接強制

間接強制とは、債務を履行するまでの間、債務者に対して一定の金銭の支払義務を課して、債務を履行するように債務者を心理的に圧迫することによって、間接的に債権の内容を実現する方法です（民事執行法172条）。債務者から支払われた金銭は、債権者に帰属します。

第２　各種債権の履行の強制の方法

どのような強制方法によって実現されるかは、債務の性質によって異なります。債務は履行の強制の方法により「与える債務」と「なす債務」に区別できます。

1　与える債務

与える債務とは、物の引渡しや金銭の支払を目的とする債務です。与える債務の履行の強制の方法は、引渡しの対象となる目的物の種類によって区別できます。

(1)　金銭債務

金銭債務とは、金銭の支払を目的とする債務です。金銭債務は直接強制によって債務の履行を強制するのが原則です。具体的には、債務者の一般財産（担保の目的となっていない財産をいいます）の中から適当な財産を差し押さえて、競売により換価（金銭に換えることをいいます）し、その金銭を債権者に交付します。

具体的な直接強制の手続は、強制執行の対象となる財産に応じて、民事執行法が規定しています（不動産については民事執行法43条以下、動産については民事執行法122条以下、債権その他の財産権については民事執行法143条以下）。

例外的に、扶養義務等にかかる金銭債権、たとえば子の父に対する扶養料請求権は、一定の要件の下に間接強制によることを認めています（民事執行法167条の15、167条の16）。

(2)　金銭以外の目的物引渡債務

金銭以外の物の引渡しを目的とする債務（絵画や不動産の引渡しを目的とする債務）は、直接強制または間接強制の方法によって債務の履行を強制します。

不動産の引渡しについては民事執行法168条、動産の引渡しについては民事執行法169条で定めています。また、間接強制については、民事執行法172条、173条で定めています。

具体的には、動産の場合は、特定物・不特定物を問わず、執行官が債務者から目的物を強制的に取り上げて債権者に引き渡す方法によります。不動産の場合は、執行官が自ら不動産の占有を取得し、不動産を債権者に引き渡して、債権者に占有を取得させる方法によります。また、間接強制として、債務者に対して「履行しなければ１日につき○○円を支払え」という制裁金を負わせることができます。

2　なす債務

なす債務とは、物の引渡し以外を目的とする債務です。たとえば、歌手がコンサートで歌を歌う債務や建物を建築する債務です。なす債務を直接強制すること、すなわち債務者を監視して強制的に行為させることは、債務者の人格を害するため許されません。したがって、なす債務は直接強制以外の方法によって履行を強制することとなります。

⑴ **代替的作為債務**

代替的作為債務とは、なす債務のうち債務者以外の他人が行為しても目的を達成できる債務をいいます。たとえば、建物を取り壊す債務です。代替的作為債務は、代替執行（民事執行法171条）または間接強制（民事執行法172条、173条）の方法によって履行を実現します。

たとえば、他人に建物を取り壊させて、その費用を取り立てる方法によりその費用を債務者から取り立てるという代替執行による方法、または「建物の取り壊しをしなければ1日につき○○円を支払え」という間接強制の方法によることとなります。

⑵ **不代替的作為債務**

不代替的作為債務とは、なす債務のうち債務者本人が行為しなければ、債務の目的を達成できない債務をいいます。たとえば、絵画を描く債務や歌を歌う債務は、他人が代わりに行為することにより実現することはできません。不代替的作為債務は、直接強制や代替強制によることができず、間接強制（民事執行法172条、173条）によることとなります。

3　意思表示をする債務

なす債務のうち、意思表示をする債務については特別の定めがあります。すなわち、債務者に対して意思表示を命じる判決がある場合、裁判の確定によって債務者の意思表示をしたものとみなされます（民事執行法177条）。これを判決代用といいます。たとえば、農地を売買した者がなすべき知事への許可申請をする債務が挙げられます。このような債務の目的は一定の法律効果を発生させることにあり、債務者が現実に意思表示等をしなくても足りることから定められています。

判決代用と類似した場合として、不動産の売主が登記に協力しない場合があります。不動産登記手続は登記権利者と登記義務者が共同して申請しなければなりません（不動産登記法60条）。たとえば、売主（登記義務者）が登記手続に応じなければ、買主（登記権利者）だけでは登記できないのが原則です。しかし、不動産登記法は、登記義務者に登記を命じる判決がある場合には、登記権利者が単独で登記手続を申請できると定めています（不動産登記法63条1項）。

4　不作為債務

不作為債務とは、一定の行為をしないことを給付の目的とする債務です。たとえば、高さ50メートル以上の建物を建てない債務や通路を妨害しない債務です。債権者は、不作為債務について、債務者の費用で債務者がした行為の結果を除去し、または将来のため適当な処分をすることを裁判所に請求できます（民事執行法171条1項）。

債務者がした行為の結果を除去する場合として、看板を設置しないという契約に違反して債務者が看板を設置した場合、その看板を撤去することによって債務内容を実現することができます（東京地判平成11年1月18日判時1679号51頁）。この場合、代替執行または間接強制によることとなります。

将来のため適当な処分をする場合の例として、毎晩10時以降騒音を出してはならないという契約に違反して債務者が騒音を出した場合、代替執行として騒音を予防するための物的設備を備えさせたり、間接強制として騒音を出した場合は1日につき一定の金額を支払わせることが考えられます。

第3　強制履行の可否が問題となる場合

いかなる債務であっても履行を強制できるわけではなく、直接強制、代替執行、間接強制のいずれの方法によっても強制できない債務も存在します。以下では、実務上、強制履行の可否が問題となる場合について説明します。

1　子の引渡し

親権者や監護権者以外の親が任意に子を引き渡さない場合、親権者や監護権者は親権ないし監護権に基づく子の引渡請求権を有します。この場合における子の引渡請求権の実現につき、直接強制をすることができるかが問題となります。

従来は、民事執行法169条の動産の引渡執行の規定を類推適用することにより直接強制を行うことが許されるとしつつ、子の人格や情操面へ最大限配慮した執行方法を採るべきとする立場や（東京地立川支決平成21年4月28日家月61巻11号80頁）、間接強制は許されるが、物と子とを同一視することはできないこと等から「国家機関による強制的実現の許容性の範囲を逸脱するといわざるを得ない」として、子の引渡しの直接強制は許されないとする立場等がありました（札幌地決平成6年7月8日家月47巻4号71頁）。

この点については、令和元年民事執行法の改正により立法的に解決され、子の引渡しの強制執行は、「執行裁判所が決定により執行官に子の引渡しを実現させる方法」（民事執行法174条1項1号）と、間接強制の方法（同項2号）のいずれかによるものとされました。

2　夫婦の同居義務

夫婦は、同居義務を負いますが（民法752条）、同居義務の強制履行は認められるでしょうか。夫婦の一方が正当な事由がないのに同居を拒んだ場合、間接強制によって同居を強制できるかが問題となります。判例は、夫の別居した妻に対する同居請求について勝訴判決を言い渡しましたが、夫婦間における同居義務の履行は、債務者が任意に履行しなければ債権の目的を達成できないことは明らかであり、その債務は性質上強制履行を許さないといわなければならないとして、間接強制を認めませんでした（大決昭和5年9月30日民集9巻926頁）。

3　謝罪広告

他人の名誉を毀損した加害者に対して謝罪広告を命じる判決がなされる場合があります（民法723条）。加害者が任意に謝罪広告を掲載しない場合、代替執行により、債権者が授権決定を得て新聞社に謝罪広告の掲載を申し込み、掲載料を債務者に請求することができるでしょうか。加害者に謝罪の意思がない場合に、謝罪を強制することは憲法上保障された良心の自由（憲法19条）を侵害し違憲であるとする見解もあります。判例は、「単に事態の真相を告白し陳謝の意を表明するに止まる程度」の謝罪広告については、代替執行が許されると判示しました（最判昭和31年７月４日民集10巻７号785頁）。

4　芸術作品

作家が執筆する債務や画家が絵を描く債務は、債務者の自由意思を圧迫して強制したのでは、債務の本旨に従った給付が実現できず、強制履行になじまないといえます。したがって、この場合は、履行を強制できず、損害賠償請求（民法415条）が認められるのみとなります。

第４　間接強制と直接強制・代替執行の関係

間接強制は、債務者に対して心理的な強制によって行為を強いるものであり、債務者の人格、意思の自由の尊重という観点から極力避けるべきであるとして、直接強制や代替執行が可能でない場合に限り認められるべきと解するのがかつての通説・判例でした。これを間接強制の補充性といいます。

これに対しては、①間接強制への反感は（かつての）フランス法に特有の考え方にすぎず、フランスでも間接強制と同様の結果をもたらす制度が認められている、②間接強制は心理的強制にとどまり債務者の意思を尊重して自発的な履行を促すものであるから、直接強制よりも人道的な手段であるといった批判がありました。

平成15年民事執行法改正は、こうした批判を受けて、強制執行の実効性確保の観点から間接強制の補充性を廃して、間接強制の適用範囲を拡張しました。物の引渡債務の強制執行は、直接強制の方法のみならず、間接強制の方法によっても行うことができるとしました。また、代替執行の方法によって行うことができる作為または不作為の強制執行についても間接強制の方法によって行うことができるとしました。いずれの方法によって強制執行するかは、債権者の判断に委ねることとしました（民事執行法173条）。

第５　履行の強制と損害賠償

履行の強制がなされたことは、債権者の債務者に対する損害賠償請求を妨げません（民法414条２項）。たとえば、履行の強制によって債務の内容が実現された場合でも、履行が遅滞したことによって債権者に損害が発生したときは、債権者は債務者に対して損害賠償請求することができます。損害賠償請求は債務不履行の効果であり、民法414条２項は当然のことを注意的に規定したものにすぎません。

第５章

債務不履行

第１　債務不履行の意義

１　総 説

債務不履行とは、債務者がその責めに帰すべき事由によって債務を履行しないことをいいます。民法は、債務者の債務不履行から債権者を救済する手段として、損害賠償請求権（民法415条）と契約解除権（民法540条以下）を定めています。

債務不履行に基づく契約の解除については、催告による解除（民法541条）と、催告によらない解除（民法542条）を定めています。契約解除権は、それ以上の履行を求める意味がない場合や履行自体が不能となった場合に、契約関係を解消し、契約の拘束力から解放することを目的とするものです。契約解除権（民法540条以下）については、契約法の問題であるため、債権各論にて詳述することとし、以下では、債務不履行の要件およびその効果としての損害賠償請求権（民法415条）について説明します。

２　債務不履行の類型

⑴ 三分説

かつての通説は、債務不履行の類型を①履行遅滞、②履行不能、③不完全履行の３種類に分類していました。①履行遅滞とは、履行が可能であるのに履行期が到来しても履行しないこと（民法412条）、②履行不能とは、履行が不可能なために履行しないこと（民法412条の２）、③不完全履行とは、不完全な給付をしたことをいいます。こうした考えは、債務不履行の類型を３種類に分類することから、三分説と呼ばれます。

⑵ 三分説に対する批判

三分説に対しては、もともと三分説は、ドイツの学説を継受したものですが、ドイツの学説の提唱する第３の類型の債務不履行の一部分のみを継受し、不完全履行を狭く理解したため、３つの類型のいずれにも分類できない債務不履行の形態が生じてしまうといった批判があります。たとえば、安全配慮義務違反は債務不履行ですが、不完全履行に分類されるかは議論があります。

⑶ 債務不履行一元説

近時は、三分説に対して疑問を示す債務不履行一元説が有力に主張されています。この見解は、①端的に債務不履行を「債務の本旨に従った履行がないこと」

（本旨不履行）として位置づけたうえで、②履行障害の態様に着目した分類ではなく、債務発生原因（契約および法規の内容）と結びつけた「債務の本旨」の内容の確定こそが重視されるべきだと解します。

以下では、三分説の立場を基本として、３類型で説明できない債務不履行について別途説明します。

第２　履行遅滞

１　履行遅滞の意義

履行遅滞とは、履行が可能であるのに履行期が到来しても履行しないことをいいます（民法412条）。

２　履行遅滞の要件

⑴ 履行期の徒過

履行遅滞の成立要件として、債務の履行期を徒過したことが挙げられます。

① 確定期限がある場合

債務の履行について確定期限があるときは、債務者は、その期限の到来した時から遅滞の責任を負います（民法412条１項）。確定期限とは、到来の時期が確定している期限をいいます。たとえば、今月末日までに土地を引き渡すという債務の場合には、当該末日を過ぎても土地を引き渡さないことによって履行遅滞となります。

② 不確定期限がある場合

債務の履行について不確定期限があるときは、債務者は、その期限の到来した後に履行の請求を受けた時またはその期限の到来したことを知った時のいずれか早い時から遅滞の責任を負います（民法412条２項）。不確定期限とは、到来の時期が確定していない期限をいいます。たとえば、次に雨が降ったときに傘を贈与するという約束が挙げられます。将来雨が降るという事実は必ず到来する事実であるため、条件（将来発生することが不確定な事実にかからしめる場合）ではなく期限となります。ただし、次にいつ雨が降るかは不確定であるため不確定期限となります。

このような不確定期限がある場合には、債務者がその期限の到来した後に履行の請求を受けた時またはその期限の到来したことを知った時のいずれか早い時に履行遅滞となります。いつ期限が到来するかが不確定であるため客観的に期限が到来していても、債務者が期限の到来を知らない間に履行遅滞の責任が生ずるのは酷であると考えられるためです。

③ 期限の定めがない場合

債務の履行について期限を定めなかったときは、債務者は、履行の請求を受けた時から遅滞の責任を負います（民法412条３項）。たとえば、ＡとＢが返還の時期を定めずに使用貸借契約（民法593条）を締結し、Ａが所有する倉庫をＢに貸した場合、ＢのＡに対して負う倉庫の返還債務は期限の定めのない債務となります。この場合、ＡがＢに倉庫の返還を請求することで期限が到来します（民法598条２項）。このＡのＢに対する履行の請求は、債権者が債務の履行を欲する意思の通知であり、講学上は催告と呼ばれます。

契約当事者間で期限を定めなかった場合のみならず、法律上の規定により発生する債務で期限の定めのない債務として取り扱われる場合には、やはり債権者の履行の請求により期限が到来します。たとえば、履行不能による損害賠償債務（民法415条１項）、善意者の不当利得返還債務（民法703条）が挙げられます。判例は、詐害行為取消しによる受益者の取消債権者に対する受領金支払債務は、詐害行為取消判決の確定により受領時に遡って生じ、期限の定めのない債務として、履行の請求を受けた時（詐害行為取消訴訟の訴状送達時）に遅滞に陥るとしています（最判平成30年12月14日民集72巻６号1101頁）。

履行遅滞は、催告が到達した日の翌日から生ずるため（初日不算入の原則。民法140条本文）、債務者は催告を受けた日に債務の履行をすれば、履行遅滞の責任を負いません（大判大正10年５月27日民録27輯963頁）。また、期限の定めがあっても、契約当事者双方が履行期を徒過すると期限の定めがないものとなり、一方の当事者は履行の提供をし、一定の期日または期間を示して履行を催告して期限を到来させることができます。

なお、民法412条３項の例外として、消費貸借契約における返還債務（民法591条１項）および不法行為に基づく損害賠償債務（民法709条）が挙げられます。消費貸借契約上、返還期限を定めなかった場合でも、借主は貸主からの返還請求を受けて相当の期間が経過した時に履行遅滞の責任を負うこととなります（民法591条１項）。この趣旨は、借主が借りた物を使用する期間を認める点にあります。また、不法行為（民法709条）に基づく損害賠償債務は、沿革と公平の視点から、催告を待たないで不法行為時から当然に履行遅滞責任が生ずると解されています（大判明治43年10月20日民録16輯719頁、最判昭和37年９月４日民集16巻９号1834頁、最判昭和58年９月６日民集37巻７号901頁）。

⑵ 履行可能性

履行が不能な場合は履行不能の問題となるため、履行遅滞は、履行が不能でないこと、つまり履行が可能であることを前提とします。

⑶ 帰責事由

① 帰責事由の意義

債務不履行（履行遅滞）が契約その他の債務の発生原因および取引上の社会通念に照らして債務者の責めに帰することができない事由によるものであるときは、

債務者は債務不履行に基づく損害賠償責任を負いません（民法415条１項但書）。

改正前民法415条は、履行不能についてのみ債務者に帰責事由がないときは債務者が債務不履行に基づく損害賠償責任を負わない旨を規定し、その他の債務不履行について明文規定を設けていませんでした。もっとも、判例は、その他の債務不履行についても債務者の帰責事由を必要とすると解していたことから（大判大正10年11月22日民録27輯1978頁）、改正後の民法415条１項但書はその旨を明文化しました（一問一答69頁）。

また、裁判実務においては、帰責事由の有無は問題となった債務に係る給付の内容や不履行の態様から一律に定まるのではなく、個々の取引関係に即して判断されていたことから、このような判断枠組みを明確にするため、改正後の民法は、「契約その他の債務の発生原因及び取引上の社会通念に照らして」との文言を規定しています（一問一答74頁）。

ここに債務者の責めに帰すべき事由とは、債務者に故意または過失がある場合または信義則上これと同視すべき事由をいいます。故意とは、債務者が遅滞を認識していることをいい、過失とは、債務者がそれを認識しえたのに認識しなかったことをいいます。信義則上これと同視すべき事由とは、一般的には履行補助者の故意または過失を意味します。履行補助者の故意または過失については後述します。

② 責任能力

通説は、帰責事由の前提として債務者が責任を弁識するに足る知能（責任能力）を有することが必要であると解しています（民法712条参照）。

⑷ 履行遅滞が違法であること

債務不履行責任が発生する要件として、債務者が履行しないことが違法であることが求められます。履行をしないことについての正当事由がある場合には、債務不履行責任は生じません。たとえば、売買契約を締結し、売主は目的物の引渡債務、買主は売買代金の支払債務を負っていたところ、両債務の履行期を月末とした場合に、買主が売主の目的物の引渡しと同時でなければ売買代金を支払わないとして同時履行の抗弁権（民法533条）を行使したときには、買主は売買代金を支払わないことについての正当事由があるため違法性を欠き、履行遅滞の責任を負いません（大判大正２年12月４日民録19輯993頁）。また、物に関して生じた債権があって、その債権に基づいて留置権（民法295条）を行使しているために物の返還義務を履行しない場合にも、債務を履行しないことについての正当事由があるため違法性を欠き、履行遅滞の責任は生じません。

3　履行遅滞の効果

履行遅滞の効果として、損害賠償責任が生じます（民法415条１項）。通常、履行遅滞による損害賠償は履行が遅滞したことにより発生した損害の賠償となります。たとえば、金銭消費貸借契約において、返済期を徒過したときには返済期の翌日から支払済みに至るまで貸金返還債務に対して年率14.6％の利率による遅延利息が発生するという合意があった場合、履行遅滞の効果として年率14.6％の利率による遅延利息が日々発生することとなります。

また、履行遅滞の場合でも、債務者がその債務の履行を拒絶する意思を明確に表示したとき（民法415条２項２号）、履行遅滞を理由に契約を解除されたときまたは解除権が発生したときには（民法415条２項３号）、塡補賠償（履行に代わる損害の賠償）を求めることができます（民法415条２項柱書）。定期行為（民法542条１項４号）のように特別の事情があり、履行遅滞の発生により、もはやその後の履行が意味をもたなかったり、将来の履行を期待することができないようなときには、契約を解除しなかったとしても、塡補賠償が認められます。

第３　履行不能

１　履行不能の意義

履行不能とは、債務者が履行することができないことを意味します。債務者の責めに帰すべき事由によって履行不能となったときには、債権者に損害賠償請求権が発生します（民法415条１項）。また、履行不能の場合には、債務者の帰責事由の有無にかかわらず債権者に帰責事由がある場合を除き、債権者に契約の解除権が発生し（民法542条１項１号）、さらに反対債務の履行拒絶権が生じます（民法536条１項）。

２　履行不能の要件

⑴　履行が不能となること

履行不能の成立要件として、履行が不能となること（履行不能）が挙げられます。

債権成立時に既に履行不能となっている場合を原始的不能、債権成立後に履行不能になる場合を後発的不能といいます。民法改正前においては、契約に基づく債務が原始的不能の場合にはそもそも契約は無効であり（最判昭和25年10月26日民集４巻10号497頁参照）、民法415条１項における履行不能は後発的不能を意味すると解されていました。しかし、履行不能となるのが契約成立の前か後かは単なる偶然やごく僅かな時間差によって左右される事柄であり、それにもかかわらず、原始的不能であったというだけで債務不履行に基づく損害賠償請求ができないこととなると、債権者の救済の在り方がバランスを欠く結果となりかねません（一問一答72頁）。

そこで、改正後の民法は、契約に基づく債務が原始的不能の場合でも、債務不履行に基づく損害賠償請求をすることは妨げられないこととしています（民法412

条の２第２項)。

「不能」は、債務の履行が物理的に不可能な場合に限らず、契約その他の債務の発生原因および取引上の社会通念に照らして不能である場合を含みます（民法412条の２第１項参照)。たとえば、売買の目的物が深海に沈んでしまった場合、物理的には履行する余地がないとはいえませんが、社会通念上履行できないと解されるため、不能に該当します。また、法律上禁止された取引であり履行できない場合も不能に該当します（大判明治39年10月29日民録12輯1358頁)。

不動産が二重譲渡された場合には、いずれかの買主に移転登記がなされていない間は不能とはなりません。一方の買主に移転登記がなされた場合には、他方の買主は民法177条により一方の買主に所有権の移転を対抗できないため、一方の買主に移転登記がなされた時点で、売主の他方の買主に対する所有権移転義務は法律的不能となります（大判大正２年５月12日民録19輯327頁、最判昭和35年４月21日民集14巻６号930頁)。

また、他人所有の不動産について売買（他人物売買。民法561条参照）がなされた場合には、他人物売買の売主が所有者から買い取ったうえで、買主に売却することが可能であるため、他人物売買は債権的に有効であると解され、直ちに履行不能とはなりません。一方で、所有者が第三者に当該不動産を売却した場合には、当該第三者に所有権移転登記がなされた時点で、他人物売買の売主の所有権移転義務は法律的不能となります。判例は、当該第三者に売買予約を原因とする所有権移転請求権保全の仮登記がなされた時点では不能とはならないと解しています（最判昭和44年５月27日判時560号45頁、最判昭和46年12月16日民集25巻９号1516頁)。

⑵ 帰責事由

履行不能に基づく損害賠償責任を追及する場合、履行遅滞の場合と同様に、債務不履行（履行不能）が契約その他の債務の発生原因および取引上の社会通念に照らして債務者の責めに帰することができない事由によるものであるときは、債務者は債務不履行に基づく損害賠償責任を負いません（民法415条１項但書)。

他方で、履行不能に基づく契約の解除権（民法542条１項１号）や反対債務の履行拒絶権（民法536条１項）を行使する場合は、債務者の帰責事由は要件となりません。

すなわち、解除の意義は債務の履行を怠った債務者に対するサンクションではなく、債務の履行を得られない債権者を契約の拘束力から解放する点にあると解されることから、改正後の民法は帰責事由を解除の要件としないことを明確にしました（一問一答234頁)。また、解除に帰責事由が不要になったことに伴い、改正前民法における危険負担の制度も改められ、改正後の民法は履行不能の場合に帰責事由がなくとも反対債務の履行拒絶権を認めることとしました（一問一答227頁)。

なお、債務者の履行遅滞中に当事者双方の責めに帰することができない事由によって債務の履行が不能となったときは、その履行不能は、債務者の帰責事由によるものとみなされます（民法413条の２第１項）。

⑶ **不履行が違法であること**

緊急避難のため履行の対象の目的物を損傷・滅失したような場合には違法性が阻却され、履行不能が正当化されるため、債務不履行に基づく損害賠償責任は発生しません（民法720条２項）。

３　履行不能の効果

債務の履行が不能となったときは、債権者は、その債務の履行を請求することができなくなります（民法412条の２第１項）。債務者の責めに帰すべき事由によって履行不能となったときは、債権者に債務者に対する損害賠償請求権が発生します（民法415条１項）。また、履行不能の場合には、債務者の帰責事由の有無にかかわらず、債権者に帰責事由がある場合を除き、債権者に契約の解除権が発生し（民法542条１項１号）、さらに反対債務の履行拒絶権が生じます（民法536条１項）。

損害賠償については、目的物の価値に代わる損害の賠償、すなわち塡補賠償が認められます（民法415条２項１号）。

債務の履行が不能となった場合には、債権者の履行請求権は消滅しますが、債務者が履行不能を生じさせたのと同一の原因によって、履行の目的物に代わる権利や利益（代償）を得たときには、債権者は債務者に対して、その権利の移転または利益の償還を求めることができます（民法422条の２）。これを代償請求権といいます。代償となりうるのは、①債務の目的物が滅失したときに、債務者が取得する損害保険金請求権、②第三者が債務の目的物を滅失させたときに、この者に対して債務者が有する損害賠償請求権等です。

第４　不完全履行

１　不完全履行の意義

⑴ 不完全履行の意義

不完全履行とは、債務者が履行をしたがその履行が不完全であったため、「債務の本旨に従った履行」（民法415条１項）とはいえない場合をいいます。

⑵ 追 完

不完全履行は、後日「債務の本旨に従った履行」をすることで治癒することができます。この後日の「債務の本旨に従った履行」を追完といいます。履行期前に履行したもののそれが不完全な履行であったときは債務者に不完全履行の責任として損害賠償や解除の問題が生じるといえますが、履行期までに追完がなされれば不完全履行は治癒されます。

不完全履行のまま履行期を徒過した場合には、履行期の到来までに追完をしなかったという意味で履行遅滞となります。追完が可能な場合には、追完されるまで不完全履行と履行遅滞が競合していることとなります。追完が可能な場合には、債権者は追完して債務の本旨に従った履行をせよと請求する権利（追完請求権）が認められます。一方で、追完が不可能な場合には、（一部の）履行不能の問題となります。

2　不完全履行の要件

⑴ 不完全な給付

不完全履行の成立要件として、給付が不完全であったことが挙げられます。不完全な給付の態様については、以下のようなものがあります。

① 給付の目的物に瑕疵があった場合

給付の目的物に瑕疵があり、本来の履行がされていないという場合です。たとえば、乳業のために乳牛を買ったところ、引き渡された乳牛の中に病気の乳牛がいたという場合には不完全履行となります。

② 給付した目的物の瑕疵が原因で当該目的物以外に損害が発生した場合

給付した目的物に瑕疵があり、当該瑕疵が原因で当該目的物以外に損害が発生した場合です。たとえば、レストランで腐敗した肉を食べ、下痢となった場合には不完全履行となります。

このような不完全な給付の態様については、本来の給付義務そのものに対する違反というよりも給付義務から派生した義務、すなわち債務者は本来の給付を行うにあたり債権者に損害を与えてはならないという義務（「給付義務」と対比して、「保護義務」と呼ばれることがあります）に違反したものであると解する見解もあります。

⑵ 帰責事由

債務不履行（不完全履行）が契約その他の債務の発生原因および取引上の社会通念に照らして債務者の責めに帰することができない事由によるものであるときは、債務者は債務不履行に基づく損害賠償責任を負いません（民法415条１項但書）。

⑶ 不完全履行が違法であること

履行遅滞、履行不能の場合と同様に、不完全履行が正当化される事情があれば不完全履行に基づく損害賠償責任は生じません。

3　不完全履行の効果

不完全履行の場合には、債権者に債務者に対する損害賠償請求権が発生します（民法415条１項）。

また、不完全履行の場合には、追完が可能なときは履行遅滞を理由に催告による解除（民法541条）が可能となり、追完が不可能なときは履行不能を理由に催告によらない解除（民法542条１項１号）が可能となります。

4　安全配慮義務違反

⑴ 安全配慮義務の意義

安全配慮義務とは、（基本的には）雇用関係にある使用者が被用者の職場における安全を配慮すべき義務をいいます。判例は、安全配慮義務を「ある法律関係に基づいて特別な社会的接触の関係に入った当事者間において、当該法律関係の付随義務として当事者の一方又は双方が相手方に対して信義則上負う義務」としています（陸上自衛隊八戸事件。最判昭和50年２月25日民集29巻２号143頁・百選Ⅱ［第８版］２事件）。使用者がこの安全配慮義務を怠ったために被用者の身体・生命に被害が生じた場合に、使用者の安全配慮義務違反が問題となります。

判例も述べるとおり雇用契約から直接発生する債務（使用者の賃金支払債務と労働者の労務提供債務）とは異なり、雇用契約に付随する信義則上の義務の違反であるため、不完全履行とは異なる債務不履行の独立の類型として捉える見解もあります。もっとも、本書では、雇用契約に付随する信義則上の義務であるとしても本来の債務の本旨に従った履行をすれば、このような損害は生じなかったという意味で不完全履行の一種として位置づけます。

安全配慮義務違反を不完全履行とは異なる独立の類型として捉えた場合でも、不完全履行の一種として位置づけた場合でも、いずれにしても使用者の契約上の配慮が不十分であったとして、被用者やその遺族は使用者に対して債務不履行を理由に損害賠償を請求することができることに変わりはありません。

⑵ 安全配慮義務の主体の拡大

前掲最判昭和50年２月25日は、自衛隊員が隊内の整備工場で車両整備中に同僚隊員の運転する大型自動車にひかれて死亡した事例で、国の安全配慮義務違反を認めたものです。

その後、安全配慮義務は民間企業における事案においても認められるに至りました。最判昭和59年４月10日民集38巻６号557頁（川義事件）は「労働者が労務提供のため設置する場所、設備もしくは器具等を使用し又は使用者の指示のもとに労務を提供する過程において、労働者の生命及び身体等を危険から保護するよう配慮すべき義務を負っている」と判示し、民間企業における使用者の労働者に対する安全配慮義務を認めました。

さらに、判例は、安全配慮義務を必ずしも労働契約関係の存在を前提としない場面にも展開しました。すなわち、下請企業の労働者や出向労働者は元請企業や出向元企業とは直接の労働契約関係にありませんが、このような場面でも「特別な社会的接触の関係」に入ったと認められる場合に元請企業や出向元企業の安全配慮義務を肯定しています。たとえば、最判平成３年４月11日判時1391号３頁は、下請企業の労働者がいわゆる社外工として、①元請人の管理する設備、工具等を用いていたこと、②事実上、元請人の指揮、監督を受けて稼働していたこと、③

その作業内容は元請人の従業員であるいわゆる本工と同じであったことという具体的事情を踏まえて、元請人と下請企業の労働者との間に労働契約に類似の使用従属関係が認められることを前提に安全配慮義務違反を認めました。

⑶ 安全配慮義務の適用対象の拡大化

判例は当初、業務中の事故や災害により労働者が負傷した事案で使用者の安全配慮義務違反を認めていました。その後、過労死や心臓疾患を負った場合等、外見上負傷が明らかでない事案についても安全配慮義務の対象とするに至りました。さらに、使用者は労働者の心身の健康を損なうことがないよう注意する義務を負うとして、うつ病等の精神的な疾患についてもその適用対象としています。

① 事故・災害による労働者の生命・身体の侵害（熊本地判平成２年１月18日判タ753号199頁）

熊本地裁の事案は、土木建設業を営む被告会社に雇用された原告が、工事現場で、建設機械（バックホー）を操作してＵ字溝の運搬業務に従事していたところ、同機械が均衡を失って横転したため、その下敷になって傷害を負ったという事案です。熊本地裁は、原告は当該事故まで同機械でＵ字溝の運搬業務に従事したことはなかったこと、業務中に原告に対する他の従業員の監督や援助はまったくなかったという事情の下で、被告会社は同機械の通常の用途に無理なく使用させるなど注意を尽くすべき義務を負っていたにもかかわらず、かかる義務を懈怠したとして、雇用主である会社の労働者に対する安全配慮義務違反を肯定しました。

② 業務中の労働者の負傷（横浜地判平成元年５月23日判タ709号181頁）

市（被告）が運営する市立保育園の保母（原告）が頸肩腕障害に罹患した事案で、横浜地裁は、本件障害は保母（原告）の業務に起因して発症したものと認めるのが相当であると認定しました。また、地方公共団体である市（被告）は、㋐市立の保育園に保母、作業員等適宜な人員を配慮して業務量の適正化ないし軽減化を図るとともに、保母らのために十分な休憩時間を認定・確保し、休暇を保障し、かつ、施設を整備して肉体的・精神的疲労を防止し、保母の健康障害の発生を防止すべき義務、㋑健康障害の症状を呈する労働者を発見した場合には、早期に適切な治療を受ける機会を設ける措置を講じ、症状の増悪を防止し健康の回復を図るために、症状の悪化につながる業務の量的、質的な規制措置を講ずべき義務を負うところ、市（被告）は自己の職員が頸肩腕障害の発病のおそれがあることを予見し、あるいは予見することが可能であったにもかかわらず、かかる義務を怠ったとして、保育園を運営する市（被告）の保母（原告）に対する安全配慮義務違反を肯定しました。

③ 過重労働に起因する労働者の疾病・死亡（最判平成12年３月24日民集54巻３号1155頁）

長時間にわたる残業を恒常的に伴う業務に従事していた労働者がうつ病に罹患

し自殺した事案で、最高裁は「労働者が労働日に長時間にわたり業務に従事する状況が継続するなどして、疲労や心理的負荷等が過度に蓄積すると、労働者の心身の健康を損なう危険のあることは、周知のところである。……使用者は、その雇用する労働者に従事させる業務を定めてこれを管理するに際し、業務の遂行に伴う疲労や心理的負荷等が過度に蓄積して労働者の心身の健康を損なうことがないよう注意する義務を負う」と判示し、使用者は労働者に対して疲労や心理的負荷が過度に蓄積して心身の健康障害を防止する義務（健康配慮義務）を負うことを明らかにしました（岡伸浩「判例にみる『安全配慮義務』の拡大」ビジネス法務2015年１月号37頁）。

⑷ 労働契約法による安全配慮義務の明文化

平成20年３月に施行された労働契約法は「使用者は、労働契約に伴い、労働者がその生命、身体等の安全を確保しつつ労働することができるよう、必要な配慮をするものとする」と規定し、使用者の労働者に対する安全配慮義務を明文化しました（労働契約法５条）。同条における安全配慮義務の主体は「使用者」ですが、前述のとおり、判例は雇用主以外の者でも事実上の指揮命令関係を根拠として、直接の労働契約関係にない労働者（下請企業の労働者や派遣労働者）に対して労働契約上の安全配慮義務と同様の義務を負うとして、損害賠償責任を認めています。そこで、労働契約法の下でも、同法５条の類推適用により従前と同様の取扱いがなされるものと解されています。

第５　履行補助者の故意過失

1　履行補助者の意義

履行補助者とは、債務者が債務の履行のために使用する者をいいます。債務者が債務の履行にあたって履行補助者を使用した場合、当該履行補助者の故意過失によって債務不履行が生じた場合に、債務者が債務不履行責任を負うか否かが問題となります。

2　学 説

履行補助者の故意過失によって債務不履行が生じた場合に、債務者に債務不履行責任を負わせる法的根拠をどのように解するかについて議論されてきました。まず、伝統的な通説が定立され、次に、これを批判する有力説が現れ、さらに、通説も有力説も批判する第３の説が台頭しています。

⑴ 伝統的通説

伝統的な通説は、履行補助者の故意過失を債務者の帰責事由の問題として捉えてきました。前述のとおり、債務者の帰責事由とは「債務者の故意過失又は信義則上これと同視すべき事由」をいいますが、このうち「信義則上これと同視すべき事由」として最も重要なのが、履行補助者の故意過失だと位置づける見解です。

そのうえで、履行補助者の故意過失について類型化し、類型に応じた処理を検討しています。

① 真の意味の履行補助者

まず、債務者が自分の手足として使用する者を「真の意味の履行補助者」と定義づけます。債務者は「真の意味の履行補助者」を自由に使用することができますが、自分の手足として使用する者であるため、「真の意味の履行補助者」の故意過失については自分自身の故意過失として扱われる不利益を甘受すべきとして、自分自身に故意過失があったのと同じ責任を負うこととなります。

② 履行代行者

履行代行者とは、債務者に代わって履行の全部を引き受けて履行する者をいいます。「真の意味の履行補助者」以外の補助者となります。この履行代行者をさらに以下の３つに区別します。

ア　履行代行者の使用が法律または契約で禁止されているにもかかわらず債務者が履行代行者を使用した場合は、法律または契約に違反したことが債務不履行であるとして、履行代行者の故意過失の有無を問わず、債務者は債務不履行の責任を負うと解します。

イ　民法の明文により履行代行者の使用が許容されている場合（改正前民法105条、625条２項、658条２項）には、債務者が履行代行者を使用したことを咎めることはできず、履行代行者の選任または監督に過失があった場合に限り債務不履行の責任を負うと解します。

ウ　上記アとイのいずれでもない場合には、債務者は上記①の場合と同様の責任を負うと解します。

⑵ 伝統的通説に対する批判

上記伝統的通説に対しては、以下のように批判されました。

履行補助者の故意過失の問題は、債務者の帰責事由の問題として位置づけるべきではなく、「他人の作為・不作為による債務不履行責任」という債務不履行の特殊の型として位置づけられるべきものである。また、上記①と②の区別が不明確である。上記②アは履行補助者は無関係であり、債務者自身の債務不履行の問題にほかならない。上記②イにおける債務者の責任が不当に軽い。上記②ウを①と同じに扱うことは疑問である。

⑶ 近時の有力説

以上の批判を前提として、近時の有力説は、履行補助者の行為による債務者の責任（履行補助者責任）を、「他人の行為による不法行為責任」との対比において検討します。

債務者が履行補助者を使用した場合、補助者が「被用者的補助者」（民法715条の被用者に相当）である場合のみならず、「独立的補助者」（民法716条の請負人に相当）である場合においても、債務の履行についての補助者の帰責事由によって債務不履行が生じたときは、その選任監督上の過失の有無を問わず、責任を負うと解します。民法715条１項但書は、使用者が被用者の選任および監督について相当の注意をしたときまたは相当の注意をしても損害が生ずべきであったときには使用者責任は生じないと定めています。また、民法716条は、注文者は注文または指図について注文者に過失があったときを除いて請負人の仕事について第三者に対して損害賠償責任を負わないと定めています。

つまり、使用者責任や注文者責任は、履行補助者と同様に第三者を使用した場合の不法行為責任において、責任が生じない余地が残されています。これに対して、近時の有力説は、履行補助者の帰責事由によって債務不履行が生じたときは債務者が債務不履行責任を負うという点で、不法行為責任とは異なる帰結となります。

⑷ 第３の説

第３の説は、上記⑴の伝統的通説は、履行補助者の故意過失が債務者の故意過失と同視されることの理論的根拠が明確でないと批判します。また、上記⑶の有力説は、履行補助者責任が使用者責任よりも厳格であることの理論的根拠（履行補助者責任の固有の帰責根拠）が明確でないと批判します。

第３の説は、契約内容および債務の履行過程に契約当事者以外の第三者である履行補助者の行為がどのように組み込まれ、評価されるのかという視点で、債務者に帰責根拠を見出すことができるかという点を検討すべきであると解します。

3　判 例

大審院は、昭和初期に、履行補助者の故意過失について債務者の責任を認めました。賃貸人の承諾ある船舶の転貸借において、転借人の被用者の過失により船舶が座礁し返還が不可能になった事例で、転貸人（原賃借人）および転借人の原賃貸人に対する損害賠償責任を認めた例（大判昭和４年３月30日民集８巻363頁・百選Ⅱ［第８版］５事件）や賃貸人の承諾ある家屋の転貸借において、転借人の失火により同家屋が全焼した事例で、転貸人（原賃借人）の原賃貸人に対する責任を認めた例（大判昭和４年６月19日民集８巻675頁）があります。

以後、判例は、転貸人（原賃借人）の同居者の失火による賃借物件の失火について、転貸人（原賃借人）の原賃貸人に対する責任を認めるものが続きました（大判昭和15年12月18日新聞4658号８頁、最判昭和30年４月19日民集９巻５号534頁、最判昭和35年６月21日民集14巻８号1487頁等）。

第Ⅳ篇 債権総論

第6　損害賠償

1　損 害

⑴ 損害の意義

通説は、「損害」とは、法益について被った不利益をいい、債務不履行での損害は、債務の本旨に従った履行がされたならば債権者が有したであろう利益と、債務不履行によって債権者が現に有している利益との「差額」であると解します（差額説）。

差額説は、差額の計算の仕方として、債権者の損害を財産的損害と非財産的損害（慰謝料等）に分け、財産的損害については、さらに、積極的損害（財産の積極的な減少）と消極的損害（増加するはずであった財産が増加しなかったこと。逸失利益や得べかりし利益とも呼ばれます）に分け、個別の損害項目ごとに金額を算出して積算するという方法を採用しています（個別損害項目積上げ方式）。裁判実務も個別損害項目積上げ方式を採用しています。

⑵ 損害の分類

① 財産的損害・非財産的損害

「財産的損害」とは、債権者の財産上に生じた不利益をいいます。財産的諸利益上の不利益のほか、生命・身体上の不利益も含まれます。

「非財産的損害」（精神的損害）とは、債権者の精神状態に生じた不利益、すなわち精神的苦痛をいいます。損害賠償においては金銭賠償が原則であるため、経済的価値を観念しえない精神的苦痛に対する損害賠償も、一般的に精神的苦痛を慰謝するのに相当な金額を慰謝料として認めることとなります。債務不履行の場合には明文はありませんが、民法710条によって認められている不法行為に基づく慰謝料請求との均衡から、債務不履行の場合にも慰謝料請求が認められています。

② 積極的損害・消極的損害

「積極的損害」とは、財産の積極的減少をいいます。

「消極的損害」とは、増加するはずであった財産が増加しなかったことをいいます。「逸失利益」や「得べかりし利益」と呼ばれます。

2　賠償の範囲（相当因果関係）

⑴ 賠償範囲の画定

債務不履行によって生じる「損害」はその因果関係をたどれば、無限に拡大することとなります。しかし、その「賠償」については、取引法上または社会一般の観念上、合理的で妥当な範囲に制限されるべきであると解されます。そこで、賠償範囲をいかに画定するかが問題となります。

この点、民法は、債務の不履行によって「通常生ずべき損害」（通常損害）に限定し（民法416条１項)、「特別の事情によって生じた損害」（特別損害）については、当事者がその事情を予見すべきであったときに限って、賠償を認めることとしています（民法416条２頁)。

⑵ **相当因果関係説**（通説）

相当因果関係説は、当該債務不履行からそれに伴う特殊な事情を除き、これを類型化し、その損害を普通に予想される因果関係の範囲に限定する見解であり、民法416条１項がこの原則を規定し、同条２項がその基礎とすべき特別の事情の範囲を規定したものであると理解します。

⑶ **通常損害と特別損害**

通常損害は、当事者の予見可能性がなくても賠償の対象となるため、損害の立証で足ります。これに対して、特別損害は当事者（民法416条２項の「当事者」は「債務者」を示すと解されています）が特別の事情を予見すべきであったときのみ賠償の対象となるため、損害の立証および予見すべきであった旨の立証をする必要があります。

改正前民法は、特別損害について、当事者が特別の事情を「予見し、又は予見することができた」場合に債権者はその賠償を請求することができると規定していました。もっとも、改正前民法下の裁判実務では、当事者が特別の事情を予見していたといった事実の有無によらず、当事者が特別の事情を予見すべきであったといえるか否かという規範的な評価により、特別損害が賠償の範囲に含まれるか否かが判断されていると指摘されていました。

そこで、改正後の民法ではこのような裁判実務における解釈を明文化し、当事者が特別の事情を「予見すべきであった」場合に債権者がその賠償を請求することができると規定しました。この規定は、特別損害の賠償の範囲は、当事者が予見すべきであったと客観的に評価される事情によって生じた損害に限定されることを明らかにしています（一問一答77頁)。また、民法416条２項の予見の時期について、判例は、債務不履行時までであると解しています（大判大正７年８月27日民録24輯1658頁・百選Ⅱ［第８版］７事件)。

「特別損害」の立証責任は、債権者にあると解されており、「特別事情についての予見可能性」について債権者が立証する必要があります（大判大正13年５月27日民集３巻232頁)。

⑷ **塡補賠償――価格騰貴の問題**

履行不能が生じた場合の塡補賠償をめぐっては、履行不能の後に目的物の価格が騰貴した場合の処理が問題となります。債権者は履行不能時の目的物の価格相当額を損害賠償として請求できるのか、それとも損害賠償請求時に騰貴した目的物の価格相当額を損害賠償として請求できるのかが問題となります。また、履行不能の後にいったん騰貴し、その後下落した場合に、債権者は騰貴した最高価格相当額を損害賠償として請求できるのかが問題となります。この問題について、民法改正前の判例は、以下のとおり処理しています（大判大正15年5月22日民集5巻386頁、最判昭和37年11月16日民集16巻11号2280頁、最判昭和47年4月20日民集26巻3号520頁・百選Ⅱ［第8版］9事件）。

まず、履行不能時の目的物の価格を民法416条1項の通常損害として捉えます。そのうえで、騰貴価格での賠償を民法416条2項の特別損害の問題として処理します。目的物の価格が騰貴し続けた場合には、価格騰貴という特別事情を履行不能時に債務者が予見したかまたは予見しえたときに、騰貴価格での損害賠償を認めます。目的物の価格がいったん騰貴し、その後下落した場合には、債権者が中間最高価格の騰貴価格を確実に収受すること（たとえば、中間最高価格での転売）を履行不能時に債務者が予見したかまたは予見しえたときに、中間最高価格での損害賠償を認めます。ただし、債権者がこの間に目的物に関して具体的な金銭的損失を受けていた場合には、その損失額が、賠償されるべき損害となります（たとえば、転売予定先に違約金を支払った場合の違約金や同種の目的物を他から調達した場合の調達費用等）。

民法改正後は、上記の「債務者が予見したかまたは予見しえたとき」という部分を、「債務者が予見すべきであったとき」に読み替えることになると解されます。

⑸ 金銭債務の不履行の特則

民法は、金銭債務の不履行の場合における損害賠償について、以下のとおり民法416条の特則を定めています（民法419条）。

① 金銭債務の不履行の場合に、損害額は債務者が遅滞の責任を負った最初の時点における法定利率で算定されますが、約定利率がこれを超えるときは、約定利率により算定されます（民法419条1項）。

② 法定利率または約定利率により算定される損害額については、債権者は、損害を証明することなく、債務者に対して請求をすることができます（民法419条2項）。ただし、これらの利率により算定された損害を超える損害（利息超過損害。たとえば、金銭債権の取立てに要した費用や、金銭を投資することによって得られたであろう利益、金銭を受領しなかったことにより被った営業上の損失）については、債権者は債務者に対して賠償請求することができません（最判昭和48年10月11日判時723号44頁）。

③ 金銭債務については、その不履行につき、債務者は、不可抗力をもって抗弁とすることができません（民法419条3項）。

3　賠償法理を支える他の制度

損害賠償における債権者・債務者間の公平を図るために、民法は以下の賠償法理を支える制度を定めています。

(1) 損益相殺

債務不履行によって債権者は損害を被りますが、それと同時に利益を受ける場合があります。たとえば、人を死亡させた場合の逸失利益の算定における出費を免れた生活費が挙げられます。これらの利益は、実損害とはいえず、損害額から控除すべきです。これを損益相殺といいます。民法上明文の規定はありませんが、一般に認められています。

損益相殺は債務不履行によって発生した利益を損害と相殺することで債権者・債務者間の公平を図る制度であるため、損益相殺の対象となるのは、債務不履行がなければ通常出費したであろう費用を債務不履行により出費しなかった場合や、債務不履行がなければ通常得られなかったであろう利益を債務不履行により得た場合であると解すべきです。

したがって、債務不履行を契機とするものの、債権者個人が別の目的により損害の補填や逸失利益の保障のために得る保険金や社会保険給付等は損益相殺の対象とはなりません。

(2) 過失相殺

債務者の債務不履行またはこれによる損害の発生もしくは拡大に関して、債権者側にも過失があったときは、裁判所はこれを考慮して、損害賠償の責任および賠償額を決定します（民法418条）。これを過失相殺といいます。債務不履行の原因や損害の発生または拡大について債権者側も寄与している場合には、その分損害賠償額を減額するという制度です。この趣旨は、損害の負担の公平な分配にあります。

改正前民法418条は、過失相殺の考慮事由として「債務の不履行」に関する債権者の過失のみを規定していました。これに対して、損害の発生や拡大についての債権者の過失も考慮すべきであるとの一般的な解釈に従い、改正後の民法418条は、「債務の不履行又はこれによる損害の発生若しくは拡大」に関する債権者の過失も過失相殺の考慮要素となる旨を規定しました（一問一答69頁）。

(3) 損害賠償額の予定

① 損害賠償額の予定の意義

当事者間で将来債務不履行があった場合の損害賠償額をあらかじめ合意しておくことができ、これを損害賠償額の予定といいます（民法420条1項前段）。

② 損害賠償額の予定の効果

損害賠償額が予定されている場合には、通常の債務不履行に基づく損害賠償請求の要件となっている「損害の発生およびその数額」の代わりに、「損害賠償額の予定についての合意があったこと」を主張立証すればよく、通常契約書により立証することができ、立証負担が軽減される効果があります。また、債務者側からすれば、債務不履行があった場合の損害賠償額を事前に把握できることから、リスク管理に資するといえます。

③ 実損害との関係

当事者間で、損害賠償額の予定が定められている場合には、実損害がそれより過大または過少であっても、賠償予定額が公序良俗に反している（民法90条）場合等を除き、当事者はそれに拘束され、損害額の増減は認められません。

④ 違約金

契約当事者間で「違約金」を合意したときには、「損害賠償額の予定」である場合と「違約罰」である場合とがあると考えられます。違約罰とは、債務不履行に基づく損害賠償とは別に、債務不履行があったという事実に対する罰として課せられるものであり、間接的に履行強制の効果をもたらすものです。

この点、民法は、たとえば契約当事者間で「債務を履行しなかった場合には、違約金として〇円支払う」旨を合意し、違約金の趣旨が不明確である場合の補充規定として、違約金は損害賠償額の予定であると推定する規定を用意しています（民法420条３項）。「推定」であるため、債権者は「違約罰」であることを反証すれば覆すことができます。

4　損害賠償による代位

民法は「債権者が、損害賠償として、その債権の目的である物又は権利の価額の全部の支払を受けたときは、債務者は、その物又は権利について当然に債権者に代位する」と定めています（民法422条）。

債権者が損害賠償として債権の目的である物または権利の価値の「全部」の支払を受けたときに、債務者は、その物または権利につき、「当然に」債権者に代位するという制度であり、損害賠償による代位と呼ばれます。

たとえば、所有者から借りていた時計を傷つけた借主が所有者に対してその価値相当額の賠償をしたような場合、借主は時計の所有権を取得します。債権者に「当然に」代位するということは、譲渡契約を要することなく、債権の目的である物または権利が債権者から債務者に移転することを意味します。

5　代償請求権

債務者が、その債務の履行が不能となったのと同一の原因により債務の目的物の代償である権利または利益を取得したときは、債権者は、その受けた損害の額の限度において、債務者に対し、その権利の移転またはその利益の償還を請求することができます（民法422条の２）。この請求権を代償請求権といいます。改正前民法は代償請求権に関する規定を置いていませんでしたが、判例（最判昭和41年12月23日民集20巻10号2211頁・百選Ⅱ［第８版］10事件）が代償請求権を認めていたことから、改正後の民法は代償請求権に関する規定を新設しました。

代償請求権の対象となるものとして、たとえば家屋が焼失した場合の保険金請求権が挙げられます。

第7　受領遅滞

1　受領遅滞の意義

債権者が債務の履行を受けることを拒み、または履行を受けることができないときは、債権者は履行の提供があった時から遅滞の責任を負います（民法413条、413条の2第2項参照）。債権者の遅滞の責任を受領遅滞または債権者遅滞といいます。たとえば、自動車の売買契約を例にすると、「債権者が債務の履行を受けることを拒む」とは、自動車の売買契約で売主が自動車を買主の元に運んだにもかかわらず、買主が自動車に難癖をつけて自動車を受け取らなかったような場合です。「債務の履行を……受けることができない」とは、買主が受取場所に船で行き、自動車を受領することを契約していた場合に、船が途中で沈没してしまったため受け取ることができないような場合です。

2　受領遅滞の法的性質

債務の履行には、債権者の協力が必要となる場合が多いです。債権者の受領を要する債務について、債務者が履行しようとしているにもかかわらず債権者が受領しない場合、どのような効果が発生するでしょうか。受領遅滞の法的性質をどのように理解するかが問題となります。この点について、改正前民法413条は「遅滞の責任を負う」とのみ定めていて、この文言の解釈について2つの見解が対立していました。

⑴ 法定責任説（通説・判例）

法定責任説は、債権者は権利を有するだけで義務を負うわけではないから受領義務を負わず、債権者が受領しなくても義務違反とはならないと考える見解です。受領遅滞の責任は、誠実な債務者を救済し当事者間の公平を図るために法が特に認めた法定責任であると説明します。

この見解によれば、受領遅滞（改正前民法413条）は弁済の提供を債権者側から規定したものであり、受領遅滞の効果は弁済の提供と同様であって、受領遅滞を理由に損害賠償を請求したり、契約を解除できないこととなります。

たとえば、自動車の売買契約で、買主が弁済期に売買代金を提供したが売主がこれを受領しない場合、買主は遅延損害金の支払いを免れますが（民法492条）、買主は売主の受領遅滞を理由に債務不履行責任を問うことはできないこととなります。

⑵ 債務不履行責任説

債務不履行責任説は、債権者は給付の実現に向けて、債務者に協力すべきであり、債権者は受領義務を負い、債権者が受領しない場合には債務不履行となると考える見解です。受領遅滞の責任は、債権者の受領義務の不履行に対する責任であり、債務不履行責任であると説明します。

この見解によれば、債務者は受領遅滞を理由に債権者に対して損害賠償を請求したり、契約を解除することができることとなります。

たとえば、自動車の売買契約で、買主が売買代金を弁済期に提供したが売主がこれを受領しない場合、買主は損害賠償を請求したり、契約を解除することができます。

⑶ 検 討

判例は、請負契約で債権者（注文者）の受領遅滞を理由に債務者（請負人）が契約の解除を主張した事案で、「債務者の債務不履行と債権者の受領遅滞とは、その性質が異なるのであるから、一般に後者に前者と全く同一の効果を認めることは民法の予想していないところというべきである。民法414条、415条、541条等は、いずれも債務者の債務不履行のみを想定した規定であることが明文上明らかであり、受領遅滞に対し債務者のとりうる措置としては、供託・自動売却等の規定を設けているのである。されば、特段の事由の認められない本件において被上告人（注：注文者）の受領遅滞を理由として上告人（注：請負人）は契約を解除することができない旨の原判決の判断は正当」であると判示し、法定責任説を採用しています（最判昭和40年12月３日民集19巻９号2090頁）。

その後、継続的な鉱石の売買契約で信義則を理由に債権者の引取義務を認めて、売主は契約を解除して損害賠償を請求することができるとした判例があります（最判昭和46年12月16日民集25巻９号1472頁・百選Ⅱ［第８版］55事件）。判例は、債権者の受領義務を一般的に認めたものではなく、個別具体的な事案の下で債権者は信義則上の義務を負うものとしていると理解できます。

これに対し、債務不履行責任説によれば、債権者は受領に関して債務者として扱われることとなり、債務者が給付義務を負うのと同様に債権者は受領義務を負うこととなります。しかし、債権者がこのような重い責任を一般的に負うかは疑問です。また、債務者に債権者に対する損害賠償や解除の主張を認めるべき場合も考えられますが、法定責任説に立った場合も、契約解釈や信義則によって個別的に損害賠償や解除を認めることはできます。

したがって、判例のように、法定責任説を前提に個別的な事案の下で債権者に債務者の履行に協力する信義則上の義務を認めるのが妥当と考えます。

⑷ 民法改正

改正前民法413条が受領遅滞の効果について「遅滞の責任を負う」とのみ規定していたのに対し、改正後の民法は、413条、413条の２第２項により受領遅滞の効果を明文化しています。また、従来の法定責任説が、受領遅滞の効果と弁済の提供の効果は同様であると解していたのに対して、改正後の民法は、受領遅滞の効果と弁済の提供の効果を明確に整理しています（一問一答188頁）。

他方で、改正後の民法は、法定責任説の立場に立つのか債務不履行責任説の立場に立つのかについては明らかにしておらず、この点は引き続き解釈に委ねられることとなります（一問一答73頁）。

3　受領遅滞の要件

受領遅滞の要件は、①債務者の履行の提供があったこと、および②債権者が履行の受領を拒むか（受領拒絶）、または受領できなかったこと（受領不能）です。なお、受領遅滞は、債務者の履行について債権者の協力が必要であることが前提となります。たとえば、不作為債務（高さ50メートル以上の建物を建築しない債務等）は、債権者の協力を必要としないので、受領遅滞は生じません。

また、上記①②の要件のほかに、主観的要件として③債権者の責めに帰すべき事由（帰責事由）が必要となるかが問題となります。この点は法定責任説と債務不履行責任説のいずれの見解に立つかによって異なります。債務不履行責任説に立った場合、一般の債務不履行と同様に債権者の帰責事由が要件となります。これに対し、法定責任説に立った場合は、一般の債務不履行と同様に考える必要はなく、民法413条が債権者の帰責事由を要求していないことから、受領遅滞に債権者の帰責事由は不要となります。

4　受領遅滞の効果

前述のとおり、改正後の民法は、413条、413条の２第２項により受領遅滞の効果を明文化しました。また、従来の法定責任説が、受領遅滞の効果と弁済の提供の効果は同様であると解していたのに対して、改正後の民法は、受領遅滞の効果と弁済の提供の効果を明確に整理しています。改正後の民法における受領遅滞の具体的な効果は、以下のとおりです。

⑴　目的物の保存義務の軽減

特定物の引渡しについて、債務者は引渡しをするまでは善良な管理者の注意をもってその物を保存する義務を負うのが原則ですが（民法400条）、債権者が債務の履行を受けることを拒み、または受けることができない場合においては、債務者が履行の提供をした時から注意義務が軽減され、自己の財産に対するのと同一の注意をもってその物を保存すれば足りることとなります（民法413条１項）。

⑵　増加費用の負担

債権者が債務の履行を受けることを拒み、または受けることができないことによって、その履行の費用が増加したときは、その増加額は債権者の負担となり、債務者は債権者に対して増加費用を請求することができます（民法413条２項）。履行の提供後に物の保管等について追加の費用が生じた場合は、これを債権者に負担させることが公平に適うからです。

⑶　受領遅滞中の履行不能と帰責事由（危険の移転）

受領遅滞後に当事者双方の責めに帰することができない事由によって債務の履行が不能となったときは、その履行不能は、債権者の責めに帰すべき事由によるものとみなされます（民法413条の２第２項）。

債権者の責めに帰すべき事由によって債務を履行することができなくなったときは、債権者は、反対給付の履行を拒むことができません（民法536条２項）。すなわち、受領遅滞により危険負担における危険が債権者に移転することとなります。

なお、売買契約における目的物の滅失・損傷に関しては民法567条２項が特則を設けており、民法559条は有償契約にこれを準用しています。

5　受領義務・信義則上の協力義務を理由とする損害賠償・解除

受領遅滞の法的性質につき債務不履行責任説に立った場合には、債権者に帰責事由があることを要件として、債務者は債権者に対して受領義務違反を理由に損害賠償や解除を請求できることとなります。法定責任説に立った場合でも、前述のとおり、個別的な事案の下で債権者に債務者の履行に協力する信義則上の義務を認められるときには、当該義務違反を理由に損害賠償や解除を請求することができます。

6　受領遅滞の終了

債権者が受領遅滞後、債務者に対して受領遅滞の効果を承認したうえで受領の意思表示をした場合、または受領のために必要な協力の準備をして受領の催告をした場合に受領遅滞は終了します。受領遅滞が終了した場合には、債務者は履行しなければなりません。

第6章

債務者の責任財産の保全

第1　債務者の責任財産の保全の必要性

債務者が無資力であるにもかかわらず、自己の権利行使をしない場合や自己の責任財産を減少させる行為を行った場合、債権者は債務者の責任財産から債権回収を図ることが困難となります。そこで、民法は債務者の責任財産を確保する制度として債権者代位権、詐害行為取消権を設けました。

第2　債権者代位権

1　債権者代位権の意義

債権者は、自己の債権を保全するため必要があるときは、一定の要件の下で債務者に属する権利を債務者に代わって行使することができます（民法423条1項本文）。ここにいう「債務者に属する権利」を被代位権利といいます。

通常、債権者は債務者に対して強制執行の申立てを行い、債務者の責任財産から債権を回収するのが原則です。しかし、債務者の財産が十分でない場合には強制執行によっても債権を回収できない場合があります。このような場合、民法は一定の要件の下で、債権者が債務者に代わって債務者の権利を行使することのできる権利を認めています（民法423条1項本文）。これを債権者代位権といいます。

債権者代位権の趣旨は、債権者が債務者に代わって債務者の有する権利を行使し、債務者の責任財産（債権者の債権回収の対象となる財産）を保全することにより、債権者の債権を保全する点にあります。

たとえば、他に見るべき資産のない債務者Bが第三債務者Cに対して期限の到来した貸金債権を有しているにもかかわらず、貸金債権を請求しない場合等、債務者が自らの権利を行使しないときに、債務者B（買主）に対して売買代金債権を有する債権者A（売主）は債務者Bに代わって債務者Bの権利を行使することができます。

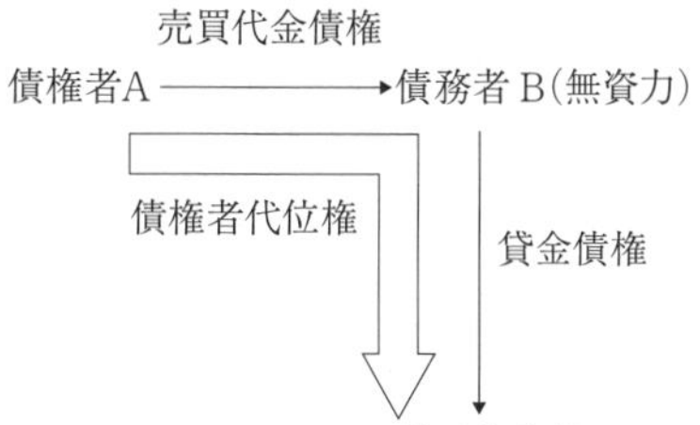

2　債権者代位権の要件

債権者が債権者代位権を行使するためには、以下の要件が必要となります。

⑴ 債権者が債務者に対して債権を有すること

債権者代位権は、債務者に対して債権を有する債権者が債務者に代わって第三債務者への権利行使を認め、自らの権利の保全を図る制度です。そのため、まずは債権者が債務者に対して債権を有していることが必要となります。このように債権者が債務者に対して有する権利を被保全権利といいます。

債権者代位権は責任財産の確保を目的とする制度であるため、債権者が債務者に対して有する債権（被保全債権）は、原則として金銭債権であることが必要です。債権者代位権は、債務者が第三債務者に対する債権を行使しないことにより、債務者の責任財産が減少する場合に認められる権利であるため、被保全債権は被代位権利より前に成立することは必要なく、債権者代位権を行使する時点で存在すれば足りると解されます（最判昭和33年７月15日集民32号805頁）。

⑵ 債権者が自己の債権を保全する必要があること（無資力要件）

債権者代位権の行使が認められるためには、債務者が無資力（債務者の債務額の総計が財産額の総計を上回ること）であることが必要であると解されています（最判昭和40年10月12日民集19巻７号1777頁）。この趣旨は、債権者代位権は、債務者が第三債務者に対して権利を行使しない場合に債権者が債務者に代わって債務者の第三債務者に対する債権を行使することを例外的に認める制度であるため、債権者が債務者の有する権利を行使しなければ自己の債権を回収することができなくなる危険性がある場合（無資力である場合）に限定することにより、債権者による債務者の財産管理権に対する介入を最小限にとどめようとする点にあります。

以上のとおり、改正前民法の下でも、債権者代位権の行使は、債務者の責任財産が不十分となって、債権を保全する必要性が生じている場合に限られると解されていましたが（最判昭和50年３月６日民集29巻３号203頁・百選Ⅱ［第８版］12事件、最判昭和49年11月29日民集28巻８号1670頁・百選Ⅱ［第８版］13事件）、改正後の民法は、このことを明瞭にするため、「自己の債権を保全するため必要がある」ことを債権者代位権の要件としています（民法423条１項本文）。

⑶ 債務者が代位の対象の権利を行使していないこと

債務者が自らの権利を行使している場合に、債権者の代位を認めると債務者の財産管理権への不当な干渉となると考えられます。そこで、このような場合には債権者代位権の行使は認められません。

⑷ 債権者の債務者に対する債権（被保全債権）が弁済期にあること

債権者の債務者に対する債権（被保全債権）について弁済期が到来していることが必要です（民法423条２項本文）。

しかし、保存行為に関して被保全債権が弁済期にない場合でも債権者代位権を行使することが認められます（同項但書）。

保存行為とは、債務者の財産の現状を維持する行為をいいます。たとえば、消滅時効にかかりそうな債権のためにその時効の完成を猶予させる行為などが当たります。保存行為は債務者にとって不利益がなく、また、財産の現状を保存する必要性・緊急性が高いといえます。そこで、保存行為の場合には被保全債権が弁済期になくとも債権者代位権を行使することを認めています。

改正前民法は、債権者の有する債権について弁済期が到来していない場合でも、弁済期前に債務者の権利を行使しないとその債権を保全することができない場合、または債権を保全するのに困難を生ずるおそれがある場合には、債権者は裁判所の許可を得て代位すること（裁判上の代位）を認めていました（改正前民法423条２項）。

もっとも、責任財産となる財産を保全するための手続として民事保全制度が整備され、期限未到来の間でも民事保全制度を利用することができること、従前も、裁判上の代位制度はほとんど利用されていなかったことから、改正後の民法は、裁判上の代位制度を廃止しています（一問一答91頁）。

⑸ 債務者の権利が責任財産の保全に適するものであること

債権者代位権は、債務者の責任財産（債権者の債権回収の対象となる財産）を保全することを目的とした権利です。そこで、以下の権利は、責任財産の保全に適さない権利であるため、債権者代位権の対象となりません。

① 一身専属権

債務者の一身に専属する権利（一身専属権）は、債権者代位権の対象となりません（民法423条１項但書）。一身専属権には、特定人のみに帰属すべき帰属上の一身専属権と権利主体の意思のみによって権利を行使するか否かを決定する行使上の一身専属権があります。

たとえば、婚姻・養子縁組の取消権（民法743条、803条）、認知請求権（民法787条）等の身分そのものの得喪、変更に関する権利は、帰属上の一身専属権であり、身分関係の得喪に向けた行為者の自由な意思を尊重すべきであるため、債権者代位権の対象とならないと解されます。

また、相続人の相続回復請求権（民法884条）、遺留分減殺請求権（民法1046条）等は行使上の一身専属権であり、その行使を相続人の自由な意思決定に委ねるべきといえるため、債権者代位権の対象とならないと解されます（最判平成13年11月22日民集55巻６号1033頁）。

② 差押禁止債権

差押禁止債権は、債権者代位権の対象となりません（民法423条１項但書）。差押禁止債権は、そもそも債務者の責任財産を構成すべき財産には該当しないと解されるため、債務者の責任財産を保全するという趣旨が妥当しないためです。改正前民法の下でも、差押禁止債権は債権者代位権の対象とならないと解されていましたが、改正後の民法は、その旨を明文化しました。

差押禁止債権とは、法律上差押えを禁止されている債権をいいます。たとえば、給料債権について、債権者は原則としてその4分の3については差押えをすることができません（民事執行法152条）。また、年金受給権は差押えをすることができません（国民年金法24条、厚生年金保険法41条1項）。差押禁止債権を認めた趣旨は、主として債務者の生活を保障する点にあります。

3　被保全債権の制限

債権者は、被保全債権が強制執行によって実現することができないものであるときは、被代位権利を行使することができません（民法423条3項）。これは、民法改正により新設された規定です。たとえば、破産手続開始後に裁判所により免責許可決定が出された場合、破産者は破産債権についてその責任を免れます（破産法253条1項）。この場合、破産者に対する債権は、訴えにより履行を請求することができず、強制執行により実現することができないため、当該債権を被保全債権として債権者代位権を行使することはできません。

改正前民法の下においても、同趣旨の裁判例により、被保全債権は強制執行によって実現可能なもの（執行力があるもの）でなければならないと解されていました（東京高判平成20年4月30日金判1304号38頁）。債権者代位権の目的は、債務者の責任財産を保全し強制執行の準備を行うことであるからです。

4　債権者代位権の行使方法と範囲

⑴ 行使方法

債権者は、債権者代位権を行使する場合、自己の名で債務者の第三債務者に対する権利を行使します。債権者代位権を行使する場合、詐害行為取消権とは異なり、債権者は裁判手続を通じて債権者代位権を行使する必要はなく、裁判上および裁判外のいずれでも行使できます。

債権者が被代位権利を行使する場合において、被代位権利が金銭の支払いまたは動産の引渡しを目的とするものであるときは、相手方である第三債務者に対し、支払いまたは引渡しを直接自己に対してすることを求めることができます（民法423条の3前段）。この趣旨は、動産や金銭の引渡しの場合、債務者が第三債務者からの引渡しを拒絶した場合に、債権者代位権を認めた意味が失われてしまうため、債権者に動産や金銭を直接引き渡すことを認めた点にあります。

改正前民法の下でも、判例は債権者が被代位権利の目的物を直接自己に引き渡すように請求できる旨を判示していましたが（大判昭和10年3月12日民集14巻6号482頁）、改正後の民法はこれを明文化しました。

他方で、債権者が第三債務者に自己への支払等を請求した場合に、第三債務者が債権者に対して直接金銭の支払いまたは動産の引渡しをしたときは、被代位権利は消滅します（民法423条の3後段）。

(2) 行使の範囲

債権者は被代位権利を行使する場合において、被代位権利が可分であるときは、自己の債権の額の限度においてのみ、被代位権利を行使することができます（民法423条の2）。

改正前民法の下でも、債権者による債務者の財産管理権に対する介入を広範に認めるべきではないことから、債権者は自己の債権を保全するのに必要な範囲で債権者代位権を行使することができると解されていました（最判昭和44年6月24日民集23巻7号1079頁・百選Ⅱ［第8版］11事件）が、改正後の民法はこれを明文化しました。

たとえば、債権者が債務者に対して100万円の債権を有し、債務者が第三債務者に対して200万円の債権（被代位権利）を有する場合、債権者は、被代位権利200万円のうち100万円の限度でのみ債権者代位権を行使することができることとなります。

金銭債権以外でも、動産100個の給付等の可分債権については、金銭評価をしたうえで被保全債権の債権額の限度で代位行使を認めることが考えられます。不動産の場合にも、複数の不動産の引渡し等、可分といえる場合には被保全債権の限度で代位行使を認めることが考えられます（潮見佳男ほか編著「Before/After 民法改正」159頁［片山直也］参照）。

5　債権者代位権の効果

(1) 債務者による取立てその他の処分の権限等

① 債務者による権利の処分

債権者が被代位権利を行使した場合でも、債務者は被代位権利について、自ら取立てその他の処分をすることを妨げられません（民法423条の5前段）。これは、民法改正で新たに設けられた規定です。

改正前民法の下では、判例は、債権者が債権者代位権を行使した場合には、当該権利の管理処分権は債権者に移り、債務者は代位権の対象となった債権についての処分権が制限されると解していました。具体的には、①債権者が債務者に対して代位権の行使に着手したことの通知をしたとき、または②債権者が代位権の行使に着手した事実を債務者が知ったときに、その時点から債務者の処分権が制限されると解していました（大判昭和14年5月16日民集18巻557頁）。この趣旨は、債権者が債権者代位権を行使したにもかかわらず、債務者が依然として代位権の対象となった債権を行使することができたのでは、債権者代位制度が無意味なものとなってしまうため、債務者の処分権限を制限することにより債権者代位権の実効性を確保しようとした点にありました。

もっとも、債権者代位権は、債務者が自ら権利行使をしない場合に限りその代位行使が認められるものであり、債権者が代位権の行使に着手した後でも、債務者が自ら権利を行使するのであれば、それによって債務者の責任財産の保全という目的を達成することができます。それにもかかわらず、債務者による処分を制限するのは債務者の財産管理に対する不当な介入といえます。また、債務者による第三債務者に対する取立てが制限されるとすれば、第三債務者は債権者代位権の要件が充足されているかについて債務を履行する前に判断しなければならない一方、その判断に必要な情報を有しているとは限りません。

そこで、改正後の民法は、債権者が被代位権利を行使した場合でも、債務者は自ら取立てその他の処分をすることを妨げられないとしています（民法423条の5前段）。

② 第三債務者の債務者に対する履行

上記のとおり、債権者が被代位権利を行使した場合でも、債務者は自ら取立てその他の処分をすることができますが、この場合、相手方である第三債務者は被代位権利について債務者に対して履行することを妨げられません（民法423条の5後段）。

(2) 債務者への効果帰属と事実上の優先弁済効

債権者は、債権者代位権を行使することにより債務者の第三債務者に対する権利を債務者に代わって行使するため、債権者代位権の効果は債務者に直接帰属します。もっとも、債権者代位権は、債務者の責任財産を確保するための制度であるため、債権者が第三債務者から引渡しを受けた財産は、総債権者のための責任財産であり、債権者代位権を行使した債権者は、第三債務者から直接目的物の引渡しを受けたときでも、当該目的物を債務者に引き渡さなければなりません。

このように債権者は、当該財産を自己の債権の弁済に充てるためには改めて債務者から任意弁済を受けるか、当該財産に対する強制執行手続により回収を図る必要があります。

もっとも、債権者の債務者に対する債権が金銭債権である場合、債権者は、自己の債務者に対する債権と債務者から債権者に対する金銭返還請求権とを対当額にて相殺することにより債務者に対する債権を回収することが可能となります。

このように債権者は債権者代位権を行使しても、債務者から優先的に弁済を受ける権利を有することとはなりませんが、債権者の債務者に対する債権と債務者の第三債務者に対する債権が金銭債権である場合には、他の債権者と比べて事実上優先的に弁済を受けることができます。これを事実上の優先弁済効といいます。

改正前民法の下で、判例は、第三者から直接金銭の支払いを受けた債権者は、債務者に対するその金銭の返還債務と債務者に対して有する自己の債権とを相殺することができるとしていました（大判昭和10年3月12日民集14巻482頁）。民法改正の議論の中では、このような相殺を禁止することが検討されましたが、債権者代位権の行使による事実上の債権回収は、債務名義を取得して強制執行をすると費用倒れになるような少額債権の回収の場面において債権者保護に役立っているとの現状から、債権者が受領した金銭から相殺することを禁止する規定は設けられませんでした。

6　相手方の抗弁

債権者が被代位権利を行使したときは、相手方である第三債務者は債務者に対して主張することができる抗弁をもって、被代位権利を行使した債権者に対抗することができます（民法423条の4）。たとえば、債権者Aが債務者Bの第三債務者Cに対する100万円の債権を代位行使した場合に、CがBに対して有する100万円の売買代金債権との相殺をAに対する抗弁として主張する場合が挙げられます。

改正前民法の下でも、判例は、第三債務者は債務者に対して主張することができる抗弁をもって、被代位権利を行使した債権者に対抗することができると判示していましたが（大判昭和11年3月23日民集15巻551頁）、改正後の民法はこれを明文化しました。債務者自身が権利を行使した場合と比較して、債権者が被代位権利を行使した場合に相手方である第三債務者が不利益に取り扱われるのは合理的ではないためです（一問一答93頁）。

7　債権者代位訴訟に関する債務者への訴訟告知制度

債権者は、債権者代位訴訟（被代位権利の行使に係る訴え）を提起したときは、遅滞なく、債務者に対し、訴訟告知（民事訴訟法53条）をしなければなりません（民法423条の6）。訴訟告知とは、訴訟当事者が、訴訟の対象となる紛争に関係する第三者に対し、訴訟が係属している事実を法定の方法により通知することをいいます。これは、民法改正で新たに設けられた規定です。

債権者代位訴訟では、代位債権者（被代位権利を行使した債権者）が原告となり、第三債務者が被告となりますが、代位債権者は法定訴訟担当に該当するため、その判決の効力は、当事者が他人のために原告になった場合（民事訴訟法115条1項2号）として、代位債権者のみならず債務者にも及びます（大判昭和15年3月15日民集19巻586頁）。

そのため、債務者に債権者代位訴訟の存在を認識させ、その審理に参加する機会を保障することが必要となりますが、改正前民法は、このような制度を設けていませんでした。そこで、改正後の民法は、債務者の手続保障を図るため、訴訟告知制度を新設しました（一問一答94頁）。

また、訴訟告知を受けた債務者の訴訟参加について、改正前民法の下では、債権者代位権行使の事実が債務者に通知され、あるいは債務者が了知した時点で債務者は被代位権利に対する管理処分権を失うとされていたため、債権者代位訴訟が提起された時点で債務者は被代位権利についての原告適格を失うとされていま

第Ⅳ篇　債権総論

した（前掲大判昭和14年５月16日ほか）。そこで、債務者は、債権者が提起した債権者代位訴訟に参加することのみが許されると解されていました。

もっとも、民法改正により債権者代位権が行使されても債務者は被代位権利に関する処分権を失わず、債務者は被代位権利を訴訟物とする訴えの当事者適格を失わないことになります。

債務者が当事者適格を有するとしても、債権者代位訴訟が係属している場合、重複訴訟が禁止されていることから（民事訴訟法142条）、債務者が別訴を提起することはできず、共同訴訟参加または代位債権者の代位要件を争い独立当事者参加をすることが許されると解されます。共同訴訟参加とは、訴訟の目的が当事者の一方と第三者について合一に確定すべき場合にその第三者が共同訴訟人として訴訟に参加することをいい（民事訴訟法52条）、独立当事者参加とは、訴訟の継続中に第三者が新たに独立の当事者として訴訟法律関係に加入することをいいます（民事訴訟法47条）。

8　登記または登録の請求権を保全するための債権者代位権

債権者代位制度は、債務者の責任財産の保全を目的とする制度です。したがって、債権者代位制度の本来の適用場面では被保全債権は原則として金銭債権であることが必要です。

もっとも、このような債権者代位権の本来の適用場面と異なった場面で、特定の債権の内容を実現するために債権者代位権を用いることがあります。特定の債権の内容を実現するために債権者代位権を行使する場合、本来の金銭債権を被保全債権とする場面とは異なる場面での行使方法という意味で、債権者代位権の転用事例といいます。転用事例における債権者代位権は、責任財産の保全を目的とするわけではないため、債務者の無資力要件を必要としません。

そこで、登記・登録請求権の保全を目的とする債権者代位権については、一般の債権者代位権と区別し、登記または登録をしなければ権利の得喪および変更を第三者に対抗することができない財産を譲り受けた者は、その譲渡人が第三者に対して有する登記手続または登録手続をすべきことを請求する権利を行使しないときは、その権利を行使することができることとしています（民法423条の７前段）。

改正前民法の下では、債権者代位権の転用事例として代位行使の規定（改正前民法423条）が準用されていましたが、改正後の民法は登記等請求権を保全するための債権者代位権の類型について、新たに規定（民法423条の７）を設けました。民法423条の７に基づいて債権者代位権が認められる場合の効果については、民法423条の４～423条の６が準用されます（民法423条の７後段）。

たとえば、改正前民法の下において、ＡがＢに対して不動産を売却し、Ｂがさらに当該不動産をＣに転売したものの、登記名義が依然としてＡに残存しているとき、ＡやＢが登記手続に協力しない場合、ＣはＢが無資力でない場合で

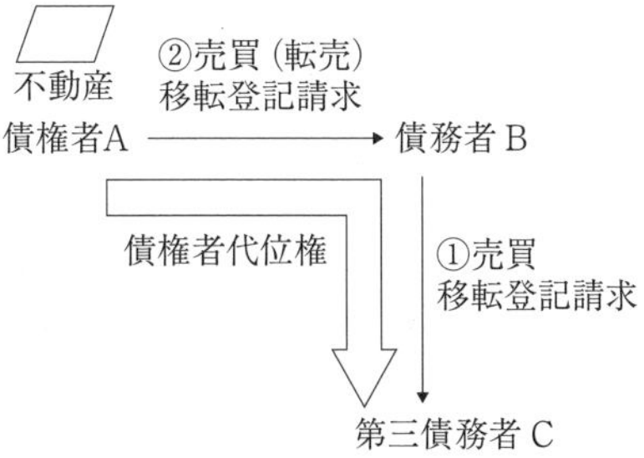

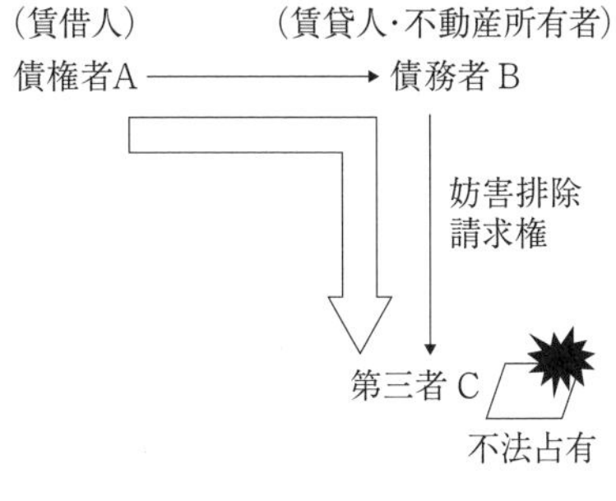

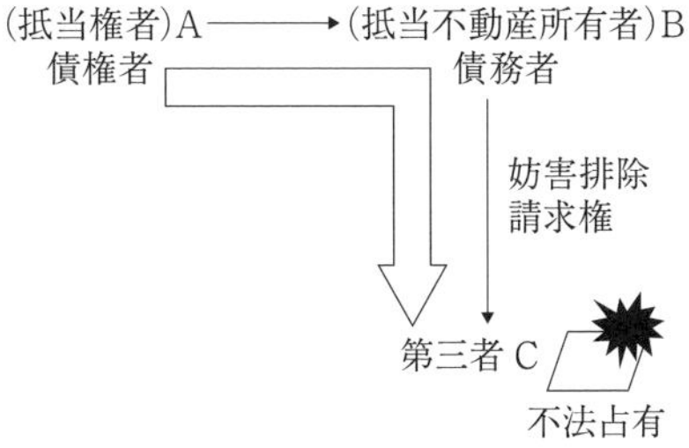

あってもBのAに対する登記請求権を代位行使することが認められると解されていました（大判明治43年7月6日民録16巻537頁）。民法改正後は、民法423条の7の新設により、譲渡人が第三者に対して有する登記手続または登記手続をすべきことを請求する権利を行使しないときは、その権利を行使することができることが明文で認められました。

他方で、民法改正に向けた議論の中では、登記・登録請求権に限らず、所有権に基づく妨害排除請求権等、改正前民法の下における判例で認められていた債権者代位権の転用事例について規定を設けることも検討されましたが、要件や適用範囲が不明確になることから、明文化は見送られました。

したがって、下記のように従前の判例で認められていた権利の代位行使が認められるかは今後の解釈に委ねられるものと考えられます。

まず、不動産を賃借しているAが第三者Cの不法占有により当該不動産の使用を妨害されている場合、賃借人Aは賃貸人（不動産所有者）Bが無資力であるか否かにかかわらず、賃貸人（不動産所有者）Bの第三者Cに対する所有権に基づく妨害排除請求権を代位行使することが認められています（最判昭和29年9月24日民集8巻9号1658頁）。

また、抵当権者Aは、第三者Cが抵当不動産を不法に占有している場合、抵当不動産の所有者Bが無資力であるか否かにかかわらず、不動産の所有者Cの有する妨害排除請求権を代位行使することが認められています（最大判平成11年11月24日民集53巻8号1899頁）。

第Ⅳ篇
債権総論

第3　詐害行為取消権

1　詐害行為取消権の意義

詐害行為取消権とは、無資力の状態にある債務者が他の債権者の支払いの引当てとなるべき自己の財産を減少させる行為（これを詐害行為といいます）を行った場合に、債権者が詐害行為を取り消して逸出した財産を債務者の責任財産に回復させる権利をいいます（民法424条1項）。

責任財産とは、一般債権者の債権の引当てとなる債務者の一般財産をいいます。債権者が債務者に対して訴訟提起し勝訴したとしても、債務者が資産を逸出させ責任財産を減少させ、その結果、責任財産が存在しなくなれば、その後債権者が強制執行しても債権回収はできなくなります。

たとえば、債務者Aが、債権者BのAに対する貸金返還請求訴訟で敗訴し、その後Bから資産の差押えを受けることを回避するため、唯一の資産である自宅を第三者（受益者）Cに廉価で売却した場合、Bは、Aに対する訴訟に勝訴したとしてもAには強制執行の引当てとなる財産（責任財産）がないため、債権回収を図ることが困難となります。そこで、Bは、Aの強制執行の引当てとなる財産（責任財産）を確保するため第三者C（受益者）に対して詐害行為取消権を行使することにより、債権回収を図ることが可能となります。

このように詐害行為取消権の趣旨は、詐害行為を取り消すことにより、逸出財産を回復し、もって、債務者の責任財産の確保を図る点にあります。

2　詐害行為取消権の構造

⑴ 裁判による取消し

民法424条1項は、債権者が詐害行為取消権を行使するためには、債務者の行為の取消しを「裁判所に請求」し、詐害行為取消訴訟を提起することを求めています。したがって、詐害行為取消権は、債権者代位権とは異なり裁判外の行使は認められません。

この趣旨は、詐害行為取消権は、当事者間でなされた有効な行為を例外的に取り消す制度であり、これが認められれば当事者間の行為を事後的に第三者が介入して取り消すこととなるため、その要件の充足について裁判所が慎重に審査することとした点にあります。

⑵ すべての債権者の共同担保の保全であること

詐害行為取消権は、債務者の責任財産を保全して、すべての債権者の共同担保を確保するものであり、その効果は債務者およびすべての債権者に対して及びます（民法425条）。ただし、判例・通説および改正後の民法は、例外的に、詐害行為取消権を行使した債権者が優先的な債権回収を図ることを認めています（後述）。

3　詐害行為取消権の性質論

詐害行為取消権の性質について、①債務者の行為の取消しを内容とする形成権説、②受益者に逸出した財産の返還を求める権利と捉える請求権説、③形成権説と請求権説を合わせた折衷説、④逸出した財産を受益者の手元に置いたまま、受益者の下にある逸出財産に対して取消債権者が直接強制執行することを認める責任説が主張されています。

⑴ 形成権説

形成権説とは、詐害行為取消権の性質を債務者および受益者双方に取消しの効果を絶対的に生じさせることとする見解です。

形成権説は、詐害行為取消権は、債務者の行った行為を絶対的に取り消すことを目的としているため、債務者・受益者・転得者全員を相手方として詐害行為取消権の効果を及ぼすべきであると主張します。

形成権説に対しては、詐害行為取消しの効果に絶対的効力を認めると債務者と受益者との間の取引が無効となり取引の安全を害し妥当でないといった批判や、受益者が任意に逸出財産を返還しない場合には、逸出財産を取り戻すためにさらに債権者代位権を行使しなければならず、手続的に迂遠であるといった批判があります。

⑵ 請求権説

請求権説とは、詐害行為取消権の性質を受益者に逸出した財産の返還を求める請求権であると捉える見解です。

請求権説は、詐害行為取消権は逸出した財産を取り戻すことを目的とした制度であるため、財産を保有する相手方（受益者または転得者）のみを詐害行為取消権の相手方としてその効果を及ぼせば足りると主張します。

請求権説に対しては、「取消し」と規定した民法424条１項の文言に反するという批判があります。

⑶ 折衷説（改正前の判例）

折衷説とは、詐害行為取消権の性質について、形成権説と請求権説を合わせた見解であり、改正前の判例（大判明治44年３月24日民録17輯117頁・百選Ⅱ［第８版］14事件）・通説の立場です。すなわち、折衷説は、詐害行為取消権は、債務者の詐害行為を取り消し、逸出した財産を取り戻すことによって責任財産を保全する制度であり、債務者の行為の取消しと逸出財産の返還を求める権利を合わせた権利であると主張します。

また、折衷説は、詐害行為取消訴訟の被告は、詐害行為の相手方である受益者または転得者のみであり、債務者は被告に含まれないとし、詐害行為取消しの効果は原告（取消債権者）と被告（受益者または転得者）のみに生じ、債務者には生じないとします（相対的取消し）。

折衷説は、形成権説、請求権説の不都合性を回避しようとする見解であるといえますが、取消しの効力は債務者に及ばないとしつつ、実際には逸出した財産を債務者に返還するという効果が生じることとなり、総債権者のための利益を図るという制度目的が達成されないという問題があります。

⑷ 責任説

責任説とは、詐害行為取消権の性質を逸出した財産を受益者の手元に置いたまま、受益者の下にある逸出財産に対して取消債権者が直接強制執行することを認める見解です。

責任説は、詐害行為取消権は、債務者の責任財産を保全するための制度であるから、逸出した財産を取り戻す必要はなく、受益者の下で債務者の責任財産として取り扱えば足りると主張します。

責任説に対しては、責任判決という特殊な形式の判決は現行法上認められにくいとの批判があります。

4　詐害行為取消権の要件

改正民法は、受益者に対する詐害行為取消権の行使（民法424条１項）と、転得者に対する詐害行為取消権の行使（民法424条の５）を別個に規定しています。

受益者に対する詐害行為取消権の行使が認められるためには、①被保全債権の存在、②債務者による詐害行為、③債務者の詐害意思、④受益者の悪意が必要となります（民法424条１項）。

転得者に対する詐害行為取消権の行使が認められるためには、上記の要件に加えて、⑤すべての転得者の悪意が必要となります（民法424条の５）。

⑴ 被保全権利の存在

① 被保全権利とは

被保全権利とは、詐害行為取消権を行使しようとする債権者の債務者に対する権利をいいます。

詐害行為取消権は、詐害行為によって損害を受ける債権者が債務者の責任財産の確保を図るために認められる権利であるため、債務者の詐害行為よりも前の原因に基づいて債権者の債務者に対する被保全権利が発生していることが必要です（民法424条３項）。この点について、改正前民法の下での判例は、詐害行為以前に被保全権利が発生することが必要としていましたが（最判昭和33年２月21日民集12巻２号341頁）、改正後の民法は、詐害行為の「前の原因に基づいて」生じた被保全権利であれば足りることとしています。これにより、被保全債権にかかる遅延損害金について詐害行為の後に生じたものであっても被保全債権となりうることが明確にされました。

② 被保全権利の内容

詐害行為取消権は、債権者の金銭債権の回収を図るため債務者の責任財産を保全する制度です。したがって、被保全権利は、金銭債権である必要があり、特定物債権を実現するために詐害行為取消権を行使できないのが原則です。もっとも、判例は、被保全債権が金銭債権でない特定物債権である場合でも究極的には金銭債権たる損害賠償債権に転化するため、詐害行為取消権の行使時点までに特定物債権が金銭債権（損害賠償債権）に転化している場合には、特定物債権を被保全債権とする詐害行為取消権の行使を認めています（最判昭和36年7月19日民集15巻7号1875頁・百選Ⅱ［第8版］15事件）。このように判例は、詐害行為の時点で被保全権利の内容が金銭債権であることを要求していません。たとえば、債務超過状態にあるAがBに対して不動産を譲渡した後、Bが登記を具備する前にAがCに対して不動産を廉価で二重に譲渡しCが登記を具備した場合、Cの登記具備によりBのAに対する債務不履行に基づく損害賠償債権（民法415条1項）に転化するため、BはCに対して詐害行為取消権を行使して、AからCに対する不動産の譲渡行為を取り消すことができます。

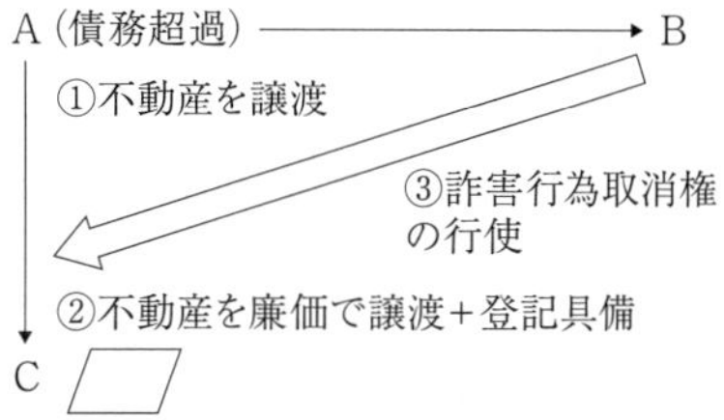

③ 被保全権利の種類

債権者は、強制執行により実現することのできない債権を被保全権利として、詐害行為取消権を行使することはできません（民法424条4項）。なぜなら、詐害行為取消権は、本来的には、後の強制執行に備えて責任財産を保全するためのものであるためです。

たとえば、破産免責の手続等によって免責された債権を被保全権利とすることはできません（最判平成9年2月25日判時1607号51頁）。

(2) 債務者による詐害行為

詐害行為とは、債務者が債権者を害することを知って行った債権者を害する行為をいいます。たとえば、債務超過状態にある会社が債権者による強制執行を防ぐために唯一の資産である不動産を当該会社の代表取締役の子に無償で贈与する場合、当該会社は、責任財産が減少することを知って債権者を害する行為を行っているため、子に対する贈与は詐害行為に該当します。

詐害行為として詐害行為取消権の対象となるためには、①財産権を目的とする行為であること（民法424条2項）、②債権者を害する行為であること（民法424条1項本文）であることが必要です。

②について、改正後の民法は、改正前民法が債権者を害する「法律行為」と定めていたところを「行為」と改めました。したがって、法律行為でなくとも債権者を害する行為であれば詐害行為取消権の対象となります。たとえば、弁済や債

務の承認等の準法律行為も含まれることになります。

① 財産権を目的とする行為

詐害行為取消権の対象は、財産権を目的とする行為に限られます（民法424条２項）。債務者の行った財産権を目的としない行為を取り消したとしても、責任財産の回復を図ることはできず、詐害行為取消権の制度目的を実現することができないといえるからです。たとえば、婚姻や離婚、相続放棄等の身分行為は財産権を目的とする行為ではなく、債務者の責任財産の回復につながらないこと、本人の意思を尊重すべき行為であることから、原則として詐害行為の対象とはなりません。

もっとも、夫が妻との離婚に伴い財産分与を行う場合、夫婦が偽装離婚し債務者である夫から妻に対して過大な財産分与を行うことによって、債務者である夫の責任財産を減少させるおそれがあります。

そのため、判例は、離婚に伴う財産分与は原則として詐害行為取消権の対象とならないとしたうえで、民法768条３項の規定の趣旨に反して不相当に過大であり、財産分与に仮託してされた財産処分であると認めるに足りるような特段の事情がある場合には例外的に詐害行為取消権の対象となる旨を判示しています（最判昭和58年12月19日民集37巻10号1532頁）。また、特段の事情が認められた場合でも不相当に過大な部分についてのみ詐害行為として取り消されるべきものとなります（最判平成12年３月９日民集54巻３号1013頁）。

他方で、遺産分割協議は、相続財産の帰属を確定させるものであり、財産権を目的とする行為であることから、詐害行為取消権の対象となります（最判平成11年６月11日民集53巻５号898頁・百選Ⅲ［第２版］69事件）。

また、債権譲渡は債務者の財産の減少を目的とする行為として詐害行為取消権の対象となりえますが、債権譲渡自体が詐害行為を構成しない場合に、債務者がした確定日付のある債権譲渡通知のみを切り離して詐害行為取消権の対象とすることはできません（最判平成10年６月12日民集52巻４号1121頁・百選Ⅱ［第８版］17事件）。

② 債権者を害する行為（詐害行為）

債務者の行為が詐害行為といえるためには、債務者の行為によって債務者の責任財産が減少し、その結果、債権者が債務者から債権回収を図ることが困難になること、すなわち無資力になることが必要です。債務者の財産が減少する行為でも債務者に十分な資力がある場合には、詐害行為には該当しません。なぜなら、この場合、債権者は債務者の財産に対して強制執行することにより、債権回収を図ることが十分可能であるからです。

判例は、無資力である債務者の行った行為が「債権者を害する」行為に該当するか否かについて、債務者の単なる計数上の債務超過のみならずその信用等の存否をも考慮して判断すべきとしています（最判昭和41年5月27日民集20巻5号1004頁）。

詐害行為取消権の行使は訴訟を通じて行われるため、債務者が無資力であることは詐害行為が行われた時点だけでなく、取消権行使時（裁判所における事実審の口頭弁論終結時）においても必要とされます（大判大正15年11月13日民集5巻798頁）。したがって、債権者が詐害行為取消訴訟を提起した後、訴訟係属中に債務者の資力が回復した場合は、詐害行為取消権の行使は認められないこととなります。

(3) 詐害意思

詐害意思とは、債務者が行為をした時点で、債権者を害することを知っていたことをいいます（民法424条1項本文）。過失の有無は問われません。また、詐害意思の内容に関して、債務者が債権者を積極的に害する意思（害意）を有していることが必要か否かについて、通説は、債務者は、自己の行為によって債務者の責任財産が減少することを認識していれば足りると解しています。

判例も「詐害行為の成立には債務者がその債権者を害することを知って法律行為をしたことを要するが、必ずしも害することを意図しもしくは欲してこれをしたことを要しないと解するのが相当である」と判示しています（最判昭和35年4月26日民集14巻6号1046頁）。

詐害行為（客観的要件）と詐害意思（主観的要件）の関係について、通説は、両者は別個の要件であるものの、相関的に考慮して判断することと解しています。相関的判断とは、贈与のように責任財産を一方的に減少させる無償行為を取り消す場合は債務者の単なる認識で足りるとする一方で、債務者が相応の対価を得てした行為を取り消す場合は積極的な詐害意思を要するというように、詐害行為と詐害意思を相関関係で判断することを意味します（中田「債権総論［第4版］」297頁）。

(4) 受益者の悪意

受益者に対して詐害行為取消権を行使する場合、債務者に詐害意思があったとしても、受益者がその行為の時に債権者を害することを知らなかったときは、詐害行為取消しは認められません（民法424条1項但書）。

この要件は、立証負担の公平の観点から、詐害行為取消請求を受けた受益者（被告）が主張立証すべき抗弁であると解されています（大判大正7年9月26日民録24輯1730頁）。

(5) 転得者の悪意

債権者が債務者の行為につき詐害行為取消権を行使する場合、債務者から直接財産処分を受けた受益者がさらに転得者に当該財産を譲渡したときは、受益者（債務者から直接財産処分を受けた者）が転得者（受益者から財産の処分を受けた者）に財産処分行為を行った時点で、受益者のみならず転得者が「債権者を害すべき事実」（詐害行為）を知っていたことが必要となります（民法424条の５）。なぜなら、受益者および転得者が債権者を害すべき事実を知らない場合（善意である場合）にまで詐害行為取消権の行使を認めると善意の第三者である受益者および転得者の利益を害する結果となり、妥当でないからです。

まず、転得者が受益者から転得したものである場合には、その転得者が転得の当時、債務者の行為が債権者を害することを知っていたときに限り、転得者に対して詐害行為取消請求権を行使できます（同条１号）。転得者の悪意は抗弁ではなく、詐害行為取消権を行使する債権者が主張立証しなければなりません。

次に、転得者が他の転得者から転得した場合、その転得者およびそれより前のすべての転得者が、それぞれの転得の当時、債務者がした行為が債権者を害することを知っていたときに限り、その転得者に対して詐害行為取消権を行使できます（同条２号）。この場合の転得者の悪意についても抗弁ではなく、詐害行為取消権を行使する債権者が主張立証しなければならないこととなります。

改正前民法の下では、上記各規定がなかったため、受益者が善意で、転得者が悪意である場合に、債権者が悪意の転得者に対して詐害行為取消権を行使することができるか否かについて、争いがありました。

改正前の通説・判例は、詐害行為取消権の効果は、債務者の詐害行為により逸出した財産の回復を図るために必要な範囲でのみ生じ、相手方である受益者または転得者との関係でのみ生じると解されることから、受益者が善意であったとしても、債権者が悪意の転得者を被告として詐害行為取消権を行使することを認めるべきであると解していました（相対的構成説。最判昭和49年12月12日金法743号31頁）。

改正後の民法下では、転得者に詐害行為取消権を行使するためには、受益者およびすべての転得者の悪意が要件となるため（民法424条の５）、受益者が善意で、転得者が悪意である場合には、転得者に対する詐害行為取消権の行使は認められないこととなります。

5　行為類型ごとの詐害行為取消権の要件の特例

改正前民法は、「債務者が債権者を害することを知ってした法律行為」であることを詐害行為取消権の基本的な要件のひとつとして定めていましたが（改正前民法424条１項本文）、かつての判例（大判明治44年10月３日民録17輯538頁等）は、この要件に関して、たとえば、相当の対価を得てした処分行為であっても原則として詐害行為に該当すると解釈する等、詐害行為該当性を比較的広範に認めていました。

また、破産法は平成16年改正に際して、詐害行為取消権と類似の制度である否認権について、その要件が不明確かつ広範であることによって取引に萎縮効果等が生ずることを避けるため、行為類型ごとに否認の要件を定めました。その結果、同じ行為について、民法の詐害行為取消権の対象にはなりますが、破産法上の否認権の対象にはならない場面が生じ、類似の機能を有する制度間で不整合な状態が生まれていました。

そこで、改正後の民法は、破産法の否認権の制度を参考にしつつ、詐害行為取消権の対象として問題になる場合について、行為類型ごとに要件の特例を定めました（一問一答102頁）。

(1) 債務者が相当の対価を得てした財産の処分行為

債務者が安価に財産を売却する等、相当でない廉価で売買等をした場合には、債権者を害することとなります。これに対して、債務者が相当価格で財産を売却する場合や、新規に金銭の借入れをすることに伴って、借入れを受けた債権者のために担保を設定する場合（新規融資と同時に行われる担保供与行為）のように、相当の対価を得て財産を処分することは、本来的には経済的活動の自由として認めるべきであると解されます。

そこで、改正後の民法は、相当の対価を得てした財産の処分行為は、下記の①から③までのすべてに該当する場合に限り、詐害行為取消権を行使することができるとしています（民法424条の2）。これは破産法161条1項と同様の規律です。

① その行為が、不動産の金銭への換価その他の当該処分による財産の種類の変更により、債務者において隠匿、無償の供与その他の債権者を害することとなる処分（隠匿等の処分）をするおそれを現に生じさせるものであること

② 債務者が、その行為の当時、対価として取得した金銭その他の財産について、隠匿等の処分をする意思を有していたこと

③ 受益者が、その行為の当時、債務者が隠匿等の処分をする意思を有していたことを知っていたこと

(2) 特定の債権者に対する担保供与行為および対価的均衡のとれた債務消滅行為

改正前民法の下での判例は、債務者から一部の債権者に対する弁済について、特定の債権者と通謀し、他の債権者を害する意思をもってなされた弁済は詐害行為になると判示していました（最判昭和33年9月26日民集12巻13号3022頁）。

この判例は、債務者が債権者に対してすでに負担する自己の債務を支払う行為は、債務者にとって義務の履行であるため、詐害行為にならないことを原則にしつつ、特定の債権者と通謀して一部の債権者に対してのみ弁済した場合には、通謀した債権者に対する弁済は例外的に詐害行為に該当することを認めたものといえます。

改正後の民法は、このような判例を踏まえ、既存の債務について担保を供与することや、債務の本旨に従った弁済（本旨弁済）を行うことは原則として詐害行為とならないことを前提として、下記の要件のいずれにも該当する場合に限り、詐害行為取消権を行使することができるとしています（民法424条の3第1項）。

① その行為が、債務者が支払不能（債務者が、支払能力を欠くために、その債務のうち弁済期にあるものにつき、一般的かつ継続的に弁済することができない状態）の時に行われたものであること
② その行為が、債務者と受益者とが通謀して他の債権者を害する意図をもって行われたものであること

⑶ **非義務的な債務消滅行為**

非義務的な債務消滅行為とは、債務者の義務に属しない行為（代物弁済等）、その時期が債務者の義務に属しない行為（期限前の弁済等）を意味します。

大審院判例は、代物弁済について、債務の本旨に従った弁済でなくこれをするか否かは債務者の意思によるものであり、共同担保を減少するときは詐害行為になるとし（大判大正８年７月11日民録25輯1305頁）、最高裁判例においても、特定の債権者と通謀し、他の債権者を害することを知りながら、自己の債権を代物弁済として譲渡したときは、譲渡債権が債務額を超えない場合でも詐害行為となるとしていました（最判昭和48年11月30日民集27巻10号1491頁）。

改正後の民法は、従前の判例や破産法の類似規定（破産法162条１項２号）を考慮して、非義務的な債務消滅行為について、義務的な行為よりも緩やかな要件の下で、詐害行為取消権の行使を認めています。具体的には、非義務的行為については、下記の要件のいずれにも該当するときは、詐害行為取消権の行使を認めています（民法424条の３第２項）。

① その行為が、債務者が支払不能になる前30日以内に行われたものであること
② その行為が、債務者と受益者とが通謀して他の債権者を害する意図をもって行われたものであること

⑷ **過大な代物弁済等**

代物弁済は、上述の非義務的な債務消滅行為となりますが、受益者の受けた給付の価額が消滅した債務額よりも過大である場合、すなわち対価的均衡を欠く場合には、消滅した債務額に相当する部分は、民法424条の３第１項（上記⑵）所定のルールに服することとし、それを超える部分については、原則規定である民法424条所定のルールに服するとしています（民法424条の４）。

債権者は、代物弁済について全体を詐害行為取消しの対象とすることができるとともに、民法424条の４により過大部分についてのみ詐害行為取消しの対象とすることもできます。

また、債務者が給付した財産が一棟の建物であるなど不可分なものである場合で、過大部分についてのみ詐害行為取消しの対象とするときは、債権者はその一部の返還（現物返還）を求めることはできないので、債権者は価額の償還を求めることになります（民法424条の６第１項後段・一問一答103頁）。

6　詐害行為取消権の行使の効果等

(1) 詐害行為取消請求権の行使の効果

① 原則——現物返還

詐害行為取消請求権の行使の効果は、①債務者がした詐害行為の取消しと②受益者（または転得者）に移転した財産の返還です（民法424条の6）。

財産の返還は、現物返還を行うのが原則です（民法424条の6第1項前段、第2項前段）。詐害行為取消しは、逸出財産を債務者の責任財産に復することを目的とするものであるためです。

なお、判例は、受益者の取消債権者に対する受領金支払債務は、詐害行為取消制度の趣旨、また詐害行為取消判決の確定まで受益者に受領済みの金員に係る運用利益の全部を得させるのは相当でないことを考慮すると、詐害行為取消判決の確定により金員の受領時に遡って生じるとしています（最判平成30年12月14日民集72巻6号1101頁）。

② 例外——価額償還

現物返還が困難なときは価額償還を請求することができます（民法424条の6第1項後段、第2項後段）。たとえば、悪意の受益者が善意の転得者に目的物を転売した場合には、債権者は転得者に対して現物返還を請求できないため、受益者に対して価額償還を請求することになります。また、悪意の受益者が悪意の転得者に目的物を転売した場合には、債権者は受益者に対して価額償還を請求するか、転得者に現物返還を請求するかを選択することができます。

価額償還の償還額算定の基準時は、原則として詐害行為取消訴訟の事実審の口頭弁論終結時です（最判昭和50年12月1日民集29巻11号1847頁）。

(2) 詐害行為取消しの範囲

① 目的物が可分である場合

改正後の民法は、債権者は、詐害行為取消請求をする場合、債務者がした行為の目的物が可分であるときは、自己の債権額の限度においてのみ、その行為の取消しを請求することができる旨を定めています（民法424条の8第1項）。現物返還を請求する場合だけでなく、価額償還を請求する場合も同様です（同条2項）。

この趣旨は、詐害行為取消権は、第三者が当事者間において有効に行った行為を事後的に取り消す点で取引の安全に与える影響が大きいため、逸出した財産の取戻しに必要な範囲でのみ取消しの効果を認めれば足りる点にあります。

改正前の通説・判例は、詐害行為取消の効果は、債務者の詐害行為により逸出した財産の回復をするのに必要な範囲でのみ生じ、詐害行為取消権の相手方である受益者または転得者との関係でのみ生じると解していましたが（相対的無効説・前掲大判明治44年3月24日・百選Ⅱ［第8版］14事件）、改正後の民法はこれを明文化したものといえます。

② 目的物が不可分である場合

詐欺行為の目的物が一棟の不動産である等、不可分である場合、債権者は、被保全債権の額にかかわらず、原則として、詐害行為の全部を取り消すことができます（最判昭和30年10月11日民集９巻11号1626頁）。

抵当権の付着した不動産についてなした代物弁済等を詐害行為として取り消す場合、債務者の行為により減少する財産は、不動産の価額から抵当権の被担保債権額を控除した残額に限られるため、取消しの範囲はこの範囲に限られます（大判昭和７年６月３日民集11巻1163頁）。この場合、取消しの目的物が不可分であるときは、債権者は一部取消しの限度で価額賠償を請求することとなります（最判昭和36年７月19日民集15巻７号1875頁）。

また、抵当権の付着する土地についてされた譲渡担保契約を詐害行為として取り消す場合に、譲渡担保権者が抵当権者以外の債権者であり、当該土地の価額から抵当権の被担保債権額を控除した残額が取消債権者の債権額を下回っているときは、譲渡担保契約の全部を取り消して不動産自体を原状回復することが認められます（最判昭和54年１月25日民集33巻１号12頁）。

これに対して、抵当権の付着する不動産についてなした代物弁済等が詐害行為に該当する場合において、当該不動産が不可分であり、詐害行為の後に受益者または転得者による弁済等によって抵当権が消滅して抵当権設定登記を抹消されたときは、登記抹消後の不動産を現物返還することは債務者の一般財産が以前よりも増加することとなり、もはや原状回復が不可能といえることから、一部取消し（不動産の価額から抵当権の被担保債権額を控除した残額）の限度で価額賠償をすることとなります（最判昭和63年７月19日判時1299号70頁・百選Ⅱ［第８版］18事件）。

(3) 返還の相手方

① 原 則

詐害行為取消権を行使した場合、原則として目的物を債務者に返還することになります（前掲最判昭和54年１月25日等）。詐害行為取消権の趣旨が、すべての債権者の共同担保を保全することにあるためです。

逸出財産が不動産である場合、登記は元の状態である債務者に戻されます。受益者または転得者名義の登記の抹消請求をすることになりますが、登記の抹消請求ではなく、登記の移転請求によることもできます（最判昭和40年９月17日訟月11巻10号1457頁）。

② 例 外

詐害行為取消しにより返還を受ける目的物が金銭または動産である場合、取消債権者は受益者または転得者に対し、直接自己への金銭の支払いまたは動産の引渡しを請求することができます（民法424条の９第１項前段、２項）。これは民法改正前の判例法理（大判大正10年６月18日民録27輯1168頁、最判昭和39年１月23日民集18

巻1号76頁）を明文化したものです。

この結果、取消債権者は詐害行為取消権を行使して自ら金銭の支払いを受けた場合、取消債権者が債務者に対する金銭の不当利得返還債務と自己の債務者に対して有する金銭債権（被保全債権）を対当額で相殺することにより債権回収を図ることが可能となります。これを事実上の優先弁済効といいます。

取消債権者に対する直接請求に応じた受益者または転得者は、債務者に対する返還義務を免れます（同条1項後段）。また、受益者または転得者は、直接請求に応じることなく、債務者に対して目的物の返還や価額賠償をすることもでき、この場合には取消債権者の受益者または転得者に対する直接請求は認められないこととなります。

以上のような受益者または転得者による直接請求は返還を受ける目的物が金銭または動産である場合にのみ認められ、不動産である場合に直接自己に対する移転登記請求をすることは認められません（最判昭和53年10月5日民集32巻7号1332頁・百選Ⅱ［第8版］16事件）。

取消債権者が受益者または転得者から金銭や目的物を受領した場合、取消債権者以外の債権者が取消債権者に対して分配請求できるかが問題となります。民法改正前の判例は、取消債権者には、受領したものを他の債権者に分配する義務はないとしていました（最判昭和37年10月9日民集16巻10号2070頁）。

また、債務者Aが債権者の一人である受益者Bにした弁済が、他の債権者Cによる詐害行為取消権の行使により取り消された場合、受益者Bは取消債権者Cに直接金銭を支払うこととなります。この場合において、受益者Bは、按分により自己に配当される予定額を留保して、その分の返還を留保することを主張できるかが問題となります。民法改正前の判例は、このような主張を認める明文の根拠がないことに加え、このような主張を認めると、いち早く自己の債権につき弁済を受けた受益者を保護し、総債権者の利益を無視することとなり、詐害行為取消制度の趣旨に反することを理由に、このような受益者による留保の主張を否定しています（最判昭和46年11月19日民集25巻8号1321頁）。

⑷ 詐害行為取消しの効果が及ぶ人的範囲

詐害行為取消請求を認容する確定判決は、原告である取消債権者、被告である受益者（または転得者）のほか、債務者およびすべての債権者に対しても及びます（民法425条）。これは、改正前民法から大きく変更された規定です。

改正前民法下では、判例は、詐害行為取消請求を認容する確定判決の効力は、原告である取消債権者と被告である受益者または転得者には及ぶものの、債務者には及ばないこととしていました（相対的無効説・前掲大判明治44年3月24日）。しかし、確定判決の効力が債務者に及ばないため、受益者が財産を返還することとなっても、受益者が債務者に支払っていた金銭等の返還を債務者に請求することができない等、関係者間の統一的な利害調整を困難にしているという批判がありました（一問一答108頁）。

そこで、改正後の民法は規定を改め、確定判決の効力が債務者にも及ぶこととしています（民法425条）。また、確定判決の効力が及ぶ債務者にも審理に参加する機会を保障するため、債権者は、詐害行為取消訴訟を提起したときは、遅滞なく、債務者に対し、訴訟告知をしなければならないとしています（民法424条の7第2項）。

なお、受益者に対する詐害行為取消請求を認容する確定判決の効力は、受益者の転得者には及びません。また、転得者に対する詐害行為取消請求を認容する確定判決の効力は、受益者、当該転得者からさらに転得した者、当該転得者の前の転得者には及びません。

⑸ 受益者と債務者の関係

① 反対給付の返還

取消債権者の受益者に対する財産の処分に関する行為（債務の消滅に関する行為を除きます）が詐害行為であるとして取り消された場合には、受益者は債務者に対して、財産を取得するためにした反対給付の返還を請求することができます（民法425条の2前段）。また、債務者が現物による反対給付の返還をすることが困難であるときは、価額の償還を請求することができます（民法425条の2後段）。

たとえば、債務者が受益者に不動産を売却した行為が詐害行為として取り消された場合、受益者は債務者に対して当該不動産の代金の返還を請求することができます。

改正前民法の下では、前述のとおり詐害行為取消しの効果は債務者に及ばないとされていたため、詐害行為取消しによる売買が取り消されたとしても、受益者は債務者に反対給付である代金の返還をすることができないことになりかねず、このような結論は受益者と債務者との公平を欠くこととなります（一問一答111頁）。

そこで、改正後の民法は、詐害行為取消請求を認容する確定判決の効力が債務者に及ぶとした上で（民法425条）、受益者に反対給付の返還請求を認めています（民法425条の2）。

② 受益者の債権の回復

取消債権者の受益者に対する債務の消滅に関する行為が詐害行為として取り消された場合、受益者が現物返還または価額償還をしたときは、受益者の債務者に対する債権は、これによって原状に復します（民法425条の3）。これは民法改正前の判例で認められていた解釈を明文化したものです（大判昭和16年2月10日民集20巻79頁）。

たとえば、債務者Ａが、Ａに対して100万円の債権を有する債権者（受益者）Ｂ

に1000万円の土地で代物弁済をした行為が詐害行為として取り消された場合、Bが A に当該土地を返還したときは、B の A に対する100万円の債権は復活します。

もっとも、過大な代物弁済等であることを理由にその過大な部分が取り消された場合には、現物返還等をしても債権は回復しません（民法425条の3括弧書）。この場合には、代物弁済等のうち過大でない部分と債権は同一の価値を有するとして当該債権が消滅している以上、当該債権を回復する必要はないといえるためです。

(6) 転得者と債務者の関係

① 財産の処分に関する行為が取り消された場合

債務者の財産の処分に関する行為が転得者との関係で詐害行為として取り消された場合、転得者が前者から取得した財産を現物返還または価額償還をしたときは、転得者は、受益者が当該現物返還または価額償還をしたとすれば債務者に対して行使することができた権利（民法425条の2による反対給付の返還請求権または価格償還請求権）を、自己が前者から財産を取得するためにした反対給付額を限度として、債務者に対して行使することができます（民法425条の4第1号）。

この趣旨は、転得者に対する詐害行為取消請求を認容する確定判決の効力は、受益者や当該転得者の前の転得者には及ばないところ、このような場合に債務者と転得者との間での利害調整を図る点にあります。

たとえば、債務者が受益者に不動産を1500万円で売却し、受益者が転得者に1000万円で売却した事案で、債権者が転得者を被告として債務者・受益者間の売買契約について詐害行為取消請求を行い、この請求が認められたため、転得者が債務者に当該不動産を返還したとします。この場合、仮に受益者に対して詐害行為取消権が行使されたとすれば、受益者は債務者に対して1500万円の返還を請求することができます（民法425条の2）。そこで、転得者は、この受益者の債務者に対する返還請求権を、自らが受益者から当該不動産を取得するために支払った1000万円を限度として、債務者に対して行使することができることとなります。

② 債務の消滅に関する行為が取り消された場合

債務者の債務の消滅に関する行為が転得者との関係で取り消された場合、転得者が前者から取得した財産を現物返還または価格償還をしたときは、転得者は、仮に受益者が現物返還または価格償還をしたとすれば受益者が回復したであろう債務者に対する債権（民法425条の3）を、自己が前者から財産を取得するためにした反対給付額または前者との関係で消滅した債権額を限度として、債務者に行使することができます（民法425条の4第2号）。

この趣旨は、上記①と同様、転得者に対する詐害行為取消請求を認容する確定判決の効力は、受益者や当該転得者の前の転得者には及ばないところ、このような場合に債務者と転得者との間での利害調整を図る点にあります。

たとえば、債務者が、受益者が債務者に対して有する1000万円の債権について弁済し、受益者がこの弁済により取得した金銭のうち600万円について、転得者の受益者に対する債権の一部弁済に充てた事案で、債権者が転得者を被告として債務者の受益者に対する弁済について詐害行為取消請求を行い、この請求が認められたため、転得者が600万円を返還したとします。この場合、仮に受益者に対して詐害行為取消権が行使されたとすれば、受益者の債務者に対する1000万円の債権が原状に復していたといえます。そこで、転得者は、この受益者の債務者に対する債権を、自らが受益者に支払った600万円を限度として、債務者に対して行使することができることとなります。

7　行使方法・行使期間

(1) 行使方法

詐害行為取消権を行使するには、訴えによる必要があります（民法424条１項本文）。訴えは反訴によることもできますが（最判昭和40年３月26日民集19巻２号508頁）、抗弁として行使することは認められません（最判昭和39年６月12日民集18巻５号764頁）。

詐害行為取消権の行使の相手方（被告）は、受益者または転得者であり、債務者は含まれません（民法424条の７第１項）。もっとも、改正後の民法は、債務者にも確定判決の効力が及ぶこととしたことから（民法425条）、債務者に対する手続保障として、債権者は、詐害行為取消訴訟を提起したときは、遅滞なく、債務者に訴訟告知しなければなりません（民法424条の７第２項）。

(2) 行使期間

詐害行為取消請求に係る訴えは、①債務者が債権者を害することを知って行為をしたことを債権者が知った時から２年を経過した場合、②詐害行為の時から10年を経過した場合は、提起することができません（民法426条）。この趣旨は、詐害行為取消権は、債務者の行為を債権者が事後的に取り消すという特別の権利であり、第三者に対して与える影響が大きいため、法律関係を速やかに確定させようとした点にあります。

民法改正前は、①消滅時効期間として詐害行為を知った時から２年、②除斥期間として詐害行為の時から20年という期間を定めていましたが、改正後の民法は消滅時効期間・除斥期間をいずれも出訴期間に改め、長期の期間を10年に短縮しました。これにより、時効の更新等に関する規定の適用はないこととなりました。

第７章

多数当事者の債権および債務

第１　総説

１　意義

通常、売買契約等による債権債務関係は２人の当事者の間で発生し、１人の債権者が１人の債務者に対して１つの債権を有しています。これに対して、１つの債権について債権者が複数存在したり、債務者が複数存在する場合があります。同一の債権関係に債権者または債務者が複数存在する関係を多数当事者の債権債務関係といいます。

たとえば、買主Ｂ・Ｃが売主ＡからＡ所有のヨット１艇を200万円で購入したとします。また、買主Ｂ・Ｃは売主Ａに対する当該ヨット１艇の引渡債権を有しています。このＢ・ＣのＡに対する引渡債権は当該ヨット１艇全部を引き渡すことが目的であって、当該ヨットを分割してＢ・Ｃにそれぞれ引き渡したとしても債務の本旨に従った履行とはいえません。このように複数の債権者が有する１個の分割できない給付を目的とする債権を不可分債権といい、多数当事者の債権債務関係の１つに該当します。

また、同様の事例で代金債務に着目すると、買主Ｂ・Ｃは売主Ａに対して２人で200万円を支払うという代金債務を負っています。この場合、当事者間の特約や法律上の規定がない限り、買主Ｂ・Ｃが各々売主Ａに対して100万円ずつ代金債務を負担することとなります。このように１個の同一の給付を目的とした債務が複数の者に分割されて帰属する場合を分割債務といい、これも多数当事者の債権債務関係の１つに該当します。

このような分割債権債務関係、不可分債権債務関係のほかに、民法は連帯債権債務関係および保証債務関係を多数当事者の債権債務関係として定めています。

改正前民法は、多数当事者の債権債務関係として、連帯債権に関する規定を設けていませんでしたが、解釈上、連帯債権を認めていました。改正後の民法は連帯債権に関する規定を新設し、その成立要件や効果等を明文で規定しています（民法432条以下）。

改正後の民法が定める分割債権債務関係、不可分債権債務関係、連帯債権債務関係は、以下のとおり整理することができます。

分　類	定　義
分割債権（民法427条）	債務の目的が性質上可分であり、法令の規定や当事者の意思表示がなく、各債権者にその目的（給付）が分割される債権
分割債務（民法427条）	債務の目的が性質上可分であり、法令の規定や当事者の意思表示がなく、各債務者にその目的（給付）が分割される債務
不可分債権（民法428条）	債権の目的が性質上不可分である場合において、数人の債権者がある場合の債権
不可分債務（民法430条）	債務の目的が性質上不可分である場合において、数人の債務者がある場合の債務
連帯債権（民法432条）	債権の目的が性質上可分である場合において、その債権が法令の規定または当事者の意思表示によって連帯関係にあるもの
連帯債務（民法436条）	債務の目的が性質上可分である場合において、その債務が法令の規定または当事者の意思表示によって連帯関係にあるもの

2　多数当事者の債権債務関係の効力

多数当事者間の債権債務関係の効力は、⑴対外的効力、⑵１人について生じた事由が他の者に影響を及ぼすか否か、⑶内部関係（内部的求償関係）の３つの視点に分けて考えることができます。

⑴ 対外的効力

対外的効力とは、複数の債権者が債務者に対してどのような履行の請求をすることができるのか、または複数の債務者が債権者に対してどのように弁済をしなければならないのか、という問題です。複数債権者や複数債務者といった複数当事者からみて、複数当事者間内部の問題ではなく、相手方当事者との対外的な効力の問題という意味で対外的効力と呼びます。

たとえば、債権者が複数の場合の例を考えると、債権者Ａ・Ｂ・Ｃが債務者Ｄに対して300万円の貸金債権を有している場合、300万円をＤに全額請求するにあたって債権者Ａは単独で請求できるのか、それとも債権者Ａ・Ｂ・Ｃ全員で請求しなければならないのか、仮にＡ単独では全額を請求することができないとしても、その一部についてであればＡ単独で請求できるのか等といった問題です。

一方、債務者が複数の場合の例を考えると、債権者Ａが債務者Ｂ・Ｃ・Ｄに対して300万円の貸金債権を有している場合、債権者Ａは債務者Ｂ・Ｃ・Ｄのいずれか１人に300万円全額の弁済を請求することができるのか、それとも債務者Ｂ・Ｃ・Ｄ全員に対して請求しなければならないのか、仮に債権者Ａは全額の請求をすることができないとしても、その一部についてであれば債務者Ｂ・Ｃ・Ｄのいずれか１人に弁済を請求できるのか等といった問題です。

⑵　1人について生じた事由

多数当事者間の債権債務関係では、複数の債権者または債務者のうち、1人に生じた事由が他の者に影響を及ぼすかが問題となります。たとえば、債権者Aが債務者B・C・Dに対して300万円の貸金債権を有する場合、債権者Aに対し債務者Bが弁済をしたときに、他の債務者C・Dとの関係においてもAに対する債務が消滅することとなるかが問題となります。また、債権者Aが債務者Bに対して債務を免除（民法519条）した場合、他の債務者C・Dに対してその免除の効力が及ぶのか、といった点も問題となります。

複数の債権者または債務者の1人に生じた事由の効力が他の債権者または債務者にも及ぶ場合を絶対的効力といいます。及ばない場合を相対的効力といいます。

⑶　内部関係（内部的求償関係）

内部関係（内部的求償関係）とは、複数の債権者が存在する場合に、弁済を受けた一部の債権者が他の債権者に対して利益を配分する場合や、複数の債務者間において債務を分担する場合に、利益分配や債務分担の割合がどのようになるかという問題です。たとえば、複数の債権者のうち1人が弁済を受けたとき、受領した金額を他の債権者にどのように分け与えるべきかが問題となります。

また、複数の債務者のうちの1人が全額の弁済をしたとき、他の債務者に対してどのように求償できるかという点も問題となります。

第2　分割債権・分割債務

1　分割債権・分割債務の意義

⑴　意 義

債権や債務には、複数人に分けて帰属させることができるものがあります。債権や債務を複数人に分けて帰属させることを分割といいます。たとえばAのBに対する300万円の金銭債権は、Aを債権者としB・C・Dを債務者とする100万円ずつの金銭債権に分割することができます。

債権の目的が性質上可分であり、法令の規定等がなく、各債権者にその目的が分割される債権を分割債権といいます。債務の目的が性質上可分であり、法令の規定等がなく、各債務者にその目的が分割される債務を分割債務といいます。

たとえば、A・B・Cの3人が共同所有している自動車をDに300万円で売却したとします。この場合、売主であるA・B・Cは買主Dに対して売買代金債権を有しますが、売買代金債権は金銭債権であり、性質上可分であるため、当事者が別段の意思表示をしなければA・B・Cは各自売買代金を3等分した100万円の売買代金債権を取得します。これを分割債権といいます。

次に、買主が複数存在する場合を考えます。売主Eが買主F・G・Hに対して

300万円の自動車を売却したとします。この場合、買主Ｆ・Ｇ・Ｈは売主Ａに対する売買代金債務を負担しますが、売買代金債務は金銭債務であり、性質上可分であるため、当事者が別段の意思表示をしなければＦ・Ｇ・Ｈは各自売買代金を３等分した100万円ずつの売買代金債務を負担します。これを分割債務といいます。

⑵ 分割債権の成立

債権が性質上分割可能（可分）な場合、特約や法律上の規定がない限り分割債権となります（民法427条）。これを分割主義の原則といいます。民法が分割主義を原則としたのは、民法ができる限り個人としての独立を尊重しようとする個人主義的な発想を基礎としていることの現れといえます。

たとえば、共同で所有している目的物を売却したときの売買代金債権は分割債権となります。

⑶ 分割債務の成立

性質上分割可能な債務は原則として分割債務となります（民法427条）。

分割債務の典型例は、１つの目的物を共同で購入したときの売買代金債務です。また、判例は分割可能な債権・債務を相続した場合、その債権・債務は法律上当然分割され、各共同相続人がその相続分に応じて債権・債務を承継すると解しています（最判昭和29年４月８日民集８巻４号819頁）。ただし、判例は、共同相続された普通預金債権、通常貯金債権および定期貯金債権は、相続開始と同時に当然に相続分に応じて分割されることはないとしています（最大決平成28年12月19日民集70巻８号2121頁・百選Ⅲ［第２版］66事件、最判平成29年４月６日判時2337号34頁）。

なお、分割債務とすると、量的に分割されて各債務者に帰属するため、債権者は各債務者に対して全額請求できなくなることから、債務者の１人が無資力であった場合にその債務者に対する債権の回収ができなくなるおそれがあります。そこで、事案によっては当事者の意思解釈として連帯債務とする旨の黙示の意思表示があったと判断される場合もあります。

2　分割債権・分割債務の効力

⑴ 対外的効力

分割債権・分割債務が成立する場合、債権・債務は一定の割合で分割され、複数の債権者または債務者には、相互に独立した債権・債務が帰属することとなります。この分割の割合は、別段の意思表示がないときには原則としてそれぞれ等しい割合となります（民法427条）。たとえば、債権者Ａの債務者Ｂに対する貸金債権300万円が分割債権として債務者Ｂ・Ｃ・Ｄに帰属する場合、分割の割合について当事者に別段の意思表示がないときは、上記ＡのＢに対する貸金債権300万円は、100万円ずつに分割されて、それぞれAB間、AC間、AD間に帰属します。すなわち、債権者Ａが債務者Ｂ・Ｃ・Ｄに対して、それぞれ別個に100万円ずつ貸し付けたのと同様の権利義務関係となります。

分割債権の場合、各債権者は分割された自己の債権だけを行使することができます。また、分割債務の場合、各債務者は分割された自己の債務だけを弁済すれば足りることとなります。

たとえば、買主Ａ・Ｂ・Ｃが共同して売主Ｄから600万円で自動車を買った場合、当事者間に分割の割合について別段の意思表示がないときは、等しい分割割合となるため（民法427条）、買主Ａ・Ｂ・Ｃはそれぞれ200万円ずつの売買代金債務を負うこととなります。ただし、買主Ａ・Ｂ・Ｃ３人全員が売買代金債務を履行しない限り、売買代金債権の債権者である売主Ｄは同時履行の抗弁権（民法533条）を主張して自動車の引渡しを拒むことができます。

また、売主Ｄが売買契約を解除する場合、解除の不可分性という性質から買主Ａ・Ｂ・Ｃ全員に対して解除の意思表示をしなければなりません（民法544条１項）。この解除の不可分性は、法律関係を複雑にしないために認められるものですが、当事者間の特約による排除は可能です。

⑵　１人について生じた事由

複数の債権者または債務者の１人について生じたすべての事由は、他の債権者または債務者に対して影響しません（相対的効力）。分割された各債権または各債務はすべて独立して各債権者または各債務者に帰属するからです。

⑶　内部関係（内部的求償関係）

分割債権または分割債務の場合の各債権者または各債務者の内部的求償関係は、当事者間で定めることができます。もっとも、基本的には分割して独立した債権・債務となるため、互いに求償関係は生じません。ただし、分割債権の場合に自己が取得しうる割合以上の弁済を受領した債権者は、これを他の債権者に分配する必要があります。また、分割債務の場合に自己が負担すべき割合を超えて弁済をした債務者は、超過部分について他の債務者に対して請求できると解されています。

第３　不可分債権・不可分債務

１　不可分債権・不可分債務の意義

不可分債権とは、債権の目的が性質上不可分である場合において、数人の債権者があるときの債権をいいます（民法428条）。たとえば、買主Ａ・Ｂ・Ｃが共同で売主Ｄから自動車１台を購入した場合、買主Ａ・Ｂ・Ｃの売主Ｄに対する自動車引渡債権は、１つの目的物の引渡債権であって性質上分割することができないため、不可分債権となります。

不可分債務とは、債権の目的が性質上不可分である場合において、数人の債務者があるときの債務をいいます（民法430条）。不可分債務の典型例は、共同所有者が売主として共有建物を売却した場合の買主に対する建物明渡義務や建物登記移転義務です。

2　不可分債権

⑴ 不可分債権の成立

不可分債権が成立するためには、給付の目的物が性質上不可分であることが必要です（民法428条）。

① 性質上の不可分

性質上の不可分とは、債権の目的である給付が分割されたのではその給付の目的を達成することができない場合をいいます。給付の目的物が分割できない性質のものである場合、その目的物についての債権関係は不可分債権となります。たとえば、１台の自動車を引き渡すという引渡債権は、引渡債権を有する債権者が複数存在する場合は不可分債権となります。

なお、改正前民法下では、債権の目的が性質上可分である場合でも当事者の意思表示によって不可分債権が成立するとされていました（改正前民法428条）。これに対して、改正後の民法は、不可分債権の成立要件を見直し、債権の目的が性質上可分であるかどうかによって不可分債権と連帯債権とを区別したため、不可分債権は、債権の目的が性質上不可分である場合に限り成立することとしています（民法428条）。

② 分割債権への変更

目的物が不可分なものから可分なものに変化した場合、その不可分債権は分割債権へと変化します（民法431条）。

たとえば、買主Ａ・Ｂが共同で売主Ｃから家屋を購入した場合、買主Ａ・Ｂの売主Ｃに対する家屋の引渡債権は分割して給付するのが不可能なため、その性質上不可分債権です。しかし、売主Ｃの過失によって家屋が滅失してしまったため家屋の引渡債務が履行不能となった場合には、その引渡債権は損害賠償債権、すなわち金銭債権となることから可分債権に変化します。この変化に伴い、買主Ａ・Ｂの売主Ｃに対する債権は可分債権となります。

⑵ 不可分債権の効力

不可分債権の効力については、更改、免除（民法433条）、および混同（民法435条）の場合を除いて連帯債権の規定が準用されます（民法428条）。具体的には以下のとおりです。

① 対外的効力

不可分債権の各債権者は、すべての債権者のために債務者に対して履行を請求できます（民法428条、432条）。「すべての債権者のために履行を請求」できるとは、債権者の１人が債務者に対して履行を請求した場合には、全員が請求したのと同じ効力が生じることを意味します。

また、不可分債権の債務者は、すべての債権者のために各債権者に対して履行することができます（民法428条、432条）。「すべての債権者のために履行する」とは、債務者の1人が不可分債権者の1人に対して債務を履行した場合には、他のすべての不可分債権者との関係で債務が履行されたのと同じ効力が生じることを意味します。

② 債権者の1人について生じた事由

不可分債権者の1人の行為または1人について生じた事由は、他の不可分債権者には影響を及ぼさないのが原則です（相対的効力。民法428条、435条の2）。改正前民法は、429条2項で不可分債権の相対的効力について定めていましたが、改正後の民法は、連帯債権の相対的効力の規定を新設し（民法435条の2）、これを不可分債権に準用することとしています（民法428条）。したがって、不可分債権者の1人について生じた消滅時効の完成や混同の効力は他の不可分債権者に影響は及ばず、他の不可分債権者は債務者に対して、債務の全部の履行を請求することができます。また、不可分債権者の一人と債務者との間に更改または免除があった場合も、他の不可分債権者に影響は及ばず、他の不可分債権者は、債務の全部の履行を求めることができます（民法429条前段）。この場合、当該他の不可分債権者に対し全部の履行をした債務者は、更改または免除をした債権者に対して償還請求することになります（民法429条後段）。

例外的に、不可分債権者の1人の債務者に対する請求と債務者の不可分債権者の1人に対する弁済（民法473条）は、不可分債権を満足させるものであることから、他の不可分債権者との関係でも効力を生じます（絶対的効力。民法428条、432条）。不可分債権者の1人が債務者に対して請求した場合には、他の債権者も請求したこととなるため（民法428条、432条）、請求に基づいて生じる履行遅滞や時効の完成猶予という効果が他の債権者との関係でも生じます。また、弁済について絶対的効力が生じるため、弁済の提供（民法492条）、供託（民法494条）や受領遅滞（民法413条）についても絶対的効力が生じると解されています。

これに対して、代物弁済（民法482条）については、他の不可分債権者が弁済の方法として代物弁済によることを認めるかどうかが不明であることから、他の不可分債権者の意思を尊重するために相対的効力とすべきであるという見解が主張されています。

債務者が不可分債権者の1人に対して債権を有する場合において、その債務者が相殺を援用したときは、その相殺は、他の不可分債権者に対しても効力を生じ（民法428条、434条）、債権が消滅することとなります。もっとも、改正民法下では、意思表示によって生じる不可分債権の概念はなくなり、不可分債権が金銭債権である場合がほとんどなくなったことから、不可分債権において相殺が行われる場面は限定されることになります。

③ 内部関係（内部的求償関係）

不可分債権の内部関係の割合は当事者間の合意が存在する場合にはその合意に従います。当事者間に合意が存在しない場合は平等の割合となります。弁済を受けた債権者は、この割合に応じて他の債権者に利益を分配する必要があります。

3　不可分債務

(1) 不可分債務の成立

① 性質上の不可分

不可分債務とは、債務の目的が性質上不可分である場合において、数人の債務者がある場合の債務をいいます（民法430条）。性質上の不可分とは、債務の目的である給付が分割されたのではその給付の目的を達成することができない場合をいいます。

改正前民法の下では、債務の目的が性質上不可分である場合に加え、その目的が性質上可分である場合においても、当事者の意思表示によって不可分債務が成立すると解されていました。これに対して、改正後の民法は、不可分債務の成立要件を見直し、債務の目的が性質上可分であるかどうかによって、不可分債務と連帯債務とを区別し、不可分債務は、債務の目的が性質上不可分である場合にのみ成立することとしています（民法430条）。

② 分割債務への変更

不可分債務が可分債務となったときは、各債務者はその負担部分についてのみ履行の責任を負います（民法431条）。この趣旨は、不可分債務は本来、債務者ごとの別個独立の債務であり、目的である給付が不可分であるために特別の効力を認められているにすぎず、給付が可分となることにより、本来の分割債務に変わるという点にあります。

たとえば、買主Ｄが売主Ａ・Ｂ・Ｃから300万円で自動車を購入した場合、売主Ａ・Ｂ・Ｃの買主Ｄに対する当該自動車引渡債務は分割して給付することができないため、性質上不可分債務です（負担部分は平等とします）。当該自動車を買主Ｄに引き渡す前に、売主Ａ・Ｂ・Ｃの過失によって当該自動車が破損し廃車となった場合、当該自動車引渡債務は履行不能により損害賠償債務に変化します。この損害賠償債務は金銭債務であり、可分債務です。したがって、売主Ａ・Ｂ・Ｃはその負担部分に応じて買主Ｄに対して各自100万円ずつの損害賠償債務を負うこととなります（民法431条）。

(2) 不可分債務の効力

不可分債務の効力については、混同の場合を除いて、連帯債務の規定が準用されます（民法430条、440条）。具体的には以下のとおりです。

① 対外的効力

不可分債務の債権者は不可分債務者の１人に対して、または、すべての不可分債務者に対して、同時または順次に全部または一部の履行を請求できます（民法430条、436条）。これは、連帯債務の場合と同様です。具体的には、不可分債務者A・Bが債権者Cに対して自動車引渡債務という不可分債務を負担している場合、債権者CはAまたはBのいずれか一方に自動車の引渡しを請求することができます。

② 債務者の１人について生じた事由

弁済や供託、弁済の提供、これに基づく受領遅滞等、不可分債務者の一人が行った債権者を満足させる行為はすべて絶対的効力が生じると解されます。たとえば、不可分債務者の１人が債権者に対して弁済した場合にはその債権は消滅し、他の不可分債務者との関係でも消滅します。また、不可分債務者の一人と債権者との間の更改（民法430条、438条）および相殺（民法430条、439条）は、すべての不可分債務者との関係で効力を生じます。

これらの事由以外は、すべて相対的効力と解されています（民法430条、441条）。たとえば、免除、消滅時効の完成などは、相対的効力事由です。また、混同は、連帯債務の場合には絶対的効力事由とされていますが（民法440条）、民法430条は民法440条を準用しないこととし、不可分債務の場合には混同を相対的効力事由としています（民法430条括弧書）。

③ 内部関係（内部的求償関係）

不可分債務の債務者間の内部関係は連帯債務と同様であるため（民法430条、442条ないし445条）、連帯債務の箇所で説明します。

第４　連帯債権・連帯債務

１　連帯債権・連帯債務の意義

連帯債権とは、債権の目的が性質上可分である場合において、その債権が法令の規定または当事者の意思表示によって連帯関係にあるものをいいます（民法432条）。改正前民法は、多数当事者の債権債務関係として、連帯債権に関する規定を設けておらず、連帯債権は解釈上認められていました。改正後の民法は連帯債権に関する規定を新設し、その成立要件や効果等を明文で規定しています（民法432条以下）。

たとえば、連帯債権の例として、AおよびBがCから500キログラムの米を購入するにあたり、当事者間の合意により、AおよびBがそれぞれCに対し米500キログラム全部の引渡請求権を有する旨を規定した場合等が挙げられます。

連帯債務とは、債務の目的が性質上可分である場合において、その債務が法令の規定または当事者の意思表示によって連帯関係にあるものをいいます（民法436

第Ⅳ篇　債権総論

条)。たとえば、連帯債務の例として、夫婦であるＡおよびＢが銀行から連帯して1000万円の融資を受ける場合等が挙げられます。

2　連帯債権

(1) 連帯債権の成立

連帯債権は、債権の目的が性質上可分なものについて法令の規定または当事者の意思表示によって成立します（民法432条）。

(2) 連帯債権の効力

① 対外的効力

各債権者は、すべての債権者のために全部または一部の履行を請求することができます（民法432条）。

また、債務者は、すべての債権者のために各債権者に対して履行をすることができます（民法432条）。

② 連帯債権者の１人について生じた事由

ア　相対的効力の原則

連帯債権者の１人の行為または１人に生じた事由は、弁済その他債権を満足させる事由、更改、免除、相殺、混同を除き、他の連帯債権者に対し効力を生じません（民法435条の２本文）。ただし、他の連帯債権者の１人および債務者が別段の意思を表示（合意）したときは、当該他の連帯債権者に対する効力は、その意思に従います（民法435条の２但書）。

イ　弁済その他債権を満足させる事由の絶対的効力

債務者は、すべての債権者のために各債権者に対して履行をすることができることから（民法432条）、連帯債権者の１人に対し弁済がなされたときは、すべての連帯債権者に対し弁済の効力が生じます。また、弁済について絶対的効力が生じるため、連帯債権者の１人に対する弁済の提供（432条）、供託（民法494条）、受領遅滞（民法413条）、代物弁済（民法482条）があったときも、すべての連帯債権者に対し効力を生じると解されています。

ウ　更改・免除の絶対的効力

連帯債権者の１人と債務者との間に更改（民法513条）または免除（民法519条）があったときは、その連帯債権者がその権利を失わなければ分与されるべき利益にかかる部分については、他の連帯債権者は、履行を請求することができません（民法433条）。たとえば、ＡとＢがＣに対しそれぞれ150万円ずつを出し合って300万円を貸し付けるにあたり、当事者間で連帯債権とする旨の合意（ＡとＢがそれぞれＣに対し300万円全額を請求する権利を有する旨を合意）をした場合において、ＡがＣに対して、300万円の債権全額を免除したときは、ＢはＣに対し、Ａの持分に相当する額である150万円を請求することができず、Ｂの持分に相当する額である150万円を請求できるにとどまります。

エ　相殺の絶対的効力

債務者が連帯債権者の1人に対して債権を有する場合において、その債務者が相殺（民法505条）を援用したときは、その相殺は、他の連帯債権者に対しても効力を生じます（民法434条）。

オ　混同の絶対的効力

連帯債権者の1人と債務者との間に混同（民法520条）があったときは、債務者は、弁済をしたものとみなされます（民法435条）。

③ 内部関係

民法は、連帯債権者の内部関係について規定を設けていません。もっとも、弁済を受領した債権者は、他の債権者に対し、内部関係に応じて給付を分配すべきと解されます。また、特別の事情がなければ、分配の割合（持分）は平等と推定されます。

3　連帯債務

(1) 連帯債務の特徴および性質

① 連帯債務の特徴

連帯債務とは、債務の目的が性質上可分である場合において、その債務が法令の規定または当事者の意思表示によって連帯関係にあるものをいいます（民法436条）。

連帯債務の特徴は、債務者の数に応じた数個の独立した債務であるという点にあります。したがって、連帯債務では、各債務者の債務にそれぞれ異なった利率の利息を付したり、条件・期限を付すことができ、連帯債務者の1人についてのみ抵当権を設定したり保証契約を締結することができると解されます。

また、連帯債務者の1人について法律行為の無効または取消原因があっても、他の連帯債務者の債務の効力には影響がありません（民法437条）。

なお、改正前民法は、連帯債務者が破産手続開始決定を受けた場合において、債権者が債権の全額について各破産財団に配当加入できる旨の規定を設けていましたが（改正前民法441条）、破産法104条が詳細を規定しており、改正前民法441条は不要と解されたため、改正後の民法は当該規定を削除しました。

連帯債務者の1人（被相続人）が死亡し、被相続人に複数の相続人が存在する場合に、被相続人の負担していた債務がどのように相続されるかが問題となります。

判例は、連帯債務を共同相続した場合、相続人らは各自の相続分に応じて被相続人の債務が分割されたものを承継し、その承継した範囲において本来の債務者とともに連帯債務者になるとしています（最判昭和34年6月19日民集13巻6号757頁・百選Ⅲ［第2版］62事件）。その理由として、まず連帯債務が金銭債務であれば量的に分割して各債務者に帰属させることが可能であり、そのような可分債務は法

第Ⅳ篇 債権総論

律上当然に分割されると解することができること、および被相続人の債権者の債権は被相続人の財産の範囲で担保されれば足りるのであって、相続という偶然の事情によって共同相続人全員が全額弁済という重い負担をしなければならないとすれば公平を欠くことを挙げています。

判例の見解に対しては、債権者の立場を重視して、連帯債務の債権者は、連帯債務者に対して全額請求できていたにもかかわらず相続という偶然の事情によってその相続人に全額請求できなくなるというのは不公平であり、連帯債務の担保的機能を弱めるべきではないとして批判する見解もあります。

② 連帯債務の性質

改正前民法の下において、連帯債務者の１人について生じた事由が他の連帯債務者に及ぶという絶対的効力が認められる根拠について、学説上争いがありました。すなわち、絶対的効力が認められる根拠が各債務者間に主観的共同関係がある点にあると解する見解（主観的共同関係説）と、各債務者がそれぞれの負担部分について固有の債務を負い、それを超える部分については他の債務者が負う債務を保証し合っていると解する見解（相互保証説）が主張されていました。

改正後の民法の下では、連帯債務は当事者の意思表示によるほか、法令の規定によっても成立することを踏まえ、債務者間に主観的または客観的に共同関係があり、合意または公平の観点から相互に債務を保証し合っている状態にあると説明する見解が主張されています（中舎505頁）。

⑵ 連帯債務の成立

連帯債務は、当事者の法律行為や法律の規定により成立します。

① 法律行為による連帯債務の成立

連帯債務は、契約や遺言等の当事者の意思表示（法律行為）によって成立します。

② 法律の規定による連帯債務の成立

連帯債務は、法律の規定によって成立することもあります。法律の規定による場合としては、一般社団法人及び一般財団法人に関する法律118条、会社法430条、580条（法人の役員等、社員の連帯責任）、民法719条（共同不法行為者の連帯責任）、761条（日常の家事に関する債務の連帯責任）等があります。

⑶ 連帯債務の効力

① 対外的効力

債権者は、連帯債務者の任意の１人または数人もしくは全員に対して、債務の全部または一部の履行を請求できます。その請求は同時に行ってもよいし、また順番に行ってもよいとされています（民法436条）。債権者からすれば、分割債権と比べて債権の効力が強化されていることから、連帯債務は人的担保としての役割を果たすといえます。

② 連帯債務者の１人について生じた事由

ア　相対的効力の原則

連帯債務者の１人について生じた事由は、弁済その他債権を満足させる事由、更改、相殺、混同を除き、他の連帯債務者に対して効力を生じません（民法441条本文）。ただし、債権者および他の連帯債務者の１人が別段の意思の表示（合意）をしたときは、当該他の連帯債務者に対する効力は、その意思表示に従います（民法441条但書）。

イ　弁済その他債権を満足させる事由の絶対的効力

連帯債務者の１人が債権者に対して連帯債務を弁済した場合には、債権の目的が達成されるため、他の債務者の債務も消滅します。代物弁済（民法482条）、供託（民法494条）、弁済の提供（民法493条）、受領遅滞（民法413条）についても同様に絶対的効力が生じます。

ウ　更改の絶対的効力

連帯債務者の１人が債権者との間で更改をした場合は、特約がない限り他の債務者も債務を免れます（民法438条）。更改とは、旧債務を消滅させ、新債務を成立させる契約です（民法513条）。民法438条はすべての連帯債務者の利益のために債権が消滅すると規定していることから、更改によって旧債務の消滅という部分について絶対的効力が生じます。更改に基づく新債務の成立は、すべての連帯債務者の利益にはならないため、あくまでも相対的な効力が発生するにすぎず、他の連帯債務者は新たな債務を負いません。

エ　相殺の絶対的効力

(i) 反対債権を有する連帯債務者による相殺

連帯債務者の１人が債権者に対して債権を有する場合において、その連帯債務者が相殺を援用したときは、債権は、すべての連帯債務者の利益のために消滅します（民法439条１項）。相殺は、弁済と同様に債権を消滅させる行為であるため、絶対的効力事由とされています。

たとえば、債務者Ａ・Ｂ・Ｃが600万円の連帯債務を債権者Ｄに対して負担していたとします。この場合、ＡがＤに対して有している400万円の反対債権で相殺したときは、400万円につきＢ・Ｃとの関係でも債権の消滅の効果が生じ、Ａ・Ｂ・ＣはＤに対して残額200万円の連帯債務を負担することとなります。

(ii) 他の連帯債務者の有する反対債権に依拠した履行拒絶

債権者に対し債権を有する連帯債務者が相殺を援用しない間は、その連帯債務者の負担部分の限度において、他の連帯債務者は、債権者に対して債務の履行を拒むことができます（民法439条２項）。これは民法改正で新規に設けた規定です。

たとえば、債務者Ａ・Ｂ・Ｃが600万円の連帯債務を債権者Ｄに対して負担する場合、ＡがＤに対し有する400万円の反対債権との相殺を援用しない間は、Ａの負担部分（連帯債務者相互で各自が負担すべき割合）の限度において、Ｂ・ＣはＤに対して債務の履行を拒むことができます。すなわち、ＢがＤから600万円の履行を請求された場合には、Ａの負担部分に相当する200万円につき履行を拒絶することができます。この場合において、ＢがＤに対し400万円を支払った場合には、Ｃに対する200万円の求償権を取得します。

これに対して、改正前民法436条２項は、「前項の債権を有する連帯債務者が相殺を援用しない間は、その連帯債務者の負担部分についてのみ他の連帯債務者が『相殺を援用することができる』」と規定していたところ、「相殺を援用することができる」の意義について争いがありました。

第１は、上記の事例で、Ａが相殺しない間は、ＢはＡのＤに対する反対債権とＤのＡに対する債権とをＡの反対債権に対応する負担部分の限度で実際に相殺することができ、Ｂの相殺により絶対的効力（改正前民法436条１項、民法439条）が生じ、Ａの負担部分の限度でＢの債務も消滅するという相殺権説（処分権説）です。

第２は、同様の事例で、ＢはＡの反対債権を相殺に供することはできず、Ｄからの請求に対してＡの負担部分の限度で履行を拒絶することができる抗弁権を有しているとする抗弁権説です。

この点、改正前民法の下での判例（大判昭和12年12月11日民集16巻1945頁）は相殺権説（処分権説）を採用していましたが、学説上は、抗弁権説が有力に主張されていました。相殺権説（処分権説）のように、他人の債権を相殺に供することまで認めることは、相殺権を有する連帯債権者の財産管理権に対する過剰な介入となると考えられることを踏まえ、改正後の民法は、抗弁権説を採用し、連帯債務者が相殺を援用しない間は、その連帯債務者の負担部分の限度において、他の連帯債務者は、債権者に対して債務の履行を拒むことができることとしました（民法439条２項）。

オ　混同の絶対的効力事由

連帯債務者の１人と債権者との間に混同（民法520条）があったときは、その連帯債務者は、弁済をしたものとみなされます（民法440条）。

たとえば、債務者Ａ・Ｂ・Ｃが600万円の連帯債務を債権者Ｄに対して負担する場合、Ｄが死亡し、ＡがＤを単独相続したとき、ＡはＤに対する600万円の債務を弁済したものとみなされ、その結果、Ｂ・ＣのＤに対する債務も消滅することとなります。Ａは弁済をしたものとして取り扱われることから、Ｂ・Ｃに対して求償することができます（大判昭和11年８月７日民集15巻1661頁）。

カ　絶対的効力事由から相対的効力事由とされた事由

改正前民法の下では絶対的効力事由とされていたものの、民法改正後に相対的効力事由とされているものとして、請求（改正前民法434条）、免除（改正前民法437条）、連帯債務者の１人についての時効の完成（改正前民法439条）があります。

(i) 請 求

改正前民法434条は、連帯債務者の１人に対する請求を絶対的効力事由としていました。たとえば、連帯債務者の１人に対する請求の効果として、他の連帯債務者にも履行遅滞の効力（改正前民法412条３項）等が生じていました。しかし、連帯債務者相互に密接な関係がない事例も少なくないといえ、連帯債務者の１人に対する履行の請求があったとしても、そのことを知らない他の連帯債務者はいつの間にか履行遅滞に陥っている等といった不測の損害を受けるおそれがあります（一問一答122頁）。

そこで、改正後の民法は、改正前民法434条を削除し、連帯債務者の１人に対する請求は他の連帯債務者に対し効力を生じないこととしました（民法441条）。改正後の民法の下では、連帯債務者の１人に対する請求があったとしても、他の連帯債務者には履行遅滞の効力等が生じないこととなります。

(ii) 免 除

改正前民法437条は、連帯債権者の１人に対する債務の免除を絶対的効力事由としていました。しかし、連帯債務者の１人に対し債務の免除をした債権者において、他の連帯債務者との関係でも債務を免除する意思を有しているとは限らないことから、改正後の民法は、改正前民法437条を削除し、連帯債務者の１人に対する免除は他の連帯債務者に対し効力を生じないこととしました（民法441条）。

改正後の民法の下では、連帯債務者の１人に対し債務の免除をした債権者は、他の連帯債務者に対して、連帯債務の全部の履行を請求することができますが、他の連帯債務者が弁済をしたにもかかわらず、債務の免除を受けた連帯債務者に対して求償権を行使することができないと、弁済をした他の連帯債務者は自らの負担部分を超えて債務を負担することとなります（一問一答125頁）。

そこで、改正後の民法は、連帯債務者の１人に対して債務の免除がされた場合に、債権者に弁済をした他の連帯債務者は、免除を受けた連帯債権者に対して求償をすることができることとしました（民法445条）。たとえば、債務者Ａ・Ｂ・Ｃが600万円の連帯債務を債権者Ｄに対して負担しており、それぞれの負担部分が平等である場合、ＤがＡに対し全部免除の意思表示をした後にＢが600万円をＤに弁済したときは、ＢはＡおよびＣに対し、それぞれ200万円ずつを求償することができます。

また、債務の免除を受けた連帯債務者が、他の連帯債務者からの求償に応じた場合、特約等のない限り、債権者に対して求償相当額の支払いを求めることはできないと解されます（一問一答125頁）。

(iii) 連帯債務者の１人についての時効の完成

改正前民法439条は、連帯債務者の１人についての時効の完成を絶対的効力事由としていました。このような規律の下では、債権者は、すべての連帯債務者との関係で消滅時効の完成を阻止する措置をとらなければ、特定の連帯債務者との間でも債権の全額を保全することはできないことから、債権者は大きな負担を負っていました（一問一答123頁）。

そこで、改正後の民法は、改正前民法439条を削除し、連帯債務者の１人のために時効が完成した場合においても、他の連帯債務者には効力が及ばないこととしました（民法441条）。

また、連帯債務者の１人のために時効が完成した場合においても、債権者は他の連帯債務者に対して、連帯債務の全部の履行を請求することができます。もっとも、他の連帯債務者が弁済をしたにもかかわらず、時効が完成した連帯債務者に対して求償権を行使することができないとすれば、弁済をした他の連帯債務者は自らの負担部分を超えて債務を負担することとなります（一問一答125頁）。

そこで、改正後の民法は、連帯債務者の１人のために時効が完成した場合に、債権者に弁済をした他の連帯債務者は、時効が完成した連帯債権者に対して求償をすることができることとしました（民法445条）。たとえば、債務者Ａ・Ｂ・Ｃが600万円の連帯債務を債権者Ｄに対して負担しており、それぞれの負担部分が平等である場合において、Ａの債務について消滅時効が完成した後にＢがＤに対し600万円を弁済したときには、ＢはＡおよびＣに対し、それぞれ200万円ずつを求償することができます。

時効が完成した連帯債務者が、他の連帯債務者からの求償に応じた場合、特約等のない限り、債権者に対して求償相当額の支払いを求めることはできないと解されます（一問一答125頁）。

③ 内部関係

ア　求償関係

連帯債務者の１人が債務を弁済し、その他自己の財産をもって共同の免責を得たときは、その連帯債務者は、その免責を得た額が自己の負担部分を超えるかどうかにかかわらず、他の債務者に対し、その免責を得るために支出した財産の額（その財産の額が共同の免責を得た額を超える場合にあっては、その免責を得た額）のうち各自の負担部分に応じた債務額の支払いを求めることができます（民法442条１項）。この権利を求償権といいます。

「自己の財産をもって共同の免責を得た」とは、弁済の他に代物弁済、供託、更改および混同がこれに当たります。免除や時効の完成はこれに当たりません。

連帯債務者各自の負担部分は固定的な一定の金額として捉えるのではなく、一定の割合であると解されます。たとえば、連帯債務者が３人存在する場合、各自の負担部分が平等だとすると、それぞれの負担部分は３分の１ということになります。

改正前民法の下での通説・判例は、債権者に弁済をした連帯債務者が他の連帯債務者に求償するために、総債権額に負担割合を乗じて算出した金額を超えた弁済をすることは不要と解していました（大判大正６年５月３日民録23輯863頁）。これに対して、改正後の民法は、前述のとおり、自己の財産をもって共同の免責を得た連帯債務者が他の連帯債務者に求償するための要件について、改正前民法の下での通説・判例に従い、その共同の免責を得た額が求償を求める連帯債務者の負担部分を超えていることを要しない旨を明らかにしました（民法442条１項）。

たとえば、連帯債務者Ａ・Ｂ・Ｃが債権者Ｄに対して900万円の連帯債務を負っている（Ａ・Ｂ・Ｃの負担割合は平等とします）場合、ＡがＤに対して、債務全額900万円の負担割合（３分の１）を乗じて算出したＡの負担部分（300万円）に満たない150万円を一部弁済したときであっても、ＡはＢ・Ｃに対して、一部弁済額150万円に負担割合（３分の１）を乗じて算出したＢ・Ｃの負担部分（50万円ずつ）を求償することができます。

求償できる範囲は、自己の財産をもって共同の免責を得た額と免責のあった日以降の法定利息（民法404条）および避けることができなかった費用やその他の損害賠償等を含みます（民法442条２項）。たとえば、連帯債務者Ａ・Ｂが債権者Ｃに対して200万円の貸金債務を負っている（Ａ・Ｂの負担割合は平等とします）場合、ＡがＣに対して貸金債務全額（200万円）を弁済した半年後にＢに求償をするときは、ＡはＢに対して、貸金債務（200万円）についてのＢの負担部分（100万円）に加え、Ａの弁済後半年間の法定利息（200万円×３％×1/2＝３万円）についてのＢの負担部分（１万5000円）を求償することができます。

イ　求償の要件としての通知

債権者に対して一部または全部の弁済をした連帯債務者が他の連帯債務者に求償するためには、当該連帯債務者は他の連帯債務者に対し、債権者に弁済をする前に、債権者から履行の請求を受けたことを通知する必要があり、かつ、弁済の事後に、弁済により共同の免責を得たことを通知する必要があります（民法443条）。これを怠った場合、弁済した連帯債務者は、後述のように一定の不利益を受けます。

（ⅰ）事前の通知

他の連帯債務者があることを知りながら、連帯債務者の１人が共同の免責を得ることを他の連帯債務者に通知しないで弁済をし、その他自己の財産をもって共同の免責を得た場合、他の連帯債務者は、債権者に対抗することができる事由を有していたときは、その負担部分について、その事由をもってその免責を得た連帯債務者に対抗することができます（民法443条１項前段）。この趣旨は、弁済をしようとする者に他の債務者に対して通知をさせることで、他の債務者が債権者に対して反対債権や同時履行の抗弁権を有していて債権者の請求を拒むことができる場合に、その債務者に債権者に対抗できる事由を主張する機会を保障する点にあります。連帯債務者の１人が事前通知を怠って債権者に対して弁済した場合、その後に他の連帯債務者に求償したとしても、その他の連帯債務者が債権者に対して主張できたこと、たとえば債権が時効消滅していることや同時履行の抗弁権を有すること等を対抗されたときは、求償できないこととなります。

改正前民法443条１項前段は、弁済等を行う前に他の連帯債務者に対して債権者から履行の請求を受けたことを通知する必要がある旨の事前の通知の制度を設けていました。もっとも、この制度の趣旨は、連帯債務者が履行の請求を受けて弁済等をする場合に限らず、自発的に弁済等をする場合にも妥当すると考えられます。また、連帯債務者が他の連帯債務者の存在を知らない場合まで、事前通知を求めることは妥当でないと考えられます（一問一答124頁）。

そこで、改正後の民法は、連帯債務者が履行の請求を受けたかどうかにかかわらず、他の連帯債務者があることを知りながら、あらかじめ通知しないで弁済等をした場合には、他の連帯債務者は、債権者に対抗することができた事由をもって、通知を怠った連帯債務者に対抗することができることとしました（民法443条１項前段）。

たとえば、債権者Ｄに対して、債務者Ａ・Ｂ・Ｃが1200万円の連帯債務を負担していたとします。各自の負担部分を400万円ずつとし、ＡがＢ・Ｃに事前の通知をしないで、債務全額1200万円をＤに弁済した場合を考えます。この場合、ＡはＢ・Ｃに対して、Ｂ・Ｃの負担部分である400万円ずつ求償をすることができるのが原則です。もっとも、このときＢがＤに対して600万円の反対債権を有していたとします。Ｂとしては、本来であれば、Ｄに対する連帯債務と反対債権を対当額で相殺しようと考えていたにもかかわらず、ＡがＢに対する事前の通知を怠ってＤに弁済をしてしまったために相殺する機会を奪われたのですから、Ａからの求償を拒むことができると解するのが合理的です。そこで民法443条１項前段は、連帯債務者の１人（Ａ）が事前通知を怠って債権者に弁済した場合、他の連帯債務者（Ｂ）はその負担部分について債権者（D）に主張できた事由をもって連帯債務者（A）に対抗することができるとしました。すなわち、BはDに対して有する600万円の反対債権のうち、Bの負担部分相当額である400万円を自働債権として、Aの求償に対し、相殺を主張することができます。この場合、BがDに対して有する600万円の反対債権は、AのBに対する求償権400万円との相殺により200万円に減額されます。Dは、Bから請求を受けないこととなった400万円分の利得を得ているといえます。一方、Aは、Bから400万円の求償を受けられなくなるため、400万円分の損失を被っているといえます。このとき、DからAに400万円を交付させるのが公平であるといえます。民法443条1項後段はこれを認めた規定であり、相殺をもってその免責を得た連帯債務者に対抗したときは、その連帯債務者は過失の有無を問わず、債権者に対して、相殺によって消滅すべきであった債務の履行を請求できます。上記の例ではBのDに対する債権のうち、相殺によって消滅すべきであった400万円について、Aは債権者Dに対して請求できます。

(ii) 事後の通知

弁済等をした連帯債務者が、他の連帯債務者がいることを知りながら共同の免責を得たことを他の連帯債務者に通知することを怠った場合、他の連帯債務者は、善意でした弁済等を有効であったものとみなすことができます（民法443条2項）。この趣旨は、他の連帯債務者が二重に弁済等をすることを防ぐ点にあります。

改正前民法443条2項は、弁済等をした連帯債務者が他の連帯債務者がいることを知っているか否かにかかわらず、弁済等をしたことを他の連帯債務者に通知することを求めていました。もっとも、連帯債務者が他の連帯債務者の存在を知らない場合には、連帯債務者に他の連帯債務者への事後通知を要求することは相当ではないと考えられます（一問一答124頁）。

そこで、改正後の民法は、連帯債務者が他の連帯債務者がいることを知りながら共同の免責を得たことを他の連帯債務者に通知することを怠った場合に限り、他の連帯債務者は、善意でした弁済等を有効であったものとみなすことができるとしています（民法443条2項）。たとえば、連帯債務者Aが他の連帯債務者Bがいることを知りながら、債権者Cに対して弁済（第1弁済）をした後に「私は既に債権者Cに対して債務全額を支払ったため、BはCに対して支払う必要はありません」という事後の通知をBにしないでいる間に、BがAによって既に弁済がなされたことを知らずにさらに債権者Cに対して弁済（第2弁済）をしてしまう場合があり得ます。この場合、BがAのCに対する弁済がなされたことを知らず、しかもBが自ら弁済をする前にAに対して事前の通知をしたにもかかわらず、Aがその通知に応えなかったときには、Bの第2弁済が有効となります。第1弁済を行ったAは事後の通知を怠ったために、自己の行った弁済を有効と主張することができなくなります。

(iii) 第1弁済者が事後の通知を怠り、第2弁済者が事前の通知を怠った場合

第1弁済者（A）が債権者に弁済をしたものの、他の連帯債務者（B）がいることを知りながら事後の通知（民法443条2項）を怠り、第2弁済者（B）が第1弁済者（A）の弁済の事実について善意で債権者に弁済したもののAに対する事前の通知（民法443条1項）を怠った場合、いずれの弁済を有効とすべきかが問題となります。

改正前民法下の判例は、事後の通知を受けなかった連帯債務者を保護する民法443条2項は、事前の通知を要求する民法443条1項を前提とするものであって、民法443条1項の事前の通知につき過失ある連帯債務者まで保護するものではないとして、この場合には原則に戻って第1弁済者（A）の行った弁済が有効になるとしています（最判昭和57年12月17日民集36巻12号2399頁・百選Ⅱ［第8版］20事件）。したがって、判例によれば、第2弁済者（B）は第1弁済者（A）に対して求償できないこととなります。

(iv) 債権者に対する不当利得返還請求

以上のとおり、第1弁済者が事後の通知（民法443条2項）を怠った場合には、善意の第2弁済者との関係では自己の弁済が無効となります。また、第2弁済者が事前の通知（民法443条1項）を怠った場合には求償権が制限されます。この場合、事後の通知を怠った第1弁済者や事前の通知を怠った第2弁済者は、債権者に対して不当利得返還請求権（民法703条、704条）を行使して弁済額の返還を求めることができます。しかし、返還請求をした時点で債権者が無資力である場合には返還請求をしても回収することは困難です。この場合、上記の通知を怠った弁済者が債権者の無資力の危険を負担することとなります。

ウ　連帯債務者の中に無資力者が存在する場合

求償の相手方である連帯債務者の中に無資力者が存在する場合、弁済をした連帯債務者（求償者）が無資力者である連帯債務者に対して求償を請求しても回収することができないため、無資力者の負担部分の分担が問題となります。連帯債務者の中に無資力であるために償還することができない者が存在する場合は、求償者および他の資力のある連帯債務者がそれぞれの負担部分に応じてその無資力者の償還不可能な部分を分割して負担することとなります（民法444条1項）。その結果、求償関係は当初の負担部分とは異なる割合となります。ただし、その無資力者に対して求償できなくなったことが求償者の過失に基づくときは、求償者は他の連帯債務者に対して分担を請求できません（民法444条

3項）。

たとえば、連帯債務者A・B・Cが債権者Dに対して600万円の連帯債務を負い、A・B・C各自の負担割合は平等であるとします。AがDに対して600万円全額を弁済し、他の連帯債務者B・Cに対して200万円ずつ求償しようとしたところCが無資力であった場合、Cが負担すべきであった200万円は、AとBがそれぞれの負担部分に応じて100万円ずつ分割して負担します。この場合、Cから求償できなくなったことが求償者Aの過失に基づくとき、たとえばAがCに対して求償するのを怠っていた間にCが無資力になってしまったときには、AはBに対して100万円の分担を請求することができないこととなります。

また、改正前民法は、連帯債務者の中に償還をする資力がない者がある場合において、求償者および他の資力のある連帯債務者のすべてが負担部分を有しないときに、これらの者が資力のない者の負担部分をどのように分担するのかについて規定を設けていませんでした（改正前民法444条参照）。この点、判例は、公平を旨とする同条の精神からは各人に平等に資力がない者の負担部分を負担させるのが相当であるとしていました（大判大正3年10月13日民録20巻751頁）。

そこで、改正後の民法は、当該判例の法理を明文化し、連帯債務者の中に償還をする資力のない者がある場合において、求償者および他の資力のある者がいずれも負担部分を有しない者であるときは、その償還をすることができない部分は、求償者および他の資力のある者の間で、等しい割合で分担して負担することとしました（民法444条2項）。ただし、その無資力者に対して求償できなくなったことが求償者の過失に基づくときは、求償者は他の連帯債務者に対して分担を請求できません（民法444条3項）。

たとえば、連帯債務者A・B・Cが債権者Dに対して600万円の連帯債務を負い、A・Cの負担部分がゼロであったとします。AがDに対して600万円全額を弁済し、他の連帯債務者Bに対して600万円を求償しようとしたところBが無資力であった場合、Bが負担すべきであった600万円をA・Cが等しい割合で分担して負担します。その結果、AはCに対し300万円を求償することができます。

④ 連帯の免除

連帯の免除とは、債権者が連帯債務者に対して、その債務を負担部分に相当する金額に限ることとし、それ以上の弁済を求めないこととする債権者の一方的な意思表示をいいます。連帯の免除には、連帯債務者全員について連携の免除をする場合（絶対的連帯免除）と、連帯債務者の一部について連帯の免除をする場合（相対的連帯免除）があります。絶対的連帯免除が行われた場合、連帯債務は各連帯債務者の負担部分に応じた分割債務となり、求償関係は生じなくなります。これに対して、相対的連帯免除が行われた場合、免除を受けた連帯債務者の負担部分に相当する債務だけが分割債務となり、他の連帯債務者は依然として債務全額について連帯債務を負い求償関係も存続します。

相対的連帯免除が行われた場合において、他の連帯債務者の中に無資力者が存在するときについて、改正前民法は、相対的連帯免除をした債権者は、無資力者である連帯債務者が弁済することのできない部分につき、免除を受けた連帯債務者が改正前民法444条の規定に基づいて負担すべきであった部分を負担することとしていました（改正前民法445条）。

もっとも、債権者が相対的連帯免除をした場合であっても、免除を得た連帯債務者が負う改正前民法444条の求償の負担について債権者自身が引き受けることを意図しているとは限りません（一問一答125頁）。そこで、改正後の民法は、改正前民法445条の規定を廃止しました。

たとえば、債権者Ｄに対して連帯債務者Ａ・Ｂ・Ｃが600万円の連帯債務（負担割合は平等）を負っているとします。連帯債務者のうちＢのみがＤから連帯の免除（相対的連帯免除）を受け、Ａが600万円全額を弁済して他の連帯債務者Ｂ・Ｃに対して求償を請求したところ、Ｃが無資力であった場合、無資力者Ｃの負担部分の分担が問題となります。仮にＣが無資力でなければＡはＢ・Ｃに対してそれぞれの負担部分である200万円ずつを求償できたはずですが、実際にはＣが無資力であるためにＣに対して200万円を求償することができません。この場合、改正前民法の下では、連帯の免除を受けた連帯債務者Ｂが改正前民法444条の規定に基づいて負担すべきであった部分（100万円）につき債権者Ｄが負担していました（改正前民法445条）。もっとも、前述のとおり、民法改正により改正前民法445条は廃止され、改正後の民法の下では、ＡがＣに対し求償できたはずの200万円について、ＡとＢが各自の負担部分に応じて分担して負担することとなります（民法444条２項）。その結果、ＡはＢに対し300万円を求償することができます。

⑷ 不真正連帯債務

① 不真正連帯債務の意義

改正前民法の下において、連帯債務者間に主観的共同関係が認められず、債務者の１人について生じた事由が他の債務者に原則として影響を及ぼさない連帯債務は、不真正連帯債務と呼称され、民法の連帯債務に関する規定の適用がないと解されていました。たとえば、共同不法行為者の損害賠償債務（最判昭和57年３月４日判時1042号87頁）、被用者の不法行為に基づく損害賠償債務（民法709条）と使用者の使用者責任に基づく損害賠償債務（民法715条）（最判昭和45年４月21日判時595号54頁）は、不真正連帯債務に該当すると解されていました。

不真正連帯債務者の間には人的な一体性、すなわち主観的共同関係がありません。たとえば、Ａの交通事故によってＢが負傷したところ、その後に医師Ｃの医療ミスが重なったためにＢに重篤な後遺障害が残った場合、ＡとＣとは共同不法行為者として不真正連帯関係に立ちます。この場合、ＡとＣとの間には人的な一体性はなく主観的共同関係はありません。そのため、不真正連帯債務者間には絶対効を認めたり、求償を認める根拠が薄弱となります。

そこで、不真正連帯債務者間では弁済のように債権を満足させる事由は絶対的効力を有するが、それ以外の事由は相対的効力を有するにとどまると解されていました。

② 民法改正との関係

改正後の民法は、連帯債務の中には、債務者間に密接な関係がないものもあることを前提として、連帯債務の絶対的効力事由を縮減する等の見直しを図っています。たとえば、改正後の民法は、連帯債務者の１人に対する請求を絶対的効力事由としていた改正前民法434条を削除しています。したがって、改正後の民法の下では連帯債務と不真正連帯債務は区別されず、改正前民法の下で不真正連帯債務と解されていたものについて、改正後の連帯債務に関する規定が適用されるものと考えられます。

もっとも、法令の規定によって成立する連帯債務の中には、その法令の趣旨からして改正後の連帯債務に関する個々の規定を適用すべきでないと解すべきものもありうることから、連帯債務に関する個々の規定を適用するかどうかは、個々の法令ごとにその趣旨を踏まえつつ検討する必要があると考えられます（一問一答119頁）。

③ 不真正連帯債務の効力

改正前民法の下では、不真正連帯債務の効力について以下のとおり説明されていました。

ア　不真正連帯債務の対外的効力

債権者は通常の連帯債務と同様、不真正連帯債務者各自に対して全額の債務の弁済を請求することができます。また、不真正連帯債務者の１人が全額弁済をすれば、他の不真正連帯債務者は債務を免れることができます。

イ　不真正連帯債務者の１人について生じた事由

弁済およびこれと同視すべき事由（代物弁済等）は絶対的効力を有するため、不真正連帯債務者全員に対してその効力が及びます。

それ以外の事由については相対的効力しかなく、他の不真正連帯債務者に対して効力が及びません。たとえば、履行の請求による時効の中断（前掲最判昭和57年３月４日）、混同（最判昭和48年１月30日判時695号64頁）、免除（最判昭和45年４月21日集民99号89頁）、消滅時効の完成（大判昭和12年６月30日民集16巻1285頁）等はいずれも相対的効力となります。更改も同様と考えられます。

不法行為の被害者（債権者）からすれば、加害者（不真正連帯債務者）の１人について消滅時効が完成しても他の不真正連帯債務者に影響しないとすれば、他の連帯債務者に対する債権が消滅しない点で有利といえます。また、債権者が不真正連帯債務者の１人に対して債務を免除しても他の不真正連帯債務者に影響しなければ、依然として他の不真正連帯債務者に対して債権全額を請求することができるという点で、通常の連帯債務よりも債権の担保として強力であるということができます。

もっとも、被害者（債権者）に加害者（不真正連帯債務者）全員に対して免除する意思がある場合には、加害者全員に対して免除の効果を発生させることは可能です（最判平成10年９月10日民集52巻６号1494頁・百選Ⅱ［第８版］21事件）。

ウ　内部関係

かつては、不真正連帯債務の場合は不真正連帯債務者間に主観的共同関係がないため、求償関係は生じないという見解が主張されていましたが、その後は、不真正連帯債務者間の公平の観点から求償関係は認められると考えられています。

共同不法行為の場合、不真正連帯債務者間の負担割合は、各加害者の過失割合等の責任の割合に応じて決定します（前掲最判平成10年９月10日）。ただし、通常の連帯債務者間において弁済額が一部弁済をした連帯債務者の負担部分の額を超えない場合でも他の連帯債務者に求償することが認められるのとは異なり、不真正連帯債務者間においては弁済額が負担部分の額を超えた場合に限り、超過部分を求償することができるとされています（最判昭和63年７月１日民集42巻６号451頁・百選Ⅱ［第８版］97事件、前掲最判平成10年９月10日）。これは、共同不法行為において一部の弁済しかなされていない場合には、他の不真正連帯債務者は一部弁済した不真正連帯債務者に対する求償に応じるよりも被害者への賠償を行うべきだとの考えに基づくものです。

判例では、不真正連帯債務者の１人に免除がなされた場合における不真正連帯債務者間の求償関係について、以下の事案で問題となりました。

ＸとＹが共同不法行為により、Ａに損害を加えたため、ＡはＸに対して3300万円の損害賠償を求めて訴えを提起した（第１訴訟）。第１訴訟では、ＡとＸの間で訴訟上の和解が成立し、ＸはＡに対して和解金2000万円を支払い、ＡはＸに対する残債務を免除した。その後、ＸはＹに対して求償金の支払いを求めて訴訟提起した（第２訴訟）。第２訴訟の裁判所は、ＸとＹの責任割合を４：６と認定し、Ａの被った損害をＡの請求どおり3300万円であると認定した。

上記の判例の事案では、被害者（Ａ）に対して和解金2000万円を支払った不真正連帯債務者（Ｘ）が他の不真正連帯債務者（Ｙ）に対して求償できる金額が問題となりました。損害賠償金（3300万円）を基準に算定した場合、XはYに対して1980万円（3300万円の6割）を請求できます。他方で、和解額（2000万円）を基準に算定した場合XはYに対して1200万円（2000万円の6割）を請求できることとなります。

判例は、共同不法行為者の1人と被害者の間で成立した訴訟上の和解における債務の免除の効力は、被害者が他の共同不法行為者の残債務をも免除する意思を有していると認められるときは、他の共同不法行為者にも及ぶとしたうえで、求償金額については、確定した損害額である訴訟上の和解における支払額を基準とし、双方の責任割合に従いその負担部分を定めて、これを算定するのが相当である旨を判示しました（前掲最判平成10年9月10日）。

上記の事案でいえば、第1訴訟の訴訟上の和解におけるXのAに対する支払額2000万円を基準としてXの負担部分を800万円、Yの負担部分を1200万円と定めることとなり、XのYに対する1200万円の求償を認めることになります。

第5　保証債務

1　保証債務の意義

⑴ 保証債務の意義

保証債務とは、債務者がその債務の履行をしないときに、他の者が代わりに履行をする債務をいいます。この場合に債務者が債権者に対して負担する債務を「主たる債務（主債務）」といいます。債務者の代わりに債務の履行をする他の者を「保証人」といいます。

保証債務は、債権者と保証人との間で締結する契約（保証契約）により成立します（民法446条1項）。債権者からすれば、元々は債権者と主たる債務者における債権債務関係であるところに、保証契約の締結により債権者と保証人の間における債権債務関係が生じることとなります。

⑵ 保証債務の性質

保証債務は、主たる債務とは別個の独立した債務です。もっとも、保証債務は主たる債務の担保として機能することから、主たる債務に対して「従たる債務」といわれます。

保証債務は、従たる債務として附従性・随伴性・補充性という3つの性質を有します。

① 附従性

保証債務は主たる債務に対して附従性を有します。具体的には、成立・内容・消滅という3つの段階において附従性を有すると解されています。

ア　成立における附従性とは、主たる債務がなければ保証債務は成立しないという性質をいいます。

イ　内容における附従性とは、保証債務の内容は主たる債務よりも重い内容となることはないという性質をいいます（民法448条1項）。

ウ　消滅における附従性とは、主たる債務が消滅すれば保証債務も消滅するという性質をいいます。

② 随伴性

随伴性とは、主たる債務の債権者が債権譲渡等により変更した場合は、保証債務も主たる債務とともに新たな債権者に移転するという性質をいいます。

③ 補充性

補充性とは、保証債務は、主たる債務が履行されないときに初めて履行する必要があるという性質をいいます（民法446条1項）。この補充性に基づく具体的な制度として、保証人には催告の抗弁権（民法452条）と検索の抗弁権（民法453条）が認められています。詳細は保証人の抗弁の箇所で説明します。

2　保証債務の成立

⑴ 保証契約の締結

保証債務が成立するためには、債権者と保証人との間で保証契約を締結することが必要です（民法446条1項）。通常、保証契約は、主たる債務者（主債務者）が保証人に対して保証人となるよう委託し、保証人がこれを受託するという保証委託に基づいて締結される場合が多いですが、この保証委託の有無は、保証債務の成立には影響しません（後述のように求償権の範囲に影響します）。したがって、保証人となる者は、主債務者の知らないところで、または主債務者の意思に反する場合でも債権者との間で保証契約を締結することができます。

⑵ 書面によること

保証契約は、書面ですることが必要です（民法446条2項）。この趣旨は、保証契約が親戚関係や友人関係といった人間関係や情実に基づいて安易に締結されることが多いため、保証人となる者に慎重に保証契約を締結させるために書面によることを要求した点にあります。平成16年民法改正により新設された要件です。

保証契約がその内容を記録した電磁的記録によってされた場合には、書面によってされたものとみなされます（民法446条3項）。

保証契約は書面ですることが必要ですが、契約書を作成することが必要か、保証人による念書等の差入文書で足りるのか、また書面にはどの程度の記載が必要であるのかが問題となります。保証人となる者に慎重に保証契約を締結させるために書面によることを要求したという趣旨からは、契約書でなく差入文書でも直ちに書面性の要件を欠くとはいえないと考えられますが、その趣旨に適した内容の書面であることが必要であると解されます。

⑶ 保証人となる資格

民法は、保証人となる資格について一般的な規定を設けていません。しかし、主債務者が法律上または契約上、保証人を立てる義務を負う場合には、(i)保証人が行為能力者であること、(ii)弁済の資力を有することが必要です（民法450条１項）。法律上、保証人を立てる義務を負う場合として、不在者の財産の管理において家庭裁判所が保証人を立てることとした場合が挙げられます（民法29条１項）。

民法450条１項の趣旨は、保証人に行為能力を要求することにより保証債務が取り消されることを防ぐとともに弁済の資力を要求することにより保証債務の実効性を確保し、債権者の保護を図った点にあります。保証人が弁済の資力を失った場合には、債権者は主債務者に対し、上記(i)(ii)の要件を具備する他の者を保証人とするよう請求できます（民法450条２項）。もっとも、債権者が特定の者を保証人として指定した場合には、民法450条１項および２項は適用されません（民法450条３項）。なぜなら、これらの規定は債権者を保護するための規定であるためです。

主債務者が保証人となる資格を有する保証人を立てることができない場合でも、他の担保（抵当権や質権等）を供してこれに代えることができます（民法451条）。主債務者が保証人となる資格を有した保証人を立てる義務を負う場合に、かかる保証人を立てず、他の担保も供しないときは（民法451条）、主債務について期限の利益を失います（民法137条３号）。

⑷ 主債務の存在

① 成立における附従性

保証債務は主債務に対して附従性を有することから、保証債務が成立するためには、主債務が成立していることが必要です。主債務が不成立の場合や、取り消されたり、無効である場合は、保証契約は無効となります。

たとえばＡがＢに対してＣの両足を切断することを依頼し、ＢがＡに対してその報酬として200万円を支払うという契約をAB間で締結し、ＡのＢに対する報酬債務を主債務としてＤがこれを保証する保証契約をＡとＤの間で締結したとします。この場合、AB間の契約は、公序良俗に反し無効となります（民法90条）。そして、主債務である報酬債務は無効となることから、保証債務の附従性により保証債務も無効となります。

また、判例では以下の事案で保証債務の成立が問題となりました。

Ａ農業協同組合は、組合員ではないＢに対して500万円の貸付けを行い、その返済についてＣを保証人とした。しかし、Ａ農業協同組合では、定款で組合員以外の者への貸付けを禁止していた。そこで、ＢがＡ農業協同組合からの貸付けはＡ農業協同組合の目的の範囲外であるため無効であると主張した。上記の事案では、Ａ農業協同組合の組合員以外の者への貸付けは、組合の目的の範囲外であるため原則として無効としています。したがって、BはA農業協同組合からすでに受け取った貸付金500万円について、A農業協同組合に対して不当利得に基づく返還義務を負うこととなります。この場合に、Cによる保証はBのAに対する不当利得返還債務について及ぶかが問題となります。

判例は、主債務が無効である以上、保証債務も無効であるとしたうえで、不当利得返還債務には保証人の責任は及ばないと判示しました（最判昭和41年4月26日民集20巻4号849号）。主債務が無効である以上、附従性により保証債務も無効としたものと考えられます。この点について、上記の事案のように、主債務につき金銭がすでに交付されている場合は、保証契約を締結した当事者の意思として、かかる不当利得返還債務について保証する趣旨であったと解される場合には、不当利得返還債務について保証契約の成立を認めてよいとする学説もあります。

② 附従性の例外

保証債務の附従性に関する明文上の例外として民法449条があります。民法449条は、行為能力の制限によって取り消すことができる債務を保証した保証人は、保証契約の時においてその取消しの原因を知っていたときは、主債務の不履行の場合またはその債務の取消しの場合においてこれと同一の目的を有する独立の債務を負担したものと推定すると定めます。「保証契約の時においてその取消しの原因を知っていたとき」とは、たとえば未成年者が第三者から200万円の自動車を購入した場合に、未成年者であることを知りつつ保証人が未成年者の売買代金債務について保証をした場合です。この場合、未成年者と第三者の売買契約が未成年者取消し（民法5条2項）により取り消され遡及的に消滅すると、附従性により保証人の保証債務も消滅するはずですが、このような場合にも保証人は未成年者の本来の債務と同一内容の独立した債務を負うこととなります。この趣旨は、保証人が取消原因のあることを知りながらあえて保証するのであれば、保証人は主債務が取り消されてもなおその義務を負うという意思であったと推測することができることから、かかる場合に保証人は本来の債務と同一の独立した債務を負うと推定するとした点にあります。

なお、民法449条は主債務の不履行の場合にも適用があると規定しますが、この場合の推定は無意味であるというのが通説です。主債務の不履行につき主たる債務者に帰責事由がある場合（民法415条）や金銭債務の不履行（民法419条）による場合に保証人が損害賠償債務についても義務を負うのは当然であり、また反対に、主債務者に帰責事由がない場合まで保証人が義務を負うとするのは保証人の責任として過大であり、そのような場合まで保証する意思を推測することはできないからです。

3　保証債務の効力

⑴ 保証債務の内容

保証債務の内容は保証契約によって定まります（民法446条１項）。保証債務には、主債務に関する利息、違約金、損害賠償その他その債務に従たるすべてのものが包含されます（民法447条１項）。したがって、ＡのＢに対する貸金債務（主債務）について保証した保証人Ｃは、その元本だけでなく利息や遅延損害金も保証したことになります。

① 主債務に生じた事由

主債務に生じた事由は、その目的または態様を保証契約の締結後に加重するものでない限り（民法448条２項）、保証債務に影響を与えます。たとえば、主債務者が主債務の半額につき弁済した場合は、その弁済の効果は保証債務にも及び、保証債務の半額が消滅します。

また、主債務者に対する履行の請求その他の事由による時効の完成猶予および更新は、保証人に対しても効力を生じます（民法457条１項）。この趣旨は、債権者が主債務者に対して請求しているにもかかわらず、それとは別に保証債務の時効期間が進行し、消滅時効が完成してしまうとすることは、債権者にとって酷である点にあります。

保証人は、主債務者が主張することができる抗弁をもって債権者に対抗することができます（民法457条２項）。この規定は、保証債務は主債務の履行を担保するものであることを踏まえ、改正前民法下の一般的な解釈に従い、改正後の民法で新たに明文化したものです。

また、主債務者が債権者に対して相殺権、取消権または解除権を有するときは、これらの権利の行使によって主債務者がその債務を免れるべき限度において、保証人は、債権者に対して債務の履行を拒むことができます（民法457条３項）。改正前民法457条２項は、「保証人は、主たる債務者の債権による相殺をもって債権者に対抗することができる」と規定していたところ、これは保証人が主債務者の有する債権を相殺に供することができるという意味ではなく、保証人は履行拒絶の抗弁権を有するにすぎないものと解されていました。また、取消権および解除権も同様に、保証人が他人の取消権や解除権を行使することはできませんが、主債務者がこれらの権利を行使することによって債務を免れる限度において履行拒絶の抗弁権を有すると解されていました。そこで、改正後の民法457条３項は、改正前民法における以上の一般的な解釈に従い、これを明文化しました（一問一答127頁）。

② 保証債務に生じた事由

他方で、保証債務に生じた事由は、主債務に影響しません。たとえば、保証人が保証債務を承認した場合、保証債務については消滅時効が更新され、その時から新たに進行を始めますが（民法152条１項）、主債務には影響せず、主債務の消滅時効は更新されません。したがって、その後に主たる債務の消滅時効が完成した場合には、保証人は主債務の消滅時効の完成を援用することにより、附従性による保証債務の消滅を主張することができます（民法145条）。

③ 主たる債務の発生原因となった契約が解除された場合

主たる債務の発生原因となった契約が解除された場合、主債務は遡及的に消滅することとなり、原状回復義務と損害賠償義務が発生します（民法545条１項、４項）。保証債務の範囲がかかる原状回復義務と損害賠償義務に及ぶかが問題となります。

まず、民法447条１項は、主債務が解除された場合の損害賠償義務は保証債務の範囲に含まれると規定し、保証人の責任が及ぶと解しています。契約の解除による損害賠償義務は、本来の主債務と同一性を維持している以上、主債務に附従すべきものとして保証人の責任が及ぶとするのがその根拠です。

次に、契約の解除による原状回復義務が保証債務の範囲に含まれるかが問題となります。

この点につき、大審院は、売買契約や請負契約等の解除の場合は、遡及効により当初から売買契約等が存在しなかったことになる結果、原状回復義務は不当利得に基づく返還義務であって元の主債務との同一性がなく、民法447条にいう本来の債務に従たるものでもないため、特約がない限り保証人は責任を負わないと解していました（大判明治36年４月23日民録９輯484頁、大判大正６年10月27日民録23輯1867頁等）。

一方で、賃借人の原状回復義務については、賃借人は原状回復義務として目的物返還義務を負っていますが、賃貸借契約の解除には遡及効がなく（民法620条）、賃借人の原状回復義務は賃借人の本来の債務であるため、給付内容が同一であるとして保証人の責任を認めていました（大判昭和13年１月31日民集17巻27頁、最判昭和30年10月28日民集９巻11号1748頁）。

しかし、学説の多くは給付内容の同一性によって保証人の責任の範囲を判断する判例の立場に反対していました。保証をする場合、その契約から生じる第一次的な債務（たとえば売主の目的物引渡義務）のみを保証するというのはむしろ例外的であって、通常は主たる債務者が契約当事者として負担する一切の債務を保証し、契約当事者の不履行によって相手方に迷惑をかけない趣旨であると考えられるというのがその理由です。

その後、最高裁は以下の事案で判例を変更しました。（最判昭和40年６月30日民集19巻４号1143頁・百選Ⅱ［第８版］22事件）。

ＸとＡは、Ａが住宅内に有する畳建具等を代金15万円でＸに売却する旨の売買契約を締結し、Ｘは代金15万円を支払った。同日、ＹはＸとの間でＡのＸに対する畳建具等の引渡債務を保証した。Ａは引渡期限までに畳建具等をＸに引き渡さなかったため、ＸはＡとＹを被告として訴訟を提起し、その中で売買契約を解除した。そのうえでＸはＡに対し、売買契約解除に基づく原状回復として、交付済みの売買代金15万円から弁済済みの金額を差し引いた残額およびこれに対する解除の日以降の利息の支払いを求めるとともに、保証人Ｙに対しても同額の支払いを求めた。

上記の事案では、Ｙが保証した保証債務の範囲が争点となりました。最高裁は、「特定物の売買における売主のための保証においては、通常、その契約から直接に生ずる売主の債務につき保証人が自ら履行の責に任ずるというよりも、むしろ、売主の債務不履行に基因して売主が買主に対し負担することあるべき債務につき責に任ずる趣旨でなされるものと解するのが相当である」ことを理由に、保証人は、債務不履行により売主が買主に対し負担する損害賠償義務についてはもちろん、特に反対の意思表示のない限り、売主の債務不履行により契約が解除された場合における原状回復義務についても保証の責任を負う旨を判示しました。この判決の射程については議論がありますが、学説では、保証人の責任が遡及効の生じる解除による原状回復義務にまで及ぶかどうかは、保証契約の趣旨から決定すべきであるとしたものであると解する見解が有力です。

⑵ 保証債務の内容の附従性

保証債務は、内容についても附従性を有しています。まず、保証人の負担が債務の目的または態様において主債務より重いときは、これを主債務の限度に縮減します（民法448条１項）。たとえば、主債務が500万円の貸金債務である場合に、債権者と保証人の間で、保証人が保証債務として600万円の返還義務を負うという保証契約を締結した場合は、500万円を超える部分については無効となります。主債務である貸金債務の返還時期が令和４年９月30日であった場合において、保証契約の内容として保証債務の履行期を令和４年８月31日と定めた場合には、保証債務の履行期は令和４年９月30日となります。

また、保証債務が一度成立した後で、主債務が軽減された場合は、保証債務も附従性により主債務の限度で縮減します。たとえば、ＡがＢに対して300万円を貸し付け、ＡとＣの間でこの貸金返還債務を主たる債務としてＣがこれを保証する保証契約を締結した場合、ＡがＢに対して200万円について返還を免除した場合は、Ｃの保証債務も残額100万円に縮減されます。

反対に、保証契約の締結後に主たる債務の目的または態様が加重された場合には、保証人の負担は加重されません（民法448条２項）。この趣旨は、保証人の関与なくその負担が加重されるのは相当でないという点にあります。改正前民法下において一般的に認められていた解釈を改正後の民法が明文化したものです（一問一答127頁）。

⑶ 保証人の抗弁

保証債務は、主債務が履行されないときに初めて履行する必要があるという補充性を有しています。この補充性に基づく具体的な制度として、保証人には催告の抗弁権（民法452条）と検索の抗弁権（民法453条）が認められています。

催告の抗弁権とは、保証人が債権者から保証債務の履行を請求された場合、まず主債務者に催告するよう請求できる権利をいいます（民法452条）。検索の抗弁権とは、保証人が債務者から保証債務の履行を請求された場合、まず主債務者の財産に執行するよう請求できる権利をいいます（民法453条）。保証人はこれらの抗弁権を裁判上または裁判外において行使することができます。

催告の抗弁権は、債権者が主債務者に対して債務を履行するよう伝えれば足りるため、あまり実効性は期待できません。検索の抗弁権は、催告の抗弁を受けた債権者が主債務者に催告をした後でも、債権者がいったん主債務者の財産に対して強制執行を行う必要があるため、一定の実効性を有するといえます。

保証人が催告の抗弁権、検索の抗弁権を行使したにもかかわらず、債権者が催告や執行を怠り、その結果、主債務者から全部の弁済を受けることができなかったときは、保証人は、債権者が直ちに催告または執行をすれば弁済を得ることができた限度においてその義務を免れます（民法455条）。たとえば、保証人が検索の抗弁権を行使した場合において、債権者が直ちに主たる債務者の財産に強制執行していれば200万円の債務のうち140万円を回収することができたはずであるのに、債権者が強制執行を怠った結果、100万円しか回収できなかったときは、保証人は残額（100万円）のうち40万円（140万円－100万円）の限度でその義務を免れ、債権者に対して60万円（100万円－40万円）のみを支払えば足りることになります。

この補充性は当事者の合意により排除することができます。補充性を排除した保証のことを連帯保証といいます。連帯保証には、催告の抗弁権や検索の抗弁権が認められないため（民法454条）、債権者から保証債務の履行を求められた場合には主債務者に対して履行請求がなされていなくてもこれに応じなければなりません。

⑷ 債権者の情報提供義務

① 主債務の履行状況に関する情報提供義務

主債務者から委託を受けた保証人が債権者に対して請求をしたときは、債権者は、当該保証人に対し、遅滞なく、主債務の元本および主債務に関する利息、違約金、損害賠償その他その債務に従たるすべてのものについての不履行の有無ならびにこれらの残額およびそのうち弁済期が到来しているものの額に関する情報を提供しなければなりません（民法458条の２）。

これは、民法改正で新設した規定です。保証人にとって、主債務者が主債務を履行せず遅延損害金が日々生じている状況にあることや、主債務の残額等の情報は、保証債務の内容に関わる重要な情報ですが、民法改正前は主債務者が保証人にこれらの情報を提供する義務を定めていませんでした。また、主債務の履行状況に関する情報は主債務者の財産的な信用に関わるものであるため、法律の根拠なく保証人に提供することは守秘義務や個人情報保護に反するおそれがあるとして、債権者として保証人への情報提供を躊躇するという指摘がありました。そこで、改正後の民法は、主債務者の委託を受けた保証人に対する情報提供義務を明文で定めました（一問一答132頁）。

主債務の履行状況に関する情報は、主債務者の財産的信用に関わるものであることに照らし、情報の提供を求める権利は委託を受けていない保証人には付与されません。また、本規定は個人が保証人である場合のみならず、法人が保証人である場合にも適用されます。

債権者が当該情報提供義務の履行を怠り、保証人が損害を被った場合には、保証人は債権者に対して、当該損害の賠償を請求することができると解されます（民法415条。一問一答132頁）。

② 主債務者が期限の利益を喪失した場合における情報提供義務

主債務者が期限の利益を有する場合において、当該期限の利益を喪失したときは、債権者は保証人に対し、当該期限の利益の喪失を知った時から2か月以内に、その旨を通知しなければなりません（民法458条の3第1項）。また、債権者が保証人に対し当該期間内に通知をしなかったときは、債権者は、保証人に対し、主債務者が期限の利益を喪失した時から当該通知を現にするまでに生じた遅延損害金（期限の利益を喪失しなかったとしても生ずべきものを除きます）に係る保証債務の履行を請求することができません（民法458条の3第2項）。これらの規定は、保証人が法人である場合には適用されず（民法458条の3第3項）、保証人が個人の場合にのみ適用されます。

これらの規定も民法改正で新設されたものです。この趣旨は、特に主債務が分割払債務であるときは主債務者が期限の利益を喪失すれば、残元本の全額について遅延損害金が発生し保証人の債務が想定以上に多額となり、個人である保証人にとって負担が大きなものになりうることから、主債務者が期限の利益を喪失した事実を保証人が知る機会を保障する点にあります（一問一答133頁）。

(5) 求償権

保証人が主債務者に代わって弁済した場合、保証人は主債務者に対して求償することができます。この求償権の法的根拠は主たる債務者の保証人に対する委託の有無によって異なります。保証人が主債務者から委託を受けて保証人となった場合は、保証人の債権者に対する弁済は保証委託契約、すなわち委任契約（民法643条）に基づくものであり、保証人は主債務者に対して委任契約に基づく費用償還請求として、求償権を行使できます（民法649条、650条）。一方、保証人が主債務者から委託を受けずに保証人となり債務を弁済した場合は、保証人の債権者に対する弁済は、事務管理（民法697条）に基づくものであり、保証人は主債務者

第Ⅳ篇　債権総論

に対して、事務管理に基づく費用償還請求として、求償権を行使できます（民法702条）。

保証人の求償権の法的根拠は上記のとおりですが、保証人の主債務者に対する求償について特別の規定（民法459条ないし465条）があるため、その規定によって処理されます。これらの規定は任意規定であり、特約で排除することも可能です。

① 委託を受けた保証人の場合

ア　事後求償権

主債務者から委託を受けた保証人が、主債務者に代わって弁済その他自己の財産をもって債務を消滅させる行為（債務の消滅行為）をしたときは、その保証人は、主債務者に対し、そのために支出した財産の額（その財産の額がその債務の消滅行為によって消滅した主債務の額を超える場合は、その消滅した額）の求償権（事後求償権）を有します（民法459条１項）。

この趣旨は、委任契約の受任者と同様、委託を受けた保証人に損害が生じないようにするため、主債務者に求償することを認めた点にあります。求償権の範囲については連帯債務の規定が準用されており（民法459条２項、442条２項）、弁済その他免責があった日以後の法定利息および避けることができなかった費用その他の損害賠償を包含します。

イ　弁済期前に債務の消滅行為をした場合の求償権

委託を受けた保証人が主債務の弁済期前に債務の消滅行為をすることは、主債務者の期限の利益を害し、主債務者の委託の趣旨に反すると考えられることから、委託を受けた保証人が弁済期前に債務の消滅行為をした場合の保証人の主債務者に対する求償権は、上記アの事後求償権と比較して、以下のとおり限定されます。

まず、委託を受けた保証人が弁済期前に債務の消滅行為をした場合における求償権の範囲は、委託を受けない保証人が債務の消滅行為をした場合と同様に（民法462条１項参照）、主債務者がその当時利益を受けた限度に限られます（民法459条の２第１項前段）。また、求償可能な法定利息は主債務の弁済期以後のものに限られ、費用その他の損害賠償についても、弁済期以後に債務の消滅行為をしたとしても避けることができなかったものに限られます（民法459条の２第２項）。

この場合の求償権は、主債務の弁済期以後でなければ行使することはできません（民法459条の２第３項）。この趣旨は、主債務の弁済期前に債務の消滅行為をした保証人が弁済期前に求償権を行使することを認めると、主債務者が期限の利益を喪失したのと同じ結果となるため、これを回避する点にあります。この規定は、大判大正３年６月15日民録20輯476頁に従い、民法改正に伴い明文化したものです。

委託を受けた保証人が弁済期前に債務の消滅行為をした場合において、保証人が主債務者に対して求償権を行使した際、主債務者が債務の消滅行為の日以前に相殺の原因を有していたことを主張するときは、保証人は、債権者に対し、その相殺によって消滅すべきであった債務の履行を請求することができます（民法459条の２第１項後段）。この趣旨は、主債務者に求償することができない保証人が債権者から回収する手段を確保する点にあります。

ウ　事前求償権

主債務者から委託を受けた保証人は、弁済等をする前でもあらかじめ主債務者に対して求償することができる場合があります（事前求償権。民法460条）。その場合とは、(i)主債務者が破産手続開始の決定を受け、かつ、債権者がその破産財団の配当に加入しないとき（１号）、(ii)債務が弁済期にあるとき（ただし、保証契約の後に債権者が主債務者に許与した期限は、保証人に対抗することができません）（２号）、(iii)保証人が過失なく債権者に弁済をすべき旨の裁判の言渡しを受けたとき（３号）です。なお、改正前民法460条３号は、事前求償権を行使できる場合として「債務の弁済期が不確定で、かつ、その最長期をも確定することができない場合において、保証契約の後10年を経過したとき」を規定していました。もっとも実務においてこの規定による事前求償権はほとんど利用されておらず、また、この規定による事前求償権の行使は困難であるため、改正後の民法は、この規定を削除しています（一問一答129頁）。

本来、委託を受けた保証人は主債務者に対して、委任契約に基づく費用前払請求権（民法649条）を有しています。しかし、保証の場合、保証人の主債務者に対する弁済の費用について、主債務者が保証人に対して前払いするのは迂遠であるといえます。なぜなら、そのような前払費用を保証人に支払うことができる場合には、主債務者が直接債権者に弁済をすれば足りるためです。したがって、委託を受けた保証人の事前求償権に関する規定は、保証委託契約の趣旨に照らして保証人（受任者）の費用前払請求権を制限したものと理解されています。

一方で、主債務者は、保証人の事前求償権に応じたとしても、その後に保証人が債権者に対して弁済しなければ損害を被ることになります。そこで、主債務者を保護するため、事前求償を受けた主たる債務者は、事前求償に応じて費用を前払いする場合において、債権者が全部の弁済を受けない間は、保証人に担保を供させ、または保証人に対して自己に免責を得させることを請求できます（民法461条１項）。「保証人に対して自己に免責を得させる」とは、保証人が債権者に弁済等をした場合に、主たる債務者が債権者から免責されることをいいます。また、主債務者は、供託をしたり担保を立てたり保証人に免責を得させることにより、償還義務を免れることができます（民法461条２項）。「保証人に免責を得させる」とは、主債務者が債権者と交渉して、債権者に保証債務を免除させること等により保証人が債権者から免責されることをいいます。

なお、民法460条に関連して、委託を受けた物上保証人に事前求償権が認められるかが問題となります。

すなわち、物上保証人は事後求償権が認められていますが（民法351条、372条）、保証人とは異なり、物上保証人に事前求償権を認める明文の規定は存在しません。そこで、民法460条の類推適用により、物上保証人に事前求償権が認められるかが問題となります。判例は、委託を受けた物上保証人に対して民法460条を類推適用せず、事前求償権を認めていません（最判平成２年12月18日民集44巻９号1686頁）。この判例は、物上保証の委託は、債務負担行為ではなく物権設定行為の委任であること、物上保証人は債務を負っておらず、抵当不動産の価格の限度で責任を負担する（債務なき責任）にすぎないこと、抵当権実行または物上保証人の弁済による被担保債権の消滅は委任事務の処理と解することはできないこと、抵当権は実行後でなければ求償権の存否・範囲が確定できないことを理由として挙げます。

② 委託を受けない保証人の場合

ア　事前求償権

主たる債務者からの委託を受けない保証人には事前求償権は認められていません。

イ　事後求償権

事後求償権については、主たる債務者の意思に反しないで保証した場合と、その意思に反して保証した場合で、求償権の範囲が異なります。

(i) 主たる債務者の意思に反しないで保証した場合は、保証人は主たる債務者に対して、主たる債務者がその当時利益を受けた限度において求償できます（民法462条１項、459条の２第１項）。「その当時」とは債務の消滅行為をした時をいいます。これは、この場合の求償の範囲に保証人が債務の消滅行為をした時以降の法定利息、弁済費用、損害賠償は含まれないことを意味します。

(ii) 主たる債務者の意思に反して保証した場合は、求償権の範囲は限定され、その範囲は求償をした時点における現存利益に限られます（民法462条２項前段）。たとえば、保証人が債権者に対して弁済した後、主たる債務者に求償をした時までの間に主たる債務者が債権者に対して反対債権を取得した場合には、主たる債務者はこれをもって相殺できたはずであることから、その反対債権の範囲で求償を拒むことができます。この場合、主債務者の債権者に対する反対債権は、主債務者から保証人に移転し、保証人は債権者に対してこの反対債権を請求することができます（民法462条２項後段）。

保証人の意思に反するか否かにかかわらず、委託を受けない保証人が主債務の弁済期前に債務の消滅行為をした場合には、求償権は、主債務の弁済期以後でなければ行使することはできません（民法462条3項、459条の2第3項）。この規定は、主債務の弁済期前に求償権の行使を認めると主債務者が期限の利益を喪失するのと同じ結果になるため、改正前民法下の判例（前掲大判大正3年6月15日）に従い民法改正により明文化したものです（一問一答128頁）。

委託を受けない保証人から求償権を行使された主債務者が相殺権を有していることを理由に求償を拒絶した場合、当該保証人は債権者に対し、その相殺によって消滅すべきであった債務の履行を請求することができます（民法462条1項、459条の2第1項）。この趣旨は、求償を拒絶された保証人を保護する点にあります。

③ 求償の際の通知

ア　保証人の通知

(i) 事前の通知

委託を受けた保証人が債務の消滅行為をするときは、事前に主債務者に対して通知する必要があります。委託を受けた保証人が事前の通知を怠った場合には、主債務者は、債権者に対抗することができた事由をもってその保証人に対抗することができます（民法463条1項前段）。この趣旨は、主債務者が債権者に対して抗弁事由を有している場合に、主債務者に当該抗弁事由を行使する機会を与える点にあります。委託を受けた保証人が履行の請求を受けた場合だけでなく、履行の請求を受けずに自発的に債務の消滅行為をする場合であっても、民法463条1項前段の適用があります（一問一答129頁）。

この場合において、主債務者が相殺をもって対抗したときは、その保証人は、債権者に対し、相殺によって消滅すべきであった債務の履行を請求することができます（民法463条1項後段）。

改正前民法463条1項は同443条を準用し、主債務者からの委託の有無を問わず事前の通知を要する旨を規定していましたが、改正後の民法は、事前通知の対象を委託を受けた保証人に限定しています。これは、委託を受けない保証人の求償権は、主債務者の意思に反しない場合は「その当時利益を受けた限度」に、主債務者の意思に反する場合には「現に利益を受けている限度」に制限されるため（民法462条1項、459条の2第1項、462条2項）、事前の通知義務の懈怠による求償権の制限につき改めて民法443条を準用する必要はないと解されることから、委託を受けない保証人について民法443条を準用しないこととし、事前通知の制度を廃止したものです（一問一答129頁）。

(ii) 事後の通知

委託を受けているか否かにかかわらず、保証人が債務の消滅行為をしたときは、主債務者に対して事後に通知する必要があります。保証人が事後の通知を怠ったために主債務者が善意で債務の消滅行為をしたときは、主債務者は、自己の債務の消滅行為を有効であったものとみなすことができます（民法463条3項）。この場合、主債務者は保証人に対する求償義務を免れることができます。この趣旨は、保証人が債務の消滅行為を行ったことを知らずに債務の消滅行為を行った主債務者を保護する点にあります。

主債務者の意思に反して保証をした保証人には、事後通知の制度の適用はなく、事後の通知をしたとしても主債務者が善意で債務の消滅行為を行った場合には保証人は主債務者に対して求償権を行使することができません（民法463条3項参照）。なぜなら、主債務者の意思に反して保証をした保証人は、主債務者が現に利益を受けている限度で求償権を有しますが（民法462条2項）、主債務者が善意で債務の消滅行為を行った場合には当該保証人による債務の消滅行為は主債務者に利益をもたらさないといえ、「現に利益を受けている限度」の要件を満たさないことから、事後の通知の有無を問題にするまでもなく、当該保証人は主債務者に対する求償権を有しないといえるためです。

イ　主債務者の通知

主債務者が債務の消滅行為をしたときは、委託を受けた保証人に対して事後に通知する必要があります。主債務者が事後の通知を怠ったためにその保証人が善意で債務の消滅行為をしたときは、その保証人は、自己の債務の消滅行為を有効であったものとみなすことができます（民法463条2項）。この場合、当該保証人は主債務者に対して求償をすることができます。この趣旨は、主債務者が債務の消滅行為を行ったことを知らずに、債務の消滅行為を行った委託を受けた保証人を保護する点にあります。

保証人が主債務者の委託を受けていない場合には、主債務者が保証の事実を把握しているとは限らず、主債務者に当該保証人に対する事後の通知を要求することはできないため、民法463条2項は、事後通知の対象を委託を受けている保証人に限定しています。したがって、委託を受けていない保証人は、主債務者から事後の通知を受けていない場合に、善意で債務の消滅行為をしたときでも、主債務者に対して求償することができません。

以上は主債務者の事後通知についての説明ですが、主債務者からの事前の通知は不要です。なぜなら、保証人は負担部分を有しておらず、主債務者から保証人に対して求償権を行使する余地はないといえることから、事前に通知をする意味がないためです。

④　主債務者が複数存在する場合の求償権

主債務者が複数存在する場合においてその主債務が不可分債務または連帯債務

であるとき、その不可分債務者または連帯債務者の1人について保証人が保証をしている場合の求償関係をどのように考えるべきかが問題となります。

たとえば、連帯債務者AとBが債権者Cに対して600万円の連帯債務を負っており、各自の負担部分を2分の1とした場合において、Aの連帯債務についてDが保証人となり、Dが600万円全額について保証債務を履行したとします。この場合、理論的にはDはAの保証人にすぎないため、DがAに600万円を求償し、AがBに対して300万円を求償することとなります。しかし、このような複数回にわたる求償関係は迂遠といえます。そこでこのような迂遠な求償を回避して求償関係を簡明にするため、保証人から他の主債務者に対して直接にその負担部分について求償をすることができます（民法464条）。上記の例でいえば、CはAに対して600万円を求償することのみならず、Bに対して300万円を求償することもできることとなります。

4　各種の保証

⑴ 連帯保証

① 意　義

連帯保証とは、保証人が主債務者と連帯して債務を負担する場合の保証をいいます（民法454条）。

連帯保証には補充性がないため、連帯保証人は催告の抗弁（民法452条）、検索の抗弁（民法453条）を有しません（民法454条）。したがって、債権者は主債務者よりも先に連帯保証人に対して保証債務の履行を請求することができます。この点で、連帯保証は通常の保証よりも債権者に有利といえます。

このように連帯保証は通常の保証よりも債権者に有利であるため、実際の取引では多くの場合に連帯保証が用いられています。

② 連帯保証人について生じた事由の効力

連帯保証人について生じた事由の効力について、以下のとおり連帯債務の規定（民法438条〔連帯債務者の1人との間の更改〕、439条1項〔連帯債務者の1人による相殺〕、440条〔連帯債務者の1人との間の混同〕、441条〔相対的効力の原則〕）を準用しています（民法458条）。

すなわち、連帯保証人と債権者との間に更改があったときは、債権は、主債務者の利益のために消滅します（民法458条、438条）。連帯保証人が債権者に対して債権を有する場合において、連帯保証人が相殺を援用したときは、債権は、主債務者の利益のために消滅します（民法458条、439条1項）。連帯保証人と債権者との間に混同があったときは、連帯保証人は、弁済をしたものとみなされます（民法458条、440条）。

その他の連帯保証人について生じた事由は、主債務者に対してその効力を生じません（民法458条、441条本文）。ただし、債権者および主債務者が別段の意思表示をしたときは、その意思に従います（民法458条、441条但書）。

改正前民法の下では、債権者が連帯保証人に対して履行の請求をした場合には、その効果が主債務者に及び（改正前民法458条、434条）、たとえば債権者が連帯保証人に対して保証債務の履行を請求した場合、時効の完成猶予の効果が主債務者にも及ぶと解されていました。これに対しては、連帯保証人に対して履行の請求があったことを当然には知らない主債務者が不測の損害を被るおそれがあると指摘されていました。そこで、民法改正により民法改正前458条が同434条を準用していた点を改め、連帯保証人に対する履行の請求は主債務者に対してその効力を生じないとしつつ、債権者および主債務者が別段の意思を表示したときには、その意思に従うこととしています（民法458条、441条）（一問一答131頁）。

⑵ 共同保証

① 共同保証の意義

同一の主債務について、複数の保証人が存在する場合を共同保証といいます。たとえば、債務者Ａの債権者Ｂに対する500万円の貸金債務について、ＣとＤが共同して保証する場合です。

② 分別の利益

共同保証人が単純な保証債務を負担した場合は、共同保証人は、それぞれ債務額を保証人の頭数で分割した保証債務を負担することになります（民法456条、427条）。これを共同保証人の分別《ぶんべつ》の利益といいます。上記の例でいえばＣとＤは250万円ずつの保証債務を負担することとなります。

債権者からすれば、分別の利益により債務額を保証人の頭数で分割した保証債務のみを負担することを認めた場合には、複数の保証人を付けた意味が大きく減退するといえます。そこで、それぞれ保証人ではあるものの債務の全額について負担するという共同保証の特約も可能とされています。このような特約を付した場合を保証連帯といいます。また、連帯保証人には分別の利益はないため、連帯保証人は保証人が複数存在する場合でも主たる債務の全額について保証債務を負担します。

③ 内部関係

保証人相互の内部関係は、分別の利益の有無によって異なります。

ア　分別の利益がない場合

共同保証人に分別の利益がない場合、共同保証人の関係は連帯債務者の関係に類似するため、連帯債務者間の求償関係に関する規定が準用されます（民法465条１項、442条ないし444条）。ただし、この場合の求償関係は、以下の点で連帯債務者間の求償とは異なります。

連帯債務者間においては、自己の負担部分を超える弁済をしなくても、負担部分に応じた求償をすることができましたが、保証連帯の共同保証人間では、自己の負担部分を超える弁済をした場合しか求償することができません（民法465条１項）。共同保証の場合は、共同保証人の各負担部分については主たる債務者に対して求償することができるため、自己の負担部分を超える弁済をした場合にのみ求償を認めれば足りるといえるためです。

たとえば、600万円の主たる債務について、共同保証人ＡとＢに債務の全額を負担すべき特約がある場合（分別の利益がない場合）において、共同保証人Ａが200万円を支払った場合を考えます。この場合、ＡとＢそれぞれの負担部分は300万円ずつであり、Ａの弁済額（200万円）はＡの負担部分（300万円）を超えないため、Ｂに対しては求償することができません。仮にＡが400万円を支払った場合は、Ａの負担部分（300万円）を超えた100万円につき、ＡはＢに対して求償することができます。

イ　分別の利益がある場合

共同保証人に分別の利益がある場合において共同保証人の１人が自己の負担部分を超えて弁済をしたときは、委託を受けない保証人が保証債務を履行した場合と類似します。そこで、かかる場合について委託を受けない保証人の求償の規定が準用されます（民法465条２項、462条）。

たとえば、600万円の主たる債務についてＡとＢが単純な保証をした場合（分別の利益がある場合）を考えます。分別の利益により、保証人ＡとＢの保証債務はそれぞれ300万円ずつの負担となります。この場合にＡが500万円を支払ったときは、保証人Ａは300万円の負担部分を超えた200万円につき、弁済をした当時に保証人Ｂが現に利益を受けた限度で保証人Ｂに対し求償をすることができます。

⑶ 根保証（継続的保証）

継続的に生ずる不特定の債務を担保する保証を根保証、または継続的保証といいます。

債権の根の部分を担保するという意味で「根」という言葉が使われており、根抵当（民法398条の２）の「根」と同じ趣旨です。

根保証には、保証限度額や保証期間について限定のある限定根保証と、かかる限定のない包括根保証があります。また、根保証には、主たる債務の発生原因となる法律関係により、①融資や継続的供給契約等の信用取引上の債務を保証する信用保証（個人根保証契約、法人根保証契約）、②雇用契約における被用者の使用者に対する債務を保証する身元保証、③賃貸借契約における賃借人の債務を保証する賃貸保証の３つの類型があります。

根保証は将来にわたって不特定の債務を保証するものであるため保証期間が長く継続した後、保証人が予期し得ない事情の発生等により保証人の責任が予想外に過大となる危険を有するため、判例や立法により保証人の保護が図られています。

① 個人根保証契約

ア　意 義

個人根保証契約とは、一定の範囲に属する不特定の債務を主債務とする保証契約（根保証契約）であって、保証人が法人でないものをいいます（民法465条の2第1項）。

個人根保証契約のうち、貸金債務等（金銭の貸渡しまたは手形の割引を受けることによって負担する債務）を主債務の範囲に含むものを個人貸金等根保証契約といいます（民法465条の3第1項）。

イ　極度額の設定

個人根保証契約の保証人は、主債務の元本・利息・違約金、損害賠償その他の債務に従たるすべてのものおよびその保証債務について約定された違約金または損害賠償の額について、その全部にかかる極度額を限度として履行責任を負います（民法465条の2第1項）。

極度額について書面で定めることが個人根保証契約の有効要件となり、契約締結の時点で極度額を設定しなければ個人根保証契約は無効となります（民法465条の2第2項）。

改正前民法は、個人根保証契約のうち、個人貸金等根保証契約に限り極度額を定めることを要求していました（改正前民法465条の2）。個人貸金等根保証契約では、契約締結後に保証人の関知しないところで保証すべき主債務が追加され、保証人の責任が過大となる可能性があるためです。もっとも、それ以外の個人根保証契約においても、個人である保証人が過大な責任を負うおそれがあること、また、下級審裁判例の中には不動産の賃借人の債務を主債務とする根保証契約において、賃借人が長期にわたり賃料を滞納した事案や、賃借人が賃借物件において亡くなった事案において個人保証人に過大な責任の履行を求めることが適切であるかが問題となったことを踏まえ、改正後の民法においては、極度額に関する規律の対象を個人根保証契約（保証人が個人である根保証契約）一般に拡大し、主債務の範囲に含まれる債務の種別を問わず、書面または電磁的記録により極度額の定めをしなければ無効である旨を規定しました（一問一答135頁）。

ウ　元本確定期日の定め

個人貸金等根保証契約において元本の確定期日を定める場合には、契約締結日から5年以内の日を書面で設定しなければ、当該確定期日の定めは効力を生じません（民法465条の3第1項、4項）。

また、個人貸金等根保証契約において元本確定期日の定めがない場合（5年を超える定めをしたことにより無効となる場合も含みます）には、その元本確定期日は契約締結日から３年を経過する日となります（民法465条の３第２項）。

個人貸金等根保証契約における元本確定期日を変更する場合には、変更後の元本確定期日が、変更をした日から５年を経過する日より後の日となる場合には、その元本確定期日の変更は無効となります（民法465条の３第３項）。ただし、元本確定期日の前２か月以内に元本確定期日の変更をする場合、変更後の元本確定期日が変更前の元本確定期日から５年以内の日となるときは無効となりません（民法465条の３第３項但書）。

以上の元本確定期日に関する規律は、個人貸金等根保証契約についてのみ適用され、それ以外の個人根保証契約には適用されません。改正過程では個人根保証契約一般に適用を拡大することの要否が検討されましたが、改正後の民法では個人根保証契約一般について極度額を定めることを要求しているため、元本確定期日に関する規律の対象を拡大しなくとも、保証人が予想を超える過大な責任を負うという事態は回避しうるといえます。そこで、改正後の民法は、元本確定期日に関する規律の対象を個人根保証契約一般に拡大しませんでした（一問一答137頁）。

エ　元本確定事由

まず、個人根保証契約一般に共通する元本確定事由は、次のとおりです。すなわち、個人根保証契約の主債務の元本は、①債権者が保証人の財産について強制執行または担保権の実行を申し立て、それらの手続の開始決定があったとき、②保証人が破産手続開始の決定を受けたとき、③主たる債務者または保証人が死亡したときに確定します（民法465条の４第１項）。

また、個人貸金等根保証契約の場合は、上記①～③に加え、④債権者が主債務者に対して強制執行または担保権の実行を申し立て、それらの手続の開始決定があったとき、⑤主債務者が破産手続開始決定を受けたときに元本が確定します（民法465条の４第２項）。

② 法人根保証契約

法人根保証契約とは、保証人が法人である根保証契約をいいます。保証人が法人である場合、その保証人（法人）が保証債務を履行した場合の主債務者に対する求償権を確保するため、主債務者に対して、求償債務について、個人を保証人として立てさせる場合があります。この場合、個人たる保証人は、自らを根保証契約の保証人とした場合と同様に予想を超える過大な保証責任の追及を受けるおそれがあります。

そこで、改正後の民法は、保証人が法人である根保証契約において、極度額の定めがないときは、その主債務の範囲に貸金等債務が含まれるか否かにかかわらず、その保証人の主債務者に対する求償権について、個人との間で保証契約を締結したとしても、その保証契約はその効力を生じないとしています（民法465条の５第１項、第３項）。

この規定は、個人が通常の保証（根保証でないもの）をする場合に限って適用され、個人が根保証契約を締結する場合には適用されません。この場合には、その根保証契約において極度額を定めなければ根保証契約が効力を生じないため（民法465条の２）、別途、保証人が法人である根保証契約自体に極度額の定めを要求する意義が乏しいためです（一問一答139頁）。

また、法人根保証契約において、その主債務の範囲に貸金等債務が含まれる場合には、元本確定期日の定めがないとき、または元本確定期日の定めもしくはその変更が個人貸金等根保証契約の元本確定期日に関する民法465条の３第１項もしくは第３項の規定ではその効力が認められないときは、求償権についての保証契約（保証人が法人であるものを除きます）は無効となります（民法465条の５第２項、第３項）。

③ 事業に係る個人保証の特則

ア　新設の経緯

改正後の民法は、事業のために負担した貸金等債務の保証契約および事業のために負担する貸金等債務が含まれる根保証契約が個人保証である場合に関し、新たな規律を設けています（民法465条の６以下）。

事業のために負担した貸金等債務について個人が保証する場合、保証契約を締結した後に個人の保証人が必ずしも想定していなかった多額の保証債務の履行を求められて、保証人の生活が困窮したり破綻するおそれがある等、特に保証人を保護する必要性が高いといえます。

そこで、事業のために負担した貸金等債務を個人が保証する場合について、中小企業の資金調達に支障が生じないようにしつつ、個人がリスクを十分に自覚せず安易に保証人になることを防止するための規律を新設しています。

イ　意 義

事業とは、一定の目的をもってされる同種の行為の反復継続的遂行をいいます。「事業のために負担した貸金等債務」（民法465条の６）とは、借主が自らの事業に用いるために負担した貸金等債務をいいます。たとえば、メーカーが材料を購入するために資金を借り入れることにより負担した債務等が挙げられます。

「事業のために負担した貸金等債務」に該当するか否かは、借主がその貸金等債務を負担した時点を基準時として、貸主と借主との間でその貸付等の基礎とされた事情に基づいて客観的に定まると解されます（一問一答147頁）。

ウ　事業に係る個人保証の制限

（i）原則――公正証書の作成義務

事業のために負担した貸金等債務についての保証契約は、個人が保証人となる場合には保証契約締結日の前１か月以内に作成された公正証書により、保証人となる者が保証債務を履行する意思を表示していなければ、保証契約は無効となります（民法465条の６第１項、３項）。この趣旨は、保証人になろうとする個人に、保証契約に伴うリスクを公証人の下で確認させる点にあります。

また、事業のために負担した貸金等債務を主債務とする保証契約やこれを主債務の範囲に含む根保証契約の保証人が、主債務者に対して取得する求償権にかかる債務を個人が保証しようとする場合も同様であり、保証人になろうとする個人が保証債務を履行する意思を公正証書により表示していなければ、保証契約は無効となります（民法465条の８、465条の６）。たとえば、事業用融資を保証する場合において、保証人が保証債務を履行した場合の主債務者に対する求償権を確保するため、主債務者に対して、求償債務について、別途、個人を保証人として立てさせる場合があります。この場合には、求償債務が多額になりうるため、事業のために負担した貸金等債務を保障する保証人の場合と同様のリスクを負っているといえることから、その保証意思を確認させることとしたものです。

保証債務を履行する意思を表示する公正証書は、保証人になろうとする者が主たる債務の債権者および債務者、主たる債務の元本等、保証契約や連帯保証契約の基本的な内容を公証人に口授し（同民法465条の６第２項１号）、公証人が保証人になろうとする者の口述を筆記し、これを保証人になろうとする者に読み聞かせ、または閲覧させ（同２号）、保証人になろうとする者が筆記の正確なことを承認した後、署名押印し（保証人になろうとする者が署名することができない場合は、公証人がその事由を付記して署名に代えることができます。同３号）、公証人が証書に民法465条の６の２項１号ないし３号に掲げる方式に従って作成したものである旨を付記して、署名押印（同４号）をしたうえで作成することが必要となります。

保証人になろうとする者が口がきけない者である場合には、通訳人の通訳により申述し、または自書にて口述に代替します（民法465条の７第１項）。保証人になろうとする者が耳が聞こえない者である場合には、公証人は通訳人の通訳により前条規定の内容を伝え、読み聞かせに代替します（民法465条の７第２項）。

(ii) 例外――公正証書の作成を要しない場合

A 主債務者が法人である場合

主債務者が法人である場合において、保証人が次のいずれかに該当する場合は、公正証書の作成は不要です（民法465条の９柱書）。

(a) その法人の理事、取締役、執行役またはこれらに準ずる者（同条１

号）

(b) 主債務者の総株主の議決権の過半数を有する者（その議決権の過半数を他の株式会社が有する場合における当該他の株式会社などを含む）（同条２号イ）

(c) 総株主の議決権の過半数を他の株式会社が有する場合における当該他の株式会社の総株主の議決権の過半数を有する者（同条２号ロ）

(d) 総株主の議決権の過半数を他の株式会社および当該他の株式会社の総株主の議決権の過半数を有する者が有する場合における当該他の株式会社の総株主の議決権の過半数を有する者（同条２号ハ）

(e) 株式会社以外の法人が主たる債務者である場合における上記(a)〜(d)に準ずる者（同条２号ニ）

これは経営者保証の場合であり、上記の取締役等は主債務者の事業の状況を把握することができる立場にあり、保証のリスクを十分に認識することなく保証契約を締結してしまうおそれが類型的に低いこと、中小企業に対する融資の実情として上記の者による保証は、企業の信用補完や経営の規律づけ等の観点から有用とされているため、上記の者による保証が契約の前提とされていることも少なくなく、厳格な意思確認の手続を義務づけることがかえって時間やコストを要することになり資金調達が阻害されるおそれがあることから、公正証書の作成を不要としたものです（一問一答153頁）。

B 主債務者が個人である場合

主債務者が個人である場合において、保証人が主債務者（法人を除きます）と共同して事業を行う者または主債務者が行う事業に現に従事している主債務者の配偶者に該当するときは、保証意思を明確にするための公正証書の作成は不要です（民法465条の９第３号）。

共同して事業を行う者とは、組合契約等事業を共同で行う契約が存在し、各人が事業の遂行に関与する権利を有するとともに、その事業によって生じた利益の分配がされる等事業の帰趨に直接的な利害関係を有する者をいいます（一問一答154頁）。

また、配偶者が公正証書作成義務の例外とされた理由としては、個人事業主に関しては経営と家計の分離が必ずしも十分とはいえないことから、現に配偶者を保証人として資金調達をする例が少なくないこと、配偶者が事業に従事している場合には事業の状況をよく知りうる立場にあり、保証のリスクを認識することが可能であること、配偶者間では当該事業の損益を実質的に共有する立場にあることが挙げられます（一問一答155頁）。なお、配偶者は法律上の配偶者を意味し、事実婚における配偶者は該当しません（一問一答156頁）。

(iii) 情報提供義務

主債務者が事業に係る根保証を委託するときは、保証人となる個人に対して、①主債務者の財産および収支の状況、②主債務以外に負担している債務の有無ならびにその額および履行状況、③主債務の担保として提供しまたは提供しようとするものがあるときは、その旨およびその内容に関する情報を提供しなければなりません（民法465条の10第１項、第３項）。

この規定は、保証人になるにあたって、とりわけ事業のために負担する債務は多額になる可能性があることから、主債務者の財産や収支の状況等をあらかじめ把握し、保証債務の履行を現実に求められるリスクを検討することが重要であるため、改正後の民法において新設されました。

主債務者がこれらの情報を提供せず、または誤った情報を提供したために保証人となる者がその事項を誤認し、それによって保証契約の申込みまたは承諾をした場合において、主債務者がその事項に関して情報を提供せず、または事実と異なる情報を提供したことを債権者が知りまたは知ることができたときは、保証人は保証契約を取り消すことができます（民法465条の10第２項）。

④ 解釈上の問題

従来から信用保証一般について保証人を保護するための様々な問題が議論されています。

ア　保証人の解約権

信用保証のうち包括根保証契約について、判例は、保証人の解約権を認めています。すなわち判例は、主債務者と債権者の間の取引が続く限り永久に根保証契約も続くというのは根保証人にとって酷であるため、取引通念上相当の期間が経過したときは、根保証人はいつでも根保証契約を将来に向かって解約することを認めています（大判昭和７年12月17日民集11巻2334頁）。このような解約権を任意解約権と呼びます。

また、期間の定めの有無を問わず、保証人が予期しえなかった事情の変更が生じた場合にも解約権が認められます。これを特別解約権と呼びます。たとえば、主債務者の資産状態が著しく悪化した場合には、保証人に解約権が認められます（大判昭和９年２月27日民集13巻215頁）。

以上の任意解約権、特別解約権というのは概念上の区別にすぎず、実際には双方の要素を考慮して解約権について判断されています。判例は、小麦粉の卸売業者ＸとＸとの間の小麦粉の継続的売買取引における売買代金債務を保証したＹからの解約申入れについて、「期間の定めのない継続的保証契約は保証人の主債務者に対する信頼関係が害されるに至った等保証人として解約申入れをするにつき相当の理由がある場合においては、右解約により相手方が信義則上看過しえない損害をこうむるとかの特段の事情ある場合を除き、一方的にこれを解約しうるものと解するのを相当」と判示しています（最判昭和39年12月18日民集18巻10号2179頁・百選Ⅱ［第8版］23事件）。

イ　保証の限度額

信用保証において保証の限度額の定めがない場合、保証人が無制限に保証するとすれば酷であることから、判例・通説は、取引通念上相当な範囲に制限されるとしています（大判大正15年12月2日民集5巻769頁）。

ウ　保証債務の相続

信用保証において保証人が死亡した場合、保証債務が相続人に相続されるかが問題となります。

判例は、包括根保証につき、相続開始時にすでに発生していた主債務についての保証債務は相続の対象となる一方で、保証人の責任が過大となること、包括根保証契約は保証人と主債務者との人的信頼関係を基礎とするものであることを理由に、基本となる根保証契約上の地位は相続人に相続されないとしています（最判昭和37年11月9日民集16巻11号2270頁）。

エ　元本確定前の履行請求と随伴性

根保証の主債務の範囲に含まれる債務に係る債権（被保証債権）が、保証期間の終了前、すなわち主債務の元本確定前に譲渡された場合に、被保証債権の譲受人が保証債務の履行請求をできるかについて、判例は「被保証債権を譲り受けた者は、その譲渡が当該根保証契約に定める元本確定期日前にされた場合であっても、当該根保証契約の当事者間において被保証債権の譲受人の請求を妨げるような別段の合意がない限り、保証人に対し、保証債務の履行を求めることができるというべきである」と判示し、これを肯定しています（最判平成24年12月14日民集66巻12号3559頁・百選Ⅱ［第8版］24事件）。

⑤ 身元保証

ア　身元保証法の成立

身元保証とは、被用者の雇用によって使用者に生じた損害を担保する目的の保証のことをいいますが、被用者の親族等が就職のためにやむを得ず身元保証人となるケースが多く、従来から身元保証人に対して過大な請求がなされる事態が生じていました。そこで、身元保証人を保護するために、身元保証ニ関スル法律（昭和8年4月1日法律42号。身元保証法）が制定されました。

イ　身元保証法の内容

身元保証法は6条からなる法律です。身元保証法に反する特約で身元保証人に不利益なものは全て無効とされます（身元保証法6条）。このようにある一方当事者にだけ不利益な特約を無効とする規定を片面的強行規定といいます。

(i) 身元保証契約の期間は最長５年とされ、５年より長い期間を定めた場合は５年に短縮されます（身元保証法２条１項）。身元保証契約は更新することができますが、更新期間は５年を超えることができません（身元保証法２条２項）。身元保証契約の期間を定めなかった場合は成立の日から３年（商工業見習い者については５年）となります（身元保証法１条）。長期の身元保証契約は身元保証人に過大な責任を生じさせかねないため期間を制限したものです。

(ii) 使用者は、被用者に業務上不適任または不誠実な事跡があって身元保証人の責任となるおそれがあることを知ったとき、被用者の任務または任地が変更されたことにより、身元保証人の責任が加重されたり被用者に対する監督が困難になるときには、身元保証人に対して遅滞なく通知する義務を負います（身元保証法３条）。使用者が通知義務を怠った場合は、身元保証人の責任の有無や責任額を決定する際の判断要素となります。

(iii) 身元保証人は身元保証法３条に規定する事実について通知を受けたとき、またはこれらの事実を知ったときは、将来に向かって身元保証契約を解除することができます（身元保証法４条）。

(iv) 裁判所は、身元保証人の損害賠償責任の有無やその責任額を決定するにあたっては、一切の事情を斟酌します（身元保証法５条）。身元保証人の責任を合理的な範囲に限定するという趣旨です。

(v) 身元保証契約の身元保証人たる地位が相続されるかという問題については、判例・通説とも相続されないと解しています（大判昭和18年９月10日民集22巻948頁）。身元保証は身元保証人と被用者の信頼関係に基づく一身専属的なものであるためです。この点は改正後の民法により明確化されました。個人根保証契約全般について、保証人の死亡により身元保証契約の元本は確定し（民法465条の４第１項３号）、保証人の死亡時に確定した債務は通常の債務として相続されることになります。

⑥ 賃貸保証

賃貸保証は、賃料額が定まっており、賃料の滞納が続けば賃貸人から賃貸借契約を解除される可能性が高いことから、保証人の債務が予期できないほど多額になることは多いとはいえないと考えられます。

そこで、賃貸保証は原則として将来に向かって解除することはできないと解されています。もっとも、賃貸保証契約締結後相当期間が経過し、賃借人がしばしば賃料の支払いを怠り、将来にわたっても誠実に債務の履行をする見込みがないにもかかわらず、賃貸人が賃貸借契約を解除して明渡しを求める等の措置をしない場合等には賃貸人が保証人に対して保証債務の履行を請求することは信義則上認められないとした大審院判例があります（大判昭和８年４月６日民集12号791頁）。

また、賃貸借契約は更新されることが多いですが、保証人が更新後の賃貸借から生じる賃借人の債務についても保証の責任を負うかが問題となります。判例は、賃貸借契約は更新により継続されることが通常予想され、更新後の債務についても保証するというのが当事者の合理的意思と解されることから、特段の事情がない限り、保証人が更新後の賃貸借から生じる賃借人の債務についても保証の責めを負う趣旨で合意がされたものと解するのが相当であり、保証人は更新後の賃貸借から生じる賃借人の債務についても保証の責めを免れないというべきであるとしています（最判平成９年11月13日判時1633号81頁）。

もっとも、判例は賃借人が継続的に賃料を滞納しているにもかかわらず、賃貸人が保証人に通知せず、いたずらに賃貸借契約を更新しているような場合には、保証債務の履行を請求することが信義則上認められない場合があるとも判示しています。

なお、判例は、賃貸保証については保証債務の相続を認めています（大判昭和９年１月30日民集13巻103頁）。

第8章

債権債務関係の変動

第1　債権債務関係の変動の意義

民法は、債権者が交替する債権譲渡、債務者が交替する債務引受けを認めています。また、個々の債権債務ではなく、これらの債権債務を発生させる契約上の地位を譲渡することも認められます。

債権譲渡では、債権者の資力は問題となりませんが、債務引受けや契約上の地位の譲渡では、債権者の債権回収に際して相手方の資力が問題となる点で利害関係が異なるといえます。

以下では、債権債務関係が変動する場面として債権譲渡、債務引受け、契約上の地位の移転を説明します。

第2　債権譲渡

1　債権譲渡の意義

債権譲渡とは、債権者が、債務者に対して有する債権を同一性を維持したまま第三者（譲受人）に譲渡することをいいます。

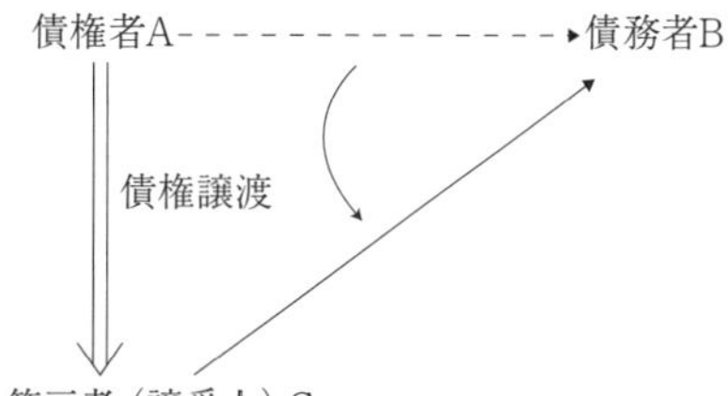

債権者は債務者に対して有する債権を第三者（譲受人）に譲渡することにより、当該債権を早期に資金化することができるというメリットがあります。

たとえば、債権者Aが債務者Bに対して有する弁済期の到来していない1000万円の貸金債権を第三者（譲受人）Cに900万円で譲渡する場合が挙げられます。

2　債権の自由譲渡性と例外

民法は「債権は、譲り渡すことができる」と規定し、原則として当事者間で債権を自由に譲渡することを認めています（民法466条1項本文）。これを債権の自由譲渡性と呼びます。

もっとも、債権の自由譲渡性について、以下の例外があります。

(1) 性質による制限（民法466条1項但書）

債権の性質上、譲渡が禁止または制限される場合があります（民法466条１項但書）。人によって給付の内容が変わる債務の場合、性質上債権を譲渡できないと解されています。たとえば、英語の個人レッスンを受ける権利は、誰が個人レッスンを受けるかによって給付内容が異なるため、第三者に債権を譲渡することは性質上認められないと解されます。

⑵ 当事者の意思による制限（譲渡制限特約）

改正前民法は、譲渡制限特約に違反した債権譲渡は絶対的に無効であると解していました。これに対して、改正後の民法は、譲渡制限特約が付されていても、これによって債権譲渡の効力は妨げられないとする等、譲渡制限特約の効力について下記のとおり見直しを図っています（一問一答159頁）。

ア　譲渡制限特約が付された債権の譲渡の効力

当事者が譲渡制限の意思表示（債権の譲渡を禁止し、または制限する旨の意思表示）をしたときでも、債権譲渡の効力は妨げられません（民法466条２項）。したがって、譲渡制限特約が付された場合でも、債権の譲受人が債権者となります。これは、民法改正により改められた規定です。

前述のとおり、改正前民法は、当事者間で債権を譲渡しない旨の譲渡制限特約を締結した場合、これに違反する債権譲渡を無効とする一方で、「善意」の第三者に譲渡制限特約を対抗できないと解していました（改正前民法466条２項、最判昭和52年３月17日民集31巻２号308頁、最判平成９年６月５日民集51巻５号2053頁・百選Ⅱ［第８版］25事件）。この規定に対しては、中小企業等が自社の債権を譲渡して資金調達を行うことを妨げる要因になっているという指摘がなされていました。

すなわち、改正前民法の下で、譲渡制限特約が付された債権を利用して資金調達を行おうとする債権者は、債務者の承諾を得たうえで債権を譲渡する必要がありましたが、実際には、債務者の承諾を得ることができない場合が多かったこと、また、債権を譲り受けようとする側においても、譲渡制限が付されていないと判断している案件においても、譲渡制限特約によって譲渡が無効となる可能性が完全には払拭しきれず、債権の価値を割り引いて算定せざるをえないという指摘がありました（一問一答164頁）。

そこで、改正後の民法は、譲渡制限特約が付された債権譲渡の効力に関する規律を改め、譲渡制限特約が付されていても、これによって債権譲渡の効力は妨げられないとしています（一問一答161頁）。

改正後の民法の下では、たとえば建物建築請負契約の請負人Ａと注文者ＢがＡのＢに対する請負代金債権について譲渡を禁止した場合でも、ＡがＢに対して有する請負代金債権を第三者に譲渡したときは、債権譲渡は有効に効力が発生します。

イ　債務者の弁済等の効力

譲渡制限特約が付されているにもかかわらず債権譲渡がなされた場合において、譲渡制限の意思表示がされたことを知り、または重大な過失によって知らなかった譲受人その他の第三者に対しては、債務者は、債務の履行を拒むことができ、かつ、譲渡人に対する弁済その他の債務を消滅させる事由をもってその第三者に対抗することができます（民法466条３項）。

この趣旨は、債権譲渡の当事者（債務者）が譲渡制限特約を付する目的は、主として弁済の相手方を固定することにより、見知らぬ第三者が弁済の相手方となるという事態を防止する点にあるところ、改正後においてもこのような債務者の期待を引き続き保護する点にあります。

したがって、前述のとおり、譲渡制限特約が付されているにもかかわらず債権譲渡がなされた場合でも、債権譲渡の効力は妨げられず（民法466条２項）、譲受人が債権者となりますが、譲受人が譲渡制限特約について悪意または重過失であるときは、債務者は譲受人に対する債務の履行を拒むことができ、かつ、譲渡人に対する弁済等の債務消滅事由をもって譲受人に対抗することができます。たとえば、債権者は、譲渡人に対する弁済や、譲渡人に対する債権と譲渡制限特約が付された債権との相殺等を譲受人に対して対抗することができます。他方で、債務者の判断により、譲受人に弁済をすることも可能です（一問一答161頁以下）。また、後述のとおり、債務者は債権の全額に相当する金銭を供託することで、弁済の相手方を誤るリスクを軽減することができます（民法466条の２）。

なお、債務者が譲渡制限特約に基づき、上記の権利を主張することができるのは、譲受人その他の第三者が悪意または重過失である場合とされていますが、これは改正前民法466条２項但書に関する判例（最判昭和48年７月19日民集27巻７号823頁）に従い、明確化したものです（一問一答163頁）。

ウ　譲受人の保護

譲渡制限特約が付されているにもかかわらず債権譲渡がなされ、債務者が債務を履行しない場合において、債権の譲受人その他の第三者が相当の期間を定めて譲渡人への履行の催告をし、その期間内に履行がないときは、民法466条３項は適用されず、債務者は譲受人に対して債務を履行しなければなりません（民法466条４項）。この趣旨は、債権を有効に譲り受けた譲受人を保護する点にあります。

すなわち、譲受人等が定めた相当期間内に履行がない場合、以後は、譲受人は直接債務者に対して支払を求め、強制執行等を行うことができます。また、相当期間内に履行がない場合は、その時点で譲渡制限特約のない譲渡がなされたと扱われるため、債務者は相当期間の経過時までに譲渡人に対して生じた事由をもって譲受人に対抗することができる一方で（民法468条２項)、それ以後に譲渡人に対して生じた事由を譲受人に対抗することはできません（一問一答163頁)。

エ　債務者の供託

譲渡制限特約が付された金銭債権が譲渡されたときは、その債権の全額に相当する金銭を債務の履行地（債務の履行地が現在の住所により定まる場合は、譲渡人の現在の住所を含む）の供託所に供託することができます（民法466条の２第１項)。

この規定は、民法改正により新設された規定です。改正前民法の下では、譲受人が譲渡制限特約について知っているか否か等によって、当該債権譲渡の有効性が左右されたため、譲受人が特約の存在を知っているか否か等を債務者が知ることができないときは、債務者は債権者を確知することができないものとして弁済供託（改正前民法494条後段）をすることができると解されており、これによって弁済の相手方を誤るリスクを回避しつつ債務を免れることができました。

これに対して、改正後の民法では、譲渡制限特約が付されていても、債権譲渡の効力は妨げられないため（民法466条２項)、譲渡制限特約が付された金銭債権が譲渡された場合でも、譲受人は常に債権者として扱われるため、譲渡制限特約の存在を理由に債権者を確知することができないとはいえないこととなります。もっとも、改正後においても従前と同様に、債務者に供託によって弁済の相手方の判断を誤るリスクを回避させる必要があること、弁済の相手方を固定するために譲渡制限特約を付していた債務者保護の観点からは、常に供託を可能とすることによって、譲受人が善意または無重過失であったか否かについて債務者が判断することを不要とすることが望ましいことから、改正後の民法は新たな供託原因を創設しました（一問一答166頁)。

民法466条の２第１項により供託をした債務者は、遅滞なく、譲渡人および譲受人に供託の通知をする必要があります（同条２項)。また、供託をした金銭は、譲受人に限り、還付を請求することができます（同条３項)。なぜなら、譲渡制限特約が付された場合でも債権譲渡は有効とされることから、譲渡人は既に債権者の地位を失っているためです。

オ　譲渡人について破産手続開始の決定があった場合

譲渡制限特約が付された金銭債権が譲渡された後に、譲渡人について破産手続開始の決定があったときは、譲受人（債権の全額を譲り受けた者であって、その債権の譲渡を債務者その他の第三者に対抗することができるものに限ります）は、譲渡制限特約について悪意または重過失であっても、債務者にその債権の全額に相当する金銭を債務の履行地の供託所に供託させることができます（民法466条の３前段)。

この趣旨は、債務者が譲渡人に弁済した場合には、譲受人は譲渡人から当該金銭を受領することによって債権を回収することが想定されるところ、譲渡人について破産手続が開始した場合には、譲受人は、譲渡人に支払われた金銭を譲渡人から回収することができなくなるリスクがあることから、このようなリスクを除去する措置を講じることを認める点にあります。

譲受人が債務者に対して供託を請求した場合には、請求後に債務者が譲渡人に対して弁済をしても譲受人に対抗することができなくなります（民法468条２項、１項参照）。また、この請求に基づく供託は譲受人のみが還付を請求することができるため（民法466条の３後段、466条の２第３項）、譲受人は、還付により債権の全額を回収することができます。

カ　譲渡制限特約と債権の差押え

債権者と債務者との間で譲渡制限特約を締結した場合、債権の差押債権者であるＣに対して、譲渡制限特約を対抗できるか否かについて議論がありました。改正前の判例は、債務者は差押債権者に対して譲渡制限特約があることを対抗することはできず、差押債権者は、譲渡制限特約について善意であるか否かを問わず、債権差押えによって有効に債権を取得することができると解していました（最判昭和45年４月10日民集24巻４号240頁）。当事者間の合意によって強制執行をすることができない財産を作り出すこととなるのは不当であるためです（一問一答170頁）。

改正後の民法466条３項は、改正前民法の下での判例を実質的に維持しつつ、その明文化を図る趣旨で、譲渡制限特約が付された債権に対する強制執行をした差押債権者には適用しないと定めています（民法466条の４第１項）。したがって、債務者は、譲渡制限特約が付された債権に対する強制執行をした差押債権者に対して、譲渡制限特約を理由に債務の履行を拒むことはできません。

なお、上記の場合とは別に、譲渡制限特約が付された債権が悪意または重過失の譲受人に譲渡された場合、その譲受人の債権者が譲渡制限特約が付された債権の差押えをするときには、債務者は、その譲受人の債権者に対し、債務の履行を拒絶し、譲渡人に対する弁済等の事由を対抗することができます（民法466条の４第２項）。譲受人の債権者に譲受人以上の権利を与えるのは行き過ぎであると考えられること、この場合は執行することができない財産を差押えの債務者が合意によって作り出したという関係にはないことによるためです（一問一答170頁）。

キ　預貯金債権に譲渡制限特約が付された場合に関する特則

預貯金債権とは、預金口座または貯金口座にかかる預金または貯金にかかる債権をいいます（民法466条の５第１項）。

預貯金債権について譲渡制限特約が付された場合、その譲渡制限特約を悪意または重過失の譲受人その他の第三者に対抗することができます（民法466条の5第1項）。

この趣旨は、以下の点にあります。預貯金債権の債務者である金融機関としては、極めて大量の債権について迅速な支払が求められることから、弁済の相手方を固定する必要が高いこと、預貯金債権と貸付債権との相殺を前提として貸付けが行われているため、債権譲渡によって相殺ができなくなる事態を防止する必要性が高いことから、実務上、預貯金債権については譲渡制限特約が付されるのが通常です。ここで、預貯金債権についてはその金額が増減することが想定されているという特殊性を有するため、譲渡制限特約を付した預貯金債権の譲渡を有効とした場合、預貯金債権が譲渡された後に譲渡人の口座に出入金があった場合における法律関係が複雑化したり、差押債権者等の第三者との関係が不明確になるなど金融システムの円滑な運営に支障が生ずるおそれがあるという指摘がされていました。また、預貯金債権は直ちに資金化することが可能であるため、預貯金債権の譲渡を有効とする必要性は乏しいといえます。

そこで、改正後の民法は、改正前と同様に、譲渡制限特約が付された預貯金債権が悪意または重過失の譲受人等に譲渡された場合には、債務者は、預貯金債権に付された譲渡制限特約を悪意または重過失の譲受人等に対抗することができると定めています（民法466条の5第1項）。預貯金債権について譲渡制限特約が付されていることは周知であることから、預貯金債権の譲受人は譲渡制限特約を知らないことについて重過失とされ、譲渡制限特約を対抗されるのが通常であると解されます。

他方で、改正前の判例（前掲最判昭和45年4月10日）は、譲渡制限特約が付された債権を差し押さえた債権者の差押債権者に対して、債務者が譲渡制限特約を対抗することはできないとしていたことから、改正後の民法においても、譲渡制限特約が付された預貯金債権に対する強制執行をした差押債権者に対しては、上記の規定の適用はないとしています（民法466条の5第2項）。したがって、譲渡制限特約が付された預貯金債権の差押債権者に対しては、譲渡制限特約を対抗することはできません。

3　債権譲渡の意義・成立要件

(1) 成立要件

債権の譲渡は、譲渡人と譲受人との間で債権を譲渡する旨の契約をすることにより成立します。契約書や証書を作成することは債権譲渡の成立要件ではありません。

⑵ 対抗要件

① 債務者対抗要件

ア　趣 旨

民法は「債権の譲渡……は、譲渡人が債務者に通知をし、又は債務者が承諾をしなければ、債務者その他の第三者に対抗することができない」と規定しています（民法467条１項）。

この趣旨は、債権の二重譲渡によって生じる債務者の二重弁済の危険を防止した点にあります。かかる趣旨から、民法467条１項は、債権の譲受人が債権譲渡を債務者に対抗するためには譲渡人の債務者に対する通知または債務者の承諾を必要としました。

民法467条の対抗要件は強行法規であり、債権者と債務者との間で通知・承諾を不要とする特約を締結したとしても、当該特約は無効であると解されています（大判大正10年２月９日民録27輯244頁）。

たとえば、債権者Ａが債務者Ｂに対する貸金債権を第三者（譲受人）Ｃに譲渡する場合、債権者Ａが債務者Ｂに、債権譲渡について通知するか、または債務者ＢがＡまたはＣに債権譲渡について承諾しなければ、第三者（譲受人）ＣはＢに対して債権譲渡を対抗することができません。

なお、民法467条１項は「債務者その他の第三者」に対抗することができないと規定していますが、ここでいう「その他の第三者」とは、債務者の相続人等債務者に準じた第三者をいいます。

イ　通 知

(i) 通知の性質

民法467条１項の「通知」とは、譲渡人が譲受人に対して債権を譲渡した事実を債務者に知らせる行為をいいます。債権譲渡の通知は、法律効果の発生を目的としない観念の通知であり、準法律行為に該当すると解されています。通説・判例は、このような準法律行為である通知についても、意思表示に関する規定や代理に関する規定が類推適用されると解しています。

したがって、通知は到達することによって効力を生じます（民法97条１項の類推適用）。また、民法上の代理に関する規定が類推適用されるため、債権の譲渡人の代理人によって通知を譲渡人に代わって通知することが可能です（最判昭和46年３月25日判時628号44頁）。

(ii) 通知の方式

民法467条１項の通知は、同条２項と異なり書面による必要はありません。したがって、口頭による通知であっても民法467条１項の通知として有効です。

(iii) 通知人

通知は、必ず債権の譲渡人から行う必要があります。なぜなら、譲受人からの通知を認めると自らが譲受人であると偽った詐称譲受人が虚偽の通知を行うおそれがあるからです。したがって、譲受人が債権譲渡の通知を行ったとしてもそのような通知は無効となります。ただし、通知について民法上の代理の規定が類推適用されるため、譲受人は譲渡人を代理し、または使者として債権譲渡の通知を送付することができます。

債権の譲渡人は譲受人に対して債権譲渡の事実を債務者に通知する義務を負います。

(iv) 通知の相手方

通知の相手方は、債務者となります。したがって、債権の譲渡人は債務者に対して、債権譲渡の通知をする必要があります。

債権の譲渡人が債権譲渡前にあらかじめ通知をした場合、この通知は無効になると解されます。なぜなら、あらかじめ通知した場合でもその後に債権譲渡がなされるとは限らないからです。これに対して、債権者が将来発生する債権をあらかじめ譲渡する場合、債権が発生する前に債権の譲渡人が債務者に対して通知した場合には、債権譲渡の事実が認められるためこの通知は有効であると解されます（大判昭和９年12月28日民集13巻2261頁）。

(v) 通知の効果

債権の譲渡人が債権譲渡の事実を債務者に通知した場合、債権の譲受人は債務者に対して譲り受けた債権を行使することが可能となります。このように民法467条１項の通知は、債権の譲受人が権利を行使するための権利行使要件であるといえます。

債務者は、対抗要件具備時（譲渡人が債務者に通知をし、または債務者が承諾をした時）までに譲渡人に対して生じていた事由をもって債権の譲受人に対して対抗することができます（民法468条１項）。この趣旨は、債権譲渡は債務者が関与せずになされるため、対抗要件具備時までに譲渡人に対して生じていた事由について譲受人に対抗することができることとし、債務者が不利益を被らないようにした点にあります。

たとえば、債務者が債権の譲渡人から通知を受けるまでに債権者に対して債務をすでに弁済していた場合や、債権の発生原因について錯誤無効がある場合には、債務者は債権の譲受人に対してこれらの事由を対抗することができます。

(vi) 債権譲渡と相殺

改正前の民法の下において、債権の譲渡人が債権譲渡し、通知がなされる以前から債務者が債権の譲渡人（債権者）に対して債権を有しており、通知後に当該債権の弁済期が到来し、相殺適状になる場合に、債務者が当該債権をもって債権譲渡後の譲受人に対して相殺を主張できるか否かについて見解が分かれていました。

債権譲渡があった時点で債務者が債権の譲渡人（債権者）に対して債権を有している場合には、両債権の弁済期の前後を問わず相殺を認める見解を無制限説といいます（最判昭和45年６月24日民集24巻６号587頁）。これに対して、債権譲渡の通知がなされるまでに債務者の債権の譲渡人（債権者）に対する債権の弁済期が到来した場合のみ、債務者による相殺を認める見解を制限説といいます。

以上のように、改正前の民法下では、債権譲渡の通知までに譲渡された債権の弁済期が到来していることを要するか、これらの弁済期の先後が問題となるか等の解釈をめぐって争いがありました。改正後の民法は、債権譲渡と相殺に関して下記の規定を設けました（民法469条）。

まず、債務者の譲渡人に対する反対債権が、債権譲渡について対抗要件を具備するよりも前に債務者が取得した債権である場合は、相殺をもって譲受人に対抗することができます（民法469条１項）。この場合、それぞれの債権の弁済期の先後も問わないこととなります。

この趣旨は、債務者は債務者対抗要件具備時までに譲渡人（債権者）に対して反対債権を有していれば相殺できることに期待を有するため、これを債権譲渡によって一方的に奪われるのは適当でなく、自働債権と受働債権の弁済期の先後を問わず、相殺権を行使することができるとするのが合理的であるという点にあります（一問一答179頁）。

また、債務者の譲渡人に対する反対債権が、債権譲渡について対抗要件を備えた後に取得した債権である場合は、①当該債権が対抗要件を具備する前の原因に基づいて生じた債権であるとき（１号）、②当該債権が、対抗要件具備時よりも後の原因に基づいて生じた債権であっても、譲渡された債権の発生原因である契約に基づいて生じた債権であるとき（２号）は、相殺をもって譲受人に対抗することができます（民法469条２項各号）。

上記①の趣旨は、対抗要件具備の時点で債権の発生原因が生じていれば相殺の期待が既に生じているといえ、実際に債権が発生する時点と対抗要件具備の時点のどちらが先行するかは偶然の事情に左右されることも多いことを考慮した点にあります。たとえば、債務者対抗要件具備時よりも前に締結されていた賃貸借契約に基づいて発生する対抗要件具備時より後に発生した賃料債権をもって、相殺する場合です（一問一答181頁）。

上記②の譲渡された債権の発生原因である契約に基づいて生じた債権とは、将来債権の譲渡がなされ、対抗要件が具備された後に、その発生原因となる契約が実際に締結され、さらにその後に債務者がその契約に基づいて取得し

第Ⅳ篇　債権総論

た債権を意味します。上記②の趣旨は、同一の契約から生じた債権債務については、特に相殺の期待が強いことを踏まえ、相殺を可能とした点にあります。たとえば、将来発生する売買代金債権を譲渡する合意がされ、債務者対抗要件が具備された後に当該売買代金債権を発生させる売買契約を締結した場合、その後、当該売買契約を原因として発生する損害賠償債権でも、売買代金債権と相殺することができます（一問一答181頁）。

ウ　承諾

(i) 承諾の性質

民法467条1項の「承諾」とは、債権者が債権を第三者に譲渡した事実を債務者が知っていることを表示することをいいます。承諾は、債権譲渡に対する同意を意味するものではなく、観念の通知であると解されます。したがって、承諾については民法の意思表示や代理に関する規定が類推適用されます。承諾の主体は、債務者です。

(ii) 承諾の方式

民法467条1項の「承諾」は、方式を要求されません。したがって、債務者が書面ではなく口頭で債権譲渡の事実を承諾した場合でも有効です。

(iii) 承諾の相手方

債務者は、債権の譲渡人、譲受人のいずれに対して承諾してもよいと解されています（大判大正6年10月2日民録23輯1510頁）。

また、債権譲渡がなされる前に債務者が承諾する場合でも、債権と譲受人が特定されている場合には、この承諾は有効であると解されています。なぜなら、債務者が事前に承諾している場合、債務者が二重弁済を強いられるおそれは低く、債務者を害しないのが通常といえるからです。

(iv) 承諾の効果

債務者が債権譲渡の事実を承諾した場合、債権の譲受人は、承諾のあった時から、債務者に対して債権譲渡の事実に基づき当該債権を行使することが可能となります。

債務者は、承諾時までに債権の譲渡人に対して生じていた抗弁事由をもって、債権の譲受人に対抗することができます。改正前民法は、債務者が異議をとどめないで債権譲渡の承諾をしたときは、債務者は、譲渡人に対抗することができた事由があっても、これをもって譲受人に対抗することができないとする規定を設けていました（改正前民法468条1項）。これを「異議をとどめない承諾」といいますが、改正後の民法は異議をとどめない承諾の制度を廃止しています。

改正前の民法下での判例は、異議をとどめない承諾の趣旨について、債権の譲受人の利益を保護し、一般債権取引の安全を保障するために法律が付与した法律上の効果である（最判昭和42年10月27日民集21巻８号2161頁・百選Ⅱ［第８版］27事件）としたうえで、異議をとどめない承諾によって抗弁を対抗することができなくなるのは、譲受人が抗弁について善意または無過失の場合に限られるとしていました（最判平成27年６月１日民集69巻４号672頁）。

このような異議をとどめない承諾の制度については、以下の批判や指摘がありました（一問一答177頁）。まず、単に債権譲渡されたことを認識した旨を債務者が通知しただけで抗弁を対抗することができなくなるという効果が発生するのは、債務者にとっては予想が困難な事態であるため、債務者から異議をとどめない承諾の効力の有無が争われることも少なくありませんでした。また、より公平で合理的な制度とする観点からは、このような強力な効果を発生させる特別な制度を廃止し、抗弁を対抗することができなくなるのは債務者の意思に基づき抗弁が放棄された場合に限るのが適当であり、そのようにしても譲受人としては、債務者が抗弁を放棄する旨の意思表示をしたことを確認して債権を譲り受ければよいのであるから、取引の安全が害されることはないといえます。

そこで、改正後の民法は、異議をとどめない承諾の制度を廃止しました（民法468条参照）。抗弁の切断については、抗弁を放棄する旨の債務者の意思表示を要することとなります。

② 第三者対抗要件

ア　確定日付のある証書による通知・承諾

民法467条２項は、「前項の通知又は承諾は、確定日付のある証書によってしなければ、債務者以外の第三者に対抗することができない」と規定しています。「確定日付のある証書」とは、確定した日付にその証書（文書）が存在していたことを証明する証書をいいます。たとえば、債務者の承諾を記載した証書に公証人による確定日付を付した証書（民法施行法５条１項１号）や郵便局の内容証明郵便による通知（民法施行法５条１項６号）等をいいます。

イ　趣 旨

民法467条２項が第三者対抗要件として確定日付のある証書による通知または承諾を要求した趣旨は、債務者の認識を通じて、債権譲渡の事実を明らかにするとともに、いつの時点で通知または承諾がなされたかを明らかにすることによって、譲渡人と譲受人が、実際の譲渡通知や承諾よりも先に通知が送達された旨を通謀することを可及的に抑止しようとした点にあります。

確定日付は、債権譲渡契約書に付されたのでは第三者対抗要件としての意味はなく、あくまでも通知書または承諾書に付される必要があります。なぜなら確定日付を要求した趣旨は、いつ債権が譲渡されたかを明らかにするのではなく、いつ通知または承諾がなされたかを明らかにしようとした点にあると解さ

第Ⅳ篇　債権総論

れるからです。

ウ　通知義務

債権の譲渡人は譲受人に対して債権譲渡の事実を確定日付によって通知する義務を負うと解されています（大判昭和16年２月20日民集20巻89頁）。

エ　対抗関係

(i) 対抗関係の意義

対抗関係とは、両立しえない地位にある債権者間で権利の優劣を争う関係をいいます。債権譲渡における対抗問題とは、債権者が自己の債権を二重に譲渡した場合に、いずれの譲受人が優先するかという問題です。民法は、確定日付のある通知または承諾を得た譲受人は「第三者」に対抗することができる旨を規定しています（民法467条２項）。

(ii) 第三者の意義

「第三者」（民法467条２項）とは、債権そのものに対し法律上の利益を有する者をいいます（大判大正４年３月27日民録21輯444頁）。たとえば、債権者から債権を二重に譲り受けた者や、債権を差し押さえた者は債権そのものに対し法律上の利益を有する者に該当するため、「第三者」（民法467条２項）に該当します。これに対して、債務者に対して債権を有する第三者は、譲渡された債権そのものについて法律上の利益を有する者には該当しないため「第三者」（民法467条２項）には該当しません。

(iii) 債権を二重に譲渡した場合の取扱い

債権者が債権を二重に譲渡し、いずれの債権譲渡についても確定日付のある通知または承諾がなされた場合、いずれの譲受人が優先するかが問題となります。

この点、確定日付の先後で債権譲渡の優劣を決定する見解があります。しかし、民法467条２項が確定日付のある通知・承諾を要求した趣旨は、債務者の認識を通じて、債権譲渡の事実を第三者に表示した点にある以上、確定日付の先後で債権譲渡の優劣を決定することは妥当ではありません。

そこで、債権者が債権を二重に譲渡した場合の債権の優劣は、確定日付のある通知の到達・承諾の先後によって決定するべきと解されます。

判例は、民法の規定する債権譲渡についての対抗要件制度は、当該債権の債務者の債権譲渡の有無についての認識を通じ、債務者によってそれが第三者に表示されるものであることを根幹として成立していることを理由に、債権が二重に譲渡された場合の優劣は、確定日付ある通知が債務者に到達した日付または確定日付のある債務者の承諾の日付の先後によって決定すべきであるとします（最判昭和49年３月７日民集28巻２号174頁・百選Ⅱ［第８版］29事件）。

(iv) 確定日付ある通知が同時に到達した場合の取扱い

では、確定日付ある通知が同時に債務者に到達した場合、債権の譲受人のうちいずれを優先するべきでしょうか。学説上は、①二重譲渡の優劣についていずれも同順位に扱う同順位説、②いずれの譲受人も債務者に対して債権を行使できないとする弁済請求否定説、③分割債権とすべきとする分割債権説等の見解が存在します。

上記②の弁済請求否定説は、それぞれの債権者が適法に対抗要件を具備しているにもかかわらずいずれの債権者に対しても債務者が弁済を拒絶できるとすると、債権者保護が不十分となるため妥当ではありません。

また、上記③の分割債権説は、何らの落ち度もない債務者に分割弁済という負担を課すことは妥当でなく、その他譲受人が多数存在する場合にその確定をどのようにするのかといった問題があるため妥当でないといえます。

債権の二重譲受人は、いずれも債務者に対する関係では完全な債権者としての地位を得ているといえます。そこで、上記①の二重譲渡の優劣についていずれも同順位に扱う同順位説が妥当であると考えます。判例も債権の各譲受人はいずれも譲受債権の全額の弁済を請求することができる立場に立っています（最判昭和55年１月11日民集34巻１号42頁）。

(v) 確定日付の到達の先後が不明な場合の取扱い

確定日付による通知が到達しているものの、いずれの通知が先に到達したかが明らかでない場合、先後が不明な債権者はいずれも同一順位で取り扱われ、債務者に対して全額の弁済を請求することができると解されます。

なお、判例は、国税滞納処分による差押えと確定日付のある債権譲渡の通知の到達の先後が不明な場合には、通知が同時に到達した場合と同様に、相互に優劣を決定することができないため、第三債務者が法務局へ供託した場合には、差押債権者と債権の譲受人は、債権額に応じて供託金還付請求権を按分した額の供託金還付請求権を分割取得するとしています（最判平成５年３月30日民集47巻４号3334頁・百選Ⅱ［第８版］30事件）。

(vi) 劣後する債権者に対して債務者が誤って弁済した場合

判例は、債務者が劣後する債権者に誤って弁済した場合について、劣後する債権の譲受人を真の権利者であると信じることに相当の理由があるときは、債権の受領者としての外観を有する者に対する弁済（民法478条）として保護されるとしています（最判昭和61年４月11日民集40巻３号558頁）。

(vii) いずれの譲受人も確定日付のある通知を具備していない場合

債権者が債権を二重に譲渡し、いずれの債権譲渡についても確定日付のある通知がない場合、債務者はいずれの譲受人に対しても弁済を拒絶することができます。なぜなら、この場合はいずれの債権者も第三者対抗要件を具備しておらず、保護に値しないからです。

③ 動産及び債権の譲渡の対抗要件に関する民法の特例等に関する法律

民法の規律によれば、債権譲渡の有無は債務者の認識を基軸にして譲渡の事実を明らかにすることになるため、債務者に対して確定日付ある通知を送付しなければ、債権者は債権譲渡を第三者に対抗することができません。

一方で、債権者（譲渡人）が自己の債権を譲渡した事実が明らかになると債権者（譲渡人）の信用に悪影響を及ぼすおそれがあるため、債権者（譲渡人）が取引先（債務者）に対して債権譲渡の事実を秘匿する要請が認められます。

また、債務者が多数存在する場合は、確定日付のある通知によったのでは費用がかさみ、事務手続上の負担を無視できないという問題が生じます。

そこで、動産及び債権譲渡の対抗要件に関する民法の特例等に関する法律（以下「動産・債権譲渡特例法」といいます）は、債権譲渡の対抗要件を一括して迅速かつ簡易に具備できるようにするため、民法の特例として、債権譲渡の対抗要件制度を新たに設けました。

ア　主 体

譲渡人は法人であることが必要です（動産・債権譲渡特例法１条、４条１項）。なぜなら、譲渡人が自然人の場合、譲渡対象となる債権は、個人的な信頼関係に基づき生じた債権であることが多く、債務者の認識を基軸とする民法の対抗要件制度を適用すれば足りると考えられるためです。

イ　対象となる債権

動産・債権譲渡特例法の対象となる債権は、金銭債権です（動産・債権譲渡特例法４条１項）。

ウ　債務者対抗要件（権利行使要件）

動産・債権譲渡特例法は、債務者に対する通知または債務者による承諾を債務者に対する対抗要件（権利行使要件）としています（動産・債権譲渡特例法４条２項）。具体的には、譲渡人または譲受人は、債務者に対して登記事項証明書を交付して通知することにより、債務者対抗要件（権利行使要件）を具備することになります。譲受人からの通知を認めた理由は、登記事項証明書の交付があれば虚偽の通知は防止されると考えたためです。

これに対して、債務者が承諾する場合には、登記事項証明書は不要です。なぜなら、債務者自身が債権譲渡の事実を承諾する場合には、債務者を保護する必要性は低いといえるからです。

エ　第三者対抗要件

動産・債権譲渡特例法は、債権譲渡について、債権譲渡ファイルに債権譲渡登記をした時点で、確定日付のある証書による通知があったものとみなす旨を規定します（動産・債権譲渡特例法４条１項）。これにより、債権譲渡人は、取引先等の債務者に知られることなく、第三者対抗要件を具備することが可能となります。譲渡人と譲受人は、指定法務局等で共同申請により磁気ディスクをもって調製する債権譲渡登記ファイルに記録することで債権譲渡登記をすることができます（動産・債権譲渡特例法８条２項）。

4　将来債権譲渡

⑴ 将来債権譲渡の意義

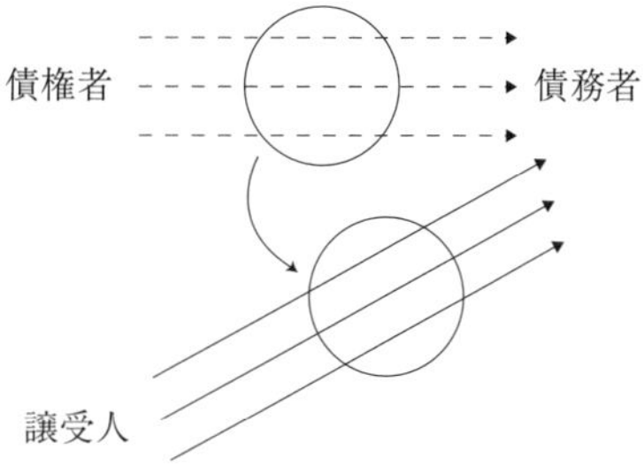

将来債権譲渡とは、債権者が将来発生する債権を譲渡することをいいます。たとえば、医療機関が診療報酬支払機関に対して有する将来発生する診療報酬債権を包括的に第三者に譲渡する場合が挙げられます。将来発生する債権を包括的に譲渡することによって、債権者は債務者に対して有する債権を現金化でき、資金調達の便宜を図ることが可能となります。

改正前民法は、将来債権について譲渡性を認める旨の規定を設けていませんでしたが、判例は将来債権譲渡を広く認めていました（最判平成11年１月29日民集53巻１号151頁・百選Ⅱ［第８版］26事件等）。そこで、改正後の民法は、「債権の譲渡は、その意思表示の時に債権が現に発生していることを要しない」と定め（民法466条の６第１項）、将来債権譲渡が可能であることを明らかにしました。

⑵ 将来債権譲渡の成立要件

将来債権譲渡を設定するためには、債権の譲渡人と譲受人との間で将来発生する債権について譲渡する旨の合意をすることが必要です。

将来債権の譲渡の効力が認められるためには、対象となる債権の範囲を特定する必要があります。改正前民法の下において判例は、将来発生する８年３か月分の診療報酬債権が譲渡され、対抗要件の具備が認められた事案に関して、①債権の発生原因や譲渡にかかる額、債権発生期間の始期と終期等を特定することにより、譲渡の目的とされる債権を特定していること、②債権譲渡契約が公序良俗に反しないことを要件としたうえで、将来債権譲渡の有効性を肯定していました（前掲最判平成11年１月29日）。

民法改正後においても、債権の特定性がない場合や公序良俗違反となる場合に将来債権譲渡が無効となる可能性はあると解されます。

⑶ 将来債権譲渡の効果

将来債権譲渡がされた場合において、その意思表示の時に債権が現に発生していないときは、譲受人は、その後に発生した債権を当然に取得します（民法466条の６第２項）。

⑷ 対抗要件

① 民法467条による対抗要件の具備

改正後の民法は、将来債権譲渡についても、既発生の債権と同様の方法によって対抗要件を具備することができる旨を明文化しています（民法467条１項括弧書）。したがって、将来債権譲渡は、譲渡人が債務者に通知をし、または債務者が承諾をすることによって債務者に対する対抗力が認められることになります（民法467条１項）。

また、将来債権譲渡は、確定日付のある証書によって譲渡人が債務者に通知をし、または債務者が承諾をすることによって第三者に対する対抗力が認められることになります（民法467条２項）。

② 将来債権譲渡がされた後に締結された譲渡制限特約の効力

改正前民法は、将来債権譲渡がされた後に債務者と譲渡人との間で締結した譲渡制限特約の効力について規定を設けていませんでした。下級審裁判例では、将来債権が譲渡され、かつ、対抗要件が具備された後に譲渡人と債務者との間で譲渡制限特約を締結しても、債務者はこれを譲受人に対抗することができないとしたものがありますが（東京地判平成24年10月４日判時2180号63号）、確立した見解はありませんでした。

将来債権譲渡がされ譲受人が債務者対抗要件を具備した後は、譲渡人はすでに債権の処分権を実質的には失っているといえ、債務者と譲渡人との間で譲渡制限特約を締結することはできないと考えるのが相当といえます。他方で、債務者対抗要件の具備前に譲渡制限特約が付されたのであれば、その効力を譲受人にも対抗することができるとして、債務者の期待を保護するのが適切といえます。そこで、改正後の民法は債務者対抗要件の具備の前後で調整する下記の規定を設けました（一問一答175頁）。

譲受人が債務者対抗要件（民法467条１項）を具備する時までに譲渡制限特約が付された場合には、譲受人その他の第三者がそのことを知っていたものとみなすこととし、譲渡制限特約の存在を譲受人等が知らなかった場合でも、債務者は、常に譲渡制限特約の存在を譲受人等に対抗することができ、譲受人等に対して履行を拒絶すること、譲渡人に対する弁済その他の債務を消滅させる事由をもって譲受人等に対抗することができるとしています（民法466条の６第３項、466条３項）。

これに対して、債務者対抗要件を具備した後に譲渡制限特約が付された場合には、譲受人は、譲渡の時点では譲渡制限特約の存在について常に善意かつ無重過失であることから、債務者は譲渡制限特約を譲受人に対抗することができないことになります（民法466条の６第３項）。

③ 動産・債権譲渡特例法による第三者対抗要件

債権の譲渡人と譲受人は、共同申請による債権譲渡登記ファイルに債権譲渡の登記をすることで第三者対抗要件を備えることができます（動産・債権譲渡特例法４条１項）。

また、将来債権について、登記事項証明書を交付して、債権者（債権の譲渡人）が債務者に通知した場合または債務者が承諾したときに債権の譲受人は債務者に対して債務の支払いを求めることができます（動産・債権譲渡特例法４条２項）。

5　改正前民法の下における指名債権以外の債権（証券的債権）

改正前民法は、指定債権（特定の債務者が特定の債権者に対して債務の履行をすることを予定する債権）以外の債権（証券的債権）の譲渡について、以下の(1)ないし(4)のとおり解されていましたが、証券的債権に該当するものは現実にはほとんどないとの指摘がなされていました（一問一答210頁）。他方、商法は有価証券の譲渡者について規定を設けていました（商法516条２項、517条ないし520条）。そこで、改正後の民法は、改正前民法の証券的債権に関する規定（改正前民法467条ないし473条）および商法の有価証券の譲渡等に関する規定を削除したうえで、有価証券に関する規定として整理しました（民法520条の２ないし520条の20）。以下では、改正前民法の下における証券的債権の譲渡について説明し、有価証券に関する規定については、第10章で説明します。

(1) 指図債権の債権譲渡

指図債権とは、債務者が、証書に記載された債権者または当該債権者に指定（指図）された権利者に対して弁済することを証書に定めた債権をいいます（改正前民法469条、470条、472条）。たとえば、抵当証券は指図債権に該当します。

指図債権は、譲渡人の譲受人の意思表示によって譲渡の効力が生じると解されています。証書に譲渡の裏書をして譲受人に交付しなければ、債務者および第三者に対抗することができません（改正前民法469条）。

(2) 無記名債権の債権譲渡

無記名債権とは、債務者が証券の正当な所持人に対して弁済する義務を負うことになる債権をいいます。正当な所持人に対して弁済する債権であるため、遺失物の拾得者、窃取者、受寄者およびこれらの者の承継人は「正当な所持人」から除外されます。たとえば、持参人払式小切手や無記名社債が無記名債権に該当します。

無記名債権は動産にあたるとみなされるため（改正前民法86条３項）、譲渡人と譲受人の意思表示によって譲渡の効力を生じます（民法176条）。また、証券の交付が第三者に対する対抗要件になります（改正前民法178条）。

もっとも、民法は、改正前民法86条３項を削除し、記名式所持人払証券に関する規定を整備したうえで（民法520条の13ないし520条の18）、これらの記名式所持人払書証券に関する規定を、無記名証券について準用することとしています（民法520条の20）。その結果、無記名証券については証券の引渡しが譲渡の効力要件としています（民法520条の20、520条の13）。

(3) 記名式所持人払債権の債権譲渡

記名式所持人払債権とは、証券に債権者を記載してあり、証券の所持人に対して弁済するべきことを付記した債権をいいます。たとえば、有価証券が記名式所持人払債権に該当します。

記名式所持人払債権は、譲渡人と譲受人の意思表示によって譲渡の効力を生じると解されています。また、証券の交付が第三者に対する対抗要件であると解されます。

(4) 免責証券の債権譲渡

免責証券とは、証券の所持人に対して弁済することでその所持人が真実の所持人でない場合でも、債務者が善意である場合にその責任を免れる性質の証券をいいます。たとえば、ホテルのクロークで発行する手荷物引換証、下足札等が免責証券に該当します。免責証券は流通を目的とする債権ではなく、債権を証券に化体したものではなく、民法上の指名債権に該当すると解されます。

免責証券の譲渡については、指名債権に関する規定が適用され、譲受人と譲渡人の意思表示によって譲渡の効力が生じます。また、第三者に対する対抗要件は、確定日付による通知または承諾です。

第3　債務引受

1　債務引受の意義

債務引受とは、債務者の債務を同一性を維持したまま第三者が引き受けることをいいます（民法470条以下）。債務引受には、以下で述べる併存的債務引受と免責的債務引受の２つの類型があります。改正前民法は債務引受について明文の規定を設けておらず、債務引受は、判例上認められていましたが、民法改正時に明文規定を新設しました。また、履行引受は、債務引受ではありませんが、ここで説明します。

2　併存的債務引受

(1) 意　義

併存的債務引受け

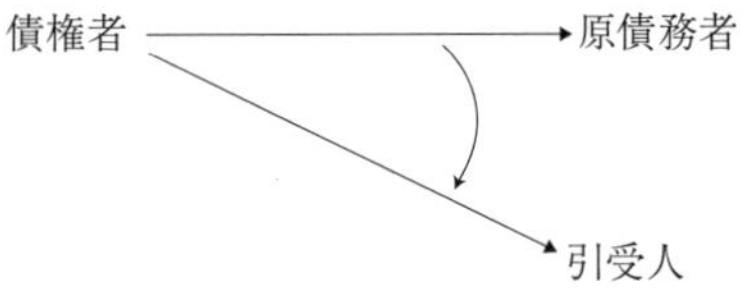

併存的債務引受とは、引受人が、原債務者が債権者に対して負担する債務と同一の内容の債務を原債務者と連帯して負担することをいいます（民法470条１項）。引受人が原債務者の債権者に対する債務と同一の内容の債務を重ねて負担するため、「併存的債務引受」または「重畳的債務引受」と

いいます。併存的債務引受は、引受人が債権者に対して原債務の支払いを原債務者と連帯して支払うことを合意するものであるため、主債務者の債務を保証する保証契約と類似します。

⑵ 要 件

併存的債務引受は、債権者、原債務者および引受人の三者間で、原債務者の債権者に対する債務と同内容の債務を引受人が原債務者と連帯して負担することを合意することによって成立します。この点、明文の規定はありませんが、三者間での併存的債務引受の合意は、当然可能であると考えられています。

また、併存的債務引受は、債権者と引受人となる者との間で合意することによって成立します（民法470条２項）。原債務者は併存的債務引受によって不利益を負うことはなく、原債務者は保証契約における主債務者の地位と類似するため、原債務者の意思に反して引受人となる者が併存的債務引受をすることは可能であると解されています（民法462条２項参照。大判大正15年３月25日民集５巻219頁）。

さらに、併存的債務引受は、原債務者と引受人となる者との合意によっても成立します（民法470条３項第１文）。この場合、併存的債務引受は、債権者に引受人に対する債務支払請求権を取得させる効果を有している点で、第三者のためにする契約に該当します。そこで、第三者（受益者）に当たる債権者が引受人となる者に対して承諾をしたときに、併存的債務引受の効力が生じ（民法470条３項第２文）、その他、第三者のためにする契約に関する規定に従うこととなります（民法470条４項）。債権者が引受人となる者に対して債務の履行を請求した時点で、併存的債務引受に関する承諾の意思表示があったものとして扱われます。

⑶ 効 果

併存的債務引受がなされた場合、引受人は原債務者が債権者に対して負う債務と同一の債務を負担することとなります。また、引受人と原債務者が負担する債務は連帯債務となります（民法470条１項）。民法470条１項は、債務引受を定めた条文がなかった改正前民法の下で、併存的債務引受の原債務者と引受人との関係を連帯債務関係であると判示した判例（最判昭和41年12月20日民集20巻10号2139頁・百選Ⅱ［第８版］31事件）を踏まえて規定したものです。

引受人は、併存的債務引受の効力が生じたときに原債務者が主張することができた抗弁をもって債権者に対抗することができます（民法471条１項）。さらに、原債務者が債権者に対して取消権または解除権を有するときは、引受人は、これらの権利の行使によって原債務者がその債務を免れるべき限度において、債権者に対して債務の履行を拒むことができます（民法471条２項）。取消権や解除権は、原債務者としての地位に基づく権利であって、引受人自身の債務ではないため引受人が行使することはできないものの、引受人に履行拒絶権を認めれば、引受人としてはその限度で債権者の請求を拒むことができるので、それで十分であると考えられたことによります。

原債務者が債権者に対して相殺権を有する場合は、引受人は原債務者の負担部分の限度で債権者に対して債務の履行を拒むことができます（民法439条２項）。原債務者と引受人は連帯債務者の関係に立つためです（民法470条１項）。

3　免責的債務引受

⑴ 免責的債務引受の異議

免責的債務引受とは、第三者（引受人）が、原債務者が債権者に対して負担する債務と同一の内容の債務を負担し、原債務者が自己の債務を免れる類型の債務引受をいいます（民法472条１項）。引受人が原債務者と同一の内容の債務の負担を引き受けることによって原債務者が債務を免れることになるため、「免責的債務引受」といいます。

免責的債務引受け

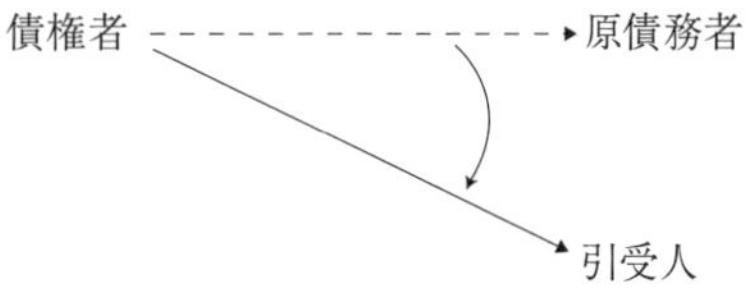

⑵ 要　件

免責的債務引受は、債権者、原債務者および引受人の三者間で、引受人が原債務者の債権者に対する債務と同一の内容の債務を負担し、原債務者が自己の債務を免れることを合意することによって成立します。

また、改正前民法の下では、免責的債務引受は、債権者と引受人となる者との間で引受人となる者が原債務者の負う債務と同一の内容の債務を負担し、原債務者が自己の債務を免れることを契約することによっても成立することが裁判例上認められていました（大判大正10年５月９日民録27輯899頁）。なぜなら、原債務者は免責的債務引受により債務を免れるという利益を得るにすぎないため、原債務者の意思に反して免責的債務引受を成立させても問題ないといえるからです。これを明文化したものが民法472条２項第１文です。もっとも、原債務者が知らないうちに契約関係から離脱することになるのを防止するため、債権者が原債務者に対して、その契約をした旨を通知したときに、免責的債務引受の効力が発生します（民法472条２項第２文）。

さらに、改正前民法の下では、原債務者と引受人との間で免責的債務引受の契約をし、債権者が引受人となる者に対して承諾するという方法によっても、免責的債務引受を成立させることができることが判例上認められていました（最判昭和30年９月29日民集９巻10号1472頁参照）。なぜなら、債権者が免責的債務引受について承諾した場合には、債権者を害するとはいえず、免責的債務引受を否定する理由はないからです。これを明文化したものが民法472条３項です。

債権者の承諾があった場合の免責的債務引受の効力の発生時点は、債権者の承諾があった時であり、原債務者と引受人との合意の時点には遡りません。

これに対して、原債務者と引受人となる者との合意のみでは免責的債務引受は成立しません。なぜなら、原債務者は免責的債務引受の場合、原債務者が債務を免れることになるため、債権者に原債務者の債務を免責させ、引受人が債務者の債務と同一の内容の債務を負担することを認めるか否かの判断の機会を付与しなければ債権者の利益を害するからです。

⑶ 効 果

免責的債務引受がなされた場合、引受人は原債務者が債権者に対して負担する債務と同一の内容の債務を負担し、原債務者は自己の債務を免れることになります（民法472条１項）。

免責的債務引受の引受人は、原債務者に対して求償権を取得しません（民法472条の３）。免責的債務引受によって引受人が負う債務は、原債務者の債権者に対する債務そのものではなく、当該債務と同一の内容の引受人自身の債務であるため、求償権を発生させる基礎を欠くからです。もっとも、原債務者と引受人との間で、別途免責的債務引受の対価の支払いを合意することは可能です。

引受人は、免責的債務引受により負担した自己の債務について、その効力が生じたときに原債務者が主張することができた抗弁をもって債権者に対抗することができます（民法472条の２第１項）。なぜなら、免責的債務引受は、引受人は原債務者と同一の内容の債務を負担するからです。また、原債務者が債権者に対して取消権または解除権を有するときは、引受人は、免責的債務引受がなければこれらの権利の行使によって原債務者がその債務を免れることができた限度において、債権者に対して債務の履行を拒むことができます（民法472条の２第２項）。

なお、併存的債務引受と異なり、免責的債務引受によって原債務者が免責されるため、原債務者が債権者に対し相殺可能な債権を有していたとしても、そのことを理由として引受人が債権者に対し履行を拒絶することはできないと解されます。

また、免責的債務引受に伴い、原債務者の債権者に対する債務のために設定されていた担保（保証・物上保証等）は、原則として引受人が負担する債務の担保として移転することができます（民法472条の４第１項本文、３項）。担保は内容や順位を維持したまま移転します。

ただし、引受人以外の者が担保を設定していた場合には、原債務者の債務に設定されている担保を引受人の負担する債務に移すことにつき、担保設定者（保証人・物上保証人等）の承諾を得なければなりません（民法472条の４第１項但書）。担保設定者は、原債務者との信頼関係を基礎として担保を設定しているため、引受人の債務に移してよいか否かにつき、担保設定者の意思を確認する必要があるからです（大判大正11年３月１日民集１巻80頁、最判昭和37年７月20日民集16巻８号1605頁参照）。また、原債務者が担保を設定した場合も、「引受人以外の者がこれ〔担保〕

第Ⅳ篇　債権総論

を設定した場合」（民法472条の4第1項但書）に該当することから、担保を引受人の債務に移すことにつき原債務者の承諾を得る必要があると解されます。

原債務の担保を引受人の債務に移転する場合、債権者は、免責的債務引受と同時またはそれより前に、引受人に対して担保を移転する旨の意思表示をしなければなりません（民法472条の4第2項）。免責的債務引受は、原債務者の債務を引受人が引き継ぐのではなく、原債務者の債務は消滅し同一の内容の債務を引受人が新たに負担するという法的構成を前提としているため、免責的債務引受により原債務者の債務が消滅し、その附従性により担保が消滅する以前に担保を移転する旨の意思表示が必要となるからです。

なお、担保が保証人による保証の場合には、保証人の承諾は書面によらなければ効力を生じません（民法472条の4第4項）。保証契約自体に書面によることが必要とされることと同様に、保証人の意思を明確化する趣旨です。保証人による承諾が電磁的記録でなされた場合には、書面によってなされたものとみなされます（民法472条の4第5項）。

4　履行引受

(1) 意 義

履行引受とは、引受人が原債務者の債権者に対する債務の履行を引き受けることをいいます。履行引受によって引受人は、原債務者との関係で債務の履行を引き受けるにすぎず、債権者と引受人との間には法律関係は生じません。そのため、引受人は第三者として原債務者の債務を弁済（第三者弁済）することとなります（民法474条）。

履行引受け

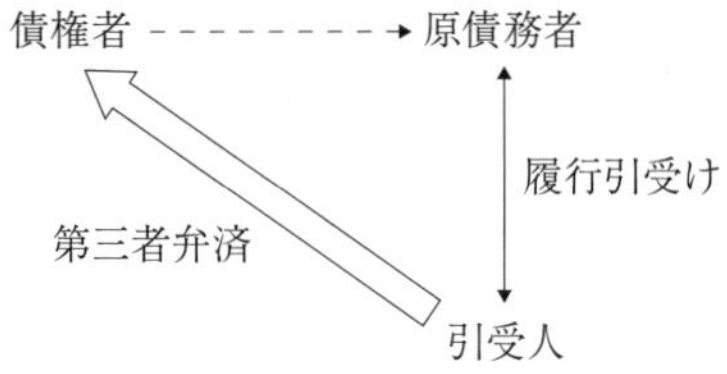

(2) 要 件

履行引受は、第三者が履行することが可能な債務について、原債務者と引受人の間で原債務者の債権者に対する債務について引受人がその履行を引き受けることを合意することによって成立します。

(3) 効 果

引受人は原債務者に対して履行引受により債権者に対する債務を履行する義務を負います。債権者は引受人に対して何らの債権を取得しないため、債権者から引受人に対して履行請求することはできません。

第４　契約上の地位の移転

１　契約上の地位の移転の意義

契約上の地位の移転とは、契約上の当事者の地位を合意によって移転することをいいます（民法539条の２）。たとえば、賃貸人が賃貸人の地位を第三者に譲渡する場合、ゴルフ会員権の会員権者が会員の地位を第三者に譲渡する場合等を挙げることができます。

契約上の地位の移転

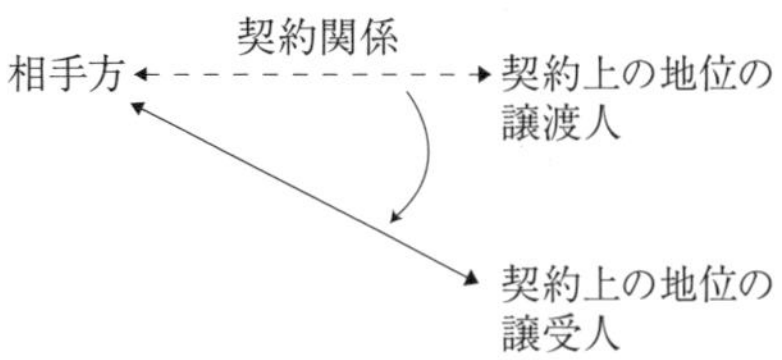

改正前民法は、契約上の地位の移転については、明文上の規定を設けていませんでしたが、実務では多く用いられていました。そこで、民法改正によりその要件や効果を定める規定が新設されました。

２　契約上の地位の移転の要件

契約当事者および契約上の地位の譲受人との三者間合意がなされることにより、契約上の地位が契約上の地位の譲受人（第三者）に移転することに争いはありません。

次に、契約の当事者の一方（譲渡人）が、第三者（譲受人）との間で、契約上の地位を譲渡する旨の合意をした場合に、その契約の相手方当事者がその譲渡を承諾したときは、契約上の地位を第三者に移転することができます（民法539条の２）。契約の相手方当事者の承諾を必要とした趣旨は、契約上の地位の移転は債務引受の要素を含んでおり、契約の相手方に対して与える影響が大きいことから、このような契約の相手方を保護する点にあります。たとえば、売買契約における買主（譲渡人）と第三者（譲受人）との間で、売買契約の買主たる地位を第三者（譲受人）に移転することに合意した場合、当該売買契約の売主は、契約上の地位の移転により、売買代金の支払義務を負う者が買主から第三者に変更されるため、当該第三者が支払能力を有していない場合などには売買代金の回収が困難になることもあり得ます。このような売主を保護する必要から、売買契約の相手方当事者である売主の承諾があった場合に契約上の地位の移転の効果が発生することとされています。

なお、例外として、賃貸借不動産が譲渡されるケースについて、その賃貸借契約について対抗要件を備えた場合（民法605条、借地借家法10条・31条等）、その不動産が譲渡されたときは、その不動産の賃貸人たる地位は、不動産の譲渡人（賃貸借の旧賃貸人）から不動産の譲受人に移転します（民法605条の２第１項）。不動産の譲渡人と譲受人の間で賃貸借契約における賃貸人たる地位の移転について特段の合意がなくても賃貸人たる地位が当然に譲受人に移転する点が、契約上の地位の移転の例外に当たります。たとえば、甲土地所有者Ａが甲土地をＢに建物所有目的で賃貸し、Ｂが甲土地に乙建物を建設し乙建物所有名義の登記を備えて乙建物を使用しているケースにおいて、Ａが第三者Ｃに甲土地を売却したときは、甲土地の賃貸借契約については、借地借家法10条の対抗要件を備えているため、ＡとＣとの間で甲土地の賃貸人たる地位をＡからＣに移転させる旨の合意がなくとも、甲土地がＡからＣに売却されたときに、甲土地の賃貸人たる地位はＡからＣに移転することとなります。

また、賃貸借について対抗要件を備えていない賃貸借不動産が譲渡されたケースにおいて、不動産の譲渡人が賃貸人であるときは、その賃貸人たる地位は、賃借人の承諾を要しないで、譲渡人と譲受人との合意により、譲受人に移転させることができます（民法605条の３）。賃借人の承諾を得ずとも、賃貸借不動産の譲渡人と譲受人との間の合意に基づいて、賃貸人たる地位を移転できる点が、契約上の地位の移転の例外に当たります。たとえば、甲土地所有者Ａが甲土地を青空駐車場の営業目的でＢに賃貸し、Ｂが甲土地に青空駐車場の設備を設置して甲土地を使用しているケースにおいて、Ａが第三者Ｃに甲土地を売却したときは、甲土地の賃貸借契約については対抗要件を備えていませんが、甲土地の売却の際にAC間で甲土地の賃貸人たる地位をＡからＣに移転させる旨の合意をしたときは、賃借人Ｂの承諾がなくても甲土地の賃貸人たる地位はＡからＣに移転することとなります。

3　契約上の地位の移転の効果

契約上の地位の移転によって、契約上の地位に基づき生じる債権債務に限らず、契約解除権、取消権等の形成権も譲受人に承継されます。債権譲渡や債務引受によって特定の債権債務を移転する場合と比べて、解除権や取消権等の形成権を含めた契約上の地位が移転する点が異なります。

契約上の地位が譲渡人から譲受人に移転されることによって、譲渡人は契約上の当事者たる地位から離脱することとなります。この場合に、契約上の地位の移転に伴って契約の相手方当事者に対して負っていた債務を当然に免れることとなるかについては、明文の規定はありません。契約上の地位の移転に伴って譲渡人は免責されるとの考え方もありますが、この点についての合意がある場合は合意に従い、明示的な合意がない場合は合意の解釈によるものと考えられます。

第9章
債権の消滅

第1　弁 済

1　弁済の意義

⑴ 弁済とは何か

弁済とは、債務の内容である給付をすることにより債務を実現させる行為をいいます。たとえば、売買契約を締結した場合、買主が売主に対して売買代金を弁済することにより、代金支払債務を実現することとなります。他方で、売主が買主に対して目的物を引き渡すことにより、引渡債務を実現することとなります。

民法473条は、「債務者が債権者に対して債務の弁済をしたときは、その債権は、消滅する」として、弁済の効果を規定します。改正前民法は、弁済の基本的な効果が債務の消滅であることを明示的に規定していませんでしたが、改正後の民法は、一般的な解釈に従い、債務者が債権者に対して債務の弁済をしたときは、その債権は消滅する旨を明文化しました（一問一答186頁）。

⑵ 弁済の法的性質

かつては、弁済には弁済意思（弁済者の債務を消滅させようとする意思）が必要であり、その効果意思によって弁済という法律効果が発生するという見解（法律行為説）が有力でした。今日では、特に不作為債務では不作為の事実により債務は実現され、弁済意思は不要であると解されるため法律行為説は支持されていません。今日の学説は、弁済は債務者の効果意思によるものではなく、債務の内容の実現によるものであるという見解（非法律行為説）をとっています。

2　第三者の弁済

⑴ 第三者弁済の意義

契約は当事者間で締結されるものであり、弁済は契約当事者の一方である債務者によってなされるのが原則です。もっとも、絵画を描く等の債務者以外の者による給付が意味をなさない場合を除いて、金銭の給付により弁済がなされる場合等には、債権者からすれば債務者以外の者によって弁済がなされたとしても受ける満足に相違はないといえます。

そこで、民法は、債務の弁済は原則として第三者もすることができる旨を定めています（民法474条1項）。たとえば、AがBから100万円を借り受けた場合に、Aの父親CがAに代わってBに100万円を弁済することは第三者弁済に該当します。

⑵ 第三者弁済の制限

① 債務の性質が第三者の弁済を許さない場合

民法は、債務の性質によって第三者の弁済が許されないことがあることを定めています（民法474条４項前段）。たとえば、ＡがＢに対して絵を描く債務を負っている場合、Ａ以外の第三者Ｃが絵を描いても債務の本旨に従った履行とはいえず、債務の履行とはなりません。絵を描く債務のように、債権者の同意の有無にかかわらず第三者の給付が許されないものを絶対的一身専属的給付といいます。これに対して、使用者（債権者）の承諾を得て労働者（債務者）が第三者に労働をさせる場合（民法625条２項）のように、債権者の同意があれば第三者の給付が許されるものを相対的一身専属的給付といいます。

② 当事者が第三者による弁済を禁止または制限する旨の意思表示をした場合

当事者が第三者による弁済を禁止または制限する旨の意思表示をした場合には第三者弁済は許されません（民法474条４項後段）。たとえば、契約当事者であるＡとＢの間で第三者の弁済を許さないという合意（特約）をした場合には、第三者Ｃは弁済をすることはできないこととなります。

契約によって生じた債権は、当事者間の合意（特約）により第三者弁済の禁止が認められます。これに対して、遺贈によって生じる債権のように、単独行為によって生じた債権は、単独行為者の一方的意思表示によって第三者弁済が禁止されます。

当事者の反対の意思表示は債権の発生（契約や単独行為の成立）と同時になされる必要はなく、第三者弁済のなされる前であればよいとされています（大判昭和７年８月10日新聞3456号９頁）。

③ 弁済をするについて正当な利益を有する者でない第三者による弁済で、債務者の意思に反する場合

ア　原 則

弁済をするについて正当な利益を有する者でない第三者は、債務者の意思に反して弁済をすることができず、その弁済は無効となります（民法474条２項本文）。この趣旨は、債務者の意思を尊重し、債務者の意思に反する第三者の弁済を禁止する点、および、弁済した第三者から過酷な求償を受けないよう債務者を保護する点にあります。

改正前民法は、「利害関係を有しない第三者」は、債務者の意思に反して弁済することができないと規定していましたが（改正前民法474条２項）、改正前民法500条の法定代位の規定と同様の表現に改め、「弁済をするについて正当な利益を有する者でない第三者」としました（民法474条２項本文）。

イ　弁済をするについて正当な利益を有する者でない第三者

「弁済をするについて正当な利益を有する者」（民法474条２項本文）とは、弁済をするについて、法律上の利害関係を有する者をいい、具体的には、弁済をしなければ債権者から執行を受ける者、および、弁済をしなければ債務者に対する自己の権利が価値を失う者をいいます（潮見佳男『新債権総論Ⅱ』98頁）。弁済をしなければ債権者から執行を受ける者には、連帯債務者、保証人、物上保証人、担保目的物の第三取得者等が該当します。弁済をしなければ債務者に対する自己の権利が価値を失う者には、後順位抵当権者や債務者の一般債権者等が該当します。

これに対して、事実上の利害関係を有するにすぎない者は、弁済をするについて正当な利益を有しないと解されます。

たとえば、債務者Ａが債権者Ｂから100万円を借り受けた場合において、Ａの父親Ｃは、家族として事実上の利害関係を有するにすぎず、「正当な利益を有する者でない第三者」に該当すると解されるため、Ａの意思に反して、Ａに代わってＢに100万円を弁済することはできません。他方で、ＣがＡのために自らの土地建物に抵当権を設定した物上保証人である場合は、ＣはＡに代わって弁済しなければ抵当権を実行されて自らの土地建物の所有権を失うおそれがあるため、法律上の利害関係を有するといえ、Ａの意思に反するか否かにかかわらず弁済をすることができます。

改正前民法下の判例においても、「利害関係」（改正前民法474条２項）の有無について、事実上の観点から決まるのではなく、弁済をすることにつき法律上の利害関係を有する場合に限ると解していました（最判昭和39年４月21日民集18巻４号566頁）。そのうえで、借地上の建物賃借人は建物所有者（建物賃貸人）に代わって、土地賃貸人（当該建物の敷地の所有者）に対して、敷地地代を弁済することについて法律上の利害関係を有するとしています（最判昭和63年７月１日判時1287号63頁・百選Ⅱ［第８版］32事件）。建物賃借人と土地賃貸人との間には直接の契約関係はありませんが、建物所有者の有する敷地の賃借権が消滅した場合には、建物賃借人は土地賃借人に対して、賃借建物から退去して土地を明け渡す義務を負う法律関係にあり、建物賃借人は建物所有者に代わって敷地の地代を弁済することにより、敷地の賃借権が消滅することを防止する法律上の利益を有するといえるためです。

ウ　債務者の意思に反すること

改正前民法下の判例は、債務者の反対の意思は債権者や債務者に明示されている必要はなく、債務の性質や当事者の関係等の諸般の事情から認定できればよいとしています（大判大正６年10月13日民録23輯1662頁）。また、債務者の意思に反する第三者弁済が無効となるのは例外的な場面であることから、証明責任はそれを主張する側が負担するとしています（大判大正９年１月26日民録26輯19

頁）。

さらに、債務が連帯債務である場合、一部の債務者の意思に反するときは、その債務者との関係では第三者弁済は無効であるとしています（大判昭和14年10月13日民集18巻1165頁）。

エ　例 外

弁済をするについて正当な利益を有する者でない第三者が債務者の意思に反して弁済する場合でも、債務者の意思に反することを債権者が知らなかったときは、弁済は有効となります（民法474条２項但書）。この趣旨は、債務者の意思に反することを知らずに第三者から弁済を受けた債権者（善意の債権者）を保護する点にあります。これは民法改正で新設された規定です。

たとえば、債務者Ａが債権者Ｂから100万円を借り受けた場合において、Ａの父親Ｃによる弁済は、Ａの意思に反する場合でも、ＢがＡの意思に反することを知らなかったときは、有効となります。

④ 弁済をするについて正当な利益を有する者でない第三者による弁済で、債権者の意思に反する場合

ア　原 則

弁済をするについて正当な利益を有する者でない第三者は、債権者の意思に反して弁済をすることができず、その弁済は無効となります（民法474条３項本文）。この趣旨は、弁済をするについて正当な利益を有する者でない第三者により弁済を受けることを望まない債権者の意思を尊重する点にあります。

たとえば、債務者Ａが債権者Ｂから100万円を借り受けた場合において、Ａの父親Ｃによる弁済は、Ｂの意思に反するときは無効となり、Ｂは弁済の受領を拒むことができます。

イ　例 外

弁済をするについて正当な利益を有する者でない第三者が、債権者の意思に反して弁済をする場合でも、当該第三者が債務者の委託を受けて弁済をするときであり、かつ、そのことを債権者が知っていたときは、弁済は有効となります（民法474条３項但書）。改正前民法の下において、債権者の意思に反して弁済する場合でも、第三者が債務者の委託を受けて弁済することを債権者が知っていたときは拒絶することができないと解されていました。改正後の民法474条３項但書はこれを明文化した規定です。

たとえば、債務者Ａが債権者Ｂから100万円を借り受けた場合において、Ａの父親Ｃによる弁済は、Ｂの意思に反するときでも、ＣがＡの委託を受けており、かつ、そのことをＢが知っていたときは有効となり、Ｂは弁済の受領を拒むことができません。

⑶ 第三者弁済の効果

第三者による弁済が正当に認められる場合、弁済としての効力が生じます。この場合、第三者からの弁済の提供を債権者は拒絶できず、債権者が受領しない場合は、債権者の受領遅滞となります。債権者が受領した場合は債権は消滅します。

債務者に代わって弁済をした第三者は、債務者に贈与する意思で弁済をした場合等を除いて、債務者に対して求償権を有します。たとえば、ＡがＢに代わって、ＢのＣに対する借金100万円をＣに対して弁済した場合、ＡはＢに対して100万円を請求（求償）することができます。求償権の発生根拠は、第三者が債務者に委託されて弁済した場合には、委任契約（民法643条）における事務処理費用としての費用償還請求権となります（民法650条）。また、第三者が債務者に委託されずに弁済した場合には事務管理に基づく費用償還請求権（民法702条）となります。

第三者が債務者に対して求償権を有する場合、これを確保するために債権者の権利を取得し、保証人に対する権利の行使や抵当権の行使ができます。これを弁済による代位（民法499条以下）といいます。弁済による代位については、後述します。

3　弁済の受領

⑴ 受領権者

弁済に受領が必要な場合、受領権者に対して弁済することにより、原則として債権の消滅の効果が生じることとなります。受領権者とは、債権者および法令の規定または当事者の意思表示によって弁済を受領する権限を付与された第三者をいいます（民法478条括弧書）。法令の規定による受領権者とは、破産管財人や債権者代位権を行使した代位債権者等をいいます。当事者の意思表示による受領権者とは、債権者により代理受領を委任された第三者等をいいます（「法制審議会民法（債権関係）部会資料70A」26頁）。

⑵ 受領権の喪失

一定の場合には債権者は受領権限を失い、債務者の債権者に対する弁済が無効とされる場合があります。

① 債権の差押えを受けた場合（民法481条１項）

債権の差押えを受けた場合とは、たとえば、ＡのＢに対する売買代金債権をＡの債権者Ｃが差し押さえた場合をいいます（民事執行法145条）。この場合のＣを差押債権者、Ａを差押債務者、Ｂを第三債務者といいます。

民法は、差押えを受けた債権の第三債務者Ｂが自己の債権者（差押債務者）Ａに弁済をしたときは、差押債権者Ｃは、その受けた損害の限度においてさらに弁済をすべき旨を第三債務者Ｂに請求することができると定めています（民法481条１項）。この規定により、差押債権者Ｃによる差押え後に、第三債務者Ｂが自己の債権者（差押債務者）Aに弁済をしたとしても、BのAに対する弁済は自己の債権者（差押債務者）Aとの関係では有効となりますが、差押債権者Cとの関係では効力を有しないこととなります。

その結果、BはAに弁済してもCから請求を受けた場合には支払いを拒むことはできず、二重払いを強制されることとなります。この場合に第三債務者Bが差押債権者Cに対して弁済（二重払い）をしたときは、自己の債権者（差押債務者）Aに対して求償権を行使できます（民法481条2項）。かかる場合にはBはAに対して不当利得に基づく返還請求（民法703条）をすることができるといえ、当然のことを規定したものといえます。

判例は、債権差押命令の送達を受けた第三債務者が、差押債権につき、自己の債権者（差押債務者）に弁済（第一弁済）したときは、第一弁済により差押債権は消滅するが、それを差押債権者に対抗できないため、さらに弁済（第二弁済）し、その後差押債務者が破産手続開始の決定を受けた場合、第二弁済は差押債務者の財産をもって債務を消滅させる行為とはいえないとしています（最判平成29年12月19日判時2370号28頁）。

なお、複数の債権者が同一の債権を差し押さえた場合（二重の差押えがなされた場合）、第三債務者は供託をする義務を負い（民事執行法156条2項）、供託をしなければ債務を免れることはできません。この場合、債務者が差押債権者の1人に弁済をしても、当該弁済は支払いを受けた差押債権者との関係では有効となりますが、他の差押債権者に対抗できないため、第三債務者は依然として全額の供託義務を負うこととなります。

② 債権者が破産した場合

債権者について破産手続開始決定がなされた場合（破産法30条1項）、その債権は債権者の破産管財人の管理処分権に専属します（破産法78条1項）。この場合、債権者は受領権限を失い、破産管財人が債務者に対して取立権を有することとなります。ただし、債務者が善意で債権者（破産者）に弁済をした場合には、破産管財人に対抗できます（破産法50条1項、51条）。

③ 債権に質権を設定した場合

債権者が債権に質権を設定した場合、債権者は債権を取り立てることはできず、債権の受領権限を失います（民法481条、民事執行法145条1項類推適用）。

⑶ 受領権者以外の者に対する弁済

① 原　則

債務者が受領権者以外の者に対して弁済をしたとしても、弁済の効果は生じないのが原則です。この場合、債権は消滅しないため、債権者は債務者に対して、債務の履行を請求できることとなります。

もっとも、受領権者以外の者に対して弁済がなされた場合でも、債権者が「これによって利益を受けた限度」でその効力は生ずるとされています（民法479条）。たとえば、債権者Ａの債務者Ｂに対する売買代金債権100万円の弁済として、Ｂが弁済受領権限を有しないＣに対して支払い、ＣがＡに対して100万円の中から40万円を支払ったとします。この場合、40万円の限度で債権者Ａは利益を受けたとして、その限度で弁済は有効となります。

判例は、弁済を受領した者が弁済受領権限を有しないことにつき、債務者（弁済者）が悪意であったとしても民法479条の適用があるとしています（大判昭和18年11月13日民集22巻1127頁）。

② 受領権者としての外観を有する者に対する弁済（民法478条）

ア　意 義

債務者が受領権者以外の者に対して弁済をした場合、債権者がこれによって利益を受けた限度で効力を生ずるにとどまるのが原則です（民法479条）。しかし、弁済を受領した者が債権者らしい外観を有していて、債務者が債権者だと信じてもやむをえないという場合には、弁済をした債務者を保護すべきであるといえます。

そこで、受領権者以外の者であって取引上の社会通念に照らして受領権者としての外観を有する者に対する弁済は、弁済者が善意かつ無過失であったときに限り、有効となります（民法478条）。「受領権者」とは、債権者および法令の規定または当事者の意思表示によって弁済を受領する権限を付与された第三者をいいます（民法478条括弧書）。

この点、改正前民法は、「債権の準占有者」に対してした弁済は、弁済者が善意かつ無過失であったときに限り、有効とする旨を規定していました（改正前民法478条）。これに対して、債権の準占有者の意義が不明確であることから、改正後の民法は、債権の準占有者という文言を使用せず、「受領権者……以外の者であって取引上の社会通念に照らして受領権者としての外観を有するもの」と規定しました（民法478条）。

また、改正前民法は、受取証書の持参人は、原則として弁済受領権限があるものとみなす旨、および、弁済者が受取証書の持参人に弁済受領権限がないことにつき悪意または有過失の場合はこの限りでない旨を規定していましたが（改正前民法480条）、改正後の民法では、受取証書の持参人も「取引上の社会通念に照らして受領権者としての外観を有する者」（民法478条）に該当すると解されることを踏まえ、改正前民法480条の規定を削除しています（我妻榮ほか『我妻・有泉コンメンタール民法――総則・物権・債権［第５版］』949頁）。

イ　取引上の社会通念に照らして受領権者としての外観を有するもの

「取引上の社会通念に照らして受領権者としての外観を有するもの」には、以下の者が該当すると解されます。

(i) 表見相続人

債権者が死亡したため、債務者が債権者の相続人である養子に弁済をしたところ、養子が実は真実の相続人でなかったという場合には受領権者としての外観を有する者に該当します（大判昭和15年５月29日民集19巻903頁）。

(ii) 債権譲渡の事実上の譲受人

ＡがＢに対する債権をＣに譲渡し、Ａがこれを Ｂに通知（民法467条）したため、ＢがＣに対して弁済したところ、実はＡのＣに対する債権譲渡は無効であったという場合、事実上の譲受人Ｃは受領権者としての外観を有する者に該当すると判示したものがあります（大判大正７年12月７日民録24輯2310頁）。

(iii) 債権の二重譲渡の劣後譲受人

債権が二重に譲渡された場合、譲渡人間の優劣は対抗要件の具備の先後によることとなり（民法467条２項）、劣後する譲受人に対して弁済をしても無効となるのが原則です。ただし、判例には、債務者が劣後譲受人に弁済をした場合に、当該劣後譲受人を受領権者としての外観を有する者とした例があります（最判昭和61年４月11日民集40巻３号558頁・百選Ⅱ［第８版］33事件）。もっとも、この事案では弁済者に過失があるとして、受領権者としての外観を有する者に対する弁済としての保護は否定されています。

(iv) 銀行預金の払戻し

預金通帳と弁済に必要な登録印鑑を所持する者は受領権者としての外観を有する者に該当すると解されています。また、預金通帳を所持する者が現金自動入出機（ATM）による払戻しを受けた事案で、受領権者としての外観を有する者と認めたものがあります（最判平成15年４月８日民集57巻４号337頁・百選Ⅱ［第８版］35事件）。ただし、銀行が無過失であるというためには、機械が正しく作動したことのみではなく、預金者による暗証番号等の管理に遺漏がないようにさせるために当該機械払いにより払戻しが受けられる旨を預金者に明示する等、機械払システムの設置管理の全体について無権限者による払戻しを排除しうる注意義務を尽くすことを要するとしています。

(v) 詐称代理人

改正前民法の下では、代理人と称する者（詐称代理人）が債権の準占有者に該当するかが議論されていました。判例は、受領権限を有するかのような外観がある場合には、代理人と称して債権を行使する者も準占有者に該当し、民法478条の適用があるとしていました（最判昭和37年８月21日民集16巻９号1809頁）。これに対し、学説上は、詐称代理人は準占有者とはいえないが、民法は表見代理（民法109条、110条、112条）を定めているのであり、かかる表見代理の規定によって債務者を保護すれば足りるという見解が主張されていました。

改正後の民法478条は、「準占有者」という文言を「受領権者としての外観を有するもの」に変更しており、受領権者としての外観を信頼して善意で弁済した者を保護する法の趣旨に鑑みれば、詐称代理人にも民法478条の適用があると解され、その意味で上記の議論は意義を失ったものと考えられます（潮見佳男『新債権総論Ⅱ』210頁）。

ウ　弁済者が善意・無過失であること

平成16年改正前の民法478条は弁済者の主観的要件として善意のみを要求し、無過失であることを規定していませんでした。もっとも、判例は無過失を要件とし（前掲最判昭和37年8月21日）、債権の準占有者に対して過失により弁済した場合には、弁済は効力を有しないとしていました。学説上も、民法478条は取引の安全の観点から債権者らしい外観を信頼した弁済者を保護する規定であり、無過失を要件とすべきであるという見解が通説でした。そこで、平成16年民法典現代化の際に「過失がなかったときに限り」と定めて、善意無過失が要件であることを明文化しています。

エ　債権者の帰責事由の要否

民法478条の受領権者としての外観を有する者に対する弁済の規定は、債権者らしい外観を信頼した者を保護する規定であり、外観法理の一種であるといえます。そこで、他の外観法理と同様に本人（債権者）の帰責事由を要するかが議論されています。たとえば、受領権者としての外観を有する者が本人（債権者）の預金通帳・届出印鑑を盗取した場合、本人の帰責事由として、管理・保管がずさんであったということが要求されるかが問題となります。

改正後の民法478条は、頻繁かつ迅速性が要求される金融取引の中で履行義務を負っている弁済者を保護する規定であるとして、本人（債権者）の帰責事由を要しないとしています。

オ　弁済以外の場合への適用

民法478条は、受領権者としての外観を有する者に対する弁済について定めた規定です。改正前民法の下における判例は、通常の弁済以外の場面にも、以下の場合について改正前民法478条の適用ないし類推適用を認めています。

(i) 定期預金の期限前払戻し

定期預金の期限前払戻しは、弁済としての性質にとどまらず、定期預金の合意解約としての性質を有します。定期預金が満期となるまでは銀行は預金を弁済する義務を負わず、解約がなされて初めて弁済義務を負います。そこで、預金者以外の者が定期預金の期限前払戻しをしようとする場合、弁済の効力に先立ち、解約が有効となるかが問題となりえます。仮に解約権限がない者が解約を行った場合、表見代理が成立しない限り、解約は無効となり、民法478条の問題は生じないとも考えられます。

この点について、改正前民法の下における判例は、定期預金契約の締結に際し、定期預金の期限前払戻しについて当事者間で期限前払戻しの場合における弁済の具体的内容が合意により確定している場合には、期限前払戻しは全体として、準占有者に対する弁済（民法478条）に該当するとしています（最判昭和41年10月４日民集20巻８号1565頁）。

(ii) 預金担保貸付における相殺

預金担保貸付とは、預金を担保として貸付を行うことをいいます。たとえば、A銀行がBに対して1000万円を融資する場合にBに定期預金をすることを求めて、これを担保に融資を行う場合です。仮にBが借入債務を弁済しない場合には、A銀行は貸付債権と預金債権を対当額で相殺（民法505条）することにより、貸付債権の回収を図ることとなります。

上記の場合とは異なり、BがA銀行に定期預金をする際、Bの代わりにCが預金を行い、預金名義をB名義ではなくC名義としたとします。A銀行は預金名義から当該預金はCの預金だと信じて、当該預金を担保にCに貸付を行いました。A銀行が貸付債権と預金債権を相殺することにより貸付債権の回収を図った場合、民法478条の適用はあるでしょうか。預金の出捐者（預金のために金銭を拠出した者）がCではなく、Bであるという場合に相殺が許されるかが問題となります。

(ア) 預金者の認定

この問題を考えるにあたっては、前提問題として預金者をBとみるべきか、Cとみるべきかが問題となります。学説上は以下のとおり見解が分かれています。

第１に、預金の出捐者が誰であるかに関係なく、預入行為者（現実に預金行為を行った者）が特に他人のために預金する旨を明示しない限り、預入行為者が預金者であると主張する見解があります。この見解は、預入行為者が預入れを行うに際しての銀行に対する意思表示を重視することから主観説と呼ばれます。主観説に立脚した場合、A銀行に預入行為を行ったCが預金者となります。

第２に、銀行の窓口で実際に預入行為を行った者ではなく、預金の出捐者こそが預金者であると主張する見解があります。預入行為者が出捐者の金員を横領して自己の預金とする等の特段の事情がない限り、自らの出捐により自己の預金とする意思で、自らまたは使者や代理人を通じて預金契約をした出捐者を預金者とする立場があります。預金者が何人であるかは、出捐の事実によって客観的に定まると解することから、客観説と呼ばれます。客観説に立脚した場合、預金の原資となる金銭を出捐したBが預金者となります。

第３に、原則として出捐者が預金者である（客観説）としますが、預入行為者が明示または黙示に自己の預金であることを表示した場合には、預入行為者が預金者となると主張する立場です。この立場は折衷説と呼ばれます。折衷説に立脚した場合、出捐者であるＢが預金者となるのが原則ですが、預入行為者Ｃが明示または黙示に自己の預金であることを表示した場合には、Ｃが預金者となります。

判例は当初、無記名定期預金（預金者の住所氏名を銀行に知らせず、印鑑を届け出るのみで契約する預金）の事案で客観説を採用しました。すなわち、「無記名定期預金において、当該預金の出捐者が、自ら預入行為をした場合はもとより、他の者に金銭を交付し無記名定期預金をすることを依頼し、この者が預入行為をした場合であっても、預入行為者が右金銭を横領し自己の預金とする意図で無記名定期預金をしたなどの特段の事情の認められない限り、出捐者をもって無記名定期預金の預金者と解すべきである」と判示しました（最判昭和48年３月27日民集27巻２号376頁）。

その理由は、預金者と銀行の間で無記名定期預金契約が締結されたにすぎない段階では、銀行は預金者が何人であるかにつき格別利害関係を有するものではないから、出捐者の利益保護の観点から、特別の事情（預入行為者が金銭を横領し自己の預金とする意図で無記名定期預金をしたような事情）のない限り、出捐者を預金者と認めるのが相当であるという点にあります。

また、預金証書または預金通帳に住所氏名が記載される点で無記名定期預金と異なる記名式定期預金の事案で、上記の昭和48年判決を引用したうえで、「この理は、記名式定期預金においても異なるものではない」と判示し、特段の理由を述べることなく記名式定期預金についても客観説を採用しています（最判昭和57年３月30日金法992号38頁）。

このように従前の判例は無記名式か記名式かを問わず客観説を採用していましたが、いずれも定期預金に関する事案でした。これに対して、普通預金について一般的基準を示した最高裁判例はありません。そこで、従来の定期預金に関する議論の射程が普通預金の場面にも及ぶかという点が問題となります。なぜなら、定期預金と異なり、普通預金は随時、預入れや払戻しを予定しているため、ある一定の時点における口座残金について出捐者を確定することはそもそも困難であるといえ、個々の預入行為についての出捐者を捉えて預金者とする客観説とは親和性を欠くのではないかという問題意識が生ずるためです。

判例は、普通預金に関する事案において定期預金に関する客観説を採用することなく、預金の出捐者、口座の開設者、委任事務の内容、預金口座の名義、預金通帳および届出印の保管状況等を総合的に考慮したうえで、契約解釈の一般法理から銀行口座の預金者を確定するという論法を採用しました（最判平成15年2月21日民集57巻2号95頁・百選Ⅱ［第8版］73事件、最判平成15年6月12日民集57巻6号563頁）。

(イ) 相殺の可否

上記のとおり、判例は定期預金に関する事案では客観説を採用し、出捐者Bを預金者としています。これに対して、A銀行は窓口で預入行為を行ったCを預金者であるとして貸付をしています。このように貸付を受けたのがCであるが、預金者はBであるという場合、銀行は貸付債権と預金債権を相殺できるでしょうか。相殺は、当事者が同種の目的を有する債務を負担する場合に許され（民法505条1項）、Cに対する貸付債権とBの預金債権を相殺することは本来許されないと考えられます。この場合、Cが預金者であると信じたA銀行を民法478条類推適用により保護できないかが問題となります。

改正前民法の下における判例は、金融機関による相殺は実質的に期限前解約による払戻しと同視することができ、貸付契約の締結にあたり、第三者を預金者と認定することについて金融機関が相当の注意義務を尽くしたときは改正前民法478条の類推適用により相殺をもって真実の預金者に対抗できるとしています（最判昭和48年3月27日民集27巻2号376頁）。

(ウ) 善意の判断時期

上記の事案では、銀行は貸付時には預金者がCであることについて善意であり、預金者をCであると信じて貸付をしています。その後、預金者がBであることが判明した後に、A銀行は貸付債権と預金債権を相殺しています。このような場合、銀行は善意であることを理由に民法478条類推適用により相殺をすることができるかが問題となります。

改正前民法の下における判例は、貸付時を基準として善意無過失か否かを判断すべきであるとして、金融機関は貸付時に必要な注意義務を尽くしたと認められれば足りるとしています（最判昭和59年2月23日民集38巻3号445頁・百選Ⅱ［第8版］34事件）。

したがって、銀行は貸付時に善意無過失である場合には、その後に第三者の預金であることについて悪意となったとしても、民法478条を類推適用して相殺できることとなります。

カ　受領権者としての外観を有する者に対する弁済の効果

受領権者としての外観を有する者への弁済によって、債権は消滅します（民法479条）。AがBに対する債務について、債権者であると称する第三者Cに弁済した場合、民法479条の要件を満たすときは弁済は有効となり、債権は消滅します。その結果、真の債権者Ｂはもはや A に対して弁済を請求できないこととなります。この場合、真の債権者Ｂは受領権者としての外観を有する者Ｃに対して不当利得に基づく返還請求権を行使することができます（大判大正７年12月７日民録24輯2310頁）。

4　弁済の内容等

(1) 弁済の内容

弁済は、債務の本旨に従ったものでなければなりません（民法415条１項）。債務者が何を弁済するかは、債務の発生原因である契約や法律の規定の解釈によって定まります。民法は、特定物の引渡し（民法483条）および他人物の引渡し（民法475条、476条）に関する規定を特に定めています。なお、改正前民法476条は、制限行為能力者が弁済として物の引渡しをした場合、その弁済を取り消したときは、さらに有効な弁済をしなければその物を取り戻すことができないとする旨を規定していました。改正後の民法は、制限行為能力者の保護に欠けることを理由に、この規定を削除しています。

①　特定物の現状による引渡し

債権の目的物が特定物の引渡しである場合において、契約その他の債権の発生原因および取引上の社会通念に照らしてその引渡しをするべき時の品質を定めることができないときは、弁済をする者は、その引渡しをすべき時の現状でその物を引き渡さなければなりません（民法483条）。

改正前民法は、「契約その他の……定めることができないときは」に相当する文言がありませんでしたが、民法改正によりこの文言が挿入されました。改正前民法の下では、民法483条により、債権の目的物が特定物である場合には、契約内容に反した品質の物であっても当該特定物を引き渡せば債務者は契約上の責任を負わないと説明する立場がありましたが、改正後の民法は、特定物であっても契約内容に反した品質の物を引き渡せば契約上の責任を負うべきであるという考え方を基本としています。この考え方を基本とする理由は、現代社会においては売買の目的物は大量生産され、不具合があった場合には代替物の給付等の履行の追完が可能であるものが多く、実際上の取引も履行の追完により対応が一般化していること、また、問題となった具体的な取引が特定物売買であるか不特定物売買であるかの判別が容易でないケースが多いことによります（一問一答274頁）。

したがって、民法改正後は、民法483条について、契約その他の債権の発生原因および取引上の社会通念に照らして引渡しをすべき時の品質を定めることができない場合についての補充的な規定であると理解することになります（一問一答187頁）。

②　他人物の引渡し

弁済者が他人物を引き渡した場合は、弁済者は、さらに有効な弁済をしなければその物を取り戻すことができません（民法475条）。かかる場合、弁済者には他人物について処分権がない以上、弁済は原則として無効となります。ただし、債権者が即時取得した場合には、弁済は有効となります（民法192条）。債権者が即時取得しない場合、債権者は所有権を取得せず、本来は当該他人物を返還しなければならないはずです。もっとも、直ちに弁済者に返還させることは債権者の利益を害することから、弁済を担保するためにこのような規定が設けられました。たとえば、弁済者が他人物の灯油20リットルを売却した場合、自己の灯油20リットルを引き渡さなければ、売却済みの他人物の灯油を取り戻すことができないこととなります。

また、債権者が弁済として受け取った他人物を善意で消費し、または譲り渡したときは、その弁済は有効となり（民法476条前段）、債権は消滅します。この場合において、債権者が真の所有者（第三者）から不法行為に基づく損害賠償請求または不当利得に基づく返還請求を受けたときは、債権者は弁済者に対して求償することができます（民法476条後段）。

⑵ 弁済の場所

弁済の場所は、当事者間の明示または黙示の合意（民法484条１項参照）や取引慣行により決定するのが通常です。また、民法は弁済の場所について、特に次のような規定を設けています。

① 特定物の引渡し

特定物の引渡しについて別段の意思表示がない場合は、債権発生の当時、その特定物が存在した場所で弁済しなければなりません（民法484条１項前段）。

② 特定物引渡し以外の弁済

特定物以外の引渡しについて別段の意思表示がない場合は、債権者の現在の住所において弁済しなければなりません（民法484条１項後段）。ただし、売買代金について、売買目的物の引渡しと同時にそれを支払うべきときは、その引渡場所が弁済をすべき場所となります（民法574条）。

③ 預金または貯金の口座に対する振込みによる弁済

債権者の預金または貯金の口座に対する払込みによってする弁済は、債権者がその預金または貯金に係る債権の債務者に対してその払込みにかかる金額の払戻しを請求する権利を取得した時に、その効力を生じます（民法477条）。この趣旨は、改正前民法が債権者の預金または貯金の口座に対する払込みによる弁済の効力発生時期について規定していなかったことから、これを明確にした点にあります。「権利を取得した時」の具体的内容については解釈に委ねられるので、銀行等の取引の実情に応じて定まることになります（我妻榮ほか『我妻・有泉コンメンタール民法――総則・物権・債権［第５版］』943頁）。

⑶ **弁済の時期**

弁済の時期は履行期（弁済期）といい、当事者の意思表示や給付の性質、法律の規定によって決定します。債務者が履行期に履行しない場合、債務者は履行遅滞の責任を負います（民法412条）。他方で、債権者が履行期に債務者からの弁済を受領しない場合、債権者は受領遅滞の責任を負います（民法413条、413条の２第２項）。

債務者は債権者の利益を害さない限り期限の利益を放棄することができます（民法136条２項）。また、一定の状況の下では、期限の利益を喪失することがあります（民法137条）。債務者が期限の利益を放棄または喪失した場合は、債務者は当初の履行期よりも前に債務を履行すべきこととなります。また、債務者が期限の猶予を得た場合や同時履行の抗弁（民法533条）を主張できる場合は、当初の履行期よりも後に債務を履行することができます。

⑷ **弁済の時間**

法令または慣習により取引時間の定めがあるときは、その取引時間内に限り、弁済をし、または弁済の請求をすることができます（民法484条２項）。これと同趣旨の規定として改正前商法520条を設けていましたが、商行為によって生じた債務の弁済に限らず一般的に適用されるとしても合理的なものであることから、民法改正に伴い、商法から民法に移設したものです（一問一答187頁）。

⑸ **弁済の費用**

弁済の費用とは、運送費や荷造費、登録税、関税、債権譲渡の通知費等をいいます。弁済の費用について別段の意思表示がない場合は、その費用は債務者の負担となります（民法485条本文）。ただし、債権者が住所の移転その他の行為によって弁済の費用を増加させた場合は、当事者間の公平の観点から債権者が負担することとなります（民法485条但書）。なお、有償契約に関する契約費用は、当事者双方が等しい割合で負担します（民法558条、559条）。

⑹ **弁済の証拠**

弁済の証拠は、二重弁済の危険を防止したり、後日紛争が生じた場合の証拠としての役割を果たすものです。民法は、弁済者に受取証書の交付請求権と債権証書の返還請求権を認めています。

① 受取証書の交付

弁済者は、弁済と引換えに、弁済受領者に対して受取証書の交付を請求することができます（民法486条１項）。受取証書とは弁済の受領を証明する書面（領収書等）です。受取証書の交付と弁済は、同時履行の関係に立つため、改正後の民法は「弁済と引換えに」という文言を追加し、これを明らかにしました。

② 債権証書の返還

債権の成立に際して債権証書が作成されている場合には、弁済者が全部の弁済をしたときは、その債権証書の返還を請求することができます（民法487条）。債権証書とは、債権の成立を証する書面です。

債務者が一部の弁済をしたにすぎない場合、債権証書の返還を請求できません。ただし、債権証書に一部弁済した旨を記載することを請求できると解されています（民法502条１項類推適用）。

債権者が債権証書を紛失した場合、債務者はかかる紛失を理由に弁済を拒絶することはできません。判例は、債務者以外の第三者が債権証書を占有する場合、債務者は民法487条を根拠に直接第三者に対して債権証書の返還を請求できるとしています（大判大正６年９月６日民録23輯1311頁）。

また、弁済と債権証書の返還とは同時履行の関係に立ちません。なぜなら、債務者は、弁済によって受取証書の交付を請求でき（民法486条）、受取証書の交付により弁済の証明という目的を達することができるためです。

5　弁済の充当

⑴ 弁済充当の意義

債務者が債権者に対する債務を全額弁済した場合には、債務がすべて消滅するため、問題は生じません。これに対して、債務者が一部の弁済をしたにとどまる場合、債務を複数負担している場合にはどの債務に対する弁済であるかは明らかになりません。また、１つの債務を負担している場合でも元本や利息等のいずれに対する弁済であるかは明らかではないといえます。そこで、このように弁済者の給付がすべての債務を消滅させるのに足りないときは、いずれの債務のいずれの給付に充当すべきかを決定しなければなりません。これを弁済充当の問題といいます。

⑵ 同種の給付を目的とする数個の債務がある場合の充当

債務者が同一の債権に対して同種の給付を目的とする数個の債務を負担する場合において、弁済として提供した給付がすべての債務を消滅させるのに足りないときは、第１に、充当の方法は当事者の合意によります（民法490条）。当事者の合意が存在する場合は充当の順序に制限はありません。第２に、当事者の合意がない場合は、（弁済者、弁済受領者の順で）当事者の一方の指定により決定します（指定充当）。第３に、当事者が指定しない場合は、法律の規定によります（法定充当）。

① 指定充当

当事者間に充当の合意がない場合、弁済の充当は当事者の一方の指定によることとなります。まず、弁済者は、給付の時にその弁済を充当すべき債務または給付を指定することができます（民法488条１項）。

弁済者が指定しない場合には、弁済受領者が、その受領時においてその弁済充当すべき債務を指定することができます。ただし、弁済者が、弁済受領者による充当に対して直ちに異議を述べたときは、その充当は無効となり、法定充当に移行します（民法488条２項）。いずれの充当の指定も、相手方に対する意思表示により行います（民法488条３項）。

② 法定充当

当事者が充当の指定をしない場合または債権者に対して遅滞なく異議を述べた場合（民法488条２項）は、法定充当となります。法定充当は、次の順序に従います（民法488条４項）。

ア　債務の中に弁済期にあるものと弁済期にないものとがあるときは、弁済期にあるものに先に充当します（１号）。

イ　すべての債務が弁済期にあるとき、または弁済期にないときは、債務者のために弁済の利益が多いものに先に充当します（２号）。

ウ　債務者にとって弁済の利益が同じであるときは、弁済期が先に到来したもの、または先に到来すべきものに、先に充当します（３号）。

エ　上記イウに掲げる事項が相等しい債務の弁済は、各債務の額に応じて充当します（４号）。

⑶ 元本、利息および費用を支払うべき場合の充当

債務者が１個または数個の債務について元本、利息および費用を支払わなければならない場合（債務者が数個の債務を負担する場合にあっては、同一の債権者に対して同種の給付を目的とする数個の債務を負担するときに限ります）に、弁済者の給付がその債務の全部を消滅させるのに不足であるときは、その給付を、費用、利息、元本の順序で充当しなければなりません（民法489条１項）。この順序は公平的観点から認められたものであるため、当事者の合意による充当の場合を除いて、一方当事者の意思によってこの順序を変更することはできません。

ここにいう費用とは、弁済費用（民法485条）や契約費用（民法558条）だけではなく、競売費用も含まれます。また、利息には遅延利息も含まれます（大判明治37年２月２日民録10輯70頁）。

民法489条１項による充当の結果、その一部が消滅しない費用、利息または元本については、上記⑵の場合の規定が準用されます（民法489条２項、488条）。すなわち、まずは当事者による指定充当が可能となり、当事者による充当の指定がない場合または債権者に対して遅滞なく異議を述べた場合には、法定充当によることとなります（民法489条２項、488条）。

⑷ 数個の給付をすべき場合の充当

１個の債務の弁済として数個の給付をすべき場合において、弁済をする者がその債務の全部を消滅させるのに足りない給付をしたときは、民法488条から490条までの規定が準用されます（民法491条）。１個の債務の弁済として数個の給付をすべき場合には、たとえば、１個の債務について数回に分割して弁済する旨の特約がある場合があります。

6　弁済の提供

⑴ 弁済の提供の意義

弁済の提供とは、弁済の完了に債務者の受領その他の行為が必要な債務について、債務者としてなすべきことをしたうえで、債権者の受領その他の行為を求めることをいいます。

債務の多くは債権者の関与や受領等の協力を必要とします。一方で、債権者が受領しない限り債務の履行は完了しないため、債務者は履行遅滞の責任を負うこととなります。そこで、民法は、債務者が履行のために自らの側でなすべきことをなした場合には、履行遅滞の責任を負わないように「債務者は、弁済の提供の時から、債務を履行しないことによって生ずべき責任を免れる」（民法492条）と定めて、弁済の提供という制度を設けています。弁済の提供には、現実の提供および口頭の提供があります。

⑵ 現実の提供

① 現実の提供の意義

現実の提供とは、債権者の協力さえ得られれば履行が完了する程度にまで、債務者が自らなしうる範囲で履行行為を行うことをいいます。

民法は、「弁済の提供は、債務の本旨に従って現実にしなければならない」と規定しています（民法493条本文）。いかなる場合に「債務の本旨」に従って現実の提供を行ったといえるかは、債務の内容によって異なるといえます。

② 金銭債務

現実の履行がなされたというためには、債務の内容や履行期、履行場所が当事者の合意および法律の規定に沿ったものである必要があります。金銭債務の場合、弁済すべき金額の全部（元本・利息・費用等を含む）を履行期に提供すべきこととなります。ただし、判例は、不足額が僅少であった場合には、信義則上弁済の提供の効果を否定することはできないとしています（最判昭和35年12月15日民集14巻14号3060頁）。

また、判例は、持参債務の場合でも、金銭を持参して債権者の住所に行って支払いをなす旨を述べれば足り、債権者の面前に提示する必要はないとしています（最判昭和23年12月14日民集２巻13号438頁）。銀行の自己宛振出小切手（最判昭和37年９月21日民集16巻９号2041頁）、郵便振替、郵便貯金の振込み（大判大正８年７月15日民録25輯1331頁）は、実質的には金銭以外のものによる代物弁済ですが、その信用性により有効な弁済の提供とされています。他方で、預金証書や預金通帳の交付は有効な弁済の提供となりません。

③ 金銭債務以外の場合

金銭債務以外の債務の弁済についても、基本的には金銭債務の場合と共通します。すなわち、目的物を交付すべき場所が債権者の住所である場合は、その住所地まで目的物を持参すれば現実の提供となり、債務者が不在のために持ち帰っても履行遅滞の責任を負いません。また、債務の性質により次のような特殊性があります。

不動産を売買する場合、売主は買主に対して目的物の占有を移転しなくとも、代金や登記手続を準備して登記所に出頭し、移転登記手続を可能にした場合には、有効な現実の提供となります（大判大正7年8月14日民録24輯1650頁）。

また、商品を引き渡す場合に、商品の送付に代えて貨物引換証を送付することは原則として有効な現実の提供となります（大判大正13年7月18日民集3巻399頁）。他方で、売主から買主に対して荷為替付きの物品を交付することは、同時履行の抗弁権を有する買主に代金の先履行を強いることになるため、現実の提供とはなりません（大判大正9年3月29日民録26輯411頁）。学説の多くは後者の判例に反対しています。

(3) 口頭の提供

① 口頭の提供の意義

口頭の提供とは、弁済の準備をしたことを通知してその受領を催告する方法により提供することをいいます。民法は、債権者があらかじめその受領を拒む場合、または債務の履行につき債権者の行為を要する場合は、現実の提供をすることまでを求められず、口頭の提供で足りる旨を定めています（民法493条但書）。この趣旨は、あらかじめ債権者が受領を拒む場合にまで現実の提供を要求することは信義則に反すること、債権者の行為を要する場合は債権者の協力がなければ弁済が不可能であるという点にあります。

② 債権者があらかじめ受領を拒む場合

債権者があらかじめ受領を拒む場合には、明示または黙示の拒絶を含みます。また、口頭の提供を行う場合は、現実の提供を要しませんが、「弁済の準備」をすることを要します。具体的にどの程度まで準備があればよいかは債務の種類によって異なるといえますが、一般的には債権者が翻意して受領するとした場合に、これに応じて直ちに弁済できる程度の準備をすることを要すると解されています。

また、債権者の受領を拒絶する意思が明白である場合には、下記④のとおり口頭の提供が必要でないとされる場合があります。

③ 履行について債権者の行為が必要なとき

履行について債権者の行為が必要な場合があります。具体的には取立債務（債務者の指定する期日や場所で交付すべき債務）の場合や、債権者の先行行為による協力が必要な債務（債権者の供給する材料に加工する債務等）の場合です。

④ 口頭の提供を要しない場合

判例は、賃貸借契約の賃貸人が賃借人からの賃料の受領を拒絶した事案で、過去に賃料の受領を拒んだ経緯があり、すでに受領遅滞に陥っていたという事情の下で、債権者の弁済を受領しない意思が明確な場合は、口頭の提供をしなくとも債務者は履行遅滞の責任を問われないとしています（最判昭和32年6月5日民集11巻6号915頁）。

(4) 弁済の提供の効果

債務者は、弁済の提供の時から、債務を履行しないことによって生ずべき責任を免れます（民法492条）。改正前民法492条は、弁済の提供の効果につき「債務の不履行によって生ずべき一切の責任を免れる」と規定していましたが、弁済の提供の効果と受領遅滞の効果を明瞭に整理する趣旨から、改正後の民法492条は「債務を履行しないことによって生ずべき責任を免れる」と規定し、弁済の提供による効果は履行遅滞による債務不履行に基づく責任を免れる点にあることを明らかにしました（一問一答188頁）。なお、改正後の民法においては、債務者の目的物の保存義務の軽減（民法413条1項）、債権者による増加費用の負担（民法413条2項）、受領遅滞中の履行不能における債権者の帰責事由および危険の移転（民法413条の2第2項、536条2項）は受領遅滞の効果として整理されています。

弁済の提供の効果は、具体的には以下のとおりです。

① 履行遅滞責任からの解放

債務者は、履行遅滞の責任を負わず、遅滞に基づく損害賠償、遅延利息や違約金の支払いを免れます。他方で、債権者は履行遅滞を理由とする契約の解除や担保権の実行を行うことはできません。

② 約定利息の不発生

判例は、弁済の提供により約定利息は発生しないとしています（大判大正5年4月26日民録22輯805頁）。弁済の提供があるにもかかわらず、利息の支払いを認めることは、弁済の提供後に遅滞利息を払わせるに等しいといえ、妥当でないためです。

③ 危険の移転

弁済の提供により、危険負担における危険が債務者から債権者に移転します（民法536条2項）。

④ 注意義務の軽減等

弁済の提供により、債務者の保管についての注意義務が軽減されます。また、目的物の保存および管理に用いた増加費用は債権者の負担となります（民法485条但書）。

学説では、上記③④は、弁済の提供の効果ではなく、受領遅滞の効果と捉えるべきであるという見解が主張されています。

第２　弁済による代位

１　弁済による代位の意義

ある債権を債務者以外の第三者や共同債務者が弁済した場合、弁済した者（弁済者）は債務者に対して求償権を取得します。この求償権は一般債権であるため、債務者の資力が十分でない場合において、債務者に他の債権者が存在するときは、弁済者は他の債権者と平等の割合で按分比例による部分的な弁済を受けられるにとどまります。

民法は、このような弁済者の求償権を確保するため、従前債権者が債務者に対して有していた権利が弁済者に移転することを認めています（民法499条以下）。

たとえば、債権者Ａが債務者Ｂに対して100万円を貸し付け、ＡのＢに対する貸金債権を担保するためにＣの所有する土地に抵当権の設定を受けたとします。この場合に第三者ＤがＡのＢに対する貸金債権を弁済した場合、Ｄは債権者Ａに代位し、ＡのＢに対する貸金債権およびＡのＣに対する抵当権を行使できます。その結果、第三者Ｄは債務者Ｂに対する求償権について優先的に満足を受けることができます。

２　弁済をする第三者、共同債務者

弁済をする第三者とは、物上保証人や第三取得者、後順位担保権者等をいいます。物上保証人とは、自己の財産を他人の債務に供した者をいいます。第三取得者とは、抵当権を設定した不動産の所有権を抵当権設定者から取得した者等をいいます。後順位担保権者とは、ある不動産に複数の担保権が設定されている場合の後の順位の担保権者をいいます。

弁済をする共同債務者とは、債務者とともに共同して債務を負う者をいいます。たとえば、不可分債務者や連帯債務者、保証人等が挙げられます。

３　弁済による代位の要件

弁済による代位が生じるためには以下の要件が必要となります。

⑴　弁済等による債権の満足

弁済による代位が成立するためには、第三者または共同債務者が「弁済」することが必要です（民法499条、500条）。求償権の確保という趣旨から、「弁済」には代物弁済や供託、相殺、混同等の弁済と同視できる債権消滅事由により債権の満足を与える場合も含まれると解されています。

また、弁済者が任意に弁済する場合に限らず、物上保証人が抵当権の実行により目的不動産の所有権を失う結果、債権者が満足を受ける場合も「弁済」に含まれます。

⑵　求償権の取得

弁済による代位は、弁済者の求償権の確保を目的とする制度であるため、弁済

者が債務者に対して求償権を取得することが要件となります（民法501条柱書参照）。債務者以外の者（弁済者）が債権者に弁済した場合、贈与の目的で弁済したような場合を除いて、弁済者は債務を免れた債務者に対して求償権を取得します。

求償権の発生根拠は、弁済が債務者の委託による場合は委任契約に基づく費用償還請求権（民法650条１項）、弁済が債務者の委託によらない場合は事務管理に基づく費用償還請求権（民法702条１項、３項）です。また、連帯債務者（民法442条）、不可分債務者（民法430条、442条）、保証人（民法459条、462条）、物上保証人（民法372条、351条）にはそれぞれ個別的な規定があります。

⑶ 代位の種類に応じた要件

弁済による代位には、弁済をするについて「正当な利益」（民法500条括弧書）を有する者が代位する場合と、「正当な利益」を有しない者が代位する場合があります。

改正前民法では、前者を法定代位、後者を任意代位と定義し、任意代位の要件（改正前民法499条）と法定代位の要件（改正前民法500条）を分けて規定していました。

これに対して、改正後の民法は、法定代位、任意代位という定義を用いず、民法499条に弁済による代位一般の要件を定め、民法500条に弁済をするについて「正当な利益」を有する者以外による代位（従前の任意代位）の場合に対抗要件を備える必要がある旨（改正前民法499条２項と同様）を定めています。

以下では、「正当な利益」を有する者による代位の場合と、「正当な利益」を有しない者による代位とに分けて説明します。

① 弁済をするについて「正当な利益」を有する者の場合

弁済をするについて「正当な利益」を有する者は、弁済によって当然に債権者に代位します。すなわち、弁済によって債権者から原債権と担保権の移転を受けることとなり、債権譲渡と同様の法律効果が生じますが、対抗要件の具備なくして弁済による代位の効果を債権者または第三者に対抗することができます（民法500条括弧書）。

「弁済をするについて正当な利益を有する者」とは、弁済しなければ債権者から執行を受ける地位にある者、弁済しなければ債務者に対する自己の権利が価値を失う地位にある者をいうと解されています。

ア　弁済しなければ債権者から執行を受ける地位にある者

弁済しなければ債権者から執行を受ける地位にある者とは、連帯債務者（大判昭和11年６月２日民集15巻1074頁）、不可分債務者等の共同債務者、保証人（大判明治30年12月16日民録３輯55頁）、物上保証人（大判昭和４年１月30日新聞2945号12頁）、担保不動産の第三取得者（大判明治40年５月16日民録13輯519頁）等をいいます。

これらの者は債権者に弁済しない場合には、債権者から自己の財産につき担保権を実行されたり、強制執行を受ける地位にあります。したがって、これらの者は債権者に対して弁済する「正当な利益」を有するといえます。

イ　弁済しなければ債務者に対する自己の権利が価値を失う地位にある者

弁済しなければ債務者に対する自己の権利が価値を失う地位にある者とは、後順位抵当権者（大判昭和11年７月14日民集15巻1409頁、最判昭和61年７月15日判時1209号23頁）、一般債権者（大判昭和13年２月15日民集17巻179頁）、抵当不動産の賃借人（最判昭和55年11月11日判時986号39頁）等をいいます。

たとえば、後順位抵当権者は不動産の価格が低廉な時に競売された場合には自己の債権が満足を受けられないおそれがあるため、「正当な利益」を有します。一般債権者も競売の時期によっては自己の債権につき弁済を受けられない場合があるため、「正当な利益」を有します。抵当不動産の賃借人は、抵当権の被担保債権を弁済することにより、抵当権実行による賃借権の消滅を免れるという「正当な利益」を有します。

② 弁済をするについて「正当な利益」を有しない者の場合

ア　対抗要件の具備

弁済をするについて「正当な利益」を有しない者による代位の場合も、債権者の承諾を得ることなく、当然に債権者に代位します（民法499条）。もっとも、この場合には、債権譲渡の対抗要件に関する規定が準用されます（民法500条、467条）。

したがって、代位弁済者が代位の効果を債務者に対抗するためには、債務者対抗要件として、債権者から債務者への通知または債務者の承諾が必要になります。また、代位弁済者が代位の効果を第三者に対抗するためには、第三者対抗要件として、確定日付のある証書による債権者から債務者への通知または債務者の承諾が必要となります。

イ　民法改正

改正前民法は、弁済をするについて「正当な利益」を有しない者以外による代位について、弁済と同時に債権者の承諾を得ることを要件としていました（改正前民法499条）。

しかし、債権者が、一方では第三者から弁済を受領しながら、他方で当該第三者に対して代位についての承諾を拒否することは不合理であるため、学説上も債権者は正当な理由がない限り、代位についての承諾を拒否することはできないと解されていました。そこで、改正後の民法は、弁済をするについて「正当な利益」を有しない者による代位の場合に、債権者の承諾を代位の要件としないこととしました。

⑷ 代位権の放棄特約

債権者と弁済者（保証人等）の間で、弁済者が債務を弁済した場合でも代位権を行使しない特約を締結することがあります。このような特約は公序良俗に反するとはいえず、有効と解されています。代位権の放棄特約を締結した場合は、弁済者が債務を弁済した場合でも代位権は発生しないこととなります。もっとも、個別の事情によっては不当性が認められ、その効力を否定ないし制限する必要が生じることがあると解されます。

4　弁済による代位の効果

⑴ 原債権および担保権の移転

弁済により債権者に代位した者（弁済者）は債務者に対して、自己の求償権の範囲内で原債権の効力および担保としてその債権者が有していた一切の権利を行使できます（民法501条１項）。

弁済者による代位権の行使は、求償権の範囲（自己の権利に基づいて債務者に対して求償をすることができる範囲）に制限されます（民法501条２項）。たとえば、求償権が原債権を下回る場合は、原債権の行使は求償権の範囲に縮減されます。また、求償権が原債権を上回る場合は、原債権全額について代位権を行使できます。

⑵ 原債権と求償権の関係

弁済による代位によって、弁済者は債務者に対して、原債権および担保権を行使できます。他方で、弁済者は弁済によって債務者に対する求償権を取得します。

このように弁済者は債務者に対して、原債権および担保権、求償権を有することになります。そこで、原債権と求償権の関係が問題となります。

弁済者の代位権（原債権および担保権）は、実体法上求償権とは別個独立に認められるものです。したがって、弁済者は代位権を行使しないで求償権のみを行使することもできます。もっとも、弁済による代位は求償権の確保を趣旨とするものであり、代位権は求償権の範囲内で認められます（民法501条２項）。また、弁済者が代位権の行使として担保権を実行した場合、原債権や求償権は消滅します。

ここで、弁済による代位が生じた後、債務者が弁済者に対して債務の一部を弁済した場合（これを内入弁済といいます）、原債権と求償権のいずれに充当されるかが問題となります。判例は、求償権と原債権とのそれぞれに対し内入弁済があったものとして、それぞれにつき弁済の充当に関する民法の規定に従って充当されると判示しています（最判昭和60年１月22日判時1148号111頁）。

⑶ 代位弁済者と債権者の関係

① 債権者の弁済者に対する債権証書の交付義務等

債権者は弁済者から債権全部の代位弁済を受けた場合、債権に関する証書および自己の占有する担保物を交付しなければなりません（民法503条１項）。また、債権者が弁済者から債権の一部について代位弁済を受けた場合、債権者は債権に関する証書にその代位を記入し、かつ自己の占有する担保物の保存を代位者に監督させなければなりません（民法503条２項）。これらの趣旨は、代位する権利を取得した弁済者が容易に代位できるように債権者が協力する義務を負うとした点にあります。

② 債権者の弁済者に対する担保保存義務

ア　意 義

債権者が故意または過失によりその担保を喪失し、または減少させた場合、弁済をするについて正当な利益を有する者は、その喪失・減少によって償還を受けることができなくなった限度で、その責任を免れます（民法504条１項前段）。この趣旨は、弁済者の代位に対する期待を保護する点にあります。

保証人が主債務を保証する場合、主たる債務者の資力、とりわけ主債務に物的担保が提供されているかが重要な要素となります。弁済者は代位により債権者の権利を債務者に対して行使できるという期待を有しているところ、債権者が担保を喪失したり減少させた場合は、弁済者の代位に対する期待を害することになります。そこで、民法は、弁済者が償還を受けることができなくなった限度で責任を免れることとしています（民法504条１項前段）。つまり、本条は債権者に担保保存義務を課したものといえます。

たとえば、ＡがＢから1000万円を借りる際に、担保としてＢ所有の不動産（価格400万円）に抵当権を設定し、ＣがＡの保証人となったとします。この場合にＢが抵当権を放棄したときは、その後にＣがＢに対して代位弁済しても抵当権を実行することができなくなるため、Ｃは400万円の限度でＢに対する責任を免れます。

イ　債権者の故意または過失

弁済者が喪失・減少した担保物から償還を受けることができた限度で免責されるという効果が生じるためには、債権者が「故意または過失」によって担保物を喪失・減少させたことが要件となります。したがって、債権者が不可抗力によって担保を喪失・減少した場合には、法定代位者に対する免責は認められません。

ウ　担保権の喪失・減少

債権者が抵当権を放棄する場合は、担保権の喪失・減少の典型です。判例は、設定した抵当権につき登記を怠っている間に、その目的物が第三者に譲渡された場合も、担保権の「喪失」に該当するとしています（大判昭和６年３月16日民集10巻157頁）。

担保には民法上の担保物権のほか、譲渡担保（最判昭和30年９月27日民集９巻10号1435頁）、仮登記担保（最判昭和41年11月18日民集20巻９号1861頁）を含みます。

エ　担保保存義務免除特約

銀行実務では、融資にあたり保証人や抵当権設定者が銀行の都合によって他の担保または保証を変更・解除されても異議を申し立てない旨の特約（担保保存義務免除特約）を定めるのが通常です。判例は、このような特約を有効としています（最判昭和48年３月１日金法679号34頁）。また、債権者と物上保証人の間に担保保存義務免除特約が存在する場合、物上保証人からの第三取得者は債権者に対して、免責の効果を主張することはできないとしています（最判平成７年６月23日民集49巻６号1737頁・百選Ⅱ［第８版］37事件）。

オ　代位権者が物上保証人である場合

代位権者が物上保証人であるときは、その者から担保目的物を譲り受けた第三者およびその特定承継人も責任を減免されます（民法504条１項後段）。この規定は、民法改正前において物上保証人の抵当不動産の譲受人にも減免の効果が生じると判示した判例（最判平成３年９月３日民集45巻７号1121頁）の内容を明文化したものです。

カ　例 外

債権者が担保を喪失または減少させたことについて取引上の社会通念に照らして合理的な理由があると認められるときは、民法504条１項の規定は適用されず、責任は減免されません（民法504条２項）。これは、民法改正により新設された規定です。

たとえば、経営者の交替に伴って保証人が旧経営者から新経営者に交代する場合、抵当権を設定している不動産を適正価格で売却し、その代金を債務の弁済に充てることを前提にその抵当権を抹消する場合等は、個別具体的な事情によるものの、「取引上の社会通念に照らして合理的な理由がある」とされる場合があります（一問一答198頁）。

③ 債務者の抗弁

債務者は、法定代位の場合は弁済の時までに、任意代位の場合は通知・承諾の時までに、債権者に対して有していた一切の抗弁をもって対抗できます。

⑷ 代位者相互間の関係

法定代位者が複数存在する場合、代位者相互間の関係をどのように解すべきかが問題となります。たとえば、ＡがＢから1000万円を借りる際に保証人Ｃ、物上保証人（抵当権者）Ｄおよび物上保証人（抵当権者）Ｅが存在する事案で、保証人ＣがＢに1000万円を弁済したときは、ＣはＢに代位してＤの不動産に対する抵当権を実行することができるでしょうか。

これを認めた場合には、さらにＤがＣに代位する等、代位の循環（Ｃ→Ｄ→Ｃ…）という事態が生じるため、民法は以下のとおり代位者相互間の調整を図る規定を設けています（民法501条３項）。

① 保証人相互の関係

共同保証人間の求償については規定があり、人数割りで平等になります（民法465条）。改正後の民法は、代位割合についても同様に人数割りとなることとし、複数の保証人のうち１人が弁済をし、当該保証人が他の保証人に対して債権者に代位する場合には、自己の権利に基づいて当該他の保証人に対して求償することができる範囲内においてのみ代位権を行使することができることとしています（民法501条２項括弧書）。

② 第三取得者相互の関係

第三取得者の１人は、各財産の価格に応じて、他の第三取得者に対して債権者に代位します（民法501条３項２号）。

たとえば、債務者Ａが債権者Ｂから9000万円を借りる際、Ａ所有の甲不動産（4000万円）と乙不動産（価格8000万円）に抵当権を設定し、その後、Ｂは甲不動産を第三取得者Ｃに譲渡し、乙不動産を第三取得者Ｄに譲渡したとします。この場合、第三取得者の１人であるＣが債権者Ｂに対して9000万円を弁済したとき、第三取得者Ｃは債権者Ｂに代位して他の第三取得者Ｄに対して抵当権を行使できます。具体的には、第三取得者Ｃは不動産の価格に応じて代位することとなるため（民法501条３項２号）、9000万円のうち１対２の割合（4000万円対8000万円）、すなわち3000万円の限度で債権者Ｂに代位して抵当権を行使できます。

なお、第三取得者から担保の目的物を譲り受けた者も第三取得者とみなされます（民法501条３項５号。以下同じ）。

③ 物上保証人相互の関係

物上保証人の１人は、各財産の価格に応じて、他の物上保証人に対して債権者に代位します（民法501条３項３号）。これは、上記②の第三取得者相互間の代位と同様の処理によって調整を図るものといえます。物上保証人から担保の目的物を譲り受けた者も物上保証人とみなされます（同５号。以下同じ）。

④ 保証人と物上保証人の関係

ア　原則

保証人と物上保証人の間では、原則としてその数に応じて債権者に代位します（民法501条３項４号）。たとえば、債務者Ａが債権者Ｂから1000万円を借りた際、保証人Ｃと物上保証人Ｄが存在したとします。この場合、保証人Ｃと物上保証人Ｄの一方が先に弁済したことにより相手方に対して保証債務の全額履行や抵当権の全面的な行使が認められるとすれば、不公平な結果を招くこととなります。

そこで、改正後の民法は、物上保証人と保証人は原則として、その数に応じて債権者に代位することとしました（民法501条３項４号）。したがって、保証人Ｃと物上保証人Ｄは500万円の限度で債権者に代位することができます。

なお、改正前民法は弁済後において物上保証人から不動産を譲り受けた第三取得者に対しては、付記登記がなければ代位できないとしていましたが（改正前民法501条６号・１号）、登記しなければ代位することができないとの規定に合理性はないことから、改正により削除されました。

イ　物上保証人が数人存在する場合

物上保証人が数人存在する場合、物上保証人の間では、保証人の負担部分を除いた残額について、各財産の価格に応じて、債権者に代位します（民法501条３項４号但書）。たとえば、債務者Ａが債権者Ｂから900万円を借りる際、Ｃが保証人となり、物上保証人Ｄ所有の土地（価格600万円）と物上保証人Ｅ所有の土地（価格400万円）に抵当権を設定したとします。

この場合、900万円のうち保証人Ｃは頭数（Ｃ、Ｄ、Ｅの３名）に応じて300万円代位され、ＤとＥは残額600万円を６対４の割合（Ｄは360万円、Ｅは240万円）で代位されます。Ｃ、Ｄ、Ｅは他の保証人および物上保証人に代位できない部分は債務者Ａに対して求償権を行使することとなります。

ウ　保証人と物上保証人の二重資格を有する者が存在する場合

ある者が保証人と物上保証人を兼ねる場合にどのように代位者相互間の調整を図るかが問題となります。たとえば、債務者Ａが債権者Ｂから900万円を借りる際、ＣとＤが保証人となり、さらにＤが甲土地（価格600万円）に抵当権を設定し、Ｅが乙土地（価格900万円）に抵当権を設定する場合です。かかる場合、Ｄは保証人と物上保証人の２つの地位を有しています。

民法501条３項４号本文は「その数に応じて」と定めるのみであり、保証人と物上保証人を兼ねる者が存在する場合について具体的に規定していません。そこで、保証人と物上保証人を兼ねる者を１人と数えるべきか、２人と数えるべきかが問題となります。

判例は、「複数の保証人及び物上保証人の中に二重の資格をもつ者が含まれる場合における代位の割合は、（改正前）民法501条但書４号、５号の基本的な趣旨・目的である公平の理念に基づいて、二重の資格を持つ者も１人と扱い、全員の頭数に応じた平等の割合であると解するのが相当である」として、二重資格者を１人と扱うべきであると判示しました（最判昭和61年11月27日民集40巻７号1205頁）。

上記の例でいえば、物上保証人Ｅが債権者Ｂに対して900万円を弁済した場合、物上保証人Ｅは債権者Ｂに代位して、保証人Ｃおよび保証人兼物上保証人Ｄに対して、頭数（Ｃ、Ｄ、Ｅ）に応じて300万円ずつ保証債権および抵当権を代位行使できるものと考えられます。

エ　弁済までに物上保証人に共同相続が生じた場合

物上保証人Ｃが死亡してその抵当権の目的不動産について共同相続が生じて相続人ＤとＥの共有となり、その後に保証人Ｆが弁済した場合、民法501

条３項４号の「その数」をどのように数えるべきであるかが問題となります。

判例は、「弁済の時における物件の共有持分権者をそれぞれ１名として上記頭数を数えるべき」であると判示します（最判平成９年12月18日判時1629号50頁）。上記の例では保証人Ｆが弁済した際の共有持分権者であるＤとＥをそれぞれ１名として頭数を数えることとなります。

オ　代位割合を変更する特約の有効性

判例では、民法501条３項４号とは異なり、保証人Ｃと物上保証人Ｄとの間でＣがＤに対し全部代位できるとする特約を締結した場合に、このような特約が有効か、仮に有効であるとした場合、Ｄが抵当権を設定した不動産について後順位抵当権者Ｅが存在する場合、Ｅとの関係で効力を有するかが問題となりました。

判例は、代位弁済した保証人が債権者の根抵当権を行使した事案であり、もともと後順位抵当権者Ｅは、債権者Ｂが根抵当権の被担保債権の全部につき極度額の範囲内で優先弁済を主張した場合には、それを承認していたと認められることから、後順位抵当権者Ｅは特約により民法501条が修正されたとしてもやむをえないとして、保証人Ｃはその求償権の範囲内で上記特約の割合に応じて抵当権を行使できるとしました（最判昭和59年５月29日民集38巻７号885頁・百選Ⅱ［第８版］36事件）。

⑤　保証人と第三取得者の関係

ア　保証人の第三取得者に対する代位

保証人は、債務者から担保の目的物を譲り受けた第三取得者に対して全額を代位することができます（民法501条１項）。

たとえば、債務者Ａが債権者Ｂから1000万円を借りた際に、物上保証人Ｃ所有の甲土地に抵当権を設定し、Ｄが保証人となったとします。また、その後に物上保証人Ｃから甲土地の所有権を取得した第三取得者Ｅが存在するとします。この場合、保証人Ｄが債務者Ａに代わって債権者Ｂに1000万円を弁済したときは、保証人Ｄは債権者Ｂに代位して第三取得者Ｅ所有の甲土地につき抵当権を行使することができます。

なお、改正前民法は、目的物が不動産であるときはあらかじめ付記登記をしなければ代位できないとしていましたが（改正前民法501条１号）、改正後の民法はこれを削除しています。

イ　第三取得者の保証人に対する代位の否定

第三取得者は、保証人に対して代位することができません（民法501条３項１号）。上記アの例でいえば、物上保証人Ｃからの第三取得者Ｅが債権者Ｂに1000万円を弁済した場合でも、第三取得者Ｅは債権者Ｂに代位して保証人Ｄに対して保証債務の履行を請求できないことになります。

この趣旨は、第三取得者Ｅは目的不動産に抵当権が付いていることを前提に取得したものであり、抵当権の負担を覚悟しているという点にあります。

5　一部弁済による代位（弁済者が債権の一部を弁済した場合）

⑴ 権利行使の要件

弁済者（代位者）が債権の一部を代位弁済した場合、代位者は、その弁済をした価額に応じて、債権者の同意を得て、その弁済をした価額に応じて、債権者とともにその権利を行使することができます（民法502条１項）。また、この場合でも、債権者は、単独で自己の権利を行使することができます（民法502条２項）。

たとえば、ＡがＢから1200万円を借りる際に600万円の不動産に抵当を設定した場合にＣが300円を弁済したときは、Ｃは４分の１の割合（300万円／1200万円）でＢのＡに対する債権と抵当権につき、債権者の同意を得て、債権者とともに代位権を行使できます。その結果、Ｃは不動産から150万円、Ａは450万円の配当を受けることとなります。

改正前民法下の判例（大決昭和６年４月７日民集10巻535頁）は、一部弁済をした代位者も単独で担保権を実行することができると判示していました。もっとも、一部弁済をしたにすぎない代位者が単独で担保権を実行可能とすれば、本来の権利者である債権者が担保権を実行する時期を選択する利益が奪われ、債権者が全額の回収をすることができなくなるおそれがあるとの指摘がされていました。他方で、一部弁済をした代位者が存在する場合に、債権者が単独でその権利を行使することができるかについても条文上明確になっておらず、共同して権利行使をすることが必要であるとすれば、債権者に大きな不利益となり妥当ではないと指摘されていました（一問一答197頁）。

そこで、改正後の民法は、従前の判例を改め、一部弁済をした代位者が債権者の同意を得て、債権者とともにその権利を行使することができることとし（民法502条１項）、あわせて一部弁済をした代位者が存在する場合であっても、債権者は単独でその権利を行使することができると規定しました（民法502条２項）。

⑵ 代位者と債権者の優劣関係

一部弁済をした代位者が、債権者とともに権利を行使した場合、権利行使によって得られる金銭についての債権者と代位者との優劣関係が問題となります。

この点について、改正前民法下の判例は、債権の一部につき弁済がなされた後、当該債権を被担保債権とする抵当権が実行され売却代金を配当した事案で、債権者が一部弁済者に優先するとしていました（最判昭和60年５月23日民集39巻４号940頁）。

そこで、改正後の民法は、判例に従い、債権者が行使する権利は、その債権の担保の目的となっている財産の売却代金等について、一部弁済をした代位者が行使する権利に優先するとしています（民法502条３項）。

⑶ 一部弁済と解除権

一部弁済による代位の場面で、債権者と債務者の間で契約が債務不履行により解除される場合があります。民法は、一部弁済による代位があっても、債務不履行による契約の解除は、債権者のみがすることができると定めています（民法502条４項前段）。もっとも、契約の解除権は契約当事者の固有の地位に基づくものであり、代位弁済がなされても契約当事者でない弁済者に移転することはありえないため、当該規定は意味がない規定であると解されています。

一部弁済がなされた場合、債権者が契約を解除したときは、債権者が代位者から受領した部分は不当利得となります。そこで、債権者は代位者に対して、その弁済した価額およびその利息を償還すべき義務を負います（民法502条４項後段）。

第３　代物弁済

１　代物弁済の意義

⑴ 代物弁済とは何か

代物弁済とは、債権者の承諾を得て、本来の給付に代えて他の給付をすることにより債権を消滅させることをいいます（民法482条）。

たとえば、ＡがＢから300万円を借りた場合に、ＡがＢに対して300万円の金銭を返済する代わりに、自動車の所有権を引き渡すことにより債権を消滅させる場合です。

改正前民法の下では、代物弁済の法的性質について、要物契約と解する学説がある一方で、実務上は、合意による代物弁済の予約や停止条件付代物弁済契約等の諾成的な代物弁済の合意が認められていました（我妻榮ほか『我妻・有泉コンメンタール民法――総則・物権・債権［第５版］』951頁）。また、諾成的な代物弁済の合意が有効であることを前提とする判例（最判昭和57年６月４日判時1048号97頁、最判昭和60年12月20日判時1207号53頁等）もありました（一問一答187頁）。そこで、改正後の民法は、「弁済をすることができる者（以下「弁済者」という）が、債権者との間で、債務者の負担した給付に代えて他の給付をすることにより債務を消滅させる旨の契約」と規定し、代物弁済の法的性質が諾成契約であることを明確にしました（民法482条）。

⑵ 更改との違い

代物弁済と更改は、本来の給付とは異なる給付をすることにより債権を消滅させる点で共通性を有するといえます。

更改とは、本来の給付とは同一性を有しない新たな債務を成立させることによって、元々の債権を消滅させることをいいます（民法513条）。これに対し、代物弁済は、本来の給付に代えて別の物を給付するものであり、新たな債務を発生させるものではないという点で更改と異なります。

2　代物弁済の要件

代物弁済の要件は、⑴債権が存在すること、および⑵弁済者と債権者の間に、債務者の負担した給付に代えて他の給付をすることにより債務を消滅させる旨の合意があることです。

⑴ 債権の存在

代物弁済は、本来の債権の消滅を目的としてなされるものであり、前提として本来の債権が存在することが必要となります。債権が不存在である場合は、代物弁済は非債弁済となるため、代物弁済をした債務者は債権者に対して給付したものの返還請求をすることができます（民法703条）。ただし、代物弁済をした者がその当時債務が存在しないことを知っていたときは、給付したものの返還を請求できません（民法705条）。

⑵ 債務者の負担した給付に代えて他の給付をすることにより債務を消滅させる旨の合意

代物弁済が成立するためには、弁済者と債権者が「債権者の負担した給付に代えて他の給付をすることにより債務を消滅させる旨」を合意することが必要となります（諾成契約・民法482条）。たとえば、XがYに対し1000万円を貸し付けた場合において、YがXとの間で、当該貸金債務1000万円の弁済に代えて、Yが所有する土地の所有権を移転する旨を合意することが必要となります。

代物弁済により本来の債務は消滅しますが、新たな債務は発生しません。このような場合を「弁済に代えて」給付するといいます。これに対し、更改（民法513条）は、本来の給付の内容を変更して他の新たな債務を発生させます。このような場合を「弁済のために」給付するといいます。この点、改正前民法の下における判例として、金銭債務に代えて手形・小切手を給付する場合は不渡りの可能性があることから、金銭債務と手形債務を併存させるのが当事者の通常の意思であり、手形・小切手の給付は「弁済のために」給付されるものと推定すべきと解するものがあります（大判大正9年1月29日民録26輯94頁）。ただし、元々の金銭債務を消滅させる趣旨で「弁済に代えて」手形・小切手を交付する場合は、代物弁済であると解されます。

代物弁済の成立にあたり、当初の給付に代わる給付の種類は問いません。また、当初の給付に代わる給付が当初の給付と同価値である必要はありませんが、当初の給付に比して新たな給付の価値が著しく超過する場合において、当該給付が弁済者の窮迫・軽率・無経験に乗じた暴利行為に当たるときには、代物弁済契約は無効（民法90条）となることがあると考えられます。

3　代物弁済の効果

弁済をすることができる者（弁済者）が、債権者との間で、債務者の負担した給付に代えて他の給付をすることにより債務を消滅させる旨の契約（代物弁済契約）をした場合において、その弁済者が当該他の給付をしたときは、その給付は、弁済と同一の効力を有します（民法482条）。したがって、弁済者が代物弁済契約に基づき、債務者の負担した給付に代えて他の給付をしたときは、債権者の債務者に対する債権は消滅します。

代物弁済による給付の目的物が不動産の場合、当該不動産が引き渡され、所有権移転登記を完了した時に、代物弁済により債権が消滅します（最判昭和39年11月26日民集18巻９号1984頁等）。他方で、債務者が不動産所有権の譲渡をもって代物弁済をする場合でも、債権者が当該不動産の所有権移転登記手続に必要な一切の書類を債務者から受領したときに直ちに債務消滅の効力が生じるという特約は有効であり、このような特約が存在する場合は債権者が債務者から当該書類を受領した時に、直ちに代物弁済による債務消滅の効力が生ずると解されます（最判昭和43年11月19日民集22巻12号2712頁）。

債務者が代物弁済として給付した物に不適合があった場合、改正前民法の下では、すでに債権は消滅しているため、債権者は瑕疵のないものや本来の給付を請求することができず、瑕疵担保責任の規定（改正前民法570条、566条）の準用により、債権者は代物弁済契約を解除したり、債務者に対し損害賠償請求ができるにとどまると解されていました。

これに対し、改正後の民法の下では、代物弁済契約は債権の消滅と代物の給付との有償交換がなされる点で有償契約であり、他の有償契約と異ならないことを踏まえ、給付した物に不適合があった場合には、債権者は民法562条に基づき履行の追完を請求できるとの指摘があります。また、代物弁済契約に適合した物の給付がなされ、契約の履行が完了し、代物弁済されたとの法的評価が下されるまでは債権は消滅していないと考えられるため、債権者は債務者に対し本来の給付を請求することもできるとの指摘がされています（潮見佳男『新債権総論Ⅱ』88頁）。

第４　供　託

１　供託の意義

供託とは、債権者が弁済を受領しない場合等に、弁済者が弁済の目的物を債権者のために供託所に寄託することによって、債権を消滅させることをいいます。債権者が弁済の受領を拒み、または弁済を受領することができないときは、弁済者は、債権者のために弁済の目的物を供託してその債務を免れることができます（民法494条１項）。また、弁済者に過失があるときを除き、弁済者が債権者を確知することができないときも、弁済者は同様に供託をすることができます（民法494条２項）。

供託を用いる場合として、建物賃貸借契約の貸主と借主の間で紛争が生じ、貸主が借主からの賃料の受取りを拒絶する場合があります。債務者である借主は弁済の提供（民法493条）によって履行遅滞責任を免れますが、債権者である貸主が受領しない限り一方的に債権を消滅させることができません。このような場合、貸主の借主に対する賃料債権を消滅させるための手段として、借主が供託することを認めています。

民法が債権の消滅事由として定める供託を弁済供託といいます。供託の種類としては他に、保管供託（民法394条、578条）、担保供託（民訴法76条、民事保全法22条、25条）、執行供託（民事執行法156条１項）があります。

2　供託の要件

供託の要件は、⑴供託原因が存在すること、⑵債務の本旨に従った供託であることです。

⑴ 供託原因の存在

民法は、以下の供託原因を定めています（民法494条）。

① 債権者の受領拒絶（民法494条１項１号）

弁済の提供をした場合において、債権者がその受領を拒んだときは、供託が認められます。改正前民法は単に「債権者が弁済の受領を拒み」と規定していましたが、判例がこれに先立って弁済の提供が必要であるとしていたことを踏まえ（大判大正10年４月30日民録27輯832頁）、民法改正により「弁済の提供をした場合において」という文言を明文化しました（一問一答192頁）。ただし、判例は、口頭の提供をしても債権者が受領しないことが明らかな場合には、口頭の提供が不要となり直ちに供託できるとします（大判大正11年10月25日民集１巻616頁）。この判例は、改正後の民法下においても妥当すると解されています（一問一答193頁）。

② 債権者の受領不能（民法494条１項２号）

債権者が受領することができない場合、供託が認められます。判例は受領不能を広く解し、債権者が不在で受領できない場合も受領不能に該当するとしています（大判昭和９年７月17日民集13巻1217頁）。債権者の受領不能は、債権者の責めに帰すべき事由によることを要しません。

③ 債権者の不確知（民法494条２項）

弁済者が債権者を確知することができない場合、供託が認められます（民法494条２項本文）。債権者の不確知は、事実上の理由による場合、法律上の理由による場合を問いません。事実上の理由とは、債権者が失踪した場合等をいい、法律上の理由とは、債権が二重譲渡されて譲受人が不明である場合等をいいます。

ただし、弁済者に過失があるときは、供託は認められません（民法494条２項但書）。債権者不確知の典型事例（相続人が不明である場合、債権譲渡の通知の先後が不明である場合等）は、弁済者には関係のない事情によって生じるものであるため、弁済者に過失があることの主張立証責任は債権者に負わせることが公平であるといえます。そこで、改正後の民法は、主張立証責任の所在を明らかにする趣旨で、弁済者の過失について但書に規定しています（一問一答192頁）。

(2) 債務の本旨に従った供託であること

供託の目的物は、債務の本旨に従ったものである必要があります。債権額の一部を供託した場合には、全体について供託の効力は生じないとされています（大判明治44年12月16日民録17輯808頁）。そこで、一部供託がなされた場合には、債権者は債務の本旨に従った履行（全額の支払い）を債務者に促すことができます。ただし、その不足額が僅少である場合は、供託額の範囲で供託は有効となります（最判昭和35年12月15日民集14巻14号3060頁）。供託の目的物は、弁済の目的物であれば金銭、動産および不動産を問いません。

弁済の目的物が、①供託に適さない場合、②その物について滅失、損傷その他の事由による価格の低落のおそれがある場合、③その保存に過分の費用を要する場合、④その他その物を供託することが困難な事情がある場合は、弁済者は、裁判所の許可を得てそれを競売に付し、その代金を供託することができます（民法497条）。

3　供託の方法

(1) 当事者

供託を行う者は、弁済者です。供託を受ける者は、債務履行地の供託所です（民法495条1項）。供託所は、供託の目的物が金銭・有価証券である場合は、法務局もしくは地方法務局もしくはその支局または法務大臣の指定する出張所になります（供託法1条）。供託の目的物が金銭・有価証券以外の物品である場合は、法務大臣が指定する倉庫営業者または銀行です（供託法5条）。

また、供託の目的物が供託所に供託できない物である場合は、弁済者の請求により、裁判所は供託所の指定および供託物保管者を選任する必要があります（民法495条2項）。

(2) 供託の通知

供託の目的物を供託した者（供託者）は、遅滞なく債権者に供託した旨の通知をしなければなりません（民法495条3項）。ただし、供託者は供託所に供託通知書と封筒を提出したうえ、供託所は被供託者（債権者）に対して供託通知書を発送すべきものとされているため、供託者が自ら通知をする必要はありません（供託規則16条、19条、20条）。

4　供託の効果

(1) 債権の消滅

弁済者が供託をした時に、その債権が消滅します（民法494条1項）。利息も発生しなくなります。供託による債権消滅の効力は、供託者の供託物の取戻請求権の行使を解除条件として発生するものと解されています。

⑵ 還付請求権の発生

債務者が供託した場合、債権者は供託所から供託物の還付を請求する権利を有します（民法498条１項）。これを還付請求権といいます。

民法は、債務者が債権者の給付に対して弁済をすべき場合には、債権者はその給付をしなければ供託物を受け取ることができないと定めています（民法498条２項）。たとえば、売買の目的物と引き換えに代金を支払う買主が供託をする場合には、売主は買主に対して目的物を引き渡さなければ、供託物を受け取ることはできません。かかる場合以外は、債権者はいつでも供託物を受け取ることができます。

判例は、債権者が不足する供託金を債権の一部弁済として受領する旨をあらかじめ留保して受領した場合は、供託金は債権の一部の弁済に充当され、債権者は債務者に対して残額を請求できるとしています（最判昭和36年７月20日判時269号７頁、最判昭和38年９月19日民集17巻８号981頁）。

5　供託物の取戻し

弁済者は、供託をした後でも、供託物を取り戻すことができる場合があります。まず、債権者が供託を受諾せず、または供託を有効と宣告した判決が確定しない間は、弁済者は供託物を取り戻すことができます（民法496条１項前段）。

供託の受諾とは、債権者が供託所に対して供託を受諾する意思表示をする場合をいいます。債権者が供託を受諾した場合には、弁済者の取戻請求権は消滅します。

供託を有効と宣告した判決とは、供託が有効であることを判決の主文・理由中で判断している判決をいいます。たとえば、債権者が債務者に対して債務の弁済を請求した訴訟で、債務者が供託によって債務は消滅したという抗弁を主張した結果、請求棄却の判決が下り確定した場合が挙げられます。

弁済者が供託物を取り戻した場合、供託をしなかったものとみなされます（民法496条１項後段）。その結果、債務者は債権者に対して債務を負担します。

民法は、供託によって質権または抵当権が消滅した場合には、供託物の取戻しに関する民法496条１項は適用しないと定めています（民法496条２項）。質権や抵当権付きの債権が供託によって消滅した場合、付従性により質権や抵当権は消滅します。この場合に、取戻しを認めて担保権が復活するとすれば、担保権が付着していないことを前提に取引をした第三者に不測の損害が生じるおそれがあります。そこで、質権または抵当権が消滅した場合は、供託者に取消権がない旨を定めています（民法496条２項）。

なお、供託物取戻請求権は、供託原因が消滅した時から、10年の消滅時効にかかります（最判昭和45年７月15日民集24巻７号771頁）。

第5　相殺

1　相殺の意義

(1) 相殺とは何か

相殺とは、2人が互いに相手方に対して同種の目的を有する債務を負担する場合に、債務者の意思表示により対当額で債務を免れることをいいます（民法505条1項）。たとえば、AがBに対して100万円の貸金債権を有する場合に、BがAに対して自動車の150万円の売買代金債権を有していたとします。この場合、AとBがそれぞれ相手方に対して弁済することもできますが、AとBの間で一方が相手方に対して相殺の意思表示をすることにより、互いに対当額で債権を消滅させることができます。

相殺の結果、双方の債権は「対当額で」、すなわち互いの債権債務が重なり合う範囲で消滅します。上記の例では、AのBに対する貸金債権とBのAに対する売買代金債権は重なり合う100万円の範囲で消滅するため、AのBに対する貸金債権は全額消滅し、BのAに対する売買代金債権は50万円残ることになります。

相殺する当事者が相手方に対して有する債権を自働債権、相手方が相殺する当事者に対して有する債権を受働債権（または反対債権）といいます。上記の例でAがBに対して相殺をした場合、AのBに対する貸金債権が自働債権、BのAに対する売買代金債権が受働債権になります。

(2) 相殺の機能

① 簡易決済機能

相殺は、簡易決済機能を有します。これは、2人が互いに相手方に債務を負担する場合に、それぞれが相手方に対して債務を弁済するよりも、1回の相殺で債権を消滅させる方が金銭の授受の手間や時間を省略できることになり、簡便であることを意味します。

② 当事者間の公平

相殺は、当事者間の公平を図る機能を有します。AB間で互いに相手方に債務を負担する場合に、一方当事者Aが相手方当事者Bに対して債務を履行したにもかかわらず、BがAに対する債務の履行を怠った場合には、債務を履行した誠実な当事者Aのみが不利益を受けます。特にBが債務を履行しないまま無資力となり、破産手続開始の決定を受けた場合（破産法30条1項）、AはBに対する債権について、破産手続における配当手続（破産法193条以下）に従って債権の一部を回収しうる（Bの資産が十分に存在しない場合はまったく回収できない場合もあります）にとどまることになり、Aから債権を全額回収できたBとの間で不公平が生じます。

これに対し、相殺した場合にはＡとＢの双方が債権の満足を受けられることとなるため、当事者間の公平を図ることができます。

③ 担保的機能

相手方に対して相殺の対象となる債権を有する者は、相手方が無資力でも互いの債権の重なり合う範囲で他の債権者に優先して債権を回収することが可能となります。このように相殺は相手方の無資力の危険から債権者を保護し、債権の確実な回収を担保するという機能を有しているといえます。これを担保的機能といいます。

⑶ 相殺の態様

① 法定相殺

民法が民法505条以下で定める相殺は、互いに債権を有する場合に、ある当事者が相手方に対して一方的な意思表示（単独行為）によって互いの債権を対当額で消滅させるものです（民法506条１項）。これを法定相殺といいます。

② 相殺契約

民法が定める単独行為で行う法定相殺とは異なり、当事者間の合意（契約）によって相殺を行うこともできます。これを相殺契約といいます。相殺契約ではその条件や内容を当事者間の合意で定めることができます。たとえば、法定相殺では悪意による不法行為に基づく損害賠償の債権や人の生命または身体の侵害による損害賠償の債権（民法509条各号）や差押えを受けた債権（民法511条）を受働債権とする相殺が禁止されますが、相殺契約により相殺することは可能です。

③ 相殺予約

相殺予約とは、将来一定の時期または一定の事由が生じた場合に相殺することを予約することをいいます。たとえば、差押えや破産の申立て、銀行の不渡り等の信用を失墜させる事由が生じた場合に、自働債権については直ちに期限の利益を失い、受働債権については期限の利益を放棄して、相殺できることをあらかじめ合意する場合が挙げられます。

2　相殺の効果

⑴ 債権の遡及的消滅

相殺によって、各債務者は、その対当額についてその債務を免れることができます（民法505条１項本文）。また、相殺の意思表示は、相殺に適するようになった時に遡って効力を生じます（民法506条２項）。相殺に適するようになった状態を相殺適状といいます。遡って効力が生じることを遡及効といいます。

相殺の効力の発生時期を相殺適状時に遡及させた趣旨は、相殺適状となった債権を有する者は、実際に相殺の意思表示をしたのは後であっても、相殺適状が生じた時点で清算されたと信頼するのが通常であるため、かかる信頼を保護するとともに、当事者間の公平を図った点にあります。相殺がなされた場合には相殺適状の時から利息は発生しなかったことになり、履行遅滞もなかったことになります。

ただし、いったん相殺適状となった後、相殺の意思表示よりも前に弁済、代物弁済、更改、契約解除等により一方の債権が消滅した場合には相殺は許されないことになります。相殺の遡及効は相殺の効力を遡及させるのみであり、相殺の発生自体を決定する基準とならないためです。

⑵ 相殺の充当

① 改正前民法の規定

改正前民法は、相殺の充当について、弁済の充当に関する規定（改正前民法488条から491条）を準用していました（改正前民法512条）。もっとも、相殺には遡及効があることから（民法506条２項）、従前の判例は、当事者間に対立する複数の債権債務が存在するが、当事者が相殺の順序を指定しなかった事案で、第１に元本債権が相殺適状になった時期の順序に従って相殺の順序を定め、第２にその時期を同じくする元本債権相互間や利息・費用債権相互間については、改正前民法489条（改正後民法488条４項）および改正前民法491条（改正後民法489条）の規定を準用して充当を行うとしています（最判昭和56年７月２日民集35巻５号881頁）。

② 民法改正後の規定

改正後の民法は、上記判例等を踏まえて、当事者間に対立する債権債務が複数存在する場合における相殺の充当関係について、下記のとおり明文化しました（一問一答206頁）。

ア　当事者が相殺の充当に関する合意をしたときはそれによって対当額について消滅します（民法512条１項参照）。

イ　当事者が別段の意思表示をしなかった場合、債権者の有する債権とその負担する債務は、相殺適状になった時期の順序に従って相殺によって対当額について消滅します（民法512条１項）。この場合、相殺をする債権者の負担する債務がその有する債権の全部を消滅するに足りないときは、民法512条２項（下記ウ）の規定を準用します（民法512条３項）。

ウ　相殺適状となった時期が同じである元本債権相互間および利息・費用債権相互間については、弁済の充当に関する規定を準用します（民法512条２項）。

具体的には、債権者が数個の債務を負担するとき（民法512条２項２号の場合を除く）は、民法488条４項２号から４号までを準用します（民法512条２項１号）。債務者が負担する１個または数個の債務について元本のほか利益および費用を支払うべきときは、民法489条の規定を準用します（同項２号）。

エ　債権者が債務者に対して有する債権に、１個の債権の弁済として数個の給付をすべきものがある場合、および債権者が債務者に対して負担する債務に、１個の債務の弁済として数個の給付をすべきものがある場合における相殺について、上記民法512条の規定を準用します（民法512条の２）。

たとえば、ひとつの債権について、数回に分割して返済する旨の約定がある場合が挙げられます（一問一答207頁）。

3　相殺の要件

相殺の要件は、(i)相殺適状にあること、(ii)相殺の禁止がないこと、(iii)相殺の意思表示をすることです。

(1) 相殺適状にあること

相殺適状とは、債権債務が相殺をするに適した状態にあることをいいます。相殺適状にあるというためには、以下の要件を満たす必要があります。

① 債権の対立があること

債権の対立とは、「２人が互いに」相手方に対して債権を有することをいいます（民法505条１項本文）。

もっとも、例外的に債権の対立がなくとも相殺が可能な場合があります。第１に、ＡとＢが互いに債権を有する場合に、ＢがＣに対してＢのＡに対する債権を譲渡した場面です。この場合、ＡはＢに対して主張できた事由をＣに対しても対抗できるため（民法468条２項）、ＡはＢに対する債権を自働債権とし、ＣのＡに対する債権を受働債権として相殺できます。

第２に、ＡがＢに債権を有し、ＢがＣに債権をしている場合に、ＡがＢのＣに対する債権を担保するために物上保証人としてＡ所有の不動産に抵当権を設定した場面です。この場合、Ａは利害関係ある第三者として、ＢのＣに対する債権を弁済できますが（民法474条）、ＡのＢに対する債権を自働債権とし、ＢのＣに対する債権を受働債権として相殺できるかが問題となります。判例はこれを認めていませんが（大判昭和８年12月５日民集12巻2818頁）、学説の多くは相殺は債務消滅の効果をもたらす点で実質的に第三者弁済（民法474条）と同視できるとして認めるべきと解しています。

第３に、ＡとＢが互いに債権を有する場合に、ＡのＢに対する債権についてＣが保証人となり、ＣがＡに対して保証債務を負う場面です。この場面において、ＡがＣに対して保証債務の履行を請求した場合、Ｃは主債務者ＢがＡに対して相殺権を有することから、ＢのＡに対する相殺権の行使によって主債務者が債務を免れる限度において、債権者Ａに対して保証債務の履行を拒むことができます（民法457条３項）。

② 債権が存在すること

相殺がなされる時点で、対立する債権が有効に存在することが必要です。いったん債権が成立していたとしても、弁済や代物弁済、契約の解除等により債権が消滅した場合は相殺は認められません。

もっとも、債権が消滅したとしても、自働債権が時効によって消滅した場合において、その消滅以前に相殺適状になっていたときは、相殺は許されます（民法508条）。たとえば、ＡとＢが相互に同額の債権を有し相殺適状にある場合、債権は清算済みであると信頼するのが通常であり、ＡとＢの双方が相手方に対して権利行使しなかった結果、ＢのＡに対する債権のみが時効消滅したときに、ＡのＢに対する権利行使のみを認めることは不公平であることから、民法は例外的に時効消滅したＢのＡに対する債権を自働債権とする相殺を認めています。

民法508条は当事者の公平と信頼を保護する点にあることから、Ａに対して債務を負うＢが第三者Ｃからすでに時効消滅したＡに対する債権を譲り受けて、Ａに相殺を主張することは認められません（大判昭和15年９月28日民集19巻1744頁、最判昭和36年４月14日民集15巻４号765頁）。

③ 両債権が同種の目的を有すること

相殺適状となるには、対立する自働債権と受働債権が同種の目的を有することが必要です（民法505条１項）。たとえば、互いに米や酒を引き渡す債務を負う場合も「同種の目的」に該当します。しかし、相殺する場合は対立する債権が金銭債権であることがほとんどです。

④ 両債権が弁済期にあること

相殺適状となるには、対立する自働債権と受働債権の弁済期がいずれも到来していることが必要です（民法505条１項本文）。この趣旨は、相殺される相手方を保護する点にあります。

たとえば、ＸがＹに対して９月10日を弁済期とする債権を有し、ＹがＸに対して６月５日を弁済期とする債権を有していたとします。この場合に、ＸがＹに対して６月５日の時点（ＸのＹに対する自働債権の弁済期が未到来の時点）で相殺することを認めた場合、Ｙは自働債権の弁済期（９月10日）前の弁済を強制されたのと同様となり、相手方であるＹの期限の利益を奪うこととなります。

このように相殺適状に弁済期の到来を要求した趣旨が相手方保護の点にあることから、自働債権について弁済期が到来していることが必要となります。これに対し、受働債権については弁済期が未到来でも、相殺する者が期限の利益を放棄（民法136条２項）することにより、相殺をすることができます。

したがって、「両債権が弁済期にあること」という要件は、自働債権の弁済期が到来していることを要求するものであるといえます。

⑤ 債務の性質上相殺が許されること

債務の性質が相殺を許さないときは、相殺は認められません（民法505条１項但書）。債務の性質が相殺を許さないときとは、現実に債務が履行されなければ意味がない場合をいいます。たとえば、債務の内容が収穫期に互いに３日間農作業を行うことである場合に、２日分を相殺して１日分の農作業を請求することは認められません。

⑵ 相殺の禁止がないこと

相殺が禁止される場合には、相殺は認められません。相殺が禁止される場合には、当事者の意思表示による禁止（民法505条２項）と法律による禁止があります。

① 当事者の意思表示による禁止

当事者が相殺を禁止し、または制限する旨の意思表示をした場合には、その意思表示は第三者がこれを知り、または重大な過失により知らなかったときに限り、その第三者に対抗することができます（民法505条２項）。改正前民法505条２項は、当事者が相殺を禁止する旨の意思表示をした場合は相殺をすることができないものの、当該意思表示について善意の第三者に対抗することはできない旨を定めていました。同様に当事者の意思表示が善意の第三者に対抗できない旨が債権譲渡における譲渡制限特約においても規定されていました（改正前民法466条２項）。改正後の民法において、債権譲渡における譲渡禁止特約につき、悪意のみならず重大な過失がある第三者に対して譲渡制限特約を対抗することができる旨に改められたことに伴って（民法466条３項）、相殺禁止特約の第三者への対抗についても同様に改正されることとなりました。

たとえば、相殺禁止特約のあるＡのＢに対する債権を善意かつ無重過失でＡから譲り受けたＣは、その債権を自働債権としＢのＣに対する債権を受働債権として相殺することができます。

② 法律による禁止

民法その他の法律は、当事者間の公平の観点から一定の債権について相殺を禁止する規定を設けています。

ア　受働債権とすることが禁止される債権

(i) 不法行為等により生じた債権

Ａ　悪意による不法行為に基づく損害賠償請求権

悪意による不法行為に基づく損害賠償債務の債務者は、これを受働債権として相殺することはできません（民法509条１号）。ここにいう「悪意」とは、単なる故意をいうのではなく「積極的に他人を害する意思」であるとされています（一問一答200頁）。

改正前民法は、不法行為に基づく損害賠償請求権を受働債権とする相殺を一律に禁止していました。

たとえば、詐欺の被害者Ａが加害者Ｂに対して不法行為に基づく損害賠償請求権を取得した場合に、加害者Ｂが被害者Ａに対して貸金債権を有していたとしても、加害者Ｂは、ＢのＡに対する貸金債権を自働債権とし、ＡのＢに対する損害賠償請求権を受働債権として相殺することはできません。

この趣旨は、次の点にあります。第１に、被害者が加害者に対して有する損害賠償請求権は治療費等に充てられるものであり、現実に履行されなければ目的を達成できないという点にあります（被害者の保護）。第２に、ＡがＢに対して貸金債権を弁済しないことの報復としてＢがＡに対する不法行為を惹き起こしてその損害賠償債務を貸金債権と相殺するというように不法行為を助長することを防止する点にあります（不法行為の助長の抑制）。もっとも、過失による不法行為に基づく損害賠償請求について相殺を認めたとしても不法行為を助長することにはならないといえます。また、不法行為に基づく損害賠償請求権の債権者が無資力の場合等、場合によっては相殺の禁止によって当事者間の公平が害される側面が生じることもありえます。他方で、被害者の保護という観点からは、不法行為のうち人の生命または身体の侵害の場合に現実の被害弁償がなされる必要があるといえます。したがって、改正後の民法では悪意による不法行為に基づく損害賠償請求権を受働債権とする相殺と、人の生命または身体の侵害による損害賠償請求権を受働債権とする相殺のみを禁止しています。

これに対して、被害者Ａが加害者Ｂに対して損害賠償請求権を自働債権とし、加害者Ｂの被害者Ａに対する貸金債権を相殺することは認められます（最判昭和42年11月30日民集21巻９号2477頁）。かかる場合は、上記の政策目的に反するものではないといえるためです。

ここで、自働債権と受働債権がともに不法行為から生じた場合に相殺することは民法509条に反するかが問題となります。判例は、同一の交通事故で、当事者双方の過失により双方に物的損害が生じた事案で、民法509条を適用して相殺を認めませんでした（最判昭和49年６月28日民集28巻５号666頁）。

学説上は、かかる場合に相殺を認めても、被害者の保護や不法行為の助長の抑制という民法509条の趣旨に照らして不都合はないため、民法509条を適用すべきではなく相殺を認めてよいという見解が有力に主張されています。

Ｂ　人の生命または身体の侵害による損害賠償請求権

人の生命または身体の侵害による損害賠償債務の債務者は、これを受働債権として相殺することはできません（民法509条２号）。この場合、不法行為に基づくものに限らず、債務不履行に基づく損害賠償請求権を受働債権とする相殺も禁止されます。被害者に現実に弁済を受けさせてその保護を図る必要性は、債務不履行に基づく損害賠償の場合であっても不法行為に基づく損害賠償の場合と同様に認められるためです（一問一答202頁）。

したがって、安全配慮義務違反によって人の生命身体に損害が生じた場合における債務不履行に基づく損害賠償請求権を受働債権として、相殺することは認められません。

C　例 外

上記Ａの悪意の不法行為に基づく損害賠償債務、上記Ｂの人の生命または身体の侵害による損害賠償債務のいずれについても、その債務にかかる債権を他人から譲り受けたときは、相殺は禁止されず、これを受動債権とする相殺が許されます（民法509条柱書但書）。改正前民法は、明文の規定がありませんでしたが、民法改正によりこの規定が設けられました。

この場合には、損害賠償請求権を有しているのは被害者本人ではないため、現実の履行を確保する必要がなく、被害者保護の趣旨が当てはまらないためです。

なお、相殺や合併のように包括承継によって債権が移転した場合は、「他人から譲り受けた」場合には該当しないと解されます（一問一答203頁）。

(ii) 差押禁止債権

差押禁止債権（差押えの禁止された債権）の債務者は、当該債権を受働債権として相殺することはできません（民法510条）。

差押禁止債権とは、扶養料（生活保護法58条）、年金（厚生年金保険法41条）、健康保険給付（健康保険法61条、国民健康保険法67条）等が挙げられます。これらの債権が差押えを禁止される趣旨は、生活費等として現実に債務が履行される必要があるという点にあります。差押禁止債権を受働債権とする相殺を認めた場合には、相手方は現実に弁済を受けられなくなり、差押禁止の趣旨を没却することから禁止されています。

また、労働者の賃金債権を受働債権とする相殺が認められるかが問題となります。判例は、「賃金は、通貨で、直接労働者に、その全額を支払わなければならない」と規定する労働基準法24条１項から、賃金債権を受働債権とする相殺は禁止されるとしていました（最判昭和31年11月２日民集10巻11号1413頁、最判昭和36年５月31日民集15巻５号1482頁）。

もっとも、その後判例は、労基法24条１項の賃金全額払の原則の趣旨は、使用者が一方的に賃金を控除することを禁止し、もって労働者に賃金の全額を確実に受領させ、労働者の経済生活を脅かすことのないようにしてその保護を図ろうとするものであるから、使用者が労働者に対して有する債権をもって労働者の賃金債権と相殺することを禁止する趣旨をも包含するものであるが、労働者による同意が自由な意思に基づいてされたものであると認めるに足りる合理的な理由が客観的に存在するときは、相殺を行うことも労基法24条１項に違反するものとはいえないと判示しています（最判平成２年11月26日民集44巻８号1085頁）。

イ　自働債権とすることが禁止される債権

同時履行の抗弁権（民法533条）や催告・検索の抗弁（民法452条、453条）のような抗弁権が付着した債権を自働債権として相殺することはできません。一方的な相殺の意思表示によって、相手方の抗弁権を奪うことはできないといえるためです。

たとえば、売買契約における売主の買主に対する売買代金債権には、代金の支払いを先履行とする特約があるの場合を除いて、売主が買主に対して目的物を引き渡すまでは、買主は売主に対して代金の支払いを拒むことができるという同時履行の抗弁権（民法533条）が付着しています。そこで、売主は買主に対して目的物を引き渡すまでは、売主の買主に対する売買代金債権を自働債権とし、買主の売主に対する他の債権を受働債権として相殺することは認められません。

(3) 相殺の意思表示

① 意　義

相殺は、当事者の一方から相手方に対する意思表示によって行います（民法506条１項前段）。受働債権が第三者に譲渡された場合には、相殺の意思表示はその第三者（譲受人）に対して行う必要があります（最判昭和32年７月19日民集11巻７号1297頁）。

相殺の意思表示は、相殺適状にある間はいつでもできます。明示または黙示のいずれの方法でも行うことができます。相殺の意思表示がなされたか否かは取引通念によって判断すべきこととなります。

② 条件・期限を付することの禁止

相殺の意思表示には、条件または期限を付することはできません（民法506条１項後段）。たとえば、試験の合格を条件として相殺することや一定の日付を期限と定めて相殺することは認められません。

相殺は遡及効を有するため（民法506条２項）、期限を付すことは無意味であること、条件を付けた場合には、一方的な意思表示により相手方の地位を不安定にすることから禁止されています。

③ 履行地が異なる債務の相殺

相殺は双方の債務の履行地が異なるときでもすることができます（民法507条前段）。たとえば、ＡのＢに対する債務の履行地が東京で、ＢのＡに対する債務の履行地が名古屋である場合です。この場合、相殺をする当事者は、相手方に対し、これによって生じた損害を賠償する必要があります（民法507条後段）。たとえば、Ａが相殺したことによりＢがＡに対する債務の履行のために輸送費等を拠出した場合には、ＡはＢに対してこれを賠償する義務を負います。

4　差押えと相殺

⑴ 法定相殺の場合

① 民法改正前の議論

改正前民法は、「支払の差止めを受けた第三債務者は、その後に取得した債権による相殺をもって差押債権者に対抗することができない」と規定し、受働債権が差し押さえられた後に取得した自働債権をもってする相殺を禁止していました（改正前民法511条）。

また、受働債権が差し押さえられる前に取得した自働債権をもって相殺をすることが認められるかについて、改正前民法の下では議論がありました。

ア　差押え時に相殺適状であった場合

差押えの時点で相殺適状であった場合、すなわち、自働債権と受働債権の弁済期が到来した後に受働債権につき差押えがなされた場合は、改正前民法511条の反対解釈により相殺は認められると解されていました。

たとえば、A銀行がBに貸金債権を有し、BがA銀行に対し預金債権を有するときに、両債権の弁済期が到来した後にBの債権者Cが預金債権を差し押さえた場合、A銀行はBに対する貸金債権を自働債権とし、BのA銀行に対する預金債権を受働債権として相殺することができます。

イ　差押え時に自働債権は弁済期にあったが、受働債権の弁済期が未到来の場合

改正前民法下の判例は、A銀行のBに対する貸金債権の弁済期が到来した場合、A銀行が当該貸金債権を自働債権とし、弁済期未到来のBのA銀行に対する預金債権を受働債権として相殺した事案で、「債務者が債権者に対し債権の譲渡または転付前に弁済期の到来している反対債権を有するような場合には、債務者は自己の債務につき弁済期の到来するを待ちこれと反対債権とをその対当額において相殺すべきことを期待するのが通常でありまた相殺をなしうべき利益を有するものであって、かかる債務者の期待及び利益を債務者の関係せざる事由によって剥奪することは、公平の理念に反し妥当とはいい難い」として、A銀行の相殺に対する期待は保護され、A銀行は相殺できる旨を判示しました（最判昭和32年7月19日民集11巻7号1297頁）。

ウ　差押え時に自働債権と受働債権の両債権の弁済期が未到来の場合

差押えの時点で自働債権と受働債権の両債権の弁済期が未到来である場合に相殺が認められるかという点について、改正前民法下において判例は見解を変遷させていました。

(i) 制限説

最判昭和39年12月23日民集18巻10号2217頁は、次のとおり判示しました。

㈠ A銀行のBに対する自働債権（貸金債権）の弁済期がBのA銀行に対

する受働債権（預金債権）の弁済期よりも早く到来する場合には、Ａ銀行の相殺は認められる。

この場合、受働債権の弁済期が到来して差押債権者が履行を請求できる状態に達した時は、それ以前にＡ銀行のＢに対する自働債権の弁済期はすでに到来していることから、Ａ銀行は貸金債権を自働債権とし、預金債権を受働債権とする相殺をできる立場にあり、かかる将来の相殺に対する期待を保護すべきである。

(イ) ＢのＡ銀行に対する受働債権（預金債権）の弁済期がＡ銀行のＢに対する自働債権（貸金債権）の弁済期よりも早く到来する場合には、Ａ銀行の相殺は認められない。

この場合、受働債権（ＢのＡ銀行に対する預金債権）の弁済期が到来した時点では、自働債権（Ａ銀行のＢに対する貸金債権）の弁済期は未到来であるためＡ銀行は相殺を主張することはできない。Ａ銀行が相殺をするにはＢに対する受働債権の弁済を拒否しながら、自働債権の弁済期の到来を待たなければならず、保護すべき期待を有するものとはいえない。

このように受働債権の弁済期が自働債権の弁済期よりも早く到来するときは、受働債権を差し押さえた相殺を主張できないという見解を制限説といいます。

改正前民法511条の反対解釈によれば、受働債権を差し押さえられる前に自働債権を取得した場合には、自働債権と受働債権の弁済期の先後を問わず相殺は認められると解されるところ、上記の見解は「受働債権の弁済期が自働債権の弁済期よりも早く到来しないこと」という制限を付する見解であるため制限説と呼ばれます。

(ii) 無制限説

最判昭和45年６月24日民集24巻６号587頁・百選Ⅱ［第８版］39事件は、次のとおり判示して、前掲最判昭和39年12月23日を変更し、上記(i)(b)の場合にも相殺を認めました。

(ア)（改正前）民法511条の文言および相殺制度の本質に鑑みれば、（改正前）民法511条は、第三債務者が債務者に対して有する債権をもって差押債権者に対し相殺をなしうることを当然の前提としたうえ、差押後に発生した債権または差押後に他から取得した債権を自働債権とする相殺のみを例外的に禁止することによって、その限度において、差押債権者と第三債務者の間の利益の調節を図ったものと解する。

(イ) したがって、受働債権の差押後に自働債権を取得したものでない限り、自働債権および受働債権の弁済期の前後を問わず、相殺適状に達しさえすれば、受働債権の差押え後も相殺できる。

このように、改正前民法511条の文言どおり、受働債権を差し押さえられる前に自働債権を取得した場合には、自働債権および受働債権の弁済期の前後を問わず、相殺を主張できるという見解を無制限説といいます。改正前民法下において判例は無制限説を採用していました。

無制限説によれば、預金債権に対する差押えがなされた場合において、銀行は預金債権（受働債権）の弁済期が貸金債権（自働債権）よりも先に到来する場合には、預金債権に対する弁済を拒み、貸金債権の弁済期を待ったうえで、相殺をすることができることになります。

② 改正後の民法の規律

民法改正後は、無制限説を採用することを明文化し、差押えを受けた債務の第三債務者は、差押え後に取得した債権による相殺をもって差押債権者対抗することはできないが、差押え前に取得した債権による相殺をもって対抗することができることを定めました（民法511条１項）。

また、上記改正前民法下における無制限説を採用する前掲最判昭和45年６月24日を前提とした上で、第三債務者の合理的な相殺への期待を保護し、破産法における同様の規定との整合性から、差押え後に取得した債権が差押え前の原因に基づいて生じたものであるときにも、これを自働債権とする相殺を差押債権者に対抗することができるとしています（民法511条２項本文）。

もっとも、第三債務者が差押え後に他人の債権を取得したものであるときは、第三債務者が差押えの時点で相殺の期待を有していたとはいい難いことから、相殺を対抗することはできません（民法511条２項但書）。

⑵ 相殺予約の場合

① 問題の所在

次に、相殺予約の場合について検討します。相殺予約とは、将来一定の時期または一定の事由が生じた場合に相殺することを当事者間であらかじめ合意することをいいます。

法定相殺の場合は、相殺しようとする者は自働債権の弁済期が到来しない限り相殺できません（民法505条１項）。したがって、自働債権の弁済期が差押えよりも遅れて到来する場合、差押権者に相殺を対抗できないこととなります。

これに対して、当事者間で期限の利益喪失約款を設けた相殺予約の合意をした場合、自働債権の弁済期を問題とすることなく差押えがあれば直ちに相殺を主張できることになります。

たとえば、銀行は預金債権（受働債権）について差押命令、通知が発せられたときに貸金債権（自働債権）の期限の利益を喪失すること、弁済期の如何を問わず相殺されても異議はないことを約款で定めるのが通常です。預金債権の差押えの効力発生は銀行（第三債務者）に対する差押命令の送達時であるため、かかる約款規定により差押えの効力が発する直前に貸金債権の期限の利益を喪失させることが可能となります。

したがって、銀行は相殺予約により、貸金債権（自働債権）の本来の弁済期が到来するのを待たずに、預金債権に対する差押えがあれば直ちに相殺できることとなります。

このような相殺予約は当事者間で有効であることに争いはありません。問題は、当事者間の特約にすぎない相殺予約が当事者以外の第三者との関係において効力を有するかという点にあります。

② 制限説

前掲最判昭和39年12月23日は、次のとおり判示しました。

ア　相殺予約は、自働債権の弁済期が受働債権の弁済期よりも先に到来する場合に限り、差押債権者に対抗できると解すべきである。

イ　受働債権の弁済期が自働債権の弁済期よりも先に到来する場合にも相殺予約の効力を認めることは、私人間の特約のみによって差押えの効力を排除するものであり、契約自由の原則によっても許されない。

③ 無制限説

前掲最判昭和45年６月24日は、前掲最判昭和39年12月23日を変更し、相殺予約を契約自由の原則により有効と認めました。とりわけ前掲最判昭和45年６月24日の大隅健一郎裁判官の意見では、銀行取引約定書における相殺予約は、預金債権の担保的機能を確保するための手段としてなされるものであり、銀行はかかる特約を活用することの期待のもとに貸付をしていること、一般に銀行と取引先との間の取引約定書中に相殺予約に関する規定が設けられていることは取引界ではほぼ公知の事実となっていると認められることを根拠に、相殺予約の効力を認めています。

④ 改正後の民法の規律

改正後の民法は相殺予約が当事者以外の第三者との関係において効力を有するかという問題について立法化しなかったため、今後も解釈に委ねられるものと考えられます。

第６　更　改

1　更改の意義

更改とは、債務の要素を変更する契約をすることによって、新たな債務を成立させ、従前の債務を消滅させることをいいます（民法513条）。たとえば、買主の売主に対する代金債務を消滅させて、自動車の引渡債務に変更する場合が該当します。

更改は、本来の給付とは異なる給付をする点で代物弁済に類似します。ただし、代物弁済の場合は自動車を現実に給付するのに対して、更改は自動車の引渡債務という新たな債務を負担するにとどまる点で異なります。

更改における旧債務の消滅と新債務の成立は因果関係を有します。そこで、旧債務が消滅しない場合は新債務は成立しません。また、新債務が成立しない場合は、旧債務は消滅しません。

2　更改の要件

更改の要件は、⑴債務が存在すること、⑵新たな債務が成立すること、⑶債務の要素を変更することです。

⑴ 債務が存在すること

更改は旧債務を消滅することを目的とするものであり、更改の成立には前提として、旧債務が存在することが必要となります。更改契約を締結した後、旧債務が不存在であった場合には新債務は成立しません。

⑵ 新たな債務が成立すること

新債務が成立しない場合には、更改契約は無効となり、旧債務は消滅しません。

改正前民法は、①更改によって生じた新債務が不法な原因のため成立しない場合、②当事者の知らない事由によって成立しない場合、③新債務が取り消された場合は、旧債務は消滅しないと定めていました（改正前民法517条）。この規定は、その反対解釈により、①不法な原因以外の債権者の知っていた事由によって新債務が成立しないとき、または②債権者の知っていた事由によって新債務が取り消されたときには、更改の効力が維持され、旧債務は消滅すると解されていました。もっとも、この規律内容は更改の当事者の合理的意見に合致しているとはいえず、合理性を欠くことから、改正後の民法は、このような反対解釈を生む改正前民法517条を削除しました（一問一答209頁）。

⑶ 債務の要素を変更すること

債務の要素を変更する場合として、従前の給付の内容について重要な変更をするもの、従前の債務者が第三者と交替するもの、従前の債権者が第三者と交替するものを定めています（民法513条各号）。

改正前民法513条２項は、条件付債務を無条件債務とした場合や無条件債務に条件を付した場合、条件を変更した場合は、債務の要素とみなすとしていました。もっとも、これらを一律に債務の要素の変更とみなすのは妥当ではないことから、改正後の民法は同項の規定を廃止しています（一問一答209頁）。

3　更改の当事者

更改の当事者は、更改の種類によって異なります。

⑴ 給付の内容について重要な変更をする更改

給付の内容について重要な変更をする更改は、債権者と債務者の間の契約により行います。

⑵ **債権者の交替による更改**

債権者の交替による更改の場合、旧債権者と新債権者および債務者の間で三面契約を締結します（民法515条１項）。これは、改正後の民法で新設した規定であり、改正前の判例（大判明治43年２月10日民録16輯76頁）を明文化したものです。かかる更改は債権譲渡と同様の機能を有するといえます。そこで、二重に更改がなされるのを防止するため、債権者の交替による更改は確定日付のある証書によってしなければ、第三者に対抗することができません（民法515条２項）。

なお、改正前民法では、債権譲渡の意義をとどめない承諾に関する民法468条１項を債権者の交代による更改に準用していました（改正前民法516条）。改正後の民法は、債権譲渡について異議をとどめない承諾の制度を廃止したことに伴い、改正前民法516条を削除しています。

⑶ **債務者の交替による更改**

債務者の交替による更改の場合、債権者と更改後に債務者となる者との契約によってすることができます（民法514条１項前段本文）。その効力は、債権者が更改前の債務者に通知した時に生じます（同項後段）。また、債務者の交代による更改後の債務者は、更改前の債務者に対して求償権を取得しません（民法518条２項）。

債務者の交替による更改は旧債務者に代わって新債務者が債務を負担する点で、債務の引受けに類似します。ただし、債務の引受けの場合は、それぞれの債務が同一性を失わないのに対して、更改の場合は旧債務は消滅して新たな債務が発生するという点で異なります。

なお、改正前民法は、債務者の交替による更改は、更改前の債務者の意思に反してすることができないとしていました（改正前民法514条但書）。改正後の民法は、機能が類似する免責的債務引受の要件との整合性を考慮して（民法472条２項参照）、この規定を削除し、更改前の債権者の意思に反するときでも、債務者の交替による更改をすることができるとしています（民法514条１項前段）（一問一答208頁）。

4　更改の効果

更改によって、旧債務が消滅して、新債務が成立するという効果が生じます（民法513条）。旧債務と新債務は同一性を有さず、旧債務に付着した担保権や同時履行の抗弁権等は原則として消滅します。ただし、民法は、担保権について例外を認めています。すなわち、更改の債権者（債権者の交代による更改の場合は、更改前の債権者）は、旧債務の目的の限度において、その債務の担保として設定した質権または担保権を新債務に移すことができます（民法518条１項本文）。ただし、第三者がこれを設定した場合はその承諾を得ることを要します（民法518条１項但書）。なお、改正前民法は更改の当事者の合意によって、債務の担保として設定された質権等を更改後の債務に移すことができるとしていましたが（改正前民法

518条）、担保の帰趨とは無関係な債務者の意思を考慮する必要はないと考えられることから、改正後の民法518条1項本文は、上述のとおり、更改の債権者の単独の意思表示によって質権等を更改後の債務に移すことができるとしています（一問一答208頁）。

また、この質権または抵当権の移転は、あらかじめまたは同時に更改の相手方（債権者）の交代による更改の場合は、債務者に対してする意思表示によってしなければなりません（民法518条2項）。

第7　免除

1　免除の意義

免除とは、債権者が一方的な意思表示によって、無償で債務を消滅させることをいいます。債権者が債務者に対して債務を免除する意思表示をした場合、債権は消滅します（民法519条）。免除は債権者の一方的な意思表示であり、債務者の意思を問わないとされています。

免除は、和解契約や贈与契約の履行として行われることがあります。たとえば、和解契約の内容として、「債権者Aは債務者Bに対して、100万円の支払義務を免除する」と定める場合です。この場合、和解契約の締結によって債権者は免除の義務を負い、その履行として免除の意思表示をすることとなります。この意味で、和解契約や贈与契約（債権行為）と免除（処分行為）は観念的には区別すべきであるといえます。ただし、和解契約や贈与契約を締結する債権者の意思に免除の意思表示が含まれる場合も多いといえます。

2　免除の要件

免除の要件は、処分権限を有する者が免除の意思表示をすることです。

免除は処分行為であり、免除をする者は処分権限を有することを必要とします。債権者以外の者でも、債権の処分権を有する者は免除をすることができます。

免除の意思表示は、債権者の債務者に対する一方的な意思表示です。書面等の形式を要せず、明示または黙示の方法によることが可能です。免除に条件を付けることも、債務者に特に不利益を与えるものではなく許されると解されます。たとえば、1年の間、毎月3万円を支払った場合には、100万円の債務を免除するという場合です。

3　免除の効果

免除によって、債権は消滅します。一部免除の場合には、その限度で債権は消滅します。免除により、債権に付従する担保物権や保証債務も消滅します。ただし、債権が第三者の権利の目的となっている場合には、免除の効果は第三者には及びません。

第８　混　同

1　混同の意義

混同とは、債権および債務が同一人物に帰属した場合に、債権が消滅することをいいます（民法520条本文）。たとえば、債権者が債務者を相続した場合、債務者が債権を譲り受けた場合には、混同により債権が消滅します。

混同を認めた趣旨は、自分が自分に対して債権を有し、債務を負担することは無意味であるため債権を消滅することとした点にあります。

2　混同の効果

⑴ 原　則

混同によって、原則として債権は消滅します（民法520条本文）。

⑵ 例　外

債権が第三者の目的である場合は、債権は混同により消滅しません（民法520条但書）。たとえば、ＡのＢに対する債権をＢが譲り受けたとしても、当該債権が第三者Ｃの債権質の目的となっている場合には、混同による消滅を認めると第三者Ｃが害されるため、例外的に債権は消滅しません。

また、土地の賃貸人Ａが賃借人Ｂに土地を貸し付けていた場合に賃借人Ｂが土地の所有権を取得したときは、賃借人Ｂは賃貸人Ａの地位を承継し、混同により賃貸借関係は消滅するのが原則です。これに対し、土地の賃貸人Ａが賃借人Ｂに土地を賃貸し、賃借人Ｂが転借人Ｃに当該土地を転貸していた場合に、転借人Ｃが賃貸人Ａの地位を取得しても、賃貸借関係、転貸借関係は消滅しません（最判昭和35年６月23日民集14巻８号1507頁）。

第Ⅳ篇 債権総論

第10章

有価証券

第1　概要

民法は、520条の2ないし520条の20において、有価証券について規定しています。有価証券とは、財産的価値を有する権利を表章する証券で、権利の移転または行使に証券が必要となるものをいいます（通説）。民法は、有価証券を記名証券と無記名証券に分類したうえで、記名証券を指図証券、記名式所持人払証券、その他の記名式証券に細分化しています。

第2　記名証券

記名証券とは、債権者を指名する記載がされている証券をいいます。前述のとおり、記名証券には、指図証券、記名式所持人払証券、その他の記名式証券があります。

1　指図証券

(1) 指図証券の意義

指図証券とは、証券上指名された者またはその者が証券上の記載によって指名した者（当該指名された者が更に指名した者を含む）を権利者とする有価証券をいいます（一問一答212頁）。たとえば、約束手形、為替手形、記名式小切手等は、指図証券です。

(2) 指図証券の譲渡

指図証券の譲渡は、その証券に裏書をして譲受人に交付しなければ、効力を生じません（民法520条の2）。指図証券の譲渡については、その指図証券の性質に応じ、手形法における裏書の方式に関する規定を準用します（民法520条の3）。

指図証券の所持人が裏書の連続によりその権利を証明するときは、その所持人は、証券上の権利を適法に有するものと推定します（民法520条の4）。何らかの事由により指図証券の占有を失った者がある場合において、その所持人が裏書の連続によりその権利を証明するときは、その所持人は、悪意または重大な過失によりその証券を取得したものでない限り、その証券を返還する義務を負いません（民法520条の5）。これを善意取得といいます。

⑶ 指図証券の譲渡における人的抗弁の切断

指図証券の債務者は、その証券に記載した事項およびその証券の性質から当然に生ずる結果を除き、その証券の譲渡前の債権者に対抗することができた自由をもって善意の譲受人に対抗することができません（民法520条の６）。これを人的抗弁の切断といいます。

⑷ 指図証券の弁済場所等

指図証券の弁済は、債務者の現在の住所においてしなければなりません（民法520条の８）。

指図証券の債務者は、その債務の履行について期限の定めがあるときであっても、その期限が到来した後に所持人がその証券を提示してその履行の請求をした時から遅滞の責任を負います（民法520条の９）。

2　記名式所持人払証券

⑴ 記名式所持人払証券の意義

記名式所持人払証券とは、権利者を指名する記載がされている証券であって、その所持人に弁済をすべき旨が付記されているものをいいます（民法520条の13括弧書）。たとえば、記名式持参人払小切手等は、記名式所持人払証券です。

⑵ 記名式所持人払証券の譲渡

記名式所持人払証券の譲渡は、その証券を交付しなければ効力を生じません（民法520条の13）。

記名式所持人払証券の所持人は、証券上の権利を適法に有するものと推定します（民法520条の14）。何らかの事由により記名式所持人払証券の占有を失った者がある場合において、その所持人が民法520条の14の規定によりその権利を証明するときは、その所持人は、悪意または重大な過失によってその証券を取得したものでない限り、その証券を返還する義務を負いません（民法520条の15）。これを善意取得といいます。

⑶ 記名式所持人払証券の譲渡における人的抗弁の切断

記名式所持人払証券の債務者は、その証券に記載した事項およびその証券の性質から当然に生ずる結果を除き、その証券の譲渡前の債権者に対抗することができた事由をもって善意の譲受人に対抗することができません（民法520条の16）。これを人的抗弁の切断といいます。

⑷ 記名式所持人払証券の弁済場所等

記名式所持人払証券の弁済場所等については、指図証券の弁済場所等の規定（民法520条の８ないし520条の12）が準用されます（民法520条の18）。したがって、記名式所持人払証券の弁済は、債務者の現在の住所においてしなければなりません（民法520条の13、520条の８）。

記名式所持人払証券の債務者は、その債務の履行について期限の定めがあるときであっても、その期限が到来した後に所持人がその証券を提示してその履行の請求をした時から遅滞の責任を負います（民法520条の13、520条の９）。

3　その他の記名証券

(1) その他の記名証券の意義

その他の記名証券とは、債権者を指名する記載がされている証券であって、指図証券および記名式所持人払証券以外のものをいいます（民法520条の19第１項）。たとえば、裏書禁止小切手等は、その他の記名証券です。

(2) その他の記名証券の譲渡

その他の記名証券の譲渡は、債権の譲渡に関する方式に従い、譲渡することができます（民法520条の19第１項）。

第３　無記名証券

1　無記名証券の意義

無記名証券では、証券上特定の権利者を指名する記載がされておらず、その所持人が権利者としての資格を持つ有価証券をいいます（一問一答212頁）。たとえば、乗車券、入場券、商品券、無記名式小切手等は、無記名証券です。

無記名証券については、記名式所持人払証券の規定（民法520条の13ないし520条の18）を準用します（民法520条の20）。

2　無記名証券の譲渡

無記名証券の譲渡は、その証券を交付しなければ効力を生じません（民法520条の20、520条の13）。

無記名証券の所持人は、証券上の権利を適法に有するものと推定します（民法520条の20、520条の14）。何らかの事由により無記名証券の占有を失った者がある場合において、その所持人が民法520条の14の規定によりその権利を証明するときは、その所持人は、悪意または重大な過失によってその証券を取得したものでない限り、その証券を返還する義務を負いません（民法520条の20、520条の15）。これを善意取得といいます。

3　無記名証券の譲渡における人的抗弁の切断

無記名証券の債務者は、その証券に記載した事項およびその証券の性質から当然に生ずる結果を除き、その証券の譲渡前の債権者に対抗することができた事由をもって善意の譲受人に対抗することができません（民法520条の20、520条の16）。これを人的抗弁の切断といいます。

4　無記名証券の弁済場所等

無記名証券の弁済場所等については、指図証券の弁済場所等の規定（民法520条の８ないし520条の12）が準用されます（民法520条の20、520条の18）。したがって、記名式所持人払証券の弁済は、債務者の現在の住所においてしなければなりません（民法520条の20、520条の13、520条の８）。

無記名証券の債務者は、その債務の履行について期限の定めがあるときであっても、その期限が到来した後に所持人がその証券を提示してその履行の請求をした時から遅滞の責任を負います（民法520条の20、520条の13、520条の９）。

第Ⅴ篇

債権各論

第１章

契約総論

第１　契約の意義

１　法律行為としての契約

「契約」とは、対立する２者（複数名であることもあります）の意思表示の合致によって法律効果が発生する法律行為をいい、「法律行為」の１つと位置づけられます。

民法は「私的自治の原則」を基本原則の１つとして採用しており、契約の場面においては「契約自由の原則」とも呼ばれます。私的自治の原則ないし契約自由の原則の内容として、契約当事者は①契約締結の自由、②契約内容決定の自由、③契約の相手方選択の自由を有します。その一方で、契約当事者間で合意が成立した場合には、当該契約当事者は当該合意の内容に拘束されます。

「私的自治の原則」を前提とした民法では、「法律行為」が最も重要なものであると位置づけられています。その「法律行為」のうち、「契約」は社会において最も利用されているものとして重要です。

改正前民法は契約自由の原則に関する規定を置いていませんでしたが、改正後の民法は、民法521条１項に契約締結の自由を、同条２項に契約内容決定の自由を規定しています。また、改正後の民法は、契約締結の方式の自由の規定も新設しており（民法522条２項）、これも契約自由の原則に内包されるものと考えられます。

２　契約の種類

契約は当事者間の合意により自由に成立するため、多種多様な契約形態がありえます。契約の分類の仕方も様々であり、以下では一般的な契約の分類を紹介します。

(1) 典型契約・非典型契約

民法は、贈与（民法549条以下）、売買（民法555条以下）、交換（民法586条）、消費貸借（民法587条以下）、使用貸借（民法593条以下）、賃貸借（民法601条以下）、雇用（民法623条以下）、請負（民法632条以下）、委任（民法643条以下）、寄託（民法657条以下）、組合（民法667条以下）、終身定期金（民法689条以下）、和解（民法695条以下）の13種類の契約を規定しています。これらの契約は民法立法時に特に重要であるとして明文化された契約類型であり、これらの契約を「典型契約」と呼びます。

もっとも、「私的自治の原則」や「契約自由の原則」を前提として当事者間の自由な合意によって形成される契約には「典型契約」に分類されない契約があります。この「典型契約」に分類されない契約を「非典型契約」と呼びます。

⑵ 有償契約・無償契約

「有償契約」とは、両当事者が対価的な意義を有する出捐をなす契約をいいます。たとえば、売買契約がこれに該当します。

「無償契約」とは、一方当事者のみが出捐をなすが対価的な意義を有しない契約をいいます。たとえば、使用貸借契約がこれに該当します。

⑶ 双務契約・片務契約

「双務契約」とは、両当事者が対価的な意義を有する債務を負担する契約をいいます。たとえば、売買契約や賃貸借契約がこれに該当します。

「片務契約」とは、一方当事者のみが債務を負担するか、両当事者が債務を負担するが対価的な意義を有していない契約をいいます。たとえば、金銭消費貸借契約がこれに該当します。金銭消費貸借契約では、貸主は契約時に借主に金銭を交付しており（要物契約）、その後何らの債務を負担しません。一方で、借主は返済期限までに借りた金銭を返還する債務を負担します。したがって、借主のみが債務を負担しているといえ、片務契約に該当します。

⑷ 諾成契約・要物契約・要式契約

「諾成契約」とは、当事者の合意のみで成立する契約をいいます。たとえば、売買契約・使用貸借契約・寄託契約がこれに該当します。

「要物契約」とは、当事者の合意のみならず、物の交付を要件とする契約をいいます。たとえば、消費貸借契約がこれに該当します。もっとも、改正後の民法は、要物契約としての消費貸借契約だけでなく、諾成契約としての消費貸借契約（諾成的消費貸借契約）（民法587条の２）を認めています。

「要式契約」とは、その成立に届出・書面作成等の要式が要求される契約をいいます。たとえば、保証契約（民法446条２項）や定期借地契約（借地借家法22条）がこれに該当します。

第２　契約の成立要件

一般的に、契約は、２人以上の当事者の存在および申込みという意思表示と承諾という意思表示の合致という２つの成立要件を充足することで成立します。

１　２人以上の当事者の存在

当事者とは、本人としてまたは本人の代わりに代理人として意思表示をなす者（契約締結者）をいいます。

本人の代わりに代理人が意思表示をした場合、当該代理人が契約の当事者であり、本人は当該契約の効果帰属主体にすぎません。なお、代理人ではなく使者の場合には、使者は本人が決定した意思表示を伝達する機関にすぎないため、契約の当事者は使者ではなく、本人となります。

2　意思表示の合致

⑴ 意思表示の対立

契約は、２つ以上の相対立する申込みという意思表示と承諾という意思表示が合致することによって成立します。申込みとは、契約の内容を示して、その締結を申し入れる意思表示をいいます（民法522条１項）。意思表示の合致は「合意」ともいいます。改正前の民法は契約の成立に関する規定を置いていませんでしたが、改正後の民法は一般的な解釈を踏まえこれを明文化するとともに、「申込み」の定義を明文化しています（民法522条１項）。

たとえば、売買契約は、買主の「買います」という申込みと売主の「売ります」という承諾が相対立しているといえ、これらの意思表示の合致によって売買契約が成立します。

⑵ 意思表示の客観的合致

契約が成立するためには、相対立する２つ以上の意思表示が存在するだけでは不十分で、その効果意思の内容が客観的内容において合致していなければなりません。

たとえば、ある土地をめぐって、Ｘが「貸します」という申込みをし、Ｙが「買います」という承諾をした場合や、Ｘが「1000万円で売ります」という申込みをし、Ｙが「500万円で買います」という承諾をした場合、これらの意思表示は客観的内容において合致していないため、契約は成立しません。

第３　契約の成立

契約は、申込み（契約の内容を示してその締結を申し入れる意思表示）に対して、相手方が承諾をしたときに成立します（民法522条１項）。たとえば、店頭で買主が商品を選択して、「買います」という申込みをし、売主である店員が商品を「売ります」という承諾をした場合、売買契約は成立します。

１　契約の成立時期（意思表示の到達主義）

改正前民法は、対話者間で申込みと承諾をする場合について、効力発生時期に関する規律を設けていませんでした。

他方で、申込みと承諾を隔地者間で行う場合については効力発生時期に関する規律を設け、申込みについては意思表示の原則どおり到達主義（意思表示が到達した時点で契約が成立することから到達主義の原則と呼ばれます）を適用する一方で（改正前民法97条１項）、承諾については例外的に発信主義（意思表示を発信した時点で契

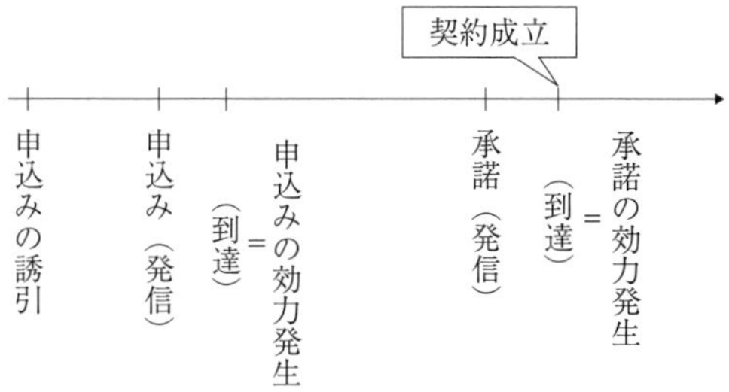

約が成立することから発信主義と呼ばれます）を適用していました（改正前民法526条1項）。たとえば、東京在住の買主と大阪在住の売主との売買契約は、買主の「買います」という申込みの意思表示が売主に到達し、売主が「売ります」という承諾の意思表示を発信した時点で成立することとしていました。

しかし、対話者に対する意思表示の場合にも意思表示の効力発生時期は問題となりうるといえ、また、高度な通信技術の発達した現代では、隔地者間の取引でも迅速・確実に相手方に到達することが見込まれるため、隔地者に対する意思表示と対話者に対する意思表示とを区別する合理的理由はなく、区別の実益に乏しいとされていました（一問一答221頁）。

改正後の民法は、隔地者間における承諾の発信主義を廃止し、隔地者に対する意思表示と対話者に対する意思表示を区別せず、いずれの場合も原則どおり到達主義を採用することとしました。そこで、契約は、承諾の意思表示が到達した時に成立することとなります（民法97条1項、522条1項）。

なお、申込者の意思表示または取引上の慣習により承諾の通知を必要としない場合には、契約は、承諾の意思表示と認めるべき事実があった時に成立します（民法527条）。

2　申込みの撤回等

申込みは、相手方に到達する前であればいつでも撤回できます。これに対し、申込みが相手方に到達した後の申込みの撤回については、以下のとおり民法によって制限されています。

承諾期間を定めてした申込みは、撤回することができません（民法523条1項本文）。ただし、申込者が撤回をする権利を留保したときは、この限りでありません（民法523条1項但書）。申込者が承諾の期間内に承諾の通知を受けなかったときは、その申込みは、効力を失います（民法523条2項）。申込者は、遅延した承諾を新たな申込みとみなすことができます（民法524条）。

承諾の期間を定めないでした申込みは、申込者が承諾の通知を受けるのに相当な期間を経過するまでは、撤回することができません（民法525条1項本文）。ただし、申込者が撤回をする権利を留保したときは、この限りでありません（民法525

条1項但書）。

対話者に対して承諾の期間を定めないでした申込みについては、その対話が継続している間は、いつでも撤回することができます（民法525条2項）。また、対話の継続中に申込者が承諾の通知を受けなかったときは、申込者が対話の終了後もその申込みが効力を失わない旨を表示したときを除き、申込みは効力を失います（民法525条3項）。これらの対話者に対する承諾の期間を定めないでした申込みに関する規定は民法改正にあたって新設されたものであり、これは民法改正前の有力な解釈や判例（大判明治39年11月2日民録12輯1413頁）の考え方を明文化したものです（一問一答214頁）。

3　申込者の死亡等

申込者が申込みの通知を発した後、①死亡し、②意思能力を有しない常況にある者となり、または③行為能力の制限を受けた場合の申込みの効力については、特則が設けられています。これらの場合においては、①申込者がその事実（死亡、意思能力の喪失、行為能力の制限）が生じたとすればその申込みは効力を有しない旨の意思表示をしていたとき、または②申込みの相手方が承諾の通知を発するまでにその事実（死亡、意思能力の喪失、行為能力の制限）が生じたことを知ったときは、申込みは効力を生じません（民法526条）。

改正前民法においては、相手方に申込みの通知が到達した後に申込者に死亡等の事実が生じた場合についての申込みの効力について解釈に争いがありましたが、改正後の民法526条は、この点について明確に規定しています。

4　申込みに変更を加えた承諾

承諾者が、申込みに条件を付し、その他変更を加えてこれを承諾したときは、その申込みの拒絶とともに新たな申込みをしたものとみなされます（民法528条）。

第4　契約の効力

1　意思表示に合致した法律効果の発生

契約が有効に成立した場合には、その合致した意思表示（合意）において意欲された法律効果（権利変動）が生じます。

たとえば、売買契約が成立した場合には、買主には売主に対する目的物引渡請求権が発生し、売主には買主に対する売買代金請求権という請求権（債権）が発生します。

2　契約の拘束力

いったん有効に成立した契約は、各当事者が一方的にこれを撤回することはできず、原則として、当該契約を撤回するためには契約を締結した両当事者の合意によらなければなりません。これを契約の拘束力と呼びます。

3　双務契約における特殊な効力

双務契約は、両当事者が相互に対価的な意義を有する債務を負担する契約であり、一方の債務負担はもう一方の債務負担を原因としています。たとえば、売主が目的物引渡義務を負担するからこそ、買主が売買代金債務を負担するという関係にあります。

そこで、民法は、債務の成立・履行・存続の各場面において、双務契約における両債務の牽連関係を考慮することとしています。

(1) 債務の成立の場面

双務契約の一方の債務が不能（原始的不能）または不確定等の理由から成立しないときは、他方の債務も成立しません。民法は、目的の達成可能性や確定性等を法律行為一般の有効要件とし、これらの要件を満たさない場合には契約自体を無効とすることにより、成立上の牽連関係を実現しています。

(2) 債務の履行の場面（同時履行の抗弁権）

民法は、双務契約の一方当事者が相手方がその債務の履行を提供するまでは、他方当事者は自己の債務の履行を拒むことができるとします（民法533条）。たとえば、売買契約では、買主は売主に対して、目的物の引渡しがなければ売買代金を支払わない、という抗弁を主張することができます（同時履行の抗弁権）。

① 同時履行の抗弁権の意義

民法は「双務契約の当事者の一方は、相手方がその債務の履行（債務の履行に代わる損害賠償の債務の履行を含む。）を提供するまでは、自己の債務の履行を拒むことができる」と定めています（民法533条本文）。この自己の債務の履行を拒否することができる権利を「同時履行の抗弁権」といいます。

同時履行の抗弁権は任意規定と解されているため、契約当事者間において一方の債務を先履行とする合意をして同時履行の抗弁権を排除することは可能です。

なお、民法改正により「債務の履行に代わる損害賠償の債務の履行を含む」との文言を加え、改正前民法の下における一般的な解釈を明文化しています（一問一答226頁）。

② 同時履行の抗弁権の趣旨

双務契約では両債務が対価的意義を有しているため、一方の債務のみが履行されて、もう一方の債務が履行されないという事態は公平に反するといえます。そこで、両債務の履行上の牽連関係を確保し、当事者間の公平を図るのが同時履行の抗弁権です。

③ 同時履行の抗弁権の機能

双務契約の契約当事者の双方の債務を同時履行とすることにより、相手方が履行しないというリスクを回避することができます。

また、民法533条本文の「相手方（X）がその債務の履行を提供するまでは、自己（Y）の債務の履行を拒むことができる」とは、裏を返せば、Xは、Yに対する債務を履行（または履行の提供）しなければ、Yに対してXに対する債務の履行を請求することができないことを意味するといえます。したがって、双務契約の契約当事者の双方の債務を同時履行とすることにより、自己の債権を行使するためには、まず自己の相手方に対する債務の履行（または履行の提供）をなす必要があるため、間接的に履行を促し、取引の迅速化を推進することとなります。

④ 同時履行の抗弁権の要件

同時履行の抗弁権が認められるための要件は、以下の3つです。

ア　同一の双務契約から生じる2つの債務が存在すること

同時履行の抗弁権は、双務契約の両債務が対価的意義を有していることを前提とするため、同一の双務契約から対価的意義を有する両債務が発生し、存在していることが必要となります。

イ　双方の債務がともに弁済期にあること

一方の債務のみが弁済期にある場合には、当該債務は先に履行されるべきものであり、当該債務を負担している債務者は債権者に対して未だ弁済期が到来していない債務の履行を求めることはできないため、当該債務者に同時履行の抗弁権は認められません（民法533条但書）。

ウ　相手方の債務の履行または履行の提供がないこと

相手方の債務の履行または履行の提供がある場合には、相手方からの履行請求に対して拒否する理由がないため、相手方の債務の履行または履行の提供がないことが同時履行の抗弁権の要件となります。

⑤ 同時履行の抗弁権の効果

ア　同時履行の抗弁権を行使した場合の効果

債権者（相手方）の履行請求に対して、債務者は同時履行の抗弁権を行使して、履行を拒絶することができます。

債務者が債務を履行をしないため債権者が債務者に対して履行を求める訴訟を提起したときに、被告である債務者が同時履行の抗弁権を主張し、これが認められた場合には、引換給付判決が言い渡されます。「引換給付判決」とは、被告に対して原告の給付（債務の履行またはその提供）と引換えに給付すべき旨を内容とする判決をいいます。

具体的には、「被告は、原告から○○円の支払を受けるのと引換えに、原告に対し、別紙物件目録記載の建物を引渡せ」という判決が言い渡されることとなります。なお、強制執行段階では、原告（債権者）が自らの債務につき給付したこと（債務の履行またはその提供）を証明する必要があります（民事執行法31条1項）。

イ　同時履行の抗弁権が存在することによる効果

判例・通説は、同時履行の抗弁権を有する債務者は、履行期が到来しても、履行遅滞には陥らないとします。したがって、相手方から履行の提供を受けない限り、同時履行の抗弁権が存在することによる効果として、履行遅滞による損害賠償や解除を請求されることはありません（大判明治44年12月11日民録17輯772頁、大判大正10年6月30日民録27輯1287頁）。

⑶ **債務の存続の場面**（危険負担）

① 危険負担の意義

危険負担制度は、契約成立後、双務契約上の一方の債務がその履行前に、債務者の責めに帰することのできない事由によって履行不能となり消滅した場合に、他方の債務の履行を拒むことができるか否かをあらかじめ法が定める制度です。つまり、双務契約のいずれの当事者が後発的不能によるリスクを負担するかというリスクの分配の問題といえます。もっとも、危険負担に関する規定は任意規定と解されているため、契約当事者間において危険の負担者や危険の移転時期について、民法上の危険負担と異なる合意をすることは可能です。

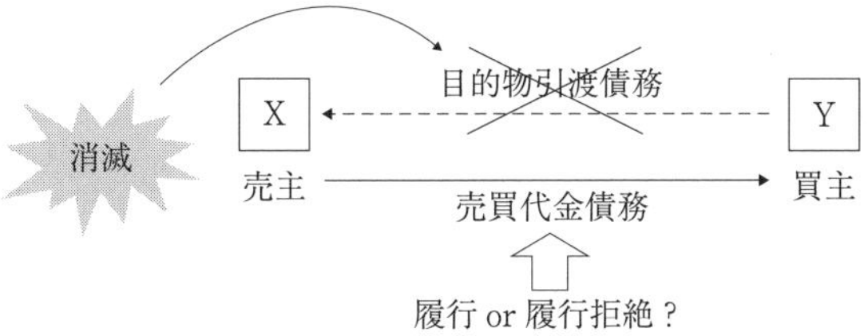

たとえば、高価な壺を目的物とした売買契約（売買価格は100万円）が成立した後、売主が買主に対して当該壺を引き渡す前に大地震によって当該壺が割れてしまい、売主の買主に対する当該壺の引渡債務が履行不能となってしまった場合、売買契約を締結した時点で買主が負担した売買代金債務を履行する必要があるのか、それとも履行を拒むことができるかという問題です。

② 危険負担の対象

改正前民法の下における伝統的な学説は、危険負担は、契約成立後に一方の債務が履行不能となった場合（これを「後発的不能」といいます）に問題になると解していました。すなわち、履行不能の原因が契約成立前に発生している場合（これを「原始的不能」といいます）にはそもそも契約は無効であり、債務自体が発生していないため、危険負担の問題とはならないと解されていました。

これに対して、改正後の民法の下では、原始的不能の場合であっても履行不能により生じた損害賠償の請求は妨げられないとされ（民法412条の2第2項）、原始的不能の場合であっても契約が当然に無効となるわけではないことを明らかにしました。したがって、改正後の民法の下では、原始的不能の場合であっても危険負担の規律が及びうると考えられます（一問一答225頁、中田裕康『契約法〔新版〕』165頁）。

③ 債権者主義と債務者主義

危険負担制度では、契約成立後に一方の債務が履行不能となった場合の危険（リスク）を債務者（履行不能となった債務を負担していた債務者）が負担する「債務者主義」と、債権者が負担する「債権者主義」という２つの考え方が存在します。

履行不能となった場合の不利益を、債務者が負担する（対価が交付されない）場合が債務者主義、債権者が負担する（対価が交付される）場合が債権者主義であるといえます。

④ 改正前民法における危険負担制度

ア　改正前民法における債務者主義

改正前民法下では、債務者主義による場合、一方債務が履行不能により消滅したときは他方債務は消滅するとしていました。上記の例でいえば、売主Ｘの目的物引渡債務が履行不能となるとともに、買主Ｙの売買代金債務も消滅することとなり、売主Ｘは100万円の売買代金を受領できません。経済的にみれば、履行不能になった債務の債務者（売主Ｘ）が目的物（100万円）の壺の滅失という経済的損失を負担することとなります。

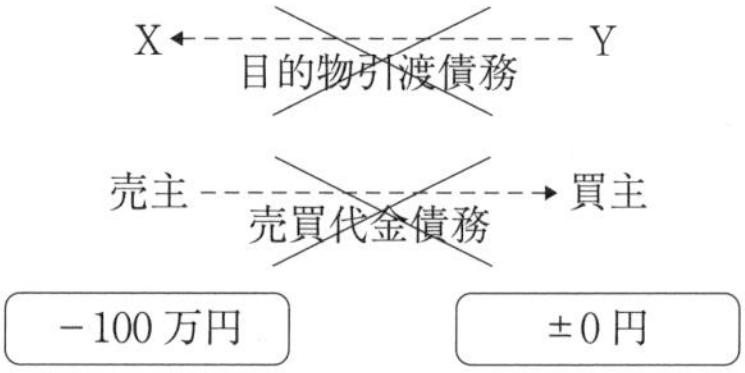

イ　改正前民法における債権者主義

改正前民法下では、債権者主義による場合、一方債務が履行不能により消滅しても、他方債務は存続するとしていました。上記の例でいえば、売主Ｘの目的物引渡債務が履行不能になっても、依然として買主Ｙの売買代金債務は存続することとなり、売主Ｘは100万円の売買代金を受領できます。経済的にみれば、履行不能になった債務の債権者（買主Ｙ）が目的物（100万円の壺）を受領できずに売買代金100万円を支払うことで、目的物の経済的損失を負担することとなります。

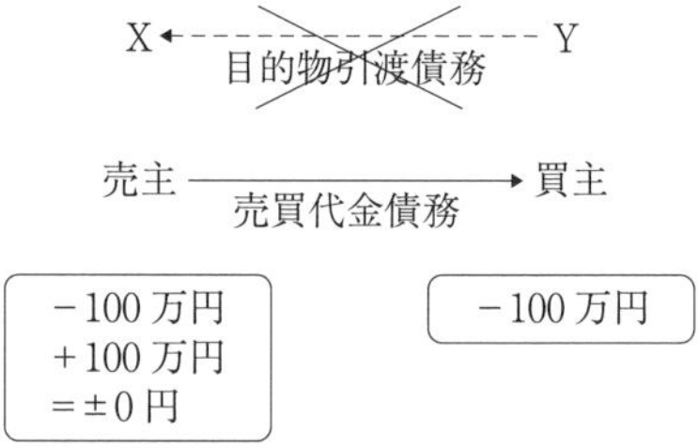

ウ　改正前民法における危険負担制度と問題点

改正前民法は、原則として債務者主義を採用し（改正前民法536条１項）、例外として、債権者主義が妥当する場面を定めていました。たとえば、特定物に関する物権の設定または移転を目的とする双務契約について、その物が債務者の帰責事由によらないで滅失または損傷したときは、債権者の反対給付債務は存続するとして、債権者主義を採用していました（改正前民法534条1項）。

しかし、改正前民法によれば、たとえば建物の売買契約を締結した後、引渡しの前に地震等により売主の帰責事由なく建物が滅失した場合にも買主は代金を支払わなければならないこととなり、この帰結は債権者に過大なリスクを負わせるものであり不当であるとして、強く批判されていました。

そこで、民法改正により、危険負担の制度が改められ、改正前民法で例外的に債権者主義を定めていた規定を削除しました。

⑤ 民法改正

改正前民法においては、債務者に帰責事由のある履行不能の場合には債権者は契約を解除することができ（改正前民法543条等）、債務者に帰責事由のない履行不能の場合には危険負担の問題になると考えられており、解除と危険負担の両制度の対象となる領域が区別されていました。

これに対して、改正後の民法は、債務者に帰責事由がなくとも債権者は契約の解除をすることができることとしているため（民法541条ないし543条）、双務契約において債務者の帰責事由によらない履行不能が生じた場合、改正前民法のように危険負担における債務者主義の帰結を反対給付債務の消滅とすると、解除の制度と危険負担の制度が重複することとなります。制度の重複を回避するには、危険負担の制度を廃止することも考えられます。

しかし、単純に危険負担制度を廃止すると、改正前民法の下では反対給付債務が当然に消滅していた場面において、改正後の民法では解除の意思表示が必要となり、実務的な負担が増加するおそれがあります。また、解除権の行使が事実上困難な場合も想定されます。

そこで、改正後の民法は、解除と危険負担の両制度を併存させたうえで、危険負担における債務者主義の帰結を、反対給付債務の消滅から、反対給付債務の履行拒絶権の取得に改めました（民法536条1項）。

⑥ 改正後の民法における危険負担制度

ア　当事者双方に帰責事由がない場合

当事者双方の責めに帰することができない事由によって債務を履行することができなくなったときは、債権者は、反対債務の履行を拒むことができます（民法536条1項）。

たとえば、先ほどの例のように、高価な壺を目的物とする売買契約が成立した後、大地震によって壺が割れてしまった場合、買主は、代金の支払いを拒むことができます（民法536条1項）。また、この場合、買主は、契約の解除をすることにより、反対給付債務を確定的に消滅することができます（民法542条1項1号・一問一答228頁）。

イ　債権者に帰責事由がある場合

債権者の責めに帰すべき事由によって債務を履行することができなくなったときは、債権者は、反対給付債務の履行を拒むことができません（民法536条2項前段）。たとえば、上記の例で、売主から買主に対して壺が引き渡される前に、売主の家に訪れた買主が不注意で壺を落とし割ってしまった場合、買主は代金支払債務の履行を拒むことができません。

この場合、債務者は、自己の債務を免れたことによって利益を得たときは、これを債権者に償還しなければなりません（民法536条2項後段）。この趣旨は、債務者に二重の利益を得させることを回避する点にあります。たとえば、請負契約において、注文者の帰責事由により仕事の完成が不能となった場合には、請負人は注文者に対し、節約しえた原材料の購入費用を償還しなければなりません。

また、債権者に帰責事由がある場合には、履行不能を理由として契約を解除することができません（民法543条）。

ウ　債務者に帰責事由がある場合

債務者の責めに帰すべき事由によって債務を履行することができなくなったときは、危険負担制度の適用は問題にならず、債務不履行に基づく損害賠償（民法415条）や、解除（民法542条1項1号）が問題となります。たとえば、高価な壺を目的物とする売買契約が成立した後、壺の引渡し前に売主が不注意により壺を落として割ってしまった場合には、買主は、債務不履行に基づく損害賠償請求（民法415条）、売買契約の解除（民法542条1項1号）をすることができます。

4　第三者のためにする契約

⑴ 第三者のためにする契約の意義

① 第三者のためにする契約の意義

第三者のためにする契約とは、契約から生じる権利を契約当事者以外の者に帰属させる契約をいいます（民法537条）。たとえば、AがBに対して自動車を売却する場合に、Bが自動車の代金200万円を第三者Cに対して支払うことを合意する場合をいいます。

この場合、第三者CはBに対して直接に給付を請求する権利を有します（民法537条1項）。この場合のAを要約者、Bを諾約者、Cを受益者といいます。また、要約者と諾約者の関係を補償関係、要約者と受益者の関係を対価関係、諾約者と受益者の関係を給付関係といいます。

第三者のためにする契約の当事者は、要約者Aと諾約者Bです。契約の一般原則からすれば、AB間の契約によって、CがBに対して権利を取得することはないといえます（相対効の原則）。そこで、民法は、要約者Aと諾約者Bとの間

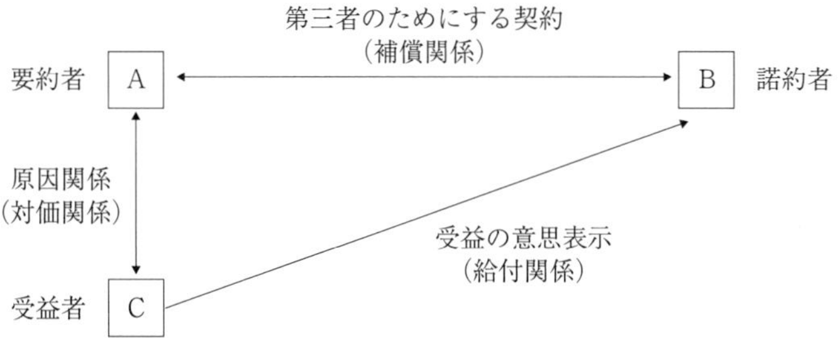

で第三者のためにする契約を締結した場合において、受益者Ｃが諾約者Ｂに対して受益の意思表示をしたときに、受益者Ｃの諾約者Ｂに対する直接の給付請求権が発生するものとしています（民法537条３項）。

また、第三者のためにする契約を締結する場合、要約者Ａと受益者Ｃの間に何らかの原因関係（対価関係）があるのが通常です。上記の例で、ＡがＢとの間で自動車の代金をＣに支払うことを合意した場合、その前提としてＡがＣから200万円を借り受けている等の一定の対価関係が存在することが考えられます。ただし、この対価関係は第三者のためにする契約には現れず、当該契約の効力に影響しません。たとえば、原因関係に意思の欠缺や意思表示の瑕疵があっても、第三者のためにする契約の効力に影響を及ぼさないこととなります。

第三者のためにする契約は、その成立のときに第三者（受益者）が現に存しない場合または特定していない場合であっても、そのために効力を妨げられません（民法537条２項）。これは改正前民法における一般的な解釈を民法改正で明文化した規定です。第三者が現に存しない場合とは、たとえば胎児や設立中の法人を第三者とする場合等をいいます。第三者が特定していない場合とは、たとえば懸賞に当選した者を第三者とする場合等をいいます。

② 具体例

第三者を受取人とする生命保険契約や第三者のための信託契約は第三者のためにする契約の一種です。

判例では、第三者を受取人とする電信送金契約が第三者のためにする契約に該当するかが問題となりました。判例は、電信送金契約は、特別の事情のない限り、第三者たる送金受取人のためにする契約であるとはいえず、被仕向銀行は、当該契約により仕向銀行に対する関係では送金受取人に送金の支払いをする義務を負うが、送金受取人本人に対する関係では、そのような義務を負うものではなく、単に仕向銀行の計算において送金の支払いをなしうる権限を取得するにとどまると解すべきであるとして、第三者のためにする契約に該当しないと判示しました（最判昭和43年12月５日民集22巻13号2876頁）。

⑵ 第三者のためにする契約の効果

① 受益者の地位

ア　受益者の給付請求権の取得

要約者Ａと諾約者Ｂの間で第三者のためにする契約を締結し、受益者Ｃが受益の意思表示をした場合には、受益者Ｃは諾約者Ｂに対して直接の給付請求権を取得します（民法537条３項）。この受益の意思表示は形成権です。受益の意思表示は黙示の意思表示によることもできます。

イ　受益者の権利の発生

受益者Ｃの意思表示によって、受益者の権利が発生した後は、当事者はこれを変更し、または消滅させることができません（民法538条１項）。

この趣旨は、受益者Ｃの権利が発生した後は、契約当事者である要約者Ａと諾約者Ｂがその合意によって、契約当事者以外の者である受益者Ｃの権利を変更・消滅させることを認めないという点にあります。

他方で、民法538条１項の反対解釈から、受益者Ｃの受益の意思表示がなされる前は、契約当事者である要約者Ａと諾約者Ｂは任意に契約を変更し消滅させることができます。

② 要約者の地位

ア　履行請求権

要約者Ａは諾約者Ｂに対して、受益者Ｃに給付を履行するよう請求することができます。判例は、このような要約者Ａの諾約者Ｂに対する履行請求権は、契約の成立の時から消滅時効が進行するとしています（大判大正６年２月14日民録23輯152頁）。要約者Ａの諾約者Ｂに対する履行請求権が消滅した場合には、受益者Ｃの権利も消滅すると解することができます。

イ　契約の取消権・解除権

要約者Ａは、第三者のためにする契約の契約当事者として、諾約者Ｂに対して契約の無効・取消しを主張できます。

改正前民法の下では、受益者Ｃによる受益の意思表示により受益者Ｃの権利が発生した後、諾約者Ｂに債務不履行が生じた場合（上記の例では、諾約者Ｂが受益者Ｃに対して自動車の販売代金200万円を支払わない場合）に、要約者Ａが契約を解除できるか否かについて争いがありました。改正後の民法は、発生した権利についての受益者Ｃの期待を保護する趣旨から、受益者Ｃの承諾を得なければ、要約者Ａは契約を解除することができないこととしています（民法538条２項）。

③ 諾約者の地位

ア　諾約者の抗弁

受益者Ｃが受益の意思表示をした場合、受益者Ｃは諾約者Ｂに対して給付請求権を取得します。これに対して、諾約者Ｂは、要約者Ａに対して有する契約上の抗弁を受益者Ｃに対して対抗できます（民法539条）。

たとえば、諾約者Ｂが要約者Ａから反対給付を受けていない場合は、受益者Ｃに対して同時履行の抗弁権（民法533条）を主張できます。上記の例でいえば、要約者Ａが諾約者Ｂに対して自動車を引き渡さない間は、諾約者Ｂは受益者Ｃからの販売代金200万円の請求を同時履行の抗弁権により拒むことができます。

また、第三者のためにする契約が無効であったり取り消された場合には、諾約者Ｂは受益者Ｃに対して、受益者Ｃの諾約者Ｂに対する給付請求権の消滅を主張できます。

イ　契約の解除権

要約者Ａに債務不履行が生じた場合（上記の例では、要約者Ａが諾約者Ｂに対して自動車を引き渡さなかった場合）は、諾約者Ｂは第三者のためにする契約を解除することができ、契約の解除を受益者Ｃに対して主張できます（民法539条）。

第５　契約締結上の過失

１　契約締結上の過失の意義

契約締結上の過失とは、契約成立過程における一方当事者の故意または過失によって相手方が損害を被った場合には、一定の要件を満たせば何らかの責任を肯定すべきであるという法理をいいます。

契約が有効に成立した場合、契約当事者を拘束する効力（拘束力）が生じ、債権債務が発生します。しかし、契約が成立する前には、契約当事者の拘束力は生じず、債権債務も発生しないのが原則といえます。

また、契約自由の原則からすれば、契約を締結するか否かは当事者の自由であり、契約締結を中止することや契約の交渉を打ち切ることも自由であるといえ、何らの責任を負わないのが原則です。

もっとも、現実には最終的な契約成立に至る経緯の中で、一方当事者が具体的な作業や行為を行い、そのために費用を支出する場面もあり、この費用負担を全て当該当事者のリスクとすることが不公平な場面がありえます。

そこで、契約交渉段階でも当事者間に一定の社会的接触関係が発生する以上、当事者は相互に相手方の人格や財産を害さないという信義則（民法１条２項）上の注意義務を負うと解し、当該注意義務に違反して契約交渉を不当に破棄したような場合には損害賠償義務を負うと解します。

この損害賠償義務を導く法理を「契約締結上の過失」と呼びます。

2　法的性質

契約締結上の過失の法的性質については、不法行為責任説と契約責任説とが対立しています。

⑴ 不法行為責任説

不法行為責任説は、契約責任は契約が成立して初めて発生するものであるという前提に立ち、契約締結上の過失は契約成立以前の問題であるため契約責任が発生する余地はなく、契約関係にない当事者間に損害賠償を認める不法行為責任と捉えるべきであると解します。

⑵ 契約責任説

契約責任説は、契約締結時点以降のみに契約原理が妥当するとすべきではなく、契約の成立過程においても契約原理が妥当すると解します。また、契約締結を試みようとした当事者間の規律は不法行為責任よりも契約責任によるべきであり、契約上の義務には信義則上の付随義務が含まれ、このような信義則上の義務は契約締結過程においてもすでに発生していると解します。

3　類 型

契約締結上の過失が問題となる類型として、以下のようなものがあります。

⑴ 契約無効型

契約無効型とは、契約は締結されたものの契約が不成立または無効とされる類型をいいます。改正前の民法の下では、債務が原始的不能の場合は契約は無効となると解されていたため、原始的不能の場合が契約無効型の典型例だと考えられていました。たとえば、売買契約を締結したものの契約締結日前日に売買目的物が火事により焼失していた場合が挙げられます。このとき、買主が焼失していたことを知らずに当該目的物を転売する契約を第三者と締結し、当該第三者との転売契約上の目的物引渡義務を果たすことができず違約金が生じた場合に、当該違約金相当額を損害として売主に対して賠償請求することができるかが問題となっていました。

民法改正により、債務が原始的不能の場合であっても債務不履行に基づく損害賠償請求をすることは妨げられないとして（民法412条の２第２項）、契約が当然に無効にはならないことが明らかになりました。

そこで、改正後の民法においては、原始的不能の場合、契約締結上の過失の問題ではなく、債務不履行に基づく損害賠償請求（民法415条）が認められるか否かが問題となります。もっとも、債務が原始的不能であるにもかかわらず契約を締結したことにつき、動機の錯誤を理由に契約を取り消す可能性はあり（民法95条１項２号）、この場合には債務が遡及的に存在しないこととなることから、債務不履行に基づく損害賠償請求をすることはできません（一問一答72頁）。この場合、契約締結上の過失が問題となる余地はあると考えられます。

⑵ 交渉破棄型

交渉破棄型とは、契約締結に向けて交渉が行われたものの結局締結に至らなかったという類型をいいます。たとえば、不動産の売買契約の締結に向けて交渉をしていて、締結段階に至り売主が翻意して交渉を打ち切ってきた場合が挙げられます。このとき、買主がすでに不動産の所有権移転登記手続を司法書士に依頼しており、司法書士費用が発生した場合に、当該費用を損害として売主に対して賠償請求することができるかが問題となります。

⑶ 不当表示型

不当表示型とは、契約は有効に締結されたもののその過程および内容が一方当事者に不利であったという類型をいいます。たとえば、売買契約を締結する際に売主の説明に虚偽の事実や買主に有利であるように誤信させる内容が含まれていた場合が挙げられます。このとき、売主の虚偽の説明により買主に損害が発生した場合に、売主に対して賠償請求することができるかが問題となります。

4　要 件

一般的に、契約締結上の過失が成立するための要件は、類型ごとに以下のとおり整理されています。

⑴ 契約無効型

契約無効型では、以下の要件が満たされた場合に損害賠償請求が認められます。

① 締結された契約の全部または一部が客観的に履行不能（原始的不能）であり、その契約の全部または一部が錯誤等を理由に取り消されたこと
② 給付すべき者がその給付の目的物を給付することが不能であることを知りまたは知ることができたこと
③ 相手方が善意無過失であること

⑵ 交渉破棄型

交渉破棄型では、以下の要件が満たされた場合に損害賠償請求が認められます。

① 契約締結の成熟度が高いこと
② 信義則違反と評価される帰責性があること（信頼を惹起する先行行為があることや信頼を裏切る行為があること）

⑶ 不当表示型

不当表示型では、以下の要件が満たされた場合に損害賠償請求が認められます。

① 交渉段階における説明に虚偽の事実が含まれていたこと
② 相手方が虚偽の説明により誤信したこと
③ 契約が締結されたが、信義則違反と評価されるものであること

5　損害賠償の範囲

通説は、契約締結上の過失が認められる場合には、相手方は、契約が有効に成立し、または契約が締結されると信頼して行動したことにより支出し、または被

った損害を損害賠償請求することができると解します。契約の有効な成立や契約締結を信頼したことによる利益という意味で「信頼利益」と呼ばれます。たとえば、契約締結前の現地見分のための費用、代金支払いのために融資を受けた際の利息、契約締結後の登記手続のための司法書士費用、第三者から有利な申込みを断ったことにより生じた損害等が挙げられます。

有力説は、契約関係は、交渉の端緒から完全な履行に至るまで段階的に成熟していくものであることを前提に、成熟度に応じて信頼利益のみならず、履行利益まで請求することができる余地を認めるべきであると解します。履行利益とは相手方が契約上の債務の履行をすれば得られたであろう利益を意味します。たとえば、目的物を賃貸することにより得られたであろう賃料や目的物を転売することにより得られたであろう転売利益が挙げられます。

6　判 例

⑴ 事 案

Xはマンションの分譲を計画し、買主の募集を始めたところ、歯科医であるYが購入を希望し、Xと交渉を開始しました。その間、YはXに対して、スペースについて注文を出したり、レイアウト図を交付する等しました。その後、XはYから、歯科医院を営むためには電気を大量に使用することから、マンションの電気容量はどうなっているかとの問い合わせを受けました。そこで、Xは、電気容量が足りないと考え、Yの意向を確かめないまま電気容量を増やす工事を行ったうえで、その出費分を上乗せすることをYに告げましたが、Yは特に異議を述べませんでした。しかしその後、Yは、購入資金の支払額が多額にのぼることを理由に、マンションの買取りを断りました。そこで、XはYに対し、工事にかかった費用400万円の賠償を求めました。

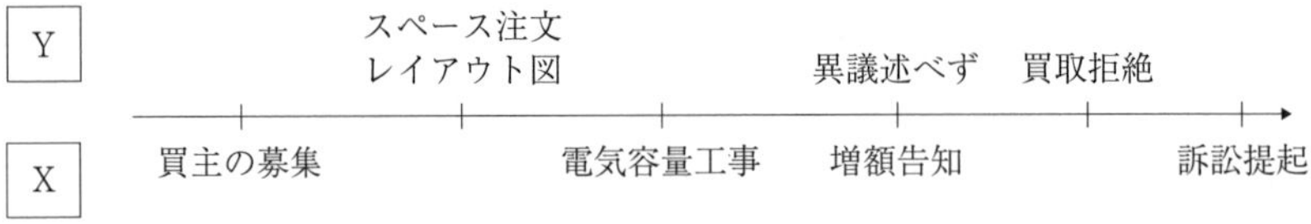

⑵ 判 旨

最高裁は「契約準備段階における信義則上の注意義務違反を理由とする損害賠償責任を肯定した原審の判断は、是認することができ」ると判示しています（最判昭和59年9月18日判時1137号51頁・百選Ⅱ［第8版］3事件）。原審（東京高判昭和58年11月17日判例集未登載・百選Ⅱ［第3版］14頁参照）は「取引を開始し契約準備段階に入ったものは、一般市民間における関係とは異なり、信義則の支配する緊密な関係にたつのであるから、後に契約が締結されたか否かを問わず、相互に相手方の人格、財産を害しない信義則上の注意義務を負うものというべきで、これに違反して相手方に損害を及ぼしたときは、契約締結に至らない場合でも、当該契約の実現を目的とする右準備行為当事者間にすでに生じている契約類似の信頼関係に基づく信義則上の責任として、相手方が該契約が有効に成立するものと信じたことによって被った損害（いわゆる信頼利益）の損害賠償を認めるのが相当である」（最判昭和59年9月18日集民142号311頁）と判示しています。

第6　契約の解除

1　契約の解除の意義

(1) 解除の意義

解除とは、契約の一方の当事者の意思表示によって、すでに有効に成立した契約の効力を解消させて、その契約がはじめから存在しなかったと同様の法律効果を生じさせることをいいます。

(2) 解除権の発生と行使

① 解除権の発生

解除権とは、当事者の一方的な意思表示により、契約がはじめから存在しなかったと同様の法律効果を生じさせることができる権利をいいます。解除権は、契約または法律によって規定された解除原因が生じることにより、契約の当事者の一方または双方に発生します。

② 解除権の行使

一定の事実（解除原因）の発生により当然に解除の効果が生じるのではなく、解除権の行使（解除の意思表示）を待って初めて解除の効果が生じます。

解除権は形成権であり、相手方に対する一方的な意思表示によって行使されます（民法540条1項）。

解除権を行使した債権者は、解除の意思表示を撤回することはできません（民法540条2項）。解除の意思表示により、契約の効力が遡って消滅したことを前提とした法律関係が形成され、当該法律関係に対する相手方の信頼が生じるためです。

③ 解除権の不可分性

ア　解除権の行使の不可分性

契約の当事者の一方または双方が複数の場合には、全員から全員に対して解除権を行使する必要があります（民法544条1項）。複数の当事者間で契約が解除されたり解除されなかったりと複雑な法律関係が生じることを回避するためです。

イ　解除権の消滅の不可分性

複数の当事者が同一の契約につき解除権を有する場合に、当事者のうちの1

人について解除権が消滅したときは、他の当事者についても解除権が消滅します（民法544条２項）。上記アと同様、複数の当事者間で契約が解除されたり解除されなかったりといった複雑な法律関係が生じることを回避するためです。

⑶ 解除の種類

解除には、法定解除と約定解除という種類があります。

「法定解除」とは、法律に定められた解除原因により発生した解除権の行使による解除をいいます。「約定解除」とは、契約当事者間で定められた解除原因により発生した解除権の行使による解除をいいます。

2　債務不履行による解除

⑴ 債務不履行の意義

債務不履行とは、債務の本旨に従った履行がなされないことをいいます。通説は債務不履行を以下の「履行遅滞」「履行不能」「不完全履行」の３つに分類します。

① 履行遅滞

履行遅滞とは、債務者が履行期にその債務を履行しないことをいいます。

② 履行不能

履行不能とは、契約成立後に債務の履行が不可能となることをいいます。

③ 不完全履行

不完全履行とは、債務の履行は一応なされたものの、債務の本旨に従った履行がなされていないことをいいます。

⑵ 民法改正後の規律

民法改正により、契約の解除に関する規定は大きく整理されました。改正前民法は、債務不履行による解除について、履行遅滞等（改正前民法541条）、定期行為の履行遅滞（改正前民法542条）、履行不能（改正前民法543条）という債務不履行の態様に応じた規定を設けていました。

これに対して、改正後の民法は、催告による解除（民法541条）と催告によらない解除（民法542条）に区別して規定を設けています。これは解除権発生の要件という観点から分類したものといえます。

⑶ 帰責事由の要否

① 民法改正前

改正前民法は、履行不能による解除について、「その債務の不履行が債務者の責めに帰することができない事由によるものであるときは、この限りではない」（改正前民法543条）と定めて、債務者の帰責事由が必要であることを条文上明らかにしていました。

また、履行遅滞による解除については債務者の帰責事由が必要であるか否かが条文上明らかではありませんでしたが、判例・通説は履行遅滞による解除についても債務者の帰責事由が必要であると解していました。不完全履行による解除についても、追完が可能な場合には履行遅滞に準じて、追完が可能でない場合には履行不能に準じて処理することから、債務者の帰責事由が必要であると解されていました。

以上のとおり、改正前民法の下では、債務不履行により契約を解除する場合には、債務者の帰責事由を要し、債務者に帰責事由がないときは、債権者は契約を解除することができないと解されていました。

② 民法改正後の規律

債務不履行による解除に債務者の帰責事由を要求する従前の考え方は、解除の意義について、債務の履行を怠った債務者にサンクションを課すものであるという見解に親和的であるといえます。

これに対して、改正後の民法は、債務者の帰責事由を解除の要件としていません。これは、債務不履行による解除の制度について、債務の履行を得られない債権者を契約関係から解放する制度であるという理解に立つものであるといえます（一問一答234頁）。債務不履行があった場合に、債務者に帰責事由がある場合でなければ契約の解除をすることができないとすると、債権者は、債務者の帰責事由がない限り、契約に拘束され続けることとなります。たとえば、天災等により債務の履行の目処が立たない場合に債権者は債務不履行を理由に契約を解除できず、別の業者との契約を新たに締結することができないという状況が生じることとなります。

そこで、改正後の民法は、従来の考え方を変更して、債務不履行による解除に債務者の帰責事由を不要とし、債務不履行があれば債務者に帰責事由がない場合でも債権者は契約を解除することができることを定めました（民法541条、542条）。

⑷ 債務不履行による解除の要件

改正後の民法は、債務不履行による解除を催告による解除（民法541条）と催告によらない解除（民法542条）に整理しています。

両者に共通する要件は、①債務不履行があること、②解除の意思表示をしたこと（民法540条１項）、③債務不履行が債権者の帰責事由によるものでないこと（民法543条）です。上述のとおり、改正後の民法は、債務者の帰責事由を不要としています。

また、上記③は民法改正で新設した要件です。民法543条は、債務不履行が債権者の責めに帰すべき事由によるものであるときは、債権者は契約を解除することができないと定めています。この趣旨は、債務不履行について債権者に帰責事由がある場合にまで債権者を契約の拘束力から解放することとすれば、債権者は故意に債務の履行を妨げた上で契約の拘束力を免れることが可能となり、信義則および公平の観点から相当ではないため、債権者に帰責事由がある場合には契約の解除をすることができないとした点にあります（一問一答235頁）。

以下では、催告による解除（民法541条）と催告によらない解除（民法542条）の各要件について説明します。

3　催告による解除

⑴ 催告による解除の要件

当事者の一方がその債務を履行しない場合、相手方が相当の期間を定めてその履行の催告をし、その期間内に履行がないときは、相手方は、契約の解除をすることができます（民法541条本文）。ただし、不履行の程度が軽微であるときは、解除することができません（民法541条但書）。

催告による解除の要件は、以下のとおりです。

① 債務者が履行遅滞に陥っていること

ア　履行が可能であること

履行が不可能である場合には履行不能となるため、履行遅滞に陥っていることの要件として履行が可能であることが求められます。

イ　履行期の到来

履行期が到来してもなお「履行しない場合」が履行遅滞であるため、履行期の到来が要件となります。履行期がいつであるかは、民法412条が規定しています。確定期限があるときは、その期限の到来した時です（民法412条１項）。不確定期限があるときは、①期限到来後に、債権者が債務者に履行の請求をし、債務者がその請求を受けた時、または、②債務者が期限の到来したことを知った時のいずれか早い時です（民法412条２項）。期限の定めがないときは、債務者が履行の請求を受けた時です（民法412条３項）。

ウ　履行遅滞に違法性があること

同時履行の抗弁権（民法533条）が付着している債務の場合、債権者は自己の債務につき履行の提供をなさない限り、同時履行の抗弁権の存在効果により債務者は履行遅滞に陥らない（履行遅滞に違法性がない）ため、解除しようとする債権者は、自己の債務につき履行の提供をなすことが要件となります。たとえば、売買契約の買主が売主の目的物引渡債務の不履行を理由に契約を解除する場合、売主に代金債務の履行を提供する必要があります。

エ　債務者が履行の提供をしないこと

債務者が履行期に履行の提供をしないことが要件となります（民法492条）。また、債務者が不完全履行をした場合のうち追完が可能な場合（一応は履行されたが、債務の本旨に従った履行がなされておらず、履行が可能な場合）も、「その債務を履行しない場合」に該当すると解されます。

② 債権者が相当な期間を定めて履行の催告をなしたこと

民法541条本文は「相当の期間を定めてその履行の催告を」することを求めて

います。催告の意義および相当の期間については、⑵で説明します。

③ 催告期間内に債務者が履行をしないこと

民法541条本文は催告した「期間内に履行がないとき」に債権者に解除権が発生する旨を定めています。

④ 債務不履行が軽微なものでないこと

民法541条但書は、不履行の程度が軽微であるときは、契約を解除することができないと定めています。民法改正で新たに設けた要件であり、⑶で説明します。

⑵ 催告の意義

催告とは、債権者が債務者に履行を請求する意思の通知をいいます。催告期間内に履行がないときに債権者に解除権が発生します。

債権者は、催告期間を履行期日（○月×日に）または履行期間（△月□日まで）によって指定することとなります。「相当な期間」とは、取引通念および信義則に照らして債務者が債務を履行するのに相当と客観的に判断される期間をいいます。

民法541条は「相当の期間を定めて」と規定していますが、判例は、催告期間の指定のない催告や不相当な期間を指定した催告についても、催告自体は有効であり、客観的に相当な期間の経過後に解除権が発生すると解しています（大判昭和２年２月２日民集６巻133頁、最判昭和29年12月21日民集８巻12号2211頁、最判昭和31年12月６日民集10巻12号1527頁）。

債権者が催告をする趣旨は、債務者に債務の履行を促す点にあり、債務の履行をするのに相当な期間を経過した場合には債務の履行を促すという趣旨を充足するためです。

⑶ 不履行が軽微な場合

債務者に履行遅滞があっても、催告期間を経過した時における債務の不履行が契約および取引上の社会通念に照らして軽微であるときは、債権者は解除をすることができません（民法541条但書）。これは、民法改正で新設した規定です。

① 改正前の判例

改正前民法の下でも、債務者が履行しない債務の程度が数量的にわずかであることを理由に解除を否定した判例がありました（大判昭和14年12月13日大審院判決全集７輯４号10頁）。

同判例は、借地人Ａが土地所有者Ｂに対して支払うべき年間の地代６円５銭８厘のうち１円５銭８厘が不足していたため、Ｂが契約を解除した事案において、履行遅滞にある債務者が債権者からの催告に対し誠意をもって履行に努力しその誠意が認められた場合には、僅少部分について不履行の事実があったとしても、解除権を行使することはできないと判示し、解除を認めませんでした。

また、判例には、付随的義務を怠ったにすぎないことを理由に、解除を否定し

第Ⅴ篇　債権各論

たものがあります（最判昭和36年11月21日民集15巻10号2507頁・百選Ⅱ［第８版］42事件）。契約上の債務は要素たる債務と付随的債務に区別され、要素たる債務とは、契約の目的を達成するのに必要不可欠な債務をいいます。付随的債務とはその他の派生的な債務をいいます。

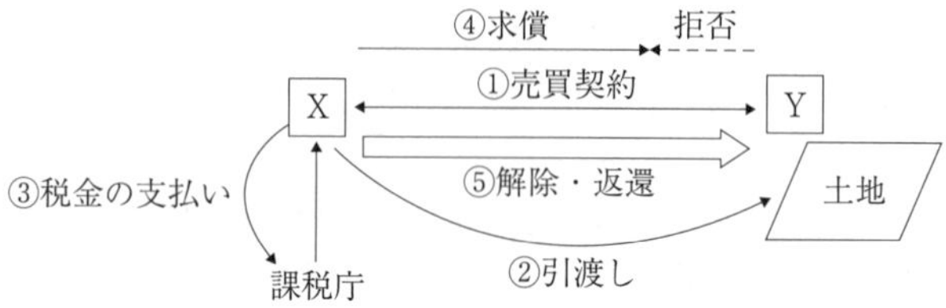

同判例は、次のような事案です。土地の売買契約において、代金の支払いと引き換えに売主Ｘは買主Ｙに土地を引き渡しました。その後、Ｘは、課税庁から請求を受け、当該土地についての固定資産税の支払いを余儀なくされたため、Ｙに当該支払いの償還を求めました。しかし、Ｙがこれに応じなかったため、ＸはＹとの売買契約を解除し、当該土地の返還を求めました。

最高裁は「法律が債務の不履行による契約の解除を認める趣意は、契約の要素をなす債務の履行がないために、該契約をなした目的を達することができない場合を救済するためであり、当事者が契約をなした主たる目的の達成に必須的でない附随的義務の履行を怠ったに過ぎないような場合には、特段の事情の存しない限り、相手方は当該契約を解除することができないものと解するのが相当である」と判示し、原告の契約解除を認めませんでした。

② 民法改正後の規律

改正後の民法は、催告による解除について、不履行の程度や態様についての限定がなく、不履行の程度が数量的に僅かである場合や、付随的な債務の不履行である場合も解除することができると解する余地があることから、判例を踏まえ、不履行が軽微な場合の制限を設けました。

すなわち、催告による解除について、債務不履行があれば催告の上で解除できることを原則としたうえで（民法541条本文）、催告期間を経過した時における債務の不履行が契約および取引上の社会通念に照らして軽微であるときは債権者は解除をすることができないことを定めました（民法541条但書）。

4　催告によらない解除（無催告解除）

債権者は、次の各場合には、催告をすることなく直ちに契約を解除することができます（民法542条１項１号ないし５号）。この場合には催告をすることが無意味であるといえるためです。

改正前民法においても、定期行為の履行遅滞（改正前民法542条）、履行不能（改正前民法543条）の場合について、無催告の解除を認めていました。これらの場合には、催告により改めて債務者に履行の機会を与えても履行できないか、契約目的が達成されないためです。改正後の民法は、履行不能、定期行為の場合に加え、解釈上で無催告解除が認められていたものを明文化しました。これらの場合には、債権者は無催告で契約を解除することができますが、解除の意思表示は必要です。

⑴ 履行不能（1号・3号）

債務の全部の履行が不能である場合は、債権者は催告によらずに契約を解除することができます（民法542条1項1号）。

債務の一部の履行が不能である場合は、残存する部分だけでは契約を目的を達成することができないときは契約の全部を無催告で解除することができます（民法542条1項3号）。契約が可分であり、残存する部分だけでも契約目的を達成できないわけではないときは、契約の一部のみを無催告で解除することができます（民法542条2項1号）。

改正前民法は、履行不能による解除について債務者の帰責事由を要求していました。これに対して、改正後の民法は、前述のとおり債務者の帰責事由を要件としていません。

⑵ 履行拒絶（2号・3号）

債務者が債務の全部の履行を拒絶する意思を明確に表示した場合は、債権者は催告をすることなく契約を解除することができます（民法542条1項2号）。

債務者が債務の一部の履行を拒絶する意思を明確に表示した場合は、残存する部分のみでは契約をした目的を達することができないときは、債権者は契約の全部を無催告で解除することができます（民法542条1項3号）。契約が可分であり、残存する部分だけでも契約目的を達成できないわけではないときは、契約の一部のみを無催告で解除することができます（民法542条2項1号）。

履行拒絶による無催告解除が認められるためには、履行不能の場合と同様に扱ってよい程度の状況が必要であり、たとえば債権者と債務者との間の交渉の過程で債務者が履行を拒絶する趣旨の発言をしたというのみでは「明確に表示した」とはいえないと解されます。

⑶ 定期行為（4号）

定期行為とは、契約の性質または当事者の意思表示により、特定の日時または一定の期間内に債務が履行されなければ契約の目的を達成できない行為をいいます。契約の性質から当然に定期行為となる場合（絶対的定期行為）と当事者の意思表示により定期行為となる場合（相対的定期行為）とがあります。前者の例としてはクリスマスケーキの売買（12月25日を過ぎて配達されても意味がない）が挙げられ、後者の例としては誕生日ケーキの売買（当事者の指定した日〔誕生日〕を過ぎて配達されても意味がない）が挙げられます。

いずれも一定の期日または一定の期間を経過して債務の履行がない場合には契約の目的を達成できず、催告をして債務の履行を促す意味がないため、債権者は無催告で契約を解除することができます（民法542条１項４号）。もっとも、解除の意思表示は必要です。

商人間の定期行為については商法に特則があり、相手方が直ちにその履行の請求をした場合を除き、契約の解除をしたものとみなされます（商法525条）。すなわち、この場合は催告だけでなく、解除の意思表示も不要となります。

⑷ 契約の目的不達成（５号）

民法542条１項１号～４号に該当する場合のほか、債務者がその債務の履行をせず、債権者が履行の催告をしても契約をした目的を達するに足りる履行がされる見込みがないことが明らかであるときは、債権者は無催告で契約を解除することができます（民法542条１項５号）。

5　複合的契約における一部の債務不履行

関連性を有する複数の契約を同時に締結したが、そのうちの１つの契約に基づく債務につき不履行があった場合に、当該契約以外の契約についても解除することができるかが問題となります。

判例では、以下のような事案が問題となりました。

不動産会社Ｙは、Ａリゾートマンション（以下「Ａマンション」といいます）を建設し、その１区画を4500万円でＸに売却した。Ａマンションには、Ｂスポーツクラブ（以下「Ｂクラブ」といいます）の施設が併設されることとなっており、Ａマンションの売買契約書には、買主はマンションの購入と同時にＢクラブの会員となる旨の特約事項が定められていたほか、Ｂクラブの会則には、Ａマンションの区分所有権は、Ｂクラブの会員権付きであり、これと分離して処分できないことが定められていた。Ｙは、新聞広告・案内書等で、「Ａマンション（Ｂクラブ会員権付き）」と銘打ち、Ａマンションの区画を購入すればＢクラブの施設を利用できることをうたい、Ｂクラブの施設内容として、テニスコート、屋外プール等を完備しているほか、１年後には屋内温水プールが完成の予定である旨を明記していた。しかし、２年を経過しても、屋内温水プールの建設の目途がたたない

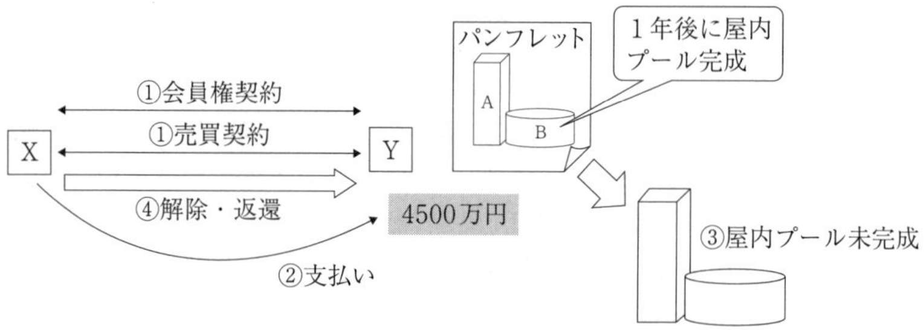

ため、Xは売買契約を解除し、Yに対して支払済代金の4500万円の返還を求めた。

(1) 契約の個数

まず、上記事案のリゾートマンション（スポーツクラブ会員権付き）の売買契約について、契約の個数をいかに解するか、リゾートマンションの区分所有権の売買契約とスポーツクラブの会員権契約との関係が問題となります。

① 1個説

1個説は、当事者間では、リゾートマンションの区分所有権の売買契約とスポーツクラブの会員権契約が不可分一体のものとして捉えられており、会員権付き区分所有権の売買契約という1個の契約が成立していると解します。

② 2個説

2個説は、リゾートマンションの区分所有権の売買契約とスポーツクラブの会員権契約は異なる種類の契約であり、2個の契約が同時に成立していると解します。

(2) 解除の可否

① 1個説

1個説を前提とすると、Yは、会員権付区分所有権の売買契約に基づき生じた債務のうち、屋内温水プールを1年以内に完成させるという債務を履行していないこととなります。

つまり、会員権付区分所有権の売買契約に基づく一部の債務の不履行であるといえます。屋内温水プールを1年以内に完成させるという債務が「要素たる債務」である場合には契約の解除が認められ、「付随的債務」にすぎないのであれば契約の解除は認められないこととなります。

② 2個説

2個説を前提とすると、屋内温水プールを1年以内に完成させるという債務は会員権契約に基づいて生じた債務であるといえ、Yは会員権契約についての債務を履行していないこととなります。

この会員権契約についての債務不履行が区分所有権の売買契約に影響を及ぼすか否かについて、以下の2つの考え方がありえます。

ア　区分説

区分説は、区分所有権の売買契約と会員権契約とは別個独立の契約であり、何らの影響を及ぼさないと解します。したがって、区分所有権の売買契約には債務不履行がない以上、区分所有権の売買契約の解除は認められないこととなります。

イ　連結説

連結説は、2個以上の契約の目的が相互に密接に関連づけられていて、社会通念上、いずれかの契約が履行されるだけでは契約を締結した目的が全体としては達成されないと認められる場合には、相互に影響を及ぼすと解します。

区分所有権の売買契約と会員権契約とはその目的が相互に密接に関連づけられており、いずれかの契約の履行のみでは契約の目的が全体として達成されないため、会員権契約に基づいて生じた債務の不履行があったにすぎない場合でも、区分所有権の売買契約とともに解除することが認められることとなります。

⑶ 判例（最判平成８年11月12日民集50巻10号2673頁・百選Ⅱ［第８版］44事件）

最高裁は「同一当事者間の債権債務関係がその形式は甲契約及び乙契約といった２個以上の契約から成る場合であっても、それらの目的とするところが相互に密接に関連付けられていて、社会通念上、甲契約又は乙契約のいずれかが履行されるだけでは契約を締結した目的が全体としては達成されないと認められる場合には、甲契約上の債務の不履行を理由に、その債権者が法定解除権の行使として甲契約と併せて乙契約をも解除することができるものと解するのが相当である」と判示し、連結説の立場に立ち、スポーツ施設の利用を主目的とするリゾートマンションであるという点を重視し、屋内プール施設の完成の遅延によりリゾートマンションの区分所有権の売買契約を締結した目的を達成できなくなったとして、いずれの契約も解除できると認めました。

6　解除の効果

⑴ 解除の効果

解除は、契約がはじめから存在しなかったのと同様の法律効果を生じさせます。具体的には、以下の３つの効果が挙げられます。

① 契約の拘束力からの解放

契約から生じた債務が履行されていない場合は、契約当事者はその債務の履行を免れます。

② 原状回復義務の内容

ア　総 論

契約から生じた債務がすでに履行されている場合は、履行を受けた当事者は、相手方に対して受領した給付を返還すべき義務を負います（民法545条１項本文）。双方が給付された物の返還義務を負う場合には、双方の返還義務は同時履行の関係にあります（民法546条、533条）。

イ　金銭の返還

原状回復義務の履行として金銭を返還する場合には、その受領の時から利息を付さなければなりません（民法545条２項）。

ウ　金銭以外の返還

金銭以外の物を受領した場合には、解除による原状回復義務の履行として、目的物を受領後にその目的物から生じた果実についても返還しなければなりません（民法545条３項）。これは民法改正により新設した規定です。

エ　使用利益

金銭以外の物を受領した者が、これを使用して利益を得た場合、使用利益を返還すべきかについて、民法は明文の規定を設けていません。

判例はこれを肯定し、使用利益を返還しなければならないと解しています（大判昭和11年５月11日民集15巻808頁、最判昭和34年９月22日民集13巻11号1451頁）。また、判例は、他人物の売買契約を解除した場合においても、使用利益を返還しなければならないと判示しています（最判昭和51年２月13日民集30巻１号１頁・百選Ⅱ［第８版］45事件）。

③ 損害賠償義務

契約当事者は、契約の解除とともに、解除原因である債務不履行を理由とする損害賠償を請求することができます（民法545条４項）。

⑵ **学 説**（直接効果説・間接効果説）

解除をいかなる法律構成とするか、上記３つの解除の効果の説明の仕方について学説は多岐にわたりますが、基本的な学説として直接効果説と間接効果説に分かれています。

① 直接効果説（判例・通説）

直接効果説は、解除により契約の効力が遡及的に消滅することとなると解します。

契約の効力が遡及的に消滅することに伴い、契約から発生した債権および債務は遡及的に消滅します。したがって、解除までに履行されていない債務は履行を要せず、解除までに履行されている債務は原状回復を要します（民法545条１項本文）。本来であれば契約の効力の遡及的消滅により法律上の原因なくして利益を受けたこととなり不当利得（民法703条、704条）により処理されるべきであるといえます。この点、直接効果説は、民法545条１項本文の原状回復を不当利得の特則として位置づけます。

また、契約の効力が遡及的に消滅することに伴い、契約に基づく物権変動は遡及的になかったこととなります。たとえば、売買契約が解除された場合、売買目的物の所有権の移転は遡及的になかったこととなり、売主に所有権が帰属し続けたものとして取り扱います。買主は契約の解除により遡及的に無権利者となります。しかし、解除までに買主から売買目的物を転得した第三者が現れることがあります。第三者は買主に所有権が帰属することを前提に取引に入ることが通常であり、このような取引を保護するため、民法545条１項但書は「第三者の権利を害することはできない」と定め、解除の遡及効を制限したと理解します。

民法545条４項は「解除権の行使は、損害賠償の請求を妨げない」と定めています。直接効果説は、解除により契約の効力が遡及的に消滅すると解するため、本来であれば債務不履行責任は生じません。しかし、それでは損害を被った債権者を害することとなるため、民法545条４項が解除の遡及効を制限し、債権者の債務者に対する債務不履行に基づく損害賠償請求を認めたと理解します。債務不履行に基づく損害賠償請求であるため、損害の範囲については履行利益（相手方が契約を履行すれば得られたであろう利益）であると解されています。

② 間接効果説

間接効果説は、解除により契約の効力が遡及的に消滅するのではなく、原状回復を目的とした清算関係が新たに発生すると解します。

契約を解除しても契約の効力は遡及的に消滅しないため、契約から発生した債権および債務は消滅しません。間接効果説は、解除までに履行されていない債務については、解除により履行拒絶の抗弁権が発生すると解します。解除までに履行されている債務は弁済により有効に消滅しているため、不当利得とはなりません。原状回復義務（民法545条１項本文）は、解除による清算関係のために発生します。

また、解除しても契約の効力が遡及的に消滅しないため、契約により生じた物権変動に何ら影響を及ぼしません。たとえば、売買契約が解除された場合、売主から買主への所有権移転の効果は存続し、解除による清算により買主から売主への新たな所有権移転の効果が発生すると解します。この新たな所有権移転を復帰的物権変動と呼びます。買主から売買目的物を転得した第三者と解除による所有権移転を受けた売主は、いわば二重譲渡の関係となり、民法177条の対抗関係として登記の先後により優先関係が決せられることとなります。したがって、民法545条１項但書は、民法177条により保護される第三者の権利を害することはできない旨を注意的に規定したものと解されます。

間接効果説は、元の契約の効力が存続すると解するため、債務不履行に基づく損害賠償請求ができることに変わりありません。債務不履行に基づく損害賠償請求であるため、損害の範囲については履行利益（相手方が契約を履行すれば得られたであろう利益）であると解されています。

なお、間接効果説に対しては、清算関係が終了した際にも元の契約が消滅せずに残存することについて説明ができないとの批判があります。この批判を回避するため、間接効果説を基本としつつ、元の契約は解除時に消滅し、解除までに履行されている債務について原状回復義務が発生すると構成する折衷説も有力に主張されています。

⑶ 解除と第三者

民法は契約の解除により「第三者の権利を害することはできない」（民法545条１項但書）と定めています。この規定の趣旨および適用範囲が解除の法律構成と関連して問題となります。

① 解除前の第三者

たとえば、売主Ａと買主Ｂとの間で不動産の売買契約を締結し、さらにＢがＡから取得した不動産を第三者Ｃに譲渡したが、後にAB間で売買契約が解除されたといった事例で、第三者Ｃがどのように保護されるかが問題となります。

ア　直接効果説

直接効果説は、売買契約の解除によりＢは遡及的に無権利者となり、Ｃは無権利者から不動産を取得したこととなりＣの権利取得が否定されると解します。これでは取引の安全を害するため、民法545条１項但書により特別に第三者との関係において解除の遡及効を制限したと説明します。

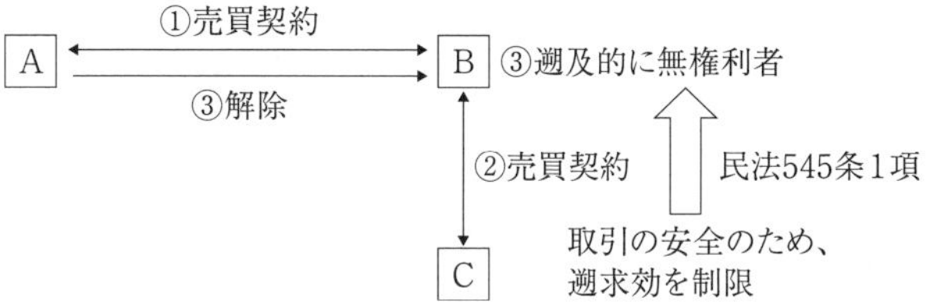

イ　間接効果説

間接効果説は、解除の前後を問わず、ＢからＣへの譲渡とＢからＡへの原状回復とは二重譲渡の関係に立ち、物権変動の対抗問題として民法177条により優劣関係が決せられると解します。民法545条１項但書は注意的に規定したものにとどまると説明します。

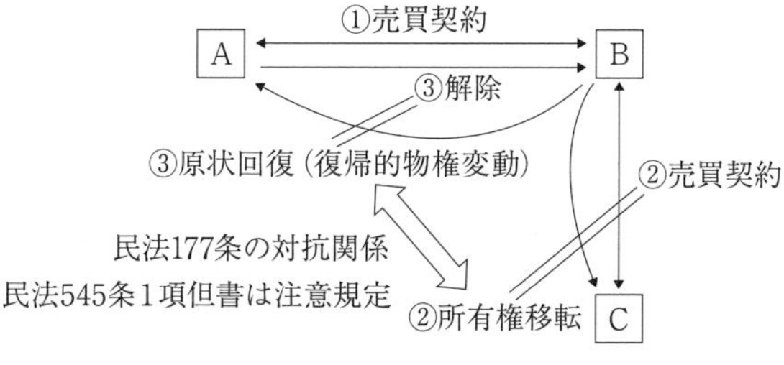

ウ　検 討

間接効果説は、物権変動における対抗問題として優劣関係を処理することから、第三者ＣがＡに対抗するためには、対抗要件である登記が必要となります。直接効果説に立脚する判例・通説も、第三者が民法545条１項但書によって保護されるためには、自ら対抗要件を具備することが必要であると解しています（最判昭和33年６月14日民集12巻９号1449頁）。この点、直接効果説では、理論的には対抗問題として処理するわけではないため、第三者として保護されるための要件（権利保護要件）として登記が要求されるとの説明をする見解も有力です。

② 解除後の第三者

たとえば、売主Ａと買主Ｂとの間で不動産の売買契約がなされ、AB間で売買契約が解除された後に、Ｂが第三者Ｃに当該不動産を譲渡したという事例で、第三者Ｃがどのように保護されるかが問題となります。

この点、直接効果説も間接効果説も、解除によるＢからＡへの原状回復とＢからＣへの譲渡とが二重譲渡類似の関係に立つため、民法177条の対抗問題として処理されると解します。

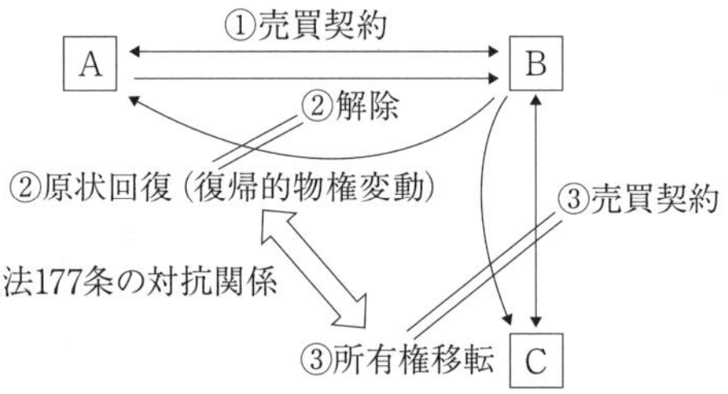

7　解除権の消滅

⑴ 催告による解除権の消滅

① 期間の定めがある場合

解除権の行使について期間の定めがある場合は、当該期間の経過によって解除権が消滅します。たとえば、民法566条は、売買契約における目的物の品質や種類に関して契約の内容に適合しない場合において、「買主がその不適合を知った時から１年以内にその旨を売主に通知」することという条件を定めています。期間の定めについては法律上定められている場合（民法566条以外には580条、637条等）以外に、契約当事者間での合意によって定められている場合があります。

② 期間の定めがない場合

解除権の行使について期間の定めがない場合は、相手方は解除権を有する者に対して、相当の期間を定めて、その期間内に解除をするかどうかを確答すべき旨の催告をすることができます。相手方が催告し、その期間内に解除の通知を受けなかったときは、解除権は消滅します（民法547条）。この趣旨は、解除権が行使されないことにより相手方の地位が不安定となるため、相手方に解除権をめぐる法律関係を確定させる手段を認めた点にあります。

⑵ 解除権者の行為等による解除権の消滅

解除権を有する者が故意もしくは過失によって契約の目的物を著しく損傷し、もしくは返還することができなくなったとき、または加工もしくは改造によってこれを他の種類の物に変えたときは、解除権は消滅します（民法548条本文）。この趣旨は、解除権者が自己の故意または過失により契約の目的物を著しく損傷した場合に、相手方が契約解除により原状回復として著しく損傷した目的物の返還を受けることは解除権者と相手方の公平に反するため、解除権が消滅することとした点にあります。

また、解除権者が予測に反して解除権を失わないようにするため、改正後の民法は、契約の目的物の損傷等の時において解除権者が解除権を有することを知らなかったときは、解除権は消滅しないことを規定しました（民法548条但書）。

⑶ 解除権の一般的消滅事由

① 解除権の消滅時効

判例は、解除権は形成権ですが、一般の債権と同様に10年（民法166条１項）で時効消滅し、その起算点は解除権を行使できる時点であると解しています（大判大正５年５月10日民録22輯936頁、大判大正６年11月４日民録23輯1965頁、最判昭和62年10月８日民集41巻７号1445頁）。

解除権を行使し、原状回復請求権が発生した場合には、当該原状回復請求権については解除時を起算点として消滅時効が進行すると解するのが判例の立場です（大判大正７年４月13日民録24輯669頁）。

② その他の解除権の消滅事由

解除権は形成権であり、解除権者の権利であるため、放棄することが可能です。解除権を放棄した場合には解除権が消滅します。

また、履行遅滞に基づく解除権が発生した後、相手方債務者が解除される前に履行または履行の提供をした場合には解除権者の解除権は消滅すると解されています（大判大正６年７月10日民録23輯1128頁）。

第７　定型約款

１　規定新設の経緯

日常生活の中で、銀行との取引、保険への加入、電車への乗降等多くの場面において、事業者が作成した定型的な契約条項を用いた「約款」による取引が広く行われています。

約款を使用した取引の中では、相手方は事業者の作成した契約の各条項について認識しないまま契約を締結する等の実態があります。その一方、事業者としては約款を用いることにより、取引を迅速かつ安定的に行うために、約款を用いることが不可欠となっているといえますが、改正前民法においては約款につき何らの規定もされていませんでした。

そこで、民法改正は、定型約款に関する規定を新設しました。

2　定 義

⑴ 定型取引

定型取引とは、「ある特定の者が不特定多数の者を相手方として行う取引であって、その内容の全部又は一部が画一的であることがその双方にとって合理的なもの」をいいます（民法548条の2第1項柱書第1括弧書）。「特定の者が不特定多数の者を相手方として行う取引」とは、ある取引主体が取引の相手方の個性を重視せずに多数の取引を行う場面を抽出する要件です。相手方の個性が重視される取引においては、相手方の事情に応じて契約締結の可否や契約内容が決定されることから、定型約款の規律の対象として取引を円滑かつ迅速に行うことができるようにする必要性に乏しいといえます（一問一答243頁）。

よって、多数の者を相手として同様の条件で契約を締結する場合であっても、労働契約等の取引主体の個性が重要となる取引は、定型取引に該当しません。

また、「取引内容の全部又は一部を画一的に決定することが、当事者双方にとって合理的なもの」との要件が設けられた趣旨は、特別な規定を設けて取引の安定を図るとしても、定型約款を細部まで認識していない契約者を拘束することが許されるのは、定型約款を利用しようとする事業者だけでなく、相手方（顧客）にとっても取引の内容が画一的であることが合理的であると客観的に評価することができる場合に限られることを示す点にあります（一問一答243頁）。

⑵ 定型約款

① 意 義

定型約款とは「定型取引において、契約の内容とすることを目的としてその特定の者により準備された条項の総体」をいいます（民法548条の2第1項柱書第2括弧書）。「特定の者により準備された条項の総体」という要件は、当事者の一方が契約内容を補充する目的で、事前に作成していた定型的な契約条項を対象とすることを示すものです（一問一答244頁）。

「条項の総体」との表現のとおり、取引における中心的な条項（たとえば、売買契約であれば金額等）の他に複数の契約条項が存在することが前提となっています。

また、特定の相手方との間で特別な条項を設けた場合には、当該条項は事前に準備した定型的な条項とはいえないため、「条項の総体」に含まれないとされています（一問一答244頁）。

なお、仮に契約当事者が約款の条項の内容のすべてを認識して契約を締結したとしても、定型約款該当性は失われないと整理されます（一問一答244頁）。

② 定型約款の具体例

ア　定型約款に該当する取引は、画一的な内容であることが合理的であると客観的に評価することができるものであるため、取引の相手方は契約の細かな内容に関心を持つことなく、契約内容を認識しないまま契約を締結することが通常であるという特質があるものといえます。

たとえば、鉄道の旅客運送取引における運送約款、宅配便契約における運送約款、インターネットを通じた物品の売買契約における購入約款等が挙げられます。

イ　また、個人が管理する小規模な賃貸用建物においてひな形を用いて賃貸借契約を締結する場合には、「ひな形」を用いて契約をしていたとしても、定型約款には該当しないものと考えられます。一方、不動産会社が大規模な建物において画一的な契約を行う場合には、個別具体的な事情によっては、「ひな形」が定型約款に該当する可能性があると解されます（一問一答246頁）。

ウ　事業者間で行う事業上の取引では、当事者の一方が準備した契約書のひな形を利用して契約が締結されることが多いと考えられます。

この点、事業者間取引においては、ひな形どおりの内容で契約締結をするか否かは最終的には当事者間の交渉によって決まるものであり、条項の削除や修正がされたり、相手方からもひな形が提示されることもあるといえます。

当事者の一方にとっては画一的に取引をすることが合理的であるとしても、相手方にとっては必ずしも画一的な取引が合理的ではない場合があり、仮に検討の結果として当事者が提示したひな形の内容で契約を締結したとしても、基本的には「内容の全部又は一部が画一的であることがその双方にとって合理的なもの」とはいえない場合には、定型約款に該当しないと考えられます（一問一答247頁）。

③ 約款と定型約款

定型約款について上記のとおり定義が設けられたことに伴い、当事者間で「約款」との名称の書面等を用いて契約内容を合意していた取引のうち、定型約款の要件に該当しないものについては、定型約款に関する規定の適用を受けないこととなります。

この場合には、民法における意思表示や合意等契約に関する一般的な規定が適用されることになります。

3　定型約款による契約の成立

⑴ 規定の新設

改正後の民法において、①定型約款を契約の内容とする旨の合意をしたとき（民法548条の2第1項1号）、または②定型約款の準備した者（定型約款準備者）があらかじめその定型約款を契約の内容とする旨を相手方に表示していたとき（同条同項2号）は、定型約款を用いた契約が成立し、定型約款に記載された個別の条項の内容について相手方が認識していなくとも定型約款の個別の条項について合意をしたものとみなす旨の規定が新設されました。

⑵「定型約款を契約の内容とする旨の合意」があったとき

改正前民法の下における判例（大判大正４年12月24日民録21輯2182頁）が、約款による契約の成立について、約款の個別の条項の内容を認識していなくとも、特定の約款によることの合意があれば、原則としてその条項が契約の内容となることを判示していましたが、この考え方を踏襲し「定型約款を契約の内容とする旨の合意」がある場合には定型約款の個別の条項について合意があったものとみなすこととしています（民法548条の２第１項１号）。

なお、この合意は、黙示の合意によって行うことも可能とされています（一問一答249頁）。

⑶ 定型約款を準備した者（定型約款準備者）が「あらかじめその定型約款を契約の内容とする旨を相手方に表示していた」とき

① 定型約款準備者が「あらかじめその定型約款を契約の内容とする旨を相手方に表示していた」場合において当事者間で取引が行われたときは、通常であれば定型約款を契約の内容とする旨の合意があったと考えられます。もっとも、黙示の合意があったか否かの判断は必ずしも容易ではないため、定型約款を用いた取引の安定を図る目的から、「あらかじめその定型約款を契約の内容とする旨を相手方に表示していた」場合にも定型約款による契約の成立を認めるのが適切であると考えられます（民法548条の２第１項２号）。

ここにいう「表示」とは、取引を実際に行おうとする際に顧客である相手方に対して定型約款を契約の内容とする旨が個別に示されていると評価できるものでなければならず、定型約款準備者のホームページ等において一般的にその旨を公表するだけでは足りないとされています。

たとえば、インターネットを介した取引であれば、契約締結画面までの間に画面上で認識可能な状態に置くことが必要とされています（一問一答250頁）。

② 鉄道の乗車契約や高速道路の通行契約等においては定型約款が準備されていることが通例となっており、個別に利用の都度定型約款による旨の表示をすることは容易ではないと考えられます。

他方で、これらの取引については、容易かつ迅速にその利用契約の成立を認める公共的な必要性も高いと考えらえます。

そこで、鉄道営業法18条の２、軌道法27条の２、海上運送法32条の２等は、あらかじめ定型約款を契約の内容とする旨を公表すれば足りる旨の特則を設けています。

4　信義則に反する不当条項

⑴ 規 定

定型約款についての合意があったとみなされる場合においても、①相手方の権利を制限し、または相手方の義務を加重する条項で、②信義則に反して相手方の利益を一方的に害すると認められるものについては、合意しなかったものとみなされます（民法548条の２第２項）。

消費者契約法第10条が、「消費者の不作為をもって当該消費者が新たな消費者契約の申込み又はその承諾の意思表示をしたものとみなす条項その他の法令中の公の秩序に関しない規定の適用による場合に比して消費者の権利を制限し又は消費者の義務を加重する消費者契約の条項であって、民法第１条第２項に規定する基本原則に反して消費者の利益を一方的に害するものは、無効とする」と定め、消費者の利益を一方的に害する条項を無効と規定していることと異なり、定型約款における不当条項は、当事者の合意事項から除外されます。

定型取引においては、当事者が定型約款の各条項の内容を細部まで認識または理解しないままに取引を行い、約款中にある自己に不利益な条項を事後的に示された場合等、定型約款中の一部条項について効力が問題となる場合があるといえます。

このような問題につき、改正前民法下においては約款の条項の内容やその影響を踏まえつつ、公序良俗や信義則、権利濫用法理等を用いて紛争の解決をしてきたといえます。

そこで、民法改正にあたり、明文の規定により、条項の不当性を理由に約款の条項の効力を争う余地がある旨があることを明確にするとともに、その際の判断枠組みを示すこととされました（一問一答251頁）。

定型約款の条項が不当条項に該当するか否かについては、「定型取引の態様及びその実情並びに取引上の社会通念に照らして」総合的に判断され、当事者間の情報や交渉力の格差からだけでなく、取引の性質や態様等、取引全体を考慮して判断されます。

⑵ 定型取引の態様

定型取引がそもそも画一性が高い取引であることから、相手方においても約款の具体的内容を認識せずに取引を行う可能性が高いという性質に鑑み、定型約款の条項が相手方に不利益を課すものである場合には、相手方においてその内容を知りうる状態におかなければ、不意打ち的な条項として信義則に反すると解される蓋然性が高いといえます。

このような事情から、信義則に反する不当な条項であるか否かについては、定型取引の態様を考慮することが必要であるとされています。

⑶ 定型取引の実情

定型取引がどのような場面において行われるか、条項が設けられた理由や背景、取引における当該条項の位置づけ等が定型取引の実情として考慮されます。

⑷ 取引上の社会通念

当事者間の衡平をはかるため、ある条項が信義則に反する不当条項であるかの判断にあたっては、広くその種の取引において一般的に共有される常識に照らして判断することが必要となるため、取引上の社会通念についても考慮要素とされています。

5　定型約款の内容の表示

⑴ 定型約款の表示請求

定型取引を行い、または行おうとする定型約款準備者は、定型取引合意の前または定型取引合意の後相当の期間内に相手方から請求があった場合には、遅滞なく、相当な方法でその定型約款の内容を示さなければなりません（民法548条の３第１項本文）。

定型約款準備者が定型取引合意の前に、相手方からのこの請求に応じることを拒んだ場合には、「一時的な通信障害が発生した場合その他正当な事由がある場合」を除き、定型約款に関するみなし合意の定めが適用されません（民法548条の３第２項）。

これは、定型取引の相手方は定型約款の個別の条項を確認せずに取引を行うことが多いとしても、合意内容を自ら確認することが可能な状態にすることが必要であり、一方で事業者が定型約款の内容を常に相手方に開示することの煩雑性に考慮した規定といえます。

⑵ 定型約款準備者の負担が過大になることを防止するため、定型約款準備者が既に相手方に対して定型約款を記載した書面を交付し、またはその内容を記録したCD、DVD等の電磁的記録を提供したときは、相手方から表示請求（民法548条の３第１項本文）があった場合でも、これに応ずる義務はありません（民法548条の３第１項但書）。

6　定型約款の変更

⑴ 変更の要件

定型約款準備者は、①相手方の一般の利益に適合するとき、または②変更が契約をした目的に反せず、かつ変更の必要性、変更後の内容の相当性、定型約款の変更をすることがある旨の定めの有無およびその内容その他の変更にかかる事情（相手方の解除権の有無等）に照らして合理的なものであるときには、個別に相手方と合意することなく契約を変更することができます（民法548条の４第１項）。

また、定型約款の変更をするときは、効力発生時期を定め、かつ定型約款の内容ならびにその効力発生時期をインターネットの利用その他の適切な方法により周知しなければなりません（民法548条の４第２項）。

上記②の要件に基づく変更を行う場合、変更の効力発生時期が到来するまでに民法548条の３第２項に基づく周知をしなければ、変更の効力を生じません（民法548条の３第３項）。

⑵ 規定の趣旨

定型約款には詳細かつ多数の条項が定められていることが多く、法令の変更や経済環境の変動等に対応して定型約款の内容を変更する必要性が生じることがあります。これは、契約内容を事後的に変更することとなり、民法の一般的な考え方からすれば相手方の同意を得る必要がありますが、定型約款を用いた不特定多数の相手方との取引においては、相手方の所在不明等の理由により個別に同意を取得することが難しく、また多大な時間とコストを要するといえます。また、一部の相手方に契約内容の変更を拒否された場合には、定型約款の要件である契約の画一性を維持できなくなるという問題が生じえます（一問一答257頁）。

そこで、改正後の民法は、上記⑴の要件を満たす場合には、相手方の同意を得ることなく一方的に契約内容を変更することができる旨を規定しました（民法548条の４第１項）。

⑶ 定型約款の変更後の条項の相当性判断

定型約款の変更については、不当条項等の規定（民法548条の２第２項）は適用されません（民法548条の４第４項）。

定型約款の変更は、その変更が契約の目的に反せず、かつ変更に係る事情に照らして合理的なものであるという要件を満たさなければならず（民法548条の４第１項２号）、定型約款の変更における条項の相当性については、不当条項等の規定よりも厳格に判断されるものといえます（一問一答262頁）。したがって、定型約款の変更の場面においては、内容の不当性も含めて民法548条の４第１項の要件において判断することとなるため、不当条項等の規定は適用されないこととされています。

第２章

契約各論

第1　贈与契約

1　贈与契約の意義

贈与とは、贈与者が受贈者に対してある財産を無償で与えることをいいます。贈与契約は、贈与者と受贈者との合意によって成立する無償・片務・諾成契約です（民法549条）。

改正前民法は、贈与は「自己の財産」を無償で与えるものと定めていました。これに対し、判例は、他人の物を贈与する契約を有効であると解していたため（最判昭和44年１月31日判時552号50頁）、改正後の民法は、「自己の財産」から「ある財産」に文言を改め、他人に属する財産の贈与が有効であることを明文化しました（一問一答264頁）。

2　贈与契約の成立

贈与契約は、贈与者が受贈者に対して財産を無償で与える旨の申入れを行い、受贈者が財産を無償で受けることを承諾することによって成立します。贈与契約が有効に成立した場合、贈与者は受贈者に対して財産を無償で提供する義務を負います。たとえば、贈与者が受贈者に対して不動産を贈与した場合、贈与者は受贈者に対して不動産を引き渡す義務を負うとともに当該不動産の登記を移転する義務を負います。

贈与契約は、口頭の約束によって成立する諾成契約ですが、対価を得ることなく一方的に財産を提供することを約束する契約であるため、贈与契約に該当するか否かは慎重に判断されます。たとえば、カフェーの客が女給の歓心を買うために独立の資金援助の約束をしたことについて、大審院は、任意に履行すれば有効な履行となるものの履行の強制はできない自然債務であると判示し、外形上は贈与にあたる行為であっても贈与としての法的拘束力を否定しました（大判昭和10年４月25日新聞3835号５頁）。

3　書面による贈与と書面によらない贈与

(1) 書面によらない贈与の解除

民法は、書面によらない贈与について、履行を終えていない部分について解除することができると規定しています（民法550条）。この趣旨は、書面によらない贈与は、贈与者が受贈者に対して軽率に贈与する旨の約束をしてしまう場合があるため、書面によらない贈与の履行を終えていない部分については解除できることを認めることで贈与者の保護を図った点にあります。民法550条の規定する書面には、贈与の事実が確実にみてとれる程度の記載があれば足りると解されます（最判昭和25年11月16日民集４巻11号567頁）。判例では、贈与者が贈与の目的である土地について前主から所有権移転登記を受けていなかったため、前主に宛てて送付した所有権移転登記をするよう求めた内容証明郵便による書面について、民法550条の書面にあたるとしたものがあります（最判昭和60年11月29日民集39巻７号1719頁・百選［第８版］47事件）。

なお、改正前民法550条は「撤回」と定めていましたが、民法中における用語の統一を図るため、改正後の民法550条は「解除」に改めています。

書面によらない贈与の場合、贈与者は履行を終えていない部分について解除することができ、履行を終えた部分について撤回することができません。たとえば、贈与者が受贈者に口頭で1000万円を贈与する旨を約束して400万円を贈与し、その後贈与を解除したいと考えた場合、贈与者は残りの600万円について解除することができます。これに対して、書面によらない贈与の贈与者が受贈者に対して動産を引き渡した場合や不動産の引渡しや登記の移転が完了した場合、すでに履行を終えているため贈与者は受贈者に対する贈与を解除することはできません（大判大正９年６月17日民録26輯911頁、最判昭和40年３月26日民集19巻２号526頁）。なぜなら、このような場合、贈与者の意思が外形上明確になったといえ、贈与者よりも受贈者を保護すべきと解されるからです。

⑵ 忘恩行為を理由とする贈与契約の解除

受贈者が贈与者を扶養することを条件に贈与者が受贈者に対して贈与した後、受贈者が贈与者の扶養義務を履行しない等の忘恩行為があった場合において、贈与者が贈与契約を解除することができるか問題となります。判例は、このような場合、贈与者は、受贈者の負担付贈与の不履行を理由に贈与契約を解除することができると判示します（最判昭和53年２月17日判タ360号143頁）。

4　贈与者の財産権移転義務の軽減

贈与者は、贈与の目的である物または権利を、贈与の目的として特定した時の状態で引き渡し、または移転することを約したものと推定されます（民法551条１項）。

この趣旨は、贈与の無償性に鑑みて、贈与者の財産移転義務を軽減する点にあります。そこで、贈与者が特定物を贈与する場合は贈与契約を締結した時、不特定物を贈与する場合は目的物が特定した時（民法401条２項）の状態で目的物を引き渡すことを合意したものと想定されることとなります。

5　各種の贈与

(1) 定期贈与

定期贈与とは、定期の給付を目的とする贈与をいいます（民法552条）。たとえば、毎月20日に５万円を給付する場合です。定期贈与は、贈与者または受贈者の死亡によって、その効力を失います。この趣旨は、定期贈与は当事者間の信頼関係を基礎とするため、一方当事者の死亡により終了するとした点にあります。

(2) 負担付贈与

負担付贈与とは、受贈者が一定の給付をする債務を負担する贈与契約をいいます。たとえば、建物を譲り渡す代わりに自己の介護を求める場合です。負担付贈与には、その性質に反しない限り、双務契約に関する規定が準用されます（民法553条）。

(3) 死因贈与

死因贈与とは、贈与者の死亡によって効力を生じる贈与をいいます。贈与者の死亡によって効力を生ずる贈与については、その性質に反しない限り、遺贈に関する規定が準用されます（民法554条）。

第２　売買契約

1　売買契約の成立

(1) 売買契約の意義

民法は「売買は、当事者の一方がある財産権を相手方に移転することを約し、相手方がこれに対してその代金を支払うことを約することによって、その効力を生ずる」と定めています（民法555条）。財産権の移転に関する債権・債務と代金支払いに関する債権・債務を発生させること（＝有償・双務）を契約当事者が合意することにより成立する（＝諾成）契約です。

売買契約は、取引実務において最も多く利用される契約類型であり、最も重要な契約類型の１つです。民法上も、売買契約が有償契約の典型であることから、売買契約に関する規定を他の有償契約に準用しています（民法559条）。

(2) 売買契約の成立

① 契約当事者の合意

売買契約は諾成契約であるため、売主の財産権を移転することを内容とする意思表示と、買主の売買代金を支払うことを内容とする意思表示が合致することにより成立します。

意思表示は、明示の意思表示に限られず、黙示の意思表示でもかまいません。また、契約当事者が署名押印した契約書といった書面が必ずしも必要なわけではなく、口頭においても売買契約は成立します。

また、取引実務においては履行期日や履行方法、履行場所等が定められることが通常ですが、これらの定めは売買契約の本質的要素ではなく、附款にすぎず、売買契約の成立要件ではありません。

② 売買の目的物と売買代金の確定

売買契約の目的物である「財産権」に限定はなく、物の所有権のほか債権や知的財産権（特許権や著作権、商標権、実用新案権等の無体物に対する権利を総称して「知的財産権」といいます）も含まれます。

目的物の対価としての「代金」は金銭でなければなりません。代金額は契約時に定まっているのが通常ですが、代金額の決定方法が確定している場合にも売買契約は有効に成立します。

2　売買の予約

⑴ 売買の予約の意義

① 予約完結権

予約とは、将来本契約を締結することを約束する契約をいいます。予約が成立したときは、理論的には、本契約締結義務の履行を求めることができるにとどまり、直接本契約に定められた義務内容の履行を求めることができないこととなります。

しかし、それでは迂遠であるため、民法は、本契約の締結を欲する旨の意思表示があれば、相手方の承諾を必要とせずに本契約が成立するものとしました（民法556条１項）。

本契約の締結を欲する旨の意思表示は、「予約完結の意思表示」と呼ばれ、このような意思表示をなしうる法的権利を「予約完結権」といいます。

② 予約完結権者

契約当事者双方が予約完結権を有する予約も考えられますが、結局契約当事者間の申込みと承諾の意思表示の合致を２回繰り返すだけであるため、契約当事者双方が予約完結権を有する予約はあまり意味がないといえます。

そこで、民法は、契約当事者の一方が予約完結権を有する予約のみを規定しました（民法556条１項）。

⑵ 担保的機能を営む売買予約

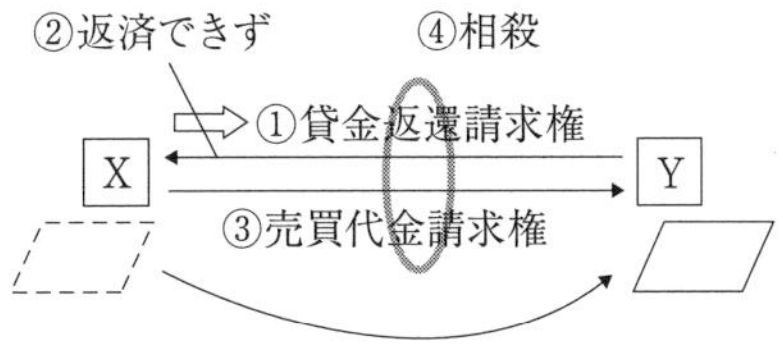

たとえば、貸主が借主との間で、1000万円を貸し付け、１年後に返済する旨の金銭消費貸借契約を締結し、借主が１年後に1000万円を返済できない場合には、借主が所有する不動産を1000万円で貸主に売却するとの内容の売買予約をすることにより、貸主は借

主から1000万円の返済を受けられない場合にも1000万円の不動産を取得することにより、債権回収を図ることができます。

このように売買予約は、一定の担保的機能を有します。売買予約の目的物が不動産の場合には、その予約完結権を仮登記によって保全することができます（不動産登記法105条２号）。もっとも、債務者保護の必要性から、仮登記担保法（仮登記担保契約に関する法律）による規律を受けます。

⑶ 買戻し

① 買戻しの意義

買戻しとは解除権留保売買のことであり、民法は不動産の買戻しについて詳細な規定を定めています（民法579条以下）。

② 買戻しの担保的機能

買戻しは、主として債権担保のために用いられます。すなわち、不動産を売却して売買代金を受領し、将来のいつかの時点において、当該売買契約を解除し、原状回復の一環として売買代金を返還することにより、金融機能を営みます。当初の買主は、不動産の所有権を有することにより、担保の設定を受けるのと同様の結果を得ることとなります。

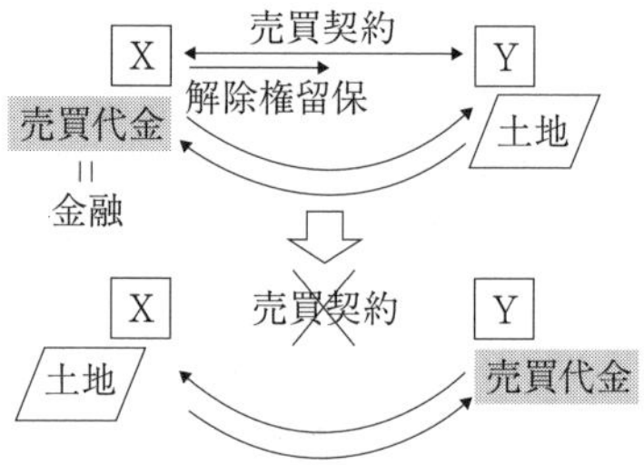

③ 買戻しの設定

民法579条以下に規定する買戻しの目的物は、不動産に限られます。買戻しの特約は売買契約と同時に締結される必要があり、売買契約とは別に締結する独立した契約です。

売主が買戻しを行うためには、買主の支払った売買代金（別段の合意をした場合は、その合意により定めた金額）および契約費用を返還しなければなりません（民法579条前段）。当事者が別段の意思表示をしない限り、不動産の果実と代金の利息とは相殺したものとみなされます（同条後段）。

④ 買戻しの期間

買戻しが可能な期間は、10年を超えることができず、たとえ当事者が10年を超えた期間で合意したとしても、10年に短縮されます（民法580条１項）。また、買戻期間を定めたときは、後にそれを伸長することはできず（同条２項）、契約当事者が買戻期間を定めなかったときは、買戻権の行使は５年以内に限られます（同条３項）。

これらの規定の趣旨は、不動産をめぐる法律関係の安定化という点にあります。

⑤ 買戻しの対抗要件

買戻しの特約は、不動産の所有権移転登記に付記登記することができます（不動産登記法96条）。付記登記をすることで、第三者に対して対抗することができます（民法581条１項）。なお、改正前民法581条１項は、「第三者に対しても、効力を生ずる」と規定していましたが、改正後の民法581条１項は、「第三者に対抗することができる」として、売買契約と同時に付記登記した買戻しについて、付記登記後に生じた第三者に対抗することができることを明確化しました（一問一答270頁）。

この登記後に不動産について対抗要件を備えた賃借人の権利は、売主を害する目的で賃貸借をした場合を除き、その残存時期間中１年を超えない期間に限り、売主に対抗することができます（民法581条２項）。

⑥ 買戻権の実行

売主は、売買代金および契約費用を提供したうえで、買戻期間内に解除の意思表示をすることにより、当初の売買契約を解除することができます（民法583条１項）。

⑦ 買戻権の代位行使

売主の債権者は、債権者代位権（民法423条）により売主の買戻権を代位行使することができます。

⑧ 共有持分の買戻しの特則

不動産の共有者の１人が買戻しの特約付で共有持分を売却した後に、その不動産の分割または競売があったときは、売主は、買主の受けた分もしくは受けるべき分または代金につき買戻しをすることができます（民法584条本文）。売主に通知しないで分割または競売をしたときは、売主に対抗できません（同条但書）。

分割のための競売において、買主が買受人となった場合には、売主は、競売の代金および民法583条の費用を支払って不動産全部を買い戻すこと（民法585条１項）、またはその持分のみを買い戻すことができます。しかし、他の共有者の分割請求によって、買主が競売の買受人となったときは、売主はその持分のみについて買戻しをすることはできません（民法585条２項）。

⑷ 再売買の予約

再売買の予約とは、売主が一度売った目的物を将来再び買主から買い受ける旨の予約をいいます。当初の売買を解除するのではなく、再売買を行う権利を予約完結権の留保によって確保するものであるため、買戻しとはその法律構成が異なります。

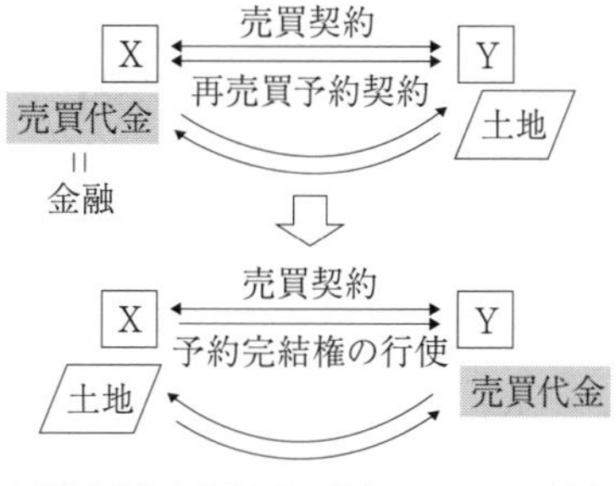

Xが予約完結権を行使しない場合には、Yは土地を処分することで回収する。

もっとも、売主が予約完結権を行使

することにより、目的物が売主のもとに戻ることから、再売買の予約は、買戻しと類似する制度です。買戻しの要件がかなり厳格であることから、一般的には買戻しよりも再売買の予約が利用されることが多いです。

3　手 付

⑴ 手付の意義

「手付」とは、契約締結の際に、手付を授受することを内容とする契約に基づき、当事者の一方から相手方に対して交付される金銭その他の有償物をいいます。

「手付」と類似する概念として、「内金」や「申込証拠金」が存在します。「内金」は、売買契約が成立した後に、代金の一部として交付されるものであり、「手付」のような機能を有しません。「申込証拠金」は、宅地・マンション等の売買に関し、契約締結前に購入希望者が優先的購入権を取得するために交付する金銭であり、契約成立に至らなかった場合には返還されます。

手付を授受することを内容とする契約（手付契約）は、売買等の他の契約がなされる際に有償物を交付することによって成立する要物契約であり、売買等の契約に付随する従たる契約であると解されています。

⑵ 手付の種類

手付には、以下のような種類があります。

① 証約手付

証約手付とは、契約が成立したことの証拠として交付する手付をいいます。

② 解約手付

解約手付とは、両当事者が解除権を留保する意味で交付する手付をいいます。解約手付の意味で手付が交付された場合には、手付を交付した買主はその手付を放棄し、売主はその倍額を現実に提供して、契約を解除することができます（民法557条１項本文）。ただし、相手方が契約の履行に着手した後は、手付解除をすることはできません。

③ 違約手付

違約手付とは、一方当事者の違約（債務不履行）の場合に手付受領者によって没収される趣旨の手付をいいます。違約手付には、損害賠償額の予定（民法420条３項）の意味をもつものと違約罰の意味をもつものとがあります。

⑶ 手付の解釈

上記①から③までのいずれの意味もその効果が衝突するわけではないため、ある手付が、上記①から③の全ての意味を並存して有することもありえます。

手付が交付され、契約当事者がその手付の意味を明確にしなかった場合に、その手付が上記①から③までのいずれの意味を有するものと解すべきかが問題となります。手付が交付された場合、まず少なくとも証約手付（上記①）の意味を有することは一般に認められています。

また、判例は、民法557条1項により、手付の交付にあたって契約当事者がその意味を明確にしなかった場合には、交付された手付は解約手付（上記②）であると推定されるものとしています（最判昭和29年1月21日民集8巻1号64頁）。もっとも、相手方がこれに反する意思表示がなされたことを主張立証したときは、この推定を排除することができると解されています（最判昭和24年10月4日民集3巻10号437頁）。

⑷ 解約手付による解除の方法

解約手付の趣旨で手付が授受された場合に手付を解除するためには、買主はその手付を放棄し、売主は手付の倍額を現実に提供して、契約を解除する旨の意思表示をする必要があります。この場合、履行の催告は不要です。

改正前民法557条1項は、売主による解約手付による解除について「売主はその倍額を償還して」と定めていたため、倍額の手付金の償還とはどの程度の行為が必要となるかが問題となりました。判例は、売主による解約手付による解除について、単に口頭により手付の倍額を償還する旨を告げその受領を催告するのみでは足りないとしつつ、倍額について現実の提供を行うことまでは要すると判示しました（最判平成6年3月22日民集48巻3号859頁）。改正後の民法557条1項は、判例の解釈を踏まえて「売主はその倍額を現実に提供して」という文言に改めました。そこで、買主は解除の意思表示をすれば足りますが、売主は買主に対して、受領した手付と同種・同額の有償物を現実に提供することが必要です。

⑸ 履行の着手による解除の制限

契約の相手方が契約の履行に着手した後は、手付解除を行うことはできません（民法557条1項但書）。契約の履行に着手した当事者を保護する趣旨です。

改正前民法557条1項は、「当事者の一方が契約の履行に着手するまでは」手付解除をすることができると定めていたことから、契約を解除しようとする当事者が自らの契約の履行に着手していた場合は「当事者の一方が契約の履行に着手」したとして手付解除ができないのではないかが問題となりました。判例は、解除をしようとする当事者が自ら契約の履行に着手したとしても、相手方が契約の履行に着手する前は手付解除をすることができる旨を判示しました（最判昭和40年11月24日民集19巻8号2019頁・百選Ⅱ［第8版］48事件）。民法改正により、この判例の解釈が明文化されています。

また、判例は、「履行に着手」の意義を「客観的に外部から認識しうるような形で履行行為の一部をなし又は履行の着手をするために欠くことのできない前提行為をした場合を指す」ものとしています（前掲最判昭和40年11月24日）。

判例は、「履行の着手」の存否についての主張立証責任をいずれが負うのかについて、改正前民法557条1項の文言からは明確ではありませんでした。裁判実務では、手付解除の有効性を争う相手方が履行の着手をしたことについて主張立証責任を負担すると一般的に解釈されていました（一問一答271頁）。民法改正により、相手方が契約の履行に着手した後は解除ができない旨を民法557条１項但書に規定し、主張立証責任についての解釈を明確化しています。

⑹ 手付と損害賠償

解約手付による解除は、約定解除であり、民法540条以下の解除の規定が適用されますが、債務不履行による解除ではないため、民法545条４項の規定は適用されず、損害賠償の請求は認められません（民法557条２項）。手付の放棄または倍額の償還による塡補にとどまることとなります。

4　売主の義務・買主の義務

⑴ 売主の義務

① 財産権移転義務

売主は、売買契約に基づく基本的な債務の履行として、その目的である「財産権」を買主に移転する義務を負います（民法555条）。

これに伴い、売主は有体物の売買においてはそれを買主に引き渡す義務を負います。また、買主が財産権の取得を第三者に対抗することができるように対抗要件を備えさせる義務を負います（民法560条）。なお、改正前民法には明文の規定はありませんでしたが、売主の当然の義務であるため民法改正により明文化されました。

② 果実の帰属

果実は、元物から分離する時点にそれを収取する権利を有する者に帰属する（民法89条１項）ため、契約締結時に所有権が買主に移転している場合には、本来的には契約締結時以降買主が果実収取権を有しているといえます。

一方で、本来的には買主は所有権を取得した時点以降、目的物の管理費用を支払わなければならず、売買代金の支払期日以降は利息の支払義務が生じているともいえます。

民法は、果実と目的物の管理費用・代金の利息とを簡易に相殺的に決済する趣旨で、売買契約においては、目的物を買主にまだ引き渡さない間にその目的物が果実を生じたときは、その果実は売主に帰属することとしました（民法575条１項）。また、買主は引渡しの日（支払期日がある場合は、その翌日以降。同条２項但書）以降代金の利息を支払うこととしました（同条２項本文）。

⑵ 買主の義務

① 代金支払義務

買主は、代金を支払う義務を負います（民法555条）。代金の支払時期について、契約当事者間で合意があればそれによります。その合意がない場合には、期限の定めのない債務となるはずです。しかし、売買契約については、売買代金の支払いと目的物の引渡しは原則として同時履行の関係にある（民法533条）と解されることから、民法は、売買の目的物の「引渡し」について期限が定められたときは、代金の支払いについても同一の期限を付したものと推定するとしています（民法573条）。

また、目的物の引渡しと同時に代金を支払うべきときは、その引渡しの場所において支払うべきものと定められています（民法574条）。同時に支払う必要のない場合には、債権者の住所にて支払われるべきこととなります（民法484条１項）。

売買の目的物について権利を主張する者があることその他の事由により、買主がその買い受けた権利の全部もしくは一部を取得することができず、または失うおそれがあるときは、買主は、その危険の程度に応じて、代金の全部または一部の支払いを拒むことができます（民法576条本文）。ただし、売主が相当の担保を供したときは、この限りではありません（民法576条但書）。民法改正にあたって「（権利の）全部若しくは一部を取得することができず」との文言を追加し、権利を取得することができないおそれがあるときも売主と買主の公平の観点から買主は代金支払拒絶権を行使できることを明確化しています（一問一答269頁）。

また、買い受けた不動産について契約の内容に適合しない抵当権の登記があるときは、買主は、抵当権消滅請求の手続が終わるまで、その代金の支払いを拒むことができます（民法577条１項前段）。この場合、売主は買主に対し、遅滞なく抵当権消滅請求をすべき旨を請求することができます（民法577条１項後段）。契約の内容に適合しない先取特権・質権の登記があるときも同様です（民法577条２項）。民法改正にあたって「契約の内容に適合しない」との文言を追加し、抵当権等の登記があることを前提として売買契約が締結された場合には民法577条の適用がないことを明確化しています（一問一答269頁）。

② 利息支払義務

前述のとおり、買主は、目的物の引渡しを受けた日より売主に対して代金の利息を支払わなければなりません（民法575条２項本文）。

5　売主の担保責任（改正前民法の規律）

民法改正は、売主の担保責任の規定を全面的に改正しています。本書では**5**で改正前の規律について説明し、**6**で改正後の規律について説明します。

改正前民法は、売買の目的物について何らかの「瑕疵（かし）」がある場合に、売主に一定の責任を課す規定（改正前民法561条以下）を定めていました。これらの規定により発生する責任を「売主の担保責任」といいます。

⑴ 権利の瑕疵

① 権利移転の不能

ア　権利の全部が他人に属する場合（他人物売買）

（i）他人物売買の有効性

改正前民法は、他人物売買（他人の権利を目的物とした売買）が債権契約として有効であることを前提に、売主に対して当該他人から当該権利を取得したうえで買主に移転する義務を課しています（改正前民法560条）。

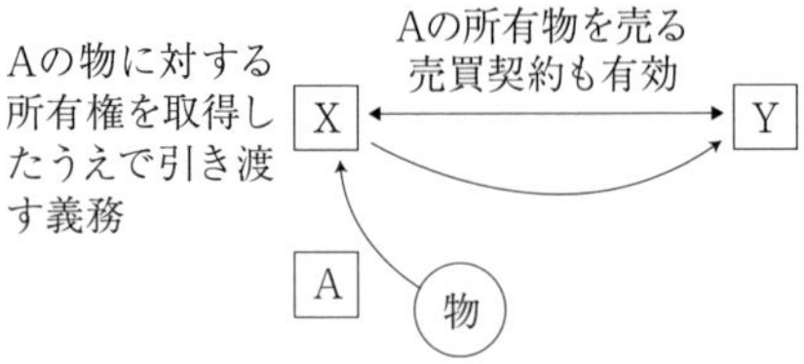

売主が当該他人から売買契約の目的物である権利を取得できず、買主に移転することができなかった場合には、担保責任を負います。買主は売主に対して、解除および損害賠償請求を行うことができます（改正前民法561条）。

改正前民法の下では、この担保責任の法的性質については、以下の２つの見解が対立していました。

㈠ 法定責任説

法定責任説は、他人から目的物である権利を取得できない場合には、本来原始的不能の一場面であり無効となるはずであるところ、売買契約の有償性に鑑みて、取引の信用を保護するために法律が特に定めた責任であると解します。

㈡ 債務不履行責任説

債務不履行責任説は、改正前民法560条の権利移転義務の不履行に基づく責任であり、債務不履行責任の一種であると解します。

(ii) 他人物売買における担保責任の要件

他人物売買における担保責任が発生する要件は、以下の４つです。

㈠ 他人の権利の売買であること

㈡ 買主への権利の移転が不能であること

いかなる事由があれば「不能」といえるかについては、社会通念により判断されます。真実の権利者が権利移転を拒絶する意思を確定的に表示した場合や真実の権利者が他者に売却した場合等がこれに該当します。

㈢ 売主の過失の要否

前述の法定責任説は、法律が特に定めた責任であるため、売主の過失は要件とならない（条文上も要求されていない）と解します。これに対して、債務不履行責任説は、債務不履行の一種であるため売主の過失が要件となると解します。

㈣ 買主の帰責性・悪意

買主が売主の承諾なしに直接権利者から当該権利を取得した場合のように、買主の帰責事由により売主が権利取得することができなかった場合には、改正前民法561条の適用はありません。

また、買主が契約締結時においてその権利が売主に帰属していないことを知っていたときは、損害賠償請求はできません（改正前民法561条後段）。なお、売買契約を解除することはできます。

(iii) 他人物売買における担保責任の内容（期間制限は設けられていません）

(ア) 解　除

買主は契約を解除して、契約の拘束力から解放され、未払い部分についてはその支払いを拒絶し、既払い部分についてはその返還を求めることができます。

(イ) 損害賠償

前述の法定責任説は、本来原始的不能であり、債務の履行というものが観念しえないことから、損害賠償は信頼利益に限られると解しますが、債務不履行責任説は、債務不履行の一種であるため履行利益となると解します。なお、「信頼利益」とは、有効でない契約を有効であると信頼したために生じた信頼した者の利益をいいます。「履行利益」とは契約が有効であり、それが完全に履行されたのであれば債権者が得たであろう利益をいいます。

(iv) 売主からの解除

売主が契約締結時において、自己が売却した権利が自己に属しないことを知らず、かつ、当該権利を権利者から取得して売主に移転させることができない場合には、売主は買主の損害を賠償したうえで、売買契約を解除することができます（改正前民法562条1項）。この趣旨は、善意の売主の保護を図る点にあります。なお、買主が悪意のときは損害賠償をする必要がなく、権利を移転することができない旨を通知して、契約を解除することができます（同条2項）。

イ　権利の一部が他人に属する場合

(i) 権利の一部が他人に属する場合の担保責任の意義

売買の目的物である権利の一部が他人に属するために、売主がそれを買主に移転できない場合、たとえば、買い受けた土地の一部が実は他人の所有に属するものであった場合には、売主は担保責任を負います。

(ii) 権利の一部が他人に属する場合の担保責任の内容

(ア) 代金減額

買主は、その善意・悪意を問わず、権利の不足する部分の割合に応じて代金の減額を請求できます（改正前民法563条1項）。

(イ) 解　除

善意の買主は、残存部分のみでは買主がこれを買い受けなかったであろうときは、契約を解除できます（改正前民法563条2項）。残存部分のみでは買い受けなかったであろうという判断は、「当該買主」の主観ではなく、

「社会通念上一般的な買主」を基準として判断します。

(ウ) 損害賠償

善意の買主は、代金減額請求または契約を解除した場合、いずれもあわせて損害賠償を請求することができます（改正前民法563条３項）。

(iii) 期間制限

上記代金減額請求、契約解除、損害賠償請求については、善意の買主は「事実を知った時」から、悪意の買主は「契約の時」から１年以内に行使する必要があります（改正前民法564条）。

この１年間は、除斥期間であると解されています。除斥期間とは、権利行使期間をいい、当該期間内に裁判内・外において権利行使する意思を伝えることによりその権利が保全され、以後当該権利を行使していくことが可能となります。時効のように中断や停止といった定めはなく、権利関係の早期確定のために設けられています。

② 目的物の数量不足等

ア　指示数量不足・物の一部滅失の責任

数量指示売買において、指示された数量が実際には不足していた場合および物の一部が契約当時すでに滅失していた場合（契約締結後に滅失した場合には、債務不履行または危険負担の問題となります）において、買主がその不足または滅失につき善意のときは、改正前民法563条、564条の規定が準用され（改正前民法565条）、これに基づいて売主は担保責任を負います。

イ　数量指示売買の意義

数量指示売買とは、「当事者において目的物の実際に有する数量を確保するため、その一定の面積、容積、重量、員数または尺度あることを売主が契約において表示し、かつ、この数量を基礎として代金額が定められた売買」をいいます（最判昭和43年８月20日民集22巻８号1692頁）。

ウ　数量指示売買の具体例

売主Ｘは、自己所有の土地を買主Ｙに１億円で売却した。その後、Ｙが当該土地の引渡しを受けて建物を建てようと実地測量したところ、当該土地の実面積が90坪であることが判明した。

(i) 契約書中に、当該土地の地番と並んで、登記簿上の面積が「100坪」との記載があった場合

登記簿上の面積は必ずしも実面積と一致しないことから、登記簿上の坪数が表示されているのみでは、数量指示売買に該当しないと解されます（前掲最判昭和43年８月20日）。

(ii) 契約書中に、登記簿上の面積が100坪という記載のほかに、代金額を「金１億円（坪単価100万円）」とする記載があった場合

契約書の記載から、単位あたりの金額（坪単価）に面積を乗じて代金額が算定されていることが明らかである場合は、原則として数量指示売買に該当します。

(iii) 当初、売主Xが坪単価110万円で売りたいと述べたのに対し、Yが坪単価100万円にしてほしいと申し入れた結果、代金額が1億円となった場合

契約書の記載からは明らかでなくとも、坪単価の値下げ交渉が行われていた等、交渉の経緯から所定の面積の存在が代金額の基礎とされていたと考えられる場合も、数量指示売買に該当します。

エ　指示数量不足・物の一部滅失における担保責任の要件

(i) 指示数量不足の場合

(ア)数量指示売買がなされたこと、(イ)指示数量不足、(ウ)買主の善意、(エ)残存する部分のみでは買い受けなかったであろうこと（解除の要件）が要件となります。

(ii) 物の一部滅失の場合

(ア)契約時における物の一部滅失、(イ)買主の善意、(ウ)残存する部分のみでは買い受けなかったであろうこと（解除の要件）が要件となります。

オ　指示数量不足・物の一部滅失における担保責任の内容

改正前民法565条により、改正前民法563条、564条が準用されるため、権利の一部が他人に属する場合の担保責任と同様となります。具体的には、代金減額、解除、損害賠償が担保責任の内容となります。

カ　数量超過の場合の増額請求

数量指示売買において目的物の実際の数量が指示数量に超過する場合に、改正前民法565条によって、売主は代金の増額を請求することができるかが問題となります。

この点、改正前民法の下における判例は、契約当事者の意思解釈によっては、増額請求が肯定される場合もありうるとしつつ（大判明治41年3月18日民録14輯295頁）、同条の類推適用を根拠とした増額請求を否定しています（最判平成13年11月27日民集55巻6号1311頁・百選Ⅱ［第8版］53事件）。

③ 他人の権利による制限等

ア　目的物の利用制限

目的物の利用を制限する他人の権利が存在する場合または利用を根拠づける権利が存在しない場合に、売主は担保責任を負います（改正前民法566条）。

(i) 目的物の利用制限における担保責任の要件

(ア) 利用を妨げる他人の権利の存在または利用を根拠づける権利の不存在

売買の目的物が、地上権、永小作権、地役権、留置権または質権の目的となっていること（改正前民法566条1項）と、目的不動産につき登記をし

た賃貸借が存在すること（同条２項後段）、または、目的不動産の利用のために存すると称した地役権が存しないこと（同条２項前段）が要件となります。

㈠ 買主の善意（改正前民法566条１項）

買主が悪意有過失である場合には売主の担保責任を認める必要がないため、買主の善意が要件となります。

㈡ 契約を締結した目的を達成することができないこと（解除の要件）

この担保責任に基づいて契約を解除する場合には、契約を締結した目的を達成することができないことが要件となります。

(ii) 目的物の利用制限における担保責任の内容

㈠ 損害賠償

善意の買主は損害賠償を請求することができます（改正前民法566条１項後段）。

㈡ 解　除

買主が善意であり、かつ、目的物の利用制限が存在するために契約を締結した目的を達成することができないときは、当該買主は損害賠償請求に加えて契約の解除をすることもできます（改正前民法566条１項前段）。

㈢ 除斥期間

上記損害賠償請求および契約解除は、買主がその事実を知った時から１年以内に行使する必要があります（改正前民法566条３項）。

イ　担保権の行使による権利喪失またはその防止のための出捐

目的物である不動産に他人の担保権が付着している場合において、その行使により買主が権利を失ったときや所有権保存のために買主が出捐をしたときは、売主は担保責任を負います（改正前民法567条）。

(i) 担保権による制限における担保責任の要件

㈠ 担保権の実行による権利喪失・権利保存のための出捐

目的不動産上に先取特権または抵当権が存在しその実行によって買主がその所有権を失ったこと（改正前民法567条１項）、または、買主が自己の出捐で所有権を保存したこと（同条２項）が要件となります。

㈡ 買主の善意・悪意

買主の善意・悪意は問われません。買主が担保権の存在を知っていたとしても、売主が担保権を外すことを前提に完全な所有権を取得する意図をもって取引することはありえますし、担保権が付着していたとしても、売主が被担保債権を履行すれば消滅する（附従性）権利であって、実際に実行されるとは限らないためです。

(ii) 担保権による制限における担保責任の内容

目的不動産上に先取特権または抵当権が存在しその実行によって買主がその所有権を失った場合には、契約を解除することができ（改正前民法567条1項）、買主が自己の出捐で所有権を保存した場合には、その出捐の償還を請求することができます（同条2項）。

これらの場合において買主が損害を受けたときは、その賠償を請求できます（同条3項）。

④ 強制競売への準用

ア　準用の趣旨と範囲

強制競売も一種の売買であるため、本来的には目的物に瑕疵がある場合には担保責任が問題となります。しかし、強制競売手続は債務者（売主的立場）の意思に基づかず行われる手続であり、債権者にとっても物の性状を把握するのは困難です。そこで物の瑕疵については買受人がそのリスクを負担すべきであるとして、強制競売における担保責任は、「権利の瑕疵」（改正前民法561条ないし567条）に限定されています。

イ　強制競売における担保責任の内容

(i) 債務者の責任

買受人は債務者に対して、解除または代金減額の請求をすることができます（改正前民法568条1項）。また、債務者が物または権利の不存在を知りながら申し出なかったときは、損害賠償の請求をすることができます（改正前民法568条3項）。

(ii) 債権者の責任

買受人は債権者に対して、債務者が無資力である場合に、その代金の全部または一部の返還を求めることができます（改正前民法568条2項）。また、債権者が物または権利の不存在を知りながら競売を請求したときは、損害賠償の請求をすることができます（改正前民法568条3項）。

⑤ 債権の瑕疵

債権の売買においても、その債権の権利の瑕疵等があるときは、売主は改正前民法561条から567条の規定による担保責任を負います。

債権を売買した後に、債務者が弁済するに足る資力を有しないことが判明した場合は、そもそも債権自体に瑕疵がある場合ではないため、担保責任の問題というよりも買主が負担すべきデフォルト・リスクといえます。

しかし、債権の売主が買主に対して、債務者が完全に弁済するに足りる資力を有することを担保する旨の特約をすることもあります。民法は、このような場合について、債務者のいかなる時点における資力を担保したのか、特約の内容に疑義が生じないように以下の2つの推定規定を定めています。なお、民法改正において、民法569条については改正されていません。

ア　単純な資力担保の特約があった場合には、売主は「契約の時」における債務者の資力を担保したものと推定されます（民法569条１項）。

イ　弁済期に至らない債権の売主が、債務者の将来の資力を担保した場合には、「弁済期」における債務者の資力を担保したものと推定されます（民法569条２項）。

(2) **物の瑕疵**（瑕疵担保責任）

① 瑕疵担保責任の意義

売買の目的物に物質的な瑕疵があった場合に、売主は一定の担保責任を負います（改正前民法570条）。これを「瑕疵担保責任」と呼びます。

民法は「売買の目的物に隠れた瑕疵があったときは、第566条の規定を準用する。ただし、強制競売の場合は、この限りでない」と規定しています（改正前民法570条）。

ア　要 件

条文上要求される要件は、「売買の目的物」に「隠れた」「瑕疵」があることです。

イ　効 果

買主は損害賠償請求をすることができ、また、瑕疵が重大で契約を締結した目的を達成できない場合には損害賠償請求のほか契約解除もできます（改正前民法566条１項準用）。

② 瑕疵担保責任の法的性質

前述のとおり担保責任については、改正前民法の下において法定責任説と債務不履行責任説とが対立していました。

ア　法定責任説

(i) 趣 旨

法定責任説は、特定物売買の売主の給付義務は、特定された目的物そのものを給付することに尽き、その目的物につき一定の性質を実現すること、つまり「瑕疵のない物を給付すること」は給付義務の範囲に含まれないと解します。

すなわち、「この中古の自動車」を売るのに、契約成立時点ですでにブレーキが壊れていた場合には、「ブレーキが壊れていないこの中古の自動車」を引き渡すことはそもそも不可能であり、売主の給付義務としては、「ブレーキが壊れているこの中古の自動車」を引き渡すことに尽きるということです。たとえ目的物に瑕疵があっても、売主は瑕疵のない物を給付する義務を負っているわけではないため、その瑕疵のある目的物を給付すれば給付義務は尽くされ、債務不履行となる余地はないと考えられます。

しかし、これでは「ブレーキが壊れていないこの中古の自動車」を念頭に決定した売買代金を支払う義務を負う買主は、売主に対して債務不履行責任を問うこともできず、損失を被ることとなります。

そこで、法定責任説は、売買契約における対価的均衡を図るために法律が特別に定めたのが瑕疵担保責任であると説明します。

(ii) 帰　結

(ア) 適用範囲

上記法定責任説の趣旨からすれば、「売買の目的物」は特定物であり、瑕疵担保責任規定の適用があるのは特定物売買の場合に限られます。不特定物売買においては、瑕疵ある物の給付は、そもそも債務の本旨に従った履行とはいえず、売主は不完全履行として債務不履行責任を負うこととなり、これと別に瑕疵担保責任を認める必要性がありません。

また、「隠れた瑕疵」は売買契約成立時点において存在する原始的瑕疵（売買契約成立後に生じる後発的瑕疵については、債務不履行または危険負担により処理されます）のみがあてはまります。

(イ) 責任の内容

瑕疵担保責任の内容は、損害賠償または損害賠償および解除であるところ、この損害賠償は信頼利益に限定されます。そもそも瑕疵のない物を引き渡す義務を負わないのであり、瑕疵のない物の履行というものが存在せず、履行利益の損害賠償は観念しえません。瑕疵のない物を引き渡す義務がない以上、完全履行請求権は認められません。

イ　債務不履行責任説

(i) 趣　旨

債務不履行責任説は、特定物売買においても「瑕疵のない物を給付する義務」を認め、目的物に瑕疵があるということは、「瑕疵のない物を給付する義務」の不履行であると解します。

義務の不履行があるということは、売主は債務不履行責任を負うはずですが、特に売買目的物に隠れた瑕疵があったという不履行形態について、債務不履行の一般規定に対する特則としての瑕疵担保責任規定が定められたと説明します。つまり、特に売買目的物の隠れた瑕疵という不履行形態の特性に応じて債務不履行責任が修正を受けたものであると解します。

(ii) 帰　結

(ア) 適用範囲

上記債務不履行責任説の趣旨からすれば、特定物売買にも不特定物売買にも「瑕疵のない物を給付する義務」が認められ、特定物売買・不特定物売買を問わず瑕疵担保責任規定の適用があると解されます。

(イ) 責任の内容

瑕疵担保責任の内容は、損害賠償または損害賠償および解除であるところ、売主は「瑕疵のない物を給付する義務」を負うことから、損害賠償は履行利益にも及びます。また、瑕疵担保責任規定に何ら定めがない部分に関しては、一般の債務不履行責任の規定が適用されることから、買主は売主に対して、本来の給付義務の履行を求める完全履行請求権を有します。

ウ　判 例

判例は、瑕疵担保責任の法的性質についていかなる立場を採用しているかは明らかでありません。

もっとも、判例は、不特定物売買においても「買主が瑕疵の存在を認識した上でこれを履行として認容し」た場合には、瑕疵担保責任を問うことができると判示し、不特定物売買においても瑕疵担保責任規定が適用される場面があることを示しています（最判昭和36年12月15日民集15巻11号2852頁・百選Ⅱ［第８版］51事件）。

③ 隠れた瑕疵

ア 「瑕疵」

「瑕疵」とは、売買の目的物が通常有すべき品質・性能を有していないこと（客観的瑕疵）のほか、特に売買契約者間で合意した品質・性能を有していないこと（主観的瑕疵）をいいます。

通常は物質的な瑕疵を意味しますが、法律上の瑕疵も「瑕疵」に含まれます。たとえば、建物を建てるために土地を購入したのに、当該土地が建築基準法上建築制限のかかっている土地であり、建物が建てられない土地であった場合の建築制限も「瑕疵」に該当します。

イ 「隠れた」

「隠れた」瑕疵とは、買主が取引上一般に要求される程度の注意をもってしても発見できない瑕疵であることをいい、瑕疵の存在に対する買主の善意・無過失をさすものと解されています（大判大正13年６月23日民集３巻339頁）。

④ 瑕疵担保責任の内容

ア　損害賠償

買主は、隠れた瑕疵による損害につき、損害賠償を請求することができます（改正前民法570条、566条１項）。

イ　解 除

買主は、隠れた瑕疵のために契約を締結した目的を達成することができない場合には、契約を解除することができます（改正前民法570条、566条１項）。

ウ　除斥期間

上記損害賠償請求および契約解除は、買主が瑕疵の事実を知った時より１年内に行使しなければなりません（改正前民法570条、566条３項）。

この「1年間」を消滅時効期間と解するか除斥期間と解するかが議論されてきました。判例は、これを除斥期間とし、損害賠償請求権を保存するためにはこの期間内に具体的な瑕疵の内容とそれに基づく損害賠償請求をする旨を表示し、売主の担保責任を問う意思を明確に告げる必要があるとしました（最判平成4年10月20日民集46巻7号1129頁）。

つまり、「1年間」は権利保存期間であり、損害賠償請求権を保存すれば、それは一般の消滅時効にかかるまで行使することができることとなります。

⑤ 免責特約

売主の瑕疵担保責任に関する規定は任意規定であり、買主が瑕疵担保責任を免除または軽減する特約も原則として有効です。

しかし、免責特約を定めたとしても、売主が自ら知りながら買主に告げなかった事実および自ら第三者のために設定しまたは第三者に譲渡した権利については、その責任を免れることはできません（民法572条）。

⑥ 錯誤との関係

売買の目的物に瑕疵があった場合には、当該瑕疵の存在につき、要素の錯誤（民法95条）が認められる可能性があります。前述のとおり、瑕疵担保責任は1年以内に権利行使をしてその権利を保存する必要がありますが、錯誤の場合には無効でありいつまででも主張が可能であるため、瑕疵担保責任規定と錯誤規定のいずれを適用するのかが問題となります。

この点、判例は、瑕疵担保責任規定は排除され、錯誤規定が適用されるとしています（最判昭和33年6月14日民集12巻9号1492頁）。

他方で、学説の多数は、売買目的物の瑕疵をめぐる紛争を早期に確定するという要請に照らして、錯誤規定よりも瑕疵担保責任規定を優先すべきであると解しています。

6　売主の担保責任（改正後の民法の規律）

⑴ 改正の概要

改正後の民法は、前述のとおり、売主の担保責任の規定を全面的に改正し、目的物の契約不適合（民法562条〜564条、566条）と権利の契約不適合（民法565条、570条）に大きく分けて売主の担保責任に関する規定を設けています。

改正後の民法は、売主の担保責任の法的性質について、改正前民法の下での法定責任説ではなく、契約責任説に立つことを明らかにしています。したがって、改正後の民法の下では、たとえば、売主の担保責任において、特定物売買か不特定物売買かは問題となりません。

⑵ 目的物が契約の内容に適合しない場合の売主の担保責任

改正後の民法は、売主の担保責任について特定物売買か不特定物売買かを問うことなく、「引き渡された目的物が種類、品質又は数量に関して契約の内容に適合しないものであるとき」には、買主は、その修補等の履行の追完請求（民法562条）、代金減額の請求（民法563条）、民法415条の規定による損害賠償の請求（民法564条）、および民法541条、542条の規定による契約の解除（民法564条）をすることができるとしています。

① 契約の内容に適合しないこと

改正後の民法は、「引き渡された目的物が種類、品質又は数量に関して契約の内容に適合しないものであるとき」には、買主は売主に対し、履行の追完の請求等ができる旨を規定しており（民法562条ないし564条）、「契約の内容に適合しない」ことを要件としています。

改正前民法570条は、売買の目的物に隠れた「瑕疵」があることを売主の瑕疵担保責任の要件としており、判例は、「瑕疵」の実質的な意味を「契約の内容に適合しないこと」と解していました（最判平成22年6月1日民集64巻4号953頁・百選Ⅱ［第8版］50事件、最判平成25年3月22日判時2184号33頁）。改正前民法のように「瑕疵」という用語を用いた場合、目的物に客観的に不都合があれば契約の内容と適合するか否かにかかわらず売主が担保責任を負うとの誤解を招くおそれがあります。そこで、改正後の民法は、「契約の内容に適合しない」との用語を用いて、端的に上記の判例が示していた「瑕疵」の意味内容を表すこととしました（一問一答275頁）。

また、改正前民法は、「売買の目的物に隠れた瑕疵があった」場合（改正前民法570条）と、「数量を指示して売買した物に不足がある」場合および「物の一部が契約の時に既に滅失していた」場合（改正前民法565条）とを区別し、それぞれの場合について売主の担保責任が生じるための要件および効果を規定していました。改正後の民法は、「引き渡された目的物が種類、品質又は数量に関して契約の内容に適合しないものであるとき」に売主が担保責任を負うこととし、上記の各場合（改正前民法570条および565条が規定する場合）の要件および効果を統一的に規定しました（一問一答275頁）。

② 追完請求権（民法562条）

ア　追完請求権の内容

引き渡された目的物が種類、品質または数量に関して契約の内容に適合しないものである場合には、買主は売主に対して、目的物の修補、代替物の引渡しまたは不足分の引渡しによる履行の追完を請求することができます（民法562条1項本文）。これを買主の追完請求権といいます。

イ　趣旨

改正前民法は、売買の目的物が契約の内容に適合しない場合における買主の追完請求権について規定を設けていませんでした。また、学説上、特定物売買においては、売主に目的物を引き渡せば足り、履行の追完請求権は認められないとの見解（法定責任説）が有力に主張されていました。

種類、品質および数量に関して売買契約の内容に適合した目的物を引き渡す義務を負うことを前提に、引き渡された目的物が契約の内容に適合しない場合には、債務は未履行であるとの整理（債務不履行責任説）を基本として、買主の追完請求権に関する規定を設けました（一問一答276頁）。

ウ　履行の追完の方法

買主は売主に対し、どのような方法で履行の追完をすべきかを選択して請求することができます（民法562条１項本文）。

もっとも、売主は、買主に不相当な負担を課するものでないときは、買主が請求した方法と異なる方法による履行の追完をすることができます（民法562条１項但書）。

エ　追完請求をすることができない場合

引き渡された目的物が契約の内容に適合しない場合においても、それが買主の責めに帰すべき事由によるものであるときは、買主は履行の追完を請求することができません（民法562条２項）。この趣旨は、買主と売主の間の公平を図る点にあります。

③ 代金減額請求権（民法563条）

ア　代金減額請求権の内容

(i) 催告による代金減額請求

引き渡された目的物が契約の内容に適合しない場合において、買主が売主に対して相当の期間を定めて履行の追完の催告をし、その期間内に履行の追完がないときは、買主はその不適合の程度に応じて代金減額請求をすることができます（民法563条１項）。

(ii) 催告によらない代金減額請求

次の場合には、売主に追完の機会を与える必要がないことから、買主は催告をせずに代金減額請求をすることができます（民法563条２項）。

(ア) 履行の追完が不能であるとき

(イ) 売主が履行の追完を拒絶する意思を明確に表示したとき

(ウ) 契約の性質または当事者の意思表示により、特定の日時または一定の期間内に履行をしなければ契約をした目的を達することができない場合において、売主が履行の追完をしないでその時期を経過したとき

(エ) 上記(ア)ないし(ウ)のほか、買主が催告をしても履行の追完を受ける見込みがないことが明らかであるとき

イ　趣 旨

改正前民法は、数量指示売買について、買主に代金減額請求を認める旨の規定を設けていましたが（改正前民法565条、563条１項）、目的物の品質等が契約の

内容に適合しない場合については、代金減額請求を認める旨の規定を設けていませんでした。

もっとも、引き渡された目的物の品質等が契約の内容に適合しない場合においても、買主がその目的物で了承する代わりに、売買代金を減額するよう請求することを認めるのが簡易かつ合理的な方法と考えられます。また、契約不適合が不可抗力による場合等、売主に帰責事由がない場合にも代金減額請求を認めるのが公平といえます。

さらに、本来の契約の内容どおりに売主によって完全な履行がされるのが望ましいと考えられるため、買主は売主に履行の追完の機会を与えるのが適切といえます。

そこで、改正後の民法は、買主の代金減額請求に関する規定を設けました（一問一答278頁）。

ウ　代金減額請求をすることができない場合

引き渡された目的物が契約の内容に適合しない場合においても、それが買主の責めに帰すべき事由によるものであるときは、買主は代金の減額を請求することができません（民法563条３項）。この趣旨は、買主と売主の間の公平を図る点にあります。

④ 損害賠償請求・解除（民法564条）

ア　改正後の民法の内容

引き渡された目的物が契約の内容に適合しない場合における履行追完請求（民法562条）および代金減額請求権（民法563条）の規定は、損害賠償請求（民法415条）および解除権の行使（民法541条、542条）を妨げません（民法564条）。すなわち、引き渡された目的物が契約の内容に適合しない場合、買主は売主に対し、損害賠償請求および解除権の行使をすることができます。

イ　趣 旨

改正前民法は、目的物に瑕疵がある場合等について、買主が損害賠償請求および売買契約を解除できる旨を定めていました（改正前民法570条、566条１項、565条、563条２項、３項）。

もっとも、これらの要件および効果が債務不履行に基づく損害賠償請求（改正前民法415条）や解除（改正前民法541条ないし543条）の要件および効果と一致するか否かについて、学説上争いがあり、判例の立場も不明確でした。

そこで、改正後の民法は、特定物売買と不特定物売買を区別せず、売主が一般に種類、品質および数量に関して売買契約の内容に適合した目的物を引き渡す義務を負うことを前提に、引き渡された目的物が契約の内容に適合しない場合には、債務は未履行であるとの整理（債務不履行責任説）を基本として、損害賠償請求および解除についても債務不履行の規律がそのまま適用されることを明確にしました（一問一答280頁）。

ウ　要件・効果等

買主が売主に対し損害賠償を請求する場合には、売主の帰責事由が必要となります（民法415条1項但書）。賠償の範囲は、信頼利益にとどまらず履行利益も含む場合があると解されます（民法416条）。

契約を解除するためには、原則として履行の追完の催告が必要となります（民法541条）。

他方で、改正前民法570条は、「隠れた」瑕疵であることを損害賠償請求および解除の要件としており、「隠れた」とは、買主が瑕疵について善意かつ無過失であることを意味すると解されていましたが、改正後の民法は、目的物の瑕疵等についての買主の善意または無過失を要件としていません。

また、改正前民法は、契約目的の不達成を催告解除の要件としていましたが（改正前民法570条、566条1項）、改正後の民法はこれを要件としていません。もっとも、催告解除には、契約の不適合の程度が軽微でないことが要件となるところ（民法541条1項但書）、この判断に際して、契約目的の達成・不達成が最も重要な考慮要素となると解されます（一問一答281頁）。

売主の損害賠償債務と買主の代金支払債務、および契約が解除された場合の売主の代金返還債務ならびに損害賠償債務と買主の目的物返還債務は、それぞれ同時履行の関係に立ちます（民法533条、546条）。改正前民法571条は上記の債務の同時履行について定めていましたが、改正後の民法は契約に基づく債務の同時履行を定める民法533条、546条を適用することとし、改正前民法571条を削除しました。

⑤ 期間制限

ア　1年間の期間制限の範囲

売主が「種類」または「品質」に関して契約の内容に適合しない目的物を買主に引き渡した場合において、買主がその不適合を知った時から1年以内にその旨を売主に通知しないときは、買主は、その不適合を理由として、履行追完請求、代金減額請求、損害賠償請求および契約の解除をすることができません（民法566条本文）。

これに対して、引き渡された目的物が「数量」に関して契約の内容に適合しない場合については、1年間の期間制限はありません。

この趣旨は、数量に関する契約不適合の場合には、数量の不足が外形上明らかであることが多いため、目的物の引渡しにより履行を終えたと考える売主に対し、買主からの担保責任の追及に備えて関係証拠を長期間にわたって保存しておくことを期待する必要性は低いと考えられる点にあります（一問一答284頁）。

イ　権利行使の方法

買主が売主に対し履行追完請求等をするためには、目的物が契約の内容に適合しないことを知った時から１年以内にその旨を売主に通知する必要があります（民法566条）。

改正前民法の下における判例は、目的物の瑕疵にかかる担保責任についての買主の権利を保存するためには、売主の担保責任を問う意思を明確に告げる必要があると判示していましたが（最判平成４年10月20日民集46巻７号1129頁）、買主の負担が過重ではないかとの批判がなされていました。

そこで、改正後の民法は、買主の負担を軽減し、買主が担保責任に関する権利を保存するための要件を改め、契約内容に適合しない旨を通知すれば足りることとしました（一問一答285頁）。

当該通知の趣旨は、引き渡した物の種類や品質に関する欠陥等は時間の経過とともに不明確となるため、不適合を知った買主から早期にその事実を売主に知らせ、売主にその存在を認識し把握する機会を与える点にあります。

したがって、通知は単に契約との不適合がある旨を抽象的に伝えるのみでは足りず、不適合の内容を把握することが可能な程度に、不適合の種類・範囲を伝えることが想定されています（一問一答285頁）。

ウ　売主が悪意または重過失である場合の期間制限

売主が引渡しの時にその不適合につき、悪意または重過失であったときは、１年間の期間制限は適用されません（民法566条但書）。この場合、買主の権利は消滅時効の一般原則（民法166条１項）に服することとなります。

⑶ 権利が契約の内容に適合しない場合の売主の担保責任

① 改正後の民法の規律

ア　売主が買主に移転した権利が契約の内容に適合しない場合

改正後の民法は、「売主が買主に移転した権利が契約の内容に適合しないものである場合」における買主の救済手段について、上記の「引き渡された目的物が種類、品質又は数量に関して契約の内容に適合しないものであるとき」における売主の担保責任に関する規定（民法562条ないし564条）を準用しています（民法565条）。

イ　権利の一部が他人に属する場合に売主が買主にそれを移転しない場合

権利の「一部」が他人に属する場合において、その権利の一部を移転しないときは、「売主が買主に移転した権利が契約の内容に適合しないものである場合」に含まれますが、権利の「全部」が他人に属する場合において、その権利の全部を移転しないときは、「売主が買主に移転した権利が契約の内容に適合しないものである場合」に含まれません（民法565条括弧書）。

改正前民法の下では、「売主がその売却した権利を取得して買主に移転することができない」場合についての売主の担保責任を定めていましたが（改正前民法561条）、改正後の民法は、この規定を削除し、権利の「全部」が他人に属する場合において、その権利の全部を移転しない場合については、買主は、債務不履行があった場合の一般的な規律（損害賠償請求〔民法415条〕、契約の解除〔民法541条、542条〕）によって処理することとしました。

なお、改正前民法は、他人の権利の売買における善意の売主の解除権を規定していましたが（改正前民法562条）、不動産登記等により権利関係を容易に調査できるにもかかわらず、十分な調査をしなかった者について、善意であることをもって契約の解除を認める必要性が乏しいこと等を踏まえ、改正後の民法は、この規定を削除しています（一問一答272頁）。

② 趣 旨

売買の目的物が債権等の権利それ自体である場合、移転した権利が売買契約の内容に適合しているかが問題となる場合があります。また、売買の目的物が有体物である場合にも、当該有体物の権利関係が売買契約の内容に適合しているかが問題となりえます。

改正前民法は、売買の目的である権利の一部が他人に属する場合等、一定の場合に買主に契約の解除等を認める規定を設けていたものの（改正前民法563条1項、566条1項、2項、567条1項）、それ以外の場面における売主の担保責任については規定していませんでした。

そこで、改正後の民法は、売買の目的物に契約不適合があった場合と同様に、売主は一般に売買契約の内容に適合した権利を移転する義務を負うことを前提に、買主に移転した権利が契約の内容に適合しない場合について、売買の目的物に契約不適合があった場合の売主の担保責任に関する規定を準用することとしました（一問一答282頁）。

③ 期間制限

改正後の民法は、目的物の不適合の場合とは異なり、権利の不適合については期間制限を設けていないため（民法566条参照）、消滅時効の一般原則に服することとなります。

(4) 目的物の滅失等についての危険の移転

① 改正後の規律

売主が買主に目的物（売買の目的として特定した場合に限ります）を引き渡した場合において、その引渡しがあった時以後にその目的物が当事者双方の責めに帰することができない事由によって滅失し、または損傷したときは、買主は、その滅失または損傷を理由として、売主の担保責任の追及（履行追完請求、代金減額請求、損害賠償請求および契約の解除）をすることはできません（民法567条1項前段）。この場合、買主は代金の支払いを拒むことができません（同項後段）。

また、売主が契約の内容に適合する目的物をもって、その引渡しの債務の履行を提供したにもかかわらず、買主がその履行を受けることを拒み、または受けることができない場合（買主の受領遅滞の場合）において、その履行の提供があった時以後に当事者双方の責めに帰することができない事由によって滅失し、または損傷したときも、買主は、その滅失または損傷を理由として、売主の担保責任の追及をすることはできません（民法567条2項）。

② 趣 旨

改正前民法の下では、売主と買主の公平の観点から、目的物の支配が売主から買主の下に移転した時（目的物が売主から買主に引き渡された時）以降に生じた目的物の滅失または損傷については、買主は担保責任を追及できないと解する見解が有力に主張されており、不動産売買の実務でも、これと同じ趣旨の特約を締結する運用が定着しているといわれていました。そこで、改正後の民法は、上記の見解を明文化しました（一問一答287頁）。

⑸ 競売における担保責任等

① 改正後の規律

ア　競売における買受人は、民法541条および民法542条の規定ならびに民法563条（民法565条において準用される場合を含みます）の規定により、債務者に対し、契約の解除をし、または代金の減額を請求することができます（民法568条1項）。

競売とは、民事執行法その他の法律に基づく競売をいい、強制執行としての強制競売（民事執行法45条以下）や担保権実行としての競売（民事執行法188条）等がこれにあたります。

イ　上記アの場合において、債務者が無資力であるときに、買受人が、代金の配当を受けた債権者に対し、その代金の全部または一部の返還を請求することができることは改正前民法と同様です（民法568条2項）。

ウ　上記ア・イの場合において、契約不適合があったときの損害賠償は原則として認められませんが、債務者が物もしくは権利の不存在を知りながら申し出なかったとき、または債権者がこれを知りながら競売を請求したときは、買受人は、これらの者に対し、損害賠償請求をすることができることも改正前民法と同様です（民法568条3項）。

エ　上記ア～ウの規定は、競売の目的物の種類または品質に関する不適合については、適用されません（民法568条4項）。

② 趣 旨

競売における担保責任に関する規定を改正した趣旨は、改正後の民法が売主の担保責任の規定を見直したことに伴い、規定を整理した点にあります（一問一答288頁）。

③ 改正前民法との相違点

改正後の民法と改正前民法の規律は以下の点で異なります（一問一答288頁）。

ア　改正前民法の下では、権利の瑕疵について代金減額請求を認めていませんでしたが（改正前民法566条）、改正後の民法の下では、権利の不適合について代金減額請求を認めているため（民法565条、563条１項）、競売においても代金減額請求を認めています。

イ　改正前民法は、数量に関する目的物の契約不適合と移転した権利の契約不適合についての売主の担保責任に期間制限を設けており（改正前民法564条、565条、566条３項）、競売の場合における担保責任にも同様の期間制限がありましたが（改正前民法568条１項）、改正後の民法は、これらの不適合についての担保責任に期間制限を設けていないため、競売における担保責任にも期間制限を設けていません。

⑹ 抵当権等がある場合の買主による費用の償還請求

買い受けた不動産について契約の内容に適合しない先取特権、質権または抵当権が存していた場合において、買主が費用を支出してその不動産の所有権を保存したときは、買主は、売主に対し、その費用の償還を請求することができます（民法570条）。

この規定は、改正前民法567条２項と同様の規定です。

⑺ 免責特約

売主の担保責任に関する民法の規定は任意規定であり、買主が売主の担保責任を免除または軽減する特約も原則として有効です。

しかし、免責特約を定めたとしても、売主が知りながら告げなかった事実および売主が自ら第三者のために設定しまたは第三者に譲り渡した権利については、その責任を免れることができません（民法572条）。

免責特約に関する規律は、改正前民法と同様です（改正前民法572条参照）。

⑻ 錯誤との関係

改正後の民法は、売主の担保責任を契約不適合責任としつつ、種類または品質に関する物の不適合については期間制限を設けました（民法566条）。これに対して、錯誤については、要件を明確化し、効果を無効ではなく取消しとしました（民法95条）。

改正後の民法の下でも売主の担保責任の規定と錯誤の規定が競合する場面が生じる可能性があります。学説には、競合した場合において、売主の担保責任の規定によるか錯誤の規定によるかを買主が選択できるという考え方を支持するものがあります。

第3　交換契約

1　交換契約の意義

交換とは、当事者が互いに金銭所有権以外の財産権を相手方に移転することを約する契約をいいます（民法586条1項）。たとえば、AとBが互いに所有している書籍を交換し合う場合です。

貨幣経済の発達した現代社会においては交換契約を用いる場面は多くありませんが、土地収用法における替地による補償（土地収用法82条）、土地改良法による交換分合（土地改良法97条以下）等で利用されています。替地とは、土地収用法上、収用される土地等に対し補償金を支払う代わりに別の土地等を提供することをいいます。交換分合とは、土地改良法上、分散している土地を交換・分割・合併等することにより、利用しやすい土地に集団化することをいいます。

売買契約と交換契約との違いは、移転する財産が金銭か、金銭以外の財産かという点にあります。

なお、金銭の両替が交換契約かという問題があります。学説は分かれていますが売買でも交換でもなく無名契約とするのが通説です。

交換契約は、諾成・双務・有償契約です。

2　交換契約の成立・効力

交換契約は、当事者が互いに金銭の所有権以外の財産権を移転することを約することによって成立します（民法586条1項）。諾成契約であるため、実際に財産権を移転することは交換契約の成立要件ではありません。

「金銭の所有権以外の財産権」とは、売買契約の「ある財産権」（民法555条）と同様に理解されます。たとえば、物権・債権・無体財産権等です。契約当事者間に特約がない限り、売買契約に関する規定が準用されます（民法559条）。

交換契約において当事者の一方がある財産権とともに金銭の所有権を移転することを約束した場合、その金銭については売買の代金に関する規定が準用されます（民法586条2項）。たとえば、Aの中古自転車（3万円相当）とBの中古テレビ（2万円相当）を交換するにあたって、BがAに対して不足分の1万円を金銭で交付することを約束した場合には、この1万円については売買の代金に関する規定が準用されます。この金銭を「補足金」といいます。補足金について準用される売買の代金に関する規定とは、民法第3編第2章第3節「売買」中の規定（民法573条ないし578条等）に限られず、売買代金についての先取特権（民法321条、328条）の規定等も含まれます。

第4　消費貸借契約

1　消費貸借契約の成立

(1) 消費貸借契約の意義

消費貸借とは、当事者の一方が同じ種類・品質・数量の物を返還することを約して、相手方から金銭その他の物を受け取ることによって成立し、効力を生ずる契約をいいます（民法587条）。

消費貸借契約の対象となる目的物は、金銭に限定されるわけではなく、消費されるものであれば特に限定はありません。たとえば、隣家から借りた醤油等も消費貸借契約の対象となります。

金銭の消費貸借は、市民の日常生活における消費者金融から企業の事業用資金の調達にいたるまで、種々の金融を可能とする法的手段として利用されており、現代社会の根幹に関わる機能を果たしています。

(2) 消費貸借契約の法的性質

消費貸借には、要物契約としての消費貸借と、諾成契約としての消費貸借があります。

① 要物契約としての消費貸借

要物契約としての消費貸借は、当事者の一方が同じ種類・品質・数量の物を返還することを約して、相手方から金銭その他の物を受け取ることによって効力を生じます（民法587条）。

要物契約としての消費貸借が成立するためには、当事者の一方が同じ種類・品質・数量の物をもって返還することの合意が必要となります。また、要物契約であることから、目的物の引渡し（金銭の場合は金銭の交付）が必要となります。契約の成立要件として目的物の引渡しを要する性質を「要物性」といいます。

改正前民法の下では、金融機関による融資に際して、金銭の交付に先立って、消費貸借契約書を公正証書で作成する行為や、貸金債権の担保のために抵当権を設定する行為が、消費貸借の要物性に抵触し、無効とならないかについて争いがありました。この点、判例は、公正証書の作成（大判昭和11年6月16日民集15巻1125頁）と抵当権の設定（大判明治38年12月6日民録11輯1653頁）のいずれも有効としていました。改正後の民法は、以下のとおり、諾成契約としての消費貸借を認めているため、これらの判例は意義を失ったとの指摘がなされています。

② 諾成契約としての消費貸借（諾成的消費貸借）

ア　意　義

諾成契約としての消費貸借（諾成的消費貸借）とは、金銭等の目的物を借り受けて、同じ種類・品質・数量の物を返還することを約することによって成立する消費貸借をいいます。改正後の民法は、「書面でする消費貸借は、当事者の一方が金銭その他の物を引き渡すことを約し、相手方がその受け取った物と種類、品質及び数量の同じ物をもって返還することを約することによって、その効力を生ずる」と規定し、諾成契約としての消費貸借を認めています（民法587条の２第１項）。

改正前民法は、要物契約としての消費貸借のみを規定しており（民法587条）、諾成契約としての消費貸借について規定を設けていませんでした。改正前民法の下において、諾成契約としての消費貸借の有効性について議論がなされており、判例は、契約自由の原則から、非典型的契約として諾成契約としての消費貸借の有効性を認めていました（最判昭和48年３月16日金法683号25頁）。改正後の民法は、このような議論を踏まえ、諾成契約としての消費貸借を明文で認めました。

イ　要式契約

諾成契約としての消費貸借は、書面による必要があります（要式契約。民法587条の２第１項）。この趣旨は、軽率に諾成契約としての消費貸借が成立することを防止する点にあります。電磁的記録による消費貸借も書面によってされたものとみなされます（民法587条の２第４項）。

「書面」には、消費貸借の詳細な内容まで具体的に規定されている必要はありませんが、金銭その他の物を貸す旨の貸主の意思およびそれを借りる借主の意思の両方が現れている必要があると解されます（一問一答293頁）。

ウ　受取り前の借主の解除権

諾成契約としての消費貸借の借主は、貸主から金銭その他の物を受け取るまで、契約を解除することができます（民法587条の２第２項前段）。この趣旨は、諾成契約としての消費貸借の借主に目的物を借りる債務を負わせないために特別の解除権を付与した点にあります。この規定は強行規定と解されます（一問一答294頁）。

この場合、貸主は、その契約の解除によって損害を受けたときは、借主に対し、損害賠償を請求することができます（民法587条の２第２項後段）。損害賠償請求できる損害としては、諾成契約としての消費貸借の借主に目的物を借りる債務を負わせないために特別の解除権を付与した趣旨に鑑み、貸主が金銭等を調達するために負担した費用相当額等にとどまると解されます（一問一答294頁）。

エ　受取り前の当事者の破産

諾成契約としての消費貸借は、借主が貸主から金銭その他の物を受け取る前に当事者の一方が破産手続開始決定を受けたときは、効力を失います（民法587条の２第３項）。再生手続や更生手続との関係については明文の規定を設けておらず、今後の解釈に委ねられます。

2　消費貸借契約の効力

(1) 貸主の義務

① 契約上の義務の不存在

要物契約としての消費貸借では、貸主の借主に対する目的物の交付は契約成立の要件となり、契約によって引渡義務が生じるわけではありません。したがって、契約が成立した時点で貸主は借主に対して何らの義務を負いません。

他方、諾成契約としての消費貸借では、契約が成立した時点で貸主は借主に対して目的物の引渡義務を負います（民法587条の２第１項）。

② 貸主の担保責任

ア　利息付きの消費貸借における貸主の担保責任

利息付きの消費貸借において、引き渡された目的物が契約の内容に適合しない場合、貸主は、借主に対し、代替物の引渡義務や損害賠償責任等の担保責任を負います（民法559条、562条、564条）。

イ　無利息の消費貸借における貸主の担保責任

無利息の消費貸借には、贈与に関する民法551条が準用されます（民法590条１項）。すなわち、無利息の消費貸借の貸主は、原則として目的として特定した時の状態で目的物を引き渡せば足りますが、これと異なる内容を合意していたことが立証された場合には、その内容に従って貸主は引渡義務を負い、その内容に応じた履行の追完や損害賠償等の責任を負うこととなります（民法590条１項、551条１項）。

(2) 借主の義務

① 目的物返還義務

ア　返還すべき物

借主は、受け取った物と同種・同等・同量の物を返還する義務を負います（民法587条、587条の２）。金銭の消費貸借契約であれば、借りた金銭と同額の金銭を返還する義務を負います。貸主から引き渡された物が種類または品質に関して契約の内容に適合しないものであるときは、借主は、利息の特約の有無にかかわらず、その物の価額を返還することができます（民法590条２項）。この趣旨は、目的物に瑕疵があるときに、同様の瑕疵のある物を調達することが困難である点にあります。

改正前民法は、無利息の消費貸借において、目的物に瑕疵があったときは、借主は、瑕疵のある物の返還に代えて、その物の価額を返還することができる旨を規定していました（改正前民法590条２項前段）。他方で、改正前民法は、利息付きの消費貸借について明文の規定を設けていませんでしたが、解釈上、利息付きの消費貸借契約においても目的物に瑕疵があったときは、借主は、瑕疵のある物の返還に代えて、その物の価額を返還することができると解されていました。改正後の民法は、このような改正前民法の下における解釈を踏まえ、貸主から引き渡された物が種類または品質に関して契約の内容に適合しないものであるときは、借主は、利息の特約の有無にかかわらず、その物の価額を返還することができる旨を規定しました。

借主が貸主から受け取った物と種類、品質および数量の同じ物をもって返還することができなくなったときは、その時における物の価額を償還しなければなりません（民法592条本文）。ただし、金銭消費貸借の目的である通貨が弁済期に強制通用の効力を失っているときは、他の通貨を返還しなければなりません（民法592条但書、402条２項）。

イ　返還時期

(i) 返還時期の定めがある場合

消費貸借は、賃貸借・使用貸借と同様に一定期間、財産権を利用することを目的としています。確定期限であれ、不確定期限であれ、返還時期の定めがあれば、これに従って借主は目的物を返還しなければなりません。借主が期限の利益を失ったとき（民法137条または特約）は、直ちに返還しなければなりません。

期限の利益とは、約定の期限が到来していないために当事者が受ける利益をいいます。金銭消費貸借契約においては、借主は返還時期までは貸金返還請求を受けることもなく、借り入れた金銭を運用することができるという利益を享受しています。

貸主が借主に対して期限の利益を供与することは、当該期限まで借主に一定の信用を供与することを意味します。そのため、借主の信用不安等、信用を供与することが困難な状況となった場合には、貸主は直ちに債権を行使できるように手当てする必要があります。

そこで、一般的には、借主に一定の事由（多くは借主の信用不安を表徴する事由）が生じた際には、今まで供与していた期限の利益を直ちに喪失させる旨をあらかじめ合意しておくことが多いです。

この期限の利益を喪失させる一定の事由を定めた条項を「期限の利益喪失条項」といいます（実務上、省略して「失期〔しっき〕条項」とも呼ばれます）。

他方で、借主は、いつでも目的物を返還することができます（民法591条２項）。貸主は、借主が返還時期の前に返還をしたことによって損害を受けたときは、借主に対し、その賠償を請求することができます（民法591条３項）。改正前民法では、民法136条２項を根拠としていましたが、消費貸借に関する規律として民法591条３項で明文化しています。

(ii) 返還時期の定めがない場合

返還時期の定めがない場合には、貸主は相当の期間を定めて返還を催告することが必要です（民法591条１項）。借主は、いつでも返還することができます（民法591条２項）。

② 利息支払義務

消費貸借契約は原則として無償契約であり、当然に利息が付くわけではありません。貸主・借主間で利息の支払いを合意（利息契約）した場合に、借主が利息支払義務を負担することとなります（民法589条１項）。利息は、借主が金銭その他の物を受け取った時から発生します（民法589条２項）。これは、改正前民法の下において、借主が金銭等の目的物を実際に受け取った日以後は利息が生ずるとしていた判例（最判昭和33年６月６日民集12巻９号1373頁）の考え方を明文化したものです。なお、商人間の消費貸借契約の場合には、利息に関する合意がなくとも、当然に法定利息支払義務が生じます（商法513条１項）。

また、利率に関する特約がなければ、法定利率によることとなります。法定利率は、改正後の民法が施行される時点においては年３％ですが（民法404条２項）、３年ごとに見直しがなされます（民法404条３項）。

3　準消費貸借契約

⑴ 意 義

金銭その他の物を給付する義務を負う者がある場合において、当事者がその物を消費貸借の目的とすることを約したときは、これにより消費貸借が成立したものとみなされます（民法588条）。この規定による契約を準消費貸借といいます。

たとえば、時期を異にして複数の品物を買った買主がその代金を支払えない場合に、売主・買主間の合意で、その代金額をひとまとめにして貸金債務に改めるような場合をいいます。

⑵ 準消費貸借契約の成立

準消費貸借は、金銭その他の物を給付する義務を負う者がある場合において、当事者がその物を消費貸借の目的とすることを合意することにより成立し（民法588条）、書面による必要はありません。

改正前民法は、準消費貸借契約を締結できる場合について、「消費貸借によらないで」金銭その他の物を給付する義務を負う者がある場合と規定していましたが（改正前民法588条）、消費貸借による金銭等の給付義務についても準消費貸借の目的とすることができると解されていました（大判大正２年１月24日民録19輯11頁）。そこで、改正後の民法は、「消費貸借によらないで」との文言を削除し、消費貸借による金銭等の給付義務についても準消費貸借の目的とすることができることを明らかにしました（民法588条）。

⑶ 旧債務との関係

① 旧債務の不存在・無効

準消費貸借の目的とした旧債務が不存在であったり無効であった場合、当然準消費貸借上の債務も成立しないこととなりますが、旧債務の不存在や無効についての主張立証責任が債権者にあるのか債務者にあるのかが問題となります。

この点、判例は、旧債務の不存在は準消費貸借の効力を争う借主側の抗弁にあたり、借主側が旧債務の不存在を主張立証する必要があるとしています（最判昭和43年２月16日民集22巻２号217頁）。

② 旧債務の担保・抗弁権

準消費貸借契約が成立した場合に、旧債務に付着していた担保や抗弁権が消滅するかが問題となります。

この点、判例は準消費貸借契約に基づく債務と旧債務との「同一性」の有無によって判断すべきとしています。また、「同一性」の有無は当事者意思により判断され、当事者の意思が明らかでない場合には、「同一性」があるものと推定するとしています（最判昭和50年７月17日民集29巻６号1119頁）。

⑷ 新債務の消滅時効期間

消滅時効は、当事者の意思ではなく、準消費貸借の客観的性質により定まります。たとえば、改正前民法の下では、準消費貸借契約が商行為としてなされれば、その債務は５年の商事時効（商法522条）にかかると解されていました（大判昭和８年６月13日民集12巻1484頁）。もっとも、改正後の民法は短期消滅時効（改正前民法173条等）を廃止し、これに伴い、商法上も商事時効（商法522条）の規定が削除されたため、このような問題は生じにくくなった旨の指摘がなされています（中田裕康『契約法〔新版〕』355頁）。

4　消費貸借の予約

消費貸借の予約は、当事者間で本契約である消費貸借契約を締結すべき債務を生ぜしめる契約をいいます。

改正前民法は、消費貸借の予約を直接規定していませんでしたが、改正前民法589条が消費貸借の予約を前提としており、消費貸借の予約を容認していると解されていました。改正後の民法が諾成契約としての消費貸借は、借主が貸主から金銭その他の物を受け取る前に当事者の一方が破産手続開始決定を受けたときは、効力を失う旨を規定したため（民法587条の２第３項）、改正前民法589条は意義を失い削除されました。もっとも、改正後の民法の下でも、消費貸借の予約をすることは可能であると解されます。

消費貸借の予約が成立すると、借主となるべき者は、貸主となるべき者に対し、消費貸借契約の申込みに対する承諾義務の履行請求または予約完結の意思表示によって、目的物の交付を求めることができます。

5　消費者金融と利息制限法

⑴ 利息に関する制限

当事者は、合意によって法定利率と異なり利率を定めることができます。しかし、完全に自由にしてしまうと、経済的に優位な貸主が経済的に窮している借主に対して、法外な利率を要求することとなり、公序良俗に反する結果を招くこととなります。そこで、民法以外の特別法が利息に関する規定を設けています。

(2) グレーゾーン金利の撤廃

① 出資取締法

「出資の受入、預り金及び金利等の取締りに関する法律」(出資取締法) は、一定の利率以上の利息を約定することまたは受領することを禁止し、違反した場合には刑罰を科すこととしています。

② 利息制限法

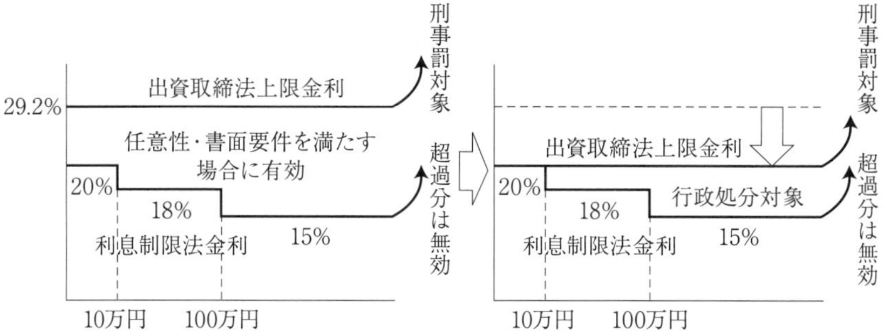

利息制限法は、民法の特別法として、以下の利率を超える部分に関しては無効であると定めています (利息制限法1条)。

ア　元本の額が10万円未満　→　年20%

イ　元本の額が10万円以上100万円未満　→　年18%

ウ　元本の額が100万円以上　→　年15%

③ グレーゾーン金利の撤廃

ア　平成18年改正前

利息制限法、貸金業 (規制) 法、出資取締法の平成18年改正前は、貸金業者に対して、出資取締法は年29.2%を超える利率を刑罰により禁止し、利息制限法は年20%を超える利率を無効としていたところ、貸金業 (規制) 法が利息制限法による制限を超える利率部分についても任意による弁済 (「みなし弁済」と呼ばれていました) であれば有効 (旧貸金業規制法43条) としていたため、貸金業者が刑罰に触れない範囲で任意弁済による有効な弁済を受けることが可能な状態にありました。

この刑罰に触れずに任意弁済を受けられる範囲がグレーゾーンと呼ばれ、「グレーゾーン金利」として社会的な問題となっていました。判例では、債務者が、利息として、利息の制限額を超える額の金銭を支払った場合には、特段の事情のない限り、債務者が自己の自由な意思によって制限超過部分を支払ったものということはできないとして、制限超過部分の支払は、「債務者が利息として任意に支払った」（旧貸金業規制法43条）ものとはいえないと判示したものがありました（最判平成18年１月13日民集60巻１号１頁・百選Ⅱ［第８版］56事件）。

イ　平成18年改正後

利息制限法、貸金業（規制）法、出資取締法の平成18年改正により、出資取締法の利息制限が年20％を超える利率に引き下げられ、グレーゾーンの領域が大幅に縮められるとともに、旧貸金業規制法43条の「みなし弁済」制度が廃止されました。

6　クレジットと割賦販売法

⑴ 割賦販売の意義

割賦販売とは、売買代金を一定期ごと（２か月以上の期間にわたり、３回以上）に分割して支払う特約の付いた売買をいいます。通常の売買契約と代金債務についての準消費貸借、債権譲渡、代位弁済等が組み合わされた複合契約であるといえます。

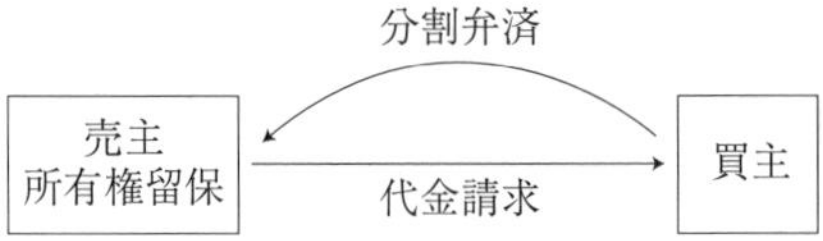

割賦販売にはいくつかの形態があります。

① 売主与信型

まず、販売業者が購入者に信用を供与して割賦払いによる支払いを認める「割賦販売」（割賦販売法２条１項）があります。

② 第三者与信型

次に、販売業者以外の第三者が購入者の信用を提供する形態として認められる「ローン提携販売」（割賦販売法２条２項）や「信用購入あっせん」（割賦販売法２条３項、４項）があります（第三者与信型）。

⑵ 割賦販売法による規制

① 消費者に対する取引情報の提供

割賦販売業者は、消費者が取引内容にかかわる正確な情報を得ることができるように、契約の締結前に現金販売価格、割賦販売価格、割賦代金の支払期間・回数等の条件を消費者に表示しなければなりません（割賦販売法３条、29条の２、30条、35条の３の２）。

割賦販売業者は、割賦販売価格、割賦金の支払時期・方法等の情報について、書面の交付等の方法で消費者に提供しなければなりません（割賦販売法４条以下、29条の３以下、30条の２の３以下、35条の３の８以下）。

② 取引内容の規制

割賦販売業者は、20日間以上の期間を定めて書面で催告しなければ、契約の解

ア　ローン提携販売

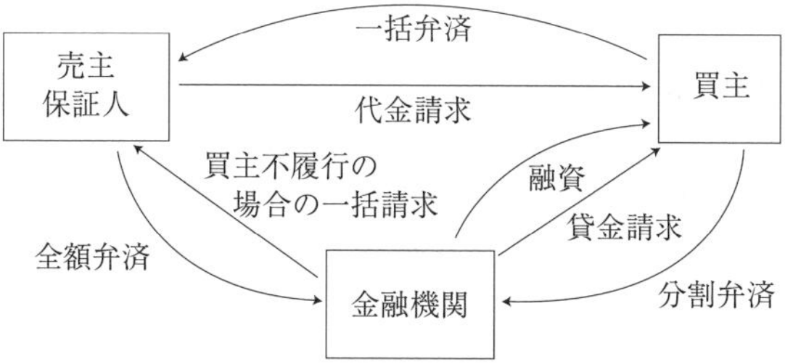

イ　信用購入あっせん

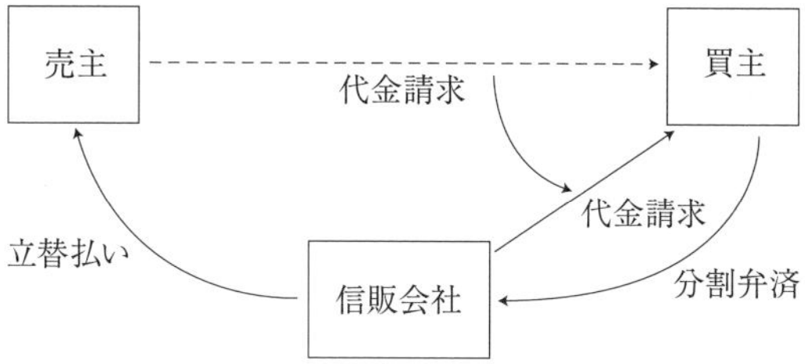

除や期限の利益を喪失させることはできません（割賦販売法５条１項、30条の２の４、35条の３の17）。

購入者に支払遅滞があったとしても、割賦販売業者（個品自社割賦の場合のみ）は、一定の金額を超える損害賠償を請求することはできません（割賦販売法６条、30条の３、35条の３の18）。

個別信用購入あっせんについて、クーリング・オフが認められています（割賦販売法35条の３の10以下）。

③ 所有権留保

割賦販売業者（個品自社割賦の場合のみ）は、割賦販売した商品の所有権につき割賦払金全額の支払義務が終了するまでは留保したものと推定されます（割賦販売法７条）。

④ 抗弁の接続

売買の目的物に瑕疵がある場合には、買主は売主に対して錯誤取消し（民法95条）や同時履行の抗弁権（民法533条）を抗弁として主張して、売主からの代金支払いを拒むことができます。

買主は信販会社に対してもこれらの抗弁を主張することができます（割賦販売法29条の４第２項、３項、30条の４、30条の５、35条の３の19）。

第5　使用貸借契約

1　使用貸借契約の意義

使用貸借契約とは、無償で他人の物を借りて使用・収益をする契約をいいます（民法593条）。たとえば、友人から半年間自転車を借りて使うような場合です。

他人の物を借りて使用・収益を行うという点では賃貸借契約と共通していますが、使用・収益の対価が無償である点で、対価が有償である賃貸借契約と異なります。使用賃借契約は親族や友人等親しい人間関係の中で締結されることが多いといえます。

改正後の民法は、「使用貸借は、当事者の一方がある物を引き渡すことを約し、相手方がその受け取った物について無償で使用及び収益をして契約が終了したときに返還をすることを約することによって、その効力を生ずる」と規定し（民法593条）、使用貸借を諾成契約としています。

改正前民法の下では、使用貸借は目的物が相手方に交付されたときに成立する要物契約とされていました（改正前民法593条）。もっとも、改正前民法の下において、当事者の合意のみで貸主に目的物を無償で貸すことを義務づける契約（諾成的使用貸借）は有効と解されていました（一問一答303頁）。そこで、改正後の民法は、使用貸借を諾成契約としています。

使用貸借は、契約成立後は借主の返還義務のみが残ることから、片務契約です。

2　使用貸借契約の成立

使用貸借は、当事者の一方がある物を引き渡すことを約し、相手方がその受け取った物について無償で使用および収益をして契約が終了したときに返還することを約することによって、成立します（諾成契約。民法593条）。

また、たとえば貸主が借主に家屋を貸した場合において、借主がその家屋の固定資産税を支払っているようなときは、無償であるとして使用貸借契約が成立しているのか、有償であるとして賃貸借契約が成立しているのかが問題となります。判例には、家屋の借主が固定資産税等を支払う場合も、それが対価的意義を有すると認められる特段の事情がない限り、使用貸借であると判示したものがあります（最判昭和41年10月27日民集20巻8号1649頁）。また、家屋を妻の叔父に貸与して相場の約20分の1の賃料しか受け取っていない場合には、対価というより人間関係に基づく謝礼であるとして使用貸借と判示したものがあります（最判昭和35年4月12日民集14巻5号817頁）。

3　使用貸借契約の効力

(1) 貸主の義務

① 目的物引渡義務

使用貸借の貸主は、目的物を借主に引き渡す義務を負います（民法593条）。改正前民法は、使用貸借を要物契約としており、目的物の引渡しが契約の成立要件でしたが、改正後の民法は、使用貸借を諾成契約としたため、使用貸借の貸主は目的物を借主に引き渡す義務を負うこととなります。

使用貸借の貸主は、借主が借用物を受け取るまでは、書面による場合を除き、契約の解除をすることができます（民法593条の２）。この趣旨は、安易な口約束により使用貸借が成立することを防止する点にあります。「書面」には、使用貸借の詳細な内容まで具体的に記載されている必要はないものの、目的物を無償で貸す旨の貸主の意思が現れているものでなければならないと解されます（一問一答303頁）。

② 使用・収益を許容する義務

貸主は、借主が借用物を無償で使用・収益することを許容する義務を負います。

この義務は、借主が使用・収益することを妨げないという消極的な内容にとどまります。使用貸借契約は賃料（対価）を得る賃貸借契約と違い貸主にとっては無償行為であることから、積極的に借用物を使用・収益に適した状態におくことまで要求することは貸主にとって酷だからです。したがって、賃貸借契約においては貸主は賃貸物の使用・収益に必要な修繕をする義務を負いますが（民法606条１項）、使用貸借契約の場合は貸主はそのような義務を負いません。

③ 担保責任

使用貸借には、贈与に関する民法551条が準用されます（民法590条１項）。すなわち、使用貸借の貸主は、原則として目的として特定した時の状態で目的物を引き渡せば足りますが、これと異なる内容を合意していたことが立証された場合には、その内容に従って貸主は引渡義務を負い、その内容に応じた履行の追完や損害賠償等の責任を負うこととなります（民法596条、551条１項）。

⑵ 借主の権利・義務

① 用法遵守義務

借主は、契約またはその目的物の性質によって定まった用法に従い、借用物を使用・収益する義務（用法遵守義務）を負います（民法594条１項）。たとえば、建物を居住目的で使用貸借したときは、借主は、その建物を住居として使用する必要があり、店舗等に使用することはできません。

また、借主は、貸主の承諾なしに第三者に借用物を使用・収益させることはできません（民法594条２項）。使用貸借は貸主と借主の信頼関係に基づく契約であるため、貸主の承諾なしに第三者に借用物を使用・収益させる行為はかかる信頼関係に反するからです。

借主が用法遵守義務に違反したときまたは貸主の承諾なく第三者に借用物を使用・収益させたときは、貸主は催告をすることなく使用貸借契約を解除することができます（民法594条３項）。この場合における解除の効果は将来に向かってのみ生じるものと解されています（民法620条類推適用）。

借主が契約の本旨に反する使用・収益をしたことによって生じた損害の賠償請求は、貸主が借用物の返還を受けた時から１年以内に請求しなければなりません（民法600条１項）。この１年という期間は除斥期間と解されています。この損害賠償請求権は、貸主が返還を受けた時から１年を経過するまでの間は、時効が完成しません（民法600条２項）。改正前民法の下では、借主の用法違反による貸主の損害賠償請求権は、１年の除斥期間（改正前民法600条）のほか、借主が用法違反をした時から10年（改正前民法167条）の消滅時効にも服すると解されていました。もっとも、使用貸借の期間が長期にわたり、借主の用法違反の時から10年以上経過した後も使用貸借が存続する場合には、貸主が目的物の状況を把握できないうちに消滅時効が完成してしまうこととなります。そこで、改正後の民法は、借主の用法違反による貸主の損害賠償請求権について、貸主が返還を受けた時から１年を経過するまでは、消滅時効の完成を猶予することとしました（民法600条２項）。

借主は、借用物を善良な管理者の注意をもって保管する必要があります（民法400条）。この保管義務も用法遵守義務の一環であると解されます。

② 費用償還請求権

借主は、借用物の通常の必要費を負担する必要があります（民法595条１項）。通常の必要費とは、目的物の通常の使用に要する費用をいい、たとえば公租公課や小修繕費用等がこれに該当すると考えられます。

通常の必要費以外の特別の必要費については、借主は貸主に対しその支出した額を償還請求することができます（民法595条２項、583条２項、196条１項）。特別の必要費とは、目的物の通常の使用以外で特別に必要となる費用をいい、たとえば天災により壁が破損した場合の修繕費等がこれに該当すると考えられます。

有益費については、借主は貸主に対し、その価格の増加が現存する場合に限り、貸主の選択に従ってその支出した額または増加額を償還請求することができます（民法595条２項、583条２項、196条２項本文）。有益費とは、物の保存のために必要な費用ではないものの、物を改良したり物の価値を増加させる費用をいいます。有益費については、貸主の請求により裁判所が相当の期限を付与することができます（民法595条２項、583条２項、196条２項但書）。

これらの費用償還請求権は、貸主が借用物の返還を受けた時から１年以内に請求しなければなりません（民法600条１項）。

③ 収去義務・収去権・原状回復義務

借主は、借用物を受け取った後にこれに附属させた物がある場合に、使用貸借が終了したときは、その附属させた物を収去する義務を負います（収去義務。民法599条１項本文）。ただし、借用物から分離することができない物または分離するのに過分の費用を要する物については、借主は収去義務を負いません（民法599条1項但書）。

また、借主は、借用物を受け取った後に附属させた物を収去することができます（収去権。民法599条2項）。

借主は、借用物を受け取った後にこれに生じた損傷がある場合に、使用貸借が終了したときは、その損傷を原状に復する義務を負います（原状回復義務。民法599条3項本文）。貸主と借主の公平の観点から、借主に帰責事由がない場合には、借主は原状回復義務を負いません（民法599条3項但書）。

⑶ 使用貸借契約の対抗力

使用貸借契約に基づく権利は、登記によって対抗力を備えることのできる賃借権とは異なり（民法605条）、対抗要件を具備することができないため、第三者に対する対抗力を有しません。

また、賃貸借契約と違って債権の物権化という議論もないため、使用貸借契約に基づく妨害排除請求権も認められていません。

4　使用貸借契約の終了

改正前民法は、使用貸借関係が消滅する事由に関して、期間の満了等については借用物の返還時期として規定し（改正前民法597条）、他方で、借主の死亡については使用貸借の終了事由として規定していました（改正前民法599条）。

もっとも、使用貸借関係の消滅原因となる事由は、すべて使用貸借の終了事由として規定した方が明確であると考えられます。また、使用貸借の終了事由のうち、その事由が生じれば当然に使用貸借が終了するものと、一定の事由が生じたことを理由に当事者が意思表示をして初めて使用貸借が終了するものとを区別して規定した方が明確であると考えられます。

そこで、改正後の民法は、使用貸借の借主は使用貸借が終了したときには目的物を返還するものであることを明確にしたうえで（民法593条）、以下のとおり、使用貸借の終了事由のうち、その事由が生じれば当然に使用貸借が終了するもの（使用貸借の期間の満了、目的に従った使用および収益の終了、借主の死亡）を民法597条に規定し、当事者の意思表示によって使用貸借を終了させる行為を使用貸借の解除と位置づけたうえで、解除原因を民法598条に規定しています（一問一答305頁）。

⑴ 使用貸借の終了原因

① 使用貸借の期間の満了

使用貸借の期間を定めた場合、使用貸借はその期間が満了することによって終了します（民法597条1項）。たとえば、貸主が借主に対し建物を使用貸借し、その期間を2025年10月31日までとした場合、使用貸借は2025年10月31日に終了します。

② 目的に従った使用および収益の終了

使用貸借の期間を定めなかった場合において、使用および収益の目的を定めたときは、使用貸借はその目的に従い使用および収益を終えることによって終了します（民法597条２項）。たとえば、貸主が借主に対し、建物を住居として使用することを目的として期間を定めずに使用貸借した場合、借主が別の住居に引越しをするときは、契約に定めた使用および収益が終了したといえることから、使用貸借は終了します。

③ 借主の死亡

使用貸借は、借主の死亡によって終了します（民法597条３項）。この趣旨は、使用貸借は貸主と借主の信頼関係を基礎として目的物を無償で貸与するものであるため、借主が死亡することにより信頼関係が失われ、使用貸借契約を終了させるべきであるという点にあります。

⑵ 使用貸借の解除

① 使用収益をするのに足りる期間を経過した場合

貸主は、当事者が使用貸借の期間を定めず、使用および収益の目的を定めた場合において、その目的に従い借主が使用および収益をするのに期間を経過したときは、契約の解除をすることができます（民法598条１項）。改正前民法597条２項但書は、当事者が使用貸借の期間を定めず、使用および収益の目的を定めた場合において、その使用および収益を終わる前であっても、使用および収益をするのに足りる期間を経過したときは、貸主は、直ちに返還を請求することができると規定していましたが、改正後の民法598条１項は、改正前民法597条２項但書の内容を実質的に改正するものではありません。

たとえば、所有していた家屋を焼失した借主が適当な家屋に移るまでの間、一時的な住居として使用する目的で使用貸借を締結した場合において、現実に適当な家屋に移住したか否かに関係なく、貸主が借主に対して改正前民法597条２項但書に基づいて契約成立後６年以上経過後に行った家屋明渡請求を認めた判例があります（最判昭和34年８月18日集民37号643頁）。

② 期間および目的の定めがない場合

当事者が使用貸借の期間ならびに使用および収益の目的を定めなかったときは、貸主は、いつでも契約の解除をすることができます（民法598条２項）。

③ 借主が解除した場合

借主は、いつでも契約の解除をすることができます（民法598条３項）。改正前民法の下でも、借主はいつでも意思表示により使用貸借を終了させることができると解されていたものの、明文の規定がなかったことから、改正後の民法598条３項は、これを明文化しました（一問一答306頁）。

第６　賃貸借契約

１　賃貸借契約の成立

⑴ 賃貸借契約の意義

民法は「賃貸借は、当事者の一方がある物の使用及び収益を相手方にさせることを約し、相手方がこれに対してその賃料を支払うこと及び引渡しを受けた物を契約が終了したときに返還することを約することによって、その効力を生ずる」と定めます（民法601条）。

賃貸借契約は、本来所有権に含まれる権能である使用・収益・処分する権限のうち使用・収益する権限を借主に帰属させる契約です。特に不動産を対象とする賃貸借契約は賃借人の生活や事業の基盤をなすため、社会的・経済的に重要な意義を有するといえます。

⑵ 賃貸借契約の法的性質

賃貸借契約は、諾成・双務・有償契約であり、売買契約と同様の法的性質を有します。ただし、売買契約は目的物の交付と売買代金の弁済により終了しますが、賃貸借契約は一定期間目的物を使用・収益させることを念頭に置いた契約であり、継続性を有する点において、売買契約と異なる法的性質を有しています。

また、民法601条は賃貸借契約の目的物を「物」としており、動産・不動産を問いません。もっとも、動産のうち種類物（一定の種類に属する物〈不特定物〉）については同種・同等・同量の物が観念できるため、一般に消費貸借契約によるのが通常です。たとえば、隣家から醤油を借りるような場合は、借りた醤油そのものは消費することを前提に、借りた醤油と同種・同等・同量の醤油を返還することを約する契約であり、当該契約は消費貸借契約の性質を有します。

⑶ 賃貸借契約の成立

賃貸借契約は諾成契約であるため、当事者の一方が相手方に賃貸借の目的物を使用・収益させることを約し、相手方が使用・収益の対価として賃料を支払うこと、および目的物を契約の終了時に返還することを約することによって、成立します。 改正前の民法601条は目的物の返還合意が賃貸借契約の合意内容であることを明らかにしていませんでした。

改正後の民法601条は、「賃貸借が終了したときに目的物を返還すること」が賃貸借契約の本質的要素であることから、その旨が賃貸借契約の合意内容であることを明確化しています（一問一答310頁）。

賃貸借契約は要物契約ではないため、契約の成立に目的物の引渡しは不要です。当事者間の合意により賃貸借契約が成立し、賃貸人は賃借人に対して目的物を引き渡し、使用・収益させる義務を負担し、賃借人は賃貸人に対して賃料の支払義務を負担することとなります。

2　賃貸借契約の効力

(1) 賃貸人の義務

① 目的物を使用・収益させる義務

賃貸借契約が成立した場合、賃貸人は賃借人に目的物を使用・収益させる義務を負担します（民法601条）。使用・収益させる義務は賃貸人の最も基本的な義務であり、この義務から目的物を賃借人に引き渡す義務、目的物の修繕義務（民法606条１項）および第三者の妨害を排除する義務が導かれます。

② 修繕義務

賃貸人は、目的物が使用・収益に耐えないものとなった場合には、使用・収益させる義務（民法601条）を果たしていないこととなるため、目的物の使用・収益に必要な修繕をする義務を負担します（民法606条１項本文）。修繕義務の対象となる瑕疵・破損の発生については賃貸人の帰責性は問題とならず、天災その他の不可抗力によって生じた瑕疵についても、賃貸人の修繕義務が生じます。もっとも、賃借人の責めに帰すべき事由によって生じた瑕疵・破損については、修繕義務は発生しません（民法606条１項但書）。

修繕義務は当事者の特約があれば排除することができ、賃借人が負担する特約も有効です（最判昭和29年６月25日民集８巻６号1224頁）。実務上、賃貸借契約で賃貸人が修繕義務を負担する範囲を項目により区分する等して明確化することで、修繕義務の有無についての紛争を未然に防止するケースが少なくありません。

③ 費用償還義務

ア　必要費

賃借人が必要費を支出した場合には、直ちに賃貸人にその償還を請求することができます（民法608条１項）。必要費とは、目的物を使用収益に適する状態に維持保存するために要する費用をいいます。たとえば、畳替えの費用や雨漏りの修繕費等がこれに該当します。

この趣旨は、賃借人が費用負担して使用収益に適する状態に維持保存した場合には、本来使用収益させる義務を負担している賃貸人がその費用を負担すべきであるという点にあります。

イ　有益費

賃借人が有益費を支出した場合には、契約終了時にそれによる価額の増加が現存する場合に限り、賃貸人は賃借人の支出額または増加額を選択してその償還義務を負担します（民法608条２項、196条２項）。有益費とは、目的物の価値を高める費用をいいます。たとえば、建物の増改築費や土地の整地費用等がこれに該当します。

この趣旨は、賃借人が有益費を支出した結果、高まった目的物の価値は賃貸借契約終了時に目的物の返還を受ける賃貸人に帰属することから、当該価値分を賃借人に償還するという点にあります。

④ 賃借人の安全に配慮する義務

賃貸人の付随的義務として、賃借人およびその家族の生命・健康・財産の安全に配慮する信義則上の義務（保護義務）を負担する場合があります。判例は、賃貸人の過失による火災により、賃借人が賃借部分に保管していた動産が焼失したという事案で、賃貸人に信義則上この動産の焼失にかかる損害につき債務不履行に基づく損害賠償義務を認めています（最判平成３年10月17日判時1404号74頁）。

⑵ 賃借人の権利・義務

① 目的物の使用収益権

賃借人は、目的物を使用・収益する権利を有します。賃貸人の使用・収益させる義務と表裏一体の関係にあります。

② 賃料支払義務

賃借人は賃貸人に対して、目的物の使用・収益の対価として、賃料を支払う義務を負担します。

賃料の支払時期は後払いが原則です。目的物が動産、建物および宅地の場合は毎月末に、宅地以外の土地の場合は毎年末に支払います（民法614条本文）。ただし、収穫の季節があるものについては、その季節の後に遅滞なく支払わなければなりません（民法614条但書）。もっとも、支払時期について特約や慣習がある場合にはその内容によることになり、実際には、翌月分を当月末に支払う等の前払の合意をすることが多いといえます。

賃借物の一部が滅失その他の事由により使用および収益をすることができなくなった場合において、それが賃借人の責めに帰することができない事由によるものであるときは、賃料は、その使用および収益をすることができなくなった部分の割合に応じて、当然に減額されます（民法611条１項）。また、耕作または牧畜を目的とする土地の賃借人は、不可抗力によって賃料より少ない収益を得たときは、その収益の額に至るまで、賃料の減額を請求することができます（民法609条）。

③ 敷金に関する権利・義務

敷金とは、いかなる名目によるかを問わず、賃料債務その他の賃貸借に基づいて生じる賃借人の賃貸人に対する金銭の給付を目的とする債務を担保する目的で、賃借人が賃貸人に交付する金銭をいいます（民法622条の２第１項柱書括弧書）。改正前民法は敷金に関する規定を置いていませんでしたが、改正後の民法は敷金に関する従来の判例法理や一般的な考え方を明文化しています（民法622条の２）。

一般的に、敷金契約は賃貸借契約書に敷金に関する条項が盛り込まれる形式で締結されます。保証金や権利金という名目である場合もありますが、名目如何にかかわらず、賃借人の賃貸人に対する債務を担保するためのものであれば、敷金の性質を有することとなります。

敷金契約では、賃貸借契約終了時に、賃貸人は賃借人の債務（たとえば、未払賃料や原状回復費用等）に敷金を充当し、残額がある場合に賃借人に返還することを約します。

改正前民法の下では、賃貸借契約が終了したことにより、賃貸人が賃貸目的物の返還を請求する場合に、賃借人は敷金の返還との同時履行を主張できるか、敷金の返還請求権がいつの時点で発生するのかについて、明文の規定がなく問題となりました。

この点、判例は、敷金の返還請求は賃貸借契約終了後、賃貸目的物が明け渡された時点で、それまでに発生した担保されるべき賃借人の債務に充当してなお残額があるときに発生するとしています（最判昭和48年２月２日民集27巻１号80頁）。これを明渡時説と呼びます。明渡時説では、賃貸目的物の返還義務が先履行となるため、敷金の返還義務と賃貸目的物の返還義務は同時履行の関係に立たないこととなります。

これに対して、賃貸借契約終了時点で敷金返還請求権が生じるとする立場もあります。これを終了時説と呼びます。終了時説では、敷金の返還義務と賃貸目的物の返還義務とが同時履行の関係に立つこととなります（最判昭和49年９月２日民集28巻６号1152頁・百選Ⅱ［第８版］65事件）。

改正後の民法は、前掲最判昭和48年２月２日の考え方に従い、賃貸借が終了し、かつ、賃貸物の返還がなされたときに敷金返還請求権が発生する旨を規定しています（民法622条の２第１項１号）。また、賃借人が適法に賃借権を譲渡したときも、その時点で敷金返還請求権が発生するとしています（民法622条の２第１項２号）。

返還すべき敷金の額について、改正後の民法は、判例（前掲最判昭和48年２月２日、最判昭和53年12月22日民集32巻９号1768頁）に従い、受け取った敷金の額から賃貸借に基づいて生じた賃借人の賃貸人に対する金銭債務の額を控除した残額としています（民法622条の２第１項柱書）。

また、敷金の充当について、改正後の民法は、判例（大判昭和５年３月10日民集９巻253頁）に従い、賃貸借の終了等によって敷金返還請求権が発生する前であっても、賃貸人は敷金を賃借人の賃貸人に対する債務の弁済に充当することができる一方、賃借人から賃貸人に対して敷金を債務の弁済に充当することを請求することができないとしています（民法622条の２第２項）。

④ 目的物の用法遵守義務・保管義務等

賃借人は、賃貸借契約の趣旨に沿った用法遵守義務を負担します（民法616条、594条１項）。また、賃借人は、特定物の返還義務を負担するため、善良な管理者の注意をもって賃貸目的物を保存しなければなりません（民法400条）。賃借物が修繕を要する状態にあり、または賃借物について権利を主張する者があるときは、賃借人は、賃貸人が既にこれを知っているときを除き、遅滞なくその旨を賃貸人に通知しなければなりません（民法615条）。

賃貸人が賃借物の保存に必要な行為をしようとするときは、賃借人は、これを拒むことができません（民法606条２項）。もっとも、賃貸人が賃借人の意思に反して保存行為をしようとする場合において、そのために賃借人が賃貸をした目的を達することができなくなるときは、賃借人は、賃貸借契約を解除することができます（民法607条）。

賃借人が用法遵守義務に違反して賃貸目的物を滅失損傷した場合には、賃貸人に生じた損害を賠償しなければなりません（民法622条、600条）。

民法改正前は、賃貸人は修繕義務を負い（民法606条１項）、賃借人は賃借物が修繕を要するときは、遅滞なくその旨を賃貸人に通知しなければならないと定めるのみであり（民法615条本文）、賃借人自身がどのような場面で修繕を行うことができるのかを定めた規定はありませんでした。

賃借物の修繕は物理的変更を伴うことが多いため、通常その所有権を有する賃貸人が行うこととするのが合理的かつ適切ですが、他方で、賃貸人が相当の期間内に修繕をしないときや、修繕の急迫の必要がある場合には、例外的に賃借人も修繕を行うことができると解するのが相当です（一問一答321頁）。

そこで、改正後の民法は、賃借人による修繕について新たな規定を設けました。すなわち、賃借物の修繕が必要な場合において、①賃借人が賃貸人に修繕が必要である旨を通知し、または賃貸人がその旨を知ったにもかかわらず、賃貸人が相当の期間内に必要な修繕をしないとき、②急迫の事情があるときには、賃借人は賃借物の修繕をすることができます（民法607条の２）。賃貸人が修繕義務（民法606条１項）を負っている箇所につき賃借人が民法607条の２に基づき修繕を行ったときは、賃借人は、賃貸人に対して必要費の償還を請求することができます（民法608条１項）。

⑤ 目的物の返還義務・収去義務・原状回復義務

賃借人は賃貸人に対して、契約終了後に目的物を返還する義務を負います（民法601条）。

賃借人は、目的物を返還するにあたって、目的物を受け取った後にこれに附属させた物がある場合については、附属させた物を収去する義務を負います（民法622条、599条１項本文）。ただし、目的物から分離をすることができない物または分離するのに過分の費用を要するものについては、賃借人は収去義務を負いません（民法622条、599条１項但書）。この場合、付合によりその物の所有権は目的物の所有者に帰属します（民法242条、243条）。改正前民法においては収去義務に関する規定はありませんでしたが、民法改正にあたって明文化がなされました。

また、賃借人は、目的物を返還するにあたって、目的物を受け取った後にこれに生じた損傷がある場合は、その損傷を原状に復する義務を負います（民法621条本文）。この義務を原状回復義務といいます。改正前民法においては原状回復義務に関する明確な規定はありませんでしたが、改正後の民法は、改正前民法下における一般的な理解や判例（最判平成17年12月16日判時1921号61頁）の考え方等を明文化しています。

「損傷」には、通常の使用および収益によって生じた損耗（通常損耗）ならびに経年劣化は含まれません（民法621条本文括弧書）。たとえば、マンションの一室を賃借した場合、カーペットの損耗や壁の汚れといった正常に生活を営むことで生じるような通常損耗は原状回復義務を負いません。一方で、目的物について、賃借人が、正常な使用および収益によっては生じないような価値の低下を生じさせた場合には、賃借人は賃貸人に対して原状回復義務を負います。また、「損傷」が賃借人の責めに帰することができない事由によるものであるときは、賃借人は原状回復義務を負いません（民法621条但書）。

実務上は、修繕義務と同様に、賃貸借契約において原状回復義務の範囲を項目により区分する等して明確化することで、原状回復義務の範囲について紛争を未然に防止するケースが少なくありません。

3　第三者との関係

(1) 賃借権の譲渡・賃借物の転貸による賃借人の交替

① 賃借権の譲渡・賃借物の転貸の意義

賃借権とは、賃借人が取得する賃貸借契約上の権利の総称をいいます。不動産賃借権は、不動産を目的物とする賃貸借契約に基づく使用収益権を中心とする債権です。

しかし、賃貸人と賃借人との人的信頼関係に強く依拠するものであるため、賃借権の譲渡・賃借物の転貸について制約が課されています。

民法は、賃借人は賃貸人の承諾を得なければ賃借権の譲渡・賃借物の転貸をすることができないと定めています（民法612条1項）。これに対し、借地借家法は、賃貸人が承諾しない場合にも裁判所の許可を得ることで借地権を譲渡・転貸することができるようにし、借地の有効利用を促進しています（借地借家法19条、20条）。

② 承諾のある賃借権の譲渡がなされた場合の法律関係

ア　法律関係

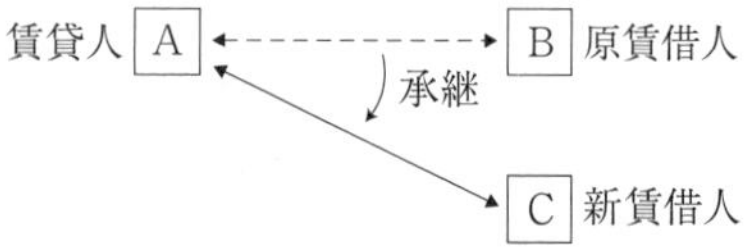

承諾のある賃借権の譲渡がなされた場合には、原賃借人は契約関係から離脱し、賃貸人と原賃借人との賃貸借契約関係が賃貸人と新賃借人との間に承継され、賃借権が存続します。

イ　すでに賃料請求権が発生していた場合

賃借権の譲渡の前に生じていた賃料請求権は、賃借権の譲渡がなされても当然に新賃借人に対して行使できるわけではなく、原賃借人に対してのみ行使することができます。

ウ　すでに敷金が交付されていた場合

賃借権の譲渡の前にすでに原賃借人により交付されていた敷金について、判例は、敷金交付者が賃貸人との間で、敷金をもって新賃借人の債務不履行の担保とすることを約し、または新賃借人に対して敷金返還請求権を譲渡する等特段の事情のない限り、敷金に関する交付者の権利義務関係は新賃借人に承継されるものではないとしています（最判昭和53年12月22日民集32巻9号1768頁・百選Ⅱ［第8版］66事件）。

したがって、賃借権の譲渡に際して、賃貸人、旧賃借人、新賃借人間の合意により当該敷金返還請求権を新賃借人が承継するか否かを決定するのが一般的です。新賃借人が敷金を承継する場合には、新賃借人は賃貸人から将来敷金の返還を受けることとなるため、賃借権の譲渡の対価の算定において考慮されます。

③ 承諾のある賃借物の転貸がなされた場合の法律関係

ア　法律関係

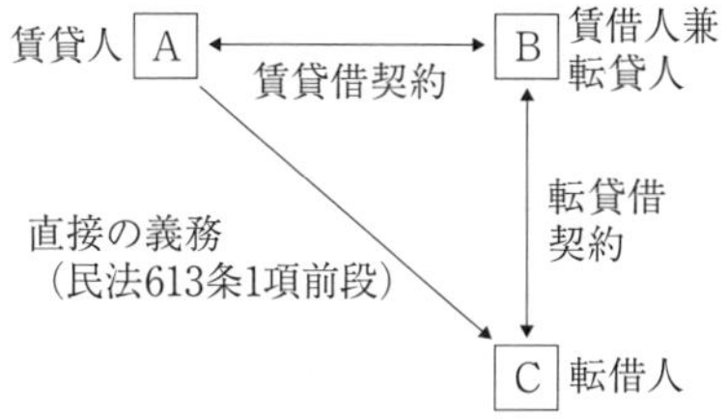

承諾のある賃借物の転貸が行われた場合には、賃貸人・賃借人の賃貸借関係は維持されたまま、転貸人・転借人との間に賃貸借関係が成立します。この場合、賃貸人と転借人との間には何らの契約関係も生じないはずですが、民法は、転借人は、賃貸人と賃借人との間の賃貸借に基づく賃借人の債務の範囲を限度として、賃貸人に対して転貸借に基づく債務を直接履行する義務を負うと定めています（民法613条1項前段）。

イ　賃貸人・賃借人の関係

転貸借がなされても、賃貸人と賃借人との賃貸借関係は依然として変わらず、転貸による影響を受けません（民法613条2項参照）。したがって、賃貸人は賃借人に対して目的物を使用収益させる債務や修繕義務等を負担し、賃借人は賃貸人に対して賃料支払債務や用法遵守義務等を負担します。

ウ　賃借人・転借人の関係

賃借人と転借人との間においては、通常の賃貸借関係が成立します。

エ　賃貸人・転借人の関係

賃貸人の承諾を得て転貸借契約が成立したとしても、賃貸人と転借人との間において直接の契約関係があるわけではありません。したがって、賃貸人は転借人に対して賃貸目的物を使用・収益させる義務を負担するわけではなく、転借人に対する修繕義務も負担しません。

もっとも、転借人は賃貸人に対して直接義務を負担します（民法613条１項前段）。すなわち、転借人は賃貸人に対して賃料支払義務や用法遵守義務、善管注意義務を負担することを意味します。この趣旨は、賃貸人を保護する点にあります。

たとえば、転借人は賃借人に賃料を支払えば、賃借人に対する賃料支払義務を免れますが、賃借人に対する前払い（転貸借契約に定められた弁済期以前に転借料を支払うこと）に関しては、賃貸人に対抗できません（民法613条１項）。賃借人が賃貸人に対して賃料を支払わなかった場合、賃貸人は転借人に対して直接賃料を請求することができるようにし（転借人は賃貸人に対して、「すでに賃借人に対して転借料を支払った」旨を主張することができない）、転借人に一定の範囲で二重払いのリスクを負わせても、賃貸人が確実に賃料を得られるようにしたものです。

一方で、賃貸人は、転借人に対して権利を行使せずに、賃借人に対して賃貸借契約に基づく権利を行使することができます（民法613条２項）。

オ　原賃貸借契約の消滅と転貸借関係の帰趨

原賃貸借契約が何らかの理由で消滅した場合に、転貸借契約がいかなる影響を受けるかが問題となります。

(i) 賃借人の債務不履行を理由とする解除

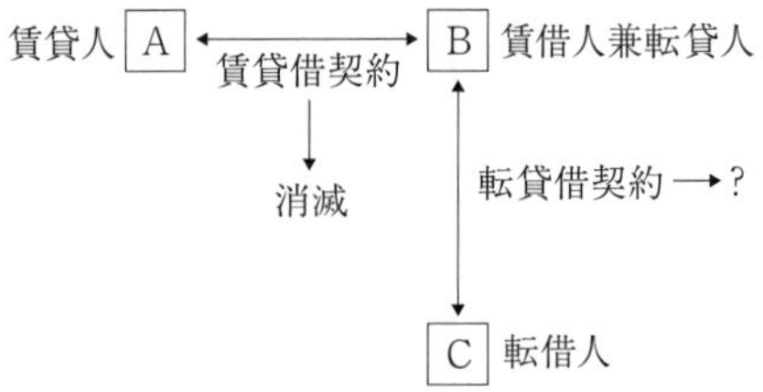

賃貸人が賃借人の債務不履行に基づき原賃貸借契約を解除した場合に、賃貸人が転借人に対して目的物の返還を請求することができるかが問題となります。

この点、判例は、賃貸人が転借人に退去を求めた場合に転借人に対する目的物の返還請求を肯定します（最判昭和37年３月29日民集16巻３号662頁）。原賃貸借契約が消滅すると、賃借人は転借人に対して目的物を使用・収益させる義務が履行不能となり、賃借人と転借人との間の賃貸借が終了するためです。原賃貸借契約が終了するとともに転貸借契約も終了することを「親亀こければ子亀もこける」と比喩します。

なお、判例は、賃貸人の承諾のある転貸借について、賃貸借契約が転貸人の債務不履行を理由とする解除により終了した場合、原則として、賃貸人が転借人に対して目的物の返還を請求した時に、転貸人の転借人に対する債務の履行不能により終了するとしています（最判平成９年２月25日民集51巻２号

398頁・百選Ⅱ［第８版］64事件）。

(ii) 原賃貸借契約の合意解除

賃借人が適法に賃借物を転貸した場合には、賃貸人は、賃借人との間の賃貸借を合意解除したことをもって転借人に対抗することができません（民法613条３項本文）。ただし、賃貸人が賃借人の債務不履行による解除権を有していたときは、この限りでありません（民法613条３項但書）。これは、改正前民法下の判例（最判昭和62年３月24日判時1258号61頁）に従い民法改正により明文化したものです。

(iii) 賃借人の賃借権の放棄

賃借人が賃貸人に対する賃借権を放棄した場合に、賃貸人が転借人に対して目的物の返還を請求することができるかが問題となります。

通説は、賃貸人の転借人に対する目的物の返還請求を否定します。賃借人が自ら転貸をしながら、賃借権を放棄することは先行行為と矛盾する行為であり、信義則または矛盾挙動禁止の原則に反するためです。また、賃貸人としても転貸借を承諾している以上、転借人に対して目的物の返還請求をできないとしても酷ではないためです。

(iv) 解約申入れ

(ア) 賃貸人からの解約申入れ

賃貸人が賃借人に対して解約申入れをした場合に、賃貸人が転借人に対して目的物の返還を請求することができるかが問題となります。

借地借家法上、そもそも賃貸人が賃借人に対して解約申入れをするには正当事由が必要であり、正当事由がない場合には解約の効果が生じません。そして、正当事由の存否の判断について、転借人が存在する場合には、転借人の賃借目的物の必要性や利用状況等の事情が斟酌されることとなります（借地借家法６条、28条）。

(イ) 賃借人からの解約申入れ

賃借人が賃貸人に対して解約申入れをした場合には、賃借人の賃借権の放棄の場合と同様、賃貸人は転借人に対して目的物の返還を請求することはできないと解されています。賃借人が自ら転貸をしながら、賃貸人に対して解約申入れをすることは信義則または矛盾挙動禁止の原則に反するためです。また、賃貸人に酷でないという点も賃借人の賃借権の放棄と同様です。

(v) 更新拒絶による期間満了

(ア) 賃貸人からの更新拒絶

賃貸人から賃借人に対する更新拒絶については、やはり正当事由が必要であり、正当事由の存否の判断には、転借人の事情が斟酌されることとなります（借地借家法６条、28条）。

(イ) 賃借人からの更新拒絶

賃借人から賃貸人に対する更新拒絶がなされた場合について、ビル賃貸借契約が更新拒絶により終了した事案における賃貸人の再転借人への賃貸借契約の終了の対抗の可否につき、賃貸人は信義則上その終了を再転借人に対抗できないとした判例があります（最判平成14年３月28日民集56巻３号662頁）。更新拒絶も解約申入れと同様の考え方によります。

④ 承諾のない賃借権の譲渡・賃借物の転貸がなされた場合

ア　法律関係

(i) 解除権

賃貸人が承諾しないままに賃借権の譲渡や賃借物の転貸がなされた場合には、賃貸人は賃借人との間の賃貸借契約を解除することができます（民法612条２項）。

もっとも、判例は、賃貸借契約が継続的契約であることに鑑み、賃借人の行為が賃貸人に対する背信行為と認めるに足らない特段の事情がある場合には、解除権は発生しないとしています（最判昭和28年９月25日民集７巻９号979頁）。

(ii) 目的物返還請求権

譲渡・転貸を承諾していない賃貸人は、所有権に基づき直接無断譲渡の譲受人、無断転貸の転貸人・転借人に対し明渡しを請求することができます。賃貸人の目的物返還請求においては、原賃貸借契約を解除することは要件ではありません。

(iii) 損害賠償請求権

賃貸人は、賃借人から賃料の支払いを受けた等の特別の事情のない限り、賃借権の無断譲受人・無断転借人である目的物の占有者に対し、解除をしなくても賃料相当額の損害賠償請求をすることができます。

イ　賃貸人・譲渡人または賃貸人・転貸人の関係

(i) 解除権の行使

賃借人が賃貸人の承諾を得ずに賃借権の譲渡や賃借物の転貸をした場合には、賃貸人は契約を解除することができます（民法612条２項）。

解除権が行使された場合には、賃借人に原状回復義務が発生し、賃貸人は賃借人に対して目的物の返還を請求することができます。

(ii) 信頼関係破壊の法理

無断譲渡・無断転貸を禁止する民法612条の趣旨は、賃貸借契約が継続的契約であることに鑑み、契約当事者間の信頼関係を維持する点にあり、たとえ無断譲渡・無断転貸がなされたとしても賃貸人・賃借人間の信頼関係を破壊するとまではいえない場合には、解除は認められません。このような考え方を「信頼関係破壊の法理」といいます。

判例も「賃借人の行為が賃貸人に対する背信行為と認めるに足らない特段の事情がある場合においては、同条（民法612条２項）の解除権は発生しない」とします（前掲最判昭和28年９月25日）。

(iii) 解除権の否定例

(ア) 最判昭和36年４月28日民集15巻４号1211頁

転貸が共同経営契約に基づく家屋のごく一部分にとどまり、賃貸人が多額の権利金を徴し、賃借人が増改築費用等を負担したこと等から、背信行為といえない特段の事情があるとしました。

(イ) 最判昭和39年６月30日民集18巻５号991頁

事実上の夫婦の夫所有の借地上の建物を、夫死亡後その相続人から借地権とともに譲り受けた事実上の妻が、従前どおり寿司屋を経営しており、賃貸人がその同棲の事実を了知していた場合には、借地権の無断譲渡は背信行為とはいえないとしました。

(iv) 解除権の肯定例

(ア) 最判昭和31年12月20日民集10巻12号1581頁

賃貸人が明渡後にデパート建設を企図していた場合において、賃借人および転借人の生活上の脅威等の事情があるというだけでは、賃貸人による解除権の行使は権利濫用とはならないとしました。

(イ) 最判昭和32年11月12日民集11巻12号1928頁

１個の契約で２棟の建物を賃貸した場合、１棟の建物の無断転貸を理由として賃貸借全部を解除しうるとしました。

ウ　賃借人・譲受人または賃借人・転借人の関係

無断譲渡・無断転貸であっても、賃借人・譲受人間の賃借権譲渡契約または賃借人・転借人間の転貸借契約は有効であり、それに基づく法律関係が生じます。すなわち、賃借人は賃貸人から承諾を得る義務または賃借権を譲受人に取得させる義務および転借人に賃借物を使用・収益させる義務を負い、賃借権譲受人に対する譲渡代金の請求権または転借人に対する賃料請求権を有することとなります。

賃借人が賃貸人の承諾を得られなかった場合には、賃借人は転借人に対して債務不履行責任（民法415条。民法559条、564条参照）を負担するものと解すべきです。

エ　賃貸人・譲受人または賃貸人・転借人の関係

賃貸人の承諾がない以上、譲受人・転借人は不法占拠者となります。賃貸人は、譲受人・転借人に対して所有権に基づく明渡請求や損害賠償請求ができます。

⑵ 賃貸目的物の譲渡による賃貸人の交替

賃貸人が賃貸目的物を第三者に譲渡した場合、いかなる法律関係となるのでしょうか。

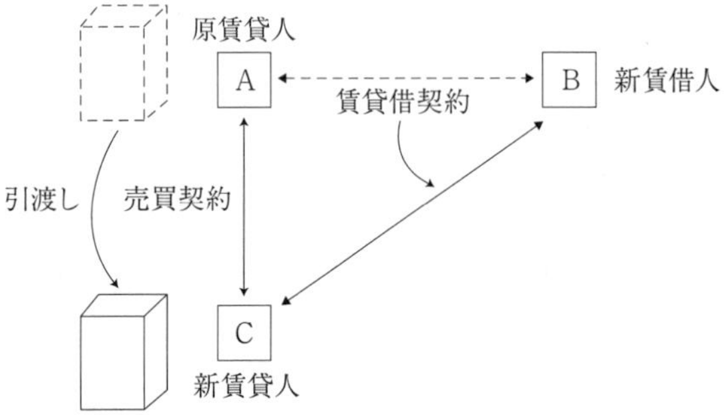

① 不動産譲受人による目的物返還請求と賃借人の対抗要件

ア　原則――売買は賃貸借を破る

賃貸借契約から生じる賃借権はあくまで債権であり、賃借人が賃貸人に対して一定の行為を求めることができるにとどまります。賃貸人が賃貸目的物を第三者に対して売却した場合には、賃借人は当該第三者に対して一定の行為を求めることができなくなる結果、第三者からの所有権に基づく目的物返還請求を拒むことができなくなります。この状態を「売買は賃貸借を破る」といいます。

しかし、これでは賃借人の立場が非常に不安定になり、特に不動産の賃貸借において、生活や事業の基盤を奪われかねないこととなります。

イ　例外――不動産賃借権の対抗力

そこで、民法は登記された不動産賃借権は不動産につき物権を取得した者その他の第三者に対抗することができるとしています（民法605条）。改正前民法は、登記を備えた不動産賃借権の効力について、「不動産について物権を取得した者に対しても、その効力を生ずる」と規定していましたが、判例は、対抗力を備えた不動産賃借権を有する賃借人は、当該不動産について二重に賃借権の設定を受けた者など、物権を取得した者ではない第三者に対しても賃貸借を対抗することができるとしていました（最判昭和28年12月18日民集7巻12号1515頁・百選Ⅱ［第8版］57事件）。改正後の民法605条は同判例の考え方を明文化し、「不動産について物権を取得した者その他の第三者」に「対抗することができる」としています（一問一答313頁）。

改正前民法の下において民法605条の登記は実際上あまり利用されておらず、実務上は借地借家法上認められている不動産賃借権の対抗力が重要であるといえます。

すなわち、借地借家法10条１項は、建物所有のための借地権は、登記がなくとも、土地の上に借地権者が登記された建物を所有するときは、借地権を第三者に対抗することができると定め、借地借家法31条は、借家権は、その登記がなくても、建物の引渡しがあったときは、その建物を取得した者に対しその効力を生ずると定めています。

② 不動産の賃貸人たる地位の移転

ア　賃貸借の対抗要件を備えた不動産の場合

(i) 賃貸借の対抗要件を備えた不動産の譲渡による賃貸人たる地位の移転

賃貸人としての中心的な義務は目的物を使用・収益させる義務であり、所有者であれば基本的にいかなる者でも履行可能です。また、賃貸借が対抗要件を備えている場合には、不動産の譲受人は、賃借人から賃貸借を対抗され、不動産の使用収益を拒絶することができません。そのため、賃貸人たる地位は賃貸不動産の譲受人に当然に移転し、賃貸不動産の譲渡人・譲受人間の合意も不要であり、賃借人の承諾も必要ないと解するのが合理的であり、改正前民法下の判例（大判大正10年５月30日民録27輯1024頁）も同様に解していました（一問一答316頁）。

そこで、改正後の民法は、賃貸借の対抗要件を備えた不動産が譲渡されたときは、その不動産の賃貸人たる地位は、原則として譲受人に移転するとしています（民法605条の２第１項)。これは、契約上の地位の移転に関する一般的規律である民法539条の２の例外に当たります。

他方で、賃貸人たる地位を移転することなく不動産を譲渡する実務上のニーズや、その際に多数の賃借人から個別に同意を得ることの労力を踏まえ、不動産の譲渡人および譲受人が、賃貸人たる地位を譲渡人に留保する旨およびその不動産を譲受人が譲渡人に賃貸する旨の合意をしたときは、賃貸人たる地位は、譲受人に移転しないこととしています（民法605条の２第２項前段)。また、賃借人の保護を図るため、この場合において、譲渡人と譲受人またはその承継人との間の賃貸借が終了したときは、譲渡人に留保されていた賃貸人たる地位は、譲受人またはその承継人に移転すると定めています（民法605条の２第２項後段)。

(ii) 賃貸人たる地位の移転の賃借人に対する対抗

改正前民法下の判例（最判昭和49年３月19日民集28巻２号325頁・百選Ⅱ［第８版］59事件）は、不動産の賃貸人たる地位の移転は、その不動産について所有権移転登記を経由しなければ、賃借人に対抗することができないとしていました。そこで、改正後の民法は、その旨を明文化しています（民法605条の２第３項)。

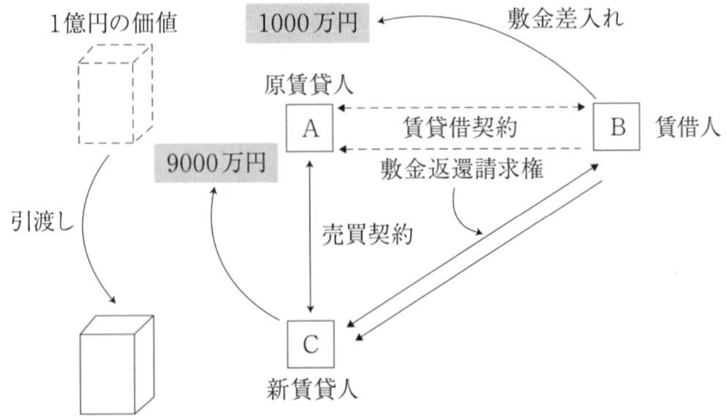

(iii) 賃貸人たる地位の移転と敷金返還請求権・費用償還請求権

敷金契約は賃貸借契約とは別個独立の契約であることに照らせば、賃借物が第三者に譲渡されたとしても、敷金の返還にかかる債務が当然に当該第三者に承継されるわけではないと考えられます。

しかし、敷金契約は賃貸借契約に基づく債務を担保するための従たる契約であることから、判例は、賃貸人たる地位が移転する場合には、敷金の返還にかかる債務も移転するとしています（大判昭和5年7月9日民集9巻839頁）。また、費用の償還にかかる債務（民法608条）も、同様の観点から、敷金の返還にかかる債務と同様の扱いをすることが相当であると考えられます（一問一答317頁）。そこで、改正後の民法は、賃貸人たる地位が譲受人またはその承継人に移転したときは、費用の償還にかかる債務および敷金の返還にかかる債務は、譲受人または承継人が承継すると定めています（民法605条の2第4項）。

承継される敷金の返還にかかる債務の額については、判例は、賃借人が差し入れた敷金から譲渡人に対する未払賃料債務額を控除した残額であるとしています（最判昭和44年7月17日民集23巻8号1610頁）。もっとも、実務上は、賃借人の譲渡時に譲渡代金から敷金相当額を減額する等したうえ、三者の合意により敷金全額の返還債務を譲受人に承継させることも少なくありません（一問一答318頁）。

イ　賃貸借の対抗要件を備えていない場合

(i) 譲渡人・譲受人間の合意による賃貸人の地位の移転

賃貸人としての中心的な義務は目的物を使用・収益させる義務であり、目的物の所有者こそが適切に履行できるものであることから、賃借人の承諾がなくとも、譲渡人と譲受人との間で賃貸人たる地位の移転の合意により賃貸人たる地位が移転すると解するのが合理的であり、改正前民法下の判例（最判昭和46年４月23日民集25巻３号388頁）も同様に解していました（一問一答319頁）。

そこで、改正後の民法は、不動産の譲渡人が賃貸人であるときは、その賃貸人たる地位は、賃借人の承諾を要しないで、譲渡人と譲受人との合意により、譲受人に移転させることができるとしています（民法605条の３前段）。これは、契約上の地位の移転に関する一般的規律である民法539条の２の例外に当たります。

なお、賃貸借の対抗要件を備えている場合との違いは、賃貸借の対抗要件を備えている場合は、譲渡人と譲受人の合意も不要となる点にあります（民法605条の２第１項）。

(ii) 賃貸人たる地位の移転の賃借人に対する対抗

賃貸借の対抗要件を備えている場合と同様に、譲渡人と譲受人の合意による不動産の賃貸人たる地位の移転は、その不動産について所有権移転登記を経由しなければ、賃借人に対抗することができません（民法605条の３後段、605条の２第３項）。

(iii) 賃貸人たる地位の移転と敷金返還請求権・費用償還請求権

賃貸借の対抗要件を備えている場合と同様に、譲渡人と譲受人の合意により賃貸人たる地位が譲受人またはその承継人に移転したときは、費用の償還にかかる債務および敷金の返還にかかる債務は、譲受人または承継人が承継します（民法605条の３後段、605条の２第４項）。

ウ　賃貸借契約終了後の賃借物の譲渡と敷金返還債務・費用償還債務

賃貸借契約終了後に賃借物が譲渡されたとしても、民法605条の２第１項または民法605条の３前段に基づき譲受人に賃貸人の地位が移転することはなく、費用の償還にかかる債務および敷金の返還にかかる債務も当然に譲受人に承継されることはありません（最判昭和48年２月２日民集27巻１号80頁）。

4　賃貸借契約の終了

(1) 期間満了と更新

賃貸借契約に期間の定めがある場合には、当該期間の満了によって賃貸借契約は終了します。

① 民法上の原則――存続期間は最長50年

改正前民法604条１項は、「賃貸借の存続期間は、20年を超えることができない。契約でこれより長い期間を定めたときであっても、その期間は、20年とする」と定めていました。しかし、現代社会においては、たとえばゴルフ場の敷地に利用するための土地や、太陽光パネルを設置するための土地の賃貸借のように、存続期間を20年以上とする賃貸借契約のニーズがあるにもかかわらず、この規定により存続期間を20年とする賃貸借契約を締結せざるをえず、20年経過後に再契約をするという不安定な契約実務を強いられているとの指摘がありました。そこで、改正後の民法604条１項は、永小作権の存続期間の上限が50年であること（民法278条１項）との均衡等を考慮し、賃貸借契約の存続期間の上限を50年としています（一問一答315頁）。

② 短期賃貸借

処分の権限を有しない者が賃貸借をする場合には、樹木の植栽または伐採を目的とする山林の賃貸借の期間は10年、それ以外の土地の賃貸借の期間は５年、建物の賃貸借の期間は３年、動産の賃貸借の期間は６か月を超えることができません（民法602条前段）。

改正前民法602条は、短期賃貸借の制限の対象となる者として「処分につき行為能力の制限を受けた者又は処分の権限を有しない者」と規定していましたが、制限行為能力者の賃貸借契約の可否は、長期・短期を問わず行為能力制度（民法５条、９条、13条１項９号、17条等）によって決せられます。改正前民法の内容では、制限行為能力者であっても短期賃貸借であれば単独で有効に賃貸借契約を締結することができるとの誤解を招きかねないため、民法改正にあたって「処分につき行為能力の制限を受けた者又は」の文言を削除しています。

処分の権限を有しない者が賃貸借契約において上記各期間より長い期間を定めたときは、上記各期間を超える部分について無効となります（民法602条後段）。改正前民法は、契約で上記各期間を超える期間を定めたときの取扱いについて明文の規定を設けていませんでしたが、改正後の民法602条後段は、これにつき明文化しています。

③ 借地借家法による修正

ア　借地契約

建物所有を目的とする借地契約の存続期間は30年とされ、合意によって30年以上の期間を定めた場合にはその合意が約定の期間となります（借地借家法３条）。合意で30年未満の期間を定めたり、期間の定めをしなかった場合には、存続期間は30年とされます。

イ　借家契約

存続期間を１年未満とする建物賃貸借契約は、期間の定めがない建物賃貸借契約とみなされます（借地借家法29条１項）。最長期間を50年とする民法604条の規定は、建物賃貸借契約については適用されず（借地借家法29条２項）、50年を超える建物賃貸借契約も有効となります。

④ 更 新

ア　更新の種類

(i) 合意更新

賃貸借契約の当事者は、合意によって契約を更新することができます（民法604条２項参照)。賃貸借契約は諾成契約であり、契約当事者間で契約を更新する旨の合意が形成された場合には当然に更新することができます。

更新後の賃貸権の存続期間は、更新の時から50年を超えることができません（民法604条２項）。短期賃貸借の更新は、土地については期間満了前１年以内、建物については３か月以内、動産については１か月以内にしなければなりません（民法603条）。

(ii) 黙示の更新

賃貸借契約の期間満了後、賃借人が賃借物の使用収益を継続する場合において、賃貸人がこれを知りながら異議を述べなかった場合は、同一の条件で賃貸借が更新されたものと推定されます（民法619条１項前段）。この場合には賃貸人は賃借人が賃借物を継続して使用・収益することについて黙示的に承認したものと解され、賃借人の地位を保護する必要があるためです。

(iii) 法定更新

(ア) 借地契約

借地権の存続期間が満了する場合において、借地権者が契約の更新を請求したときは、建物がある場合に限り、従前の契約と同一の条件で契約を更新したものとみなされます（借地借家法５条１項本文）。

また、借地権の存続期間が満了した後、借地権者が土地の使用を継続するときも、建物がある場合に限り、従前の契約と同一の条件で契約を更新したものとみなされます（借地借家法５条２項）。

本来であれば、借地権の存続期間が満了し、借地権が消滅した場合、当該借地権に係る土地を敷地とする建物を収去しなければなりません。しかし、それでは借地権者が生活や事業の本拠を喪失することなりかねないほか、建物の社会的経済的効用を喪失させる結果となるため、建物がある場合に限って更新したものとみなす法定更新制度が認められています。

(イ) 借家契約

建物賃貸借について期間の定めがある場合において、当事者が期間の満了の１年前から６か月前までの間に相手方に対して更新拒絶の通知等をしなかったときは、従前の契約と同一の条件で契約を更新したものとみなされます（借地借家法26条１項本文）。ただし、更新後の期間は定めがないものとされます（同項但書）。

また、更新拒絶の通知等がなされた場合であっても、建物の賃貸借の期間が満了した後建物の賃借人が使用を継続する場合において、建物の賃貸人が遅滞なく異議を述べなかったときも、従前の契約と同一の条件で契約を更新したものとみなされます（借地借家法26条２項）。

イ　借地借家法上の法定更新に対する更新拒絶

(i) 借地契約

法定更新を拒絶するためには、借地権設定者（賃貸人）は、遅滞なく異議を述べ、かつ、正当の事由があると認められる必要があります（借地借家法5条1項但書、6条）。

「正当の事由」は、(ア)借地権設定者および借地権者の双方が土地の使用を必要とする事情のほか、(イ)借地に関する従前の経過および土地の利用状況、(ウ)借地権設定者が土地の明渡しの条件としてまたは土地の明渡しと引換えに借地権者に対して財産上の給付をする旨の申し出をした場合の当該申し出により判断されます（借地借家法6条）。

上記(ア)が主たる判断要素であり、上記(イ)(ウ)の要素は上記(ア)の要素のみでは判断できない場合に補完する要素であると考えられています。

判例は、建物所有を目的とする借地契約の更新拒絶について建物賃借人の事情を「正当の事由」として斟酌することができるかという問題について、「正当の事由」があるかどうかを判断するにあたっては、土地所有者側の事情と借地人側の事情を比較考量して決すべきものであるが、「借地人側の事情として借地上にある建物賃借人の事情をも斟酌することの許されることがあるのは、借地契約が当初から建物賃借人の存在を容認したものであるとか又は実質上建物賃借人を借地人と同一視することができるなどの特段の事情の存する場合であり、そのような事情の存しない場合には、借地人側の事情として建物賃借人の事情を斟酌することは許されない」としています（最判昭和58年1月20日民集37巻1号1頁・百選Ⅱ［第8版］61事件）。

また、判例は、土地所有者が借地借家法5条1項但書所定の異議を述べた場合に同法6条にいう「正当の事由」があるか否かは、「その異議が申し出られた時を基準として判断すべきである」としていますが、「正当の事由」を補完する立退料等の提供ないし増額の申出の時期については、「土地所有者が意図的にその申出の時期を遅らせるなど信義に反するような事情がない限り、事実審の口頭弁論終結時までにされたものについては、原則としてこれを考慮することができるものと解するのが相当である」としています（最判平成6年10月25日民集48巻7号1303頁・百選Ⅱ［第8版］62事件）。

(ii) 借家契約

法定更新を拒絶するためには、賃貸人は賃貸借期間の満了の1年前から6か月前までの間に更新拒絶等の通知をし、かつ、正当の事由があると認められる必要があります。「正当の事由」の判断要素は、上記(i)と同様です（借地借家法28条）。

(2) 解約申入れ

① 期間の定めのない賃貸借の解約の申入れ

当事者が賃貸借の期間を定めなかったときは、各当事者はいつでも解約の申入れをすることができます（民法617条1項前段）。ただし、期間の定めを定めなかった場合であっても、土地の賃貸借、建物の賃貸借、動産および貸席の賃貸借は、解約の申入れをした日からそれぞれ1年、3か月、1日を経過することによって終了します（民法617条1項後段）。

期間の定めのない賃貸借に関しては、借地借家法に特別の規定があります。建物所有を目的とする借地契約は、期間の定めがない場合には、存続期間が30年とされます（借地借家法3条本文）。また、借家契約に関する賃貸人からの解約の申入れは、更新拒絶と同様に「正当の事由」が必要とされます（借地借家法28条）。

② 期間の定めのある賃貸借の解約をする権利の留保

当事者が賃貸借の期間を定めた場合であっても、その一方または双方がその期間内に解約をする権利を留保したときは、民法617条の規定が準用されます（民法618条）。

⑶ 解　除

① 解除原因

ア　賃借人の債務不履行

賃借人が賃料支払義務や用法遵守義務に違反した場合には、賃貸人は賃貸借契約を解除することができ、原状回復や目的物の返還を求めることができます。

もっとも、賃貸借契約、特に不動産賃貸借契約が生活上・事業上重要な意義を有することを考慮して、賃貸人・賃借人間の信頼関係を根拠に、通常の債務不履行に基づく解除を修正しています。これを一般に「信頼関係破壊の法理」と呼びます。

(i) 催告解除の制限（信頼関係不破壊）

㋐ 賃料不払い・用法違反による催告解除

賃料不払いや用法違反があったとしても、それにより賃貸借関係の継続を著しく困難ならしめるような不信行為があったとまではいえない場合には、解除が認められません。

㋑ 無催告解除特約の制限解釈

通常の債務不履行に基づく解除では、再度履行を促すための催告が必要となります（民法541条）が、契約条項によっては「何らの催告を要することなく解除をすることができる」と規定して、民法541条の催告を不要とする合意がなされる場合があります。

この点、判例は、「賃貸借契約が当事者間の信頼関係を基礎とする継続的債権関係であることに鑑みれば……催告をしなくてもあながち不合理とは認められないような事情が存する場合には、無催告で解除権を行使することが許される旨を定めた約定である」（最判昭和43年11月21日民集22巻12号2741頁）と解し、無催告解除特約について、信頼関係破壊の法理により制

第Ⅴ篇
債権各論

限的に解釈しています。

(ii) 無催告解除（信頼関係破壊）

賃料の長期不払い、賃借物の損壊・改造、賃借物の目的外使用等により、賃貸借契約の継続を著しく困難にするような背信行為がある場合には、もはや民法541条の催告を要することなく、直ちに解除をすることができると解されています。

(iii) 不履行なき解除（信頼関係破壊）

債務不履行自体が存在しないか、または軽微なものにとどまる場合は、通常解除は認められません。

しかし、賃貸借契約上の義務に違反する行為ではなくとも、賃貸借契約の基礎にある当事者相互の信頼関係を裏切って、賃貸借関係の継続を著しく困難ならしめる背信行為が行われた場合には、解除が認められることがあります（最判昭和40年8月2日民集19巻6号1368頁）。

イ　賃貸人の債務不履行

賃貸人が目的物を供与する義務を果たさない場合には、賃借人は債務不履行に基づく解除をなしえます。

賃貸人が目的物の修繕義務を果たさず、それにより適切な使用・収益をなしえない場合、賃借人は債務不履行に基づく解除をなしうるものと考えられます。

ウ　賃借物の一部滅失等による契約の解除

賃借物の一部が滅失その他の事由により使用および収益をすることができなくなった場合において、残存する部分のみでは賃借人が賃貸借契約の目的を達することができないときは、賃借人は、契約の解除をすることができます（民法611条2項）。

改正前民法611条2項においては、賃借物の一部滅失について「賃借人の過失によらないで」という要件を規定しており、賃借人の過失によって賃借物が一部滅失した場合には、賃貸借契約の目的を達することができなかったとしても、解除ができないこととなっていました。しかし、現代社会おいては契約期間が極めて長期にわたる賃貸借が少なくなく、たとえ目的物の一部滅失が賃借人の過失によるものであったとしても、契約の目的を達することができないにもかかわらず賃貸借契約を存続させることは合理的ではありません（一問一答323頁）。そこで、改正後の民法611条2項は、賃借人の過失の有無にかかわらず契約を解除できることとしました。

なお、賃借物の一部滅失等について賃借人に帰責事由がある場合には、賃貸人は賃借人に対して損害賠償請求をすることができます（民法415条）。

② 解除の効果

賃貸借契約が解除された場合には、その解除は将来に向かってのみ効力を生じます（民法620条前段）。この場合、通常の債務不履行に基づく解除と同様に（民法545条4項）、損害賠償の請求を妨げません（民法620条後段）。

⑷ 賃借物の全部滅失等による賃貸借の終了

賃借物の全部が滅失その他の事由により使用および収益をすることができなくなった場合には、賃貸借契約は終了します（民法616条の2）。これは、改正前民法下における判例（最判昭和32年12月3日民集11巻13号2018頁）の考え方を明文化したものです（一問一答323頁）。

5　不動産賃借権の物権化

賃貸借契約に基づく賃借権は債権ですが、不動産賃貸借は生活や事業の基盤をなすため、借地借家法によりその効力に大きな修正が加えられ安定化が図られています。

民法上、登記された不動産賃貸借は対抗力を有するとされています（民法605条）。もっとも、登記申請に債権者の協力が必要であり、あまり利用されていません。この点、借地借家法は一定の要件のもとで不動産賃借権に対抗力を与え賃借人保護を図っています（借地借家法10条、31条）。

対抗力ある不動産賃借権を有する賃借人は、その不動産の占有を第三者が妨害しているときは妨害排除請求を、その不動産を第三者が占有しているときは返還請求をすることができます（民法605条の4）。これは、対抗力を備えた不動産の物権化を認めたものであり、民法改正にあたって判例（最判昭和28年12月18日民集7巻12号1515頁・百選Ⅱ［第8版］57事件）の法理を明文化したものです。

6　リース

⑴ リースの意義

「リース」という言葉は、本来「賃貸借」や「賃貸借契約」を意味する英語です。しかし、今日における「リース契約」には、民法上の賃貸借契約に近いリース契約や賃貸借契約に類似する形式でいながら金融（ファイナンス）的機能を備えたリース契約等が存在し、多種多様なリース契約が存在することから、「リース契約」は多義的なものとなっています。

⑵ リースの種類

① ファイナンス・リース

ファイナンス・リースは、企業が機械や設備を調達するにあたり、リース会社がユーザーに資金を貸し付ける代わりに、機械や設備そのものを貸し付けるリース契約です。その実質は「賃貸借」というよりも「金融」（ファイナンス）であるといえます。

② オペレーティング・リース

オペレーティング・リースは、ファイナンス・リース以外のすべてのリースを意味し、ファイナンス・リースが金融的機能を有するのに対し、オペレーティング・リースはサービス的な性格が強いといえます。

オペレーティング・リースの対象物件は、一般に、保守・管理に専門技術がいるもの、技術革新で陳腐化のおそれが大きいもの、汎用製品であること、といった特質をもち、具体的には貸主にとって中古市場や代替ユーザーがある自動車、船舶、建設機械のほか電子計測機器等が対象となります。

(3) ファイナンス・リース

① 標準的な取引の流れ

ア　物件の交渉・決定

まずユーザーが自分で導入したい機械・設備について、メーカーと折衝し、機種、仕様、納期、保守および価格等を決定します。

イ　リース契約締結

リース会社とリース条件について折衝し、リース期間やリース料等の契約内容を決定し、リース契約を締結します。

ウ　売買契約

リース会社は、ユーザーとメーカーとの間で決められた販売条件のまま、リース物件の売買契約を締結します。

エ　物件納入とリース料の支払い

リース会社がユーザーに代わって購入した物件はメーカーから直接ユーザーに納入され、ユーザーは納入された物件を検収した後にリース料を支払っていくこととなります。

オ　購入代金の支払いとアフターサービス

リース物件の購入代金はリース会社が支払い、以後のアフターサービスはメーカーが直接ユーザーに対して行います。

② ファイナンス・リースの特徴

ファイナンス・リースは一般的に以下の特徴を有します。

ア　対象物件の選定は、ユーザーが行い、リース会社は一切関与しません。

イ　ユーザーの都合による中途解約は禁止されます。中途解約する場合にはユーザーは違約金や残リース料の支払いをしなければなりません。

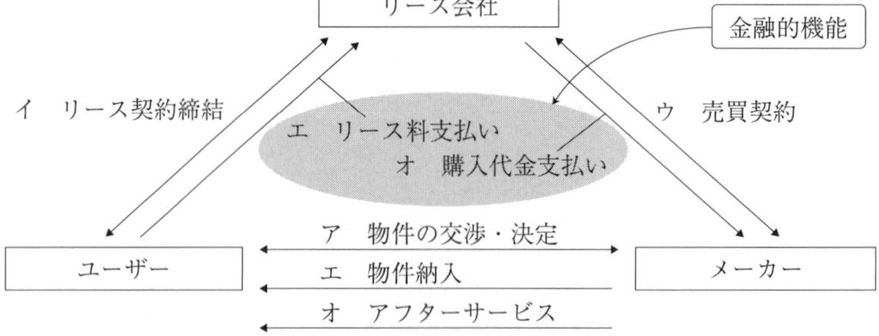

	ファイナンス・リース	賃貸借
経済的機能	金融的機能	物件提供機能
投下資金の回収	リース期間中に概ね全額回収	貸与期間に関係なく回収
物件の所有権	貸主（リース会社）	貸主
対象物件	特に制限なし	特に制限なし
中途解約	不可	期限の定めのない場合にはいつでも可（ただし、借地借家法等による制限あり）
保守、修繕義務	借主負担	貸主負担
固定資産税、保険料	貸主（リース会社）負担	貸主負担
物件の担保責任	貸主（リース会社）免責	貸主負担
物件の危険負担	借主（貸主〈リース会社〉は借主に残リース料を請求できる）	貸主（貸主は賃料を請求できない）
借主の債務不履行	貸主（リース会社）は残リース料を請求できる	損害賠償して請求できる

ウ　ユーザーは物件購入費用および付随費用の相当額の全額を分割してリース料として支払います。

エ　物件に瑕疵があったとしても、リース会社は担保責任を負わず、ユーザーはリース料を支払う義務を負います。

オ　リース会社は保守・修繕の義務を負いません。

カ　天災等不可抗力により物件が滅失、毀損した場合でも、リース会社は物件の取換えや修繕の責任（危険負担）を負わず、ユーザーはリース料相当額の損害金を支払います。

③ ファイナンス・リースと賃貸借との違い

ファイナンス・リースと賃貸借の差異は、以下の表のとおり整理できます。

7　サブリース

(1) サブリースの意義

① サブリース契約とマスターリース契約

サブリース契約とは、不動産会社が賃貸ビルの所有者（オーナー）からビル1棟全部またはその一部を一括して借り受け、それを複数のテナントに転貸借して、ビルの賃借料と転借料の差額を取得するという契約です。不動産会社と賃貸ビルの所有者（オーナー）との賃貸借契約をマスターリース契約と呼びます。

通常、マスターリース契約では、賃貸ビルの所有者（オーナー）に対して、たとえ空室が生じても一定の賃料を支払う旨の特約や、2、3年ごとに賃料を自動値上げする旨の条項（賃料自動増額条項）が付されていることが多いです。

② サブリースの法的性質

サブリースの法的性質は、民法上の賃貸借契約・転貸借契約であり、借地借家法の適用もあるとの理解が一般的です。

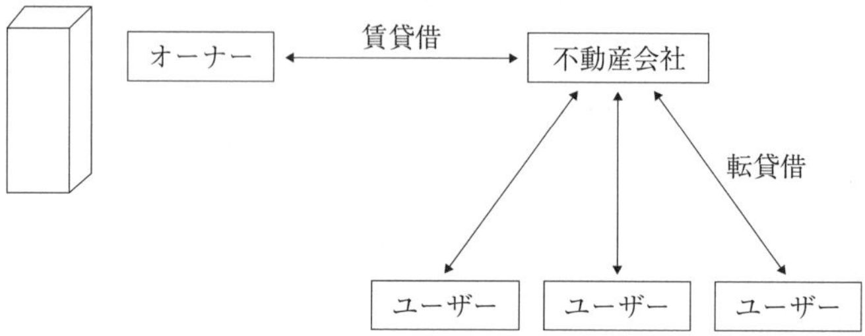

⑵ 借地借家法32条と賃料自動増額条項

① 問題の所在

サブリース契約において定められた賃料自動増額条項が、賃料増「減」請求権を認める借地借家法32条１項と抵触するか否かが問題となります。

② 判　例

判例は、賃料自動増額条項が定められていても、借地借家法32条１項は強行規定であり、特約によって排除することはできないとしたうえで、賃料減額請求の当否および相当賃料額を判断するにあたっては、賃貸借契約の当事者が賃料額決定の要素とした事情その他諸般の事情を総合的に考慮すべきであり、本件契約において賃料額が決定されるに至った経緯や賃料自動増額特約が付されるに至った事情、とりわけ、当該約定賃料額と相当の近傍同種の建物の賃料相場との関係、賃借人の転貸事業における収支予測にかかわる事情、敷金および銀行借入金の返済の予定にかかわる事情等をも十分に考慮すべきであると判示しています（最判平成15年10月21日民集57巻９号1213頁・百選Ⅱ［第８版］67事件）。

第７　雇用契約

1　雇用契約の意義

雇用契約は、労働者が使用者に対して労務を提供し、使用者が労働者に対して報酬を与えるという内容の契約です（民法623条）。

使用者は、雇用契約により労働者の労働力を使用して経済活動を行い、労働者は労務の提供により賃金を獲得して生計を立てます。

本書では原則である民法の規律について説明します。ただし、労働の分野においては特に労働基準法、労働契約法により民法の原則が大きく変更されるため、民法の雇用契約に関する規定が適用される場面が制限されるといえます。雇用契約では、使用者と労働者との間の交渉力に大きな差があります。そこで、そのような交渉力の差を是正するため、労働基準法、労働契約法、労働組合法、労働関係調整法、最低賃金法等の特別法が制定されています。

また、紛争解決手続についても、労働委員会によるあっせん等、訴訟外での紛争解決手続が設けられ一定の成果をあげています。

さらに、契約当事者である使用者と労働者の間の雇用契約だけでなく、使用者と労働者で組織される労働組合との間で合意した労働協約も使用者と各労働者の間の労働関係を強行的に規律します。使用者が定める就業規則によっても使用者と各労働者の間の労働関係は規律されます。このように、通常、契約は当事者間の合意と法規によってのみ規律されますが、雇用契約は合意と法規以外にも、就業規則や労働協約により規律される点が大きな特徴です。

２　雇用契約の成立

雇用契約は、労働者が使用者に対して労働に従事し、使用者が労働者に対して報酬を与えるという合意によって成立します（民法623条）。有償・双務・諾成契約です。もっとも、使用者は、契約締結時に「賃金、労働時間その他の労働条件を明示」しなければならず（労働基準法15条１項）、賃金、労働時間等について記載した書面の交付義務があります（労働基準法施行規則５条４項）。

３　雇用契約の効力

⑴ 労働者の義務

労働者は使用者に対して労務を提供する義務（労務提供義務）を負います。これは労働契約における労働者の中心的義務です。提供する労務の内容は契約によって定まります。労働者の労務提供にあたっては、使用者に指揮命令権が認められます。指揮命令権とは、労働者が労働するにあたって使用者が労働者に対して指揮・命令する権利です。

労働者が自己に代わって第三者に労働させる場合は、使用者の承諾が必要です（民法625条２項）。また、使用者が労働者から労務の提供を受ける権利または地位を第三者に譲渡するには、労働者の承諾が必要となります（民法625条１項）。

⑵ 使用者の義務

① 報酬支払義務

使用者は労働者からの労務の提供に対して報酬（賃金）を支払う義務を負います（民法623条）。報酬の支払時期は労務の提供後となります（民法624条１項）。ただし、期間をもって定めた報酬はその期間が経過した後に請求することができます（民法624条２項）。

また、使用者の責めに帰することができない事由によって労働に従事することができなくなった場合または雇用が履行の中途で終了した場合には、労働者は、すでにした履行の割合に応じて報酬を請求することができます（民法624条の２）。これは、従前の解釈を明文化する趣旨で、債権法改正で新設した規定です。

使用者に帰責事由がある場合は、危険負担の規定（民法536条２項）の適用により、労働に従事していない部分もを含めて、報酬全額を請求することができます（一問一答331頁）。

② 安全配慮義務

判例上、使用者は労働者に対して、安全配慮義務を負います。安全配慮義務とは、ある法律関係に基づいて特別な社会的接触の関係に入った当事者間において、当該法律関係の付随義務として当事者の一方または双方が相手方に対して信義則上負う義務として一般的に認められるものとされています（最判昭和50年２月25日民集29巻２号143頁）。

4　雇用契約の終了

⑴ 期間満了

雇用契約は、雇用期間を定めたときは、その期間の満了によって終了します。もっとも、雇用期間満了後労働者が引き続きその労働に従事しており、使用者がそれを知りながら異議を述べない場合は、雇用契約は更新したものと推定されます（民法629条１項前段）。この場合、更新後は期間の定めのない雇用となり、その他の労働条件は従前のものと同一です。

⑵ 解約の申入れ

雇用契約の当事者が雇用期間を定めなかったときは、各当事者は、解約の申入れをすることができます（民法627条１項前段）。雇用契約は、解約申入れの日から２週間の経過により終了します（民法627条１項後段）。改正前民法は、期間によって報酬を定めた場合は、次期以後に解約の申入れをできるが（改正前民法627条２項本文）、６か月未満の期間によって報酬を定めた場合の解約申入れの時期は当期の前半にしなければならないと定めていました（改正前民法627条２項但書）。これに対し、改正後の民法は、労働者の退職後の自由を保護する趣旨から、上記の規定を使用者からの申入れに限って適用することとし（民法627条２項）、労働者からの解約については、いつでも解約の申入れができ、その申入れの日から２週間の経過によって雇用が終了するとしています。

改正後の民法下で、使用者が解約の申入れをする場合として、たとえば、使用者がある労働者に対して月給制を採用し、毎月末日締めで翌月５日を給料日と定めたとき、現在が平成26年８月１日だとすると、平成26年８月15日（当期の前半）までに使用者は労働者に対し雇用契約の解約申入れを行うことで、平成26年８月末日をもって雇用契約を終了させることができることになります。

なお、６か月以上の期間によって報酬を定めた場合、使用者は解約申入れを３か月前にしなければなりません（民法627条３項）。たとえば１年間の年俸制の雇用契約を締結した場合、使用者は、退職予定日の３か月前までに退職の申入れをする必要があります。

⑶ 使用者の破産手続開始決定

使用者が破産手続開始決定を受けた場合には、雇用に期間の定めがあるときでも、労働者または使用者の破産管財人は民法627条の規定により雇用契約の解約申入れをすることができます（民法631条前段）。この場合、各当事者は、相手方に対し雇用契約の解約によって生じた損害の賠償を請求することはできません（民法631条後段）。

⑷ 解　除

① 雇用期間が５年を超える場合または当事者もしくは第三者の終身の間とされた場合

雇用期間が５年を超える場合またはその終期が不確定である場合には、５年経過後いつでも、使用者からは３か月前、労働者からは２週間前の予告期間をおいて雇用契約を解除することができます（民法626条１項、２項）。改正前民法は、労働者からの解除の予告期間についても３か月前と定めていましたが、労働者の自由を過度に制約するものであることから、２週間前に改めています（一問一答333頁）。

また、改正前民法は、「雇用が当事者の一方若しくは第三者の終身の間継続すべき場合」について定めていましたが、改正後の民法ではこれに限らず、期間の終期が不確定である場合一般について規律しています。

この他、改正前民法は、商工業の見習いを目的とする雇用の解除に関する特則を設けていましたが（改正前民法626条１項但書）、規定の必要性が失われたとして廃止しています。

② やむをえない事由による場合

当事者が期間を定めて雇用契約を締結した場合には、原則として契約を解除することはできません。しかし、やむをえない事由があるときは、各当事者は、直ちに契約の解除をすることができます（民法628条前段）。「やむを得ない事由」とは、たとえば、天災等により事業の継続が困難になった場合、労働者が正当な理由なく就労しなくなった場合等が挙げられます。

この「やむを得ない事由」が当事者の一方の過失によって生じたものであるときは、その当事者は、相手方に対して損害賠償責任を負います（民法628条後段）。

③ 解除の効力

雇用契約が解除された場合は、その解除は将来に向かってのみその効力を生じます（将来効。民法630条、620条）。これは雇用契約が継続的契約であり、解除の効果を契約時まで遡及させて無効とすることになじまないためです。

④ 当事者の死亡

ア　労働者の死亡

労働者が死亡した場合、雇用契約は終了します。当該労働者が使用者に対して自己の労務を提供する点に雇用契約の本質があるためです。したがって、相続人が雇用契約上の権利義務を相続することはありません。

イ　使用者の死亡

使用者が自然人の場合において、使用者が死亡したとしても原則として雇用契約は終了しません。もっとも、雇用契約の性質から労務の内容が使用者の一身専属的なものであるような場合には、使用者の死亡により雇用契約が終了すると解されています。たとえば、使用者の介護を労務の内容とする雇用契約であった場合、使用者の死亡によって当該労務の提供が不可能になるため、雇用契約は終了します。

第8　請負契約

1　請負契約の意義

(1) 請負契約の意義

民法は「請負は、当事者の一方がある仕事を完成することを約し、相手方がその仕事の結果に対してその報酬を支払うことを約することによって、その効力を生ずる」と定めています（民法632条）。

請負契約は、請負人が完成させた仕事に対して、注文者が報酬を支払う契約です。請負契約において完成されるべき「仕事」は、建物の建築、コンピューターのシステム開発、衣服のクリーニングといった有形のものもあれば、運送、散髪、演奏といった無形のものもあります。

(2) 請負契約の法的性質

請負契約は、諾成・双務・有償契約であり、役務（サービス）提供型契約です。請負契約以外にも労務の提供を目的とする雇用契約、事務処理の委託を目的とする委任契約および保管労務の提供を目的とする預託契約も役務（サービス）提供型契約に該当します。もっとも、これらはいずれも労務提供そのものが目的となるのに対し、請負契約は役務提供の成果としての一定の結果、すなわち「仕事の完成」が目的となる点で異なります。

(3) 請負契約の成立

請負契約は諾成契約であるため、当事者の一方が相手方に仕事を完成させることを約し、相手方が完成した仕事の対価として請負代金を支払うことを約することによって成立します。

なお、請負契約のうち建設工事に関する請負では契約内容に関する紛争が絶えないため、建設業法19条1項は、建設工事請負契約につき、工事内容、請負代金額、工事着手・完成の時期、不可抗力による損害の負担等の事項を書面に記載し、署名または捺印をして相互に交付しなければならないと定めています。しかし、これは将来の紛争を予防する趣旨によるものであり、上記書面の作成・交付が建設工事請負契約の成立要件として要求されるわけではありません。

建設工事については、注文者である消費者保護のための建設業法、下請人保護のための下請代金支払遅延等防止法といった特別法が設けられているほか、建設工事請負契約約款が広く利用されています。運送請負契約については、商法上の規定のほか、鉄道事業法、鉄道営業法、道路運送法、海上運送法等の特別法が設けられています。また、実務では運送約款が広く利用されています。

2　請負契約の効力

(1) 請負人の義務

①　仕事完成義務

請負人は注文者に対して仕事を完成させる義務を負います（民法632条）。請負契約において仕事完成期日を定めた場合には、請負人は当該期日までに仕事を完成させる必要があります。当該期日までに仕事が完成しなかった場合には、請負人は債務不履行責任を負います。

請負人が仕事を中途で放置したため履行期における仕事の完成が不能となった場合には、注文者は履行期前であっても民法542条に基づいて契約の解除ができます（大判大正15年11月25日民集５巻763頁）。

②　完成物引渡義務

仕事が有形物の完成にある場合は、請負人は完成物を注文者に引き渡す義務を負担します。

(2) 注文者の義務

①　報酬支払義務

注文者は請負人に対して報酬を支払う義務を負います。請負人の報酬請求権は、請負契約締結時に発生するものと解されています。したがって、請負人の債権者は、請負契約締結後仕事完成前に、報酬請求権を差し押さえることも可能です。また、転付命令（債権執行の手続において、差押債権者の申立てに基づいて差し押さえられた債権を支払いに代えて差押債権者に移転する裁判）を受けることも可能です（大判昭和５年10月28日民集９巻1055頁）。

報酬の支払時期は、完成物の引渡しと同時となっており（民法633条）、報酬の支払いと完成物の引渡しが同時履行の関係にあります。すなわち、仕事の完成は先履行義務として位置づけられています。もっとも、民法633条は任意規定であり、請負人注文者間に特別の定め（特約）がある場合にはこれによることとなります。建設請負においては、着工前から竣工までの間に数回に分割して支払われることが一般的です。

改正後の民法は、①注文者の責めに帰することができない事由によって仕事を完成することができなくなった場合（仕事の完成が不能となった場合）（民法634条１

号)、または、②請負が仕事の完成前に解除された場合（同条2号）には、すでにした仕事の結果のうち可分な部分の給付によって注文者が利益を受けるときは、その部分を仕事の完成とみなし、請負人は、その利益の割合に応じて報酬を請求することができると定めています（民法634条）。上記②には、請負人の債務不履行により注文者が解除した場合も含まれます。

これは民法改正で新設した規定であり、判例法理（大判昭和7年4月30日民集11巻780頁、最判昭和56年2月17日金法967号36頁）を明文化したものです。

上記①とは異なり、注文者の責めに帰すべき事由によって仕事を完成できなくなった場合は、請負人は注文者に報酬全額の請求をすることができます。もっとも、この場合に請負人は仕事完成義務を免れたことによって利益を得たときは、注文者にこれを償還しなければなりません（民法536条2項）。

② 協力義務

請負契約は役務（サービス）提供型契約であるため、弁済の完了のためには、注文者の協力を要することが多いです。たとえば、材料や指図の提供、建築確認、注文者の土地への立入許可等といった注文者の協力が必要となる場合があります。

判例には、注文者の協力を得られない場合に、注文者の受領遅滞（民法413条）と捉えつつ、履行が不能となった場合については、危険負担の債権者主義を規定した民法536条2項の要件（債権者の責めに帰すべき事由）を満たすことを前提に請負代金の請求を認めたものがあります（最判昭和52年2月22日民集31巻1号79頁）。

また、注文者の協力行為の不提供の場合に、注文者の協力義務を肯定したうえで、その債務不履行として契約解除を肯定した裁判例もあります（名古屋地判昭和53年12月26日判タ388号112頁）。

3　請負契約における目的物の所有権の帰属

(1) 建物の所有権の帰属

たとえば、建物が完成した後、請負代金を支払う前に請負人または注文者が倒産した場合や行方不明になった場合となった場合に、請負人が完成させた建物の所有権は請負人に帰属するのか、それとも注文者に帰属するのかが問題となります。

(2) 判例の判断基準

判例は、仕事の完成物についての材料を提供した者が誰かを基準として建物の所有権の帰属を判断しています。

① 原 則

注文者が材料の全部または主要部分を提供した場合には、目的物の所有権は竣工と同時に当然に注文者に帰属すると解しています（大判昭和7年5月9日民集11巻824頁）。

請負人が材料の全部または主要部分を提供した場合には、目的物の所有権は請負人に帰属し、引渡しによって初めて注文者に移転するものとしています（大判大正３年12月26日民録20輯1208頁）。

② 例 外

判例は、請負人が材料の全部または主要部分を提供していたとしても、例外的に以下のような取扱いをしています。

引渡し前に目的物の所有権を注文者に帰属させる旨の当事者の特約があった場合には、目的物の所有権は注文者に帰属すると解しています（大判大正５年12月13日民録22輯2417頁）。

注文者が完成前に請負代金を全額支払った場合には、建物は完成と同時に注文者に帰属する旨の特約があるものと推認されると解しています（大判昭和18年７月20日民集22巻660頁）。

代金未払いであっても、手形の交付に際し建物についての建築確認通知書を交付する等の事情から、建物の完成と同時に注文者に所有権を帰属させる旨の合意がされたものと認められると解しています（最判昭和46年３月５日判時628号48頁）。

全工事代金の半額以上を棟上げのときまでに支払い、また、工事の進行に応じて残代金の支払いをしてきた場合につき、暗黙の合意を持ち出すことなく、特段の事情がない限り、建物の完成と同時に所有権は注文者に原始的に帰属すると解しています（最判昭和44年９月12日判時572号25頁）。

⑶ 注文者帰属説

材料の全部または主要部分を請負人が提供していたとしても、完成した目的物の所有権は原始的に注文者に帰属するものと考える立場が、現在の多数説です（注文者帰属説）。請負人が自己に所有権を帰属させるのは工事代金回収のためであり所有の意思はないという点、本来建物の建築請負人は注文者にその所有権を取得させる目的と意思を有している点、請負人帰属説は、建築許可を注文者名義でとり、注文者名義で所有権保存登記をするのが通例である実務に適合していないという点、完成と同時に建物が請負人に帰属すると一時的にせよ請負人がその敷地を不法に占拠することとなる点が論拠として挙げられます。

⑷ 下請契約と出来形部分の所有権の帰属

① 下請の意義

請負人が、注文者から請け負った仕事の完成義務の全部または一部を他の者に請け負わせることを下請といいます。建設工事では、下請が広く利用されています。

② 下請を利用することのメリット

下請を利用することにより、元請側はすべての工程にわたる施工能力を維持する必要がなくなり、下請側としても受注量が安定することや独自の営業活動を行わなくてもすむこと等のメリットがあります。

③ 一括下請の禁止

講演や演奏等請負人本人が仕事をしなければ意味がなくなる場合には下請は許されません。また、請負人が請け負った仕事を一括して下請負人に請け負わせる一括下請は許されません。建設業法や約款上も事前の注文者の承諾を得ない限り、一括下請を禁止しています（建設業法22条１項）。建設工事請負契約は、注文者が当該請負人の技量、実績、資力等を評価して締結するものであり、一括下請は注文者の信頼に反するためです。

④ 下請負人の故意過失

下請負人は、元請負人の履行補助者となると解されています。履行補助者とは、債務者が債務の履行のために使用する者をいいます。債務者は履行補助者を利用して活動領域を広げ、利益を得ているのであって、履行補助者の故意または過失による責任についても債務者が負担することとなります。したがって、下請負人の故意または過失による責任について、元請負人が負担することとなります。

⑤ 下請契約と出来形部分の所有権の帰属

建設工事の元請契約には、契約が中途で解除された際の出来形部分の所有権は注文者に帰属する旨の約定があり、一括下請契約にはそのような約定がなかった場合に、元請契約が中途で解除されたときの出来形部分の所有権は注文者に帰属するか、出来形部分の材料を提供して築造した下請負人に帰属するのかが問題となります。

判例は、元請負人から一括して工事を請け負った下請負人は、注文者との関係では元請負人の履行補助者的立場に立つにすぎず、元請負人と異なる権利関係を主張しうる立場にないので、自ら材料を提供して出来形部分を築造したとしても、注文者と下請負人との間に格別の合意がある等特段の事情のない限り、契約が中途で解除された際の出来形部分の所有権は注文者に帰属すると判示しています（最判平成５年10月19日民集47巻８号5061頁・百選Ⅱ［第８版］69事件）。

4　請負契約における目的物の滅失・損傷

⑴ 仕事の完成前に目的物の滅失・損傷が生じた場合

① 仕事完成義務の再履行がなお可能であるとき

目的物が滅失・損傷したものの、なお仕事の完成が可能である場合には、請負人の仕事完成義務は消滅しないものと解されます。ただし、再履行のための増加費用をいずれが負担するかという問題が生じます。

ア　滅失・損傷が注文者の責めに帰すべき事由によるとき

請負人は仕事完成義務を免れないものの、増加費用について注文者に対する損害賠償が認められるべきであると解されています。

イ　滅失・損傷が請負人・注文者いずれの当事者の責めにも帰すことができないとき

再履行が可能である以上、履行不能の場面ではないが、危険負担類似の問題と捉えて、民法536条1項（債務者主義）の趣旨により、請負人が増加費用を負担すると解されています。

② 仕事完成義務の履行不能が生じたとき

ア　滅失・損傷が注文者の責めに帰すべき事由によるとき

民法536条2項（債権者主義）により、請負人は報酬請求権を失いません。ただし、残工事を免れたことによる費用分を控除する必要があります（前掲最判昭和52年2月22日）。

イ　滅失・損傷が請負人・注文者いずれの当事者の責めにも帰すことができないとき

請負人の仕事完成義務は消滅し、民法536条1項（債務者主義）により、請負人は報酬請求権を失います（大判大正3年12月26日民録20輯1206頁等）。

⑵ 仕事の完成後、引渡し前に目的物の滅失・損傷が生じた場合

履行不能となり、請負人は仕事をやり直す義務を負わないと解されるので、危険負担が問題となります。

① 滅失・損傷が注文者の責めに帰すべき事由によるとき

民法536条2項（債権者主義）により、請負人は報酬請求権を失わないと解されています。

② 滅失・損傷が請負人・注文者いずれの当事者の責めにも帰すことができないとき

民法536条1項（債務者主義）により、請負人は報酬請求権を失うと解されています。

5　請負人の瑕疵担保責任

⑴ 改正前の規律

改正前民法は、請負の瑕疵担保責任について、次のような特色を有する特有の規定を設けていました（改正前民法634条ないし640条）。

① 売買契約における瑕疵担保責任と異なり、瑕疵は「隠れた瑕疵」に限らない。

② 瑕疵修補請求権を明文で認める（改正前民法634条）。

③ 請負契約の目的物が建物その他土地の工作物である場合は、注文者は解除権を有しない（改正前民法635条但書）。

④ 仕事の目的物の瑕疵が注文者が提供した材料の性質または注文者が与えた指図によって生じたときは、請負人は原則として瑕疵担保責任を負わない（改正前民法636条本文）。

⑤ 担保責任の存続期間について、長期化する規律を設けている（改正前民法637条以下）。

⑵ 民法改正後の規律

改正後の民法は、瑕疵担保責任に関する一般的規律を見直したため（民法560条以下）、上記の各規定を削除し、請負契約の担保責任についても売買の規定を準用しています（民法559条）。改正後の民法における請負契約に特有の規定は、以下の２つです。

① 請負人が種類または品質に関して契約の内容に適合しない仕事の目的物を注文者に引き渡したとき（その引渡しを要しない場合は、仕事が終了した時に仕事の目的物が種類または品質に関して契約の内容に適合しないとき）は、注文者は、注文者の供した材料の性質または注文者の与えた指図によって生じた不適合を理由として、履行の追完の請求、報酬の減額の請求、損害賠償の請求および契約の解除をすることができません（民法636条本文）。ただし、請負人がその材料または指図が不適当であることを知りながら告げなかったときは、例外的に履行の追完等を請求できます（民法636条但書）。

② 上記①の場合、注文者がその不適合を知った時から１年以内にその旨を請負人に通知しないときは、注文者は、その不適合を理由として、履行の追完の請求、報酬の減額の請求、損害賠償の請求および契約の解除をすることができません（民法637条１項）。

この規定は、仕事の目的物を注文者に引き渡した時（その引渡しを要しない場合は、仕事が終了した時）において、請負人が同項の不適合を知り、または重大な過失によって知らなかったときは、適用しません（民法637条２項）。

6　請負契約の終了

契約一般にあてはまる契約終了事由のほかに、請負契約に特有な解除事由が規定されています。

⑴ 仕事完成前における注文者からの解除

請負人が仕事を完成する前は、注文者はいつでも損害を賠償して契約を解除することができます（民法641条）。本来請負契約は注文者の利益のためのものであり、注文者の事情の変更により注文者が仕事の完成を必要としなくなった場合には、契約を解消することが望ましいといえます。もっとも、請負人に損害が生じることが予想されるため、民法はその損害については注文者が賠償することとしています。

⑵ 注文者の破産

注文者が破産手続開始決定を受けたときは、請負人または破産管財人は契約を解除することができます（民法642条１項本文）。注文者が破産した以上、報酬を受けることができるか不安な状況の下、請負人が契約に拘束されることは望ましくないため、請負人側にも解除権を認めたものです。ただし、請負人は、仕事を完成した後は契約を解除することができません（民法642条１項但書）。仕事を完成した後の場合は、請負人が新たに役務の提供をすることはなく、請負人に損害の拡大を避けるために契約の解除を認める必要がないからです。この但書は、民法改正で新設した規定です。

第９　委任契約

１　委任契約の意義

民法は「委任は、当事者の一方が法律行為をすることを相手方に委託し、相手方がこれを承諾することによって、その効力を生ずる」と定めています（民法643条）。

また、「法律行為でない事務」を委託する場合には、「準委任」として、委任契約の規定を準用することとしています（民法656条）。

委任と準委任の区別は、委託する事務が法律行為か否かという点にあるにすぎず、委任の本質は、他人の事務の処理を委託することにあり、役務（サービス）提供型契約の典型であるとされます。

２　委任の法的性質

委任契約は、諾成・片務・無償契約です。委任契約は無償契約であり、受任者に報酬が支払われないのが原則となります。しかし、特約により報酬を約束することができ（民法648条１項）、現実には報酬の特約があることが多いです。報酬の特約がある場合には、諾成・双務・有償契約となります。

委任契約は諾成契約であり、委任者と受任者との間の合意によって成立します。通常は、委任者から受任者に「委任状」が交付され、実際の取引慣行において、受任者の権限を確認する書面として重要な意義を有しますが、「委任状」の交付は委任契約の成立要件ではありません。

３　委任の効力

⑴　受任者の義務

①　委任の本旨

受任者は、「委任の本旨」に従い委任事務処理を行う義務を負います（民法644条）。「委任の本旨」に従うということは、具体的な委任契約の目的、事務の性質に応じて、最も適切な事務処理を行うということを意味します。受任者は、原則として委任者の指示に従う必要がありますが、その指示が不適切と判断した場合には、その旨を委任者に通知し指示の変更等の検討の機会を与えるべきであると解されます。

②　善管注意義務

受任者は、善良なる管理者の注意をもって委任事務処理を行う義務を負います（民法644条）。善良なる管理者の注意義務（善管注意義務）とは、引き受けた具体的な委任の本旨に従い、受任者としての地位に即して要求される注意を果たす義務を意味し、日常生活の通常のレベルの注意よりも高いレベルの注意が要求されます。

一定の専門的職業人（弁護士や医者等）が、依頼者のために特殊な技能を用いて専門的な役務を提供することを受任した場合には、その契約上、専門的業務の遂行に即した注意義務を尽くすことが要求されます。たとえば、判例は、司法書士の職務の内容や職責等の公益性と不動産登記制度の目的及び機能に照らすと、登記申請の委任を受けた司法書士は、委任者以外の第三者が当該登記に係る権利の得喪又は移転について重要かつ客観的な利害を有し、このことが当該司法書士に認識可能な場合において、当該第三者が当該司法書士から一定の注意喚起等を受けられるという正当な期待を有しているときは、当該第三者に対しても注意喚起を始めとする適切な措置をとるべき義務を負い、その義務違反に基づく不法行為責任を問われることがあるとしています（最判令和２年３月６日民集74巻３号149頁）。もっとも、これは専門的職業に就いている者が通常尽くすべき注意義務をいうため、注意義務が特別に加重されているというわけではありません。

③ 自ら事務処理を行う義務

ア　自己執行義務

委任者は受任者自身の能力や経験、人格等を踏まえて委任するため、受任者は原則として自ら事務処理を行う義務（自己執行義務）を負います。

イ　復委任

復委任とは、委任された事務を自ら処理せずに他者に処理させることをいいます。委任契約は当事者間の信頼関係を基礎におくため、受任者は自ら事務処理を行うのが原則です。ただし、受任者は、委任者の許諾を得た場合、またはやむをえない事由がある場合は、例外的に復受任者を選任することができます（民法644条の２第１項）。改正前民法は復委任について明文の規定を設けていませんでしたが、民法改正で明文化されました。

委任者から代理権を付与された受任者が、代理権を有する復受任者を選任したときは、復受任者は、委任者に対して、その権限の範囲内において、受任者と同一の権利を有し、義務を負います（民法644条の２第２項）。この規定により直接的な契約関係のない本人と復受任者との間には、本人と代理人との間と同様の権利義務が生じることとなります。受任者が代理権を有さない場合、または受任者が復受任者に対して代理権を付与しない場合には、本人と復受任者との間には契約関係がないため何らの権利義務も発生しません。復受任者の権利義務の範囲は、必ずしも受任者の権利義務と一致しない場合があるので、そのような場合があることを明確化するため「その権限の範囲内において」との文言が用いられています。

ウ　履行補助者

復委任が認められない場合でも、履行補助者を使用することは許されます。

エ　報告義務

受任者は、委任者の請求があった場合は、いつでも委任事務処理の状況を報告し、また、委任終了後は、遅滞なくその経過および結果を報告しなければなりません（民法645条）。

オ　受取物等引渡義務・権利移転義務

受任者は、委任事務を処理するにあたって受け取った金銭その他の物および収取した果実を、委任者に引き渡す必要があります（民法646条1項）。受任者が受け取った物には、第三者から受け取った物のみならず、委任者から受け取った物も含まれます。

また、受任者が、自己の名で取得した権利は、原則として受任者に帰属するため、これを委任者に移転しなければなりません（民法646条2項）。たとえば、委任者からの委託で、受任者がいったん自己の名で物を購入した場合です。

もっとも、あらかじめ委任者に権利を帰属させる特約があった場合（大判大正4年10月16日民録21輯1705頁）や委任者が買受代金として金銭を受任者に交付した場合は、買受時に受任者から委任者に所有権移転の合意があったものと解されるため、受任者が権利移転義務を負うことはありません。また、委任とともに受任者に代理権が授与された場合には、委任者に直接効果を帰属させることができるため、同じく受任者は委任者に対する権利移転義務を負いません。

⑵ 委任者の義務

① 報酬支払義務

委任契約は無償契約が原則ですが（民法648条1項）、現実には報酬の特約を定めた有償契約であることが多いです。この場合には、委任者は報酬支払義務を負います。

ア　支払時期

報酬の支払いは後払いが原則です（民法648条2項本文）が、期間をもって報酬を定めたときは、その期間の経過後に支払うこととなります（民法648条2項但書、624条2項）。当事者間の合意により前払いを定めることは可能です。

委任契約の報酬につき、委任事務の履行により得られる成果に対して報酬を支払う旨の合意をする場合があります（成果達成型の委任契約。民法648条の2）。たとえば、不動産の購入を不動産業者に依頼し、不動産を購入できた場合には、不動産価格の3パーセントを報酬として不動産業者に支払うといった契約等がこれにあたります。成果達成型の委任契約は、成果に対して報酬を支払うという点で請負と類似します。もっとも、成果の達成に向けて事務処理をすることが債務の内容になっている点で、仕事の完成が契約の内容となっている請負とは厳密には異なります。

成果達成型の委任契約が締結された場合の報酬の支払いは、請負契約の規律に準じて、その成果が引渡しを要するときは、報酬の支払いと成果の引渡しとが同時履行になります（民法648条の2第1項）。また、成果を達成する前に委任者の責めに帰することができない事由によって委任事務の履行ができなくなった場合や成果を達成する前に委任契約が解除された場合において、すでに履行した委任事務の結果が可分でその部分によって委任者が利益を受けるときは、受任者は、その利益の割合に応じて報酬を請求することができます（民法648条の2第2項、634条）。成果が引渡しを要しない場合は、委任事務を履行した後（成果を達成した後）でなければ受任者は委任者に対して報酬請求をすることはできません（民法648条2項本文）。委任の報酬に関する民法の定めは任意規定ですので、当事者間で民法と異なる合意をすることは可能です。

イ　報酬額

報酬額をあらかじめ委任契約において特定した場合には、その額が報酬となります。契約締結時に事務処理に要する費用をあらかじめ確定できない場合には、報酬額の算出基準を定めておくことが多いです。

委任者の責めに帰することができない事由により委任事務の履行をすることができなくなった場合、または履行の中途で委任契約が終了した場合には、受任者はすでにした履行の割合に応じて報酬を請求することができます（民法648条3項）。この趣旨は、委任の報酬は提供した事務処理に対する報酬であり、受任者に帰責事由がある場合や委任事務が中途で終了した場合にもそれまでに行われた事務処理に対する報酬を請求することができるようにすべきであるという点にあります。「委任者の責めに帰することができない事由」（民法648条3項1号）とは、委任者または受任者の責めに帰することができない事由および受任者の責めに帰すべき事由をいうと解されます。受任者の責めに帰すべき事由がある場合には、別途受任者は債務不履行責任を負います。

また、「委任事務の履行をすることができなくなったとき」（民法648条3項1号）とは、委任事務の履行が不能となった場合をいいます。

なお、委任者の責めに帰すべき事由により委任事務が履行不能となったときは、危険負担（民法536条2項）により、委任事務が履行不能となった場合も含めて、受任者は委任契約の報酬全額を委任者に請求することができます。

「委任が履行の中途で終了した」（民法648条3項2号）とは、委任契約が解除された場合（民法651条1項）や、履行が完了する前に委任者または受任者が死亡するなど委任契約の終了原因が生じた場合（民法653条）がこれにあたります。

② その他の義務

ア　費用前払義務

委任事務を処理するについて費用が必要なときは、委任者は受任者の請求により、その前払いをする必要があります（民法649条）。「費用」とは旅費や通信費といったいわゆる実費や商品購入代金等が該当します。

イ　立替費用・利息償還義務

上記費用を受任者が立て替えたときは、受任者はその費用および支出の日以後の利息の償還を請求できます（民法650条1項）。有償委任の場合には、報酬に合算して請求することもあります。

ウ　債務弁済義務

受任者が委任事務を処理するのに必要と認められる債務を負担した場合には、委任者に対し自己に代わってその弁済をすることを請求することができます（民法650条2項前段）。また、その債務が弁済期に達していないときは、委任者に相当の担保を提供させることができます（同条2項後段）。

エ　損害賠償義務

受任者が委任事務を処理するにあたり自己に過失なくして損害を受けたときは、委任者に対し、その賠償を請求することができます（民法650条3項）。

4　委任の終了

契約一般にあてはまる契約終了事由のほかに、委任契約に特有な解除事由が規定されています。

(1) 当事者の任意解除

各当事者は、いつでも委任契約を解除することができます（民法651条1項）。この趣旨は、委任契約が人的信頼関係を基礎にする契約であり、この信頼関係が崩れた場合には、特別な理由なくいつでも契約を解消することができるのが妥当であるという点にあります。

委任契約の当事者は、相手方に不利な時期に委任を解除したとき、または委任者が受任者の利益（専ら報酬を得ることによるものを除きます）をも目的とする委任を解除したときは、相手方の損害を賠償しなければならないのが原則です（民法651条2項本文）。ただし、やむをえない事由があったときは、損害賠償責任を負いません（民法651条2項但書）。「相手方に不利な時期」（民法651条2項1号）とは、たとえば、受任者の解除により委任者が急遽他の者を探して事務処理を委託したり自ら事務処理をすることが困難である場合や、受任者が委任の継続を前提としていたために委任者の解除により他から報酬を得ることができない場合がこれに該当します。

また、「受任者の利益をも目的とする委任」（民法651条2項2号）とは、委任事務を遂行することによって委任者だけでなく受任者も何らかの利益を受けることが契約の目的とされていることをいいます。たとえば、金銭債権の取立ての委任の場合に、取り立てた金銭により委任者の受任者に対する債務の弁済にあてることが約束されている場合です。単に報酬の特約があるだけでは、「受任者の利益をも目的とする委任」にはあたりません。

前述のとおり、委任契約の解除につき「やむを得ない事由があったとき」は、解除を行った委任契約の当事者は、例外的に損害賠償責任を負いません（民法651条2項但書）。

民法改正前の判例では、委任契約が委任者だけでなく受任者の利益をも目的とする場合において、委任者からの解除の可否について、「委任契約が当事者間の信頼関係を基礎とする契約であることに徴すれば、受任者が著しく不誠実な行動に出る等やむをえない事由があるときは、委任者において委任契約を解除することができるものと解すべきことはもちろんであるが…、さらに、かかるやむをえない事由がない場合であっても、委任者が委任契約の解除権自体を放棄したものとは解されない事情があるときは、該委任契約が受任者の利益のためにもなされていることを理由として、委任者の意思に反して事務処理を継続させることは、委任者の利益を阻害し委任契約の本旨に反することとなるから、委任者は、民法651条に則り委任契約を解除することができ、ただ、受任者がこれによって不利益を受ける時は、委任者から損害の賠償を受けることによって、その不利益を填補されれば足りるものと解するのが相当である」と判示したものがありました（最判昭和56年1月19日民集35巻1号1頁・百選Ⅱ［第8版］71事件）。

民法はこのような判例を踏まえて、前述のような規律を設けています。もっとも、「委任者が委任契約の解除権自体を放棄したものとは解されない事情がある場合」に例外的に委任契約の解除が制限されるという点については条文化されていないため、このような場合に解除が制限されるのかは解釈に委ねられると解されます。もっとも、上記判例では委任契約の解除の可否の基準とされていた「やむを得ない事由」が、民法では受任者への損害賠償の要否に関する基準として規定されていることからすると（民法651条2項但書）、委任者からの解除は原則として認められ、解除に基づき発生しうる受任者の不利益は損害賠償の問題として扱われるという基本的な解釈の方向性になるのではないかと考えられます。

なお、解除の効力は、将来に向かってのみ生じます（民法652条、620条）。また、民法651条の解除権を放棄する特約は、原則として有効です。

(2) その他の終了原因

① 当事者の死亡

委任契約は委任者と受任者との間の人的信頼関係を基礎とするものであり、委任者または受任者が死亡した場合に委任関係を相続により承継させることは妥当でないとの理由から、委任者または受任者が死亡した場合には、委任契約は終了します（民法653条1号）。

もっとも、委任者が受任者に対して、入院中の諸費用の病院への支払いや自己の死後の葬式を含む法要の施行とその費用の支払い、入院中に世話になった家政婦や友人に対する応分の謝礼金の支払いを依頼する委任契約は、委任者の死亡を前提とした契約であり、当然委任者の死亡によっても委任契約を終了させない旨の合意を包含する趣旨であって、民法653条によって終了しないものと解されます（最判平成４年９月22日金法1358号55頁）。

② 当事者の破産手続開始決定

委任者または受任者が破産手続開始の決定を受けた場合には、委任者と受任者の相互の信頼関係が失われることから委任契約は終了します（民法653条２号）。

③ 受任者の後見開始

受任者が後見開始の審判を受けた場合には、上記②と同様に受任者への信頼関係が失われることから、委任契約は終了します（民法653条３号）。

⑶ 委任終了の際の措置

① 受任者の善処義務

委任契約が終了したとしても、急迫の事情があるときは、受任者は委任者が委任事務を処理することができるようになるまで、「必要な処分」をする必要があります（民法654条）。

② 委任終了の通知

委任の「終了事由」は、相手方に通知したとき、または相手方がこれを知っていたときでなければ、委任の終了を相手方に対抗できません（民法655条）。

第10　寄託契約

1　寄託契約の意義

寄託契約とは、寄託者がある物を保管することを受寄者に委託し、受寄者がこれを承諾することによって成立する契約をいいます（民法657条）。物の保管を依頼する者を寄託者、物の保管の依頼を受ける者を受寄者といいます。たとえば、寄託契約は書類の保管サービスを提供する倉庫会社が個人から書類の保管の委託を受け、これを承諾することによって成立します。

寄託契約は、原則として無償・片務・諾成契約です。また、当事者が物の保管について報酬を支払うことを合意した場合の寄託契約は、有償・双務・諾成契約となります。

改正前民法では、寄託は、受寄者が物を受け取ることによって成立する要物契約とされていました（改正前民法657条）。しかし、受寄者が物を受け取らない場合でも、寄託者と受寄者が合意することによって寄託契約を成立させる諾成的寄託契約も学説では認められており、実務上も広く利用されていました。そこで、このような実務の実情に合わせて、法改正により寄託の法的性質を無償の寄託契約については無償・片務・諾成、有償の寄託契約については有償・双務・諾成と変更しています（民法657条）。

2　寄託の効力

受寄者は、寄託者の承諾がない場合、寄託物を自ら使用することはできません（民法658条1項）。

また、受寄者は、寄託者の承諾を得たとき、またはやむをえない事由があるときでなければ、寄託物を第三者に保管させることができません（民法658条2項）。すなわち、寄託契約は、寄託者と受寄者との信頼関係に基づく契約であり、受寄者自身が寄託物を保管することが原則です。もっとも、寄託者の承諾を得た場合や、再寄託の必要性があるにもかかわらず寄託者の承諾を得ることが困難であるといったやむをえない事情がある場合には、例外的に再寄託が認められます。

この点、改正前民法658条1項では、再寄託ができる場合を寄託者の承諾を得たときに限っていました。しかし、前述のようなやむをえない事情がある場合にも再寄託を認められるべきであるという実務上の要請があり、また寄託と同様に当事者の信頼関係に基づく委任についてもやむをえない事由があるときに復委任が認められることとされたこととの整合性を図る必要があるため（民法644条の2第1項参照）、民法改正により寄託者の承諾を得たときのみならずやむをえない事由があるときにも再寄託ができる旨を規定しました。

再寄託をした受寄者は、再受寄者の行為によって生じた結果について債務不履行の一般原則に従って責任を負います（一問一答360頁参照）。

この点、改正前民法658条2項は、再寄託が認められる場合の受寄者の責任につき、選任監督責任に限定する旨等を定めた改正前民法105条を準用していました。しかし、再寄託の場合に受寄者の責任が限定されることについての合理性に疑問が呈されていました。そこで、民法改正によって改正前民法105条自体が削除されたとの経緯にも照らし、改正民法では再寄託の場合に受寄者の責任について限定しないこととされました（一問一答360頁参照）。

再寄託の場合の再受寄者は、寄託者に対して、その権限の範囲内において、受寄者と同一の権利を有し、義務を負います（民法658条3項）。

この点、改正前民法658条2項では、復代理人の権限等に関する改正前民法107条2項を準用し、再受寄者は寄託者に対し直接受寄者と同一の権利義務を負うとされていました。民法改正においても、基本的にこの規律は引き継がれています。もっとも、再受寄者の権利義務についてその範囲が必ずしも受寄者と同一ではない場合があることを明確化するため「権限の範囲内において」という文言が挿入されています。

また、寄託物について権利を主張する第三者が受寄者に対して訴えを提起し、または差押え、仮差押えもしくは仮処分をしたときは、受寄者は、遅滞なくその事実を寄託者に通知する義務を負っています（民法660条1項本文）。寄託者が権利保全に対する措置を早期に講じることができるようにする趣旨によるものです。もっとも、寄託者が既に訴え提起等の事情を知っているときは、このような趣旨を害しないので、寄託者は通知義務を負いません（民法660条1項但書）。この点は、改正前民法では寄託者が通知義務を負わない場合につき明文の規定がなく解釈上認められていたもの民法改正により明文化しています。

第三者が寄託物について権利を主張する場合であっても、受寄者は、寄託者の指図がない限り、寄託者に対しその寄託物を返還する義務を負っています（民法660条2項本文）。ただし、受寄者が、訴え提起等の事実を寄託者に通知した場合または寄託者がすでに訴え提起等の事実を知っていて通知を要しない場合において、その寄託物をその第三者に引き渡すべき旨を命ずる確定判決（確定判決と同一の効力を有するものを含む）があったときであって、その第三者に寄託物を引き渡した場合には、寄託者に受寄物を返還する義務を負いません（民法660条2項但書）。また、受寄者は、民法660条2項の規定により寄託者に対して寄託物を返還しなければならない場合には、寄託者にその寄託物を引き渡したことによって第三者に損害が生じたときであっても、その賠償の責任を負いません（民法660条3項）。

これらの第三者が寄託物について権利を主張する場合についての寄託物の返還や損害賠償に関する規律は、改正前民法においては明文の規定がなく、民法改正により新たに設けられました。

(1) 受寄者の義務

受寄者は、寄託者から寄託を受けた物を保管する義務を負います（民法657条）。無償の寄託契約の場合、受寄者は、寄託を受けた物を自己の財産に対するのと同一の注意をもって寄託物を保管する義務を負います（民法659条）。これに対して、有償の寄託契約の場合、受寄者は寄託者に対して善管注意義務を負います（民法400条）。なぜなら、無償の寄託契約の場合と異なり、有償の寄託契約の場合、寄託者を保護する必要性が高くなるからです。

(2) 寄託者の義務

有償の寄託契約の場合、寄託者は受寄者に対して保管料を支払う義務を負います。寄託者の受寄者に対する保管料の支払いと受寄者の寄託者に対する物の返還とは同時履行の関係に立つと解されます。

寄託物の性質または瑕疵から損害が生じた場合、寄託者は受寄者に対して損害賠償義務を負います（民法661条本文）。ただし、寄託者が寄託物の性質または瑕疵を知らなかったことに過失がない場合や受寄者が寄託物の性質や瑕疵を知っていた場合には、寄託者は受寄者に対して損害賠償責任を負いません（同条但書）。なぜなら、この場合、寄託者を犠牲にしてまで受寄者を保護する必要性が乏しいといえるためです。

民法は、寄託契約に関して委任の規定を準用しています。そこで、寄託者は受寄者に対して、寄託物に関する費用前払義務、受寄者が寄託者に代わって費用を立て替えた場合の費用償還義務等を負います（民法665条）。

3　寄託契約の終了

寄託契約は、当事者で定めた期間が満了することによって終了します。

寄託者は、受寄者との間で寄託物の返還時期について合意している場合でも、受寄者に対していつでも寄託物の返還を請求することができます（民法662条1項）。なぜなら、寄託者が返還を求めているにもかかわらず、受寄者に保管を継続させる意味はないといえるからです。

なお、有償寄託契約を締結している場合、寄託者が寄託契約の期間途中で寄託物の返還を請求した場合、受寄者は寄託者に対して解除時までの保管料を請求できます（民法665条、648条3項）。中途解約によって生じた損害を賠償請求することができるかについては争いがあります。

寄託契約に保管期間の定めがある場合、受寄者はその期間寄託物を保管する義務を負います。もっとも、寄託物を返還することにつきやむをえない事由が認められる場合、保管期間が満了する前であっても受寄者は寄託者に対して寄託物を返還することができます（民法663条2項）。これに対して、寄託契約に保管期間の定めがない場合、受寄者は寄託者に対していつでも寄託物を返還することができます（民法663条1項）。

第11　組合契約

1　組合契約の意義

(1) 組合契約とは

組合契約とは、各当事者が出資して共同の事業を営むことを合意する契約をいいます（民法667条1項）。組合契約は、組合員が互いに出資して組合を結成することを目的とし、有償・諾成契約です。

組合契約が双務契約に該当するか否かという点について、学説上、双務契約説と合同契約説が存在します。

双務契約説は、組合契約により各組合員が負担する出資義務は相互に対価的関係に立つとし、組合契約を双務契約であると解します。

これに対して、合同契約説は、組合契約は共同事業体の結成というひとつの合同行為を目的とした合同契約であると解します。

組合契約は一定の共同の事業目的のために成立する契約であるため、双務契約に関する同時履行の抗弁（民法533条）や契約の解除（民法541条、543条）等の規定をそのまま適用することは妥当ではありません。

そこで、組合契約は組合員相互が出資義務を負担し合う単純な双務契約ではなく、一定の共同の事業目的のために成立する合同契約であると解するのが妥当であると考えます。

改正民法は、前述の趣旨から、同時履行の抗弁および危険負担に関する規定（民法533条、536条）は、組合契約には適用しない旨を定めました（民法667条の２第１項）。また、組合員は、他の組合員が組合契約に基づく債務不履行を理由として、組合契約を解除することができないと定めました（民法667条の２第２項）。

⑵ 組合契約のメリット・利用場面

各当事者は組合契約に基づきそれぞれ出資することにより共同事業を営むための資金を調達することが可能となります。法人を設立する場合と比べて、組合契約による場合は、特定の共同事業を遂行して事業が終了した後に組合を解散させることが比較的容易であるといえます。したがって、組合契約は各組合員が共同して一時的な事業を行う場合に頻繁に利用されることの多い契約類型といえます。たとえば、近時では、建設請負工事において建設会社が建物の建設という事業目的のためにジョイントベンチャー（共同企業体）等を形成する際に組合契約が利用されています。

⑶ 社団法人との異同

組合契約の成立により、共同事業を営むための団体が形成されます。このような団体を組合と呼びます。民法上の組合は、人と人の結合体である団体としての組織性を備える点で社団法人と類似します。

もっとも、組合は、各当事者が契約によってそれぞれが結合しているにすぎず、団体としての法人格が認められない点で社団法人や会社とは異なります。すなわち、組合契約における組合には法人格が認められず、対外的には、組合財産を共有（合有）する個々の組合員が本来的な権利義務の帰属主体となる点で法人格の

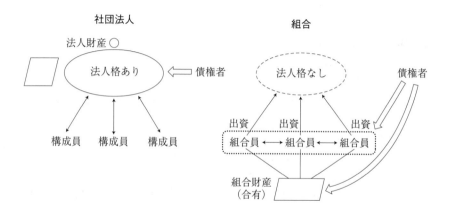

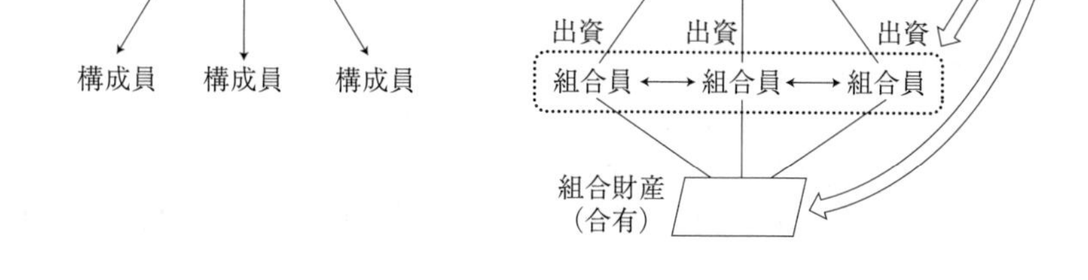

ある社団法人とは異なるといえます。

2　組合契約

⑴ 組合契約の成立

組合契約は、組合員が一定の共同事業を行うことを目的として出資することを合意することによって成立します（民法667条１項）。金銭の出資のみならず労務の提供や信用の供与等も組合契約における出資に該当します（民法667条２項）。

⑵ 組合契約の解除

組合契約は債務不履行を理由として解除することはできません（民法667条の２第２項）。これは民法改正で新設した規定です。

改正前民法下においては、組合契約について債務不履行を理由として解除をすることができない旨の規定はなかったものの、判例は、組合契約の終了に関する特別規定として、脱退や除名、解散についての規定が設けられていることを理由に、契約の解除に関する規定は組合契約には適用されないと判示していました（大判昭和14年６月20日民集18巻685頁）。

⑶ 意思表示の無効または取消し原因があった場合

組合が第三者と取引を開始したか否かを問わず、組合員の一人について意思表示の無効または取消しの原因があったとしても、他の組合員の間においては、組合契約は効力を妨げられません（民法667条の３）。これは民法改正で新設した規定です。

改正前民法下では、明文の規定はなかったものの、組合員の一人の意思表示の無効または取消しにより、組合契約全体の効力が否定されると、組合と取引をしていた第三者が害されることになるため、組合が第三者と取引を開始した場合については、意思表示の無効または取消しの規定の適用を一定の範囲に制限する見解が学説上有力でした。かかる見解に対しては、組合が第三者と取引を開始する前であっても他の組合員の意思を尊重して組合契約の効力を認める必要があることや、第三者との取引を開始する前か後かをめぐり紛争が生じるおそれがあるとの指摘がありました。

3　組合の財産関係

⑴ 組合財産の帰属

組合契約に基づき組合員は出資を行い、組合財産を形成します。民法は、「各組合員の出資その他の組合財産は、総組合員の共有に属する」と規定しています（民法668条）。

もっとも、一定の共同事業目的を遂行するため各組合員は組合財産について持分の処分をすることや分割請求することが認められない点で、通常の共有とは異なります（民法676条１項、２項、３項、256条１項）。このように組合財産は一定の共同事業目的のために団体的な拘束を受ける点に特色があります。民法は、組合員の財産は各組合員の「共有に属する」と規定していますが、この場合の共有とは、団体目的のため一定の制約を受ける合有であると解されます。以下では、組合財産に係る組合員の所有権、債権債務を説明することを通じて組合財産の帰属を確認します。

⑵ 所有権

組合員の組合財産に対する所有権は団体目的のため一定の制約を受け、各組合員に合有的に帰属します。すなわち各組合員は、組合財産に属する財産を共同事業目的の下で利用することを前提に契約しており、組合財産の分割請求を認めたのでは組合財産の基礎が失われ共同事業の運営に支障を及ぼすおそれがあるため、各組合員は組合契約終了前に組合財産の分割を請求することはできません（民法676条3項）。

また、組合員は組合財産に属する個々の財産に関する持分を第三者に処分した場合でも、その処分を組合および組合と取引をした第三者に対抗することはできません（民法676条1項）。この趣旨は、組合財産の自由な処分を認めたのでは、組合財産の基礎が失われ共同事業の運営に支障を及ぼすおそれがあるため、これを制約することを通じて組合財産の確保を図った点にあります。たとえば、組合員が組合財産に係る共有持分を第三者に譲渡したとしても、組合は当該第三者に対して対抗でき、組合はこれらの共有持分を含む組合財産を組合の事業のために自由に処分することができます。また、各組合員の債権者が組合財産にかかる当該組合員の共有持分を差し押さえたとしても、組合は当該差押債権者に対して組合財産である旨を対抗することができます。

⑶ 組合の債権債務

① 組合の債権

組合に帰属する組合財産は各組合員の合有となり、共同事業目的のため処分等について制約を受けます。したがって、組合が第三者に対して有する債権についても、各組合員は単独で当該債権を単独で分割して行使することはできません（民法676条2項）。これは、改正前民法下の組合員の持分の処分に関する判例（大判昭和13年2月12日民集17巻132頁）を明文化して新設した規定です。

また、一般に、組合員の債権者は、組合財産に対して権利を行使することはできないと解されています。もっとも改正前民法下においては、組合員の債権者は、組合員に対して負担する債務と組合に対して有する債権を相殺することはできない旨の規定（改正前民法677条）はあったものの、相殺以外の方法による権利行使については明文の規定はありませんでした。

そこで、改正民法は、組合員の債権者は、相殺に限らず、組合財産に対して権利を行使することができない旨を明文化しました（民法677条）。

② 組合の債務

組合には法人格が認められないため、組合は当然には債務の帰属主体とはなりません。もっとも、組合は共同事業目的のため一定の団体性を備え、組合自体に訴訟における当事者能力が認められると解されるため（民訴法29条）、組合の債権者は組合に対して、組合財産からの弁済を請求できます（民法675条１項）。

また、組合の債権者は、その選択に従い、各組合員に対して損失分担の割合または等しい割合でその権利を行使することができます（民法675条２項本文）。ただし、組合の債権者がその債権の発生の時に各組合員の損失分担の割合を知っていたときは、その割合により、その債権を行使することができます（同項但書）。

損失分担とは、組合契約に基づく各組合員に対する利益の分配に対応して、組合契約に基づく共同事業において損失が生じた場合の損失の分担割合をいいます。各組合員の間で利益や損失分担の割合を定めることも可能ですが、このような定めがない場合には、利益および損失の分担割合は各組合員の出資の価額に応じることとなります（民法674条１項）。利益または損失のいずれか一方についてのみ分担割合を定めたときは、定めのない利益または損失のもう一方の分担割合も定められた分担割合と等しい割合であるものと推定されます（民法674条２項）。

判例は、組合債務の債権者が組合員の一人であったとしても、当該組合債務が当該組合員の負担部分の限度において混同（民法520条）により消滅することはないと判示しています（大判昭和11年２月25日民集15巻281頁・百選Ⅱ［第８版］75事件）。

4　組合の業務執行

⑴ 対内的業務

組合の業務の執行は、組合内部の関係では、①業務執行に関する意思を決定すること（業務の決定）、②その意思決定に従って具体的な業務の執行をすること（業務執行）に分けられます。

改正前民法下においては、組合の業務の決定と業務執行を明確に区別して規定を設けておらず、組合員の過半数で業務の決定がされた場合の業務執行がどのようにされるか、組合の業務の決定や業務執行を特定の組合員に委任することができるかという点が明らかではありませんでした（一問一答373頁）。

そこで、民法改正により、下記の規定を設けています。

① 組合の業務は組合員の過半数で決定し、各組合員がこれを執行します（民法670条１項）。

② 組合の業務の決定および執行は、組合契約の定めにより、組合員または第三者に委任することができます（民法670条２項）。

③ 上記②の委任を受けた業務執行者は、組合の業務を決定し、これを執行します。業務執行者が複数存在する場合には、組合の業務は業務執行者の過半数で決定し、各業務執行者がこれを執行します（民法670条３項）。

④ 業務執行者を置いた場合でも、組合員全員の同意によって業務を決定し、ま

たは総組合員が執行することができます（民法670条4項）。

⑤ 組合の常務（反復的・継続的になされる日常業務）は、他の組合員が異議を述べない限り、組合員単独で行わせたとしても他の組合員を害するおそれが低いため、各組合員または各業務執行者が単独で常務を行うことができます（民法670条5項）。

⑵ 対外的業務

組合は、法人格を有さない団体であるため、組合と取引関係を有する第三者は、組合員全員を相手方にして取引を行うのが原則といえます。しかし、これでは手続が煩雑であり、円滑な共同事業の遂行が困難となるおそれがあります。

そこで改正前民法下において、組合員が業務執行者を定めた場合には、業務執行者は、組合を対外的に代理する権限を有すると解されていました。改正前民法下において組合の代理について定めた規定はありませんでしたが、判例は、組合の代理についても、組合の業務執行に関する規定（改正前民法670条）が適用されるものと理解されていました（大判明治40年6月13日民録13輯648頁、最判昭和35年12月9日民集14巻13号2994頁）。

そこで、改正後の民法は、この判例の趣旨に従い、組合の代理について新たに以下の規定を設けています。

① 業務執行者を置かない場合には、各組合員は組合員の過半数の同意を得て、他の組合員を代理することができます（民法670条の2第1項）。

② 業務執行者を置いた場合には業務執行者のみが組合員を代理し、業務執行者が複数あるときは、各業務執行者は、業務執行者の過半数の同意を得たときに限り、組合員を代理することができます（同条第2項）。

③ 組合員または各業務執行者は、組合の常務を行うときは単独で組合員を代理することができます（同条第3項）。

業務執行者の業務執行行為が組合の事業目的を超えない限り、組合の規約等で制限したとしても、善意・無過失の第三者に対しては当該業務執行者の制限をもって対抗することはできないと解されています（最判昭和38年5月31日民集17巻4号600頁）。なぜなら、組合の業務執行者に対する内部的制限をもって第三者に対抗することはできないとすることで、取引の安全を確保する必要があるためです。

また、業務執行者が組合を代理する場合、組合自体に法人格が認められないため、組合員全員を代理する旨の顕名を表示して取引を行う必要があるのが原則です。もっとも、これでは構成員が多数存在する場合に手続上迂遠です。そこで、業務執行者が組合を代理する場合でも、組合名と組合の代理権を有する旨の表示を付すことで足りると解されます。

この点に関して、判例は、組合を代表して第三者と取引する権限を有していた組合の組合長理事A名義をもってなされた手形の振出行為につき、本件手形は、組合の代表者が、その権限に基づき、組合のためにその組合代表者名義をもって振り出したものである以上、同組合の組合員は、手形上、各組合員の氏名が表示された場合と同様、右手形について共同振出人として、合同してその責を負うものと解するのが相当であると判示しています（最判昭和36年７月31日民集15巻７号1982頁）。

5　組合員の変動

⑴ 任意脱退

各組合員が組合契約で組合の存続期間を定めなかった場合または組合員の終身の間組合が存続することを定めた場合には、組合員は組合に不利な時期でない限りいつでも組合を脱退することができます（民法678条１項本文）。ただし、やむをえない事由がある場合を除き、組合に不利な時期に脱退することはできません（民法678条１項但書）。この趣旨は、脱退による組合契約の拘束からの解放を認めることで、組合員の保護を図った点にあります。

また、各組合員が組合契約で組合の存続期間を定めた場合であっても、各組合員はやむをえない事由があるときは、組合を脱退することができます（民法678条２項）。この趣旨は、組合員に脱退するやむをえない事由が認められる場合に、組合契約の拘束からの解放を認めることで組合員の保護を図った点にあります。

⑵ 法定脱退

組合員は、①死亡した場合、②破産手続開始決定を受けた場合、③後見開始の審判を受けた場合、④除名された場合、組合から脱退します（民法679条１号ないし４号）。この趣旨は、組合契約の本質は各組合員との個人的信頼関係を基礎に共同事業目的のために共同する点にあるところ、民法679条各号所定の事由が生じた場合には、当該組合員との関係で個人的信頼関係を基礎として組合契約を存続させることは困難といえるため、組合からの脱退を法定した点にあると解されます。

⑶ 組合員の加入

改正前民法下の一般的解釈に従い、改正後の民法は、組合員は組合員全員の同意によって、または組合契約の定めるところにより、新たに組合員を加入させることができる旨を明文化しました（民法677条の２第１項）。

また、組合の成立後に加入した組合員の責任について、加入前に生じた組合の債務について責任を負わない旨を明文化しています（民法677条の２第２項）。

⑷ 脱退した組合員の責任

改正前民法は、脱退した組合員の責任に関し、自己の固有財産を引当てとする責任を負い続けるか否かについて、明文の規定を設けていませんでした。

改正後の民法は、脱退した組合員は、その脱退前に生じた組合の債務について、従前の責任の範囲内でこれを弁済する責任を負うことを明文化しました（民法680

条の2第1項前段)。また、脱退した組合員と組合との権利関係を整理し、脱退した組合員は組合の債権者が全部の弁済を受けない間は、組合に対して担保を提供することや自己に免責を得させることを請求できること(民法680条の2第1項後段)、脱退した組合員は、組合の債務を弁済したときは組合に対して求償権を有すること(民法680条の2第2項)を規定しました。

6　組合の解散

①組合の目的である事業の成功またはその不能が確定すること、②組合契約で定めた存続期間の満了、③組合契約で定めた解散事由の発生、④総組合員の同意によって組合は解散します(民法682条1号ないし4号)。また、各組合員は、やむをえない事由があるときは、組合の解散を請求することができます(民法683条)。

第12　終身定期金契約

1　終身定期金契約の意義

終身定期金契約とは、当事者の一方が、自己、相手方または第三者の死亡に至るまで、定期に金銭その他の物を相手方または第三者に給付することを約することによって、効力を生じる契約です(民法689条)。

たとえば、AとBの間で、Bが死亡するまでの間、AがBに対して毎月10万円を支払うことを合意する場合です。この場合の給付をする者Aを終身定期金債務者といい、給付を受ける者Bを終身定期金債権者といいます。

終身定期金契約は、当事者間で第三者に対する給付を約束することも可能です。たとえば、AとBの間で、Cが死亡するまでの間、AがCに対して毎月20万円を支払うことを合意する場合です。この場合のAB間における終身定期金契約は、Cを受益者とする第三者のためにする契約となります(民法537条以下)。また、終身定期金債務者が相手方または第三者に無償で給付をする場合には、贈与に関する規定(民法549条以下)が適用されます。

終身定期金は、給付を受ける終身定期金債権者の老後の生活を保障する制度として利用することを予定していたといわれます。しかし、老後の生活保障は、家族や親族からの扶養や様々な社会保障制度(公的年金制度、企業の退職年金や保険会社の個人年金等の私的年金制度)によってまかなわれていることもあり、終身定期金はほとんど利用されていません。

2　終身定期金契約の効力

(1) 終身定期金の支払義務

終身定期金債務者は、自己、相手方または第三者の死亡に至るまで、定期に金銭その他のものを相手方または第三者に給付する義務を負います(民法689条)。

終身定期金は、日割りをもって計算します(民法690条)。これは、期間の中途で終身定期金債権が消滅した場合の基準規定です。たとえば、ＡとＢの間で、Ｂが死亡するまでの間、毎月30万円を支払う終身定期金契約を締結した場合に、Ｂが９月10日に死亡したときはＡは９月分として10日分を日割りで計算し、Ｂに対して10万円を給付する義務を負います。

⑵ 元本返還請求権

終身定期金債務者が定期金の元本を受領した場合に、その終身定期金の給付を怠り、またはその他の義務を履行しない場合（たとえば、終身定期金債務者が終身定期金債権者に対して担保を提供することを合意していたにもかかわらず、終身定期金債務者が担保を提供しなかった場合）には、相手方は契約を解除して終身定期金債務者に対して、元本の返還を請求できます（民法691条１項前段）。ただし、この場合、終身定期金債権者は終身定期金債務者に対して、すでに受け取った終身定期金の中からその元本の利息を控除して、その残額を返還する必要があります（民法691条１項後段）。元本の返還（民法691条１項前段）と残額の返還（民法691条１項後段）は同時履行の関係に立ちます（民法692条、533条）。

⑶ 終身定期金債権の存続宣告

終身定期金債権は、「終身定期金契約により、その死亡に至るまで終身定期金が給付されるものと指定された者」の死亡により消滅するのが原則です。

「終身定期金契約により、その死亡に至るまで終身定期金が給付されるものと指定された者」の死亡が、終身定期金債務者の責めに帰すべき事由によって生じた場合には、終身定期金債権者またはその相続人の請求により、終身定期金債権が相当の期間存続することを宣告することができます（民法693条１項）。

たとえば、ＡとＢの間で、ＡがＢに対して、Ｂの死亡に至るまでの間、毎月10万円を支払う旨の終身定期金契約を締結した場合に、ＡがＢを殺害したときや、Ｂの死亡がＡの過失によって生じたときは、Ｂの相続人の請求により、裁判所は終身定期金債権が相当の期間存続することを宣告することができます。

第13　和解契約

1　和解の意義

⑴ 和解とは何か

和解とは、当事者が、互いに譲歩をしてその間に存在する紛争を終了させることを約する契約をいいます（民法695条）。

私人間で紛争が生じた場合には民事裁判により解決を図ることが考えられます。もっとも、民事裁判において判決が下るまでには時間と費用がかかります。そこで、民事裁判によることなく私人間の紛争を解決する手段として、和解は多く利用されています。

和解は、当事者間の合意のみで成立する諾成・不要式の契約です。ただし、当事者間で互いに譲歩することを必要とするため、有償契約となります。

(2) 和解に類似した制度

和解に類似した制度として、示談や裁判上の和解、調停、仲裁等があります。

① 示 談

示談とは、当事者の一方が相手方に対して示談金を提供することにより、相手方に請求権を放棄させる契約をいいます。示談は一般的には和解契約であると解されます。ただし、示談の場合は和解とは異なり、必ずしも当事者間で互いに譲歩することを必要とせず、一方的な譲歩でも構わないといえます。かかる場合は示談は和解に該当しない非典型契約であることになります。

② 裁判上の和解

裁判上の和解とは、裁判官の面前で行う和解をいいます。裁判上の和解には起訴前の和解（民訴法275条）と訴訟係属中の和解があります（民訴法89条）。いずれの場合も和解調書に記載することにより、確定判決と同一の効力を有します（民訴法267条）。

③ 調 停

調停とは、調停委員が仲介して行う和解をいいます。民事調停法や家事事件手続法に定めがあります。調停において当事者間に合意が成立し、これを調書に記載した場合には調停が成立し、その記載は確定判決と同一の効力を有します（民事調停法16条、家事事件手続法268条１項）。

④ 仲 裁

仲裁とは、当事者の合意により紛争を第三者（仲裁人）の判断に委ねる契約をいいます。仲裁契約が成立した場合、当事者は仲裁人の判断に服することにより紛争を終了します。

2　和解の成立

(1) 争いの存在

和解を成立させるには、前提として当事者間に「争い」（民法695条）が生じていることが必要です。これを厳密に解釈して、当事者間に権利義務関係に関する積極的な主張の相違が必要とする見解もあります。

もっとも、一般的には両当事者に主張の対立がなくとも、法律関係が不明であるためにこれを確定するために和解する場合も「争い」が生じているとして、広く和解の成立を認めています。

(2) 当事者間で互いに譲歩（互譲）すること

和解をするためには、当事者間で紛争解決のために互いに譲歩することが必要です。一方のみが譲歩する場合は和解ではなく、和解に類似した非典型契約（示談等）となります。この場合も、和解に準じるものとして和解の効力を定めた民法696条が類推適用されると解されています。

「互いに譲歩すること」は広く解釈することが認められています。たとえば、当事者の一方が法的な不利益を負担する場合でも、その者が主観的に法律関係を確定する利益を得たというときは、互いに譲歩したものと認めることができます。

(3) 紛争終結の合意をしたこと

和解を成立させる場合、当事者間で紛争を終結させる合意をすることになります。

3　和解の効力

(1) 和解の確定効

和解契約を締結することにより、当事者の一方Ｘが相手方Ｙに対して争いの目的である権利を有するものと認められた場合には、和解契約の成立後にＸが従来その権利を有していなかった旨の確証が得られたとしても、その権利は和解によってＸに移転したものとみなされます（民法696条）。

この趣旨は、紛争の蒸し返しを防止するために、和解契約が成立した場合には、合意された内容に従った法律関係を確定する効力が生じることを定めた点にあります。これを和解の確定効といいます。和解の確定効により、和解契約の締結後に和解の内容に反する証拠が出てきても、和解契約の効果は覆らないことになります。

たとえば、ＸとＹの間で、ＸがＹに対して自動車を引き渡すのと引き換えに、ＹがＸに対して300万円を支払うことを内容とする和解が成立したとします。この場合、後日にＹがＸに対して支払うべき債務が400万円であることが判明したとしても、和解の確定効により、ＸはＹに対して差額の100万円を請求することは認められません。ＸのＹに対する100万円の請求権は和解によって消滅したものとみなされることとなるためです（民法696条）。

(2) 和解と錯誤

和解は、真実の法律関係がどのようなものであるかを問わず、当事者間で紛争を終結させることを合意するものです。したがって、和解の内容と真実が食い違う場合でも、各当事者は、和解の確定効によって錯誤を主張できないのが原則です（民法696条）。

もっとも、当事者が和解の当然の前提としていた事項や、全く争いのない対象となっていなかった事項について錯誤があった場合には、当該部分についての錯誤を主張して和解契約を取り消すことができると解されています（民法95条）。

判例は、債務者が債権者に対して、債権者が差し押さえた「特選金菊印苺ジャム」150箱で代物弁済する旨の和解が成立したところ、後日に当該ジャムが粗悪品であることが判明したという事案で、債権者は錯誤を理由に和解契約の取消し

（判決当時の民法下においては無効）を主張できると判示しました（最判昭和33年6月14日民集12巻9号1492頁・百選Ⅱ［第8版］76事件）。

また、交通事故の加害者と被害者が示談をして被害者が将来発生する損害賠償請求権を放棄した後に、和解時には予想しえなかった後遺症が後日に発生したという事案で、「全損害を正確に把握し難い状況のもとにおいて、早急に小額の賠償金をもって満足する旨の示談がされた場合においては、示談によって被害者が放棄した損害賠償請求権は、示談当時予想していた損害についてのもののみと解すべきであって、その当時予想できなかった不測の再手術や後遺症がその後発生した場合その損害についてまで、賠償請求権を放棄した趣旨と解するのは、当事者の合理的意思に合致するものとはいえない」として、被害者は加害者に対して、このような後遺症につき損害賠償請求できる旨を判示しました（最判昭和43年3月15日民集22巻3号587頁）。

(3) 不法と和解

和解の内容が公序良俗（民法90条）や強行法規（民法91条）に違反するものである場合は、和解は契約の一般原則により無効となります。

判例は、賭博で負けたことにより生じた債務の履行のために、第三者振出しの小切手の交付を受けた小切手所持人が、振出人との間で小切手金の支払いに関し和解契約を締結した場合は、当該和解契約は公序良俗に違反し無効であると判示しました（最判昭和46年4月9日民集25巻3号264頁）。

第3章

法定債権総論

第1　法定債権の意義

民法典は、債権編（第3編）を第1章「総則」、第2章「契約」、第3章「事務管理」、第4章「不当利得」、第5章「不法行為」と5つの章に分けて規定しています。

このうち、第1章「総則」は、債権（債務者に対する一定の行為〈作為・不作為〉の請求を内容とする権利）の一般的な性質・効力を内容とするものであり、講学上「債権総論」と呼びます。

一方、第2章から第5章は、債権発生原因についての規範を内容とするものであり、講学上「債権各論」と呼びます。

民法上、基本原則の1つとして、私人が自由意思に基づいて自律的に法律関係を形成することができるという私的自治（意思自治）の原則が挙げられています。したがって、債権発生原因としては、当事者間の意思の合致を要件とする「契約」が重要であると考えられます。実際にも日々様々な場面で「契約」が締結され、債権債務関係が生じています。

たとえば、花屋で花を買う行為は、法的には、花屋との間で、花を目的物とし、その対価として花の代金を支払う旨の売買「契約」を締結していると説明されます。もっとも、すべての債権債務関係が当事者の意思を介在する「契約」から生ずるわけではなく、当事者の意思を介在せずに生ずる債権債務関係も存在します。

たとえば、交通事故に遭った被害者が、自動車を運転していた加害者に対して損害賠償請求をする場合は、当該損害賠償請求権の発生に被害者や加害者の意思は介在していません。

そこで、民法は、当事者の意思が介在する「契約」以外の債権発生原因として、「事務管理」「不当利得」「不法行為」という3つの債権発生原因を定めています。これらは、当事者の意思を介在せずに、法律が一定の法政策的目的から債権を生じさせるという意味で、契約に対比して「法定債権」と総称します。以下、これらの法定債権について説明します。

第２　事務管理・不当利得・不法行為の意義

１　事務管理

事務管理とは、他人の生活領域に関わる事務を権利も義務もないのに、他人のために処理することをいいます。ある者が他人の事務の管理を開始したことによって形成された当事者間の一定の関係を前提に、事務の管理をした者に事務の管理を受けた者に対する債権を認める制度です。

たとえば、隣人の留守中に台風で隣人宅の屋根が壊れたときに、親切心からこれを修繕するといった事例では、修繕者に隣人宅を管理する権限はない以上、修繕行為は本来違法となります。しかし、このような場合に、民法が定めた一定の規範に適合したものについては適法とするのが事務管理という制度です。

２　不当利得

不当利得とは、ある者が損失を被った反面、ある者に利得が生じたときに、この利得が移転したことについて法律上の原因がない場合には、民法がその利得を利得者から損失者に返還させることで損失者を救済する制度です。

私的自治の原則のもとでは、当事者の意思（契約）に基づく利得の移転は正当化されます。一方で、当事者の意思（契約）に基づかない利得の移転は正当化されません。そこで、正当化されない利得の移転については利得者から損失者に利得を返還させるのが不当利得制度です。その意味で不当利得制度は「私的自治の原則を裏面から支える法原理」といわれます。

３　不法行為

不法行為は、他人の違法な行為によって損害を受けた被害者について、法律が加害者に対する救済の要求を認めることで、被害者を救済することを目的とする制度です。

不法行為は被害者の損害を回復するという点で、不当利得と類似します。しかし、不法行為は人の「行為」が「違法」であることを要件とするのに対して、不当利得は一方の損失と他方の利得という「事実」を要件とする点で異なります。

第４章

事務管理

第１　事務管理の意義

１　事務管理の意義

事務管理とは、他人の生活領域に関わる事務を権利も義務もないのに、他人のために管理することをいいます（民法697条）。

事務の管理を開始した者は一定の義務を負担し、事務の管理を受けた者は費用を負担することとなります。事務を管理した者を管理者といいます。また、この事務の管理を受けた者を管理者との関係で「本人」と呼びます（民法697条１項参照）。

２　事務管理の類型

⑴　契約外事務処理・財産管理

隣人の旅行中に、台風で損傷した隣人宅の屋根を修繕するというように、他人の財産に対する管理権も管理義務もないのに、親切心から行う事務処理・財産管理は事務管理となります。

事務処理・財産管理の方法は、事実行為・法律行為を問いません。上記の例でいえば、自分で修繕するか（事実行為）、工務店と修繕契約を締結して修繕させるか（法律行為）は問わないことになります。ただし、管理者と工務店との間の修繕契約に基づく債権債務関係（工務店の修繕工事を施工する債務と管理者の修繕代金支払債務）と、管理者と本人との間の事務管理に基づく債権債務関係は別物です。本人が工務店に対して修繕代金支払債務を負うわけではなく、工務店との間で修繕代金支払債務を負うのはあくまで管理者となります。

⑵　表見的事務処理契約または表見的財産管理権に基づく事務処理・財産管理

委任契約や雇用契約等に基づいて事務処理を開始したが、当該契約が無効であったり、取り消された場合の事務処理、子の財産管理を行った親に親権がなかった場合の財産管理は、事務管理となります。

⑶　救助行為

一般の人は、たとえ川に溺れている人がいたとしてもそれを救助する義務は負いません。しかし、川に溺れている人を救助した場合には救助した者と救助された者との間に事務管理に基づく債権債務が発生します。

3　事務管理による利害関係の調整

本来、他人の生活領域に干渉する行為は違法である場合があります。しかし、たとえば隣人関係や偶然形成された人間関係において相互扶助の精神によりなされた行為を違法な行為とすべきではありません。そこで、民法はそのような行為を事務管理として適法としつつ、本人と管理者との利害関係を調整しています（民法697条以下）。

4　事務管理に関する特別法

民法とは別に、特殊な場面における事務管理を助長・促進するという目的でいくつかの特別法が制定されています。

⑴ 特別私法

遺失物法28条（遺失物の拾得者への報労金）、水難救護法24条2項（漂流物等の拾得者の報酬）、商法792条（海難救助者の救助料）は、事務管理を奨励するため管理者に報酬請求権を認めています。

⑵ 特別公法

遭難船舶の発見者には報告義務があり（水難救護法2条）、また、他の船舶・航空機の遭難を知った船長は、人命救助に必要な手段を尽くす義務を負います（船員法14条）。これらの公法上の義務は、遭難者との関係では私法上の義務（債務）にならず、事務管理を助長・促進する機能をもつにとどまると解されています。

5　事務管理の法的性質

⑴ 法的性質

事務管理は、法律行為ではなく、準法律行為であると解されています。準法律行為とは、その行為の中に意思的・精神的な要素が含まれているものの（この点で法律行為に類似する）、その意思に従って法律効果が認められるわけではなく（この点で法律行為と異なる）、法が独自の観点から法律効果を認めるものをいいます。

事務管理として法律行為が行われることもありますが、それは事務管理の手段としての法律行為にすぎません。上記の台風による隣人宅の屋根の修繕の例でいえば、管理者と工務店との間の修繕契約は法律行為ですが、これは事務管理の手段であり工務店が実際に屋根を修繕することで初めて本人との間で事務管理関係が生ずることとなります。

事務管理の効果は、管理者や本人の意思によるのではなく、法律によって定められます。なお、旅行から帰ってきた本人が、管理者が立て替えた費用を支払うと述べた場合には、そこで管理者と本人との間で新たな合意が成立し、合意に基づく債権債務が生じることとなります。

⑵ 意思能力の要否

事務管理を受ける本人には意思能力が必要とされませんが、管理者には意思能力が必要とされます。

⑶ 事務管理者の行為能力の要否

管理者に行為能力が必要であるか否かについては見解の対立があります。

① 行為能力必要説

管理者には行為能力が必要であると解する見解です。制限行為能力者に事務管理上の義務を認めるのは酷であり、その保護を図る必要があるためです。

② 民法117条２項類推適用説

管理者には行為能力は不要であるものの、制限行為能力者が事務管理をした場合には、民法117条２項の無権代理人の責任に関する規定を類推適用して、制限行為能力者である事務管理者の責任を軽減するという見解です。この趣旨は、上記①の見解と同様制限行為能力者の保護を図る点にあります。

⑷ 意思表示、無効・取消しに関する規定の適用の有無

事務管理の効果は当事者の意思によるのではなく、法律によって定められるため、心裡留保、虚偽表示、詐欺、強迫、無効、取消し等の規定は適用されません。たとえば、錯誤については、管理者がＡの事務をＢの事務と誤信して管理した場合には、管理者とＡとの関係で事務管理の成否を検討することとなります。

第２　事務管理の成立要件

１　総 説

民法は、「義務なく他人のために事務の管理を始めた者（……）は、その事務の性質に従い、最も本人の利益に適合する方法によって、その事務の管理（……）をしなければならない」と定めています（民法697条１項）。

管理者と本人との間に事務管理関係が生じ、管理者の権利や義務が生じるには「義務なく他人のために事務の管理を始め」ることが必要となります。つまり、民法697条１項からすれば「事務管理」が成立するためには、①「義務なく」、②「他人のために」、③「（他人の）事務の管理」を、④「始め」ることが要件となります。また、後述しますが、民法700条但書の趣旨から、⑤「本人の意思に反し、又は本人に不利であること」が明らかでないことが５つ目の要件として考えられています。

以下では、講学上順序を変えて説明します。

２　「他人」の「事務の管理」を始めること

⑴「他人」の意義

自己ではない「他人」の事務の管理をすることが必要です。他人は自然人でも、法人でもよいと解されています（公法人について、大判明治36年10月22日民録９輯1117頁）。管理者が、当該他人が誰であるかを認識する必要もありません。

⑵「**事務**」

① 事務の意義

「事務」とは、本人の生活に意義のある仕事（作為）をいいます。法律行為であるか事実行為であるかを問いません。また、継続的であるか一回的であるかを問いません（大判大正８年６月26日民録25輯1154頁）。

さらに、財産的行為であるか非財産的行為であるかを問いませんが、違法な行為（たとえば、火災保険をかけた建物への放火行為等）は、事務管理の対象となりません。

② 事務の類型

事務の類型は①客観的自己の事務、②客観的他人の事務、③中性の事務に分類できます。

ア　客観的自己の事務

客観的に自己の事務に属する事務をいいます。たとえば、「自己の屋根の修繕行為」や「自己の債務の弁済」等といった事務です。客観的自己の事務は「他人」の事務ではない以上、事務管理は成立しません。

イ　客観的他人の事務

客観的に他人の事務に属する事務をいいます。たとえば、「他人の屋根の修繕行為」や「他人の債務の弁済」「人命救助」等といった事務です。客観的他人の事務は「他人」の事務であり、事務管理が成立します。

ウ　中性の事務

それ自体の性質として、自己の事務とも他人の事務ともなりうる事務をいいます。たとえば、屋根を修繕する前の「屋根材を購入する行為」等は、一見して自己の屋根に使用するのか他人の屋根に使用するのかが判然としないため、自己の事務とも他人の事務ともなりえます。

中性の事務は、「他人のためにする意思」をもって処理することによって「他人の事務」としての性格を帯びます（主観的他人の事務）。

管理者が代理人と称して、または本人のためにすることを明示して契約した場合は、「他人の事務」となります。自己の名において購入した場合でも、管理者が本人のためにすることが合理的であると判断される事情があり、かつ本人の家屋の修繕のために入手するものであることを管理者において立証した場合には、「他人の事務」として事務管理が成立すると解されています。

⑶「**管理**」

民法上一般には「管理」とは、保存・利用・改良行為を内容とする「管理行為」を指します（民法103条各号、28条参照）。

しかし、前述のとおり、事務管理の「事務」は、「本人の生活に意義のある仕事」を意味するのであり、単なる「管理」のみではなく、本人の生活ないし財産の維持を図る行為をなすことが含まれています。

したがって、事務管理における「管理」は、「管理行為」に限らず、一定の「処分行為」をも含むものと解されています。

たとえば、管理者は本人の財産の処分（大判明治32年12月25日民録５輯118頁）や契約の解除（大判大正７年７月10日民録24輯1432頁）といった本人の権利の処分行為をなすことができます。ただし、その処分行為が本人について効力を生ずるには本人の追認が必要となります（前掲大判大正７年７月10日）。

3　「他人のために」する意思があること

「他人のために」する意思とは、自分以外の者の利益を図る意思（利他的意思）をいいます。

事務管理は法律行為でないため、他人に対して何らかの法律効果を帰属させようとする意思ではなく、事実上の利益を帰属させようとする意思で足ります。

意思の利他性（自分以外の者の利益を図ること）が重要であるため、本人が誰であるかを認識する必要がなく（たとえば、家に迷い込んだ犬を保護した場合の当該犬の飼い主）、さらにいえば、本人が誰であるかを誤解していたとしても（たとえば、Ａの事務であると思っていたところ、実はＢの事務であった場合）事務管理は成立します。

なお、他人のためにする意思と自己のためにする意思とは併存・両立しえます（前掲大判大正８年６月26日）。たとえば、隣家のボヤが自己の家に燃え移らないように消火する行為は、隣家のボヤを消し止めるという他人のためにする意思とそれによって自己の家を保護するという自己のためにする意思が併存しています。この場合でも事務管理は成立します。

4　「義務なく」管理すること

⑴　法律上の義務

民法697条１項は「義務なく」と定めていますが、この義務とは「法律上の義務」を指します。つまり、事務管理が成立するためには、管理者が「法律上の義務」なく管理をすることが必要となります。

たとえば、委任・雇用・請負等の契約関係に基づく、または不在者の財産管理人（民法25条）、親権者（民法824条）、遺言執行者（民法1012条）等の法的地位に基づく管理行為は、それぞれの義務の履行行為であるため事務管理は問題とならず、事務管理は成立しません。

法律上の義務の有無は客観的に判断されます。たとえば、第三者弁済は、債務者の意思に反しないときは、弁済期前であっても事務管理となります（大判昭和９年９月29日新聞3756号７頁）。また、連帯債務者Ａ・Ｂのうち内部的に負担部分を負わないＡの弁済は、Ｂに対する関係で事務管理となります（大判大正５年３月17日民録22輯476頁）。

⑵ **義務の範囲を超えた場合**

法律上の義務はあるものの、その義務の範囲を超えた行為をするときは、その超過部分につき事務管理が成立します。たとえば、共有者の１人が他の共有者が負担すべき費用を支払った場合には、他の共有者との関係では事務管理が成立します（前掲大判大正８年６月26日）。

⑶ **第三者との関係で義務がある場合**

第三者との関係では義務はあるものの、本人との関係では義務がないときも、事務管理は成立すると解されます。

① 管理行為が第三者との契約の履行行為である場合

たとえば、隣人Ｂの旅行中にＡが工務店Ｃに依頼してＢの家屋を修繕させたという場合がこれにあたります。この場合、Ａ・Ｂ間に事務管理が成立します。

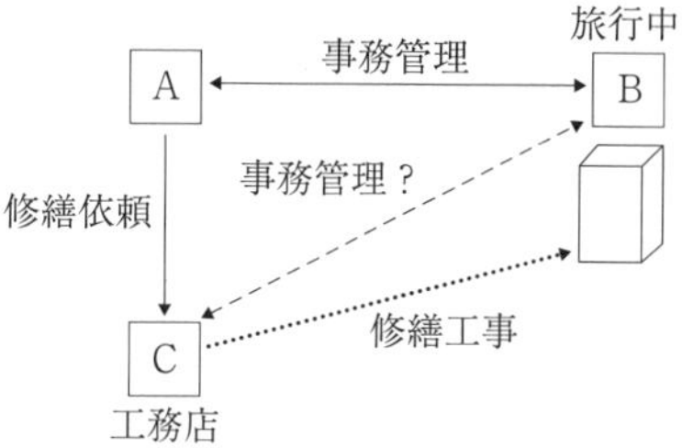

Ｃの修繕工事は、Ｂの家屋にとって必要な事務処理であるため、本来であればＢ・Ｃ間に事務管理が成立します。しかし、この場合は、修繕工事自体がＡとの契約における義務の履行行為であるため、Ｂ・Ｃ間に事務管理は成立しないと解されています。

② 委託を受けない保証の履行の場合

たとえば、Ａが、ＢのＣに対する債務につき、Ｂの委託を受けずにＣとの間で保証契約を締結して保証人となり、その債務を履行した場合がこれにあたります。

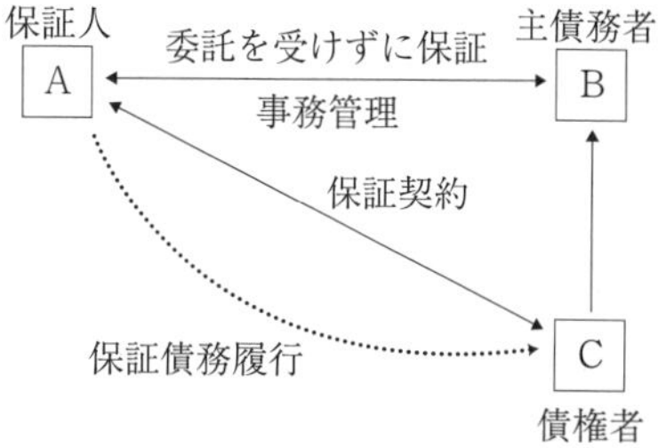

Ａの履行行為は、第三者であるＣとの関係では、保証債務の履行に該当しますが、Ｂとの関係では、Ｂの主債務の履行でもあります。この場合には、ＡはＢの事務を処理したといえ、Ａ・Ｂ間に事務管理が成立すると解されています。

なお、商人が委託を受けないで保証人となって債務を弁済することは事務管理になるとの判例もあります（大判昭和６年10月３日民集10巻851頁）。

５ 「本人の意思に反し、又は本人に不利であること」が明らかでないこと

民法は、「管理者は、本人又はその相続人若しくは法定代理人が管理をすることができるに至るまで、事務管理を継続しなければならない。ただし、事務管理の継続が本人の意思に反し、又は本人に不利であることが明らかであるときは、この限りでない」と定めています（民法700条）。

民法700条本文は、事務管理の継続義務を定めたものであり、同条但書は、事務管理の継続義務が解除される場面を定めたものであるため、いったん成立した事務管理をいつまで継続する必要があるかということを定めたものであるとも解されます。

しかし、判例（大判昭和8年4月24日民集12巻1008頁）・通説は、事務管理の本質である「利他性」は、単に他人の事務を管理者が利他的意思をもって管理するのでは不十分であり、現実に「本人の利益」と「本人の意思」に適合することが必要であるとし、民法700条但書を事務管理の成立要件の1つとして位置づけています。

したがって、事務の管理がされた当時から客観的にみて本人の不利になるか、本人の意思に反することが明らかな場合には、事務管理は成立しません。

もっとも、本人の意思が公序良俗に反していたり、強行法規に違反する場合には、本人の意思を無視して事務管理を開始したときでも事務管理が成立すると解されています（大判大正8年4月18日民録25輯574頁）。

6　管理を「始め」ること

事実上管理に着手することを意味します。事務管理が本人について効力を生ずるために追認が必要とされることがあります。この場合でも、事務管理の成立は追認時とみるべきではなく管理の着手時とみるべきであると解されています。

第3　事務管理の対内的効果

事務管理の要件が満たされると、管理者と本人との間に他人の事務処理をめぐる関係（法定債権関係）が生じます。他人の事務処理を行うという意味で「委託のない委任」と共通するため、事務管理においては、実際に委任の多くの規定（民法645条ないし647条、650条2項）が準用されます（民法701条、702条2項）。

管理者と本人との間の関係（対内関係）において発生する効果を対内的効果と呼びます。他方、本人と第三者との関係（対外関係）において発生する効果を対外的効果と呼びます。以下では、事務管理の対内的効果を説明します。

1　違法性の阻却

本来、本人の同意なくして本人の財産関係に介入することは違法であり、不法行為を構成することとなります。しかし、その管理行為が社会的に「必要と評価される行為」であり、かつ、そのことが「本人の意思に反しない」のであれば、違法性が阻却され、不法行為は成立しないとすべきです。

そこで、事務管理が成立した場合には、事務処理の結果本人に損害が生じたとしても違法性が阻却され、不法行為は成立しないと解されています。

もっとも、事務管理により管理者と本人との間に法定債権関係が生じ、その結果として負担する義務に違反した場合には、管理者は本人から債務不履行責任を問われることとなります。また、管理行為が不適切で事務管理の枠を超える場合、管理行為自体が不法行為となりえます。

2　管理者の義務

(1) 管理義務

① 管理方法

ア　本人の意思の尊重

管理者は、「本人の意思を知っているとき」または「これを推知することができるとき」は、その意思に従って事務管理をする必要があります（民法697条２項）。この趣旨は、事務管理は他人の生活領域への干渉となるため、できるだけ本人の意思を尊重すべきであるという点にあります。

イ　本人の利益への適合

本人の意思が不明な場合や本人の意思が強行法規や公序良俗に違反するものである場合は、管理者は、「その事務の性質に従い、最も本人の利益に適合する方法」によって、その事務の管理をする必要があります（民法697条１項）。

② 注意義務のレベル

ア　原則――善管注意義務

管理者は、原則として善管注意義務を負います。これは、他人の生活領域に介入する以上、その事務を注意深く遂行すべきであるという当然解釈と緊急事務管理の場合に注意義務が軽減されていること（民法698条）の反対解釈から導かれると解されています。

イ　例外――緊急事務管理の場合の注意義務

管理者は、本人の身体、名誉または財産に対する急迫の危害を免れさせるために事務管理をした場合は、悪意（本人の意思・利益に適合しないことを知っていること）または重大な過失がない限り、これによって生じた損害賠償責任を負いません（民法698条）。

たとえば、単なる通行人が交通事故や災害の被害者を病院に搬送した場合には、緊急事務管理としてその注意義務は軽減されます。

(2) 管理継続義務

管理者が開始した管理行為が継続的な性質のものであるときは、本人またはその相続人もしくは法定代理人が管理をすることができるに至るまで、事務管理を継続しなければなりません（民法700条本文）。もともと義務がない行為であっても、管理者が一度管理を開始した以上、それを途中で中止すると本人が損害を被るおそれがあるからです。

また、管理の継続が「本人の意思に反し」または「本人に不利なこと」が「明らかなとき」は、管理を「中止」しなければなりません（民法700条但書）。民法

700条本文が「事務管理を継続しなければならない」と規定し、これを受けて、民法700条但書が「この限りでない」と規定していることからすれば、民法700条但書は「事務管理を継続する必要がない」すなわち「継続していてもよい」ということを規定しているようにも読めます。

もっとも、民法700条但書は事務管理の成立要件のひとつであり、このような場合は事務管理自体が成立しないため、事務管理を継続させるべきではない、すなわち「事務管理を中止する必要がある」と解されています。

(3) 管理開始通知義務

管理者は、事務管理を始めたことを遅滞なく本人に通知しなければなりません。ただし、本人がすでにこれを知っているときは、通知する必要はありません（民法699条）。この趣旨は、事務管理が行われると本人はそれによって利益や不利益を受けるため、管理者にそのことを本人に知らせる義務を負わせたという点にあります。

(4) 報告義務

管理者は、本人からの請求があるときは、いつでも事務管理の状況を報告し、事務管理が終了したときは、遅滞なくその経過および結果を報告しなければなりません（民法701条、645条）。この趣旨は、事務管理によって生じた本人の利益や不利益を本人に了知させる点にあります。

(5) 受取物の引渡し・権利の移転義務

管理者は、事務管理を行うにあたって受け取った金銭その他の物（収受した果実も含む）を本人に引き渡さなければなりません（民法701条、646条１項）。また、管理者は、本人のために自己の名で取得した権利を本人に移転しなければなりません（民法701条、646条２項）。

事務管理はあくまでも本人のために行うものであり、本来本人に帰属すべきものを管理者が取得することがないようにするためです。

(6) 利息・損害賠償義務

管理者が、本人に引き渡すべき金銭または本人の利益のために用いるべき金銭を消費したときは、消費した日以後の利息を支払わなければなりません（民法701条、647条１項前段）。また、損害が生じた場合には、その賠償をしなければなりません（民法701条、647条１項後段）。

3　本人の義務

(1) 費用償還義務

① 事務管理が本人の意思に反しない場合

ア　有益費の償還義務

管理者は、本人のために有益な費用を支出したときは、本人に対して、その償還を請求できます（民法702条１項）。民法702条３項との対比から、管理者は利益が現存していなくてもその全額の償還を請求することができます。

「有益費」には必要費が含まれますが、その範囲は一般通念に照らして客観的に判断されます。たとえば、利益制限法違反の利息・損害金を支払った場合には、その超過分には有益性がないと判断されます。修繕行為の場合も不必要に贅沢な材料や高額な材料を使用した場合には有益性がないと判断されます。

また、有益性の有無・範囲の判断は支出時（管理時）を基準とします。したがって、費用償還請求時に費用の支出が有益でなくなっていたり、支出後に事務管理として購入した物が値下がりしたとしても、支出時の価格での償還が認められます。

イ　支出の日以後の利息償還の可否

委任の規定が「その費用及び支出の日以後におけるその利息の償還を請求することができる」と定めている（民法650条１項）ところ、事務管理の規定では「利息」について定めていません（民法702条１項参照）。そこで、管理者が本人に対して支出の日以後の利息の償還を請求できるかが問題となります。

判例は、明文がないことを理由に、支出の日以後の利息償還を否定しています（大判明治41年６月15日民録14輯723頁）。これに対して、通説は、管理者に完全な費用を回収させるべく支出の日以後の利息償還請求を認めています。

ウ　債務弁済義務

管理者が本人のために有益な債務を負担したときは、管理者は本人に対して、自己に代わって弁済すること（代弁済）を請求することができます（民法702条２項、650条２項前段）。

この代弁済請求によって生ずる本人の義務は、管理者に対する義務であって、事務管理の相手方に対する義務ではないとするのが学説ですが、これと異なる判例も存在します（大判大正６年３月31日民録23輯619頁）。

また、その債務が弁済期に達していないときは、管理者は本人に対して、相当の担保の供与を求めることができます（民法702条２項、650条２項後段）。管理者が本人のために負担した債務により損害を被らないようにするためです。

② 事務管理が本人の意思に反する場合

民法702条３項は「管理者が本人の意思に反して事務管理をしたときは、本人が現に利益を受けている限度においてのみ、前２項の規定を適用する」と規定しています。

ア　事務管理の成立要件との関係（民法700条但書との関係）

この点、「本人の意思に反」することが「明らかであるとき」には事務管理が成立しない（民法700条但書参照）と解されていることから、民法702条３項をいかに解釈するかについて議論が分かれています。

(i) 事務管理の規定と解する見解（通説）

通説は、本人の意思に反することが明らかでないとき、すなわち事務管理開始時は本人の意思に反するか否かが明らかではなかったが、結果として本人の意思に反していた場合には事務管理が成立するとして、民法702条３項はこのような場合の本人の償還義務の範囲を定めるものであると解します。

この見解は、民法700条但書が「明らかであるとき」としており、民法702条３項にはそのような文言がないことに着目し、本人の意思に反していても事務管理が成立する場面があり、民法702条３項はまさにその場面に適用される規定であると解釈します。

(ii) 不当利得の特則と解する見解

この見解は、民法702条３項が「本人の意思に反」すると規定している以上、事務管理は成立せず、本人が有益費を法律上の原因なくして享受したということで、本来は不当利得（民法703条以下）の問題となるところ、「他人の事務の管理としてなされた場合」には、その特則として民法702条３項が適用されると解します。

この見解は、民法702条３項を事務管理の規定ではなく、不当利得の特則として位置づけています。不当利得の場合、代弁済義務や担保供与義務が認められないところ、民法702条３項により、これらの義務が認められるという意味で「特則」であると解釈します。

イ　本人の利益に適合しない場合

本人の利益に適合しない場合（民法700条但書参照）については民法702条３項のような規定はありませんが、基本的には本人の意思に反する場合と同様に解すべきです。

ウ　本人が追認した場合

上記アの通説を前提とし、本人の意思に反して成立した事務管理においても、本人が当該事務管理を追認した場合には、事務管理本人の意思に反しない場合と同様に処理されます。

(2) 損害賠償義務

委任の場合、受任者は委任者に対して、「委任事務を処理するため自己に過失なく」受けた損害の賠償を請求することができます（民法650条３項）。事務管理においては、民法650条３項を準用していない（民法701条、702条参照）ため、原則として管理者の本人に対する損害賠償請求は認められません。これは、委任が委託を受けて事務処理を行うのに対し、事務管理は委託を受けずに事務処理を始めるものであるからです。

たとえば、川で溺れている者を通行人が飛び込んで救助したものの、当該通行人が重症を負ったという場合に、衣服の損傷は「費用」として請求できますが、負傷した「損害」については請求できないこととなります。

もっとも、事務管理は、本人の意思に反せず、本人の利益に適合する場合に成立するのであって、委託を受けていないことのみをもって損害賠償請求を否定するのは、公平性を害する場合もあります。

そこで、「事務の管理に当たって、当然予期される損害」は管理者がこれを覚悟して管理にあたったものとして「費用」に含ませて請求することを認める見解や、損害と費用とは別としつつ「費用に準じる損害」の賠償を端的に認めるべきとする見解、事務管理においては、管理者と本人との間には信頼関係（信義則）が基礎にあるとして、信義則上、本人は損害賠償義務を負うと解する見解が存在します。

いずれの見解も、具体的事案において公平妥当な結論を導くための論法であると考えられます。

(3)　報酬支払義務

事務管理において、管理者は本人に対して、事務処理についての報酬を請求することはできません。本人の委託を受ける委任契約においても無償が原則となっており（民法648条１項参照）、事務管理では報酬に関する規定が存在しません。

「報酬」は、労務等に対する「対価」であるところ、事務管理は、管理者が本人の事務を勝手に処理した場合の費用償還を認めることにより、本人との利害を調整する制度であるため、そもそも本人との間で「対価」が発生することを念頭に置いていません。

したがって、特別法で認められる場合（遺失物届出の報労金等）を除いて、管理者の本人に対する報酬請求権（本人の報酬支払義務）は認められません。

第４　事務管理の対外的効力

管理者が、事務管理行為を第三者との法律行為によって行った場合に、当該第三者との関係における効果（対外的効果）はいかに生ずるかが問題となります。以下では、事務管理の対外的効力について説明します。

１　管理者が自己の名で行った管理行為

管理者が「自分の名で」法律行為を行った場合、その法律行為の効果はすべて管理者に帰属し、本人に影響を及ぼしません。

たとえば、管理者が自分の名で隣人の家屋の屋根の修繕を工務店に頼んだ場合には、管理者と工務店との間に修繕契約が成立し、契約上のすべての効果は管理者に帰属することとなります。

もっとも、その結果、管理者が有益な「債務を負担」した場合には、本人は債務弁済義務を負うこととなります（民法702条２項、650条２項）。

また、管理者が本人の財産を無権限で「処分」した場合に、相手方がその所有権を取得することはありませんが、本人が「追認」した場合には、相手方は所有権を有効に取得することとなります。

2　管理者が本人の名で（または代理人として）行った管理行為

管理者が「本人の名で」（または代理人として）法律行為を行った場合に、その法律行為の効果が本人に帰属するか、すなわち有効な代理が成立するか否かが問題となります。

⑴ 無権代理説（判例〈最判昭和36年11月30日民集15巻10号2629頁〉・通説）

この見解は、管理者が本人の名で（または代理人として）法律行為を行った場合には無権代理となり、原則として本人には当該法律行為の効果は帰属しないと解します。本人が追認するか（無権代理の追認。民法116条）、表見代理が成立するときにのみ、本人に効果が帰属すると解します。

⑵ 代理権説

この見解は、法律が事務管理を適法と認めている以上、本人から管理者に対して事務管理に必要な代理権が付与されているとして、直接に本人に効果を及ぼすことを認めるべきであると解します。

第5　準事務管理

1　準事務管理の意義

外形的には他人の事務を管理していても、自己に管理権限がないことを知りながら、自己の利益を得る目的で他人の事務を管理した場合には「他人のために」する意思がない以上、事務管理は成立しません。

この場合には当該他人との契約関係がないため、不法行為または不当利得により処理されることとなります。しかし、不法行為により認められる賠償範囲は被害者の「損害」に限定され、不当利得により認められる償還範囲は損失者の「損失」に限定されます。

そうであるとすると、管理者（以下、通常の事務管理者と区別するため「僭称〈せんしょう〉管理者」といいます）が他人の財物を利用し、自己の才覚によって得た利益のうち、賠償範囲や償還範囲を超える部分については当該僭称管理者に帰属することとなってしまいます。

たとえば、ＡがＢに無断でＢ所有の客観的な価値が100万円の物を、Ｃに対して150万円で売却した場合、Ｂの「損害」や「損失」は客観的な価値であるところの100万円であるといえます。この場合にＢがＡに対して損害賠償請求や不当利得返還請求をしたとしても、その金額は100万円が限度となり、残りの50万円はＡに帰属することとなります。仮に、Ａが適法に成立する事務管理の一環で売却行為を行った場合には、Ａは150万円をＢに引き渡さなければなりません

（民法701条、646条1項）。

つまり、適法な事務管理が成立しない（違法に管理された）場合の本人の地位が適法に事務管理された本人の地位よりも不利となることがあります。

この点、上記のような不公平さを解消すべく、ドイツ民法は、他人の事務を、自分に管理権限がないことを知りながら、自己の事務として管理した者は、事務管理の規定を準用することとし、僭称管理者が得た利益を本人に帰属させることとしています。この考え方を「準事務管理」と呼びます。

しかし、日本の民法上、準事務管理を認める規定はないため、準事務管理を認める見解と認めない見解が対立しています。

2　学説

(1) 準事務管理肯定説

準事務管理を肯定する見解によれば、委任に関する民法646条の規定が準用され（民法701条）、僭称管理者は受取物を全て本人に引き渡すべきこととなります。

(2) 準事務管理否定説（不法行為・不当利得説。多数説）

準事務管理を否定する見解は、自己に管理する権限がないことを知りながら、自己の利益を得る目的で管理する行為は、不法行為・不当利得で処理すべきであり、利他的な行為をなした管理者の費用償還を認めることにより管理者を保護する事務管理の規定を準用するのは、事務管理の本来の趣旨に合致していないとします。

また、被害者の損害・損失の立証は個別・具体的であることを要せず、僭称管理者の得た利得から損害・損失を推定すべきであり、他方、僭称管理者が特別な才能・機会に恵まれて得た利益は償還させない方がむしろ公平であると解します。

(3) 事務管理追認説

準事務管理は認めないものの、準事務管理肯定説と同様の結論を導く見解です。僭称管理行為がなされた場合に、本人が「追認」することを要件に通常の事務管理を成立させて、僭称管理者の利得を本人に償還させる見解です。この見解は、本人の追認があった事例で民法701条、646条を適用している下記判例を有力な論拠とします。

3　判例

(1) 事案

船舶の共有者の1人Yが、他の共有者Xの同意を得ずに、自己の持分とXの持分を勝手に売却しました。その後、XはYの売買を承認（追認）したうえで、Yに対して売却代金の半額を求め、訴えを提起しました。

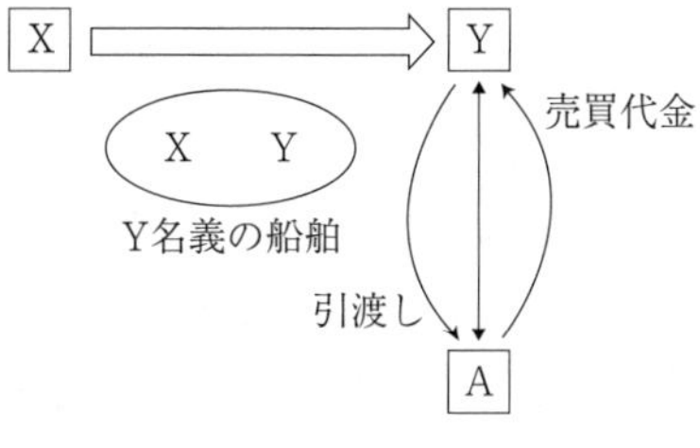

⑵ 判 旨（大判大正７年12月19日民録24輯2367頁）

「按スルニ共有者ノ一人甲カ他ノ共有者乙ノ同意ヲ得ルコトナク自己ノ持分ト共ニ擅《ほしいまま》ニ他ノ共有者乙ノ持分ヲ他ニ売却スルノ行為ハ不法行為ヲ組成スルモノナルコト言ヲ竢《ま》タサル所ナレトモ他ノ共有者乙カ後日其売買行為ヲ承認シタルトキハ事務管理ノ法則ニ依リ乙ハ民法第701条第646条ノ規定ニ基キ甲カ乙ノ持分ヲ売却シテ受取リタル代金ノ引渡ヲ請求スルコトヲ得ルヤ明カナリ本件被上告人ノ請求原因トスル所ハ被上告人及上告人共有ノ船舶ヲ便宜上上告人ノ所有名義ニ登録シ置キタル処上告人ハ被上告人ノ同意ヲ得ス擅ニ右船舶ヲ２千500円ニテ売却シタルモ被上告人ハ後日ニ至リ之ヲ承認シタルヲ以テ右売買代金中被上告人ノ……持分ニ対シテハ上告人ハ被上告人ノ為メニ売却シタルコトヲ主張スルモノナルコトハ右請求自体ニ依リ明カナリ而シテ原審ハ原判決ニ説示スル諸般ノ証拠ニ依リ右ノ主張事実ヲ認メ之ニ対シテ叙上事務管理ノ規定ヲ適用シ持分２分ノ１ニ相当スル金額ヲ被上告人ニ支払ウヘキ旨判決シタルハ相当」であると判示しました。

⑶ 判例の読み方

① 準事務管理肯定説は、本人が売却後に追認したとしても、事務管理の成立要件である管理者の利他的意思を補完することとはならないため、この判決は事務管理ではなく、むしろ準事務管理を認めたものであると解します。

② 他方、準事務管理否定説は、上記判決は「事務管理」としていることから、「準事務管理」を肯定していないと解します。

③ さらに、事務管理追認説は、本人の追認があった事例で、「事務管理」の法則によるとしている以上、まさに追認を要件として事務管理の成立を肯定しているものであると解します。

4　準事務管理肯定説を採用した場合の準事務管理の要件・効果

⑴ 要 件

準事務管理の成立要件は、①客観的他人の事務を、②他人の事務と知りながら、③自己のためにする意思をもって処理することです。

⑵ 効 果

① 僭称管理者の義務

僭称管理者は(i)本人の意思・利益への適合的管理義務（民法697条類推）、(ii)管理継続義務（民法700条類推）、(iii)管理開始通知義務（民法699条類推）、(iv)報告義務（民法701条による645条の準用の類推）、(v)受取物の引渡し、権利の移転義務（民法701条による646条の準用の類推）等を負います。

② 本人の義務

本人は上記①記載の義務によって利益を受けるため、費用を負担するのは公平または信義則上当然であるといえます。

そこで、費用償還義務の範囲は、本人の意思に反する事務管理の場合と同様となります（民法702条3項の類推）。

第5章

不当利得

第1　不当利得の意義

1　不当利得の意義

(1) 意 義

不当利得とは、法律上の原因なくして、他人の財産または労務から利益を受け（受益または利得といいます）、そのために他人に損失を及ぼすことをいいます（民法703条以下）。

この場合、受益者は損失者に対して、その受けた利益（利得）を返還すべき義務を負います。逆をいえば、損失者は受益者に対して、不当利得返還請求権を取得することとなります。

当事者間に契約関係がないにもかかわらず、不当利得返還義務および不当利得返還請求権といった債権債務関係が生ずる点で、事務管理・不法行為と並んで法定債権のひとつとして位置づけられます。

一般的に適用される不当利得制度を「一般的不当利得」（民法703条、704条）と呼ぶのに対し、非債弁済（民法705条）、期限前の弁済（民法706条）および他人の債務の弁済（民法707条）といった特殊な場面に限定されて適用される不当利得制度を「個別的（特殊）不当利得」と呼びます。

(2) 趣 旨

不当利得制度の趣旨は、法律上の原因なく財産が移転した場合に、受益者に損失者への返還義務を負わせることにより、両者の間の財産上の均衡を図り、公平（衡平）の理念を実現する点にあります。

2　不当利得の根拠

不当利得の根拠をいかに解するかについて、以下の議論があります。

(1) 公平（衡平）説（伝統的通説）

公平（衡平）説は、実質的に正当視されない財産的価値の移動について、公平の理念に従って調整することが不当利得の本質であると説明します。

不当利得が「給付不当利得」と「侵害不当利得」という類型に区別されることに留意しつつ、全類型を包括する「公平（衡平）」という統一的理念に不当利得の根拠を求めています。

公平（衡平）説に対しては、公平（衡平）の理念という概念が曖昧であり、紛争解決の具体的な指針にならないと批判がなされています。

⑵ 類型説（近時の有力説）

類型説は、ドイツの学説の影響を受けた見解であり、不当利得を契約上の給付があった場合（給付不当利得）とそうでない場合（侵害不当利得）の大きく２つの類型に分けて、それぞれの類型に応じた処理をすべきであると説明します。

3　不当利得の類型

⑴ 給付不当利得

給付不当利得とは、無効・取消原因を内包した表見的な契約関係に基づいてなされた給付の返還を目的とする場合をいいます。外形上有効な契約その他の法律上の根拠に基づいて財産的利益（財貨）が移転したところ（これを「給付」といいます）、契約が無効であったり、取り消されたり、解除される等、そこに何らかの広義の瑕疵というべき事情があったため、財貨を取り戻す類型です。

たとえば、以下のような事例が給付不当利得にあたります。

Ａは、Ｂから著名な画家の絵画を100万円で買い受ける売買契約を締結し、代金100万円を支払って引渡しを受けましたが、後日当該絵画が贋作であることが判明しました。その後、Ａが当該売買契約について錯誤による取消し（民法95条）を主張した場合、当該売買契約は当初よりなかったものとして取り扱われることとなります（民法121条）。したがって、ＡがＢに支払った代金およびＢがＡに引き渡した贋作の絵画は、何らの法律上の原因もなく相互に移転していることとなります。

そこで、ＡがＢに対して贋作の絵画を返還し、ＢがＡに対して代金を返還することが必要となります。

⑵ 侵害不当利得（財貨不当利得）

侵害不当利得とは、契約関係を前提とせずに、他人に帰属する財貨から不当に利得を得る場合をいいます。これは、外形的にも契約関係にない当事者間において、法律上一方当事者に割り当てられている所有権等の権利を他方が侵害し、権限なく利益を得た場合に、それによって得た利得の返還を求める類型です。

たとえば、以下のような事例が侵害不当利得にあたります。

Ｂは、自己所有の土地に隣接するＡ所有の土地を自己の土地と誤って採石し、採石した砂利や岩石をコンクリート製造業者に100万円で売却しました。この場合、Ｂは何らの法律上の原因もなくＡの財物を取得していることとなります。

そこで、ＢはＡに対して本来Ａが受けるべき利益（100万円）を返還することが必要となります。

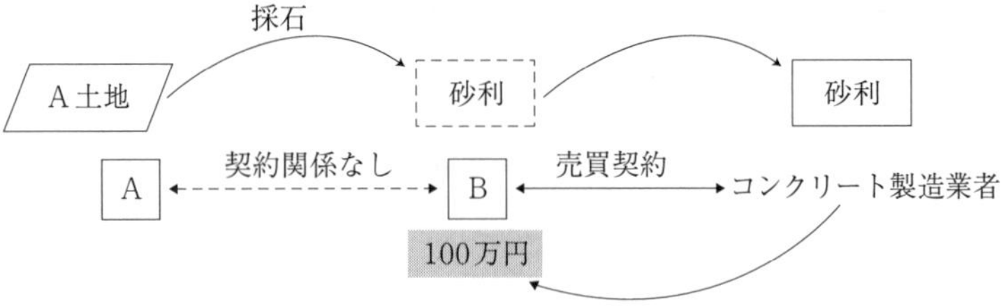

4　不当利得と他の制度との関係

⑴ 契約上の義務との関係

契約上の本来の義務については、不当利得は成立しません。たとえば、賃貸借契約を締結した場合の賃借人の賃貸人に対する賃料債務は賃貸借契約という法律上の原因に基づいて発生するものであり、不当利得は成立しません。

不当利得は、契約終了後や契約外の関係で、法律上の原因が認められない場面において成立します。これを不当利得の補充性といいます。

たとえば、賃貸借契約（民法601条）が終了した場合、賃借人は賃借物（家等）を賃貸人に返還する義務を負います。通常この義務は契約上の返還義務（物を借りたら返すという義務は、賃貸借契約に当然含まれます）とされますが、不当利得による返還義務と捉えることもできます（賃貸借契約が終了している以上、賃借人は賃借物である家の占有権原を欠くため、占有の継続は不当利得となります）。なお、通説はこの場合に不当利得に基づく返還義務と契約上の返還義務は両立すると解します。

⑵ 契約解除との関係

判例・通説は、契約解除により遡及的に契約関係が消滅すると説明します（直接効果説）。そのため、すでに給付した財貨は「法律上の原因」を欠くこととなり、不当利得の性格を有することとなります。しかし、民法は契約当事者に原状回復義務を負わせ（民法545条１項）、民法703条の不当利得返還義務の特則として位置づけています。解除の場合には、善意・悪意を観念できないため、徹底した原状回復が図られることとなります。この点において、善意・悪意により返還義務の範囲を区別する不当利得と異なるといえます。

⑶ 物権的返還請求権との関係

上記⑴において、賃貸人が目的物（家）の所有者である場合には、賃貸人の所有権（物権）に基づく返還請求権（民法200条参照）と不当利得に基づく返還請求権が競合することとなります。通説は、２つの請求権の競合を認めています。

⑷ 不法行為との関係

不当利得と不法行為（民法709条以下）とは、それぞれ目的を異にしていますが、両者が併存することは可能です。したがって、一方で不法行為に基づく損害賠償請求権が認められ、他方で不当利得に基づく返還請求権も認められる場合があります。

第2　不当利得の要件

不当利得は、①他人の財産または労務により利益を受けること、②他人に損失を及ぼすこと、③他人の財産または労務による利益と他人に生じた損失との間に因果関係があること、④利益についての法律上の原因がないことが認められるときに成立します（民法703条）。

以下、各要件について説明します。

1　受 益

受益（利得）とは、一定の事実が生じたことによって「利益」を得ることをいいます。利益は、不当利得返還を求める時点の利益ではなく、事実が生じた当初の時点の利益をいいます。

⑴ 差額説・一請求権説と二請求権対立説

一定の事実が生じたことにより双方が受益（利得）した場合に、経済的にマイナスになっている側のみが不当利得返還請求権を有すると解するのか、双方がそれぞれ相手方に対して不当利得返還請求権を有すると解するのかが対立しています。

① 差額説・一請求権説（通説）

差額説・一請求権説は、受益とは経済的な観念であるから、その経済的な単一の事実を総合的に判断して決定すべきであるとする考え方を前提に、双方の給付を価値的に計算した差額につき、一方のみが他方に対して不当利得返還請求権を有すると解します。

② 二請求権対立説（近時の有力説）

二請求権対立説は、双方が受益（利得）した場合には、その移転した財貨自体が利得として把握される結果、双方が互いに独立した不当利得返還請求権を有すると解します。

⑵ 積極的利益と消極的利益

「利益」には、財産権または財産的利益の取得、財産権の内容の拡張（制限物権の消滅等）等のように、積極的に財産が増加する「積極的利益」のほか、本来自己が支払うべき費用の出費を免れたことや債務を免れたこと等、消極的に財産的不利益を免れる「消極的利益」を含みます。

⑶ 他人の財産または労務による利益

利益は、他人の財産または労務によることが必要です。「他人の財産」は、すでに現実に他人の財産に帰属しているものだけでなく、当然他人の財産としてその者に帰属すべきものを含みます（最判昭和32年4月16日民集11巻4号638頁）。

⑷ 受益の方法

利益の受け方は、法律行為によることもあれば、事実行為によることもあります。また、他人を通じて利益を受ける場合や損失者の行為によって利益を受ける場合、受益者の行為によって利益を受ける場合および両者の行為によって利益を受ける場合があります。

2　損 失

損失とは、一定の事実が生じたことによって「不利益」を被ることをいいます。不利益は、不当利得返還を求める時点の不利益ではなく、事実が生じた当初の時点の不利益をいいます。他人の財産が減少するという積極的損害のみならず、本来増加するはずの他人の財産が増加しなかったという消極的損失を含みます。

3　利益と損失の因果関係

不当利得が認められるためには、他人の財産または労務による利益と他人に生じた損失との間に因果関係があることが必要です。給付不当利得（無効・取消原因を内包した表見的な契約関係に基づいてなされた給付の返還を目的とする場合）においては、ある給付がなされれば、給付者には損失が生じ、受益者には受益が生じるため、因果関係の存在が認定されるといえます。因果関係の存否が問題となるのは主に侵害不当利得の場合（契約関係を前提とせずに、他人に帰属する財貨から不当に利得を得る場合）です。

⑴ 因果関係の有無

① 直接の因果関係（かつての判例）

判例は当初、因果関係の直接性を要求し、第三者（中間者）が介入する不当利得の成立を否定していました。

たとえば、大判大正８年10月20日民録25輯1890頁は、Ｂ（中間者）がＣ（受益者）を借主とする偽造証書をＡ（損失者）に差し入れてＡから騙取した金銭で、ＣのＤに対する債務を弁済した事案で「他人ノ損失ト受益者ノ受益トハ直接ノ因果関係アルコトヲ要ス。若シ其受益ノ発生原因ト其損失ノ発生原因トカ直接ニ関係セスシテ中間ノ事実介在シ他人ノ損失ハ其中間事実ニ起因スルトキハ其損失ハ受益者ノ利益ノ為メニ生シタルモノト謂フコトヲ得サルヲ以テ、受益者ハ其他人ニ

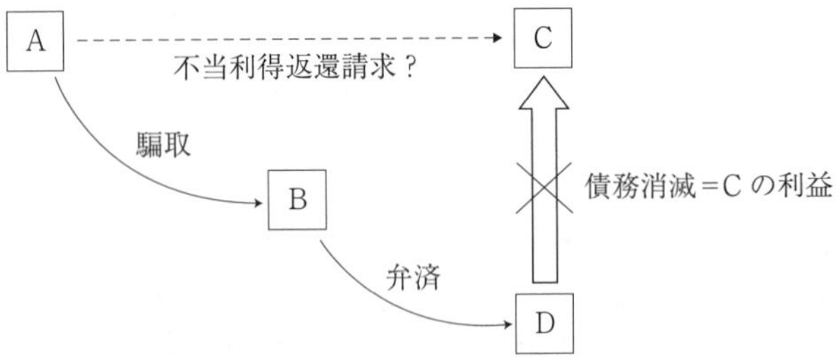

対シ不当利得返還ノ責ニ任スルコトナキモノトス」と判示し、不当利得返還請求には直接の因果関係を要するものとし、AのCに対する不当利得返還請求を認めませんでした。

②「直接性」の緩和

上記判決以降、判例は、不当利得の成立要件としての因果関係には「直接の因果関係」が必要であるとの立場を採用しつつ、実際には直接性の要件を柔軟に解し、第三者（中間者）の介在する場合にも広く不当利得の成立の余地を認めてきました。

たとえば、大判大正9年5月12日民録26輯652頁は、村長（中間者）が村の名義を冒用して銀行から借り受けた金銭で村の債務を弁済したときには、銀行の損失と村の利得との間に直接の因果関係があるとして不当利得の成立を認めています。

このように、判例は因果関係の「直接性」を要件としながら、柔軟に解釈することで広く不当利得の成立を認めてきました。しかし、現在の判例は以下のとおり「直接性」を要しないと解しています。

③ 社会通念（観念）上の因果関係（現在の判例）

学説上、不当利得における損失と利得との間の因果関係について「直接性」を求めず、数人の間に財産価値の移転が行われた場合には、法律要件の形式や法律的性質に拘泥せずに、同一財産価値の移動として追及される限り、因果関係の存在を認めるべきであると解する見解が有力でした。この見解を社会通念（観念）上の因果関係説と呼びます。この見解は、因果関係を認めたうえで、一連の関係者のうち誰から誰への不当利得返還請求権を認めることによって調整を行うべきかはもっぱら「法律上の原因の有無」の要件において決するべきであると解します。

現在の判例の立場は、社会通念（観念）上の因果関係説の影響を受けたものであると解されています。

すなわち、最判昭和49年9月26日民集28巻6号1243頁・百選Ⅱ［第8版］80事件は、B（中間者）がAから騙しとった金銭を、自己の金銭と混和させる等し、その一部を他の目的のために費消した後その費消した分を別途工面した金銭によって補塡する等してから、Cへの債務に弁済したという事案において、「社会通念上Aの金銭でCの利益を図ったと認められるだけの連結がある場合には、なお不当利得の成立に必要な因果関係があるものと解すべき」であると判示しています。

(2) 転用物訴権

転用物訴権とは、Cの所有する物を賃借したBが第三者Aに修理をさせたが、BがAに修理代金を支払わない場合に、AがCに対して、Cが修理による利益を得ているとして、不当利得返還請求ができるかという問題をいいます。本来、

AはBに対して契約当事者として契約上の給付請求をすべきであるところ、それを契約外のCに対する不当利得返還請求権が認められるか否かという問題です。

① 学 説

ア　転用物訴権肯定説

この見解は、不当利得返還請求権の要件を緩やかに解し、AのBに対する契約上の請求権の存在にかかわらず転用物訴権を肯定するという見解です。

イ　転用物訴権否定説

この見解は、不当利得返還請求権の補充性を重視し、A・B間の契約関係で処理すべき問題を不当利得に転換した契約外の者に対する不当利得は認められないという見解です。

ウ　転用物訴権制限説

この見解は、基本的には転用物訴権肯定説に立ちつつも、不当利得返還請求権が認められる場合を制限し、Bが無資力であり、Cが利益を受けているという特段の事情がある場合に限り不当利得返還請求権を認めるという見解です。

② 判 例

判例上、Cがその所有するブルドーザーをBに賃貸し、BがAに修理の依頼をしたところ、BがAに修理代金を支払わなかった事案において、AのCに対する当該修理代金について、不当利得返還請求権が成立するか否かが争われました。

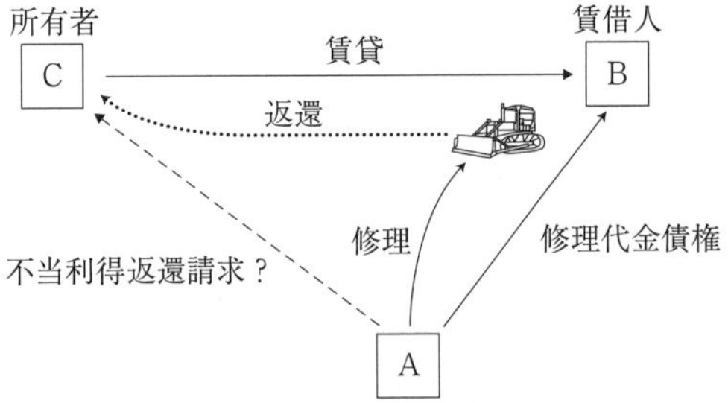

最判昭和45年７月16日民集24巻７号909頁は「本件ブルドーザーの修理は、一面において、Aにこれに要した財産および労務の提供に相当する損失を生ぜしめ、他面において、Cに右に相当する利得を生ぜしめたもので、Aの損失とCの利得との間に直接の因果関係ありとすることができる」とし、「Bの無資力のため、右修理代金債権の全部または一部が無価値であるときは、その限度において」、Cに対して不当利得返還請求権を行使できるとしました。この判例は、転用物訴権肯定説を採用したものと評価されています。

しかし、この判例の立場に対しては、BとCとの間の対価関係を無視しているとの批判が相次ぎました。すなわち、賃貸借契約では賃借物の修繕義務は原則として賃貸人（所有者）であるＣが負担し（民法606条）、Ｂが修繕義務を負うとの特約があった場合にも賃料を安価に設定する等して、経済的にはＣが負担することもありえます。それにもかかわらず、Ｂの無資力のみを要件としてＡのＣに対する不当利得返還請求を認めると、Ｃが修繕に関して二重に経済的負担を課せられるという不当な結果を招くと批判されました。

これらの学説の批判を受け入れて、判例は転用物訴権制限説を採用するに至りました。最判平成７年９月19日民集49巻８号2805頁・百選Ⅱ［第８版］79事件は、Ｃの所有する建物を賃借したＢが第三者Ａとの間の請負契約に基づいてＡにこの建物の修繕工事を依頼したところ、その後Ｂが無資力となったためＡがＣに対して不当利得返還請求をした事案で、「右建物の所有者Ｃが法律上の原因なくして右修繕工事に要した財産及び労務の提供に相当する利益を受けたということができるのは、ＢとＣとの間の賃貸借契約を全体としてみて、Ｃが対価関係なしに右利益を受けたときに限られるものと解するのが相当である。けだし、ＣがＢとの間の賃貸借契約において何らかの形で上記利益に相応する出損ないし負担をしたときは、Ｃの受けた上記利益は法律上の原因に基づくものというべきであり、ＡがＣに対して上記利益につき不当利得としてその返還を請求することができるとするのは、Ｃに二重の負担を強いる結果となるからである」と判示しました。

4　法律上の原因がないこと

⑴ 法律上の原因の意義

利得につき、法律上の原因があるときは、不当利得は成立しません。法律上の原因とは、正義公平の観念上、正当とされる原因をいいます（大判昭和11年１月17日民集15巻101頁）。

給付不当利得の場合、法律上の原因の不存在とは、契約等の給付を基礎づける法律関係が存在するようにみえたが、それが不成立や無効であったり、取り消された等の理由により、実は存在しなかったということを意味します。また、侵害不当利得の場合、法律上の原因の不存在とは、権限のない者に利得の移転が生じているということを意味します。

⑵ 法律上の原因の有無

以下、法律上の原因の有無について、場合分けをして説明します。

① 損失者の行為に基づく利得

まず、損失者の行為に基づく利得が法律上の原因を欠く場合があります。利得が損失者の行為に基づく場合における法律上の原因の有無については、給付の目的との関係で、以下の３つに場合分けできます。

ア　給付の目的が最初から存在していなかったとき

契約を締結してその履行として代金の支払いや目的物の引渡し等の給付をしたが、その契約が無効であったり、取り消された場合には、当初から給付の目的が存在しなかったといえ、当該給付にかかる利得は法律上の原因のない利得となります。たとえば、売買契約を締結し、売主が買主に売買目的物を引き渡した後、売主が錯誤により売買契約を取り消した場合（民法95条）、売買契約ははじめから無効となり（民法121条）、買主が受領した売買目的物は法律上の原因のない利得となります。

イ　給付の目的を達成できなかったとき

本来一定の目的のために給付したのであるが、その目的を達成できなかった場合、当該給付にかかる利得は法律上の原因のない利得となります。たとえば、婚約が成立し、結納（現金）を交付したところ、その後婚約が解消するに至ったときは、受領した結納は法律上の原因のない利得となります（大判大正６年２月28日民録23輯292頁参照）。

ウ　給付の目的が消滅したとき

本来一定の目的のために給付したのであるが、その目的が消滅した場合、当該給付にかかる利得は法律上の原因のない利得となります。たとえば、債務者が債権者に対して債務を証する書面を交付したが、債務の弁済により債権が消滅したときは、債権者が受領した債務を証する書面は法律上の原因のない利得となります。

② 損失者の行為に基づかない利得

損失者の行為に基づかない利得が法律上の原因を欠く場合があります。

ア　利得が利得者の行為に基づく場合

(i) 利得者の法律行為に基づくとき

たとえば、Ａの所有動産を占有しているＢが無断でこれを善意・無過失のＣに売却し、Ｂが売買代金を受領したというように、利得者の法律行為に基づく利得が法律上の原因のない利得となる場合があります。

(ii) 利得者の事実上の行為に基づくとき

たとえば、他人の所有物を盗んで占有するというように、利得者の事実上の行為に基づく利得が法律上の原因のない利得となる場合があります。

イ　利得が第三者の行為に基づく場合

たとえば、債務者の債権の準占有者に対する弁済（民法478条）により弁済が有効とされる場合には、取引上の社会通念に照らして受領権者としての外観を有する者が債務者から受領した金銭は法律上の原因のない利得となります。

ウ　利益が自然的事実に基づく場合

Ａ所有地の果樹から生じた果実がＢ所有地に落下したというように、自然的事実に基づく利得が法律上の原因のない利得となる場合があります。

③ 利得が法律の規定に基づく場合

ア　利得が時効によるとき

取得時効による権利の取得や消滅時効による義務の消滅といった利得は法律上の原因がある利得となります。

イ　利得が即時取得によるとき

即時取得による権利の取得（民法192条）は法律上の原因がある利得となります。

ウ　利得が添付によるとき

添付（民法247条）による所有権の取得は物の経済的効用の維持という立法政策に由来するものであり、それによる利得は法律上の原因のない利得となるため、損失者の利得者に対する償金請求が認められます（民法248条）。

第3　不当利得の効果

1　返還義務の発生

(1) 返還義務の内容

不当利得の効果として、不当利得返還義務（不当利得返還請求権）が発生します。受益者は損失者に対して原物を返還することが原則となりますが、それが不能なときはその価格を金銭によって返還することとなります。

不当利得の目的が不代替物（取引上その物の個性に着目し、その客体を任意に代えることができない物）であり、受益者が第三者に譲渡した場合でも、受益者が第三者から取り戻すことができるときは原物で返還することとなります（大判昭和16年10月25日民集20巻1313頁）。受益者が第三者から取り戻すことができない場合には金銭で返還することとなります。

不当利得の目的が代替物（取引上その物の個性を問題とせず、同種・同等・同量の物をもって代えることができる物）であり、受益者が第三者に譲渡したときは、従来の判例は、受益者は損失者に対して同種・同等・同量の物または当該物の価格相当額の金銭で返還すると解していました（大判昭和18年12月22日新聞4890号3頁）。そして、当該物の価格の基準時は事実審の口頭弁論終結時と解していました。

しかし、近時の判例（最判平成19年3月8日民集61巻2号479頁・百選Ⅱ［第8版］78事件）は、受益者が（上場株式で代替性が認められる）株式を利得した後、第三者に売却した事案で「受益者は、法律上の原因なく利得した代替性のある物を第三者に売却処分した場合には、損失者に対し、原則として、売却代金相当額の金員の不当利得返還義務を負うと解するのが相当である」と判示し、判例を変更しました。

その理由として、最高裁判所は、以下のように判示しています。「受益者が法律上の原因なく代替性のある物を利得し、その後これを第三者に売却処分した場合、その返還すべき利益を事実審口頭弁論終結時における同種・同等・同量の物の価格相当額であると解すると、その物の価格が売却後に下落したり、無価値になったときには、受益者は取得した売却代金の全部又は一部の返還を免れることになるが、これは公平の見地に照らして相当ではないというべきである。また、逆に同種・同等・同量の物の価格が売却後に高騰したときには、受益者は現に保持する利益を超える返還義務を負担することになるが、これも公平の見地に照らして相当ではなく、受けた利益を返還するという不当利得制度の本質に適合しない」。

⑵ 返還義務の範囲

返還義務の範囲は、損失額を限度とするため、受益者の得た利益額の方が損失者の損失額より大きい場合でも受益者は損失額の限度で返還すれば足ります。また、受益者が支払った費用は利益から控除すべきであると解されます。当事者間で不当利得返還義務の範囲を定める特約がある場合には、当該特約によります。

民法は、受益者が法律上の原因がないことを知らなかったか（善意）、知っていたか（悪意）によって、返還義務の範囲を異にしています（善意の場合〔善意有過失も含みます〕は民法703条、悪意の場合は民法704条が適用されます）。

⑶ 当事者双方の関係

契約の無効・取消しの場合と同様に当事者双方が返還義務を負う場合には、双方の返還義務は同時履行の関係（民法533条）となると解されています（最判昭和47年９月７日民集26巻７号1327頁）。

⑷ 返還義務の消滅時効

不当利得の発生原因となった債権が短期消滅時効にかかる場合でも、不当利得返還請求権は当該債権とは別の性質を持った別個の債権であるため、不当利得返還請求権の消滅時効は権利を行使できることを知った時から５年、権利を行使できる時から10年（民法166条１項）と解されています（大判大正15年３月３日新聞2598号14頁）。

2　善意の受益者の返還義務

⑴ 民法703条の意義

民法703条は、利益の存する限度（現存利益）での返還義務を定めています。民法703条は「善意の受益者」と明示しているわけではありませんが、「悪意の受益者」の返還義務について定めた民法704条との比較において、民法703条は「善意の受益者」の返還義務を定めたものと解されます。

善意の受益者が現存利益での返還義務を負うとは、善意の受益者に「利得の消滅」の抗弁が認められるということを意味します（最判平成３年11月19日民集45巻８号1209頁）。すなわち、善意の受益者が「現存利益がない」＝「利得がすでに消滅している」との事実を主張立証することで、当該消滅部分について返還義務を免れることができます。なお、現存利益の有無の判定基準時は、返還時（事実審口頭弁論終結時）と解されています。

⑵ 現存利益

① 金 銭

金銭を不当利得した者が、当該金銭を生活費や債務の弁済等の有益な支出にあてることによって財産の減少を免れた場合には、利益が現存していると解されるため（大判昭和７年10月26日民集11巻1920頁）、利得した金銭全額が不当利得返還義務の対象となります。

他方で、浪費した場合には、浪費部分は利益が現存していないと解されるため（大判昭和14年10月26日民集18巻1157頁）、残存している金銭が不当利得返還義務の対象となります。

② 金銭以外の物

金銭以外の物を利得した場合には、その物が損傷したとしても損傷したままの物が不当利得返還義務の対象となります。

⑶ 果実の帰属

善意の受益者が占有する他人の物から生じた果実には「善意の占有者は、占有物から生ずる果実を取得する」と定める民法189条が適用され、善意の受益者は占有物から生ずる果実を取得できます。

なお、近時の有力説である類型説は、侵害不当利得の場合には民法189条が適用されると解しますが、給付不当利得の場合には民法189条の適用の余地はなく、受益者は果実や使用利益を返還すべきであると解します。給付不当利得は、契約の存在を前提とする類型であり、不当利得が契約の清算のために機能するため、占有に関する利益調整規定である民法189条を適用すべきでないとの理由によります。

3　悪意の受益者の返還義務

⑴ 民法704条の意義

法律上の原因がないことを知っていた（悪意の）受益者は、広い範囲の返還義務を負います（民法704条）。すなわち、悪意の受益者はその受けた利益に利息を付してこれを返還することを要し、損害が発生した場合にはその賠償義務も負います。なぜなら、悪意の受益者を保護する必要がないためです。

⑵ 受益者の悪意

不当利得者が当初善意であっても、利得に法律上の原因がないことを認識した後に利得が消滅（金銭の浪費や物の損傷）した場合は、返還義務の範囲を現存利益（民法703条参照）に減縮させる理由になりません（最判平成３年11月19日民集45巻８号1209頁）。なぜなら、善意で不当利得した者の返還義務の範囲が利益の存する限度に減縮される趣旨は、利得に法律上の原因があると信じて利益を失った者に不当利得がなかった場合以上の不利益を与えるべきではないとする点にあり、法律上の原因がないことを認識した以降は悪意の受益者であり、保護の必要性を欠くためです。

(3) 利息の返還義務

悪意の受益者は、受けた利益に利息を付して返還しなければなりません（民法704条前段）。利率は法定利率によります（民法404条）。

(4) 損害賠償義務

悪意の受益者は、損害があるときはその賠償責任を負います（民法704条後段）。また、悪意の受益者は、占有する物がその責めに帰すべき事由により滅失または損傷したときは、その回復者に対し、その損害の全部を賠償する義務を負います（民法191条）。

(5) 果実の返還義務

悪意の受益者は、果実を返還し、かつすでに消費し、過失で損傷し、または収受を怠った果実の代価を償還する義務を負います（民法190条１項）。

第４　特殊不当利得

1　非債弁済

(1) 趣　旨

民法は「債務の弁済として給付をした者は、その時において債務の存在しないことを知っていたときは、その給付したものの返還を請求することができない」と定めています（民法705条）。この趣旨は、債務の不存在を認識して給付した者を救済する必要はないという点にあります。この場合の弁済を講学上非債弁済と呼びます。

(2) 非債弁済の要件

① 債務が存在しないこと

債務が存在しない場合には、当初から債務が存在しなかった場合と当初は債務が存在したが後にそれが存在しなくなった場合とがあります。

② 弁済として任意に給付すること

弁済として任意に給付するとは、自由意思によって弁済がなされることを意味します。したがって、自由意思を欠く場合、たとえば、作成した記憶のない公正証書による強制執行を免れるためにやむをえず弁済した場合には、任意の給付とはいえません（大判大正６年12月11日民録23輯2075頁）。

③ 債務の不存在を弁済者が知っていたこと

債務の不存在を弁済者が「知っていた」とは、積極的に知っていることを指し、弁済者が債務の不存在を過失によって知らなかった場合には不当利得返還請求が認められます（大判昭和16年4月19日新聞4707号11頁）。

⑶ 非債弁済の効果

非債弁済には民法703条、704条が適用されず、弁済者の弁済受領者に対する不当利得返還請求権は発生しません。

2　期限前の弁済

⑴ 期限前の弁済における不当利得返還請求の制限

民法は「債務者は、弁済期にない債務の弁済として給付をしたときは、その給付したものの返還を請求することができない」と定めています（民法706条本文）。この趣旨は、債務が存在する以上、いずれ到来する弁済期より早く弁済したのみであり、不当利得としていったん返還させて再度弁済させることは煩雑であるし、弁済受領者も弁済者が期限の利益を放棄して（民法136条2項本文）弁済をなしたものと信じるであろうという点にあります。

判例は、保証人、連帯保証人等主債務者以外の第三者が弁済した場合にも民法706条本文を類推適用します（連帯保証人について、大判大正3年6月15日民録20輯476頁）。

⑵ 期限前の弁済の効果

① 返還請求権の不発生

期限前に弁済としてなされた給付自体の返還請求権は発生せず（民法706条本文）、債権は弁済によって消滅します。

② 錯誤があった場合における利益の返還請求

弁済者が錯誤によって（期限が到来していると誤信して）給付をしたときは、弁済受領者は弁済者に対して、給付によって得た利益（中間利息）を返還しなければなりません（民法706条但書）。弁済受領者は、期限前に弁済を受けたものを利用して利益を得ているといえ、中間利息の返還義務が生じます。錯誤による弁済者を保護するためです。

3　他人の債務の弁済

⑴ 他人の債務を弁済した者の返還請求権の制限

民法は「債務者でない者が錯誤によって債務の弁済をした場合において、債権者が善意で証書を滅失させ若しくは損傷し、担保を放棄し、又は時効によってその債権を失ったときは、その弁済をした者は、返還の請求をすることができない」と定めています（民法707条1項）。この趣旨は、上記の場合に債権者は本来の債務者に対して債権を行使することが困難または不可能となるおそれがあるため、当該債権者を保護すべきであるという点にあります。

⑵ 他人の債務の弁済の要件

① 錯誤による弁済

債務者でない者が自己の債務と錯誤し、自己の債務の弁済として弁済したことを要します。

② 善意の弁済受領者につき以下のいずれかの事由があること

ア　証書の滅失・損傷

「証書」とは当該債権の存在を証明するために作成された書面を意味します。債権者（弁済受領者）が有効な弁済を受けたと認識し、債権の証書を滅失または損傷し、債権の存在を立証することが困難となる場合には、弁済者は債権者（弁済受領者）に対して不当利得の返還を請求できません。

イ　担保の放棄

債権者（弁済受領者）が有効な弁済を受けたと認識し、担保を放棄したために確実な弁済を受けることが困難となる場合には、弁済者は債権者（弁済受領者）に対して不当利得の返還を請求できません。

ウ　時効による債権の喪失

本来であれば消滅時効の完成猶予の手続を経るところ、債権者（弁済受領者）が有効な弁済を受けたと認識し、消滅時効の完成猶予の手続を経ずに時効が完成して債権を失った場合には、弁済者は債権者（弁済受領者）に対して不当利得の返還を請求できません。

⑶ 他人の債務の弁済の効果

民法707条1項所定の事由が発生した場合には、弁済者は債権者（弁済受領者）に対して不当利得の返還を請求できません（民法707条1項）。

⑷ 債務者に対する弁済者の求償権

弁済者は債権者（弁済受領者）に対して不当利得返還請求ができないと損失を受けることになりますが、その場合に利益を受けている者は債務者であるため、弁済者は債務者に対して求償権を行使することができます（民法707条2項）。債務者の受益は法律上の原因なくして受けた利得であるといえ、不当利得返還請求権が認められることを念のため規定したものであると理解されています。

第5　不法原因給付

1　不法原因給付の意義

民法は「不法な原因のために給付した者は、その給付したものの返還を請求することができない。ただし、不法な原因が受益者についてのみ存したときは、この限りでない」と定めています（民法708条）。本来不当利得返還請求が認められる場合でも、給付が不法な原因のためにされたときには給付者を保護する必要がないため、給付者の返還請求を認めないとしたものです。

たとえば、賭博に負けた者が給付をした後に当該賭博契約の無効を主張して返還請求することは認められません。

不法原因給付は、英米法上のクリーンハンズの原則（裁判所の救済を求めようとする人はきれいな手で現れよ、汚い手の人は保護しないという意味で、自ら不法に関与した者には裁判所の救済を与えないという基本理念をいいます）と同一の趣旨の規定です。

2　不法原因給付の要件

不法原因給付であるとして返還請求が認められない要件として、①不法な原因、②給付、③不法な原因が受益者のみに存在するものでないことが挙げられます（①②は民法708条本文、③は同条但書）。以下、各要件について説明します。

⑴ 不法な原因

① 不法の意義

かつて大審院は、抽象的に「不法」とは「公序良俗違反」を指すとの判断基準を示していました。

最高裁は、「不法」を「反道徳的な醜悪な行為としてひんしゅくすべき程の反社会性」（最判昭和35年9月16日民集14巻11号2209頁）と捉え、「その行為が不法原因給付に当たるかどうかは、その行為の実質に即し、当時の社会生活および社会感情に照らし、真に倫理、道徳に反する醜悪なものと認められるか否かによって決せらるべきもの」（最判昭和37年3月8日民集16巻3号500頁）と「不法」の判断基準を示しています。

民法708条が適用された「不法の原因」の例としては、妾契約を維持継続する手段としてなされた不動産の譲渡（最判昭和45年10月21日民集24巻11号1560頁・百選Ⅱ［第8版］82事件）があります。

② 動機の不法

給付行為の基礎となった法律関係自体は法に反しないものであっても、その行為のなされる目的や動機が不法である場合は不法原因給付となりえます。一見給付自体は不法でなくても相手方に不法な動機があり、給付者が相手方の当該動機を知っているときは、不法な行為を助長することとなるためです。

たとえば、密輸や賭博のために資金提供行為がなされる場合、資金を提供するという行為（金銭消費貸借契約）自体は客観的にみて違法とはいえません。しかし、密輸や賭博がなされることを知って資金提供をなした場合には、当該資金提供行為は不法原因給付となりえます。

相手方に不法な動機がある場合、給付行為が直ちに無効、不法原因給付となるわけではなく、給付者の不法への関与の程度その他の事情を総合的に勘案して不法原因給付となるか否かが判断されることとなります（最判昭和29年8月31日民集8巻8号1557頁参照）。

⑵ 給 付

給付は物や金銭の交付の場合もあれば、役務の提供の場合もあります。

民法708条本文の「給付」は給付受領者に終局的な利益を与えるものでなければならないと解されています。終局的な利益を与えていない段階では民法708条本文を適用せずに、通常の不当利得として民法703条による給付者の不当利得返還請求を認めるべきであると解されています。

① 抵当権設定の場合

不法な原因により抵当権を設定した場合、抵当権の設定段階で「給付」があったといえるか、抵当権の設定登記の抹消を求めることができるかが問題となります。

判例は、賭博に負けＹに対して金銭債務を負ったＸが、当該債務の担保としてＹを抵当権者とする抵当権を設定し、その後抵当権の設定登記の抹消を求めた事案で、Ｙが抵当権を実行すればＸは賭博行為が民法90条に違反することを理由として賭博行為の無効、すなわち、被担保債権の不存在を主張し、その実行を阻止できるというべきであり、被担保債権の存在しない抵当権の存続は法律上許されないため、Ｘは抵当権設定登記の抹消をＹに請求できるとしました（最判昭和40年12月17日民集19巻９号2178頁）。

学説は、抵当権は実行されて初めて給付があったといえるから、抵当権の設定段階では、「給付」があったとはいえないとして上記判例を支持しています。

② 不動産の引渡しの場合

たとえば、ＸがＹと妾関係（妾契約）を維持するために建物を新築してこれをＹに贈与した場合、Ｘが妾契約の無効を主張して建物の返還を求めることができるかが問題となります。

判例は、以下のとおり贈与した建物が登記されているかどうかによって判断を異にしています。

ア　未登記建物

未登記建物の場合には、ＸがＹに当該建物を引き渡したときにＹに終局的な利益を与えたといえ、民法708条の「給付」に該当するとして、ＸのＹに対する返還請求を否定します（前掲最判昭和45年10月21日）。この場合には、Ｙは反射的に未登記建物の所有権を取得することとなります。

イ　既登記建物

既登記建物の場合には、所有権移転登記を経ることで終局的な利益を与えたこととなるため、ＸがＹに当該建物を引き渡しただけではＹに終局的な利益を与えたとはいえず、民法708条の「給付」に該当しないとして、ＸのＹに対する返還請求を認めます（最判昭和46年10月28日民集25巻７号1069頁）。

⑶ 不法な原因が受益者のみに存在するものでないこと

不法な原因が受益者のみに存在するときは、不当利得返還請求が認められます（民法708条但書）。不法な原因が受益者のみに存在する場合には受益者を保護する必要がないためです。たとえば、犯罪行為を断念させるために金銭を給付した場合、給付者は受益者に対して不当利得返還請求をすることができます。

現実には当事者双方に不法性のあることが多いですが、民法708条但書が「受益者についてのみ」となっているため、これを形式的に適用すると当事者双方に不法性がある場合には、民法708条但書は適用されないこととなります。

しかし、受益者の不法性が大きく、給付者の不法性がそれに比べてきわめて小さい場合に、民法708条但書の適用がないとすると、かえって受益者の不法な行為を助長することにもなりかねません。たとえば、密輸や賭博のために資金供与した場合、密輸や賭博を行う側は資金供与者を少しでも関与させれば、資金供与者からの返還請求を受けないこととなります。

そこで、学説では、双方の不法性を比較衡量して、給付受領者の不法性が給付者のそれより強い場合には民法708条但書を拡張解釈して不当利得返還請求を認めるべきであるとする見解が有力です。

3　不法原因給付の効果

⑴ 返還請求の否定

給付者は、給付したものの返還を請求することができません（民法708条本文）。もっとも、受益者が任意に給付を受けたものを返還することは可能です。

⑵ 不法原因給付の返還の特約がある場合

判例は、当事者が不法原因給付を合意解除して給付したものの返還を合意（特約）した場合には、民法708条を適用する余地はないとしています（最判昭和28年１月22日民集７巻１号56頁）。

第6章

不法行為

第1　総 説

1　不法行為の意義

不法行為とは、他人に損害を及ぼす不法な行為であって、加害者がその損害を賠償すべき義務を負うものをいいます（民法709条以下）。不法行為制度は、契約責任である債務不履行責任と異なり、契約当事者同士のような特別な関係にない者の間で、一定の要件の下に被害者に生じた損害を、加害者に負担させることを目的とします。つまり、被害者に加害者に対する損害賠償請求権を認めるものです。たとえば、ＡがＢに暴力を加えてＢが怪我をした場合、被害者であるＢは加害者であるＡに対して損害賠償を請求することができます。

損害賠償は、原則として金銭による賠償（金銭賠償。民法722条１項、417条）であり、金銭で救済を求めることとなります。上記例でいえば、ＢはＡに対して怪我の治療費を損害賠償として請求することができます。また、将来において取得すべき利益あるいは負担すべき費用につき、その利益を取得すべき時あるいはその費用を負担すべき時までの利益相当額を控除するときは、その損害賠償の請求権が生じた時点における法定利率により控除します（民法722条１項、417条の２第１項第２項）。

不法行為の主たる目的は、加害者に対する報復や制裁にあるのではなく、被害者の救済（損害の塡補）および将来の不法行為の抑止にあります（不法行為をした場合には損害賠償請求を受けるという法律の規定があることで、将来の不法行為を抑止する機能があります）。

2　不法行為の構造

(1) 一般不法行為と特殊不法行為

民法上の不法行為制度は、一般不法行為と特殊不法行為に分けられます。

一般不法行為とは、民法709条が定めた原則的な不法行為をいいます。その特色は過失責任主義（原告は被告の過失を立証しないと不法行為責任を問えない＝過失の立証責任は原告にあるとする建前）にあります。

特殊不法行為とは、加害者側に過失の立証責任を転換したり、加害者に無過失責任を課す等、一般不法行為の原則を何らかの形で修正しているものです。

一般不法行為および特殊不法行為は、いずれもその効果は原則として損害賠償

（金銭賠償）となります。

⑵ 不法行為特別法

不法行為に関しては、民法のほかに製造物責任法、国家賠償法、自動車損害賠償保障法、公害諸立法（大気汚染防止法等）等の特別法があり、民法の原則を修正しています。

3　一般不法行為の構造

一般不法行為の原則的規定である民法709条は「故意又は過失によって他人の権利又は法律上保護される利益を侵害した者は、これによって生じた損害を賠償する責任を負う」と定めています。

一般不法行為の要件・効果は、以下の表のとおり整理されます。

要件	① 故意・過失（民法709条） ② 責任能力（民法712条） ③ 権利・利益侵害（民法709条） ④ 損害の発生（民法709条） ⑤ 因果関係（民法709条） ⑥ 違法性阻却事由がないこと（民法720条）	効果	① 損害賠償（原則）（民法709条、722条、724条、724条の2） ② 慰謝料（民法710条、711条） ③ 胎児の損害賠償請求権（民法721条） ④ 名誉毀損の特例（民法723条）

第2　一般不法行為の成立要件

1　故意・過失

⑴ 故意の意義

不法行為における故意とは、他人の権利の侵害または違法な事実の発生すべきことを認識・予見しながら、あえてその行為をするという心理状態をいいます。

損害を加えること自体を目的としない場合も故意が認められます。たとえば、スクランブル交差点を横断中の群集の中に自動車で猛スピードで進入し、通行人のある1人に怪我をさせた場合、猛スピードで進入したのは急いで家に帰ることが目的であったとしても（通行人に怪我を負わせることが目的でなかったとしても）、猛スピードでスクランブル交差点に進入すれば、怪我人を出すかもしれないと認識していながら、あえて行ったときは故意（未必の故意）が認められます。

後述のとおり、「過失」が、結果回避義務違反、すなわち客観的要件として捉えられているのと比べて、「故意」は人の「心理状態」すなわち主観的要件として捉えられている点に差異があります。

⑵ 過失の意義

① 故意・過失の峻別

民法上、故意または過失があれば不法行為責任が認められ、「故意」と「過失」は明確に峻別されているわけではありません。民法上の不法行為責任の趣旨は、当事者間における損害の公平な分担という点にあるため、故意にせよ過失にせよ行為者に何らかの責めるべき点があれば損害を賠償させるべきであるという観点から、故意・過失を峻別する実益に乏しいと指摘されています（通説）。

② 過失の意義

ア　帰責の根拠

「過失」をどのように捉えるかという点について、その帰責の根拠を何に求めるかによって、以下の２つの見解が対立しています。

(i) 主観説

この見解は、過失とは、他人の権利の侵害または違法な事実が発生することを認識・予見することが可能でありながら、不注意のために認識・予見しないでその行為をするという心理状態をいうと解します。

主観説による「過失」を「主観的過失」といいます。

(ii) 客観説

この見解は、過失とは、損害の発生を回避すべき行為義務違反（注意義務違反）をいうと解します。

客観説による「過失」を「客観的過失」といいます。

イ　過失の客観化――主観的過失から客観的過失へ

従来の通説は、主観説の立場を採用し、不注意すなわち「意思の緊張を欠く」ところに帰責の根拠を求めていました。

しかし、現在の判例・近時の多数説は、過失を「行為義務（予見義務および結果回避義務）違反」として捉え、行為者の具体的な意思（主観）とは離れた概念として捉えています。

企業活動において、産業革命により機械化が進んだ結果、新たな機械技術に伴う損害が発生することとなりました。このような企業活動によって生じた損害については、内心の不注意を問題とする「主観的過失」はなじみません（会社〔法人〕に「内心」はなじまないためです）。そこで、行為義務違反を問題とする「客観的過失」を「過失」として捉える方向へ「過失」の概念が変容していきました。

ウ　過失の判断基準（抽象的過失と具体的過失）

過失の判断基準を通常人とするか当該行為者とするかで考え方が分かれます。

抽象的に通常人を基準として、なすべき注意を怠ったことを過失と捉える場合の過失を「抽象的過失」といいます。

具体的に当該行為者の注意能力を基準として、当該行為者が平常の注意を怠ったことを過失と捉える場合の過失を「具体的過失」といいます。

主観説に依拠した場合には、当該行為者の「不注意という心理状態」が問題となるため、通常人を基準とする「抽象的過失」とは相容れないといえます。客観説に依拠した場合には、「抽象的過失」に親和性があるといえます。もっとも、抽象的過失といっても、客観説の場合、果たすべき注意義務は当該行為者の属する職業、年齢、地位に応じた細やかな判断基準を用いることができ、個人的特性が考慮されないわけではありません。

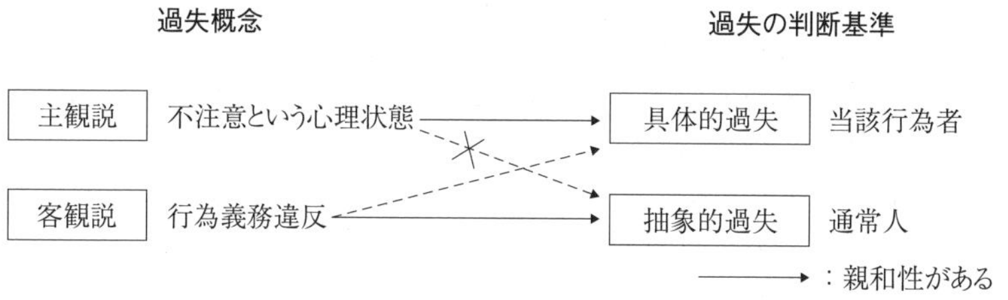

エ　予見義務・結果回避義務

通説は、「過失」を客観的過失として捉え、予見義務（予見可能性）を結果回避義務の前提として位置づけています。つまり、予見可能性がない場合には、結果の回避を期待できるはずもなく結果回避義務も発生しないと解します。

オ　判　例（大判大正5年12月22日民録22輯2474頁・百選Ⅱ［第8版］83事件）

この判例は「過失」を結果回避義務違反と構成したリーディング・ケースと解されています。

(i) 事　案

硫酸を製造するYの工場の煙突から排出された硫酸ガスにより、近隣のXの農作物が被害を受けたため、XがYに対して、損害賠償を求め、訴えを提起しました。Yは経営上可能な範囲内で相当な煙害防止設備を施していたとして、争いました。原審がXの請求を認めたのに対して、Yが上告しました。

(ii) 判　旨

「化学工業ニ従事スル会社其他ノ者カ其目的タル事業ニ因リテ生スルコトアルヘキ損害ヲ予防スルカ為メ上記事業ノ性質ニ従ヒ相当ナル設備ヲ施シタル以上ハ偶々他人ニ損害ヲ被ラシメタルモ之ヲ以テ不法行為者トシテ其損害賠償ノ責ニ任セシムルコトヲ得サルモノトス。何トナレハ斯ル場合ニ在リテハ右工業ニ従事スル者ニ民法第709条ニ所謂故意又ハ過失アリト云フコトヲ得サレハナリ」として、事業の性質に従い相当な設備を施したYに故意または過失は認められないと判示して、原審判決を破棄したうえ、差し戻しました。

(3) 過失の認定

以下、判例上どのような事案で過失が認定されているかを説明します。

① 医師の過失

ア　医師の過失の認定

以下の判例は、医療事故における「過失」認定のリーディング・ケースです（最判昭和36年２月16日民集15巻２号244頁)。

(i) 事 案

X女は、子宮筋腫のため、病院に入院していましたが、A医師から職業的売血者Bの血液を輸血された結果、梅毒に感染しました。Bは採血前に売春婦に接して梅毒に感染していましたが、採血・輸血時には血液検査をしても陰性を示す期間でした。梅毒感染の可能性を知りうる唯一の方法は問診でしたが、A医師は当時の慣行に従い「身体は丈夫か」という問いを発したのみで、問診を省略していました。Xは、Aの使用者である国（Y）に対して損害賠償を求め、訴えを提起しました。

上記事実関係で、A医師に過失が認められるかが争われました。

(ii) 判 旨

「いやしくも人の生命及び健康を管理すべき業務（医業）に従事する者は、その業務の性質に照らし、危険防止のために実験上必要とされる最善の注意義務を要求されるのはやむを得ないところであるといわざるを得ない」と判示し、「医師としての業務に照らし、注意義務違背による過失の責」があると判断しました。

(iii) 判例の評価

まず、問診が梅毒感染を予見するうえで有効な手段であったかどうか、問診を省略する慣行が行われていたこととの関係が問題となりました。判決は、慣行は過失判断の一要素にすぎないと捉え、結論として、当時の医師が一般的に行っていなかった高度の問診義務を要求しました。

この判決は、専門家としての医師に業務上要求される高度の注意義務を課し、その義務に違反したときに過失があるとしています。医師のような人間の生命を左右する危険な業務に従事する者の注意義務を重くみた判決であるといえます。

イ　医師の過失の限界（医療水準の考え方）

医療事故に関しては、医師に専門家としての高度の業務上の注意義務を要求し、過失が容易に認められるとすると、萎縮診療につながるという問題があります。

この点、最判昭和57年７月30日判時1039号66頁は、前掲最判昭和36年２月16日の「危険防止のために実験上必要とされる最善の注意義務」とは「診療当時のいわゆる臨床医学の実践における医療水準」が基準となると判示し、医師の注意義務の上限を画しました。

もっとも、大学病院でも町の開業医でも同様に普遍的な医療水準が存在するとは考えにくく、最高裁は以下のとおり「医療水準」についての考え方を変えるに至りました。

最判平成７年６月９日民集49巻６号1499頁・百選Ⅱ［第８版］84事件は、ある新規の治療法が医療水準にあるかどうかは、当該医療機関の性格、所在地域の医療環境の特性等の諸般の事情を考慮すべきであること、新規の治療法に関する知見が類似の特性を備えた医療機関に相当程度普及し、かつ当該医療機関でもその知見を有することを期待することが相当と認められるときは、その知見は当該医療機関にとっての医療水準である、として「医療水準」が相対的に判断されるべきものであると判示しました。

ウ　医療慣行

判例は、医療水準は医師の注意義務の基準となるべきものであり、平均的医師が現に行っている医療慣行とは必ずしも一致するものではなく、当該医師が医療慣行に従っていたとしても注意義務を尽くしたとはいえないと判示しています（最判平成８年１月23日民集50巻１号１頁）。

② 専門家・事業者の説明義務違反

説明義務とは、契約の一方の当事者が相手方に対して、目的物の使用方法、契約による不利益の発生の有無等に関する情報を説明し、相手方の自己決定を促す義務をいいます。上記のような医療契約で重視されますが、医療契約以外の契約においても、専門家や事業者には説明義務が要求され、説明義務に違反した場合は不法行為を構成する場合があります。ただし、投機的商品の取引においては、契約の相手方は危険を承知のうえで、取引関係に入るものといえ、どの範囲まで説明が必要かは契約の類型によって異なると解されます。

③ 過失の事実上の推定

民法709条の不法行為が成立するためには、原告の被害者が加害者の過失を証明する必要があります。しかし、上記の医療事故にみられるように加害者に一定の義務違反があるときには、加害者の過失が事実上推定ないし推認され、加害者がその推定を動揺させない限り、加害者には過失があったものと扱われます（最判昭和51年９月30日民集30巻８号816頁、前掲最判平成８年１月23日等）。

④ 無過失責任・中間責任

加害者に損害賠償義務を負わせるにあたって過失を要件としない無過失責任については、第二次世界大戦後に進展してきました。たとえば、鉱業法109条が鉱害賠償につき無過失責任を認め、また、原子力損害の賠償に関する法律３条が原子力損害につき原子力事業者の無過失責任を認めています。その他にも、大気汚染防止法25条、水質汚濁防止法19条、製造物責任法３条等があります。

民法は、無過失責任のほか中間責任という責任を認めています。たとえば、民法714条の責任無能力の監督者の責任、715条の使用者責任、718条の動物占有者の責任です。中間責任では過失を要件とすることに変わりはありませんが、原則としてこれらの者には過失があることを前提に不法行為責任を負うとし、これらの者が注意義務を尽くしたことを立証した場合に不法行為責任を負わないこととしています（加害者が自己に過失がなかったことの立証責任を負うことを意味します）。

(4) 失火責任の特則

① 失火責任法

甚大な被害をもたらす失火については、民法を修正する特別法として「失火ノ責任ニ関スル法律」（失火責任法）があります。同法は「民法第709条ノ規定ハ失火ノ場合ニハ之ヲ適用セス但シ失火者ニ重大ナル過失アリタルトキハ此ノ限ニ在ラス」と定めています。

日本では木造家屋が多く、火災が発生し類焼した場合に甚大な被害が生じます。当該火災が失火によるものであった場合に失火者の責任を全面的に問うことは失火者に酷であるとして、失火責任法は民法に対する例外を定め、失火者に故意や重大な過失があるときにのみ、その責任を認めることとしました。

② 他の法条との関係

失火責任法と他の法条との関係が問題となります。

ア　債務不履行責任（民法415条）との関係

家屋の賃借人が賃貸人所有の家屋を失火により焼失させた場合には、賃借人は賃貸人に対して、所有権侵害による不法行為責任（民法709条）と賃貸物の返還不能という債務不履行責任（民法415条）の両方を負うこととなります。

失火責任法は、不法行為責任（民法709条）のみを免除する法律であるため、債務不履行責任（民法415条）は残ることとなります。

イ　監督義務者責任（民法714条）との関係

失火が責任無能力者の行為による場合に、その監督義務者の責任（民法714条）が認められるかが問題となります。

判例は、監督義務者が監督に重大な過失がないことを立証したときは責任を免れるとしています（最判平成７年１月24日民集49巻１号25頁）。

ウ　使用者責任（民法715条）との関係

被用者が失火によって他人の物を焼失させた場合に、その被用者の行為については失火責任法が適用され、重大な過失がない限り被用者の責任はなく、また使用者の責任も生じません。しかし、被用者に重大な過失がある場合には、使用者に被用者の選任・監督（民法715条１項但書）について重大な過失がなかったとしても使用者責任が生じます（最判昭和42年６月30日民集21巻６号1526頁）。

エ　土地工作物責任（民法717条）との関係

失火が土地の工作物の設置・保存の瑕疵による場合に、失火責任法は適用されるかが問題となります。この点については以下の見解が存在します。

(i) 失火責任法適用否定説

この見解は、民法717条は土地の工作物の所有者の無過失責任を認めるものであるため失火責任法は適用されず、土地の工作物の所有者は一切の損害につき賠償責任を負うという見解です。

(ii) 民法717条適用排除説

この見解は、失火に関して民法717条の適用を排除して、民法709条および失火責任法のみを適用し、重大な過失の有無により責任の存否を決しようとする見解です。

(iii) 中間説①

この見解は、土地の工作物の設置・保存に重大な過失があれば責任があるとする見解です。

(iv) 中間説②

この見解は、工作物の設置・保存の瑕疵から直接生じた火災については民法717条をそのまま適用し、延焼部分については失火責任法を適用して、設置・保存の瑕疵につき重大な過失がなければ責任がないとする見解です。

2　責任能力

(1) 責任能力の意義

不法行為の成立要件としては、行為者に責任能力があることを要します。責任能力とは、自己の行為の責任を弁識することができる知能をいいます。

(2) 未成年者の責任能力

未成年者が他人に損害を加えた場合に、自己の行為の責任を弁識することができる知能を備えていなかったときは、その行為については賠償の責任を負いません（民法712条）。具体的には、12歳前後が責任能力の有無の基準とされています。

判例は、たとえば、12歳２か月の少年が空気銃で人に怪我をさせた事案で当該少年は責任無能力者であると判示しています（大判大正６年４月30日民録23輯715頁）。

しかし、他人に雇用された11歳11か月の少年が自転車でスピードを出しすぎて他人に怪我をさせた事案では、当該少年につき責任能力を認めています（大判大正４年５月12日民録21輯692頁。ただし、この判例の事案では、少年の責任能力を認めた方が使用者の責任を問うことができ、被害者の保護を図ることができるという点が考慮されていると指摘されています）。

(3) 精神上の障害者の責任能力

精神上の障害により自己の行為の責任を弁識する能力を欠く状態にある間に他人に損害を加えた者は、損害賠償責任を負いません（民法713条本文）。ただし、故意または過失によって、一時的に責任能力を欠く状態を招いたときは、損害賠償責任を負います（民法713条但書）。

⑷ **責任無能力者の監督義務者の責任**

責任無能力者がその責任を負わない場合に、その責任無能力者を監督する法定の義務を負う者（たとえば、10歳の子を監護する義務を負う親権者）は、その責任無能力者が第三者に加えた損害の賠償責任を負います（民法714条１項本文）。ただし、監督義務者がその義務を怠らなかったとき、またはその義務を怠らなくても損害が生ずべきであったときは、損害賠償責任を負いません（民法714条１項但書）。

なお、制限行為能力者について責任能力があると認められる場合（たとえば、17歳の少年〔責任能力が認められる〕がバイクで人身事故を起こした場合）、制限行為能力者に資力がなく損害賠償責任を果たすことができなくとも、損害賠償責任自体は負うため、民法714条の適用はありません（民法714条１項本文が「前２条の規定により責任無能力者がその責任を負わない場合において」と定めているためです）。

しかし、それでは被害者保護に欠ける場合があります。そこで、親権者が未成年の子の監護・教育をする義務を負うことに着目して、監督義務者の監督不行届といった義務違反と当該未成年者の不法行為によって生じた損害との間に相当因果関係を認められるときは、監督義務者に民法709条に基づく不法行為責任が成立するとの理論が展開され、判例もこの理論を採用しています（最判昭和49年３月22日民集28巻２号347頁）。

3　権利・法的利益の侵害の意義

⑴ **総　説**

民法は「他人の権利又は法律上保護される利益を侵害した」ことを不法行為の成立要件として定めています（民法709条）。すなわち、「権利の侵害」または「法的利益の侵害」が不法行為の成立要件のひとつとなっています。

平成16年改正以前は「他人の権利を侵害した」ことと定められていたところ、「権利の侵害」の要件をいかに解釈するかについて、以下のとおり判例・学説上議論が展開されてきました。

⑵ **「権利」の解釈の緩和化**

① 大判大正３年７月４日刑録20輯1360頁（雲右衛門事件）

Ｘが、著名な浪曲師の桃中軒雲右衛門の浪花節のレコードを製作したところ、Ｙが権限なくこれを複製販売しました。そこで、ＸがＹに対して、著作権侵害を理由に損害賠償を求めて、訴えを提起しました。

大審院は、浪花節は低級音楽であり、音楽的著作物として著作権法の保護を受けるものではないとして、Ｘの請求を棄却しました。

この判例は、著作権法上の著作「権」が認められなければ、不法行為に基づく損害賠償請求は認められないと判示しました。民法709条の「権利」を法律上権利としての地位を確立しているものに限定すると解したものといえます。

② 大判大正14年11月28日民集4巻670頁（大学湯事件）

上記判例を変更し、民法709条の「権利」を緩やかに解し「法的利益」も含むとしたのが以下の判例です。

Xの先代Aは、京都市内の大学近辺で風呂屋を営業しようと考え、Y_1から「大学湯」という風呂屋の建物を賃借し、Y_1の了解の下、前賃借人であるBから「大学湯」という「老舗（しにせ）」を買い取りました。「老舗」とは、「暖簾（のれん）」ともいい、多年にわたる事業活動によって、企業が得る無形の経済的利益をいいます。具体的には得意先関係・仕入先関係・営業の名声・信用・営業上の秘訣（ノウハウ）等を内容とします。後日AとY_1は賃貸借契約を合意により解除し、Aが建物をY_1に返還したところ、Y_1はY_2に賃貸し、Y_2が「大学湯」の営業を開始しました。Xは、賃貸借契約終了時に「大学湯」の「老舗」をY_1が買い取る特約があったとしてY_1に対する債務不履行責任を追及し、仮に特約がなかったとしても、Y_2が「大学湯」を営業したことにより「老舗」を失ったことについて、Y_1とY_2の共同不法行為責任が認められるとして、損害賠償を求めて、訴えを提起しました。

原審は、「老舗」は権利ではないとして、不法行為の成立を否定しました。これに対して、大審院は、民法709条の「権利」概念を広く解し、「吾人ノ法律観念上其ノ侵害ニ対シ不法行為ニ基ク救済ヲ与フルコトヲ必要トスト思惟スル一ノ利益」と判示して、破棄差戻しとしました。

⑶ **違法性論**

上記大学湯事件以後、「権利の侵害」という要件を「違法性」という要件として捉える見解が主張されました。

① 違法性判断説

この見解は、権利侵害そのものは一般に「違法」と評価されるべきものであり、不法行為が違法でなければならないのは疑いなく、民法はその違法と評価されるべき行為を表すために「権利の侵害」という言葉を使っているにすぎないと解する見解です。不法行為は「違法性」を基準として考えるべきであり、「権利の侵害」のみならず、「法規違反」や「公序良俗違反」も違法として評価されると解します。

② 相関関係説

この見解は、上記①の違法性判断説のように「違法性」を基準とすることを前提に、「違法性」の判断基準を「被侵害利益の種類」と「侵害行為の態様」との相関関係に求めます。つまり、被侵害利益が強固なものであれば、侵害行為の態様の不法性が小さくても違法性が認められ、被侵害利益が脆弱なものであれば、侵害行為の態様の不法性が大きくないと違法性が認められないと解します。

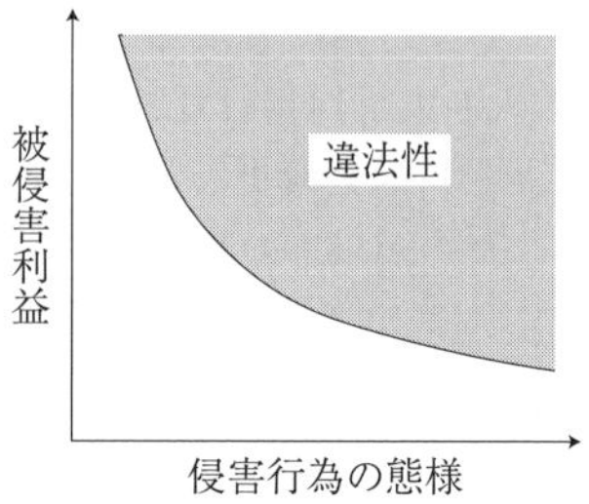

しかしながら、相関関係説の挙げる判断基準の「侵害行為の態様」は侵害行為の悪性の強さを問題とするものであるところ、故意であるか過失であるかという点も侵害行為の悪性の強さに関連すると考えられ、「違法性」要件と「故意・過失」要件との区別が理論的に処理されていないとの批判があります。

また、相関関係説は、故意・過失を「主観的要件」とし、違法性を「客観的要件」として整理しますが、現在では「過失」を行為義務違反として捉えて「過失」要件を検討する際に「侵害行為の態様」を考慮するため、「違法性」要件の検討と重複することとなるとの批判があります。

③ 現在の見解

上記②の相関関係説に対する批判を受け、現在の見解はおおむね以下の３つの立場に分かれています。

ア　過失一元論（新過失論）

この見解は、違法性をも含む高度な政策的価値判断概念である「過失」によって一元的に構成すると解します。行為義務違反である過失と違法性とを統合させることにより新たな「過失」概念を採用するため、「新過失論」とも呼ばれます。

過失一元論は、具体的な「過失」の判断は、(i)当該行為から生じる結果発生の蓋然性、(ii)当該行為によって侵害されるであろう利益の重大さ、(iii)(i)と(ii)の因子と結果回避義務を課すことによって犠牲にされる利益との比較考量によって決定すべきであると解しています。

イ　違法性一元論

この見解は、「違法性」という同一の次元で、加害者の事情（故意・過失）と被害者の事情（権利侵害）とが比較考量されて、不法行為の種々の問題（賠償の有無、範囲、額）が解決されてきたのであり、客観的な行為義務違反（過失）が「違法」とされてきたことからすれば、「過失」よりも「違法性」に統合して理解すべきであると解します。

ウ　新二元論

この見解は、「過失の客観化」を前提としたうえで、「故意・過失」と「違法性ないし権利侵害」を軸とする二元的な不法行為責任構成を採用する見解です。不法行為の成否の判断作用におけるひとつの手がかりとして「不法行為上の救済を与えるのが妥当と認められる利益」という程度の意味で「違法性ないし権利侵害」要件を残すべきであると解します。この見解は、故意・過失を主観的要件、違法性を客観的要件として、二元的に捉える学説（二元論）と対比するため「新」二元論と呼ばれます。

④ 平成16年民法改正

前述のとおり、平成16年に、民法709条は「権利を侵害」から「権利又は法律上保護される利益を侵害」に改正されました。

この点、改正により不法行為の要件についての考え方が変更されたと解する余地もありますが、基本構造を改めることなく、従来の考え方に基づく実質的規範を条文に反映させたものであると説明されています。

4　侵害類型（被侵害利益の類型）

⑴ 被侵害利益の類型化の意義

民法709条は一般不法行為を規定しています。しかし、被侵害利益の種類・性質によっては、過失の認定だけで不法行為が成立する場合と、総合的な「違法性」判断によって「不法」とされうる場合があるため、不法行為法上保護に値する権利ないし利益を類型化して、その要件・効果を把握することが必要です。

⑵ 財産権の侵害

① 物権の侵害

物権は、対世性を有する排他的な支配権であり、物権が侵害された場合には、物権自体に物権的請求権という排他的支配性を復元する効力が認められます。物権的請求権が認められることとは別に、物権の侵害も「権利の侵害」に該当するため、不法行為責任が認められます。不法行為の要件を満たす場合には、物権的請求権による請求も認められますし、不法行為責任に基づく損害賠償請求も認められることとなります。

ア　所有権の侵害

所有権は、所有物につき、自由に「使用・収益・処分」をすることができる権利（民法206条）です。その各支配権能が侵害され、損害が発生した場合には、不法行為が成立します。

たとえば、道路に道路管理者の承諾なく自動販売機を設置した場合には自動販売機を設置した者は道路を不法占有しているといえ、道路管理者は自動販売機を設置した者に対して占有料相当額の損害賠償請求をすることができます（最判平成16年４月23日民集58巻４号892頁）。

イ　占有権の侵害

物の占有者がその「占有」を侵害された場合には、以下の各占有訴権が発生します。

(i) 占有妨害に対する「占有保持の訴え」（民法198条）

(ii) 占有妨害のおそれに対する「占有保全の訴え」（民法199条）

(iii) 占有侵奪に対する「占有回収の訴え」（民法200条）

上記(i)と(iii)の場合は、占有妨害や占有侵奪といった損害が発生するため、損害賠償請求が認められる可能性があります。上記(ii)の場合は、占有妨害のおそれの除去を求める訴えであり、損害が発生していないため、損害賠償請求は認められないと解されます。

ウ　用益物権の侵害

用益物権とは、他人の土地を一定の目的のために使用・収益する制限物権をいいます。具体的には、地上権・永小作権・地役権等があります。これらの用益物権の「使用・収益」権能が侵害され、損害が生じた場合には不法行為が成立しえます。

エ　担保物権の侵害

担保物権とは、債権者が有する債権の履行を確保するため、債務者または第三者が所有する一定の物・権利に対して、その物・権利の有する価値から、債権者が優先的に債権の弁済を受けることができる物権をいいます。具体的には、留置権・先取特権・質権・抵当権等があります。担保物権は、物の「処分」権能を有するのみであるから、担保目的物の「使用・収益」が妨げられたとしても担保物権を有する者との間で不法行為は成立しません。しかし、不法行為によって担保価値が減少した場合には、担保物権の侵害となり、損害賠償請求が認められる可能性があります。

② 準物権等の侵害

鉱業権、採石権、漁業権等の特別法上の物権、水利権、温泉権等の慣習法上の物権等が侵害され、損害が生じた場合、不法行為が成立します。

物権に準ずる特許権、著作権等の無体財産権についても、不法行為が成立しますが、特別法上の特則があることに注意が必要です（特許法100条以下、著作権法22条以下）。

③ 債権の侵害

債権も財産権の一種として第三者からの侵害行為には不法行為が成立します。もっとも、債権は本来債務者に対して給付を請求する権利であるから、債権が円滑にその目的を達することができない直接の原因が債務者の不誠実にある場合、債権の侵害があったといえるかが問題となります。

ア　債権の帰属自体を侵害する行為

債権自体を消滅させる行為であり、債権の特殊性を考慮する余地はなく、一般不法行為の原則に従います。したがって、過失の場合でも不法行為責任が生じます（通説）。

たとえば、無権限者が債権の準占有者として有効な弁済を受ける行為（民法478条参照）は債権侵害となります。

イ　債務者の給付行為を妨害する行為

債権の目的である給付を侵害する行為は、それによって債権が消滅した場合には債権の侵害となります。債権の消滅を惹起する行為であるため、債権の存在を認識している必要があります。

たとえば、給付の目的たる特定物を破壊し、またはなす債務において債務者を拘禁する行為等がこれに該当します。

ウ　債権を消滅させないが、給付を不可能とする行為

債務者の債務不履行に加担して、債権本来の内容の実現を不可能または著しく困難にさせた場合は、その行為が犯罪を構成するとき（たとえば、債務者が強制執行を逃れるために財産を隠匿するのに加担すること等）や公序良俗に反するとき（たとえば、相手方の代理人と通謀して相手方に不利な取引をする行為）に、不法行為が成立します。もっとも、その行為が第三者からみて許容されるべき自由競争の範囲内であれば不法行為が成立しないと解されます。

⑶ 身分権の侵害

夫婦や親子等の身分上の地位に伴う利益を内容とする権利を身分権といい、その侵害には不法行為が成立します。法律上の要件を満たした身分関係にとどまらず、事実上の身分関係に基づく利益の侵害も不法行為となります。

たとえば、婚姻の破棄による不法行為（最判昭和38年９月５日民集17巻８号942頁）、夫婦の貞操義務違反による不法行為、夫婦の一方と不倫関係をもつに至った第三者の他方配偶者に対する不法行為（最判昭和54年３月30日民集33巻２号303頁。ただし、婚姻関係がすでに破綻している夫婦の一方と肉体関係をもった第三者は、特段の事情がない限り、他方配偶者に対し不法行為責任を負わないとされます〈最判平成８年３月26日民集50巻４号993頁〉）が認められています。

⑷ 人格権の侵害

① 人格権の侵害の意義

人格上の利益を内容とする権利を人格権といい、その侵害につき不法行為の成立が認められます。民法は、生命（民法711条）、身体、自由、名誉（民法710条）の侵害につき損害賠償責任を認めています。これ以外にも、プライバシーについても、より広く一般的に人格上の利益を権利（プライバシー権）として捉え、この人格上の利益に人の私生活・私事がみだりに他人に暴露されないという利益を含めることについて、学説は一致しています。

民法は、人格権の侵害について、原則として不法行為に基づく損害賠償責任により侵害を回復することとしています。例外的に、名誉の侵害について「名誉を回復するのに適当な処分」を命ずることができるとしています（民法723条）。プライバシー権についても同様の方法が認められる必要があり、判例も認めています（最判平成14年９月24日判時1802号60頁）。また、生命、身体、自由等が損なわれ、またはそのおそれがあるときには人格権に基づく差止請求が認められることがあります。

② 生命・身体の侵害

生命侵害には当然不法行為が成立します。この場合、生命を奪われた者自身に対する不法行為（民法709条。ただし、被害者は死亡しているため、現実に損害賠償請求権を行使するのは、当該損害賠償請求権を相続した相続人となります）と、その者の父母、配偶者および子という近親者に対する不法行為（民法711条）があります。

身体侵害にも当然不法行為が成立します。被害者には、財産上の損害についての損害賠償請求（民法709条）のほかに慰謝料請求（民法710条）が認められます。

③ 自由の侵害

肉体的自由（自由な行動）に対する侵害および精神的自由（自由な意思決定）に対する侵害は不法行為となり、慰謝料請求権が発生します（民法710条）。

たとえば、逮捕・監禁することで自由な行動を制限することが肉体的自由に対する侵害に該当します。肉体的自由に対する侵害は逮捕・監禁行為に限らず、通行を妨害する行為にも認められます（最判昭和39年１月16日民集18巻１号１頁）。また、暴力によるばかりでなく、物理的または精神的に行動の自由を奪う場合を含みます。たとえば、ある者が部屋にいるときに外から当該部屋の鍵を掛けて出られないようにする行為や部屋から出たら部屋が爆発すると虚偽の告知をし部屋から出られないようにする行為が該当します。

また、詐欺または強迫によって自由な意思決定を行うことができないようにすることは精神的自由に対する侵害に該当します。いわゆる村八分は精神的な自由と名誉に対する侵害といえます（大判大正10年６月28日民録27輯1260頁）。

④ 名誉毀損

ア　名誉毀損の意義

民法は、他人の名誉を毀損した者に対しては、裁判所は、被害者の請求により、損害賠償に代えて、または損害賠償とともに、名誉を回復するのに適当な処分を命ずることができると定めています（民法723条）。名誉を毀損された場合、被害者は裁判所に損害賠償に代えて、または損害賠償とともに名誉回復処分を求めることができます。名誉回復処分の一例として、新聞や雑誌での謝罪広告が挙げられます。

イ　名誉毀損の成立

名誉毀損は、事実の摘示または意見や論評により他人の名誉を毀損した場合に成立します（民法723条）。名誉とは、人がその品性、徳行、名声、信用等の人格的価値について社会から受ける客観的な評価（社会的名誉）をいいます。人が自己の人格的価値について有する主観的な評価すなわち名誉感情は含まれません（最判昭和45年12月18日民集24巻13号2151頁）。したがって、名誉の毀損とは、人の社会的評価を低下させる行為を意味します。民法723条が名誉回復処分を認めているのは社会的評価の低下を回復させるためであるといえます。なお、法人も社会的評価の対象となるため、法人に対する名誉毀損についても不法行為が成立します（最判昭和39年１月28日民集18巻１号136頁）。

すでに死亡した者に対する名誉毀損が成立するか否かが問題となった裁判例として、東京高判昭和54年３月14日判時918号21頁があります。

前掲東京高判は、死者の名誉毀損について、(i)死者自身の名誉毀損、(ii)死者の名誉毀損を介して遺族の人格的法益（死者に対する敬愛追慕の情）の侵害の２つの場合があるとし、(i)について、不法行為の成立の可能性を認めながらも、請求権者が存在しないとし、(ii)について、審理しました。結論として、この判決では不法行為の成立を認めませんでしたが、遺族に対する不法行為責任の成否を判断する際に考慮すべき要素として、(ア)死者への遺族の敬愛追慕の情は時の経過とともに軽減していくこと、(イ)年月の経過とともに歴史的事実探求の自由・表現の自由への配慮が優位に立つこと、(ウ)公表された事実が虚偽であるか否かを挙げました。その後の裁判例では、静岡地判昭和56年７月17日判時1011号36頁が、遺族の人格権侵害を肯定しました。

ウ　真実性・真実相当性の抗弁

(i) 事実適示について

事実の摘示により社会的評価が低下した場合に名誉毀損になるとしても、社会的評価が低下すれば常に不法行為が成立するわけではなく、以下の要件が存在する場合には権利侵害の要件が欠けるとして、不法行為が成立しないと解されています（最判昭和41年６月23日民集20巻５号1118頁）。なお、その立証責任は免責を主張する側にあります。

(ア) その行為が公共の利益に関する事実であること

(イ) もっぱら公益を図る目的に出たこと

(ウ) 摘示された事実が真実であることが証明されたこと

また、(ウ)が認められない場合「真実と信ずるについての相当の理由があるとき」には、故意・過失の要件が欠け、不法行為が成立しないと解されています（最判昭和47年11月16日民集26巻９号1633頁）。

なお、共同通信社のような定評のある通信社からの配信記事をそのまま掲載したというだけでは、真実性について相当の理由があったとはいえないと解されています（最判平成14年１月29日判時1778号56頁。いわゆる「配信サービスの抗弁」を否定した判例）。

(ii) 意見論評について

事実の摘示だけでなく、意見の表明が名誉毀損になることもあります。この場合、公正な論評（fair comment）であれば、名誉毀損とならないという法理が認められています。これを公正な論評の法理といいます。具体的には、公共の利害に関する事項についての意見表明が、以下の要件を満たす場合には、名誉侵害の不法行為の違法性を欠くと解されています（最判平成元年12月21日民集43巻12号2252頁）。

㋐ その目的が専ら公益を図る目的であること

㋑ 前提としている事実が主要な点において真実であることの証明があること

㋒ 人身攻撃に及ぶ等論評としての域を逸脱したものでないこと

エ　プライバシー権

(i) プライバシー権の意義

プライバシー権とは、本来は私生活をみだりに公開されない権利を意味し、人格権の一種とされます。今日では、人が自己の情報を自己が管理する権利（自己情報コントロール権）という側面が重視されています。

プライバシー権の侵害に不法行為が成立するか否かについては、ある事実を公表されない法的利益とこれを公表する理由とを比較衡量し、前者が後者に優越する場合に不法行為が成立すると解されています（最判平成６年２月８日民集48巻２号149頁）。

プライバシー権の侵害と名誉毀損の違いは、㋐プライバシー権の侵害は、社会的評価の低下を要件としない（そもそもプライバシーは私生活に関する情報であり、社会的評価の対象ではない）、㋑プライバシー権の侵害においては、公表された事実の真実性は不法行為の成否に影響しない（ある意味、真実であればあるほどプライバシー侵害の程度は高まる可能性がある）、という２点にあります。

(ii) 裁判例――「宴のあと」事件

東京地判昭和39年９月28日下民集15巻９号2317頁（「宴のあと」事件）は、プライバシー権侵害に関して、要件を明確に示した初めての判決です。

㋐ 事　案

Y_1（三島由紀夫）がＸ（元外務大臣、都知事選に出馬し落選）とＡについてのモデル小説である『宴のあと』（本件小説は、当時世間周知の事実を交えながら、Ｘをモデルにしたことを読者に意識させながら私生活を暴露するかのごとく描かれている）を執筆し、Y_2が単行本として出版しました。ＸはY_1およびY_2に対し、プライバシー権侵害を理由として謝罪広告と損害賠償を求め、訴えを提起しました。

㋑ 判　旨

東京地裁は「私事をみだりに公開されないという保障が、今日のマスコミュニケーションの発達した社会では個人の尊厳を保ち幸福の追求を保障するうえにおいて必要不可欠なものであるとみられるに至っていることとを合わせ考えるならば、その尊重はもはや単に倫理的に要請されるにとどまらず、不法な侵害に対しては法的救済が与えられるまでに高められた人格的な利益であると考えるのが正当であり……プライバシーの侵害に対し法的な救済が与えられるためには、公開された内容が(イ)私生活上の事実または私生活上の事実らしく受け取られるおそれのあることがらであること、(ロ)一般人の感受性を基準にして当該私人の立場に立った場合公開を欲しないであろうと認められることがらであること、換言すれば一般人の感覚を基準として公開されることによって心理的な負担、不安を覚えるであろうと認められることがらであること、(ハ)一般の人々に未だ知られていないことがらであることを必要とし、このような公開によって当該私人が実際に不快、不安の念を覚えたことを必要とする」と判示し、プライバシーが権利性を有することおよびプライバシー権の侵害の要件を示しました。

オ　氏名権・肖像権

氏名を他人に冒用されない権利（氏名権）や、人が自己の肖像をみだりに他人に撮影されたり使用されたりしない権利（肖像権）も、法的保護に値する利益であり、これらの権利が侵害された場合には不法行為が成立します。

5　損害の発生

(1) 損害の発生

不法行為制度の目的は「損害」の賠償（塡補）であるため、損害の発生が不法行為責任の要件となります。条文上も「生じた損害」と規定されており、「損害の発生」が要件となることは明らかです（民法709条）。

(2) 損害概念の意義

「損害」をどのように捉えるべきであるかという点について、以下のとおり議論があります。

① 差額説

この見解は、損害とは、法益について被った不利益であり、不法行為がなければ被害者が有したであろう利益と、被害者が現に有している利益との差額をいうと解する見解です。権利侵害という「事実」ではなく、権利侵害から現実に生じた「金銭的な被害」をいい、不法行為の有無によって生じた利益状態の差を金銭的に表示したものをいいます。

差額説に対しては、非財産的損害（精神的損害）の説明に適さないと指摘されています。

② 事実説

この見解は、損害とは、不法行為によって被った「不利益な事実」であり、事実的因果関係（「あれなければこれなし」という条件関係）から導かれるすべての「事実」をいうと解する見解です。これらの「事実」のうち、どの範囲まで保護すべきであるか（いくらに金銭評価するかも含む）は「賠償範囲の確定」として別

第Ⅴ篇　債権各論

の問題として捉えます。

(3) **財産的損害・非財産的損害**

① 財産的損害

財産的利益の損害であり、財産的な権利・利益が侵害された場合のみならず、人格的利益が侵害された場合や生活妨害の場合等、経済的不利益が生じた場合をいいます。

たとえば、物権や債権等の具体的な権利侵害、生命・身体、名誉・プライバシー、貞操・婚姻的利益等の人格的利益の侵害、日照、震動・騒音、排気・汚水等による生活妨害が該当します。

財産的損害は、以下の積極的損害と消極的損害に区別されます。

ア　積極的損害

積極的損害は、既存財産の減少をいい、物の破損や傷害の場合の治療費がこれに該当します。たとえば、交通事故により被害者が入院を余儀なくされた場合の被害者が支払った入院費用が積極的損害に該当します。

イ　消極的損害（逸失利益）

消極的損害は、不法行為がなければ得られたであろう利益の喪失をいい、休業損害や死亡によって失った利益がこれに該当します。たとえば、交通事故により被害者が入院を余儀なくされ、その間被害者の経営していた商店を閉めざるをえなくなったというような事例で、交通事故がなければ商店を経営することにより利益が上がったはずであるが交通事故により当該利益が得られなかった場合のこの被害者が得られなかった利益が消極的損害に該当します。

② 非財産的損害

非財産的損害とは精神的な損害をいい、被害者の受けた苦痛や不快感を意味します。精神的な損害も損害であることに変わりはなく、生命・身体・自由・名誉を侵害した場合であると、財産権を侵害した場合であるとを問わず、加害者は被害者の精神的損害を賠償しなければなりません（民法710条）。たとえば、交通事故により被害者が入院を余儀なくされ、入院生活を強いられたことによる被害者の苦痛や不快感が非財産的損害となります。非財産的損害は経済的な損害を観念しえないため、被害者は自身の受けた苦痛や不快感を慰謝するのに相当な金額を慰謝料として請求することとなります。

精神的な損害も民法709条の「損害」に本来的には含まれるものであり、民法710条は、精神的な損害も損害賠償の対象となることを注意的に規定したものであると解されています。

6　因果関係

(1) 因果関係の必要性

民法は「権利又は法律上保護される利益を侵害した者」は「これによって生じ

た損害」を賠償する責任を負うと定めています（民法709条)。「これによって」と定められていることから、不法行為責任が認められるためには、故意または過失による行為と損害の発生との間に因果関係があることが必要です。

⑵ 因果関係の意義

「あれなければこれなし」すなわち先行事実（あれ）が後の事実（これ）の条件となる関係という意味での因果関係を事実的因果関係といいます。たとえば、交通事故が発生し、被害者は当該交通事故では死に関わるような負傷ではなかったが、救急車で運ばれた先の病院で医師の医療ミスがあり被害者が死亡した場合、「交通事故がなければ死亡しなかった」という意味で最初の交通事故と死亡の間には因果関係があるといえます。しかし、それだけでは因果関係の範囲が広がり、不法行為の成立範囲が拡大してしまいます（上記の例で交通事故の加害者が死亡にかかる損害賠償まで負うのが不当であることは明らかです)。そこで、判例・通説は、社会的に相当性が認められる因果関係が存在する場合に不法行為が成立するという相当因果関係説を採用しています。すなわち、およそ行為と損害の間に少しでも因果関係があれば不法行為が成立するというのではなく、社会的に相当性がある場合に不法行為の成立を認めると解しています。

公害事案における共同不法行為に関する判例（山王川事件。最判昭和43年４月23日民集22巻４号964頁）は、「各自の行為がそれぞれ独立に不法行為の要件を備えるときは、各自が右違法な加害行為と相当因果関係にある損害についてその賠償の責に任ずべきであり、この理は、本件のごとき流水汚染により惹起された損害の賠償についても、同様である」と判示し、相当因果関係説を採用することを明らかにしています。

相当因果関係説は、条文上の根拠として、民法416条の類推適用を挙げます。民法416条は、債務不履行における損害賠償の範囲について、通常生ずべき損害は当然に賠償の範囲に含め（民法416条１項)、特別事情による損害は当事者がその事情を予見しまたは予見できたことを要件として、賠償の範囲に含めることとしています（民法416条２項)。相当因果関係説は、民法416条は債務不履行における損害賠償に関する規定ですが、損害賠償の範囲を画するという点で類推の基礎があるとして、不法行為における損害賠償についても民法416条を類推適用すべきであると解しています。

相当因果関係説に対して、相当性を持ち込むことにより「あれなければこれなし」という因果関係そのものの判断と、因果関係の認められる損害のうちどこまでを加害者に賠償させるか、換言すれば被害者をどこまで保護するべきかという評価問題を混同していると批判し、事実的因果関係、損害賠償の範囲および賠償の金銭的評価の問題に区別して考えるべきであるという見解が有力に主張されています。この見解は、被害者の保護範囲をどのように解するかが問題であるという意味で、保護範囲説と呼ばれます。

⑶ 法的因果関係

不法行為の成立を認めるために必要とされる因果関係は法的因果関係であり、科学的因果関係ではありません。すなわち、不法行為の成立を認めるに足りる程度の因果関係が証明されればよく、厳密に科学的な意味での因果関係の証明は必要としません。具体的には、高度の蓋然性が証明されれば、裁判所は因果関係が存すると認定できるとされています。

因果関係の証明について高度の蓋然性で足りるとした判例として、以下の判例（ルンバール事件。最判昭和50年10月24日民集29巻9号1417頁・百選Ⅱ［第8版］87事件）があります。

① 事　案

Xは、化膿性髄膜炎のため、Y（国）の経営する病院に入院し、A医師からルンバールの施術を受けましたが、その15分後に突然発作を起こし、半身不随、知能障害、運動障害が残りました。そこで、Xは、治療費、逸失利益、慰謝料の支払いを求める損害賠償請求訴訟を提起しました。

これに対して、Yは、本件発作は化膿性髄膜炎の後遺症であって、ルンバール治療と発作や後遺症との間に因果関係がない等と主張しました。

② 判　旨

最高裁は「訴訟上の因果関係の立証は、一点の疑義も許されない自然科学的証明ではなく、経験則に照らして全証拠を総合検討し、特定の事実が特定の結果発生を招来した関係を是認しうる高度の蓋然性を証明することであり、その判定は、通常人が疑を差し挟まない程度に真実性の確信を持ちうるものであることを必要とし、かつ、それで足りるものである。……本件の事実関係からすれば、他に特段の事情が認められない限り、経験則上本件発作とその後の病変の原因は脳出血であり、これが本件ルンバールによって発生したものというべく、結局、Xの本件発作及びその後の病変と本件ルンバールとの間に因果関係を肯定するのが相当である」と判示し、因果関係を認定するには高度の蓋然性が証明されれば足りると解しました。

⑷ 被害者救済のための因果関係の認定手法

不法行為が認められるためには、被害者が因果関係を証明する必要がありますが、被害者が因果関係を証明することは困難な場合が少なくありません。被害者が因果関係を証明できないために損害賠償請求が認められないことにより被害者の救済が図れない事案も存在します。そこで、裁判所は、様々な因果関係の認定手法を用いて、被害者の救済を図っています。以下、裁判所の因果関係の認定手法を説明します。

① 心証的割合による因果関係の認定

被害者が因果関係を100％証明することが困難な場合でも、裁判所は、裁判官の心証形成に相当程度の証明を尽くしたといえるときに、裁判官が形成して心証の割合に応じた因果関係が存するという認定をする場合があります。これを心証的割合による因果関係の認定といいます（確率的心証ともいわれます）。

交通事故における事故と後遺症との因果関係につき、肯定の方向の証拠と否定の方向の証拠が存する場合に、「これらを総合した上で相当因果関係の存在を70パーセント肯定する」とした裁判例があります（東京地判昭和45年6月29日判時615号38頁）。東京地裁は、その理由として「証拠上肯定しうる相当因果関係の判断に即応し、不法行為損害賠償の理念である損害の公平な分担の精神に従い、事宜に適し、結論的に正義を実現しうる所以である」と判示しています。

② 統計的因果関係

判例上、レントゲン照射と皮膚癌の発生との因果関係について、当該事件そのものにおける因果関係の証明が困難であっても、類似の事象に関する統計資料により因果関係の存在を推定するという手法を採用したものがあります（最判昭和44年2月6日民集23巻2号195頁）。統計資料により因果関係の存在を推定し、当該事件における因果関係の不存在について加害者側に立証責任を負わせることで被害者の救済を図っているといえます。

③ 疫学的因果関係

当該行為と当該損害との因果関係が病理的には証明されなくても、疫学的にみて一定の原因から一定の被害が生ずることが証明された場合に、現にそれと同じ被害が現れているときには、当該原因との因果関係が認められるという手法を採用する場合があります。

疫学とは、イタイイタイ病事件の第一審判決（富山地判昭和46年6月30日判時635号17頁）によると、人間集団中の疾病等の全容をつかみ、それが多発する原因・経過を考究する学問で、患者らによって形成される集団現象を対象とし、地域性その他患者群に認められる特徴を研究して合理的な予防政策等を樹立する学問であって、臨床医学の対象が個々の患者であるのと異なるとされます。このように疫学的な見地から因果関係を認定する場合があります。

④ 因果関係の事実上の推定

行為と損害との間の因果関係そのものの証明が困難な場合に、一定の事実の証明があるときに、因果関係が推定されることがあります。

公害に関する裁判例（新潟水俣病事件の第一審。新潟地判昭和46年9月29日判時642号96頁）は、一定の場合に法的因果関係の存在を事実上推定するという立場を示しています。

すなわち、本来的には、公害により被害を被った場合、被害者は(ア)被害疾患の原因物質、(イ)原因物質が被害者に到達する経路、(ウ)加害企業における原因物質の排出を立証する必要があります。新潟地裁は(ア)被害疾患の原因物質と(イ)原因物質が被害者に到達する経路の立証がされて、汚染源の追及がいわば企業の門前にまで到達した場合には、加害企業側が自己の工場が原因物質を流出させていないことを証明しない限り、その存在（(ウ)の事実）が事実上推認され、その結果、法的因果関係が立証されたものとすべきであるとしました。

7　違法性阻却

(1) 違法性阻却の意義

他人に損害を与えた場合に、不法行為が成立するような場合でも、一定のやむをえない事情がある場合には、不法行為を成立させないことがあります。この「一定のやむをえない事情」を違法性阻却事由といいます。違法性阻却事由が存する場合には「違法性」がないとして、不法行為の成立を否定することとなります。

民法は、違法性阻却事由として「正当防衛」（民法720条１項）と「緊急避難」（民法720条２項）を定めています。このほかに解釈上、「正当行為」「被害者の承諾」「自救行為」等の違法性阻却事由が認められています。

(2) 正当防衛

①　正当防衛

他人の不法行為に対し、自己または第三者の権利または法律上保護される利益を防衛するため、やむをえず加害行為をした者は損害賠償責任を負いません。ただし、被害者の不法行為をした者に対する損害賠償請求は妨げられません（民法720条１項）。

たとえば、狭い道でＡ（不法行為者）がＢ（加害行為者）を襲い、ＢがＡの不法行為から逃れるためにやむをえず、Ｃ（被害者）の自宅の壁を破壊して逃げた場合、ＢのＣに対する加害行為（Ｃの自宅の壁を破壊した行為）について、Ｂは違法性を阻却され、損害賠償責任を負いません。この場合、ＣのＡに対する損害賠償請求は民法709条の成立要件を満たす限りにおいて認められます。

②　過剰防衛

通説は、民法720条１項の正当防衛が認められるためには防衛すべき法益と加害行為の被害者に与える損害とを比較して合理的均衡が保たれていること（防衛すべき法益が被害者に与える損害をその利益の程度が上回る場合も含みます）を要すると解しています。たとえば、上記の例ではＢの身体・生命の安全という法益とＣの財産の損傷という損害を比較した場合、Ｂの身体・生命の安全という法益の方がその利益の程度が上回るといえ、正当防衛が成立すると考えられます。

しかし、防衛すべき法益と被害者に与える損害とを比較して合理的均衡が保たれていない場合、いわゆる過剰防衛の場合には、違法性が阻却されないと解されています。たとえば、庭に勝手に入ってきた見知らぬ人を殺した場合には、不法侵入と生命侵害は合理的均衡が保たれていない過剰防衛であるといえ、違法性は阻却されないと考えられます。

もっとも、過剰防衛の場合にも、損害については過失相殺により被害者の過失が考慮されると解されます（民法722条2項）。

(3) 緊急避難

民法は、他人の物から生じた急迫の危難を避けるためその物を損傷した場合には、損害賠償責任は生じないと定めています（民法720条2項）。

刑法上の緊急避難が、自己または他人の生命、身体、自由または財産に対する現在の危難を避けるため、やむをえずにした行為（刑法37条）というように広く定められているのに対し、民法上は「他人の物」から生じた急迫の危難を避けるためにその「物」を損傷した場合にのみ違法性が阻却されることとなっており、その適用場面は限られています。

たとえば、BがAの飼っている犬に噛まれそうになった場合に、Bが噛まれるのを避けるためにその犬を傷つけることは「緊急避難」として違法性が阻却され、犬を傷つけた行為に関して、BのAに対する不法行為は成立しません。この場合の犬は「他人の物」に該当するためです。しかし、犬に噛まれるのを避けるために逃げ回った際にCと衝突し、Cが怪我をした場合には「他人の物」を「損傷」したわけではないため違法性は阻却されず、Cの怪我に関してBのCに対する不法行為責任が成立しえます（このような場合にBの過失が認められるかは別途問題となります）。

(4) 正当行為

刑法は、法令または正当な業務による行為は罰しないと定めています（刑法35条）。この趣旨は、民法上もあてはまるといえます。医師の正当な手術行為、警察官の法令に基づく職務執行行為等はその例といえますが、ほかにも正当行為により違法性が阻却される事例があります。

① 訴えの提起

訴えの提起は憲法上保障される裁判を受ける権利（憲法32条）に基づくものであり、正当な権利行使であるため、原則として違法性が阻却され不法行為とはなりません。もっとも、特別の事由があり違法性を阻却すべきでない場合があります。判例は、提訴者が当該訴訟で主張した権利または法律関係が事実的、法律的根拠を欠き、同人がそのことを知りながらまたは通常人であれば容易にそのことを知りえたのにあえて提起した等、裁判制度の趣旨目的に照らして著しく相当性を欠く場合に限り、相手方に対する違法な行為となり不法行為責任が認められうるとしています（最判昭和63年1月26日民集42巻1号1頁）。

② 児童の遊戯中の行為

判例は、小学校2年生の児童Aが「鬼ごっこ」中に1年生の児童Bに背負ってもらい逃げようとした結果、1年生の児童Bを転倒させて上腕骨骨折の負傷をさせた事案で、傷害を与えた児童Aの監督義務者の父Cに対する損害賠償請求（民法714条1項本文）につき、判例は、自己の行為の責任を弁識するに足りる知能（責任能力）を具えない児童の遊戯中の行為は違法性を阻却すべきであるとしています（最判昭和37年2月27日民集16巻2号407頁）。

③ スポーツ中の行為

スポーツ中の行為により損害が発生した場合も、特段の事情がない限り、当該スポーツの参加者同士では違法性が阻却されます。たとえば、サッカーで選手同士が衝突し、一方に過失が認められる場合でも原則として違法性が阻却され、他方に対する不法行為責任は生じません。

(5) 被害者の承諾

被害者から承諾を得ている場合は被害者が被侵害利益を自ら放棄しているといえ、加害者の違法性は阻却されます。もっとも、被害の程度や行為の状況によって異なり、被害者が承諾しているからといって違法性が阻却されない場合があります。公序良俗（民法90条）の見地からみても、生命・身体への被害についての被害者の承諾には、その効力を否定すべき場合が多いといえます。

(6) 自力救済（自救行為）

国家の定めた手続（たとえば、民事執行法に基づく強制執行手続）によらないで、権利者が自ら実力を行使して権利を実現するという自力救済は原則として許されません。これを自力救済の禁止と呼びます。もっとも、たとえば食い逃げの犯人を捕まえて飲食代金を支払わせるように、自力救済が公序良俗に反しない場合等緊急やむをえない場合には違法性が阻却されると解されています（最判昭和40年12月7日民集19巻9号2101頁参照）。

第3　不法行為の効果

1　救済の方法

(1) 不法行為の救済方法（金銭賠償の原則）

不法行為の救済方法は、民法709条により原則として「損害の賠償」であり、金銭での賠償によります。これを金銭賠償の原則といいます。

金銭賠償の原則の例外として、名誉毀損における「適当な処分」（民法723条。たとえば、謝罪広告等）や差止め（たとえば、建築工事の差止め、出版の差止め等）があります。これらを「特定的救済」（非金銭的救済）と呼びます。

(2) 特定的救済としての差止め

① 差止めの意義

差止めとは、権利（法益）侵害が現に継続しているとき、または侵害のおそれがあるときに、当該侵害を除去すべく加害者に作為・不作為義務を負わせ、違法行為を差し止めることをいいます。たとえば、作為義務の例としては日照権侵害における設計変更義務が挙げられ、不作為義務の例としては名誉毀損における出版をしない義務が挙げられます。

② 差止請求権の法的構成

差止請求権については、知的財産法や不正競争防止法等特別法において規定されているものがあります（特許法100条、著作権法112条、不正競争防止法3条等）。しかし、民法（不法行為法）には差止請求権を根拠づける特別の条項はありません。

そこで、判例・学説による解釈論が展開されてきました。特に公害・生活妨害（日照権侵害、騒音問題等）、名誉・プライバシー侵害の差止めが中心的に論じられてきました。判例は、不法行為の救済の方法として差止請求を認めています（最判昭和61年6月11日民集40巻4号872頁）。この差止請求の法的構成や要件等をめぐって以下のとおり議論されています。

ア　権利説

(i) 物権的請求権説

物権的請求権説は、差止め（＝妨害排除）の実体法的根拠を「妨害排除」を請求する権利、すなわち物権的請求権に求める見解です。この見解に対しては、健康被害や環境被害についても、物権が侵害されていると擬制しなければならないとする点に無理があるという批判があります。

(ii) 人格権説

人格権説は、物権的請求権説のように「土地所有権」といった物権（不動産賃借権も含みます）の存在を前提とするのではなく、端的に公害等における保護法益は人間の生命・身体・精神・健康・生活であり、これらを総称する「人格権」に基づいて差止請求権が認められると解する見解です。

(iii) 環境権説

環境権説は、「良い環境」を享受してこれを支配する権利を「環境権」と称し、この環境権の侵害または侵害のおそれがある場合に差止請求権が認められると解する見解です。この見解に対しては、個別的利益とはいえない環境利益を私権と捉えており、個別的紛争の解決を目的とする裁判では承認されにくい考え方であるという批判があります。

イ　利益説（不法行為説）

不法行為の効果として差止請求権が発生することを認め、かつ、被侵害利益の種類や程度、侵害行為の性質、差止めを認めた場合の社会的影響等を比較衡量し、受忍限度を超える侵害の場合には差止めを認める見解です。この見解に対しては、民法709条は不法行為の効果として「すでに生じた『損害の賠償』」を定めているのであり、「現に存する違法行為の停止（妨害排除）」や「将来なされるべき違法行為の予防」の請求は、文言から離れすぎるという批判があります。また、本来被侵害利益の権利性が強ければ加害者側の事情にかかわらず保護されるべきであるところ、加害者側の事情も含めて総合判断となると真に保護されるべき利益が保護されない場合がありえ、歯止めのない利益衡量論が許されることとなる可能性があるという批判があります。

ウ　二元説

二元説は、上記利益説のように、重大な被害が発生しているにもかかわらず、侵害行為の公共性や社会的有用性から差止めが認められないことがありうるのは妥当でないとして、被侵害利益（法益）の種類により、生命・身体等の侵害の場合には直ちに差止めの効果を認め、騒音等の被害の場合には利益衡量的判断により差止めの可否が決定されるべきであるとして、二元的に捉える見解です。

③ 差止請求権の要件

ア　受忍限度

差止請求の要件が損害賠償請求の要件と異なるものであるか否かが問題となります。

判例は、差止請求と損害賠償請求とでは、「違法性の判断」において考慮すべき要素はほぼ共通するが、「各要素の重要性をどの程度のものとして考慮するかはおのずから相違がある」としています（最判平成7年7月7日民集49巻7号2599頁・百選Ⅱ［第8版］110事件）。判例は「違法性の判断」として様々な要素を考慮すべきところ、様々な要素を考慮するためには「受忍限度」という要件を用いることが最も適していると指摘されています。すなわち、差止めを命じなければ事後的な金銭賠償では回復できないほどの損害が生ずるか否か、受忍限度を超えるか否かといった判断枠組みで判断されることとなります。

イ　有責性（故意・過失）

有責性（故意・過失）については、将来の侵害の防止が目的である以上、それについての故意・過失を要求する意味はない（このまま建築されると日照が遮られるという状況で将来の建築行為を差し止める際に、将来の建築行為による日照権侵害についての故意・過失が観念しえないのは当然といえます）として、要件とならないという考え方が有力です。

2　損害賠償額の算定

(1) 損害賠償額の算定の問題

被害者に生じた損害について賠償範囲が確定されると、賠償されるべき損害が金銭に換算されます。この金銭への換算をどのように行うかという問題を損害賠償額の算定の問題といいます。

損害の概念について差額説（判例・通説）と事実説の対立があること、損害には財産的損害と非財産的損害があることは、すでに説明したとおりです。損害の概念につき、差額説と事実説のいずれの説を基本と考えるかにより、以下の差異を生ずることとなります。

差額説では、損害は金銭に換算された額と解されるため、交通事故によって後遺症が残ったとしても、事故の前後で被害者に収入差が生じていない場合には、賠償請求ができないこととなります（精神的損害に対する慰謝料請求は別です）。しかし、事実説では、後遺症という「不利益な事実」が存続しているため、それを金銭に換算することは理論的に可能であるといえます。

また、損害の算定について、事実説では「不利益な事実」それ自体が損害と解される結果、損害の種類や項目は、その事実を金銭に換算するための資料としての意義しかもちえなくなり、差額説と比較して裁量の幅が広がります。

(2) 損害賠償額の算定のあり方

① 創造的性格・裁量的性格

損害賠償請求権は、他の金銭債権と異なり、はじめから金額が決まっているわけではなく、被害者の請求の認否について結論を出すためには、請求金額の妥当性を判断しなければなりません。したがって、賠償額の算定作業には、おのずと創造的ないし裁量的判断が必要となります。

② 賠償額算定の基準時

たとえば、不法行為により物が滅失した後に、いったん当該物の価格が騰貴したがやがて下降した場合、被害者は、その間の最高額を基準として賠償請求できるか、賠償額を算定するにあたっての「基準時」をどの時点と捉えるかが問題となります。

ア　判例の考え方

判例（大判大正15年5月22日民集5巻386頁）は、不法行為時（物の滅失時）の交換価格を原則としつつも、騰貴価格で転売等の処分をしたり、その他の方法でこの価格に相当する利益を確実に取得できたという特別の事情があり、かつその事情について予見可能性があった場合には、（中間）騰貴価格による賠償請求ができるとしています（民法416条2項類推適用）。

イ　学説の批判

上記判例は、不法行為にも民法416条が類推適用されることを明らかにした点および賠償額算定の基準時の問題にも同条の論理を用いたものとして著名な判例です。しかし、上記判例の論理に対して、学説は以下のとおり批判しています。

学説は、不法行為がなければ得られたであろう利益状態への回復を不法行為制度の目的であると解するのであれば、損害賠償の基準時は「賠償を得る時」（実際上は事実審口頭弁論終結時）とするのが自然であると解します。なぜなら、不法行為時の評価で賠償を得ても、賠償を得る時点で不法行為がなかった場合と同等の地位が回復されるとは限らないからです。

たとえば、車を破損された場合に、破損（不法）行為時に100万円の評価であった車が、その後急騰し事実審口頭弁論終結時には150万円の評価となっていたとき、不法行為がなければ得られたであろう利益状態は150万円であるにもかかわらず、判例法理では150万円で転売することが確実に予定されていたことについて加害者に予見可能性があったことが認められなければ100万円の損害賠償しか認められないこととなります。

もっとも、以上の原則は特定物のみに妥当すると解されています。不特定物は、合理的期間内に代替物の入手が可能であるから、基準時は原則として代替物を購入しえたであろう時点となります。

たとえば、放火により商品販売用の液晶テレビ10台（時価合計300万円）を焼失した場合、訴訟係属中にオリンピック需要で価格が急騰し時価合計500万円となったとしても、焼失後一定期間内に代替物を購入しえたといえる場合には、当該時点が損害賠償の基準時となります。

特定物や不特定物でも代替物の入手が不可能な場合で、判決以前の価額高騰時に転売していた蓋然性が高い場合には、それを考慮して基準時を選択すべきですが、この場合に重要なのは客観的な蓋然性であって、加害者の予見可能性ではないと考えます。

③ 損害賠償額の算定の具体例

ア　傷害の場合

(i) 傷害の損害賠償額の算定に関する裁判実務

傷害の損害賠償額の算定に関する裁判実務では、①被害者が現実に費やした費用（積極的損害）、②逸失利益（消極的損害）、③精神的損害の金額を列挙し、それらを負傷によって生じた損害と考えています（個別損害項目積み上げ方式）。医療費は積極的損害、休業損害は逸失利益となります。また、後遺障害は、労働能力喪失表等を基準に労働能力喪失の割合を定め、この割合をもとに逸失利益を算出するのが一般的です。この点、判例は、交通事故の被害者が事故に起因する後遺障害による逸失利益について定期金による賠償を求めている場合において、不法行為に基づく損害賠償制度の目的及び理念に照らして相当と認められるときは、同逸失利益は定期金による賠償の対象となるとしています（最判令和２年７月９日民集74巻４号1204頁）。

なお、事実説からは傷害の事実を損害とみるべきですが、傷害の金銭評価の方法に関しては、上記の実務が確立しており、金額も個人差のある逸失利益を別とすると定額化の傾向にあります。

(ii) 別原因による死亡の場合

⑺ 逸失利益

被害者が交通事故による後遺障害を負い、症状が固定した後、海で心臓麻痺により死亡（別原因による死亡）したという場合に、交通事故の加害者は被害者の死亡時以降の逸失利益を賠償する責任があるのかが問題となります。

最判平成８年４月25日民集50巻５号1221頁・百選Ⅱ［第８版］101事件は、「交通事故の時点で、死亡の原因となる具体的事由が存在し、近い将来における死亡が客観的に予測されていたなどの特段の事情がない限り、右死亡の事実は就労可能期間の認定上考慮すべきではない」としています。仮に賠償額算定において、別原因による死亡を考慮すれば、偶然の事情により、賠償義務者が遺族の犠牲においてその義務を免れることになり、「衡平の理念」に反するためです。

⑴ 介護費用の控除

後遺傷害について将来の介護費用が損害として認定されている場合には被害者が死亡した後は介護が不要となります。死亡後の介護費用を「加害者に負担させることは、被害者ないしその遺族に根拠のない利得を与える結果となり、かえって衡平の理念に反する」ため、死亡後の介護費用は損害賠償額から控除されます（最判平成11年12月20日民集53巻９号2038頁）。

⑼ 生活費の控除

後遺障害による被害者の逸失利益は、後遺障害による収入の減少分を合計した現在額です。たとえば、毎月30万円の収入を得ていた者が後遺障害により毎月20万円の収入となった場合には、その差額である月額10万円が逸失利益といえます。

仮に、交通事故により被害者が死亡した場合には、生きていれば支出していたであろう生活費を支出することがなくなるため、損害の原因と同一の原因により被害者が利得（この場合には生活費不支出という利得）を得た場合には損害賠償額から利得を控除できるという損益相殺の法理により、損害賠償額を算定する際、逸失利益から生活費が控除されます。

たとえば、毎月30万円の収入を得ていた者が交通事故により死亡した場合、毎月30万円の収入を得られなくなった逸失利益が存在するとともに、支出するはずであった生活費（たとえば毎月15万円〔扶養家族等の存在によりその率は変わります〕）を支出しなくてすむという利得も同時に得るため、毎月30万円という逸失利益から毎月15万円という生活費が控除され、損害賠償額が算定されます。

ところが、上記のように別原因（交通事故とまったく関係のない心臓麻痺）で被害者が死亡した場合はどう考えるべきかが問題となります。最判平成

8年5月31日民集50巻6号1323頁は、「交通事故と被害者の死亡との間に相当因果関係があって死亡による損害の賠償をも請求できる場合に限り、死亡後の生活費を控除できる」として、別原因による死亡の場合には控除の対象とならないとしました。

つまり、上記の例でいえば、毎月30万円の収入を得ていた者が交通事故により毎月20万円の収入となった後、心臓麻痺により死亡した場合、交通事故の加害者は死亡後の生活費（毎月15万円）の控除を主張できず、交通事故による後遺障害による逸失利益を損害として賠償しなければなりません。

㈡ 別原因が不法行為の場合

上記の例で、被害者の死亡原因が心臓麻痺ではなく、他の加害者による不法行為（たとえば、第2の交通事故）であった場合は、逸失利益の算定に違いが生じるかが問題となります。

前掲最判平成8年5月31日は、「被害者の死亡が病気、事故、自殺、天災等のいかなる事由に基づくものか、死亡につき不法行為等に基づく責任を負担すべき第三者が存在するかどうか、交通事故と死亡との間に相当因果関係ないし条件関係が存在するかどうかといった事情によって異なるものではない」と判示しました。

また、上記判決は、他の加害者の賠償すべき額は、第1の事故により低下した被害者の労働能力を前提に算定されるため、このように解することで被害者ないし遺族が全損害について賠償を受けることが可能となると判示します。すなわち、毎月30万円の収入を得ていた者が交通事故により毎月20万円の収入となった後、また別の交通事故により死亡した場合には、第2の事故の加害者は毎月20万円の収入を得られなくなったという逸失利益を損害として賠償することとなり、第1の事故の加害者の毎月10万円分の逸失利益と重複することはないと解しています。なお、第2の事故の加害者は死亡後の生活費（毎月15万円）の控除を主張できます。

イ　生命侵害（死亡）の場合

死亡による損害については、そもそも被害者は死亡によって存在しないのであり、被害者に帰属する損害はなく、被害者の遺族に相続される損害賠償請求権は存しないという考え方もあります。しかし、現在の実務および通説は、死亡とは傷害の極限であって、最も重い傷害の一歩先にあるものであると解し、傷害の極限的な損害が死亡の寸前に被害者に生じ、これが死亡によって相続されると解しています。

(i) 積極的損害

死亡による積極的損害としては、治療費、葬儀費用、墓碑埋設費等があります。

(ii) 逸失利益

通常、逸失利益は、被害者の死亡当時の収入を基準に、昇給も考慮したうえで、就労可能年齢までの平均的な総収入を算出し、将来支出したであろう被害者の生活費を控除して算定します。

また、一時金で支払うため、中間利息を控除して算定します。すなわち、生存していれば将来にわたり毎月収入を得ることとなるところ、請求時に一括して支払いを受けるため、将来の各時点における収入金額を現在価値に割り引いて計算する必要があります。中間利息の控除方式には、ホフマン式、ライプニッツ式等の方式があります。

(iii) 子どもの逸失利益

男児の逸失利益について、最判昭和39年6月24日民集18巻5号874頁は、男児が20歳から55歳まで働いた（最近では18歳から67歳）と想定し、平均賃金をもとにした将来受けたであろう全収入から将来支出したであろう生活費を控除した金額を算出して、損害賠償を肯定しています。

女児の逸失利益について、結婚後職につかなかった場合を賠償額に反映されるかが問題となりますが、最判昭和49年7月19日民集28巻5号872頁は、「女子雇用労働者の平均的賃金に相当する財産上の収益を上げるものと推定するのが適当」であるとしています。

(iv) 子どもの養育費

最判昭和53年10月20日民集32巻7号1500頁は、子どもの逸失利益を算定する場合に、「養育費と幼児の将来得べかりし収入との間には前者を後者から損益相殺の法理又はその類推適用により控除すべき損失と利得との同質性がな」いことを理由として、子どもの養育費を控除する必要はないとしています。

ウ　財産権の侵害

(i) 所有物が滅失した場合

所有物が滅失した場合の賠償額は、原則としてその物の交換価値であり、物が毀損した場合には、修理費用や修理期間中の使用不能による休業損害等が賠償されることとなります。

(ii) 物が不法占有や不法占拠された場合

物が不法占有や不法占拠された場合、通常は賃料相当額が賠償額となります。

エ　精神的損害

精神的損害の性質上、客観的な算定基準はありませんが、交通事故訴訟等の実務ではおおむねの相場が形成されています。もっとも、慰謝料は算定の根拠を示す必要がなく、裁判官の裁量に委ねられています。また、逸失利益・慰謝料といった項目ごとに原告が示した内訳は、裁判所を拘束しないとされ、原告の請求総額の範囲内であれば、請求額以上の慰謝料額を認容できるとされています（最判昭和48年4月5日民集27巻3号419頁）。

3　損害賠償額の調整

⑴ 総 説

不法行為の要件を満たす加害行為により損害が発生した場合には、損害賠償額が算定されますが、算定後または算定の過程の中で被害者側の事情を考慮し、損害賠償額の調整（減額）が行われることがあります。

まず、過失相殺という制度があります。民法は「被害者に過失があったときは、裁判所は、これを考慮して、損害賠償の額を定めることができる」と定めています（民法722条2項）。被害者に過失があったときにも被害者が加害者に対してその損害の全額を請求することができるというのは不当であるとして、公平の見地から損害賠償額の減額を認める制度です。

次に、損益相殺という制度があります。不法行為の被害者が損害を被ったのと同一の原因によって利益を受けた場合に、その利益の額を損害賠償額から控除する制度です。過失相殺と同様に公平の見地から認められるもので、民法上明文はありませんが、当然の法理として認められている制度です。

⑵ 過失相殺

① 過失相殺の意義

過失相殺は、損害の発生・拡大に被害者の関与があれば、被害者の過失を考慮して加害者と被害者の間で損害の公平な分担を図る制度です。たとえば、自動車を運転していて歩道から突然道路に飛び出てきた歩行者と衝突した場合、運転者の前方不注視があったとしても、この歩行者に生じた損害（治療費等）の全部を運転者が負担するのは公平でないといえます。なお、被害者の過失があれば、損害賠償額の一定の減額は認められますが、過失の程度が大きくても、加害者の損害賠償責任を全部免責することはできないと解されています（判例・通説）。

② 被害者の「過失」の意義

過失相殺が認められる被害者の「過失」とはいかなるものをいうのか、そもそも被害者に過失についてどの程度の認識を求めるのかが問題となります。

この点、かつての判例は、被害者の「過失」を民法709条の不法行為の要件である「過失」（注意義務違反）と同義であると解し、過失相殺が認められるためには過失の前提としての「責任能力」が必要であるとしていました。これに対して、学説は過失相殺の機能は加害者が負うべき賠償責任の範囲を図るものにすぎないのであり、「不注意」ないし「損害の発生を避けるのに必要な注意をする能力」があればよいと解していました。

判例は、上記学説の考え方を受け、自転車に二人乗りしていた8歳児2人が車に衝突されて死亡した事件において「被害者たる未成年者の過失をしんしゃくする場合においても、未成年者に事理を弁識するに足る知能が具わっていれば足り」るとして過失相殺を認め、上記判例を変更しました（最判昭和39年6月24日民集18巻5号854頁・百選Ⅱ［第8版］105事件）。「事理を弁識するに足る知能」を「事理弁識能力」といいます。事理弁識能力の有無は、どのようにすれば損害を避けることができるか、あるいは損害の拡大を避けることができるか、ということを認識できるか否かがポイントとなります。

③ 被害者「側」の過失

ア　意 義

上記の例で、突然道路に飛び出したのが3、4歳の幼児であった場合（事理弁識能力が認められない）には過失相殺が認められず、車の運転者は全額の損害賠償義務を負うかが問題となります。

判例は、たとえ被害者本人に事理弁識能力がなくても、「被害者側」という一群のグループの誰かに過失があれば過失相殺できるとしています（最判昭和34年11月26日民集13巻12巻1573頁）。この判例は、「被害者側」として過失相殺が認められる範囲は「被害者と身分上ないしは生活関係上一体となすとみられるような関係にある者」と判示しました。

幼児の場合には、監督者である父母やその被用者である家事使用人がこれにあたります。一方で、幼児が通う保育園の保母等は「被害者側」に該当しません（最判昭和42年6月27日民集21巻6号1507頁）。

「被害者側の過失」は被害者の過失の拡大のために機能しており、加害者を公平に扱うために妥当な理論であると評価されています。

イ　共同不法行為との関係

判例は、夫Aの運転する自動車に妻Xが同乗していたところ、第三者Yが運転する自動車との衝突（AとYの過失競合）によりXが傷害を被り、Yに対して損害賠償を請求した事案において、「右夫婦の婚姻関係がすでに破綻にひんしているなど特段の事情のない限り」、Aの過失は、被害者側の過失として斟酌することができるとしています（最判昭和51年3月25日民集30巻2号160頁）。

判例は、夫婦という特別の関係を考慮して夫の過失を斟酌できるとしましたが、その理由として紛争が1回で処理できるという合理性（YがいったんXに全額賠償をした後に、Aにその過失に応じた負担部分を求償するという求償関係が、一挙に解決されるというメリット）を挙げています。なお、その後の判例で、運転していた婚約間近の恋人の過失を被害者側の過失として斟酌した原判決を破棄したものがあります（最判平成9年9月9日判時1618号63頁）。

④ 過失相殺の適用

ア　裁判所の裁量

民事訴訟においては弁論主義の下、裁判官は当事者の主張する事実を基礎に判決しなければならないとされていますが、過失相殺については加害者が被害者の「過失」（民法722条にいう「過失」）を主張していなくとも、裁判官は過失相殺の規定をその裁量によって適用することができると解されています（弁論主義の不適用）。

また、過失相殺の割合も裁判官の自由裁量により決められ、裁判官はその割合について根拠を示す必要もありません。もっとも、過失相殺の割合の判断が裁量権の範囲を逸脱した場合には違法となります（最判平成２年３月６日判時1354号96頁）。

通常、過失相殺は、財産的損害について損害額全部を算出してから、過失割合の比率に従いまとめて減額する方法によりますが、特定の損害項目について、被害者の過失の寄与を認定して減額することもあります。

イ　故意による不法行為について

たとえば、被害者の挑発に乗って加害者が故意に殴って怪我をさせたような場合のように、加害者が故意をもって不法行為をした場合にも過失相殺が認められるかが問題となります。

過失相殺は当事者間の公平を維持するためのものであり、故意による不法行為がなされた場合でも損害賠償額の減額を認めるのが相当なときがあるため、故意による不法行為について当然に過失相殺の適用を排除するべきではないと解されます。

⑶ 被害者の素因（過失相殺の類推適用）

① 被害者の素因と損害賠償額の減額

被害者の身体的・精神的（心因的）要因（これを「被害者の素因」と呼びます）が損害の発生・拡大に寄与していた場合、被害者の素因を損害賠償額の減額事由とすべきかが問題となります。

判例は、以下のとおり、被害者の素因が存在する事案において、被害者の素因は被害者の「過失」といえないところ、損害の公平な分担を図るため過失相殺の規定を「類推適用」して損害賠償額の減額を認めているものがあります。被害者の素因が被害者側の事情であることに類推の基礎があると解しています。

② 過失相殺肯定例

判例は、自動車の追突により生じたむち打ち症について、被害者の神経症的で自発性が欠如している性格という心因的素因が寄与して損害が拡大した事案（最判昭和63年４月21日民集42巻４号243頁）および加害行為前から存在していた被害者の疾患もひとつの原因となって損害が発生した事案（最判平成４年６月25日民集46巻４号400頁）において、公平上被害者の事情を斟酌して、過失相殺を類推適用することにより、損害賠償額の減額を認めました。

③ 過失相殺否定例

判例は、追突され頚椎捻挫を負った被害者が平均的な体格や通常の体質と異なる身体的特徴（首が長く、頸椎に多少の不安定症がある）を有し、これが加害行為（追突行為）と競合して損害（バレリュー症候群や視力低下）を発生させ、または損害の拡大に寄与した事案で、身体的特徴が疾患にあたらないときは、特段の事情がない限り、これを損害賠償の額を定めるにあたり考慮すべきではないとしました（最判平成８年10月29日民集50巻９号2474頁・百選Ⅱ［第８版］106事件）。

また、長時間残業により労働者がうつ病になって自殺した事案で、長時間残業と自殺との因果関係を認めたうえで会社の使用者責任を肯定しましたが、原審が「真面目で責任感が強く、几帳面かつ完ぺき主義で、自ら仕事を抱え込んでやるタイプで、能力を超えて全部自分でしょい込もうとする行動傾向があった」という被害者の性格を心因的素因として損害賠償額を減額したのに対し、最高裁は「同種の業務に従事する労働者の個性の多様さとして通常想定される範囲を外れるものでない限り」、性格やそれに基づく業務遂行の態様等を損害賠償額の算定にあたって斟酌すべきではないとしました（最判平成12年３月24日民集54巻３号1155頁）。このように過失相殺の類推適用にも限界があることに注意を要します。

⑷ 損益相殺

① 意 義

損益相殺とは、不法行為の被害者が、損害を被ったのと同一の原因によって利益を受けた場合に、公平の見地から、その利益の額を損害賠償額から控除する法理をいいます。

たとえば、死亡による逸失利益を算定する際、死亡後にかかったであろう生活費を控除して算定するのは、死亡（同一の原因）により将来の出費を免れたという消極的利益の控除を意味し、損益相殺によるものです。

② 重複塡補の調整

被害者が保険給付や公的給付を受け、同一の損害について重複塡補（加害者からの損害塡補と保険給付等による損害塡補とが重複する）の可能性がある場合には、損益相殺だけでは解決困難な被害者、加害者（責任保険者）および給付機関という三者間の利害調整の問題が生じます。

ア　生命保険

通説・判例（最判昭和39年９月25日民集18巻７号1528頁）は、生命保険は、保険料の対価として不法行為とは直接の関係なしに支払われるものであり、損害賠償額からは控除されないと解しています。

イ　損害保険

火災保険等の損害保険では、保険会社から被害者に保険金が給付されると、

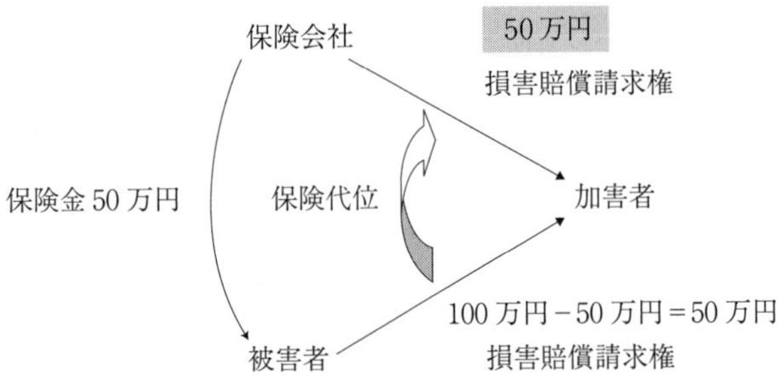

その限度で保険会社は、被害者の損害賠償請求権を代位取得します（保険法25条）。その結果、被害者の加害者に対する損害賠償請求権は、代位される分だけ減縮されることになりますが、これを被害者側からみれば、実質的には、損益相殺と同じ機能を営むことになります。損害保険で代位が認められるのは、生命保険と異なり、保険給付の直接の目的が損害の塡補にあるためであると考えられています。

ウ　社会保障給付

保険給付が社会保障的性格を有する場合についても、重複塡補の問題が生じえます。

(i) 一時金方式

たとえば、労働災害の場合の労災保険給付（一時金方式）においては、第三者の不法行為によって労災事故が生じた場合（第三者行為災害）、既給付について給付者（国）の代位を認める明文の規定があります（労働者災害補償保険法12条の4第1項）。また、使用者の不法行為責任が問題となる場合（使用者行為災害）、判例は保険給付の価額の限度において使用者は民法による損害賠償の責任を免れる（労働基準法84条2項の類推適用）と解しています（最判昭和52年10月25日民集31巻6号836頁）。

(ii) 年金方式

年金方式の下での給付額について、最判平成5年3月24日民集47巻4号3039頁は、被害者の死亡による退職年金受給権の喪失を理由とする相続人からの損害賠償請求において遺族年金の控除が問題となった事案で、支給を受けることが確定した遺族年金の限度で控除すべきものとしました。

前掲最判平成5年3月24日は、被害者が不法行為によって死亡し、その損害賠償請求権を取得した相続人が不法行為と同一の原因によって利益を受ける場合には損益相殺的な調整が必要となりうるが、このような調整は、被害者またはその相続人の受ける利益によって被害者に生じた損害が現実に補塡されたということができる範囲に限られるべきである、すなわち、相続人が取得した債権については「当該債権が現実に履行された場合又はこれと同視しうる程度にその存続及び履行が確実であるということができる場合に限られる」と判示しました。

また、労働者災害補償法上の遺族補償年金と損害賠償請求権との調整が問題となった事案において、判例は、「被害者が不法行為によって死亡した場合において、その損害賠償請求権を取得した相続人が遺族補償年金の支給を受け、又は支給を受けることが確定したときは、損害賠償額を算定するに当たり、上記の遺族補償年金につき、その塡補の対象となる被扶養利益の喪失による損害と同性質であり、かつ、相互補完性を有する逸失利益等の消極損害の元本との間で、損益相殺的な調整を行うべきものと解するのが相当である」と判示しました（最大判平成27年3月4日民集69巻2号178頁・百選Ⅱ［第8版］103事件）。

③ 過失相殺と損益相殺

たとえば、Xが会社の営業回りをしている際車道に飛び出て、Yの運転する自動車に衝突し負傷し、その治療費として100万円支出したときに、Xの過失割合が6割とされ、40万円の労災給付金を受領した事案で、損害賠償額を算定する際、過失相殺と損益相殺のいずれを先行させるか、最終的な損害賠償額に影響があるため問題となります。

ア　控除後過失相殺説

保険給付を控除した後（残額60万円）に過失相殺をした場合には、XはYに対して24万円の損害賠償請求権を有することとなります。

イ　過失相殺後控除説

過失相殺をした後（残額40万円）に保険給付を控除した場合には、Xは残額40万円の金額につき労災給付金を受領するため、XはYに対して損害賠償請求権を有しないこととなります。

ウ　判 例

判例は、Yの損害賠償義務と政府の保険給付義務とが相互補完関係にあることを前提に「損害賠償額を定めるにつき労働者Xの過失を斟酌すべき場合には、受給権者Xは第三者Yに対し上記過失を斟酌して定められた額の損害賠償請求権を有するにすぎない」として、上記イの過失相殺後控除説を採用しています（最判平成元年4月11日民集43巻4号209頁）。

4　損害賠償請求権者

⑴ 被害者本人が生存している場合

不法行為の被害者自身が損害賠償請求権を有するのは当然といえます。もっとも、未だ出生していない胎児や観念的存在である法人について損害賠償請求権が認められるかが問題となります。

① 自然人

自然人は、出生によって権利主体性が認められるため、不法行為についても被害者たる自然人はすべて損害賠償請求権者となります。ただし、未成年者や成年被後見人等制限行為能力者が「行為能力」という点で権利行使が制限されたり、同じく未成年者や成年被後見人等が「訴訟能力」という点で訴訟追行が制限されることはありえます。

② 胎 児

胎児は、権利能力者ではありませんが、損害賠償請求については、例外的にすでに生まれたものとして扱われます（民法721条）。胎児は相続についても生まれたものとみなされるため（民法886条）、胎児の間に父親が不法行為（交通事故等）により死亡した場合でも損害賠償請求権を相続することは民法721条がなくても導くことができます。したがって、民法721条の意義は胎児の時点で民法711条（固有の慰謝料請求権）の適用を可能にする点にあります。

③ 法 人

被害者である法人は損害賠償請求権者となります。法人には、精神的損害が生じませんが、非財産的損害が認められる場合があります。最判昭和39年１月28日民集18巻１号136頁は、法人の名誉毀損について「金銭評価の可能な無形の損害の発生すること必ずしも絶無ではなく、そのような損害は加害者をして金銭でもって賠償させるのを社会観念上至当とすべきであ」るとして、「無形の損害」を受けた場合に、民法710条に基づいて損害賠償請求ができるとしています。

権利能力なき社団・財団も法人に準じて請求権者となりえます（民訴法29条参照）。本来損害賠償請求権の主体となるためには権利能力が必要ですが、独自の財産を持ち代表者・管理人の定めがあって対外的に権利義務の主体としての一体性があればよいと解されます。

⑵ 被害者が死亡した場合

① 近親者固有の慰謝料請求権

ア　近親者固有の慰謝料請求権の意義

民法は「他人の生命を侵害した者は、被害者の父母、配偶者及び子に対しては、その財産権が侵害されなかった場合においても、損害の賠償をしなければならない」と定めています（民法711条）。本条は、近親者固有の慰謝料請求権を定めたものです。

そもそも本条は、近親者は直接の被害者でないため、これらの近親者固有の慰謝料請求権は民法709条を根拠としては生じないことを前提として、直接の被害者以外の第三者に損害賠償請求権を与えた例外的な規定として起草されました。

しかし、今日においては、直接の被害者以外の第三者も民法709条の要件を充足する限り、民法709条により加害者に対して慰謝料請求することも理論的には可能であるところ、民法711条は近親者自身に対する加害者の故意・過失、精神的損害の発生等の立証を要求せず、その立証責任を軽減したものであると解されています。

イ　その他の近親者

民法711条に列挙されている者以外の近親者であっても本人との関係性から固有の精神的損害が認められる場合があります。このような場合に民法711条に列挙されていないため慰謝料請求できないとするのかが問題となります。

判例は民法711条に列挙された以外の近親者についても同条を類推適用して保護を拡大しています。最判昭和49年12月17日民集28巻10号2040頁は、被害者の夫の妹が身体障害者であって、長年にわたり被害者と同居してその庇護のもとに生活を維持し、将来もその継続を期待しており、被害者の死亡により甚大な精神的苦痛を受けたという事案において、被害者の夫の妹に民法711条の類推適用を認めています。

ウ　傷害の場合

民法711条は「生命損害」の場合のみ定めているため、「傷害」の場合には近親者固有の慰謝料請求権は認められません。しかし、判例は以下のとおり「死亡したときに比肩しうべき精神上の苦痛を受けた」場合に、民法709条、710条を適用することで近親者固有の慰謝料請求を認めています。

最判昭和33年8月5日民集12巻12号1901頁は、10歳の女児がオート三輪車に轢かれて顔面に医療によっても除去できない傷跡が残った事案で「子の死亡したときに比肩しうべき精神上の苦痛を受けた」ことを認め、民法709条、710条に基づき、母親固有の慰謝料請求を認めました。

② 被害者の損害賠償請求権の相続

ア　財産的損害の賠償請求権の相続

被害者が死亡した場合に、死者自身に損害賠償請求権が発生するのか、それとも遺族固有の損害賠償請求権が発生するのか、損害賠償請求権について相続が認められるかという点と関連して問題となります。

被害者が事故に遭い重傷を負った後に死亡したときの損害賠償請求権は、慰謝料請求権や逸失利益も含めて、観念的に損害賠償請求権が発生しているといえるため相続の対象となります。

他方で、被害者が事故に遭い即死した場合に損害賠償請求権は相続されるのかが問題となります。判例は、重症の場合の均衡論から、即死の場合も「傷害と死亡との間に観念上時間の間隔あり」として逸失利益の損害賠償請求権の相続を認めています（大判大正15年2月16日民集5巻150頁）。このように相続肯定説が今日の判例の立場ですが、相続肯定説に対しては、以下の批判があります。

(i) 即死の場合も瀕死の重傷と死亡との間に観念上の時間間隔があるとする

のは法の世界特有の擬制にすぎない。

(ii) 子や独身者が死亡すると、親が子を相続するという逆相続が生じるが、平均余命の短い親が、子が天寿を全うした場合の逸失利益（逸失利益は死亡時における平均余命を基準に算定することが多い）を相続するのは不自然である。

(iii) 逸失利益の相続を認めると、生前に被害者と交際のなかった相続人が多額の損害賠償請求権を相続する現象が発生し（このような相続人は「笑う相続人」と表現されます）、不当である。

上記批判を受けて、学説は相続肯定説から遺族の固有の損害に対する損害賠償請求権を認めれば十分であるとの見解（固有損害説）が多数となっています。その代表的立場は、遺族が扶養の利益を侵害されたことを理由に、死亡しなければ得られたであろう扶養の利益を損害賠償請求できるとします。

したがって、親が子から扶養されている場合も、父母の寿命を超える扶養の利益は否定され、子から扶養されていない場合は、特に未成熟子の親の場合には、財産的損害の損害賠償請求権は否定されることとなります。

もっとも、この見解に対しても、以下のような問題があると批判されています。

(i) 傷害を受けたときに逸失利益の賠償が認められるのに対し、それより重い生命侵害の場合にそれが認められないのは不当である。

(ii) 遺族が被った損失から考えるため、相続肯定説に比べて損害賠償額が低下する。

(iii) 相続肯定説が損害の算定が画一的で容易なのに対し、固有損害説では各人の「利益」を算定するのが複雑であり、基準がない。

(iv) 賠償者の範囲が画一的でない。

イ　慰謝料請求権の相続

被害者が死亡した場合に、被害者自身の加害者に対する慰謝料請求権が相続されるか、当該慰謝料請求権がいつの時点で具体的な権利として発生するかが問題となります。

(i) 判例の変遷（相続肯定説）

この問題について、判例は以下のとおり変遷しています。

当初の判例は、慰謝料請求権は本人の悲しみといった主観的感情が根拠となっているため、本人が請求の意思表示をした場合に初めて慰謝料請求権が発生し、相続の対象となるとしていました（意思表明相続説）。その結果、「残念、残念」と言いながら死亡した場合には、それを慰謝料請求の意思表示であるとみて、慰謝料請求権が相続されるとする（大判昭和２年５月30日新聞2702号５頁）一方で、水に溺れて死亡した人が死亡する前に「助けてくれ」と言った場合には、救助を求めただけで慰謝料請求の意思表示があったとはいえないとした裁判例が現れていました。

しかし、死に際に何と言うかによって請求の可否が決まるのは不当であるといえます。そこで、最高裁は判例変更し、慰謝料請求権は死亡した本人の意思表示を待たないで当然に発生し、それが当然相続されるとしました（最大判昭和42年11月1日民集21巻9号2249頁）。

(ii) 固有損害説

相続肯定説については、近親者の固有の慰謝料請求権と重複し、慰謝料額が裁判官の裁量によって決められることからすれば、実質的には固有の慰謝料請求のみで請求した場合と相違ないとの批判があります。

固有損害説は、上記財産的損害における固有損害説がとる立場であり、本人の慰謝料請求権の相続を否定し、遺族はもっぱら民法711条の固有の慰謝料請求権を有するとし、それで足りると解する見解です。

(3) 間接被害者（間接損害）

不法行為の直接の被害者と一定の関係にある近親者や雇用者が、その不法行為によって間接的に損害を受けることがあります。このような直接の被害者ではない者に損害賠償請求権が認められるかが問題となります。

① 近親者

ア　被害者が本来支出すべき費用

本来は被害者が支出すべき費用でも、被害者の近親者が被害者に代わってその費用を支出する場合があります。たとえば、医療費、付添看護費用、葬儀費用等です。

これらの費用について、判例には、近親者自身の損害として損害賠償請求を認めるもの（大判昭和12年2月12日民集16巻46頁等）や被害者の損害として損害賠償請求を認めるもの（最判昭和46年6月29日民集25巻4号650頁）があります。

改正前民法の下では、直接被害者の損害賠償請求権と近親者の損害賠償請求権とは不真正連帯債権であると解されていましたが、改正後の民法の下では、連帯債権の規定（民法432条以下）が適用される余地があると考えられます。

イ　近親者固有の損害

上記アとは異なり、直接の被害者とは異なる法主体である近親者が固有に受ける損害があります。たとえば、近親者が付添看護のために休職したことによる休業損害（逸失利益）等が挙げられます。

この請求は、民法709条に基づく独自の損害賠償請求権であり、直接被害者の請求とは別個独立のものであり、民法709条所定の要件を充足する必要があります。

② 企業損害

会社の取締役ないし従業員の死傷事故によって営業利益の喪失等会社が損害を被ったと考えられる場合（企業損害）、その会社は損害賠償請求できるかが問題となります。

最判昭和43年11月15日民集22巻12号2614頁・百選Ⅱ［第８版］99事件は、Ｘ会社（薬局）が名ばかりの個人会社で、その実権は代表取締役Ａ（薬剤師）に集中し、経済的にはＡとＸ会社は一体をなす関係にあると認められる事案において、交通事故の加害者ＹのＡに対する加害行為と、Ａの受傷によるＸ会社の利益の逸失との間には相当因果関係があるとして損害賠償を認めています。

5　損害賠償請求権の一般性と特殊性

(1) 損害賠償請求権の金銭債権としての一般性

不法行為によって発生した損害賠償請求権は金銭債権であり、基本的には一般の債権と変わりはありません。したがって、通常の債権と同様の一般的効力を有し、その不履行についても債務不履行の一般規範によることとなります。

① 弁済期

不法行為に基づく損害賠償請求権は、損害発生と同時に行使できると解され、その弁済期は債権発生時すなわち不法行為時であり、加害者はその時点から遅滞に陥ります（最判昭和37年９月４日民集16巻９号1834頁）。期限の定めのない債務（請求があって初めて履行遅滞に陥る〈民法412条３項〉）と解すべきではありません。

② 持参債務

損害賠償債務は持参債務（債権者の現在の住所に持参したうえで弁済する必要がある債務）と解すべきです（民法484条１項参照）。

したがって、損害賠償請求訴訟は、普通裁判籍としての被告の所在地を管轄する裁判所に提起することができます（民訴法４条）。また、特別裁判籍として「財産権上の訴えの義務履行地」（＝債権者たる原告の所在地）を管轄する裁判所に提起することもできます（民訴法５条１号）。なお、「不法行為地」を管轄する裁判所に提起することもできます（民訴法５条９号）。

③ 賠償者代位

債務不履行による損害賠償においては、債権者が損害賠償としてその債権の目的である物または権利の価額の全部の支払いを受けたときは、債務者はその物または権利について、債権者に当然に代位することとなります（民法422条）。

不法行為による損害賠償について、民法422条のような賠償者代位の規定は存しませんが、公平の見地から不法行為にも類推適用されるべきであると解されます。

④ 譲渡性

財産的損害による損害賠償請求権については、一般債権と同様に債権譲渡が可能です（民法466条）。

一方、慰謝料請求権については、示談や債務名義等によって金銭債権として具体化されたときに限って譲渡性が認められ、それ以前の譲渡性を否定するのが通説です。

⑤ 遅延利息

前述のとおり、不法行為に基づく損害賠償請求権は、債権発生時つまり不法行為時が弁済期であり、その時点から履行遅滞となります。損害賠償債務は金銭債務であるため、加害者は履行遅滞があれば法定利率による遅延利息を支払う必要があります（民法419条、404条）。改正前民法の下では、法定利率は年5分でしたが、改正後の民法は、同法施行時の法定利率を年3分としたうえで（民法404条2項）、その後の法定利率について、法務省令で定めるところにより、3年を1期とし、1期ごとに変動するものとしています（民法404条3項）。

⑵ 損害賠償請求権の特殊性

① 相殺の禁止

ア　相殺の禁止の趣旨

民法上、他人から譲り受けたものである場合を除き、加害者（債務者）は、加害者（債務者）の被害者（債権者）に対する債権を自働債権として、悪意の不法行為によって発生した被害者（債権者）の加害者（債務者）に対する損害賠償請求権および人の生命または身体の侵害による損害賠償請求権を受働債権とする相殺をすることは禁止されます（民法509条）。

この趣旨は、不法行為に基づく損害賠償請求権が「被害者の救済」を目的とするものであるところ、加害者が被害者に対して有する債権で相殺することが可能であるとすれば、被害者は加害者から現実の弁済を受けることができなくなり、被害者の救済を図ることができなくなる点および加害者の被害者に対する不法行為を誘発するおそれがある点にあります。

たとえば、XがYに対して、100万円の売買代金請求権を有するところ、Xが悪意によりYを負傷させ、Yがその治療費として50万円を支出した場合、Xが上記売買代金請求権と相殺できることとすると、YはXから治療費の50万円を受領できず、治療費についての現実の補塡を受けられないこととなります。

また、XがYに対して、100万円の売買代金請求権を有する場合にXが不法行為に基づく損害賠償債務と相殺できるとした場合、XはYに対して不法行為により100万円までは損害を与えても現金を支出しなくてすむと考え、不法行為（たとえば、Yに対する傷害行為）を誘発する可能性があります。

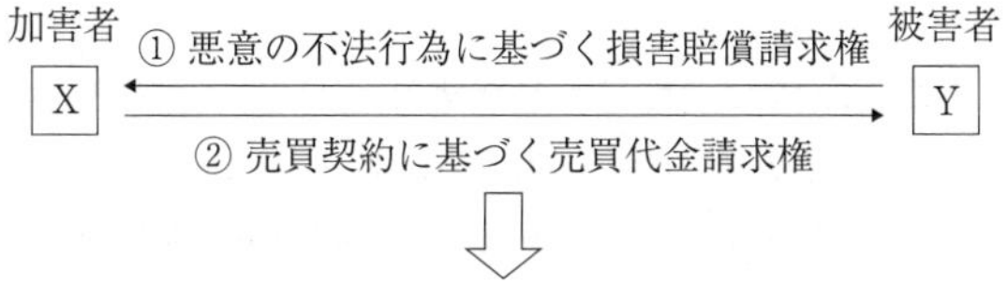

Xは、②を自働債権、①を受働債権として相殺することはできない。

イ　被害者からの相殺

上記のとおり、被害者救済の目的のために加害者からの相殺が禁止されるのであり、損害賠償請求権を自働債権とする相殺、つまり被害者が加害者に対する損害賠償請求権を自働債権として、加害者に対して負担する債務を受働債権とする相殺は許されます（最判昭和42年11月30日民集21巻9号2477頁）。

上記の例でいえば、ＹはＸに対して有する損害賠償請求権を自働債権として、Ｘに対して負担する売買代金債務を受働債権として、対当額にて相殺することが可能です。

ウ　交叉責任

自働債権・受働債権のいずれもが不法行為に基づく損害賠償請求権であった場合、原則として民法509条が適用され、相殺が禁止されます（最判昭和32年4月30日民集11巻4号646頁）。いずれも上記趣旨があてはまるためです。

もっとも、同一交通事故（＝双方の過失）から相互に損害が生じた「交叉責任」の場合には、結局賠償額の差額が問題となるのであり相殺を認めた方が便宜であるうえ、不法行為を誘発する可能性も低く、民法509条を適用し、相殺を禁止する必要がないとも考えられます。そこで、このような交叉責任の場合に民法509条が適用されるかが問題となります。

判例は、交差点で車両同士が衝突し双方の車両が損害を受け、その損害（物損）についての債権・債務の相殺が問題となった事案で「およそ不法行為による損害賠償債務を負担している者は、被害者に対する不法行為による損害賠償債権を有している場合であっても、被害者に対しその債権をもって対当額につき相殺により上記債務を免れることは許されない」として先例（前掲最判昭和32年4月30日）を引用し「したがって、本件のように双方の……過失に基因する同一の交通事故によって生じた物的損害に基づく損害賠償債権相互間においても、民法509条の規定により相殺が許されない」と判示しています（最判昭和49年6月28日民集28巻5号666頁）。

② 消滅時効

損害賠償請求権については、一般債権よりも時効期間が短く設定されており、短期消滅時効が定められています。以下、詳述します。

6　不法行為による損害賠償請求権の消滅時効

(1) 3年の消滅時効

① 意 義

不法行為による損害賠償請求権は、被害者またはその法定代理人が損害および加害者を知った時から3年の消滅時効にかかります（民法724条1号）。この消滅時効期間は、一般の債権の時効期間である、債権者が権利を行使できることを知った時から5年、権利を行使することができる時から10年（民法166条1項）と比較して短期間となっています。

立法者は、偶然的に発生する不法行為では時の経過によって証拠が不明となり、事実を証明することが困難となるであろうという点をその根拠としていたものと考えられています。また、学説には、被害者感情が年月経過により薄れるであろうという点をその根拠とするものがあります。

② 起算点

ア 「損害を知った時」について

民法724条1号は、不法行為に基づく損害賠償請求権は「被害者又はその法定代理人が損害及び加害者を知った時」から3年で消滅時効にかかるとしています。

一般の債権に比べて3年の消滅時効は短いため、起算点の要件である「被害者又は法定代理人が損害および加害者を知った時」は厳格な解釈がなされています。

(i)「損害」を知った時

最判平成14年1月29日民集56巻1号218頁は、「損害及び加害者を知った時」の解釈について、「被害者が損害の発生を現実に認識した時をいう」としています。判例は、被害者の救済の観点から、「損害を知った時」を厳格に解釈しています。

損害発生の可能性を知った時を起算点とする見解もありますが、最高裁は「(不法行為の被害者は) 自己に対する不法行為が存在する可能性のあることを知った時点において、自己の権利を消滅させないために、損害の発生の有無を調査せざるを得なくなるが、不法行為によって損害を被った者に対し、このような負担を課することは不当である」と判示しています。

(ii) 後遺症と消滅時効の起算点

消滅時効の起算点をめぐっては、不法行為時に予想しなかったような後遺症が発生したとき、これについての時効が不法行為時に発生した損害とは別個に進行するのかという問題があります。

まず、当初予想しえた損害については、事後に発生しても最初の損害に含めて時効が進行するのが原則です。しかし、予想しえなかったような後遺症が生じた場合は、当初の損害に対する判決確定後の治療費も請求でき、時効も別個に進行すると解されます（最判昭和42年7月18日民集21巻6号1559頁)。

一般に後遺症については、症状固定時までは被害者がどの程度の支出をしなければならないかを認識できず、被害者による損害賠償請求権の行使を期待できないため、「症状固定時」が時効の起算点になると解するべきです。なお、最判平成16年12月24日判時1887号52頁は、交通事故による後遺障害に基づく損害賠償請求権の消滅時効は、遅くとも症状固定の診断を受けた時から進行するとしています。

(iii) 継続的・累積的損害と消滅時効の起算点

不法占拠や公害のように、不法行為の継続に伴って継続的に発生する損害については、３年の消滅時効の起算点をいかに解するべきかが問題となります。

判例は、日々新たに発生する損害についてそれぞれ別個に時効が進行するとの立場（逐次進行説）を採用しています（大判昭和15年12月14日民集19巻2325頁）。学説では、不法占拠のように同質の損害が発生し、損害の分割が可能な場合には逐次進行説でも構わないものの、公害のように進行性の累積的損害もあり、継続的不法行為といっても各種のタイプに応じて類型的処理が必要であるとする見解が存在します。この見解は進行性の累積的損害については継続的不法行為が行われている限り、その消滅時効は進行せず継続的不法行為が終了した時点を起算点とすべきであると主張します。

イ　「加害者を知った時」について

判例は「加害者を知った時」という要件についても、被害者救済の観点から厳格な解釈をとっており、加害者を確実に知った時が３年の時効の起算点となるとしています。

判例は、白系ロシア人（被害者）が第二次大戦中に樺太で警察官に逮捕され拷問されたが、その被害者は「石塚某」という加害者の氏のみしか覚えていなかったものの、戦後になって日本中を探し回り、20年近くかかって加害者の名と住所をつきとめたという事案で、石塚某の氏名等が確実にわかった時が３年の消滅時効の起算点となるとしています（最判昭和48年11月16日民集27巻10号1374頁・百選Ⅱ［第８版］108事件）。

起算点を厳格に解するという点は、民法715条の使用者責任の場合にも貫かれ、「加害者を知った時」というのは、ただ単に使用者の氏名等を知るだけでは足りず、使用者および使用者と不法行為者との間に使用関係があるという事実に加えて、当該不法行為が使用者の事業の執行につきされたものであることを一般人が判断するに足りる事実を認識することをいうとしています（最判昭和44年11月27日民集23巻11号2265頁）。

ウ　初日不算入

条文は損害および加害者を「知った時」から時効が進行すると定めていますが、判例は、初日は算入すべきではないとしています（最判昭和57年10月19日民集36巻10号2163頁）。

(2) 20年の消滅時効

① 意 義

ア　改正前民法の規定

改正前民法は「不法行為の時から20年を経過したときも、同様とする」と定めており（改正前民法724条後段）、この20年の期間は除斥期間と解されていました（最判平成元年12月21日民集43巻12号2209頁）。したがって、不法行為の時から20年を損害賠償請求権行使の限度として、その中で3年の時効が進行することとされていました。

また、損害賠償請求を受けた側の除斥期間の主張に対して、信義則違反または権利濫用であると反論した事案で、前掲最判平成元年12月21日は、信義則違反や権利濫用は、権利の行使・義務の履行に関して問題となるものであるが、除斥期間は当事者が援用・主張しなければならないものではないという立場を採用し、除斥期間が経過すれば裁判所は職権で損害賠償請求権の消滅を認定すべきであるから、「信義則違反又は権利濫用の主張は、主張自体失当であ」ると判示しました。

もっとも、20年の期間は、絶対的に確定的なものではなく、例外的に伸長されることがあります。判例は、不法行為の時から20年経過する6か月内に被害者がその不法行為を原因として心神喪失の常況にあるのに法定代理人を有しなかった場合に、その後被害者が禁治産宣告（現在の成年後見審判）を受け、後見人が就職時から6か月以内に不法行為による損害賠償請求権を行使したときは、改正前民法158条の法意に照らし、改正前民法724条後段の効果は生じないと判示しました（最判平成10年6月12日民集52巻4号1087頁）。

イ　改正後の民法の規定

上記のとおり、改正前民法724条後段は、20年の除斥期間を定めたものと解されていました。そのため、当該期間について、時効の中断や停止の規定の適用がないこととなり、期間の経過による権利の消滅を阻止することができず、また、除斥期間の適用に対して信義則違反や権利濫用にあたると主張することができないと解されていました。その結果、長期間にわたって加害者に対する損害賠償請求をしなかったことに真にやむをえない事情がある場合においても、被害者の救済を図ることができないおそれがありました（一問一答63頁）。

そこで、改正後の民法は、不法行為による損害賠償請求権は、不法行為の時から20年間行使しない時には、時効によって消滅する旨を規定し（民法724条2号）、20年の権利消滅期間を除斥期間ではなく消滅時効期間としました。

改正後の民法の下では、不法行為の被害者は時効の更新・完成猶予の規定により損害賠償請求権の時効消滅を防ぐ措置をとることが可能となります。また、具体的な事実関係の下において、不法行為の加害者による時効援用の主張が信義則違反や権利濫用にあたる場合には、被害者の救済を図る余地が広がると考えられます（一問一答64頁）。

②　起算点

民法は20年の期間の起算点を「不法行為の時」としています。しかし、不法行為の後、長い年月を経過してから、損害が発生することがあります。このような場合に、改正前民法の下における判例は、損害発生前に20年の期間が経過することによって損害賠償請求権が消滅してしまうというのは不合理であり、法文の規定にかかわらず不法行為の時から遅れて損害が発生するときには、損害発生時を20年の期間の起算点と解しています（最判平成16年4月27日民集58巻4号1032頁・百選Ⅱ［第8版］109事件）。

なお、改正前民法の下では、継続中の不法行為につき、20年の除斥期間の起算点をいかに解するかについては、3年の消滅時効についての議論が同様にあてはまると解されていました。改正後の民法の下でも、20年の消滅時効の起算点について、3年の消滅時効についての議論が同様にあてはまると解する余地があると考えられます。

7　人の生命または身体の侵害による損害賠償請求権の消滅時効

⑴ 意 義

人の生命または身体を害する不法行為による損害賠償請求権は、被害者またはその法定代理人が損害および加害者を知った時から5年間行使しないときに、時効により消滅します（民法724条の2）。これは、人の生命または身体を害する不法行為以外の不法行為による損害賠償請求権の場合における、被害者またはその法定代理人が損害および加害者を知った時から3年間という消滅時効期間（民法724条1号）を伸長したものです。人の生命または身体を害する不法行為による損害賠償請求権が、不法行為の時から20年の消滅時効にかかることは、人の生命または身体を害する不法行為以外の不法行為による損害賠償請求権の場合と同様です（民法724条2号）。

また、人の生命または身体の侵害による損害賠償請求権が、不法行為ではなく債務不履行により生じた場合は、権利を行使することができる時から20年間行使しないときには、時効によって消滅します（民法167条）。これは、権利を行使することができる時から10年という一般の債権の消滅時効期間（民法166条1項2号）を伸長したものです。

⑵ 趣 旨

人の生命や身体に関する利益は、一般に財産的な利益等の他の利益と比べて保護の程度が強いため、人の生命・身体の侵害による損害賠償請求権については、他の利益の侵害による損害賠償請求権よりも権利行使の機会を確保する必要性が高いといえます。また、生命や身体について深刻な被害を被った債権者が通常の生活を送ることが困難な状態に陥るなど、時効完成の阻止に向けた措置を速やかにとることを期待できない場合がありえます（一問一答61頁）。

そこで、改正後の民法は、上記のとおり、人の生命や身体による損害賠償請求権については、他の利益の侵害による損害賠償請求権より長い消滅時効期間を定めました（民法167条、724条の2）。

第4　特殊不法行為

1　特殊不法行為の意義

(1) 特殊不法行為とは

民法は、民法709条で不法行為の一般原則を定めていますが、これ以外にも特別の要件によって不法行為が成立する場面を定めています（民法714条以下）。民法709条に基づく不法行為を「一般不法行為」といい、民法714条以下の不法行為を「特殊不法行為」といいます。

特殊不法行為とは、民法709条の一般不法行為の要件を修正した不法行為をいいます。特殊不法行為は、社会的活動の多様性に照らして、一般不法行為における「故意・過失」の要件や「自己責任の原則」があてはまらない領域について、一般不法行為とは別に不法行為責任を問う必要があるために定めたものです。

一般不法行為に対する修正点のうち、最も重要なものは、過失の立証責任を被害者から加害者へと転換するとして「過失責任の原則」を修正した「中間責任」を定めたことです。「中間責任」とは、無過失責任まで認めるものではないが、原則として一定の者に責任を負わせ、例外的に当該者の立証による免責を認めるという考え方を示すものです。

たとえば、一般不法行為では被害者が加害者の過失を立証することを必要としますが、監督義務者（民法714条）の責任や使用者の責任（民法715条）については立証責任が転換され、監督義務者または使用者が自己に過失がないことを立証しない限り、損害賠償義務を負うこととなります。この意味で、監督義務者や使用者は一般不法行為責任（民法709条）よりも重い責任を負うことになるといえます。

(2) 特殊不法行為の種類

民法は、6つの特殊不法行為を定めています。それぞれの特殊不法行為の内容や責任の形態をまとめると以下のとおりになります。

2　責任無能力者の監督義務者等の責任

(1) 監督義務者の責任の意義

責任能力のない者（責任無能力者）が被害者に損害を加えた場合、責任無能力者本人は被害者に対する損害賠償義務を免れます（民法712条、713条）。たとえば、責任能力がない場合として、未成年者が自己の行為の責任を弁識するに足りる知能を備えていなかった場合（民法712条）、精神上の障害により責任無能力状態で第三者に損害を加えた場合（民法713条）があります。このように加害者に責任能力がなく損害賠償義務を免れるとしても、被害者を救済することが必要となりま

条文	特殊不法行為の内容	責任の形態
民法 714 条	監督義務者の責任	中間責任
民法 715 条	使用者の責任	中間責任
民法 716 条	注文者の責任	民法 709 条の原則どおり
民法 717 条	工作物責任	中間責任（１項本文） 無過失責任（１項但書）
民法 718 条	動物占有者の責任	中間責任
民法 719 条	共同不法行為	責任加重

す。

そこで、民法は、責任無能力者が責任を負わない場合に、その責任能力者を監督すべき義務（監督義務者）を負う者は、責任無能力者が第三者に加えた損害を賠償する義務を負うとしています（民法714条１項本文）。

たとえば、未成年の子が遊んでいる間に第三者に怪我を負わせた場合、その子が責任無能力者として損害賠償義務を免れる場合でも、その子の親は監督義務者として損害賠償義務を負うこととなります（民法714条）。

監督義務者が責任を免れるためには、自らが監督義務を尽くしたことまたは損害は監督義務を怠らなくても生ずるものであったことを証明しなければなりません（民法714条１項但書）。この意味で、監督義務者の責任は中間責任となります。

⑵ 監督義務者

民法714条に基づく損害賠償義務を負うのは、法定の監督義務者（民法714条１項）と代理監督者（民法714条２項）です。

① 法定の監督義務者（民法714条１項）

法定の監督義務者とは、未成年者の親権者（民法820条）、未成年後見人（民法857条）および親権代行者（民法833条、867条）が挙げられます。責任無能力者が精神上の障害者の場合は、その成年後見人（民法858条）が監督義務者となります。

判例（最判平成28年３月１日民集70巻３号681頁・百選Ⅱ［第８版］93事件）は、認知症の高齢者が駅構内の線路に立ち入り、列車と衝突して鉄道会社に損害が発生した事案で、精神障害者の配偶者であるからといって法定の監督義務者に該当するとはいえないと判示しました。また、法定の監督義務者に該当しない者であっても、責任無能力者との身分関係や日常生活における接触状況に照らし、第三者に対する加害行為の防止に向けてその者が当該責任無能力者の監督を現に行いその態様が単なる事実上の監督を超えているなどその監督義務を引き受けたとみるべき特段の事情が認められる場合には，法定の監督義務者に準ずべき者として、民法714条１項が類推適用されるとしたうえで、同事案の妻と長男について特段の事情を否定しました。

② 代理監督者（民法714条2項）

代理監督者とは、法定の監督義務者との契約や法律の規定により、監督義務者に代わって責任無能力者を監督する者をいいます。たとえば、精神病院の院長等が挙げられます。

⑶ 監督義務者の責任の要件

監督義務者の責任の要件は、①責任無能力者の不法行為、②監督義務者が監督を怠ったこと、③監督を怠らなければ損害の発生を防止することができたことです。ただし、被害者が主張立証責任を行うのは①のみです。

① 責任無能力者の不法行為

責任無能力者の不法行為が成立するためには、責任無能力者が一般不法行為の要件（民法709条）をすべて満たすことが必要です。たとえば、未成年者の行為によって第三者に損害が生じた場合でも、未成年者に故意または過失がないときは、未成年者の監督義務者の民法714条に基づく責任は発生しません。

② 監督義務者が監督を怠ったこと

監督義務者は、監督を怠らなかったことを立証した場合には、その責任を免れることができます（民法714条1項但書前段）。判例は、監督義務を怠らなかったことの立証責任は監督義務者にあるとしています（大判昭和18年4月9日民集22巻255頁）。

もっとも、監督義務は、責任無能力者が特定の加害行為を防止するにとどまらず、責任無能力者の一般的な生活全般について監督を怠らなかったことを要するとされています。したがって、監督義務を尽くしたことの証明は極めて困難であるといえます。

判例が監督義務を尽くしたと判断したものとしては、8歳7か月の子（加害者）が手製の弓矢で6歳7か月の友達の左眼を失明させたところ、加害者の親が双方の子に弓矢の使用を禁止し約束させていたという事案があります（最判昭和43年2月9日判時510号38頁）。

また、判例は、責任を弁識する能力のない未成年者が、親権者の直接的な監視下にないときに、サッカーボールを蹴って他人に損害を加えた事案で、通常は人身に危険が及ぶものとはみられない行為によってたまたま人身に損害を生じさせた場合は、当該行為について具体的に予見可能であるなど特別の事情が認められない限り、子に対する監督義務を尽くしていなかったとすべきではないとして、同事案で親権者は監督義務者としての義務を怠らなかったと判示しました（最判平成27年4月9日民集69巻3号455頁・百選Ⅱ［第8版］92事件）。

責任無能力者が失火により第三者に損害を負わせた場合、失火者に過大な責任を負わせることを制限した失火責任法の趣旨から、監督義務者は重過失がない限り免責されます（最判平成7年1月24日民集49巻1号25頁）。

③ 監督を怠らなければ損害の発生を防止することができたこと

監督義務者が監督を怠らなくても損害の発生を防止することはできなかったという事情を立証した場合には、監督義務者は責任を免れます（民法714条１項但書後段）。この趣旨は、民法は監督義務者に無過失責任を負わせるものではなく、監督義務者が監督を怠らなくても損害の発生を防止することはできなかったという事情が認められる場合には監督義務者としての責任を問いえないという点にあります。

⑷ 一般不法行為との関係

民法714条は、不法行為を行った者が責任無能力者である場合に監督義務者が損害賠償義務を負う旨を定めた規定です。したがって、不法行為を行った未成年者に責任能力が認められる場合は、監督義務者は民法714条に基づく損害賠償義務を負いません。この場合、未成年者本人が一般不法行為責任（民法709条）を負うこととなります。

しかし、未成年者に責任能力が認められる場合でも、未成年者は無資力であるのが通常であり、未成年者の被害者に対する損害賠償義務を認めるのみでは被害者の救済としては十分ではない場合が多いといえます。

判例は、加害者（15歳の中学生）が下級生を殺して金銭を奪った事案で、加害者の責任能力を肯定したうえで、加害者の親は子の非行に気づきながらこれを放任していたという事情の下で、未成年者が責任能力を有する場合でも、監督義務者の義務違反と当該未成年者の不法行為によって生じた結果との間に相当因果関係が認められるときは、監督義務者につき民法709条に基づく不法行為が成立するものと解するのが相当であると判示しています（最判昭和49年３月22日民集28巻２号347頁）。

3　使用者責任

⑴ 使用者責任の意義

① 使用者責任とは何か

使用者責任は、他人を使用して事業を営む者は、被用者のした不法行為について当然に責任を負うとする制度です。民法は、「ある事業のために他人を使用する者は、被用者がその事業の執行について第三者に加えた損害を賠償する責任を負う」と定めています（民法715条１項本文）。

たとえば、飲食店を経営するＡ社の社員であるＢが顧客Ｃに対して飲食物をこぼし火傷を負わせてしまった場合、Ａ社はＢの使用者として、ＢのＣに対する不法行為に基づく損害賠償責任（治療費等）を負担することになります。

もっとも、「使用者が被用者の選任及びその事業の監督について相当の注意をしたとき、又は相当の注意をしても損害が生ずべきであったとき」には、使用者がその責任を免れます（民法715条１項但書）。

つまり、被用者が使用者のある事業の執行について第三者に損害を加えた場合には、使用者は原則としてその損害を賠償する責任を負い、上記免責事由を立証した場合（使用者が立証責任を負う）にはその責任を免れます。使用者は、自己の選任や監督について過失がないことを立証しない限り、責任を免れることはできません。この意味で使用者の責任は中間責任となります。

② 使用者責任の根拠

民法の起草者は、使用者責任を使用者自身の過失に基づく責任（自己責任）と理解していました（自己責任説）。

しかしその後、他人（被用者）の不法行為責任についてその者に代わって負う責任（代位責任）であるとの位置づけが主張されました。その根拠としては、報償責任（利益の存するところ〔事業者〕に損失も帰する）や危険責任（危険を支配する者が責任を負う）があるとされました（代位責任説）。報償責任や危険責任といった責任の考え方はもともと過失がなくても責任を負わせる「無過失責任」を基礎づける根拠であったため、これらの考え方を使用者責任の根拠として採用することは、「過失がなかった」という免責を容易に認めるべきではないという価値判断が働きやすくなることになります。

このような理解は、企業活動がその活動範囲を広げ専門化・高度化するにつれ、企業活動が深刻かつ甚大な損害を及ぼすケースが増加する傾向にあった中で、当該活動により利潤を得ている企業がその責任を負うべきであるという社会的要請にも合致します。

そのため、現在では代位責任説が通説となっています。

③ 現在の議論の傾向

民法715条は、直接の加害行為をした被用者（従業員）について一般不法行為責任（民法709条）が成立することを要件としています。そこで、使用者の被害者に対する使用者責任を広く肯定することは、単に使用者の免責立証を認めないことにとどまらず、被用者の不法行為責任を容易に肯定することにもつながるといえます。しかし、他方で、使用者のために仕事をしていて事故を起こした被用者については、過失の不法行為責任に関する限り、できる限り責任を限定したいとの要請もあります。

そこで、使用者責任の成立を容易にするような解釈論を展開する一方で、被用者の責任を限定するという観点から、使用者からの被用者に対する求償権（民法715条3項）を制限するというのが現在の議論の傾向です。

(2) 使用者責任の要件

使用者責任の要件は、①被用者の不法行為、②使用関係、③事業執行性、④第三者の損害、⑤使用者の免責事由の不存在です。

① 被用者の不法行為

使用者責任の成立には、被用者について、一般不法行為（民法709条）の要件が満たされていることが必要です（判例・通説）。被用者の不法行為の成立には責任能力が必要になりますが、被用者が責任無能力の場合に使用者責任の成立を否定することは不当であるとして、被用者が責任能力の要件を満たすことは不要であるとする見解も有力です。

② 使用関係

ある「事業」の執行のために「他人を使用」することが必要となります。この「事業」とは、使用者・被用者の使用関係の論理的前提であるため、広く「仕事」の意味に解してよいといえます。そこで、「事業」は営利や非営利、一時的であるか継続的であるか、適法か違法であるか等を問わず報酬がない場合でも「事業」に該当しうることになります（大判大正６年２月22日民録23輯212頁）。

通常、雇用関係があれば、「他人を使用」していると認められます。また、雇用契約がない場合でも、広く事業の執行のために他人を使用するという関係があれば、使用者と被用者という関係を認めることができます。このような使用者と被用者の関係を指揮監督関係といいます。指揮監督関係は、現実にどのような指揮監督を行っていたかということではなく、どのような指揮監督をすべきであるか、という規範的な観点から判断する必要があります。

したがって、弁護士や司法書士のように独立して業務執行をし、依頼者から指揮監督される関係にない者の場合は、原則として依頼者との間に指揮監督関係は成立しません。同様に、請負人と注文者の関係も原則として指揮監督関係は認められません。もっとも、元請人と下請人の関係になると、実質的な指揮監督の関係があることが少なくないため、指揮監督関係が認められる可能性があります。

なお、使用者のほか、使用者に代わって事業を監督する代理監督者も使用者責任を負います（民法715条２項）。

③ 事業の執行について

使用者責任（民法715条）の成立要件で最も重要であるのは、「事業の執行について」第三者に損害を与えたことという要件です。そこで、「事業の執行について」（事業執行性）の意義をどのように解釈するかが問題となります。

ア　「事業の執行について」

民法715条１項本文は「事業の執行について」と定めているため、事業の執行そのもののみならず、これに関連して行われる行為も含まれます。その関連性をいかなる程度まで求めるかが問題となります。立法以来、この要件は「事業の執行のために」よりは広いが「事業の執行に際して」よりは狭いといわれていますが、判断基準としては不明確です。

学説では、使用者責任が問題となる典型的な事案には取引行為の過程で行われる不法行為（取引行為的不法行為）と、事故のような事実行為による不法行為

（事実行為的不法行為）があることに着目し、これらを類型化する方法により判断基準を明確にしようとしています。

イ　取引行為的不法行為

取引行為的不法行為とは、取引行為の過程で行われる不法行為をいいます。

(i) 不可分一体説

かつての判例は、「事業の執行について」を「事業の範囲に属する行為又はこれと関連して一体を為し不可分の関係にある行為」と解し、しかも事業の執行としてすべき事項の現存することが必要であるとしていました（大判大正５年７月29日刑録22輯1240頁）。これを不可分一体説といいます。

(ii) 外形標準説

判例はその後、不可分一体説では使用者責任が肯定される範囲が狭すぎるとの反省から立場を改め、民法715条１項本文の「事業の執行について」とは、「被用者の職務執行行為そのものには属しないが、その行為の外形から観察して、あたかも被用者の職務の範囲内の行為に属するものとみられる場合をも包含する」という外形理論（外形標準説）を採用するに至っています（大判大正15年10月13日民集５巻785頁、最判昭和40年11月30日民集19巻８号2049頁）。

判例は、外形理論を適用するための基準として、(i)加害行為が被用者の本来の職務と相当の関連性を有することと、(ii)被用者が権限外の加害行為を行うことが客観的に容易な状態に置かれていることを挙げています。

取引的不法行為としては、手形の振出・裏書行為が問題となったものが多いです。たとえば、最判昭和36年６月９日民集15巻６号1546頁は、厳密には雇用関係にないが建設会社の営業所所長代理の肩書を付与されていた者が、権限なく所長名義の手形を裏書した事案で、上記の基準をあてはめて使用者責任を肯定しています。

(iii) 相手方が悪意・重過失のとき

外形理論により「事業の執行について」の範囲を広げた場合、相手方が「事業の執行について」行われた行為でないことにつき悪意のときには、相手方を保護する必要はないため、外形的に事業の執行にあたりうる場合であっても、使用者責任は生じません。また、相手方が重過失の場合も故意の場合と同視できるため、使用者責任は生じません。すなわち、被用者のした取引行為が、その行為の外形からみて、使用者の事業に職務権限内で適法に行われたものでなく、かつ、その行為の相手方がその事業を知りながら、または、少なくとも重大な過失によりその事情を知らないで、当該取引をしたと認められるときは、その行為に基づく損害は民法715条にいう「被用者がその事業の執行について第三者に加えた損害」とはいえないとされています（最判昭和42年11月２日民集21巻９号2278頁・百選Ⅱ［第８版］94事件）。

		民法715条	民法110条
要件	Aの基本代理権	Yとの使用関係があれば、「職務の範囲」という外形だけが問題となる。	判例：原則として法律行為の代理権が必要である（事実行為の権限は不可）。 学説：事実行為の権限でも可。
	相手方Bの過失	被害者に過失があっても、過失相殺が問題となるだけである（悪意・重過失の場合は除く）。ただし、Aに故意・過失が必要となる。	判例・通説は原則として無過失を要求している。
	転得者Xが出現したとき	Xとの関係で不法行為の要件が充足されればよい。	判例：民法110条の適用は取引の相手方に限定される。 学説：手形の場合は転得者も含まれるべきとする。
効果		損害賠償	代理権の瑕疵が補完されて有効な取引があったものと扱われる。

(iv) 使用者責任と表見代理

手形振出のような取引的不法行為では、使用者責任と同時に表見代理（民法110条）の適用も問題となります。

たとえば、Y社の被用者であるAが、知人であるBが融資を受けるのを助ける目的で、Y社振出しの約束手形を偽造し、当該偽造手形がBを経由してXの手に渡り、後日、XがY社に対して手形金の支払いを請求したところ、Yがこれを拒絶した事例を前提に、両者の要件を整理すると下表のようになります。

なお、判例は、当事者の主張次第で民法110条または民法715条を適用しており、いずれの主張も許されるとの立場をとっているものと解されます。

ウ　事実行為的不法行為

事実行為的不法行為とは、交通事故のような事実行為による不法行為をいいます。

(i) 外形理論の適用の可否

判例は、外形理論を事実行為的不法行為にも適用します（交通事故に関する肯定例として、最判昭和30年12月22日民集9巻14号2047頁）。これに対し、学説は、事実行為的不法行為の場合には、被害者において外形への信頼が問題とならない等の理由により、外形理論の適用に反対します。

(ii) 職務関連行為

業務の執行に際して、暴力行為や他人の財物の窃取行為が行われた場合でも、「事業の執行について」行われたものでなければ、使用者責任は認められません。暴力沙汰は外形的にも職務ということはできないため、判例も「職務の執行行為を契機とし、これと密接な関連を有すると認められる行為」に限り、職務の執行として使用者責任を肯定すべきであるとします（最判昭和44年11月18日民集23巻11号2079頁は、被告会社の配管工と下請会社の被用者が同一現場で道具の貸し借りをめぐって、けんかになった事案で、上記の基準を適用して使用者責任を肯定しました）。

④ 第三者の損害

使用者は、被用者が「第三者」に加えた損害を賠償しなければなりません。この「第三者」とは、事業経営者および加害行為をした被用者以外の者と解されています（大判大正10年5月7日民録27輯887頁）。被用者がその過失により他の被用者を死亡させた場合に、被害者である被用者が業務執行の共同担当者であり、当人にも過失があったときでも、使用者は民法715条の責任を免れません（最判昭和32年4月30日民集11巻4号646頁）。

⑤ 使用者の免責事由の不存在

使用者が被用者の選任およびその事業の監督について相当の注意をしたとき、または相当の注意をしても損害が発生すべきであったときは、使用者は免責されます（民法715条1項但書）。この立証責任は、使用者が負います。

(3) 効果

使用者責任を負う使用者（および代理監督者）は、被用者の加害行為から生じた損害を賠償する責任を負います。使用者責任が成立する場合には、通説・判例の立場からは、常に被用者にも民法709条の不法行為が成立していることになります。

この場合、使用者と被用者は、いずれも被害者に対して全額の賠償責任を負う関係に立ちます。そして、いずれかの者が被害者に賠償金を支払った場合、その限りで免責されます。改正前民法の下では、このような債務を不真正連帯債務と呼んでいました。改正後の民法は、連帯債務の絶対的効力事由を縮減する等の見直しを図っていることから、改正後の民法の下では連帯債務と不真正連帯債務は区別されず、従前は不真正連帯債務と解されていたものについて、改正後の連帯債務に関する規定が適用されるものと考えられます。

(4) 被用者への求償

使用者（または代理監督者）は被用者に対して求償権を行使できます（民法715条3項）。これは、実際に不法行為をしたのは被用者であるから、使用者（または代理監督者）は元凶というべき被用者に求償権を行使できることを意味します。

しかし、いかなる場合でも被用者が元凶といいきれるとは限りません。使用者が被用者に過酷な労働をさせ、その結果被用者が交通事故を起こしたようなときは元凶というべき者は使用者自身であり、使用者の責任を棚上げして、被用者に全面的に求償することは許されるものではありません。判例は、「使用者は、その事業の性格、規模、施設の状況、被用者の業務の内容、労働条件、勤務態度、加害行為の態様、加害行為の予防若しくは損失の分散についての使用者の配慮の程度その他諸般の事情に照らし、損害の公平な分担という見地から信義則上相当と認められる限度において、被用者に対し右損害の賠償又は求償の請求をすることができる」として、信義則を根拠に被用者の賠償範囲を制限しています（最判昭和51年７月８日民集30巻７号689頁・百選Ⅱ［第８版］95事件）。また、被用者が被害者に賠償した場合、使用者に対して「逆求償」をすることができるかが問題となりますが、この点について、判例は、被用者が使用者の事業の執行について第三者に損害を加え、その損害を賠償した場合には、被用者は、使用者の事業の性格、規模、施設の状況、被用者の業務の内容、労働条件、勤務態度、加害行為の態様、加害行為の予防又は損失の分散についての使用者の配慮の程度その他諸般の事情に照らし、損害の公平な分担という見地から相当と認められる額について、使用者に対して求償することができるとしています（最判令和２年２月28日民集74巻２号106頁）。

4　注文者の責任

⑴ 注文者の免責

民法は、注文者は、請負人がその仕事について第三者に加えた損害を賠償する責任を原則として負わない旨を定めています（民法716条本文）。

注文者と請負人は、請負契約の当事者です（民法632条）。たとえば、建物の建築を目的として、注文者と請負人の間で請負契約を締結した場合、請負人は注文者に対して建物を完成させる義務を負い、注文者は請負人に対して報酬を支払う義務を負います。注文者と請負人の間には使用関係はなく、請負人は注文者の指揮・監督を受けることなく独立した地位の下で仕事を行います。

したがって、請負人が仕事の過程で第三者に対する損害を発生させた場合でも、注文者は第三者に対する使用者責任（民法715条）を負いません。この場合に請負人が第三者に加えた損害については民法709条により請負人本人が第三者に対して損害賠償責任を負うことになります。民法716条本文は、注文者が請負人の加害行為について責任を負わないことを注意的に確認した規定であると解されています。

⑵ 注文者が使用者責任を負う場合

請負契約関係にある当事者間においても、具体的な事情の下で請負人が仕事を遂行するうえで独立した地位を与えられておらず、注文者と請負人の間に実質的な指揮・監督の関係が認められる場合には、注文者は請負人の加害行為について使用者責任（民法715条１項）を負うと解されています（大判昭和11年２月12日新聞

3956号17頁)。

(3) 注文者に注文または指図について過失がある場合

民法は、注文者の請負人に対する注文または指図について過失があり、これによって第三者に損害が生じた場合には、注文者は第三者に対して損害賠償責任を負うと定めています（民法716条但書)。

この趣旨は、民法716条本文によれば注文者に過失がある場合でも、注文者は責任を免れることとなるため、注文者の注文または指図について故意または過失が認められる場合には、注文者は第三者に対して一般不法行為責任（民法709条）を負うことを注意的に規定した点にあります。

判例は、建設中の建物が倒壊し、隣家の居住者に損害を与えた事案で、注文者が土木出張所から建物の補強工作を完備するよう強く勧告を受けていたにもかかわらず、請負人に補強工作をさせなかった等の事情の下で、注文主は、「補強工事をせずしてかかる作業を命ずることのないよう、また、もし右請負人において補強工作を施行せずして右工事を続行する場合には、時期を失せず工事を中止させる等の措置を執るべき注意義務があるものというべきである。しかるに、これらの措置を講じないで敢えて右工事の続行を黙過した上告人は、注文者として注文または指図について過失があったものといわなければならない」として、注文者の注文または指図について過失があったと判示して、注文主の責任を肯定しています（最判昭和43年12月24日民集22巻13号3413頁)。

5　土地工作物責任

(1) 土地工作物責任の意義

土地の工作物の設置または保存に瑕疵があることによって他人に損害を生じたときは、その工作物の占有者は、被害者に対してその損害を賠償する責任を負います（民法717条1項本文)。この趣旨は、土地の工作物の設置または保存の瑕疵がある場合、他人に対して特に損害を与えるおそれがあるため、その損害について占有者に特別の責任（危険責任）を課すことで被害者の保護を図った点にあります。

もっとも、工作物の占有者は、占有者が損害の発生を防止するのに必要な注意をしたことを証明すれば、占有者は免責され、工作物の所有者のみが責任を負います（民法717条1項但書)。占有者は、損害の発生を防止するのに必要な注意をしたことを証明することにより免責される点で無過失責任ではなく中間責任を負うものと位置づけられています。

所有者には、占有者と異なり損害発生防止のための必要な注意をしたことを立証した場合の免責要件は定められていません。したがって所有者に故意・過失がなくとも損害賠償責任を負うため、所有者の責任は無過失責任となります。

所有者は、占有者が免責される場合に損害賠償責任を負うことになるため、土地工作物責任は第一次的に占有者が、第二次的に所有者が負う責任であると位置づけることができます。

このように、土地の工作物の所有者が無過失責任を負う根拠は、土地の工作物はもともと危険を内在しているものであり、その設置・保存に瑕疵がある以上は、その所有者は責任を負うべきとする「危険責任」にあります。

「竹木」の「栽植又は支持」の瑕疵によって損害が生じたときも、所有者および占有者は、土地の工作物責任と同様の責任を負います（民法717条２項）。

⑵ 土地工作物責任の要件

民法717条１項の損害賠償責任の要件は、①土地の工作物、②土地の工作物の設置または保存の瑕疵、③因果関係です。

① 土地の工作物

「土地の工作物」とは、土地に接着して人工的作業を加えることによって成立する物をいいます（大判昭和３年６月７日民集７巻443頁）。土地の工作物といえるためには、土地への接着性と人工的作業による成立が認められる物であることが必要です。

たとえば、建物、建物の付属施設としての出入口のシャッター、エレベーター、エスカレーター、排水管、塀や門柱等のほか、電柱、堤防、貯水池、プール、道路等が「土地の工作物」に含まれます。

かつて大審院は、土地の工作物といえるためには、土地に直接接着することを要求し、工場内の機械は接着性がないとして、土地の工作物に該当しないとしていました（大判大正元年12月６日民録18輯1022頁）。しかし、学説の批判を受け、戦後の下級審は工場内に設置された機械が土地の工作物であることを認めています。

また、接着性のほかに定着性（接着・固定の程度）も問題となります。

この点、近時の判例は、接着性、定着性について比較的緩やかに認定する傾向にあるといえます。たとえば、最判平成２年11月６日判時1407号67頁は、ガス消防設備が土地の工作物にあたるかが問題となった事案につき、ガス消防設備が一体としてその機能を果たすものであること、導管は、下端を地中に埋め、上端を本件建物の軒下に固定した鉄製パイプ、建物の外壁および建物に隣接する作業場建物の外壁にそれぞれ金具で固定されていたこと、ベーパーライザーは、本件建物内玄関前に打たれたコンクリート上に置かれ、コンクリート面にビスを埋め込んで固定されていたこと、高圧ゴムホースは、ねじと充てん剤で接続されているもので比較的容易に着脱することができるものではあるものの、１年から数年程度の期間にわたり導管との接合を同一にしたまま使用されるものであること等からガス消費設備はそれ自体一体として民法717条１項にいう土地の工作物にあたり、高圧ゴムホースはその一部をなすものと判断しています。

② 設置または保存の瑕疵

ア　瑕疵の意義

「瑕疵」とは、その工作物が本来備えるべき安全性を欠くことをいいます。「瑕疵」は、その工作物の利用者以外の第三者に対する安全性の欠如を含みます。

瑕疵には、原始的な瑕疵である設置の瑕疵のほか、維持・管理が悪くて瑕疵が生じた保存の瑕疵（後発的瑕疵）があります。

「瑕疵」の存在の立証責任は、土地工作物責任を追及する側（原告）が負います。

イ　安全設備の欠如と瑕疵

土地の工作物について、しかるべき安全設備が講じられていないために、危険な状態が生じていることも「瑕疵」にあたります。

たとえば、最判昭和46年4月23日民集25巻3号351頁は、鉄道の踏切に保安設備（警報機）がないことをもって設置上の瑕疵があるとしました。この事案では、踏切そのものに瑕疵があるのではなく、踏切を保安設備と一体としてみれば、本来備えるべき安全性を欠くと評価され、瑕疵があるとされています。

また、東京地判昭和50年7月2日判時809号68頁は、資材置場を設置し管理していた被告が電柱の固定が十分であるかについて格別の点検をせず、クサビを調節することもせず、集積電柱は十分固定されないまま放置されていたことにより、集積電柱が崩れて資材置場で遊んでいた子どもが下敷きとなって死傷した事案につき、資材置場の周囲の柵および出入口の設備ならびに集積電柱の固定にそれぞれ設置、管理上の瑕疵があったとし、資材置場を設置し管理していた被告会社に右瑕疵から生じた本件事故による原告らの損害を賠償する責任があると判示しています。

③ 因果関係

民法717条1項は「瑕疵があること『によって』他人に損害を生じた」と定めており、瑕疵と損害との間の因果関係を要求しています。

一般不法行為責任（民法709条）の場合は、加害者の加害行為と損害との因果関係が問題となりますが、土地工作物責任の場合は加害行為が存在しないため、瑕疵と損害との因果関係が問題となる点に特色があります。

⑶ 損害賠償義務者

① 占有者の責任

ア　占有者の意義

「占有者」とは、工作物を事実上支配する者をいい、物権法上の占有者のことをいいます（通説・判例）。したがって、所有者でない間接占有者（賃貸人等）も含むとされます（最判昭和31年12月18日民集10巻12号18頁）。もっとも、単なる使用人や履行補助者は「占有者」に該当しません。

イ　占有者の免責

占有者は「損害の発生を防止するのに必要な注意」をした場合に免責されます（民法717条１項但書）。この損害防止に必要な「注意」とは、土地工作物の種類・性質、存在場所等を考慮して判断されます。占有者が免責されるためには、損害発生防止に必要な具体的な防止策を講じることが必要になると解されます。

② 所有者の責任

工作物の所有者は占有者が免責された場合に二次的責任を負います。この場合の所有者の責任は、免責が認められない無過失責任です。ただし、所有者は、瑕疵の存在について反証することによって免責されるため、所有者の責任は、損害が発生すればすべてその損害賠償責任を負うとする結果責任とは異なります。

ここにいう「所有者」は、現に土地工作物を所有している所有者を意味し、前所有者は含まれません。たとえば、瑕疵ある建物が譲渡され、当該建物の瑕疵により第三者に損害が生じた場合、民法717条の責任を負うのは新所有者であり、前所有者は責任を負いません。

⑷ 求償権

土地工作物の設置・保存、竹木の栽植・支持の瑕疵により、占有者または所有者が責任を負う場合に、損害の原因について他にその責任を負う者があるときは、占有者または所有者は、その者に対して求償権を行使できます（民法717条３項）。

たとえば、個人の邸宅の塀が倒壊したことにより通行人が死傷した場合に塀の占有者である当該個人に責任があるとしても、当該塀の設置工事が不十分であった場合には当該工事を施工した請負業者の責任が問題となり、当該個人は当該請負業者に求償できる可能性があります。

⑸ 国家賠償法２条

① 意 義

国家賠償法２条１項は「道路、河川その他の公の営造物の設置又は管理に瑕疵があったために他人に損害を生じたときは、国又は公共団体は、これを賠償する責に任ずる」と定めます。

② 民法717条との相違点

国家賠償法２条１項に基づく損害賠償責任は、「土地の工作物」ではなく、「公の営造物」の設置または瑕疵によって損害が生じた場合を前提とする点で、土地の工作物責任を定めた民法717条と異なります。国家賠償法２条１項の「公の営造物」は土地の工作物よりもはるかに広義であり、道路、河川が例示されていますが、その他の動産も含まれます。

③ 具体的適用例

国家賠償法２条１項の適用が問題となった事例としては、道路の瑕疵（道路上の穴等）（最判昭和45年８月20日民集24巻９号1268頁等）、河川の氾濫による水害の事案における河川の管理の瑕疵（最判昭和59年１月26日民集38巻２号53頁、最判平成２年12月13日民集44巻９号1186頁等)、公害訴訟における空港の騒音や震動（最判昭和56年12月16日民集35巻10号1369頁）や新幹線の騒音や震動（名古屋高判昭和60年４月12日判時1150号30頁）が挙げられます。また、公立学校や公営遊園地での子どもの事故についても、同法によって損害賠償責任の追及がなされます。

6　動物の占有者等の責任

⑴ 民法718条１項

動物の占有者は、その動物が他人に加えた損害を賠償する責任を負います（民法718条１項本文)。この趣旨は、動物は、他人に危害を及ぼすおそれがあることから、動物の占有者の責任を加重することによって被害者の保護を図った点にあります。ただし、動物の占有者が動物の種類および性質に従い相当の注意をもってその管理をしたことを立証した場合、動物の占有者は免責されます（民法718条１項但書)。このように動物の占有者の責任は、土地の工作物責任の占有者と同様、「中間責任」といえます。本条の「動物」とは、家畜であるか否かを問わず、また、その種類も問いません。動物の占有者の責任は、動物からの直接危害によるほか、たとえば飼主の手を離れて小型犬が小学生に近づいたことによって、小学生が怯んで自転車の操縦を誤り負傷した場合や犬に襲われて子どもが道路に飛び出して交通事故にあった場合等にも問題となります（最判昭和58年４月１日判時1083号83頁)。

⑵ 民法718条２項

民法718条２項は、「占有者に代わって動物を管理する者」（保管者）にも動物の占有者と同様の責任を課しています。占有者と保管者を区別したのは、古い占有理論では、受寄者（預かっている者）等が占有者でないと解されていたためです。今日では、受寄者等も占有者に含まれると解されているため、民法718条２項の存在意義は乏しいといえます。

⑶ 民法709条による不法行為の成立可能性

動物による損害については、本条のほか、民法709条を通じて責任を問われる場合があります。たとえば、飼主が飼犬をけしかけて、他人を襲わせたような場合は、飼主本人の故意による不法行為が成立する場合があります。

7　共同不法行為責任

⑴ 意 義

民法は「数人が共同の不法行為によって他人に損害を加えたときは、各自が連帯してその損害を賠償する責任を負う」と規定しています（民法719条１項前段)。この趣旨は、共同不法行為者間に連帯責任を認めることによって不法行為責任を強化した点にあります。すなわち、連帯責任とすることにより、被害者は数人の不法行為者の誰に対しても、全額の損害賠償請求をすることが可能となり（民法

436条参照)、被害者の救済が図られるといえます。

一般不法行為（民法709条）の場合は、個々の加害者の加害行為、損害、当該加害行為との当該損害との因果関係が問題となり、被害者がその個々の事実を主張立証しなければならず、しかも認められるのは個々の損害についての賠償請求のみです。これに対して、共同不法行為の場合は、被害者は数人の不法行為者の誰に対しても、損害全体の賠償請求をすることができるという点で、一般不法行為よりも被害者の救済に資するといえます。

(2) 共同不法行為の要件

① 一般不法行為要件との関係（因果関係の要件の緩和）

民法709条の一般不法行為が成立するためには、故意・過失、因果関係、違法性、責任能力等が必要とされます。共同不法行為の場合も、各加害者が賠償責任を負うのは、各自の行為がそれぞれ独立に不法行為（民法709条）の要件を備えるときであるとするのが、判例（山王川事件判決。最判昭和43年４月23日民集22巻４号964頁）・通説です。

これに対して、そもそも共同不法行為責任が定められているのは、被害者が各人の各行為と損害との因果関係が不明であるまたはその立証が困難であるといった場面で被害者を救済する点にあるとし、共同不法行為の場合には、共同行為と損害との因果関係が認められれば足りると解する見解があります。

この点、判例は各人の各行為と損害との因果関係を必要としたうえで、共同不法行為の成否を判断していますが（大判昭和９年10月15日民集13巻1874頁、前掲最判昭和43年４月23日)、実際にはその因果関係の判断は緩和して判断しています。たとえば、前掲大判昭和９年10月15日は、水利権争いの闘争決議に参加したものの殺傷の現場に出動していなかった者について、決議と殺傷との間には因果関係を認めています。

各人の各行為と損害との因果関係を必要としたうえで、その存否を緩やかに判断するか、そもそも各人の各行為と損害との因果関係を不要とするかといった差異はあるものの、共同不法行為は一般不法行為の「因果関係」の要件を緩和するものであると理解する点は共通しているといえます。

②「関連共同性」

民法719条１項前段は、加害者間に「共同」すなわち「関連共同性」があることを要件としています。しかし、この要件をどう理解するかについては、以下のとおり学説上議論があります。

ア　客観的関連共同説（通説・判例）

客観的関連共同説は、行為者の共謀や共同の認識（主観的関連共同）があれば当然共同不法行為を構成し、それがなかったとしても、その行為が客観的に関連共同していればよいとします。

客観的関連共同説は、教唆・幇助（民法719条2項）についても、多くの場合は客観的関連共同が認められるため、民法719条1項の適用の問題として捉え、民法719条2項は注意規定であると解釈します。

たとえば、交通事故の被害者が搬送先の病院の医療過誤により死亡した場合のように複数の不法行為が競合した競合的不法行為についても、客観的関連共同説は共同不法行為のひとつの類型として捉えます。判例も交通事故と医療事故が競合した事案について、民法719条の共同不法行為に該当すると判示しています（最判平成13年3月13日民集55巻2号328頁）。

客観的関連共同説の長所は、加害者間に「客観的関連共同性」の存在を認めることによって、複数者が関与する場合を広範に扱うことが可能となる点にあるといえます。

イ　主観的関連共同説

主観的関連共同説は、加害者に対して連帯責任を負わせるためには、「関連共同性」に何らかの「意思」（主観）的根拠が必要であるとします。

主観的関連共同説は、民法719条は自己の行為と因果関係にない結果についても賠償責任を負うべきことを定めた特殊不法行為であり、責任の根拠は、「各自が他人の行為を利用し、自己の行為が他人に利用されることを容認する意思を持つこと」であるとします。

ウ　類型説

類型説は、「関連共同性」には、主観的要素が関与する場合（主観的関連共同）と関与しない場合（客観的関連共同）とがあると類型化したうえで、共同不法行為が成立した場合の効果も当該類型に対応した効果を認めるべきであるとします。具体的には以下の見解が存在します。

(i) 類型説①

この見解は、共謀、共同の認識、教唆・幇助等意思的関与（主観的関連共同性）が存在する「意思的共同不法行為」の場合、各人の加害行為と損害との因果関係は問題とならないのに対して、主観的要素以外の関連共同性を要する「関連的共同不法行為」の場合、被害者側で因果関係を立証する必要があるとします。

(ii) 類型説②

この見解は、「関連共同性」が緊密か否かにより、2つの類型に分け、主観的共同が認められる場合には民法719条1項前段により因果関係があると擬制され、客観的共同が認められる場合には因果関係が推定されるとします。

(3) 共同不法行為の効果

① 連帯責任

共同不法行為が成立すると各自は連帯してその損害を賠償する責任を負います

（民法719条）。この「連帯」の意味について、民法改正前は、債権総則の「連帯債務」ではなく、「不真正連帯債務」を意味すると解していました。改正後の民法の下では、連帯債務と不真正連帯債務は区別されず、従前は不真正連帯債務と解されていたものについて、改正後の連帯債務に関する規定が適用されるものと解されます。

② 全額賠償

共同不法行為者各人は、それぞれ全額賠償する義務を負います。つまり、被害者は共同不法行為者全員に対して損害額全額を請求することができます。この場合、共同不法行為者のうちの１人が全額弁済すれば、他の共同不法行為者の損害賠償債務も消滅します。

③ 求 償

共同不法行為者のいずれか一方が被害者に対して損害賠償した場合、損害を賠償した共同不法行為者は、他の共同不法行為者に対して求償することができます（最判昭和41年11月18日民集20巻９号1886頁等）。求償の際には、当該損害発生につき、意思の強弱や加害方法の相違等関与の程度によって共同不法行為者間の負担割合（求償額）は決定されるものと解されます。

Ａの被用者Ｂと第三者Ｃとの共同不法行為により他人に損害を加えた場合において、ＣがＢ・Ｃ間の過失割合に従って定められるべき自己の負担部分を超えて被害者に損害を賠償した場合、ＣはＢの使用者Ａに求償をすることができるかが問題となります。

判例は、使用者は、その指揮監督する被用者と一体をなすものとして、被用者と同じ内容の責任を負うべきとしたうえで、第三者は、被用者の負担部分について使用者に対し求償することができるとしました（最判昭和63年７月１日民集42巻６号451頁・百選Ⅱ［第８版］97事件）。

また、共同不法行為の各加害者にそれぞれ使用者が存在する場合に、一方の共同不法行為者の使用者から他方の共同不法行為者の使用者に求償できるかという使用者間の求償の可否が問題となります。判例は、各使用者の責任の割合は、それぞれが指揮監督する各加害者の過失割合に従って定めるべきであるとして、使用者間の求償を肯定しました（最判平成３年10月25日民集45巻７号1173頁）。

(4)「加害者不明」の場合と「教唆者・幇助者」の責任

①「加害者不明」の場合（民法719条１項後段）

民法719条１項後段は「共同行為者のうちいずれの者がその損害を与えたかを知ることができないときも、同様とする」と規定しています。

この趣旨について判例は、複数の者がいずれも被害者の損害をそれのみで惹起し得る行為を行い、そのうちのいずれの者の行為によって損害が生じたのかが不明である場合に、被害者の保護を図るため、公益的観点から、因果関係の立証責任を転換して、上記の行為を行った者らが自らの行為と損害との間に因果関係が存在しないことを立証しない限り、上記の者らに連帯して損害の全部について賠償責任を負わせる趣旨の規定であると判示しています（最判令和3年5月17日民集75巻5号1359頁）。

② 教唆者・幇助者（民法719条2項）

民法719条2項は「行為者を教唆した者及び幇助した者は、共同行為者とみなして、前項の規定を適用する」と規定しています。

教唆とは、他人をそそのかして不法行為をさせることをいい、幇助とは窃盗の見張り番のように当該不法行為につき補助的な行為をすることをいいます。民法719条1項前段の意義について客観的関連共同説によった場合、本条の趣旨は、被害者に対して直接加害行為をしていない教唆者や幇助者についても共同行為者と擬制することで被害者保護を図った点にあると捉えます。これに対して、民法719条1項前段の意義について主観的関連共同説や類型説によった場合、教唆者や幇助者も民法719条1項前段に基づく共同不法行為者として損害賠償責任を負うため、民法719条2項は教唆者や幇助者にも共同不法行為が成立することを確認的に定めた規定であると捉えることになります。

第5　特別法上の不法行為

これまで述べた民法の規定する不法行為のほかに、民法以外の特別法上特殊な不法行為が定められています。これらの特別法上の不法行為は、被害者保護を厚くするため加害者の責任を強化する方向で民法の不法行為責任を修正するものが多いという傾向にあります。

以下、国家賠償法、自動車損害賠償保障法（自賠法）、製造物責任法（PL法）について概要を説明します。

1　国家賠償法

⑴ 意 義

国家賠償法（昭和22年10月27日法律第125号）は、日本国憲法17条の「何人も、公務員の不法行為により、損害を受けたときは、法律の定めるところにより、国又は公共団体に、その賠償を求めることができる」との規定を受けて制定されました。国家賠償法は公権力の行使に基づく損害賠償責任と公の営造物の設置管理の瑕疵に基づく損害賠償責任の2つの類型を定めています。

⑵ 内 容

① 公権力の行使に基づく損害賠償責任（国家賠償法1条1項）

国家賠償法1条1項は、「国又は公共団体の公権力の行使に当る公務員が、その職務を行うについて、故意又は過失によって違法に他人に損害を加えたときは、国又は公共団体が、これを賠償する責に任ずる」と規定しています。これは、公務員の行った不法行為について国または公共団体が責任を負うという点で、被用者が行った不法行為について使用者が責任を負う使用者責任（民法715条）に類似します。

要件としては、まず、国・公共団体の公権力の行使にあたる公務員による行為であることが挙げられます。「公権力の行使」とは、純然たる私経済作用および公の営造物の設置管理作用（国家賠償法２条）を除いた一切のものをいうと解するのが多数説です。公権力の行使の具体例としては、警察官による拳銃の誤射（最判昭和31年11月30日民集10巻11号1502頁）、厚生大臣がクロロキン製剤について製造の承認をしたことおよびクロロキン網膜症の発生を防止するために適切な措置をとらなかったこと（最判平成７年６月23日民集49巻６号1600頁）等があります。

次に、公務員がその職務を行うについて損害を与えたことが必要です。「その職務を行うについて」とは、広く国民の権益を擁護するため、客観的に職務執行の外形をそなえる行為をした場合をいうと解されています（最判昭和31年11月30日民集10巻11号1502頁）。

また、行為を行った公務員について故意または過失が必要とされています。さらに、その公務員の行為について違法性が必要とされています。

国家賠償法による国または公共団体の責任は無過失責任です。無過失責任とは、過失がなくても損害賠償責任を負う場合をいいます。

②　公の営造物の設置管理の瑕疵に基づく損害賠償責任（国家賠償法２条１項）

国家賠償法２条１項は、「道路、河川その他の公の営造物の設置又は管理に瑕疵があったために他人に損害を生じたときは、国又は公共団体は、これを賠償する責に任ずる」と規定しています。これは、公の営造物を設置管理している国または公共団体がその設置・管理の瑕疵による不法行為責任を負うという点で、土地の工作物の占有者および所有者がその土地の工作物の設置または保存の瑕疵による不法行為責任を負う土地工作物責任（民法717条）に類似します。

国家賠償法２条１項の損害賠償責任の要件は、公の営造物の設置・管理に瑕疵があったことです。「公の営造物」とは、公の用に供される有体物をいい、民法717条の「土地の工作物」よりも広く、動産も含むとされています。公の営造物の具体例としては、道路、河川、空港、警察官の拳銃等があります。

設置・管理の瑕疵とは、営造物が通常有するべき安全性を欠いていることをいいます。

同条による国または公共団体の責任は無過失責任と解されています。その趣旨は、公の営造物の設置・管理の瑕疵により他人に対して特に損害を与えるおそれがあるため、その損害について公の営造物を管理している国・公共団体に特別の責任（危険責任）を課すことで被害者の保護を図った点にあります。

⑶ 効 果

国・公共団体に損害賠償責任が認められます。

被害者は公務員個人に対して直接損害賠償を請求することができないとするのが判例（前掲最判昭和30年4月19日）・通説です。

国・公共団体から公務員個人に対する求償は、「公務員に故意又は重大な過失があったとき」に限られます（国家賠償法1条2項）。

2　自動車損害賠償保障法（自賠法）

⑴ 意 義

自動車損害賠償保障法（自賠法）（昭和30年7月29日法律第97号）は、自動車の運行供用者に無過失責任に近い責任を課するとともに強制保険制度を導入したものです。

立法目的は、自動車事故によって人の生命・身体が害された場合における損害賠償を保障し事故の被害者を救済することにあります。

自賠法は、生命・身体に対する侵害がある場合の特別法です。財産に対する侵害、すなわち物損事故の場合は、その賠償は民法の不法行為の規定（民法709条や民法715条）に基づいて損害賠償がなされることとなります。

運行供用者は後述のように民法の不法行為と比べて無過失責任に近い責任を負うこととなりますが、その根拠は自動車という危険物の保有から利益を得ている者はその危険物による損害も賠償すべきであるという考え方にあります。このような考え方を危険責任といいます。

⑵ 要 件

自賠法は、「自己のために自動車を運行の用に供する者は、その運行によって他人の生命又は身体を害したときは、これによって生じた損害を賠償する責に任ずる」と規定しています（自賠法3条本文）。

① 運行供用者

責任主体は「自己のために自動車を運行の用に供する者（運行供用者）」です。自動車の保有者がこれにあたりますが、自動車の保有者でなくても保有者に無断で自動車を使用する者も運行供用者に含まれます。

② 運 行

「（自動車の）運行」によることが必要です。「運行」とは、「人又は物を運送するとしないとにかかわらず、自動車を当該装置の用い方に従い用いること」をいいます（自賠法2条2項）。運転走行中である場合が典型例です。

③ 他人の生命・身体に損害を与えたこと

自賠法上の損害とは、生命・身体の侵害（人身損害）に限られます（自賠法3条本文）。したがって、自動車の毀損のような物的損害は民法の規定によります。この趣旨は、自動車事故による損害のうちでも人身損害が特に被害者にとって深刻な問題となることが多いことから、このような人身損害の被害者を特に救済するという点にあります。

④ 免責事由のないこと

運行供用者が、自己および運転者が自動車の運行に関して注意を怠らなかったこと、被害者または運転者以外の第三者に故意または過失があったこと、自動車に構造上の欠陥または機能の障害がなかったことを証明した場合は、運行供用者は自賠法３条に基づく損害賠償責任を負いません（自賠法３条但書）。たとえば、車両同士の事故では、対抗車両が中央線を越えて進入してきたことに起因して事故が発生した場合、追突事故で追突された場合等において上記の事実を証明したときに免責が認められます。もっとも、上記事実の証明の負担は大きいため、免責を得るのは容易ではありません。

⑶ 効 果

運行供用者は、その運行によって他人の生命または身体を害したときは、損害賠償責任を負います（自賠法３条本文）。

3　製造物責任法（PL 法）

⑴ 意 義

製造物責任法（PL 法。平成６年７月１日法律第85号）は、製造物の欠陥により人の生命、身体または財産に対する被害が生じた場合における製造業者等の損害賠償責任について定めます。たとえば、消費者ＡがＢ社製のエアコンを小売店から購入したところ、そのエアコンから火が出てＡが負傷した場合を考えます。

被害者ＡがＢ社に対して損害賠償請求をする場合、ＡとＢ社との間には直接の契約関係がないため債務不履行責任（民法415条）を問うことはできず、不法行為責任（民法709条）を問うことになります。しかし、不法行為ではエアコンの構造や製造過程等について専門知識を持たない被害者がメーカーの過失を立証することは極めて困難です。また、メーカーは商品の製造販売により利益を得ており、商品の安全性の確保についても最も行いやすい立場にあります。このような状況を踏まえると通常の不法行為によっては被害者の救済に十分でないことから PL 法が定められました。

PL 法は平成６年７月に成立し、平成７年７月から施行されています。

⑵ 要 件

PL 法は、製造物の欠陥により他人の生命・身体・財産に損害が生じた場合における製造業者等の損害賠償責任について定めています。

製造物責任の主体は「製造業者等」です（PL 法２条３項）。

製造物責任の客体は「製造物」です。「製造物」とは、「製造又は加工された動産」（PL 法２条１項）をいいます。したがって、土地、建物等の不動産は含まれず、各種のサービス等も動産ではないため含まれません。また、収穫したままの農水産物は製造または加工されたものではないため、製造物には含まれません。

製造物責任は製造業者の故意過失ではなく製造物の「欠陥」（PL法3条）を要件とします。「欠陥」とは、その製造物が通常有すべき安全性を欠いていることであると定義されます（PL法2条2項）。

なお、製造業者は、引渡時期における科学技術に関する知見によっては認識できなかった欠陥であることを証明することにより免責を受けることができます（PL法4条1号）。これを「開発危険の抗弁」といいます。

また、製造物の欠陥により「他人の生命・身体・財産に損害が生じた場合」であることが必要です。したがって、単に製造物の欠陥により製造物が故障して動かなくなったというだけでは他人の生命・身体・財産に損害が生じていないため、PL法の適用はなく、契約不適合責任（民法562条等）等の通常の契約責任で処理されることとなります。

(3) 効　果

製造業者等は製造物の欠陥に基づき生じた生命・身体・財産に対する損害につき損害賠償責任を負います（PL法3条）。

製造物責任に基づく損害賠償責任の短期の消滅時効期間は、民法724条1号と同様に3年です（PL法5条1項1号。ただし、人の生命または身体を侵害した場合は5年。PL法5条2項）。もっとも、通常の不法行為は長期の消滅時効期間を20年と定めるのに対し（民法724条2号）、PL法は、製造業者等が当該製造物を引き渡した時から10年の長期消滅時効期間を定めています（PL法5条1項2号）。これは製造物の平均的な耐用年数や記録の保管期間を考慮したものとされています。ただし、たとえば薬害等のように身体に蓄積した場合に人の健康を害することとなる物質による損害、または一定の潜伏期間経過後に症状が現れる損害については、その損害が生じた時から除斥期間を起算します（PL法5条3項）。

第Ⅵ篇

親　族

第1章

家族法序論

第1　家族法の意義

1　家族法とは

家族法とは、民法典の第4編の親族および第5編の相続によって構成された家族に関わる実体法をいいます。家族法の目的は、夫婦や親子等の家族の法律関係の規律を定めることで、家族関係をめぐって紛争が生じた場合の解決基準を与えた点にあります。

2　家族法の構造

家族法は、①婚姻・離婚等の夫婦の身分的関係の得喪に関する規律、養子縁組・離縁等親子の身分関係の得喪に関する規律、親族相互間の権利義務に関する規律を定めた親族法と、②それらの身分関係に結合する財産関係の承継である相続や遺言や遺留分について定めた相続法に分類できます。

親族法は、総則（第1章）、婚姻（第2章）、親子（第3章）、親権（第4章）、後見（第5章）、保佐及び補助（第6章）、扶養（第7章）で構成されます。

相続法は、総則（第1章）、相続人（第2章）、相続の効力（第3章）、相続の承認及び放棄（第4章）、財産分離（第5章）、相続人の不存在（第6章）、遺言（第7章）、配偶者の居住の権利（第8章）、遺留分（第9章）、特別の寄与（第10章）で構成されます。

第２　家族法の基本原理・特質

- 家族法
  - 親族法
    - 第１章　総則
    - 第２章　婚姻
    - 第３章　親子
    - 第４章　親権
    - 第５章　後見
    - 第６章　保佐及び補助
    - 第７章　扶養
  - 相続法
    - 第１章　総則
    - 第２章　相続人
    - 第３章　相続の効力
    - 第４章　相続の承認及び放棄
    - 第５章　財産分離
    - 第６章　相続人の不存在
    - 第７章　遺言
    - 第８章　配偶者の居住の権利
    - 第９章　遺留分
    - 第10章　特別の寄与

憲法24条１項は、「婚姻は、両性の合意のみに基いて成立し、夫婦が同等の権利を有することを基本として、相互の協力により、維持されなければならない」とし、憲法24条２項は、「配偶者の選択、財産権、相続、住居の選定、離婚並びに婚姻及び家族に関するその他の事項に関しては、法律は、個人の尊厳と両性の本質的平等に立脚して、制定されなければならない」と規定します。

家族法は憲法24条を受け、個人の尊厳と両性の本質的平等を基本原理とするものといえます。

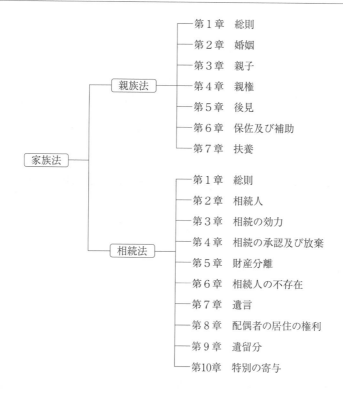

第３　身分行為の意義

身分行為とは、婚姻、離婚、認知等身分上の法律効果を発生させる法律行為をいいます。

身分行為は、当事者の意思表示を要素とする行為です。そのため、行為主体の行為能力、意思表示等に関する民法典の第１編の総則（以下「民法総則」といいます）の規定を適用すべきか否かが問題となります。

しかし、民法総則の諸規定は大部分が経済社会における合理的な意思形成を前提とする財産法の通則規定であり、このような民法総則の規定を婚姻、離婚等の法律効果を発生させる身分行為に全面的に適用するのは妥当ではありません。

一方で、身分行為といっても、たとえば財産分与のように財産的色彩の強い法律行為も存在し、身分行為も意思表示を要素とする法律行為である以上、民法総則の規定の適用を全面的に排除することは妥当ではありません。そのため、民法総則の規定の適用の有無は、個々の身分行為について個別具体的に検討することが必要です。

第4　身分行為に対する民法総則規定の適用の有無

1　行為能力

身分行為は、家族関係を発生・変更・消滅させる法律行為であるため、本人の意思を第一に尊重すべきです。そこで、身分行為を行う当事者は、取引行為と異なり行為能力は必要なく、その行為の意味内容を理解しうる程度の意思能力があれば足りると解されています。

民法は、各種の身分行為に要する能力を場合に応じて個別に規定しています。

たとえば、男女を問わず18歳で婚姻することができ（民法731条。改正前は、男性は18歳、女性は16歳）、未成年者であっても子を認知することが認められます（民法780条）。一方で、民法833条は、親権を行うべき者が未成年の子である場合、当該子の親権者が未成年者に代わって親権を行う旨規定しています。この趣旨は、未成年の子は完全な行為能力を有していないため、財産法的効果を伴う親権の行使を制限した点にあります。

2　意思表示

前述のとおり、身分行為は本人の意思を第一に尊重すべきです。そのため、本人の意思に基づかない身分行為は無効となります。財産法上の法律行為の場合、心裡留保（民法93条1項本文）、虚偽表示（民法94条2項）等、本人の意思に基づかない法律行為であっても、取引の安全を図るため有効になる場合がありますが、身分行為では、本人の意思に基づかないものは無効となります。

したがって、心裡留保（民法93条）、虚偽表示（民法94条）に基づく身分行為は、すべて無効となります。善意の第三者が存在する場合でも、当該第三者は身分行為の有効性を表意者に対して主張することができません。

3　取消し

身分行為が詐欺や強迫に基づいてなされた場合、表意者は当該意思表示を取り消すことができます（民法747条、808条等）。

もっとも、民法総則が規定する取消し（民法121条）と異なり、身分行為の取消しについては遡及効がなく（民法748条１項等参照）、取消後は善意の第三者に対しても取消しの効力を主張できます。この趣旨は、すでに発生した身分関係を維持することで、身分関係が複雑化することを防止した点にあります。

また、民法は、重婚や近親婚の禁止等身分行為のうち公序良俗に関する事項について、これを無効とするのではなく取消事由としています（民法732条、734条ないし736条、743条等）。この趣旨は、すでに発生した身分関係を維持することで、身分関係が複雑化することを防止した点にあります。

４　代理・期限・条件

身分行為は当事者本人が自らの意思に基づいて行うべきであるため、代理になじまないと考えられています。

また、身分行為に条件や期限を付けることは、家族関係を不安定にすることから、公序良俗に反し認められないものと考えられています。したがって、たとえば期限付きの婚姻や停止条件付きの養子縁組等、条件や期限を付した身分行為は認められません。

５　期間制限

身分行為は、身分関係の早期安定の必要から短期間制限の規定が多く設けられています（民法745条ないし747条、777条、804条、807条、884条等参照）。たとえば、嫡出否認の訴えは夫が子の出生を知った時から１年以内に提起しなければなりません（民法777条）。

第５　氏名と戸籍制度

１　氏

⑴ 氏の意義

各人の姓名のうち、姓のことを法律上「氏」といいます。家制度を採用していた明治民法の下では、氏は家の呼称としての意味を有し、家は家長たる戸主を中心とする親族の集まりを意味しました。家制度を中核とする明治民法は、戸主に家族の入籍、婚姻、養子縁組に関する同意権、家族の居所を指定する権利等の広範な権限や家督相続権を与えていました。しかし、個人の尊厳（憲法13条）と両性の本質的平等（憲法24条）を基本原理とする日本国憲法の下で、明治民法は全面的に改正され、家制度の廃止、戸主権の廃止、家督相続の廃止等が実施されました。その結果、現行民法の下で、氏は家の呼称としての意味を失いました。

したがって、現行民法の下では、氏は、各自の個人の呼称としての意味を有するにすぎません。

⑵ 氏の取得と変更

氏は個人の呼称ですが、各個人が自由に創設したり変更することができるものではありません。氏は、親から受け継ぐものです。

いったん取得した氏は、婚姻、縁組、離婚、離縁等の身分関係の変動に伴って当然に変更する場合と、身分関係の変動とは関係なく家庭裁判所の許可を得て本人の意思表示によって変更する場合があります。意思表示によって氏を変更する場合、やむを得ない事由があることが必要であり、また家庭裁判所の許可が必要となります（民法791条、戸籍法107条１項）。この趣旨は、個人の呼称である氏を安易に変更できるとすると、個人の特定が困難となり、社会生活の基盤が不安定となるおそれがあるため、これを防止する点にあります。やむを得ない事由としては、たとえば、難解な氏、内縁関係で長年にわたって相手方の氏を通称として使用してきた場合、更生のために氏を改称することが必要と認められる場合等が挙げられます。

2　名

名は、子の出生に際して親が子に対して命名する呼称です。名は、氏と異なり、身分関係の変動によって変更されることはありません。名の変更は、戸籍法107条の２に基づき正当な事由がある場合に限り認められます。この趣旨は、氏の変更と同様に、個人の呼称である名を安易に変更できるとすると、個人の特定が困難となり、社会生活の基盤が不安定となるおそれがあるため、これを防止する点にあります。

3　戸籍制度

⑴ 戸籍制度の意義

戸籍制度とは、人の親族上の身分関係を明確に記録し、一般に公示・公証するために設けられた制度をいいます。戸籍制度は、戸籍法（昭和22年法律第224号）に規定されています。

ある人の身分関係を明らかにすることは、当該人物を特定し、取引関係や婚姻関係等を築いていくために必要となります。そこで、戸籍法は、人の身分関係（親族的身分関係）を明確に記録し、一般に公示することとしました。

⑵ 戸籍制度の概要

① 戸籍の編製

戸籍法は、市町村の区域内に本籍を定める「一の夫婦及びこれと氏を同じくする子（未婚）ごとに」（括弧内筆者）戸籍を編製し（戸籍法６条）、夫婦と親子を同一戸籍とすることを定めています。

成人した子は、自らを筆頭者とする戸籍を作成することができます（戸籍法21条）。これを分籍といいます。新たに戸籍を作成した場合には、当該子は両親の戸籍から除かれます。このように戸籍から除くことを除籍といいます。

また、子が婚姻し、または婚姻しないまま子（非嫡出子または養子）をもうけたときは、その新夫婦または親子のために新戸籍を編製し（戸籍法16条、17条）、父母の戸籍から除籍されます。

② 戸籍の記載事項

戸籍には、本籍のほか、同一戸籍内の各人について、その者の氏名、出生の年月日、戸籍に入った原因および戸籍に入った年月日、実父母の氏名および実父母との続柄、養子であるときは養親の氏名および養親との続柄、夫婦については夫または妻である旨、他の戸籍から入った者についてはその戸籍の表示等が記載されます（戸籍法13条）。これらの記載は、原則として、当事者の届出によって行われます（戸籍法15条）。

⑶ 届出の性質

届出には、性質を異にするものが２つあります。

１つ目は、婚姻、縁組、協議離婚等の届出のように、届出によって初めて法的効果を生ずる創設的届出です。創設的届出の場合、届出義務がなく届出をしなければ法的効果は生じません。したがって、当該届出による効果の発生を希望する者は、自発的に届出を行う必要があります。

２つ目は、出生、死亡、裁判離婚等の届出のように、すでに法律効果の生じた事項を報告する報告的届出です。届出義務者が届出期間内に正当な理由なく報告的届出をしない場合、届出義務者に過料が科されます（戸籍法135条）。この趣旨は、過料による制裁を通じて届出を間接的に強制し、戸籍の記載と事実が合致するよう図った点にあります。

⑷ 戸籍の訂正

戸籍は、身分関係を公示・公証する公簿であるため、その記載は、真実であると事実上推定されます。なお、戸籍の記載が真実に反する場合、これを真実に適合するようにさせるため、戸籍法は、利害関係人が家庭裁判所の許可を得て戸籍の訂正を申請することを認めています（戸籍法113条）。また、戸籍の記載が真実でない場合、市町村長は本人にその旨を通知しなければなりません。市町村長がこの通知をできない場合または通知をしても戸籍訂正の申請をする者がない場合、市町村長は職権によって、戸籍を訂正することができます（戸籍法24条）。

第６　家族関係をめぐる紛争の処理手続

１　家事事件手続法

⑴ 家事事件の意義

家事事件とは、家事審判および家事調停に関する事件をいいます（家事事件手続法１条）。家事審判とは、夫婦や親子、相続等に関する事項について家庭裁判所が行う審判をいいます（家事事件手続法39条参照）。家事調停とは、人事に関する訴訟事件その他家庭に関する事件について家庭裁判所が行う調停をいいます（家事事件手続法244条）。

⑵ 家事事件の特徴

たとえば、金銭消費貸借契約に基づく貸金返還請求訴訟や賃貸借契約の終了に基づく建物明渡請求訴訟等、経済的生活関係に関する紛争は、権利関係の存否について公開の法廷で審理され、裁判所が判決を下すというプロセスを通じて解決が図られます。

これに対して、夫婦、親子、兄弟姉妹その他の家族関係に関して紛争が生じた場合、これを経済的生活関係に関する紛争と同様に公開の法廷で審理し、判決により勝敗を決すると、家族のプライバシーが明らかとなりかえって家族関係の修復を困難にし、新たな紛争を生じさせるおそれがあります。

このような家族関係に関する紛争は、権利関係の存否の問題として公開の法廷で処理するのではなく、非公開の場で調整し、適切妥当な処理をすることが望ましいといえます。

⑶ 家事事件手続法の制定

このような観点から、家事事件を通常の訴訟とは異なり非公開・職権主義による手続によって処理するため、昭和22年に家事審判法が制定され、昭和24年には家庭裁判所が創設されました。

また、家事審判法制定後の社会情勢の変化に伴い、家事事件手続の透明性を図り、家事事件の手続をよりわかりやすく利用しやすいものとするため、平成23年に家事事件手続法が制定され、家事審判法は廃止されました。

家事事件手続法は、家事事件全体に妥当する通則を定めるほか（第１編「総則」）、家事審判手続（第２編「家事審判に関する手続」）および家事調停手続（第３編「家事調停に関する手続」）について規定しています。

2　家事審判手続

⑴ 家事審判の対象

家事審判は、以下の２つの事件を対象とします。

① 成年後見の開始や失踪宣告等、裁判所が諸般の事情を考慮して公的立場から決定し、当事者の合意に拘束されることのない家事事件手続法別表第１に掲げる事項に関する事件（別表第１事件）

② 親権者や遺産分割等、当事者間の協議や任意処分の許される家事事件手続法別表第２に掲げる事項に関する事件（別表第２事件）

⑵ 家事審判手続の概要

家事審判は、裁判官が単独または合議体で行います（裁判所法31条の４）。また、家庭裁判所は、家庭裁判所が相当と認めるときを除き、一般人から選任された参与員の意見を聴いたうえで家事審判を行います（家事事件手続法40条１項）。また、家庭裁判所は、家事審判の手続期日に参与員を立ち会わせることもできます（同条２項）。

家事審判手続は、本人出頭が原則であり（家事事件手続法51条２項）、非公開で行われます（家事事件手続法33条）。また、家事審判の審理は、職権探知主義によります（家事事件手続法56条１項）。職権探知主義とは、裁判所が当事者の申立てや主張に拘束されず、職権で事実の調査および証拠調べを行うことができるとする考え方をいいます。

家事審判は一種の裁判であって、これを不服とする者は、特別の定めがある場合に限り、２週間以内に即時抗告をすることができます（家事事件手続法85条、86条）。

金銭の支払い等給付を命ずる審判が確定すると、執行力ある債務名義と同一の効力を有します（家事事件手続法75条）。

3　家事調停手続

⑴ 家事調停の実施機関

家事調停は、人事に関する訴訟事件その他家庭に関する事件のうち、家事事件手続法別表第１事件を除く事件につき、裁判官（または家事調停官）と一般人から選ばれた家事調停委員２人以上とで組織する調停委員会が（あるいは裁判官または家事調停官が単独で）行います（家事事件手続法247条ないし250条参照）。

⑵ 調停前置主義

調停前置主義とは、家事調停を行うことができる事件について訴えを提起しようとする者は、まず家事調停を申し立て、家事調停手続を経なければならないとする原則をいいます（家事事件手続法257条）。たとえば、当事者が離婚訴訟を提起するためには、まず離婚調停を申し立てなければなりません。

調停前置主義の趣旨は、身分関係に関する紛争は、当事者が敵対し対立し合う手続よりも、まずは当事者同士で話し合い、合理的で相互に納得ができるような解決を可能とする手続を経ることにした点にあります。

⑶ 家事調停手続の概要

家事調停手続でも、家事審判手続と同様に、本人出頭が原則であり、手続は非公開となります。また、裁判所が当事者の主張に拘束されず、職権で事実の調査および証拠調べを行うことができる職権探知主義が採られます。家事調停手続では、紛争を自主的に解決するよう助言・勧告する等当事者の互譲による合意の形成をあっせんし、話合いによる妥当な解決を実現することを目的とします。

当事者間に紛争に関する合意が成立し、これを調書に記載すると、その記載は確定判決・審判と同一の効力を有します（家事事件手続法268条１項）。

(4) 家事審判手続への移行

家庭裁判所での家事調停が不成立となったときは、それが家事事件手続法別表第2事件であれば、家事審判の申立てがあったものとみなされ当然に家事審判手続に移行します（家事事件手続法272条4項）。

しかし、家事事件手続法別表第2事件以外の事件は、家事審判手続に移行せずに終了します。たとえば離婚調停は家事事件手続法別表第2事件ではないので、離婚調停が不成立となったときは、家事審判手続に移行することなく終了します。この場合、訴訟で争うことのできる性質の事件は、さらに訴訟手続を利用することができます。たとえば、婚姻（離婚）や親子関係等の身分関係を対象とする人事訴訟事件の場合、家庭裁判所に対して訴訟を提起し、人事訴訟法に従って処理されることとなります。

4　履行確保制度

家事審判または家事調停等で定められた義務について、家庭裁判所がその内容の実現に積極的に関与する制度として、履行確保制度があります。

履行確保制度とは、義務者が家事審判または家事調停で定めた義務（たとえば、養育費の支払義務等）を履行しない場合に、権利者からの申出を受けて家庭裁判所が義務の履行状況を調査し、義務者に義務の履行を勧告し（家事事件手続法289条1項)、義務の不履行者に対して義務の履行を命じる制度をいいます（家事事件手続法290条1項)。この場合、家庭裁判所の命令に違反した場合には10万円以下の過料が科されます（家事事件手続法290条5項）。

第7　人事訴訟法

1　人事訴訟法の意義

人事訴訟法とは、人事訴訟に関する手続について、民事訴訟法の特例等を定める法律をいいます（人事訴訟法1条）。人事訴訟とは、婚姻事件、養子縁組事件および親子関係事件等、身分関係の形成または存否の確認を目的とする訴えにかかる訴訟をいいます（人事訴訟法2条）。

人事訴訟では、身分関係の安定を図るため同一の身分関係について繰り返し争われることのないよう訴訟の結果を抜本的かつ画一的に確定することが要請されます。そこで、人事訴訟では、紛争の抜本的かつ画一的解決を図るため、訴えの併合、変更、反訴等が広範に認められています（人事訴訟法17条ないし19条）。また、人事訴訟の判決が確定した後は前の訴えで主張することができた事実に基づいて、同一の身分関係について人事訴訟を提起することが禁止されます（人事訴訟法25条）。

人事訴訟の確定判決は、訴訟当事者とならなかった第三者にもその効力が及びます（人事訴訟法24条１項）。

2　人事訴訟手続の概要

人事訴訟も民事訴訟の一種であるため、基本的には通常の民事訴訟の審理手続と同様の手続で行われます。もっとも、人事訴訟手続では職権探知主義が採用されています（人事訴訟法20条）。また、参与員の立会い（人事訴訟法９条以下）等、通常の民事訴訟と異なる規律が存在します。

人事訴訟の管轄は、当事者の住所地が属する家庭裁判所です（人事訴訟法４条１項）。もっとも、当事者の住所地が属さない家庭裁判所であっても、当該人事訴訟にかかる事件について家事調停が係属していた家庭裁判所であれば、当該人事訴訟を取り扱うことができます（人事訴訟法６条）。

第2章

親 族

第1 親族の意義・範囲

親族とは、①6親等内の血族、②配偶者、③3親等内の姻族をいいます（民法725条）。

1 血 族

血族には、出生によって血縁関係のある自然血族と養子縁組に基づき生じる法定血族とがあります。親等は、親族間の世代数を数える単位をいいます。たとえば、本人からみて両親との世代数は1親等、祖父母との世代数は2親等、伯(叔)父伯(叔)母または甥姪との世代数は3親等、従兄弟との世代数は4親等となります。

本人からみて両親や祖父母、子や孫のように直接の上下の世代を直系といいます。これに対して、本人からみて兄弟や従兄弟等のように同一の祖先から分岐した世代を傍系といいます。

また、本人からみて自分より上の世代を尊属といい、自分より下の世代を卑属といいます。たとえば、本人からみて両親や祖父母は直系尊属、甥や姪は傍系卑属となります。

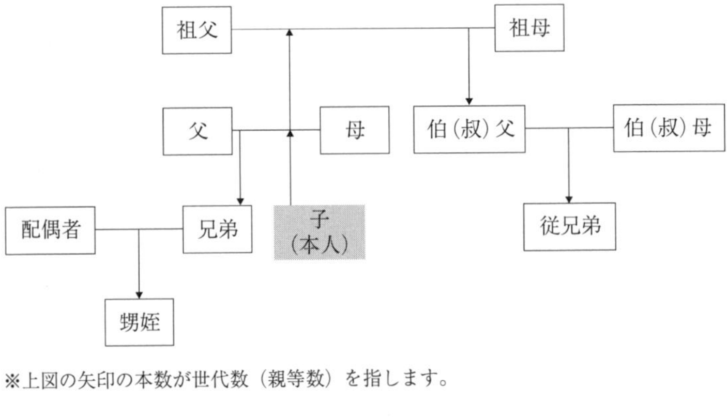

※上図の矢印の本数が世代数（親等数）を指します。

2 配偶者

配偶者とは、婚姻した相手方をいいます。

3　姻 族

姻族とは、婚姻を介した配偶者とその配偶者の血族をいいます。たとえば、本人からみて配偶者の両親や配偶者の兄弟が姻族にあたります。配偶者の両親は1親等の姻族、配偶者の兄弟姉妹は2親等の姻族、配偶者の甥姪は3親等の姻族となります。

第2　親族関係の変動

親族関係に変動が生じる事由として、子の出生、養子縁組、離縁等があります。

また、婚姻することによって配偶者との間で配偶者関係が生じるとともに配偶者の親族との間で姻族関係が生じます。配偶者と離婚することによって配偶者関係、姻族関係は終了します。

第3　親族関係の効果

1　扶養義務の発生

(1) 扶養義務の範囲

扶養義務とは、直系血族および兄弟姉妹が互いを扶養する義務をいいます（民法877条1項）。家庭裁判所は、特別の事情があるときは、さらに3親等内の親族間においても扶養義務を負わせることができます（民法877条2項）。この趣旨は、特別の事情がある場合に家庭裁判所の判断により扶養義務者の範囲を3親等内の親族まで広げることを認めることによって、具体的な事案に応じて柔軟に対応できるようにした点にあります。

(2) 扶養義務者の順位

扶養をする義務を負う者が複数存在する場合、当事者間の協議により扶養すべき者が定まらない場合や協議をすることができない場合、家庭裁判所が扶養義務者の順序を定めます（民法878条）。この趣旨は、家庭裁判所に扶養義務者の順序を定める裁量権を付与することによって、具体的な事案に応じて柔軟に対応できるようにした点にあります。

(3) 扶養義務の内容

扶養義務は、一定の親族関係があり、扶養権利者が要扶養状態となり、扶養義務者がその資力等に照らして扶養能力が認められる場合に、扶養権利者からの請求によって発生します。扶養義務には生活保持義務と生活扶助義務があります。

① 生活保持義務

配偶者に対する扶養や親の未成熟子に対する扶養は、自己と同等の水準まで扶養することが必要とされます。このような扶養義務を生活保持義務といいます。

② 生活扶助義務

配偶者に対する扶養義務や親の未成熟子に対する扶養義務以外の扶養義務を生活扶助義務といいます。生活扶助義務を負う者は、自己に余力がある場合に援助すれば足ります。

2　相続権の発生

婚姻により配偶者となった者は、相手方配偶者に相続原因が生じた場合、相手方配偶者の相続財産を相続する権利を有することになります（民法890条）。

また、子や直系尊属、兄弟姉妹も一定の順位に基づき法定相続分が認められるため、被相続人の相続財産を相続する権利が認められます（民法887条、889条）。

3　近親婚の禁止・尊属を養子とすることの禁止

直系血族または3親等内の傍系血族（ただし養子と養方の傍系血族は除きます）と婚姻することは禁止されています（民法734条1項）。また、直系姻族間の婚姻や養親子間の婚姻も禁止されています（民法735条、736条）。この趣旨は、直系血族間の婚姻は優生学的な観点および倫理的な観点から問題があるため、これらの婚姻を禁止した点にあります。

第３章

婚 姻

第１　婚姻制度

1　婚姻の社会的意義・婚姻の特徴・形態

⑴ 婚姻の社会的意義

婚姻とは、社会生活において夫婦としての公認を受け、かつ、法律によって夫婦として承認された男女の性的結合関係をいいます。婚姻により、互いに家族を形成し助け合いながら子孫を残します。

⑵ 現行法下の婚姻制度の特徴・形態

現行法下の婚姻制度の特徴として、以下の３点を挙げることができます。

① 一夫一婦制

一夫一婦制とは、配偶者双方それぞれが一組の男女でなければならないとする婚姻形式をいいます。外国では、一夫多妻制を採用する国も存在しますが、わが国の民法は、一夫一婦制を採用しています（民法732条、770条１項１号参照）。

② 自由意思による婚姻

婚姻関係は、両当事者の自由な意思のみに基づいて成立します。なお、改正前民法は、未成年者の婚姻について、未成年者は十分な判断能力を有していない場合があることから、婚姻に対する父母の同意を要するとすることにより未成年者の保護を図っていましたが（改正前民法737条）、成人年齢の引き下げに伴い、この規定は削除されました。

③ 夫婦の平等

現行民法においては、日本国憲法24条を受け、両性の本質的平等に基づき、夫婦は互いに平等の権利を有するものと解されます。夫婦は、相互の協力に基づいて婚姻を維持する必要があります。

2　婚姻の法律的意義・効果

⑴ 一般的効果

婚姻の成立によって、相互に相手方との関係で配偶者としての地位を取得します。婚姻の成立により配偶者との間で、①同居義務（民法752条）、②協力義務・扶助義務（生活保持義務。民法752条）、③貞操義務（民法770条１項１号参照）等の義務が発生します。

また、婚姻の成立により④配偶者夫婦は氏を共同することとなり（民法750条）、

⑤配偶者の親族と姻族関係が生じます（民法725条）。⑥婚姻前に子が存在し、父がその子を認知した後に婚姻した場合、婚姻により当該子は嫡出子となります（民法789条１項）。

次に、配偶者には⑦相手方の相続財産の相続権（民法890条）、⑧夫婦間契約の取消権（民法754条）等の権利が生じます。

なお、未成年者が婚姻した場合、成年に達したものとみなされていましたが（改正前民法753条）、成人年齢の引き下げに伴い、この規定は削除されました。

⑵ 夫婦財産制

夫婦財産制とは、夫婦間の財産関係を規律する制度をいいます。

① 契約財産制（夫婦財産契約）

夫婦間の契約で夫婦の財産関係を規律する場合を契約財産制といいます。夫婦財産契約を締結する場合、婚姻届を提出する前に夫婦財産契約を締結し、登記所に届出を提出して公示しなければ、夫婦財産契約を第三者に対抗することはできません（民法756条）。

② 法定財産制

夫婦間で夫婦間の財産関係を規律する契約を締結していない場合の法定のルール（民法755条、760条以下）を法定財産制といいます。

ア　婚姻費用の分担

婚姻費用とは、夫婦とその間の未成熟子の生活を維持するために通常必要となる費用をいいます。たとえば、養育費、食費、医療費等が挙げられます。夫婦は、その資産、収入その他一切の事情を考慮して、婚姻費用を分担しなければなりません（民法760条）。婚姻費用は、婚姻関係が破綻し、夫婦が別居している場合でも相手方の生活扶助のため分担する義務を負うと解されています。

イ　夫婦別産制

夫婦のいずれに属するか明らかでない財産は、夫婦の共有財産と推定されます（民法762条２項）。

もっとも、夫婦の一方が婚姻前から有する財産および婚姻中自己の名で得た財産は、これらの財産を取得した一方の特有財産とされます（民法762条１項）。特有財産とは、夫婦の一方のみに帰属する財産をいいます。民法は、夫婦のいずれに属するか明らかでない財産にあたらず、婚姻前から有する財産や婚姻中自己の名で得た財産は、夫婦の一方の特有財産とすることを認めています。このように夫婦間の財産を共有とせず、夫婦が財産を個別に有することを認める制度を夫婦別産制といいます。

ウ　日常家事債務

夫婦の一方が日常の家事に関して第三者と法律行為をしたときは、他の一方は、これによって生じた債務について、連帯してその責任を負います（民法761

条本文)。このような債務を日常家事債務といいます。民法761条本文が日常家事債務について夫婦に連帯責任を負わせた趣旨は、夫婦の日常家事に関する取引がなされる場合、取引の相手方は、夫婦のいずれか一方ではなく夫婦双方を当事者として取引することが通常であるため、夫婦双方に連帯責任を負わせることにより取引の相手方の保護を図る点にあります。

この規定は、夫婦は相互に「日常の家事」に関して他方を代理することができることを定めたものとして、法定代理権のひとつであると考えられています。これを日常家事権または日常家事代理権といいます。判例は、「日常の家事」に関する法律行為の具体的な範囲は個々の夫婦によって異なるとしつつ、単に夫婦の内部的な事情やその行為の個別的な目的のみを重視して判断すべきではなく、客観的にその法律行為の種類、性質等を考慮して判断すべきとします(最判昭和44年12月18日民集23巻12号2476頁・百選Ⅲ［第2版］9事件)。

民法761条によって法律上付与された夫婦の日常家事代理権が民法110条の基本代理権となるか否かについて議論があります。たとえば、妻が夫の所有する不動産を夫に無断で売却した場合のように、日常家事の範囲を超えて代理行為をした場面で民法110条が適用されるかが問題となります。

この点、民法110条適用肯定説は、日常家事代理権は基本代理権となり、民法110条が適用されるという「正当な理由」を「本人に代理権の有無・範囲についての問い合わせをすることが全く不要と感じさせるほどの客観的事情」と厳格に解することにより、夫婦の財産的独立を害しないと解します。

これに対して、日常家事代理権を基本代理権として民法110条を直接適用することは、夫婦の財産的独立を害するとの批判があります。

判例は、日常家事代理権を基本代理権として民法110条は当然には適用されないものの、相手方が日常家事の範囲と信ずるにつき正当な理由を有するときは、民法110条の趣旨が類推適用されるとします。すなわち、判例は、妻Aの不動産を夫Bが自己の経営する会社の債務の担保として債権者Cに譲渡したという事案で、「夫婦の一方が右のような日常の家事に関する代理権の範囲を越えて第三者と法律行為をした場合においては、その代理権の存在を基礎として広く一般的に民法110条所定の表見代理の成立を肯定することは、夫婦の財産的独立をそこなうおそれがあって、相当でないから、夫婦の一方が他の一方に対しその他の何らかの代理権を授与していない以上、当該越権行為の相手方である第三者においてその行為が当該夫婦の日常の家事に関する法律行為の範囲内に属すると信ずるにつき正当の理由のあるときにかぎり、民法110条の趣旨を類推適用して、その第三者の保護をはかれば足りるものと解するのが相当である」と判示しています(前掲最判昭和44年12月18日)。

このように、判例は「民法110条の趣旨を類推適用」すると判示し、民法110

条の適用を正面からは認めていません。民法110条適用肯定説によれば、相手方が当該行為について代理権があると信じるにつき正当な理由があった場合に表見代理が成立します。これに対し、判例は、相手方が当該行為について当該夫婦の日常の家事に関する法律行為の範囲内に属すると信ずるにつき正当の理由のある場合にのみ表見代理の成立を認める点で異なります。判例の見解は、夫婦の財産的独立と取引の相手方の保護のバランスを図ったものであり、妥当であるといえます。

第2　婚姻の成立

1　総説

婚姻とは、社会生活において夫婦としての公認を受け、かつ、法律によって夫婦として承認された男女の性的結合関係をいいます。社会生活において夫婦としての公認を受け、法律によって夫婦として承認された関係といえなければ婚姻としては認められません。

2　婚約・結納

婚約とは、当事者双方が将来婚姻することを予約することをいいます（婚姻の予約）。

結納とは、婚約を合意した際、婚約の成立を確証し、あわせて、婚姻が成立した場合に当事者ないし当事者両家間の情誼を厚くする目的で授受される一種の贈与をいいます（最判昭和39年９月４日民集18巻７号1394頁）。

婚約の成立には、結納や婚約指輪の交換は必要ではなく、「男女が誠心誠意を以て将来に夫婦たるべき予期の下に此の契約を為し」たときに認められるとされ（大判昭和６年２月20日新聞3240号４頁）、最高裁もそのような理解に立っていると解されます（最判昭和38年９月５日民集17巻８号942頁・百選Ⅲ［第２版］22事件）。

婚約が成立したとしても、最終的に婚姻するか否かは当事者の自由な意思を尊重するべきであるといえます。そこで、婚約が成立したとしても婚約した当事者は相手方に対して婚姻の履行を強制することはできません。

もっとも、相手方が婚約を不当に破棄した場合には、婚約を破棄された者は相手方に対して損害賠償請求できると解されています（前掲最判昭和38年９月５日・百選Ⅲ［第２版］22事件）。

たとえば、最判昭和38年12月20日民集17巻12号1708頁は、婚約が成立した当事者間において、当事者の一方が他方に対して大学の学資の送金等を依頼し、これを受けていたとの事実関係の下、当事者の一方が大学を卒業し就職した直後に別の女性と結婚し、相手方に対し夫婦となる意思のないことを明示した事案に関して、婚姻予約不履行をした当事者は、不履行により相手方の被った精神的苦痛による損害を賠償すべき義務があると判示した原審の判断を相当としています。

また、徳島地判昭和57年6月21日判時1065号170頁は、婚約の成立した当事者間において、婚約成立に基づく慣行上の儀式の他、親戚、知人への紹介、結婚披露宴への招待状の発送等という一種の身分の公示行為を伴って、各当事者に実質的、形式的な婚姻意思が成立したことが客観的に認められる場合、婚約については、その不履行（破棄）自体が、通常、相手方の取得した生活上の利益に対する故意による不法行為を構成すると判示して、原告から被告に対する損害賠償請求を認めました。

3　婚姻の形式的要件（届出）

民法は、婚姻は戸籍法の定めるところにより届け出ることによって、効力を生じると定めています（民法739条1項）。また、婚姻の届出は、当事者双方および成年の証人2人以上が署名した書面で、またはこれらの者から口頭でしなければなりません（民法739条2項）。

婚姻の届出の法的性質について、婚姻の成立要件とする見解と効力要件とする見解が存在します。

婚姻の届出を婚姻の効力要件とする見解は、民法739条1項が「婚姻は、戸籍法（……）の定めるところにより届け出ることによって、その効力を生ずる」と定めていることを根拠とします。

しかし、民法739条の趣旨は、婚姻の成立により当事者間に様々な権利義務が生じ、身分関係を形成することとなるため（民法752条、770条1項1号参照、750条、725条、890条、754条）、婚姻の成立に際して一定の要式性を要求することにより本人の婚姻意思を確保した点にあると解されます。したがって、婚姻の届出は婚姻の効力要件ではなく、成立要件であるとする成立要件説が妥当であると考えます。

4　婚姻の実質的要件（婚姻意思・婚姻障害）

婚姻の実質的要件として、当事者に⑴婚姻意思が存在することと⑵婚姻障害のないことが必要となります。

⑴ 婚姻意思

① 婚姻意思の意義

婚姻意思とは、当事者の婚姻する意思をいいます。民法742条1号は「人違いその他の事由によって当事者間に婚姻をする意思がない」場合を婚姻の無効事由としていることから、婚姻意思のない婚姻は効力を生じないものと解されています。

なお、判例は、婚姻の届出意思を欠く無効な婚姻について、婚姻の追認を認め、民法116条の類推適用によって、遡及効を肯定しています（最判昭和47年7月25日民集26巻6号1263頁・百選Ⅲ［第2版］3事件）。

② 形式的意思説と実質的意思説

婚姻意思の内容について、形式的意思説と実質的意思説があります。

形式的意思説は、婚姻意思を、法律上の婚姻をしようとする形式的な意思（婚姻届出をする意思）であるとします。これに対して、実質的意思説は、婚姻意思を、真に社会観念上夫婦であると認められる関係の設定を欲する効果意思であるとします。

判例は、婚姻意思について、当事者間に真に社会観念上夫婦であると認められる関係の設定を欲する効果意思をいうとしており、実質的意思説を採用しています（最判昭和44年10月31日民集23巻10号1894頁・百選Ⅲ［第２版］１事件）。

形式的意思説を採用するか実質的意思説を採用するかによって、婚姻意思の有無について、以下の違いが生じます。

	形式的意思説	実質的意思説
当事者が婚姻成立による法律上の効果の一部のみを欲して婚姻届を提出した場合	婚姻意思あり	婚姻意思なし
当事者の一方または双方が真に社会通念上夫婦であると認められる関係の設定を欲する効果意思がないにもかかわらず、婚姻届を提出した場合	婚姻意思あり	婚姻意思なし

③　婚姻意思の存在時期

また、婚姻意思がいつの時点で必要かという点については、婚姻届の作成時のみならず、婚姻届の提出・受理の時点でも必要とするのが、判例通説です。もっとも、判例は、婚姻届作成後に一方が意識不明となったまま婚姻届が提出された場合につき、「事実上の夫婦共同生活関係が存続していた」場合、あるいは「将来婚姻することを目的に性的交渉を続けてきた」場合には、婚姻届受理以前に翻意する等婚姻の意思を失う特段の事情のない限り、届出書の受理によって婚姻は有効になるとしています（最判昭和44年４月３日民集23巻４号709頁、最判昭和45年４月21日判時596号43頁・百選Ⅲ［第２版］２事件）。

⑵　婚姻障害のないこと

婚姻障害事由とは、民法が規定する有効な婚姻を妨げる事由をいいます。婚姻が完全に有効に成立するためには、婚姻意思の存在に加え、民法が規定する婚姻障害事由に該当しないことが必要となります。民法が規定する婚姻障害事由として、以下の事由が存在します。なお、未成年者の婚姻への父母の同意について定めた改正前民法731条は成人年齢の引き下げに伴い削除されました。

①　婚姻適齢（民法731条）

改正前民法は、男性は満18歳、女性は満16歳にならなければ婚姻することはできないと定めていましたが（改正前民法731条）、平成29年民法改正により、民法731条は、「婚姻は、18歳にならなければ、することができない」と改め、男女の婚姻適齢を統一しました。婚姻適齢に至らない者が婚姻した場合、婚姻は不適法婚として婚姻取消事由となります（民法744条１項、745条）。この趣旨は、家族を形成するにあたり、一定の年齢に達し、成熟したとみなされる者に対して婚姻資格を与えることで、家庭の安定を図ろうとした点にあります。

② 重婚の禁止（民法732条）

すでに婚姻し配偶者の存在する者は、他の者と重ねて婚姻することはできません（民法732条）。この趣旨は、重婚を禁止し、一夫一婦制を保護する点にあります。重婚関係にある場合、後行する婚姻は、不適法婚として取消事由となります（民法744条１項）。

③ 再婚禁止期間（民法733条）

女性は、前婚の解消または取消しの日から起算して100日を経過した後でなければ、再婚をすることができません（民法733条１項）。この趣旨は、離婚後、早期に再婚することにより生まれた子について父性の推定（民法772条）が重複することを避けた点にあります。再婚禁止期間に違反して婚姻した場合、再婚は不適法婚として婚姻取消事由となります（民法744条１項）。

従前、女性の再婚禁止期間は、前婚の解消または取消しの日から６か月とされていました（改正前民法733条１項）。もっとも、父性の推定を定める民法772条２項は、「婚姻の成立の日から200日を経過した後又は婚姻の解消若しくは取消しの日から300日以内に生まれた子は、婚姻中に懐胎したものと推定する」と規定しています。この規定によれば、前婚の解消もしくは取消しの日から200日を経過し、かつ、300日以内に生まれた子について父性の推定が重複することから、再婚禁止期間を100日間設けることにより、父性の推定の重複を回避することができます。父子関係を確定するための医療や科学技術も未発達であった状況の下においては、再婚後に前夫の子が生まれる可能性をできるだけ少なくして家庭の不和を避けるという観点や、再婚後に生まれる子の父子関係が争われる事態を減らすために、再婚禁止期間を厳密に上記100日間に限定せず一定の期間の幅を設けることは、合理性があったと考えられます。しかし、医療や科学技術（DNA 鑑定等）が発達した今日においては、そのような合理性は失われていると言わざるをえません。判例は、改正前民法733条１項の合憲性が争われた事案において、100日間の再婚禁止期間を定める部分については憲法14条１項、24条２項に反しないとする一方、100日間を超える部分については憲法14条１項、24条２項に違反すると判示しました（最判平成27年12月16日民集69巻８号2427頁・百選Ⅲ［第２版］５事件）。

④ 近親婚の禁止（民法734条、735条、736条）

民法は、直系血族または３親等内の傍系血族の間で、婚姻することを禁じています（民法734条）。また、直系姻族間（民法735条）や、養子またはその配偶者等と養親等との間（民法736条）の婚姻も禁止されています。これらを近親婚の禁止といいます。この趣旨は、優生学的および社会倫理的配慮から、一定の親族関係にある者の間での婚姻を禁止する点にあります。近親婚の禁止に違反した婚姻は、不適法婚として婚姻取消事由となります（民法744条１項）。

第３　婚姻の無効および取消し

１　婚姻の無効

⑴ 婚姻の無効事由

民法は、婚姻の無効事由として、婚姻意思の不存在（民法742条１号）と届出の懈怠（民法742条２号）を掲げています。

① 婚姻意思の不存在（民法742条１号）

人違いその他の事由によって、当事者に婚姻をする意思がないときは、婚姻は無効となります。たとえば、男性が婚約の証として婚姻届を作成し、女性に交付した後、男性が女性に婚約の解消を申し入れたにもかかわらず女性が当該婚姻届によって婚姻の届出をしたとしても、男性の婚姻意思が存しない以上、婚姻は無効となります（最判昭和43年５月24日判時523号42頁）。

② 届出の懈怠（民法742条２号）

当事者に婚姻意思があり、事実上夫婦生活を続けていても、届出をしていなければ有効な婚姻とはなりません。民法742条は「婚姻の届出をしないとき」に「無効とする」と定めています。しかし、通説は婚姻の届出を婚姻の成立要件として位置づけるため、当事者が婚姻の届出をしていないときは、婚姻成立の形式的要件を欠き、そもそも婚姻の不成立ないし不存在であり、有効・無効の問題ではないと解します。したがって、通説は、民法742条２号の存在意義は、届出が民法739条２項に定める方式を欠くだけであるときには婚姻はその効力を妨げられないと定める民法742条２号但書にあると解します。

⑵ 無効の性質

婚姻無効の性質については、無効事由がある場合に、訴えを待たずして当然に無効となると解する見解と無効判決または審判があって遡及的に無効となると解する見解が対立しています。

当然に無効となると解する見解は、①婚姻の取消しについては訴え等によるべきとする明文があるが、婚姻無効については明文がないこと、②対世効のある判決とは別に個々の訴訟の先決問題として婚姻無効を主張することを妨げないとするのが民法の趣旨であることをその論拠とします。また、婚姻無効の訴えを確認の訴えであると解します。

一方で、無効判決または審判があって遡及的に無効となると解する見解は、①外形的に婚姻の届出がなされている以上、判決や審判によって初めて画一的・遡及的に無効とされるべきであること、②人事訴訟法上、無効判決に対世効が認められていること（人事訴訟法24条1項）をその論拠とします。また、婚姻無効の訴えを形成の訴えであると解します。

判例は、婚姻に無効事由がある場合には当然に無効となると解しています（最判昭和34年7月3日民集13巻7号905頁、最判平成8年3月8日家月48巻10号145頁）。

⑶ 無効の主張方法

婚姻の無効の訴えは、上記のいずれの立場を採用するにしても、人事に関する訴訟事件であることに変わりはなく、家庭裁判所に訴えを提起することとなります。この訴えには調停前置主義が適用されます（家事事件手続法257条1項）。調停では、「合意に相当する審判」がなされる場合があります（家事事件手続法277条）。婚姻の無効は、身分関係の問題であり当事者の処分に親しまないため、当事者間の合意が存したとしても裁判所による審判が下されます。

合意に相当する審判や婚姻無効の判決が確定した場合には、対世効が認められます（人事訴訟法24条1項）。

⑷ 無効な婚姻の追認

婚姻が無効の場合には、当事者間においてはもちろん、第三者との間にも何らの婚姻の効果を生じません。ただし、判例は、夫婦としての実質的生活関係が存在しているが、届出を欠く無効な婚姻について、一方の配偶者が無断で婚姻届出を行い後に他方の配偶者が届出の事実を知ってこれを追認したときは、この追認について、民法116条の類推適用を認め、婚姻はその当初に遡って有効になるとしています（前掲最判昭和47年7月25日）。

2　婚姻の取消し

⑴ 総 説

民法は、婚姻の取消しは、民法に定める事由のいずれかに当たる場合に限って許されるとしています（民法743条）。婚姻の取消原因は2つの類型に大別されます。公益的見地から認められる婚姻の取消しと、私益的見地から認められる婚姻の取消しです。

前者は、不適法な婚姻届が誤って受理された場合について、反社会的な婚姻を公益的見地から婚姻を取り消すものです。具体的には、婚姻の成立要件の一部（婚姻適齢、重婚の禁止、再婚禁止期間、近親婚の禁止）に違反した婚姻（民法744条1項）が取消しの対象となります。

後者は、詐欺・強迫を受けた当事者を保護するため、私益的見地から婚姻を取り消すものです（民法747条）。

いずれの類型も取消しの請求権者は法定されています。私益的見地から認められる取消権は、当事者保護を目的として認められているため、取消しの請求権者は当事者に限定されています（民法747条）。これに対し、公益的見地から認められる取消権については、当事者の親族および検察官等にも請求権が認められています（民法744条）。

(2) 公益的見地から認められる取消権

① 婚姻適齢違反による取消権（民法731条、744条１項）

民法は、婚姻できる年齢につき、18歳（改正前は男性は18歳、女性は16歳）という下限を設けています（民法731条）。この趣旨は、社会の安定化のために、その成立の基礎である婚姻を行う資格を肉体的、精神的に成熟した者に制限するという点にあります。婚姻適齢に違反している場合には、婚姻を取り消すことができます（民法744条１項）。

不適齢者が婚姻適齢に達した場合には、取消しを請求できなくなります（民法745条１項）。もっとも、不適齢者本人は、婚姻適齢到達後３か月間は婚姻の追認がない限り取消しを請求することができます（民法745条２項）。

取消しの請求権者は、婚姻当事者双方、その親族、検察官となります。ただし、検察官は、婚姻当事者の一方が死亡した後は婚姻の取消しを請求できません（民法744条１項但書）。

② 重婚禁止違反による取消権（民法732条、744条１項）

民法は、配偶者のある者は、重ねて婚姻をすることはできないとして重婚を禁止しています（民法732条）。この重婚禁止に違反した婚姻については取消しが認められます（民法744条１項）。

後婚が離婚により解消した場合には、特段の事情がない限り、後婚を取り消す法律上の利益がないとして、取消しの請求が認められません（最判昭和57年９月28日民集36巻８号1642頁・百選Ⅲ［第２版］４事件）。

通説は、前婚が配偶者死亡ないし離婚により解消された場合も重婚という瑕疵が治癒されることを理由として、後婚の取消しを認めないと解しています。

取消しの請求権者は、婚姻当事者双方、その親族、検察官のほか、当事者の配偶者および前婚の配偶者（民法744条２項）となります。ただし、検察官は、婚姻当事者の一方が死亡した後は婚姻の取消しを請求できません（民法744条１項但書）。

③ 再婚禁止期間違反による取消権（民法733条、744条１項）

女性は、前婚の解消または取消しの日から100日を経過した後でなければ、再婚をすることができません（民法733条１項）。早期の再婚により生まれた子の父性の推定（民法772条）の重複を避けるためです。このような再婚禁止期間に違反した婚姻については取消しが認められます（民法744条１項）。

前婚の解消もしくは取消しの日から100日を経過したとき、または、女性が再婚後に出産したときは取消しを請求できなくなります（民法746条）。いずれについても再婚後に生まれた子について父性確定が困難になるおそれがない以上、もはや取り消す必要がないためです。

取消しの請求権者は、婚姻当事者双方、その親族、検察官に加えて、当事者の配偶者および前婚の配偶者（民法744条2項）となります。ただし、検察官は、婚姻当事者の一方が死亡した後は婚姻の取消しを請求できません（民法744条1項但書）。

④ 近親婚禁止違反による取消権（民法734条、735条、736条、744条1項）

直系血族または3親等内の傍系血族の間では、婚姻をすることはできません（民法734条1項本文）。ただし、養子と養方の傍系血族との間では、この限りでありません（民法734条1項但書）。なお、民法817条の9（実方との親族関係の終了）によって親族関係が終了した後も、民法734条1項が適用されます（民法734条2項）。

また、直系姻族の間では、婚姻をすることはできません（民法735条前段）。なお、民法728条（離婚等）または民法817条の9（実方と親族関係の終了）によって姻族関係が終了した後も同様です（民法735条後段）。

さらに、養子もしくはその配偶者または養子の直系卑属もしくはその配偶者と養親またはその直系尊属との間では、民法729条（普通養子縁組の離縁）によって親族関係が終了した後も同様です（民法736条）。

これらの者の間では、優生学的および社会倫理的配慮から、婚姻が禁止されています。このような近親婚禁止に違反した婚姻については取消しが認められます（民法744条1項）。

取消しの請求権者は、婚姻当事者双方、その親族、検察官です。ただし、検察官は、婚姻当事者の一方が死亡した後は婚姻の取消しを請求できません（民法744条1項但書）。

優生学的および社会倫理的配慮の要請は時の経過により消滅するものではありません。そのため、近親婚禁止違反の場合の婚姻の取消しについては取消期間を制限していません。

(3) 私益的見地から認められる取消権

たとえば、結婚詐欺に遭って婚姻した場合（詐欺）や結婚しなければ殺す等と申し向けられて婚姻した場合（強迫）には、当該婚姻を取り消すことができます（民法747条1項）。

公益的見地から認められる取消しと異なり、詐欺・強迫を受けた当事者を保護することを目的とした規定であることから、取消権者は詐欺・強迫を受けた当事者のみに限定されます（民法747条1項）。当事者保護を目的とする規定であることから、詐欺・強迫を受けた当事者が追認するのであれば当該追認も有効です

（民法747条２項）。

婚姻の安定性を考慮し、取消しの期間は、当事者が詐欺を発見し、または強迫を免れてから３か月以内に制限されています（民法747条２項）。

(4) 婚姻取消しの方法

婚姻の取消しは、家庭裁判所に対する請求により行う必要があります。この趣旨は、婚姻の取消しは身分関係の変動をもたらすものであり、身分上の重要な事項であるため、慎重かつ明確にしようとする点にあります。

婚姻取消しの訴えは、人事に関する訴訟事件であるため、婚姻無効の訴えと同様、調停前置主義が適用され、合意に相当する審判がなされる場合があります（家事事件手続法257条１項、277条）。

取消しの相手方は、婚姻当事者の一方が提起するときは他の一方当事者、第三者が提起するときは婚姻当事者の双方（一方が死亡しているときは生存当事者）、相手方となるべき者が死亡しているときは検察官となります（人事訴訟法12条）。

(5) 婚姻取消しの効果

婚姻取消しの訴えは形成訴訟であり、取消しの審判や判決が確定して初めて効力が生じます。婚姻取消しは、財産法上の取消権とは異なり遡及効はなく（民法121条参照）、効果は将来に向かってのみ生じます（将来効。民法748条１項）。この趣旨は、いったん有効に成立した婚姻から生じた生活事実を尊重するという観点から、婚姻取消しの効果を遡及効ではなく将来効とした点にあります。

婚姻の取消しは、原則としてその効果が遡及せず、将来効であることから離婚に類似すると考えられます。そこで、民法はその身分関係の処理について離婚に関する規定（姻族関係の終了、子の監護者の決定、復氏、財産分与、祭祀財産の承継、子の氏、親権者の決定）を準用しています（民法749条）。

一方で、財産関係については、婚姻取消しに遡及効を認めており、不当利得に準じた処理がなされます（民法748条２項、３項）。すなわち、婚姻の当時、取消しの原因があることを知らなかった当事者は、婚姻によって得た財産を、現に利益を受ける限度において返還しなければなりません（民法748条２項）。また、婚姻当時、取消原因の存在につき悪意であった当事者は、婚姻によって得た利益の全部を返還しなければならず、さらに、相手方が善意であったときは、損害賠償もしなければなりません（民法748条３項）。もっとも、第三者に対する関係においては、取引の安全を害するため、遡及効を認めるべきではないと解されます。たとえば、婚姻の取消し前に夫婦の一方が、日常の家事について第三者に負担した債務は、他方も連帯してその責任を負うと解すべきです（民法761条参照）。

第4　婚姻の効力

1　総説

一般に婚姻の効力は、人格的効力と財産的効力の2つに大別されます。前者は婚姻の一般的効力と呼ばれ、身分法上の効果、すなわち夫婦としての地位（身分的地位）に関する効力です。これに対して後者は、いわゆる夫婦財産制に関する効力です。

2　一般的効力

⑴ 夫婦の氏

民法は、「夫婦は、婚姻の際に定めるところに従い、夫又は妻の氏を称する」と定めています（民法750条）。これを夫婦同氏の原則と呼びます。

婚姻の届出をする際に、その夫婦は必ず夫の氏または妻の氏のいずれを称するかを明らかにすることを要し（戸籍法74条）、氏を改めなかった方が新夫婦のために新たに編製する戸籍の筆頭者となります（戸籍法14条1項、16条）。

夫婦の一方が死亡したとき、婚姻の際に氏を改めた生存配偶者は婚姻前の氏に復氏することができます（民法751条1項、戸籍法95条）。

また、離婚した場合には、婚姻によって氏を改めた配偶者は、原則として婚姻前の氏に復します（民法767条1項）。もっとも、復氏することにより婚姻中から継続する社会活動に支障をきたしたり、離婚の事実が世間に周知されてしまう等の弊害があることから、離婚の日から3か月以内に届出をすることで、離婚の際に称していた氏を名乗り続けることができます（民法767条2項、戸籍法77条の2）。

夫婦同氏の原則に対しては、夫婦別姓という議論があります。すなわち、夫婦平等の観点や氏を変更しなければならない配偶者（現状では妻が氏を変更するケースが大多数です）の自己のアイデンティティ保持といった観点から、婚姻後も各自が自己の氏を名乗り続けることができるようにするべきであるという議論です。判例は、夫婦が婚姻の際に定めるところに従い夫または妻の氏を称すると定める民法750条の規定の合憲性が争われた訴訟において、当該規定は憲法13条、14条1項、24条に反するものではないと判断しました（最判平成27年12月16日民集69巻8号2586頁・百選Ⅲ［第2版］6事件）。

⑵ 同居・協力・扶助義務

民法は、「夫婦は同居し、互いに協力し扶助しなければならない」と定めています（民法752条）。すなわち、夫婦には同居義務・協力義務・扶助義務という3つの義務が課せられています。これらの義務は、夫婦関係における身分的効力の中核として位置づけられています。

① 同居義務

夫婦の同居義務とは、夫婦は夫婦が協議して定めた場所に「夫婦として」同居しなければならないという義務をいいます。

「夫婦として」の同居とは、単に同じ屋根の下に住むことではなく、夫婦として同居生活することを意味します。したがって、一方の転勤、海外出張、病気療養、夫または妻の職業上の必要や精神的・肉体的障害、子の教育上の必要等で一時的に別居することとなっても、やむをえない相当の理由がある場合には同居義務違反とはなりません。

同居する場所は、夫婦の協議によって定めますが、協議が不調に終わった場合または協議が不能である場合には、同居義務を履行しない配偶者を相手方として、家庭裁判所に対し同居の調停・審判を申し立てることができます（家事事件手続法別表第二の１項）。同居を命じる審判の確定は、公開法廷における対審・判決によることを保障する憲法32条、82条に抵触しないとされています（最大決昭和40年６月30日民集19巻４号1089頁・百選Ⅲ［第２版］７事件）。もっとも、家庭裁判所による夫婦の同居を命ずる審判が下されても、性質上、強制執行になじまず、間接強制（債務者に対して、一定の時期までに履行しない場合に、一定の金銭の支払義務を課すことによって債務者を心理的に圧迫して給付を実現させるもの）を含めて許されません（大決昭和５年９月30日民集９巻926頁）。

正当の事由がなく同居を拒絶する場合は、悪意の遺棄（民法770条１項２号）または婚姻を継続しがたい重大な事由（民法770条１項５号）として離婚原因となるほか、相手方の扶助義務が免責されることがあります。

② 協力義務

夫婦の協力義務とは、夫婦が婚姻共同生活の分業を行う義務をいいます。精神的・事実的援助を目的とします。その具体的内容は各当事者の事情によって異なりますが、日常生活の維持、病者の看護、子の保育等、婚姻共同生活上のあらゆる行為・場面が対象となります。

協力義務の不履行は、婚姻を継続しがたい重大な事由（民法770条１項５号）として離婚原因となりえます。

③ 扶助義務

夫婦の扶助義務とは、夫婦が婚姻共同生活を営むために金銭的に援助する義務をいいます。経済的援助を目的とします。その性質は、生活保持義務（自己と同一の生活程度を保障すべき扶養義務）と解されています。

夫婦の一方が他方に対して生活費の請求をするとき、夫婦の扶助義務（民法752条）の履行として請求すべきか、婚姻費用分担（民法760条）として請求すべきかにつき、見解が対立しています。通説は、民法752条は夫婦共同生活の本質として夫婦間の生活保持義務を示したものであり、民法760条は生活保持に必要な費用の負担者を定めたものであり、両者は観念的には異なるが機能的には重複すると解しています。裁判例も、基本的にはこれと同一の立場をとっています。

扶助義務の不履行は、悪意の遺棄（民法770条1項2号）または婚姻を継続しがたい重大な事由（民法770条1項5号）として離婚原因となりえます。

(3) 貞操義務

夫婦の貞操義務とは、夫婦が互いに貞操を守り、他の者と不倫関係に陥らないようにする義務をいいます。直接の明文規定はありませんが、不貞が離婚原因とされていること（民法770条1項1号）、重婚が禁止されていること（民法732条）、民法が一夫一婦制を採用していること、および婚姻の本質から当然に導かれる義務として認められています。

① 不貞行為を行った配偶者の不法行為責任

夫婦の一方が第三者と不貞行為を行った場合、夫婦の他方は配偶者に対して不法行為に基づく損害賠償請求（慰謝料請求）を行うことができます。

② 夫婦の一方と不貞行為を行った第三者の不法行為責任

夫婦の一方が第三者と不貞行為を行った場合、夫婦の他方は不貞行為を行った第三者に対して不法行為に基づく損害賠償請求（慰謝料請求）を行うことができます。判例は、「夫婦の一方の配偶者と肉体関係を持った第三者は、故意又は過失がある限り、右配偶者を誘惑するなどして肉体関係を持つに至らせたかどうか、両名の関係が自然の愛情によって生じたかどうかにかかわらず、他方の配偶者の夫又は妻としての権利を侵害し、その行為は違法性を帯び、右他方の配偶者の被った精神上の苦痛を慰謝すべき義務がある」と判示し、故意または過失による「夫又は妻としての権利」の侵害による不法行為責任の成立を認めています（最判昭和54年3月30日民集33巻2号303頁）。この場合、当該第三者と不貞行為を行った配偶者との共同不法行為が成立します（大判昭和2年5月17日新聞2692号6頁）。

もっとも、不貞行為の当時、すでに婚姻関係が破綻していた場合には、不法行為の被侵害利益、すなわち「婚姻共同生活の平和の維持という権利又は法的保護に値する利益」を欠くため、慰謝料請求は認められないと解されています（最判平成8年3月26日民集50巻4号993頁・百選Ⅲ［第2版］11事件）。また、夫婦の一方と不貞行為に及んだ第三者が他方の配偶者に対して離婚についての不法行為責任を負うのは、当該夫婦を離婚させることを意図してその婚姻関係に不当な干渉をするなどして当該夫婦を離婚のやむなきに至らしめたものと評価すべき特段の事情があるときに限られます（最判平成31年2月19日民集73巻2号187頁）。

なお、第三者に対する慰謝料請求権の消滅時効について、判例は、相手方配偶者と第三者との同棲関係を知ったときから、それまでの間の慰謝料請求権の消滅時効が進行するとしています（最判平成6年1月20日家月47巻1号122頁）。

③ 夫婦の一方と不貞行為をした第三者の夫婦間の子に対する不法行為責任

たとえば、夫が第三者と不貞行為を行い、当該第三者と同棲するに至った結果、夫婦間の子が父親から監護・教育を受ける利益を奪われたとして、子の第三者に対する損害賠償請求（慰謝料請求）が認められるかが問題となります。

判例は、不貞行為を行った第三者が害意をもって父親の子に対する監護等を積極的に阻止する等特段の事情がない限り、当該第三者の行為と子の不利益との間の相当因果関係が否定されるとして、損害賠償請求を認めませんでした（前掲最判昭和54年３月30日）。

⑷ 夫婦間の契約取消権

民法は、「夫婦間でした契約は、婚姻中、いつでも、夫婦の一方からこれを取り消すことができる」と定めています（民法754条本文）。この趣旨は、夫婦間の契約に裁判所が介入することは家庭の平和を害することとなるため夫婦間の契約をいつでも取り消すことができるようにして法的拘束力を否定するという点にあります。

判例は、「婚姻中」とは、単に婚姻が形式的に継続しているのみならず、実質的にも継続していることを意味し、婚姻が実質的に破綻している場合には取消権の行使は認められないとしています（最判昭和42年２月２日民集21巻１号88頁）。

なお、夫婦間の契約取消権の対象となる契約に制限はなく、この取消権は消滅時効にかからないと解されています。契約の履行前のみならず、履行後にも取り消すことができます。

⑸ その他の効果

① 姻族関係の発生

夫婦は婚姻することにより、それぞれの配偶者の血族と親族関係（姻族関係）を有することとなります（民法725条３号、728条参照）。

② 子の嫡出性の付与

妻が婚姻中に懐胎した子は、夫の子と推定されます（民法772条１項）。父が認知した子は、その父母の婚姻によって嫡出子の身分を取得します（婚姻準正。民法789条１項）。また、婚姻中父母が認知した子は、その認知の時（婚姻の時と解釈されます）から、嫡出子の身分を取得します（認知準正。民法789条２項）。

③ 配偶者相続権の発生

婚姻することにより、配偶者として他方配偶者の法定相続人となります（民法890条）。

④ 社会保障法、税法上の権利関係の発生

その他、夫婦には、社会保障や租税といった面で特別の定めがある場合があります。

3　財産的効力（夫婦財産制）

⑴ 夫婦財産制の意義

夫婦は共同生活を営むため、共同生活のための費用支出や財産の共同取得、共同生活から発生した債務の帰属等の夫婦特有の財産関係が問題となります。このような夫婦間の財産関係の規律を夫婦財産制といいます。夫婦財産制は、①婚姻する男女が合意によって自由に夫婦間の財産関係の規律を定める夫婦財産契約（民法756条以下）による契約財産制と、②そのような契約が結ばれなかった場合、またはその契約が不完全であった場合に適用される法定財産制の２つに大別されます。

⑵ 夫婦財産契約

夫婦財産契約とは、夫婦の財産の所有・管理・処分、債務負担、婚姻解消の際の財産の清算等について定める夫婦間の契約をいいます。夫婦財産契約の内容は、契約自由の原則から夫婦間の合意により自由に決定できると解されますが、家族法の理念である個人の尊厳と両性の本質的平等や公序良俗、強行法規に反することはできません。

夫婦財産契約は、婚姻の届出前に締結することを要し（民法755条）、法定財産制と異なる契約をする場合には婚姻届出前に登記をしなければその内容を夫婦の承継人および第三者に対抗することができません（民法756条）。また、原則として、婚姻届出後に夫婦の財産関係を変更することはできません（民法758条１項）。婚姻後の契約は夫婦間の契約取消権（民法754条）の対象となることや、夫婦財産契約の内容の変更により第三者に不測の損害を与える可能性があることを考慮したものです。

⑶ 法定夫婦財産制

法定夫婦財産制は、①婚姻費用の分担（婚姻費用分担義務。民法760条）、②日常家事に関する債務の連帯責任（民法761条）、③夫婦別産制（民法762条）の３つの規定からなります。

① 婚姻費用の分担

ア　婚姻費用の意義

民法は、「夫婦は、その資産、収入その他一切の事情を考慮して、婚姻から生ずる費用を分担する」と定めています（民法760条）。

「婚姻から生ずる費用」とは、婚姻家族の共同生活を維持するのに通常必要とする費用をいいます。具体的には、衣食住の費用、医療費、娯楽費、交際費、子の養育費・教育費等が挙げられます。

婚姻費用の具体的な金額について、近時、実務上、東京・大阪養育費等研究会が平成15年４月に公表した夫婦の収入を基準として養育費や婚姻費用を簡易迅速に算出することのできる「養育費・婚姻費用の算定表」（判タ1111号285頁）が活用されています。令和元年12月23日には、この算定表の改定版（令和元年版）が公表されています。

イ　分担義務

民法752条は夫婦間の一般的な扶助義務を規定したものであり、民法760条が夫婦間の具体的な費用の分担義務を規定したものであることは前述のとおりです。

分担の具体的な額や方法は、夫婦それぞれの「資産、収入その他一切の事情」（民法760条）を考慮して、夫婦間の協議で定めることとなります。夫婦間の協議が整わない場合には、家庭裁判所が審判（家事事件手続法39条、別表第二の２項）により決定することとなります。

婚姻費用は、夫婦関係が破綻して別居していても、原則として離婚しない限り分担の義務を免れません（東京高決昭和58年12月16日家月37巻３号69頁・百選Ⅲ［第２版］８事件）。もっとも、別居を強行し、同居を拒否する一方配偶者からの他方配偶者に対する婚姻費用分担請求について、判例は、「夫婦の一方が他方の意思に反して別居を強行し、その後同居の要請にも全く耳を藉さず、かつみずから同居生活回復のための真摯な努力を全く行わず、そのために別居生活が継続し、しかも右別居をやむを得ないとするような事情が認められない場合には、……少なくとも自分自身の生活費にあたる分についての婚姻費用分担請求は権利の濫用として許されず、ただ、同居の未成年の子の実質的監護費用を婚姻費用の分担として請求しうるにとどまるというべきである」と判示して、同居の子の養育費は別として自身の生活費にあたる部分の婚姻費用分担請求は権利の濫用として許されないとしました（前掲東京高決昭和58年12月16日）。

なお、婚姻費用分担審判申立後に当事者が離婚したとしても、婚姻費用分担請求権は消滅しないとされています（最決令和２年１月23日民集74巻１号１頁）。

ウ　婚姻費用の分担義務の始期と終期

家庭裁判所は、婚姻費用の分担を過去に遡って命じることも可能であるとされています（最決昭和40年６月30日民集19巻４号1114頁）。審判例では、請求時以降とするのが一般的であり、調停もしくは審判申立時またはこれらの申立てより前に事実上の請求がなされていればその時期を始期とします。

終期は「別居の解消または離婚に至るまで」とするのが一般的です。

エ　婚姻費用の増減請求

いったん婚姻費用が取り決められても、失業・病気・事故等により夫婦の一方の経済状態が変動したり、子の養育費等が増加した等の事情の変更があった場合には、家庭裁判所は婚姻費用の分担について変更または取消しをすることができます（民法880条）。

② 日常家事債務の連帯責任

ア　日常家事債務の連帯責任の意義

民法は、「夫婦の一方が日常の家事に関して第三者と法律行為をしたときは、他の一方は、これによって生じた債務について、連帯してその責任を負う」と定めています（民法761条本文）。たとえば、妻が生活用品を購入する旨の売買契約を締結した場合、売買契約の当事者は妻であったとしても、夫婦の連帯責任として夫も売買代金支払義務を負います。

この規定の趣旨は、日常家事債務の範囲で夫婦に共同責任を負わせることによって、夫婦と取引する第三者の利益保護を図るとともに、婚姻共同生活や家政運営の円滑化を図る点にあります。

イ　日常家事債務の範囲

日常家事とは、夫婦が日常の家庭生活を営むうえで通常必要とされる事務をいいます。具体的には生活必需品の購入、電気・ガス・水道の供給契約、マンション・アパートの賃貸借契約、家族の保険医療、娯楽、未成熟子の教育・養育に関する法律行為等が含まれます。

日常家事債務の範囲の判断基準について、判例は、個々の夫婦の社会的地位、職業、資産、収入や地域社会の慣行等によって異なり、単にその法律行為をした夫婦の共同生活の内部的な事情や行為の個別的目的のみを重視して判断すべきではなく、客観的にその法律行為の種類性質を考慮して判断すべきであるとしています（最判昭和44年12月18日民集23巻12号2476頁・百選Ⅲ［第２版］９事件）。

ウ　夫婦相互の法定代理権

民法761条は「連帯してその責任を負う」と定めているのみで、夫婦の連帯責任という法的効果を発生させる規定であるとも解されます。しかし、判例・通説は、民法761条は夫婦が相互に日常家事に関する法律行為について法定代理権を有していることを前提とした規定であり、法定代理権の効果として連帯責任が発生するものであると解しています（前掲最判昭和44年12月18日）。

エ　日常家事代理権と表見代理

判例・通説のように民法761条の前提として夫婦相互の日常家事に関する法律行為についての法定代理権が存するとした場合、日常家事の範囲を超えて取引がなされたときに当該代理権を基本代理権として民法110条の表見代理が成立するかが問題となります。

かつては、日常家事代理権を基本代理権として民法110条を直接適用できるとする見解がありました。しかし、この場合は「当該法律行為に関する代理権があると信じたこと」についての「正当な理由」が問題となります。つまり、日常家事に関する法律行為の範囲を超える場合であっても、夫婦間で特別な代理権が与えられていたと信じたことについて「正当な理由」があれば日常家事の範囲を超える場合まで連帯責任の効果が生ずることとなります。この点において、配偶者の行為によって他方配偶者の特有財産が連帯責任の引当財産となってしまい、夫婦別産制の財産的独立を損なうおそれがあると批判されました。

そこで、判例（前掲最判昭和44年12月18日）・通説は、民法110条を直接適用するのではなく、民法110条の趣旨を類推適用するにとどめ、「その行為が当該夫婦の日常家事に関する法律行為の範囲内に属すると信じたこと」に関する「正当な理由」を問題とすることによって連帯責任の成立範囲を狭めました。

③ 夫婦別産制

ア　夫婦別産制の原則

民法は「夫婦の一方が婚姻前から有する財産及び婚姻中自己の名で得た財産は、その特有財産（夫婦の一方が単独で有する財産をいう。）とする」と定めています（民法762条1項）。

「婚姻前から有する財産」とは、各自が婚姻前から所有していた財産をいいます。「婚姻中自己の名で得た財産」とは、労働して得た財産、実質的に対価を支払う等して得た財産、相続によって得た財産等をいいます。

特有財産の帰属主体は、形式的な所有名義にかかわらず、実質的な取得者性（対価の拠出者性）が判断基準となります。したがって、たとえば、夫婦間の合意によって、夫の買い入れた土地の登記上の所有名義人を妻とした場合に、当該土地はあくまでも夫の特有財産であり、妻の特有財産とすることはできません（最判昭和34年7月14日民集13巻7号1023頁）。

なお、夫婦別産制を定める民法762条1項は、婚姻中の夫の所得が夫婦の協力によって得られた夫婦の所得であるという事実を無視するものであって、憲法24条に違反するとして争われた事案があります。判例は、「〔民法762条1項〕の規定は夫と妻の双方に平等に適用されるものであるばかりでなく、所論のいうように夫婦は一心同体であり一の協力体であって、配偶者の一方の財産取得に対しては他方が常に協力寄与するものであるとしても、民法には、別に財産分与請求権、相続権ないし扶養請求権等の権利が規定されており、右夫婦相互の協力、寄与に対しては、これらの権利を行使することにより、結局において夫婦間に実質上の不平等が生じないよう立法上の配慮がなされているということができる」として夫婦別産制を定める民法762条1項の規定は憲法24条に反しないと判示しました（最判昭和36年9月6日民集15巻8号2047頁・百選Ⅲ［第2版］10事件）。

イ　共有の推定

民法は「夫婦のいずれに属するか明らかでない財産は、その共有に属するものと推定する」と定めています（民法762条2項）。

民法762条1項に定める夫婦別産制を前提に、帰属不明の夫婦の財産は共有に属すると推定することで、夫婦の平等を図っています。この推定は、反対の証明があれば覆すことができます。

第5　婚姻の解消

1　婚姻の解消原因

婚姻の解消原因には、婚姻の取消し（民法743条ないし749条）、一方配偶者の死亡と離婚（民法763条ないし771条）があります。このうち婚姻の取消しについてはすでに説明したとおりです。

2　一方配偶者の死亡

夫婦の一方が死亡した場合、婚姻関係は当然に解消します。もっとも、生存配偶者と死亡配偶者の血族との間の姻族関係について、離婚の場合は当然に終了しますが、死別の場合は当然に終了するのではなく、生存配偶者が積極的に姻族関係を終了させる意思表示をしたときに消滅します（民法728条２項、戸籍法96条）。また、婚姻の際に氏を改めた生存配偶者は、他方配偶者の死亡によって、当然に婚姻前の旧氏に復することはありませんが、いつでも自由に戸籍上の復氏届出をすることが可能です（民法751条１項、戸籍法95条）。

夫婦の一方が失踪宣告を受けた場合、死亡したものとみなされるため（民法31条）、死亡した場合と同様の効果を生じます。

3　離婚の意義・方式

離婚とは、有効に成立した婚姻を、夫婦がその生存中に当事者の意思に基づいて解消することをいいます。離婚の方式としては、①協議離婚、②調停離婚、③審判離婚、④裁判離婚、⑤和解離婚、⑥認諾離婚があります。

①協議離婚は、夫婦の協議による離婚です。②調停離婚、③審判離婚はそれぞれ家庭裁判所の調停・審判による離婚です。④裁判離婚は、当事者の離婚の訴えに基づく裁判所の判決による離婚です。⑤和解離婚は、離婚訴訟において離婚の合意が成立することによる離婚、⑥認諾離婚は、離婚訴訟の被告が原告の主張を全面的に受け入れて成立した離婚を意味します。

以下、それぞれについて説明します。

4　協議離婚

民法は、「夫婦は、その協議で、離婚をすることができる」と定めています（民法763条）。

協議離婚は、離婚の基本形であり、離婚全体の９割弱が協議離婚による離婚となっています。わが国の協議離婚制度は無制限の自由合意離婚（単に当事者の合意に基づく届出のみで離婚が成立する）であり、世界に類のない特殊な制度であるとされています。

⑴ 要 件

協議離婚の成立には、実質的要件としての当事者の合意（離婚意思の合致）と形式的要件としての離婚届出の提出（民法764条、739条）が要件となります。また、当事者の共同親権に服する未成年の子がいる場合には、さらに協議による親権者の指定（民法765条１項、819条１項）が必要となります。

①　離婚意思の合致

民法上、明文の規定はありませんが、当然の要件であると解されています（民法742条１号参照）。離婚意思を欠く離婚は無効となります。離婚意思を欠き、離婚の無効を求める場合には、協議離婚の無効の訴えを提起することとなります（人事訴訟法２条１号参照）。

この点、婚姻意思と同様に、離婚意思をいかに解するかが議論されています。すなわち、離婚届出をする意思を有すれば足りる（形式的意思説）のか、真に離婚をしたいという意思まで必要である（実質的意思説）かという問題です。判例は、婚姻意思に関しては実質的意思説を採用しながら、離婚意思に関しては形式的意思説を採用しています。つまり、離婚届出をする意思（形式的意思）を有すれば離婚は有効となります。たとえば、氏変更のための協議離婚（最判昭和38年11月28日民集17巻11号1469頁）や生活保護を受けるための協議離婚（最判昭和57年３月26日判時1041号66頁・百選Ⅲ［第２版］12事件）も有効であると解されています。

また、離婚意思はいつの時点で必要かという点も議論されています。具体的には離婚届出の作成時のみならず離婚届出の提出時にも必要か否かという問題です。判例は、離婚届出の作成時のみならず離婚届出の提出時にも必要であると解しています（最判昭和34年８月７日民集13巻10号1251頁・百選Ⅲ［第２版］13事件）。したがって、離婚届出を作成した後に離婚意思を翻意し、離婚届出の提出時に離婚意思がなかった場合には、当該離婚届出は無効となり、離婚も無効となります。

②　離婚届の提出

民法は、婚姻届出の規定（民法739条）を離婚届出に準用しています（民法764条）。したがって、離婚は、戸籍法76条の定めるところにより届け出ることによって、その効力を生じます。夫婦間に離婚の合意が成立しても届出がされない限り、協議離婚は成立しません。また、離婚の届出は、その離婚が民法739条２項および819条１項の規定その他の法令に違反しないことを認めた後でなければ、受理されません（民法765条１項）。もっとも、これらの違反があるにもかかわらず離婚届出が受理された場合には、そのために離婚の効力が妨げられることとはなりません（民法765条２項）。

③　親権者の指定

当事者の共同親権に服する未成年の子がいる場合には、協議による親権者の指定が必要となります（民法765条１項、819条１項）。

未成年の子がいるにもかかわらず、離婚届に親権者の記載がない場合には、当該離婚届は受理されません（民法765条１項）。しかし、受理された場合には、そのために離婚の効力が妨げられることとはなりません（民法765条２項）。

⑵ 協議離婚の無効・取消し

① 協議離婚の無効

当事者の一方の意思に基づかない離婚届出は、たとえ無効確認の判決や審判がなくても当然に無効であり、利害関係者は他の訴訟の前提問題として無効を主張することができます（最判昭和53年3月9日家月31巻3号79頁）。

当事者の一方の意思に基づかない離婚届出がなされた場合には離婚は無効となりますが、当該当事者が追認することは許されます（最判昭和42年12月8日家月20巻3号55頁）。追認がある場合には、離婚の効力は届出受理時に遡って生じます。この趣旨は、本来であれば届出時に離婚の効力が生ずるため、それと合致させるという点にあります。

② 協議離婚の取消し

詐欺または強迫によって離婚の合意をした者は、その取消しを家庭裁判所に請求することができます（民法764条、747条）。婚姻の取消しの場合と異なり、その効果は遡及します（民法764条は748条を準用していません）。離婚が取り消された場合には、遡って婚姻関係が継続していたとすべきであるためです。

5　調停離婚・審判離婚

調停離婚とは、家庭裁判所における調停によって離婚の合意が成立し、離婚が成立したものをいいます。夫婦間で離婚に関する協議が調わない場合、直ちに離婚の訴え（民法770条）を提起することはできず、必ず離婚の調停手続を踏まなければなりません。これを調停前置主義といいます。調停前置主義は、民法に規定はありませんが、家事事件手続法244条、257条が定めています。

調停は、通常、裁判官と最高裁判所から任命された民間人の男女からなる調停委員2名以上の合計3名以上が調停委員会（家事事件手続法247条、248条）を構成し、調停委員会が夫婦の話を聞き、離婚するか否か、離婚する場合の条件等について提案や斡旋を行います。

調停が成立しない場合、家庭裁判所は職権で離婚を命じる審判を行うことができます。これを調停に代わる審判といいます（家事事件手続法284条1項）。もっとも、当事者が異議を申し立てると審判は失効する（家事事件手続法286条5項）ため、一方の当事者が離婚を明確に拒否している等、審判に対する異議の申立てが確実に予想される場合には、審判をする意義に乏しいといえます。そのため、実務上は調停に代わる審判はほとんど利用されていません。

6　裁判離婚

裁判離婚とは、当事者の離婚の訴えに基づく裁判所の判決によって成立する離婚をいいます。裁判離婚は、民法770条1項1号から5号に規定されている法定の離婚原因がある場合にのみ認められます。法定の離婚原因は、⑴配偶者の不貞行為（1号）、⑵悪意の遺棄（2号）、⑶3年以上の生死不明（3号）、⑷回復の見込みがない強度の精神病（4号）、(5)その他婚姻を継続し難い重大な事由（5号）、の5つです。離婚原因の列挙方法には、列挙した事由に該当するときは一定の阻却事由がない限り離婚を認めるとする絶対主義的列挙方法と、例示する事由その他によって離婚を相当とするときに離婚を認めるとする相対主義的列挙方法があります。民法は、具体的離婚原因として上記(1)から(4)を掲げ、抽象的離婚原因として上記(5)を掲げていることから、相対主義的列挙方法を採用しているとされます。

(1) 配偶者の不貞行為

民法は、「配偶者に不貞な行為があったとき」を離婚原因として定めています（民法770条1項1号）。不貞行為とは、夫婦の貞操義務に反する行為であり、配偶者の自由な意思で行った配偶者以外の者との性的交渉をいいます（最判昭和48年11月15日民集27巻10号1323頁）。不貞行為者の意思の任意性が要件となるため、強制性交の被害者となった場合には不貞行為となりませんが、相手方の意思の任意性は問われない（前掲最判昭和48年11月15日）ため、不貞行為者が強制的に性交した場合には不貞行為が成立します。

(2) 悪意の遺棄

民法は、「配偶者から悪意で遺棄されたとき」を離婚原因として定めています（民法770条1項2号）。悪意の遺棄とは、正当な理由もなく同居・協力・扶助義務（民法752条）を継続的に果たさないことをいいます。この場合の「悪意」とは、通常の用語法とは異なり、単に事実上の認識があるという程度にとどまらず、さらに積極的にその結果を意欲し、もしくは認容し、社会的倫理的非難を受けるに値するものであることを要します（新潟家判昭和36年4月24日下民集12巻4号857頁）。

正当な理由がある場合には、悪意の遺棄には該当しません。たとえば、病気治療のための一時別居や失職による扶助義務の不履行等は、悪意の遺棄に該当しません。一方配偶者が他方配偶者に対して生活費を支給し、他方配偶者が経済的には困窮していなくても、他方配偶者の求める同居に一方配偶者が応じなければ、同居義務に違反するものとして悪意の遺棄に該当しうるといえます（大判明治33年11月6日民録6輯16頁）。

(3) 3年以上の生死不明

民法は、「配偶者の生死が3年以上明らかでないとき」を離婚原因として定めています（民法770条1項3号）。配偶者が生死不明の場合、協議離婚や調停離婚ができず、また失踪宣告により死亡したものとみなされることによる婚姻の解消のためには7年を要する（民法30条1項、31条）ことから規定しています。生死不明の原因や生死不明の配偶者の故意過失・有責無責を問わずに、客観的に音信不通で3年以上生死不明であれば足りるとした裁判例があります（大津地判昭和25年7月27日下民集1巻7号1150頁）。

(4) 回復の見込みがない強度の精神病

民法は、「配偶者が強度の精神病にかかり、回復の見込みがないとき」を離婚原因として定めています（民法770条1項4号）。強度の精神病とは、夫婦共同生活における協力・扶助義務（民法752条）の履行を十分に果たしえない程度の精神病と解されています。回復の見込みがないといえるか否かは、医師による専門的な診断に基づいて裁判所が法的判断をすることとなります。このような離婚原因が定められた趣旨は、健康な配偶者を強度の精神病にかかった配偶者との婚姻関係から解放する点にあります。

もっとも、夫婦間には協力・扶助義務（民法752条）が存在するため、健康な配偶者は精神病に罹患した配偶者を看護する義務を負います。そこで、判例は「病者の今後の療養、生活等についてできるかぎりの具体的方途を講じ」前途にある程度の見込みがついたうえでないと離婚を認めないこととしています（最判昭和33年7月25日民集12巻12号1823頁、最判昭和45年11月24日民集24巻12号1943頁・百選Ⅲ［第2版］14事件）。

(5) その他婚姻を継続し難い重大な事由

民法は、「その他婚姻を継続し難い重大な事由があるとき」を離婚原因として定めています（民法770条1項5号）。前述のとおり、民法770条1項1号から4号までを具体的離婚原因、民法770条1項5号を抽象的離婚原因と呼びます。具体的離婚原因がないとしても、婚姻関係が破綻して回復の見込みがないときには離婚が認められるとしています。判例は民法770条1項5号を含む民法770条1項各号をすべて別個独立の離婚原因として捉えています（最判昭和36年4月25日民集15巻4号891頁）。これに対して、通説は民法770条1項1号から4号を5号の例示として捉えています。

「婚姻を継続し難い重大な事由」は、たとえば、暴力、虐待、犯罪行為、性的異常、性的不能、性交拒否、性格の不一致、同性愛行為、親族との不和、過度の宗教活動等、広範囲にわたります。

この点、不貞行為を働いた配偶者（このような配偶者を有責配偶者と呼びます）が、不貞行為が原因で婚姻関係が破綻したとして民法770条1項5号の離婚原因を主張して離婚請求することが認められるかが問題となります。

民法770条1項5号の「婚姻を継続し難い重大な事由」は、婚姻の破綻原因の内容にかかわらず、客観的に婚姻が破綻している事実があれば離婚が認められるように読めます。婚姻の破綻を理由とする離婚について、2つの考え方があります。ひとつは、破綻原因の判断に有責主義を加味し、破綻の事実のみでは離婚を認めない考え方です。これを消極的破綻主義といいます。もうひとつは、破綻の事実のみをもって離婚を認める考え方です。これを積極的破綻主義といいます。消極的破綻主義によれば、有責配偶者からの離婚請求は認められず、積極的破綻主義によれば、有責配偶者からの離婚請求が認められることとなります。

かつての判例は、社会倫理的要請と不貞を働かれた配偶者の保護を図るため、有責配偶者からの離婚請求を信義則に反するとして認めていませんでした（最判昭和27年２月19日民集６巻２号110頁）。消極的破綻主義によるものであるといえます。

しかし、たとえば、別居が夫の不貞行為が原因であったとしても、数十年にわたり別居が続き、夫が妻とは別の女性と内縁関係となり、内縁の子が生まれ、対外的に家庭が形成されている場合にも、妻が離婚に応じない限り離婚できないことは、実体に即さないばかりか、かえって内縁関係を法律婚にしたり、非嫡出子を嫡出子とすることができないという弊害も生じえます。

そこで、判例は「有責配偶者からされた離婚請求であっても、夫婦の別居が両当事者の年齢及び同居期間との対比において相当の長期間に及び、その間に未成熟の子が存在しない場合には、相手方配偶者が離婚により精神的・社会的・経済的に極めて苛酷な状態におかれる等離婚請求を認容することが著しく社会正義に反するといえるような特段の事情の認められない限り、当該請求は、有責配偶者からの請求であるとの一事をもって許されないとすることはできないものと解するのが相当である」と判示し、有責配偶者からの離婚請求を一定の条件の下で認めるに至りました（最大判昭和62年９月２日民集41巻６号1423頁・百選Ⅲ［第２版］15事件）。条件付きの積極的破綻主義へ転換したものといえます。

⑹ 裁量棄却条項

民法は、「裁判所は、前項第１号から第４号までに掲げる事由がある場合であっても、一切の事情を考慮して婚姻の継続を相当と認めるときは、離婚の請求を棄却することができる」と定めています（民法770条２項）。

裁判官がその裁量によって離婚請求を棄却することから、裁量棄却条項と呼ばれます。しかし、この裁量棄却条項は、裁判官の婚姻観、倫理観に左右されるおそれがあり、精神病離婚をめぐる具体的方途論（前掲最判昭和33年７月25日）におけるような広範な使用が危惧されています。

7　和解離婚・認諾離婚

離婚訴訟とは、調停離婚が成立せず、審判もなされない場合等に当事者が離婚を求めて提起する訴訟をいいます。和解離婚とは、離婚訴訟中に離婚の合意が成立し、和解調書が作成され、離婚が成立したものをいいます（人事訴訟法37条１項本文）。認諾離婚とは、離婚訴訟の被告が原告の主張を全面的に受け入れて成立した離婚をいいます（人事訴訟法37条１項本文）。もっとも、認諾離婚は、財産分与や子の監護に関する裁判をする必要のない場合に限られます（人事訴訟法37条１項但書）。

第６　離婚の効力

１　総 説

民法766条から769条は、協議離婚の効力について定めています。これらの規定は、確定判決による裁判離婚の場合に準用されます（民法771条）。離婚調停において成立した調停（調停離婚）および調停に代わる審判（審判離婚）は、いずれも確定判決による裁判離婚と同一の効力を有するため、民法766条ないし769条が準用されます（家事事件手続法268条１項、287条）。

２　身分関係に関する効力

⑴ 夫婦関係の終了

夫婦は、離婚によってその夫婦関係が終了します。夫婦関係を前提とした同居・協力・扶助義務（民法752条）、婚姻費用分担義務（民法760条）は消滅します。

民法は「婚姻によって氏を改めた夫又は妻は、協議上の離婚によって婚姻前の氏に復する」と定めています（民法767条１項）。夫婦関係の終了に伴い氏を復することを原則としていますが、「離婚の日から３箇月以内に戸籍法の定めるところにより届け出ることによって、離婚の際に称していた氏を称することができる」と定めています（民法767条２項）。復氏を原則としつつ、復氏により社会生活に影響を及ぼす場合があるため、戸籍法の定めにより届け出ることにより離婚の際に称していた氏の継続使用を認めています。これを婚氏続称といいます。

⑵ 再婚禁止期間

離婚後、男性は何らの制限なく再婚をすることができます。しかし、女性は離婚の日から100日を経過しないと再婚できません（民法733条）。民法は「妻が婚姻中に懐胎した子は、夫の子と推定する」（民法772条１項）、「婚姻の成立の日から200日を経過した後又は婚姻の解消若しくは取消しの日から300日以内に生まれた子は、婚姻中に懐胎したものと推定する」（民法772条２項）と定め、このような場合を嫡出子と推定することとしています。女性が離婚の日から直ちに再婚できるとすると、前婚の夫の嫡出子と推定されるとともに後婚の夫の嫡出子と二重に推定される子（前婚の解消もしくは取消しの日から200日を経過し、かつ300日以内に生まれた子）が出現する可能性が生じてしまうため、再婚禁止期間が設けられています。もっとも、離婚した夫婦が再度婚姻する場合には再婚禁止期間が設けられた趣旨に抵触しないため、再婚禁止期間に制限されることはないと解されています。

⑶ 姻族関係の終了

民法は「姻族関係は、離婚によって終了する」と定めています（民法728条１項）。一方配偶者の死亡による姻族関係の終了の場合は生存配偶者の意思表示を要します（民法728条２項）が、離婚の場合は当然に姻族関係が終了します。

⑷ 祭具等の承継

民法は「婚姻によって氏を改めた夫又は妻が、第897条第１項の権利を承継した後、協議上の離婚をしたときは、当事者その他の関係人の協議で、その権利を承継すべき者を定めなければならない」と定めています（民法769条１項）。民法897条１項の権利とは、系譜、祭具および墳墓の所有権です。承継すべき者を決定する協議が不調または不能の場合には、家庭裁判所がこれを定めます（民法769条２項）。

3　財産関係に関する効力――財産分与

⑴ 財産分与の意義

民法は「協議上の離婚をした者の一方は、相手方に対して財産の分与を請求することができる」と定めています（民法768条１項）。また、「前項の規定による財産の分与について、当事者間に協議が調わないとき、又は協議をすることができないときは、当事者は、家庭裁判所に対して協議に代わる処分を請求することができる」（民法768条２項本文)、「前項の場合には、家庭裁判所は、当事者双方がその協力によって得た財産の額その他一切の事情を考慮して、分与をさせるべきかどうか並びに分与の額及び方法を定める」（民法768条３項）と定めています。

民法は夫婦別産制（民法762条）を採用していますが、一般的に夫婦の一方が婚姻中に取得した財産については、取得について他方配偶者の協力があったものとみて、名義の如何にかかわらず実質的には夫婦の共有財産であると解されます。たとえば、夫が稼働し、専業主婦の妻が家事や育児を行っている場合に、夫の収入で取得した財産が夫名義となっていることは少なくありません。この場合、名義が夫であったとしても、家事や育児を行うことで妻は財産の取得に寄与しているといえ、離婚に伴う財産分与に際して妻の寄与分を適切に評価する必要があるといえます。

財産分与はこのような夫婦の共有財産を清算する手続として位置づけられます。

⑵ 財産分与の法的性質

財産分与は３つの法的性質を併有すると解されています。１つ目は清算的性質、２つ目は離婚後の扶養的性質、３つ目は慰謝料的性質です。

① 清算的性質

前述のとおり財産分与は、離婚に際して夫婦が共同して築きあげてきた共有財産を清算する手続であり、第一義的に清算的性質を有するといえます。

② 離婚後の扶養的性質

本来、扶養義務（民法752条）は、婚姻した夫婦に認められる義務ですが、離婚後に一方当事者が生活に困窮する場合があります。たとえば、専業主婦であった妻は離婚後に直ちに稼働し、収入を得ることが困難である場合があります。扶養的性質はこのような場合に夫は妻の生活を援助し、補償すべきであるという考え方によるものです。

③ 慰謝料的性質

財産分与に慰謝料的性質が含まれるか否かについては議論があります。すなわち、財産分与と慰謝料とは性質が異なるため別個に取り扱うべきであるという考え方（制限説と呼ばれます）と慰謝料についても財産分与の中で包括的・一回的な解決をすべきであるという考え方（包括説と呼ばれます）が対立しています。制限説は、財産分与が行われた後も慰謝料請求を別途行うことができると解し、包括説は、いったん財産分与が行われた場合にはすでに慰謝料も加味されているため、慰謝料請求を別途行うことはできないと解します。包括説が通説的立場です。

判例は、包括説を基礎にして、一度財産分与が行われたとしても、事情によっては慰謝料請求を別途行うことができるという折衷的な立場を採用しています（最判昭和46年7月23日民集25巻5号805頁・百選Ⅲ［第2版］18事件）。

⑶ 財産分与の申立て

財産分与は、調停の申立て（家事事件手続法255条1項）、審判の申立て（家事事件手続法272条4項により、調停不成立の場合には家事調停申立時に家事審判の申立てがあったものとみなされます）、婚姻取消しまたは離婚訴訟に附帯して申し立てることができます（人事訴訟法32条）。

民法は、財産分与の申立てについて、離婚の時から2年以内に行わなければならないと定めています（民法768条2項但書）。この2年は除斥期間と解されています（最決平成17年3月8日家月57巻6号162頁）。

⑷ 財産分与の対象

① 退職金

退職金は、賃金の後払い的性格を有し、婚姻中の配偶者の協力により稼働できたとすれば、協力した配偶者は退職金の形成に寄与していたといえ、財産分与の対象とすべきであると解されます。もっとも、離婚時に在職中である場合、退職金の支給を受けるのは将来の退職時となるため、離婚時に退職金の金額および支給時期が必ずしも明らかでないうえ、経済情勢や勤務先の倒産といった外的要因によって退職金の支給を受けられない可能性もあります。そこで、離婚時までの寄与分を財産分与においてどのように考慮すべきかが問題となります。

裁判例では、近い将来退職金の支給を受ける蓋然性が高いことを考慮して、中間利息を控除し、夫の負傷もあわせ考慮して財産分与の金額を算定した事例（東京地判平成11年9月3日判時1700号79頁）、財産分与時に自己都合により退職した場合に取得できる退職金相当額を財産分与算定の基礎財産に加え、その支払時期を将来の退職金の支給時とした事例（名古屋高判平成12年12月20日判タ1095号223頁）、退職手当支給額と退職時期を変数とする計算式を定め、これにより算定される金額を退職時に支払うよう命じた事例（大阪高判平成19年1月23日判タ1272号217頁）等があります。

② 未払いの婚姻費用

婚姻費用分担義務は一方配偶者が他方配偶者に対して負います（民法760条）。離婚前に別居をするに至った場合、たとえば夫は妻に対して婚姻費用を支払わなければなりません。しかし、夫が妻に対して婚姻費用を支払わない場合、妻は家庭裁判所に対して婚姻費用分担の申立てを行うこととなります。この場合、実務では、婚姻費用分担の申立てがされた後の婚姻費用について、一定の算定方式に基づいて支払うことを命じる審判をするのが通例であり、申立て前の未払い分の婚姻費用については婚姻費用分担の必要性がなくなっているものとして取り扱われます。

この申立て前の婚姻費用の未払いが多額であり、夫婦間の均衡が保たれていない場合には、財産分与の中で清算処理されるべきであると解されています。

判例も、「婚姻継続中における過去の婚姻費用の分担の態様は右事情のひとつにほかならないから、裁判所は、当事者の一方が過当に負担した婚姻費用の清算のための給付をも含めて見積分与の額及び方法を定めることができるものと解するのが、相当である」（最判昭和53年11月14日民集32巻８号1529頁・百選Ⅲ［第２版］17事件）と判示して、このような処理を認めています。

③ 年　金

年金も退職金と同様、年金の保険料の支払いに協力した配偶者の寄与が認められる場合があります。もっとも、退職金と同様、財産分割時に支給金額および支給時期が必ずしも明らかでないという問題がありました。そこで、年金については離婚時に年金を分割する年金分割制度が平成16年に創設されました。年金分割制度が創設されたため、年金は財産分与の対象とならず、年金分割制度により処理されます。

年金制度には、国民すべての人が加入を義務づけられる国民年金のほか、民間の社会保険の適用のある会社に勤務する場合に加入する厚生年金、公務員等が加入する共済年金があります。自営業者等厚生年金等に加入していない国民年金保険料負担者を１号被保険者、厚生年金、共済年金に加入している者を２号被保険者、２号被保険者に扶養されている配偶者等を３号被保険者といいます（国民年金法７条１項参照）。

ア　合意分割制度

合意分割制度は、２号被保険者の報酬比例部分を対象とします。配偶者間で婚姻期間中の標準報酬総額の按分割合について合意し、それを社会保険庁長官に届け出ることで、将来支給される年金が分割された標準報酬額に基づいて算定されることとなります。配偶者間で合意に至らない場合には、一方配偶者の申立てにより調停・審判事件として標準報酬額の按分割合を定める処分を求めることができます（厚生年金保険法78条の2第2項、3項）。

イ　3号分割制度

3号分割制度は、平成20年4月以降離婚時までの間に3号被保険者であった期間について、一律に50％の割合で保険料納付記録を分割する制度です。3号被保険者は、相手方配偶者の婚姻期間中の標準報酬総額について、配偶者間の合意がなくとも、請求によって2分の1の按分割合による当該標準報酬総額の分割を受けることができます（厚生年金保険法78条の14）。

⑸ 清算の割合

民法は、家庭裁判所が財産分与の審判をする場合「当事者双方がその協力によって得た財産の額その他一切の事情を考慮して、分与をさせるべきかどうか並びに分与の額及び方法を定める」と定めています（民法768条3項）。条文上、具体的な割合や分与方法について明らかにしていません。

一般的には、清算の対象となる財産を形成するにあたっての財産分与請求者の寄与度に応じて算定される場合が多いといえます。財産分与請求者が専業主婦の場合には、その寄与度は3割程度と認定されることが少なくありません。もっとも、夫婦の寄与の程度が異なることが明らかでない場合には、夫婦の財産上の衡平を図るという観点から、特段の事情がない限りは2分の1とする運用が次第に定着しつつあると指摘されています。

⑹ 財産分与の方法

財産分与の方法には、金銭給付と現物給付の2種類があります。裁判例では、婚姻中に夫婦の協力によって取得された財産につき、夫名義のものは夫に帰属させ、妻には一時金を分与させるにとどまるものが多いです。分与義務者に月給以外に財産のない場合等には、一時金ではなく定期金を支払わせる場合もあります。

現物給付として物や権利を分与する例には、営業用財産の分与、家族の住宅の所有権や持分権の分与等があります。

なお、家庭裁判所は、財産分与の審判において、当事者双方がその協力によって得た一方当事者の所有名義の不動産であって他方当事者が占有するものにつき、当該他方当事者に分与しないものと判断した場合、その判断に沿った権利関係を実現するため必要と認めるときは、家事事件手続法154条2項4号に基づき、その明渡しを命ずることができます（最決令和2年8月6日民集74巻5号1529頁）。

⑺ 財産分与と詐害行為取消権

債務者が責任財産を隠匿することを目的として協議離婚とともに財産分与を行うことがあります。たとえば、多額の負債を負っている夫が妻と共謀して真に離婚する意思はないものの、協議離婚を成立させ、離婚に伴う財産分与により夫名義の不動産を妻名義へと移転することにより、債権者からの当該不動産に対する差押えを免れるという場合です。このような場合、財産分与は詐害行為取消権

（民法424条１項）の対象となるか、民法は「財産権を目的としない行為」を詐害行為取消権の対象としていない（民法424条２項）ため問題となります。

判例は、「民法768条３項の規定の趣旨に反して不相当に過大であり、財産分与に仮託してされた財産処分であると認めるに足りるような特段の事情のない限り、詐害行為として、債権者による取消の対象となりえないものと解するのが相当である」と判示して、財産分与は特段の事情のない限り詐害行為取消権の対象とならないとしています（最判昭和58年12月19日民集37巻10号1532頁）。また、特段の事情が認められるとしても、「不相当に過大な部分について、その限度において詐害行為として取り消されるべきものと解するのが相当である」と判示しています（最判平成12年３月９日民集54巻３号1013頁・百選Ⅲ［第２版］19事件）。

⑻ 財産分与と債権者代位権

債権者は債務者の相手方配偶者に対する財産分与請求権を代位行使（民法423条１項）することができるかが問題となります。この点、配偶者間の協議等により具体的に財産分与請求権が形成されている場合についてのみ可能であると解されています。また、財産分与請求権が債権者代位権の被保全債権となるかが問題となります。この点、判例は、財産分与請求権の具体的内容が形成されるまでは債権者代位権の被保全債権とはならないと解しています（最判昭和55年７月11日民集34巻４号628頁）。

4　親子関係に関する効力

⑴ 子の身分と氏

父母の離婚によってその間の子の嫡出親子関係という身分および氏には変動を生じません。ただし、子は家庭裁判所の許可を得て、戸籍法の定めるところにより届け出ることによって、離婚によって婚姻前の氏に復した父または母の氏を称することができます（民法791条）。

⑵ 子の親権者の決定

婚姻中、父母は共同して親権を行います（共同親権。民法818条３項本文）が、離婚に際しては父母の一方を親権者としなければなりません（単独親権の原則。民法819条１項）。離婚による別居生活によって、生活を共にしていない父母が、婚姻中と同様に、親権を共同行使することは不当ないし困難であるためです。子の出生前に父母が離婚した場合には、親権は母が行います（民法819条３項本文）。ただし、子の出生後に、父母の協議により父を親権者とすることができます（民法819条３項但書）。

① 親権者の決定方法

以下のいずれの場合にも、子の利益を基準として親権者が決定されます。

ア　協議離婚の場合

原則として、父母の協議により決定します（民法819条１項）。協議が不調となった場合には家庭裁判所の調停により、調停も不調となった場合には家庭裁判所の調停に代わる審判によって決定します（民法819条5項、家事事件手続法268条1項、284条1項）。家庭裁判所は、親権者の決定に関して調停や審判を行うに際しては、子の陳述の聴取、家庭裁判所調査官による調査その他の適切な方法により、子の意思を把握するように努め、子の年齢および発達の程度に応じて、その意思を考慮しなければなりません（家事事件手続法258条1項、65条）。また、子が15歳以上である場合には、審判を行うに際して子の陳述を聴取しなければなりません（家事事件手続法169条2項）。

イ　裁判離婚の場合

裁判所が親権者を決定します（民法819条2項、人事訴訟法32条1項）。家庭裁判所は、子が15歳以上である場合には、その子の意思を確認するため、子の陳述を聴取しなければなりません（人事訴訟法32条4項）。

② 監護者制度

監護とは、未成年の子を実際に世話（保育）し、保護・監督・教育するという事実行為をいいます。監護者制度とは、離婚した父母について、親権者とならなかった者を子の監護者と定め、その者が子の養育についての権利を行使し、義務を果たすことができる制度をいいます。

監護者その他監護に必要な事項は、原則として父母の間で協議して定め（民法766条1項前段）、親権者とならずに監護者となった者は子の養育についての権利を行使し、義務を果たすことができます。協議が不調となった場合または協議が不能の場合は、家庭裁判所が定めます（民法766条2項、家事事件手続法154条3項）。裁判離婚の場合には、親権者の決定手続と同様に裁判所が決定します（人事訴訟法32条1項）。

実務上は、離婚の際には親権者のみを定めることが多く、監護者をあえて決定するのは、親権者と監護者を分属して定める事案が多いです。親権者と監護者の分属は離婚後の共同親権や共同監護の代替としてなされる場合や親権紛争の妥協策としてなされる場合があると指摘されています。また、監護者は事情によって第三者（子の祖父母や伯叔父母等）がなることもあります。

なお、父母以外の第三者は、事実上子を監護してきた者であっても、子の監護をすべき者を定める審判の申立てはできません（最決令和3年3月29日裁時1765号3頁）。

子の利益のために必要があると認めるときは、家庭裁判所は監護者を変更し、その他子の監護について相当な処分を命ずることができます（民法766条3項、家事事件手続法154条3項）。

(3) 面会交流

① 面会交流の意義

面会交流とは、監護者がいるために子を監護していない親権者または親権者でも監護者でもないために子を監護していない親が、子に会ったり、電話をかけたり、手紙のやりとりをしたり、旅行に行ったりするといった親子間の交流をいいます。

② 面会交流の法的性質

面会交流の法的性質をどのように捉えるか、そもそも権利性を認めるのか、権利性を認めるとしても、別居親の権利として捉えるのか、子の権利として捉えるのか、それともその複合的な権利として捉えるのかをめぐり議論がなされてきました。もっとも、子が別居親と面会交流しなければならないという義務ではないこと、および子の福祉に適合しない場合には面会交流が認められないことはほぼ異論のないところです。

かつては面会交流について明文規定はありませんでしたが、平成23年の民法改正で明文化されました。面会交流の法的性質について上記の議論があったため、面会交流を明文化した民法766条１項は、権利性を明確にせず、離婚時に夫婦間で決定すべき事項として位置づけました。

面会交流は、離婚後に最も問題となりますが、離婚前の別居状態にある親子の面会交流においても、家庭裁判所は、面会交流につき相当な処分をすることができます（最決平成12年５月１日民集54巻５号1607頁・百選Ⅲ［第２版］20事件）。

③ 面会交流の認容基準

面会交流を認容する基準としては、子の福祉に適合するか否かが重視されています。具体的には別居親の親としての適格性および子の面会交流の意思や態度によって判断されることとなります。実務上は、基本的には面会交流は子の健全な育成に有益なものであると捉え、子の福祉が害されるおそれがあるといえる特段の事情がない限り、面会交流を認めるべきであるとの考え方に依拠しています。子の福祉が害されるおそれがあるといえる特段の事情としては、典型的には別居親による連れ去りのおそれ、別居親による子に対する虐待のおそれ、別居親による監護親に対する暴力のおそれ等が挙げられます。

家庭裁判所は、親権者の決定と同様、面会交流に関して調停や審判を行うに際しては、子の陳述の聴取、家庭裁判所調査官による調査その他の適切な方法により、子の意思を把握するように努め、子の年齢および発達の程度に応じて、その意思を考慮しなければなりません（家事事件手続法258条１項、65条）。また、子が15歳以上である場合には、審判を行うに際して子の陳述を聴取しなければなりません（家事事件手続法152条２項）。

④ 面会交流の履行確保

協議や調停、審判によって決定された面会交流が決定された条件どおりに履行されない場合、どのように履行を確保すべきかが問題となります。この点、直接強制（民法414条１項参照）は認められておらず、家庭裁判所による履行勧告（家事事件手続法289条１項、人事訴訟法38条１項）や履行命令（家事事件手続法290条１項、人事訴訟法39条１項）、間接強制といった方法があります。

家庭裁判所は、権利者の申出があるときは調停・審判により定められた義務の履行状況を調査し、義務者に対してその義務の履行を勧告することができます（家事事件手続法289条１項、７項）。これを履行勧告といいます。履行勧告を行う家庭裁判所は、事件の関係人の家庭環境その他の環境の調整を行うために必要があると認めるときは、家庭裁判所調査官に社会福祉機関との連絡その他の措置をとらせることができます（家事事件手続法289条４項、７項）。履行勧告の実効性を確保するためです。

また、家庭裁判所は、調停・審判により定められた義務の履行を怠った者がある場合に、相当と認めるときは権利者の申立てにより、義務者に対して相当の期限を定めてその義務の履行をすべきことを命ずる審判をすることができます（家事事件手続法290条１項、３項）。これを履行命令といいます。義務の履行を命じられた者は正当な理由なくその命令に従わないときは、家庭裁判所より10万円以下の過料に処せられます（家事事件手続法290条５項）。

間接強制とは、たとえば不履行１回につき10万円を支払えというように、債務者が債務を履行をしない場合に一種の制裁金を課すことで債務者が履行するよう間接的に強制する方法をいいます。民事執行法に基づいて地方裁判所に申し立てる（民事執行法172条）ため、債務名義が必要となります（民事執行法22条各号）。したがって、協議によって定められた面会交流が履行されない場合に直ちに間接強制を申し立てることはできません。離婚時の条件合意について公正証書を作成していたとしても、面会交流は金銭債務でないため、やはり直ちに間接強制を申し立てることはできません。

面会交流の条項が抽象的な場合、たとえば「面接交渉の具体的な日時、場所、方法等は、子の福祉に慎重に配慮して協議して定める」とする調停調書では給付内容が十分特定されていないとして、間接強制が認められない場合があります（最決平成25年３月28日判時2191号48頁）。「面会交流の日時又は頻度、各回の面会交流時間の長さ、子の引渡しの方法等が具体的に定められていれば、給付の特定に欠けるところはな」く、間接強制が認められます（最決平成25年３月28日判時2191号39頁・百選Ⅲ［第２版］21事件）。

⑷ 子の引渡し

離婚前後の破綻した夫婦間においては、しばしば子の奪い合いが発生します。父母の一方が他方に子の引渡しを請求できるかが問題となります。民法は、子の引渡請求について具体的な明文規定を定めていませんが、実務上利用可能な手続として、民事訴訟法による場合、家事事件手続法による場合、人身保護法による場合があります。

① 民事訴訟法による場合

判例は、離婚後、親権者にならなかった親が子を手元にとどめ、親権者の親権行使を妨害するとき、親権者が親権（ないし監護権）行使に対する妨害排除請求として民事訴訟による子の引渡請求を行うことを認めています（最判昭和35年３月15日民集14巻３号430頁・百選Ⅲ［第２版］44事件）。ただし、意思能力のある子がその自由意思で親権者でない親の下にとどまり、子の引渡請求が親権の濫用となる場合には、請求は認められません（大判大正12年11月29日民集２巻642頁）。今日においては、民事訴訟法による子の引渡請求はほとんど利用されていません。

② 家事事件手続法による場合

ア　調停・審判

離婚後、親権者・監護者とならなかった親が子を手元にとどめ、親権者・監護者に子を引き渡さないとき、親権者・監護者は子の監護に関する処分（民法766条１項）として、調停または審判により子の引渡しを請求することができます（家事事件手続法別表第二の３項）。

親権者・監護者とならなかった親が子の引渡しを求めるときは、親権者の変更（民法819条６項、家事事件手続法別表第二の８項）、監護者の指定・変更（民法766条２項、３項、家事事件手続法別表第二の３項）を請求することとなります。

単独の親権者または監護者がすでに決定していて、別居親が親権者や監護者に対して子の引渡請求をする場合には、親権者や監護者による監護が子の福祉に反することが明らかな場合等特段の事情がない限り、別居親の親権者や監護者に対する引渡請求は認められません。一方で、別居親が親権者や監護者から子を連れ去り、親権者や監護者が別居親に対して子の引渡請求をする場合には、親権者や監護者による監護が子の福祉に反することが明らかな場合等特段の事情がない限り、親権者や監護者の別居親に対する引渡請求は認められます（東京高決平成15年３月12日家月55巻８号54頁）。

イ　審判前の保全処分

家事事件手続法は「本案の家事審判事件（家事審判事件に係る事項について家事調停の申立てがあった場合にあっては、その家事調停事件）が係属する家庭裁判所は、この法律の定めるところにより、仮差押え、仮処分、財産の管理者の選任その他の必要な保全処分を命ずる審判をすることができる」と定めています（家事事件手続法105条１項）。子の引渡請求の調停または審判を申し立てるとともに、審判前の保全処分として子の引渡しを求めることができます。

民事保全法以外の法律に根拠を有する特殊保全処分として位置づけられますが、保全処分であることに変わりはないため、被保全権利の存在および保全の必要性を要します（民事保全法13条参照）。被保全権利は子の引渡請求権となります。保全の必要性は「子の福祉が害されているため、早急にその状態を解消する必要があるときや、本案の審判を待っていては、仮に本案で子の引渡しを命じる審判がされてもその目的を達することができないような場合がこれにあたり、具体的には、子に対する虐待、放任等が現になされている場合、子が相手方の監護が原因で発達遅滞や情緒不安を起こしている場合などが該当する」とされています（東京高決平成15年１月20日家月55巻６号122頁）。

家庭裁判所は、必要があると認めるときは、職権で、事実の調査および証拠調べをすることができます（家事事件手続法106条３項）。通常は１か月から３か月で結論が出されています。

③ 人身保護法による場合

ア　人身保護請求の意義

人身保護請求手続とは、ある者が法律上正当な手続によらないで、身体の自由を拘束されているときに、被拘束者本人または他の誰からでも、裁判所に対して、自由を回復させることを請求することができるという手続です（人身保護法２条１項、２項）。

本来、人身保護請求は被拘束者を国家権力や支配力をもった機関等による不当な拘束から解放することを目的とした制度であり、家族間の紛争である子の引渡しを目的とするものではありません。しかし、子の引渡請求を人身保護請求から除外しているわけではないため、古くから人身保護請求を行うことが認められています。

人身保護請求事件の審理・裁判は事件受理の前後にかかわらず、他の事件に優先されます（人身保護規則11条）。また、原則として審問期日は請求した日から１週間以内に開かれ（人身保護法12条４項）、審問終結の日から５日以内に判決の言渡しがなされます（人身保護規則36条）。このように人身保護請求については迅速に判決が言い渡されます。

また、裁判所は審問のために被拘束者および拘束者を召喚し（人身保護法12条１項）、拘束者に対して被拘束者を指定した日時および場所に出頭させることを命じることができます（人身保護法12条２項）。拘束者が命令に従わない場合には、勾引、勾留、過料（１日500円以下の割合）の制裁をすることができます（人身保護法18条）。また、被拘束者を移動、蔵匿、隠避しその他この法律による救済を妨げる行為をした者もしくは答弁書にことさら虚偽の記載をした者には、２年以下の懲役または５万円以下の罰金が科されます（人身保護法26条）。このように、裁判所が強制的に審問を実施し、被拘束者の出頭を確保することにより、実効性を担保しています。

イ　人身保護請求の要件

人身保護規則は、「法第２条の請求は、拘束又は拘束に関する裁判若しくは処分がその権限なしにされ又は法令の定める方式若しくは手続に著しく違反していることが顕著である場合に限り、これをすることができる。但し、他に救済の目的を達するのに適当な方法があるときは、その方法によって相当の期間内に救済の目的が達せられないことが明白でなければ、これをすることができない」と定めています（人身保護規則４条）。この規定に即して子の引渡請求の要件を整理すると、(i)子が拘束されていること、(ii)その拘束の違法性が顕著であること、(iii)救済の目的を達成するために、他に適切な方法がないことが明白であることとなります。

ウ　判 例

判例は、古くから、子の引渡請求の場面で人身保護請求を行うことを認めています。昭和55年の家事審判法の改正まで、家事審判法の仮処分に執行力がなく、その実効性がなかったこともあり、迅速な解決を求めて、実務上、子の引渡請求に人身保護請求が用いられることが多かったといえます。しかし、近時では、判例は人身保護請求の適用範囲を狭める姿勢を示しています。

(i) 親権者による拘束ケース

共同親権に服する子について、一方の共同親権者が他方の共同親権者に対して子の引渡しを求めた場合、子の監護は他方の共同親権者の親権に基づくものとして、特段の事情がない限り適法であるといえます。したがって、人身保護請求の要件である顕著な違法性（人身保護規則４条）が認められるためには、当該監護が子の幸福に反することが明白であることが必要となります（明白性の要件）。判例は、一方の共同親権者が他方の共同親権者に対して、共同親権に服する幼児の引渡しを請求した事案で「右幼児が拘束者の監護の下に置かれるよりも、請求者に監護されることが子の幸福に適することが明白であることを要するもの、いいかえれば、拘束者が右幼児を監護することが子の幸福に反することが明白であること」を要すると判示しています（最判平成５年10月19日民集47巻８号5099頁）。

また、判例は、共同親権に服する子の人身保護法に基づく引渡請求は、次のような場合に人身保護規則４条本文の「拘束又は拘束に関する裁判若しくは処分がその権限なしにされ又は法令の定める方式若しくは手続に著しく違反していることが顕著である場合」といえると指摘しています。

(ア) 幼児引渡を命じる仮処分または審判が出され、その親権行使が実質上制限されているのに、拘束者がこうした仮処分等に従わない場合（最判平成６年４月26日民集48巻３号992頁・百選Ⅲ［第２版］45事件）。

(イ) 幼児にとって、請求者の監護下では安定した生活が送れるのに、拘束者の監護下では著しくその健康が損なわれたり、満足な義務教育を受けることができない等拘束者の幼児に対する処遇が親権行使という観点からみても容認できない場合（前掲最判平成6年4月26日）。

(ウ) 合意に反して監護を継続する等、手続上の正義に反する場合（最判平成6年7月8日判時1507号124頁）。

(ii) 監護権を持たない者に対する請求

監護権者が非監護権者に対して人身保護請求を行う場合に、判例は「請求者による監護が親権等に基づくものとして特段の事情のない限り適法であるのに対して、拘束者による監護は権限なしにされているものであるから、被拘束者を監護権者である請求者の監護の下に置くことが拘束者の監護の下に置くことに比べて子の幸福の観点から著しく不当なものでない限り、非監護権者による拘束は権限なしにされていることが顕著である場合（人身保護規則4条）に該当し、監護権者の請求を認容すべきものとするのが相当である」と判示し、請求を認容しています（最判平成6年11月8日民集48巻7号1337頁）。

(5) 子の監護に要する費用（養育費）

① 養育費の決定

父母は、離婚後も未成年の子を監護するために必要な費用を分担する義務があります。子を監護するために必要な費用は一般的に「養育費」と呼ばれます。かつては養育費について明文規定はありませんでしたが、平成23年の民法改正で明文化されました。すなわち、父母が協議上の離婚をするときは、「子の監護に要する費用の分担」を協議により決定すると定めました（民法766条1項）。

未成年の子が存する父母の協議離婚の場合、親権者の決定は必要なものとされています（民法819条1項）。しかし、養育費を含め子の監護に関しては必要な事項を協議で定めるとしか規定されておらず、必要的ではありません（民法766条1項）。実務上も協議離婚において父母間で養育費について協議されないことも多く、母子家庭の困窮の一因となっていると指摘されています。

父母間の養育費に関する協議が不調となった場合または協議が不能な場合には、家庭裁判所が定めることとなります（民法766条2項）。

養育費は離婚訴訟に附帯して申し立てることができ、家庭裁判所は離婚の判決に際して、子の養育費の支払いを命じることができます（民法771条、766条2項、人事訴訟法32条1項）。この場合、離婚訴訟に附帯して申し立てる場合には、過去分の養育費も附帯して申し立てることも可能であると解されています（最判平成19年3月30日家月59巻7号120頁）。

なお、父母間で離婚の際に養育費の支払いにつき一定の合意（和解）があった場合に、後に子から父（または母）に対して養育費の請求をするにあたって当該合意が拘束力を有するかという点につき、当該合意は父母間に成立したもので、父（または母）と子との間に直接の権利義務を生じせしめたものではないから、当該合意の効力は子に対しては何らの拘束力を有せず、単に養育費算定の際に斟酌されるべきひとつの事由となるにすぎないとした裁判例があります（仙台高決昭和56年８月24日家月35巻２号145頁・百選Ⅲ［第２版］50事件）。

② 養育費の算定

養育費の具体的な金額については、近時、実務上、東京・大阪養育費等研究会が平成15年４月に公表した夫婦の収入を基準として養育費や婚姻費用を簡易迅速に算出することのできる「養育費・婚姻費用の算定表」（判タ1111号285頁）が活用されています。令和元年12月23日には、この算定表の改定版（令和元年版）が公表されています。

養育費が支払われる始期については、協議により決定した場合には協議内容によって始期が定められます。調停や審判で決定する場合には、実務上、請求時である調停または審判の申立時を始期とすることが多いです。調停申立前に養育費の請求がなされている場合には、その請求時を始期とする場合があります。前述のとおり、離婚訴訟に附帯して過去分の養育費も申し立てられた場合には、当該過去分を含めた養育費の支払いが命じられる場合があります（前掲最判平成19年３月30日）。

なお、婚姻中に妻が夫以外の男性との間にもうけた子について、妻が別居中の夫に対してその養育費を請求することは、権利濫用にあたり認められないとした判例があります（最判平成23年３月18日家月63巻９号58頁・百選Ⅲ［第２版］16事件）。

養育費が支払われる終期については、子が成年（改正前民法の下では満20歳。改正後は満18歳）に達する月までとすることが一般的です。協議により決定した場合には協議内容によって終期が定められます。たとえば、子が４年制の大学に進学した場合には大学を卒業する月を終期とすることもあります。調停や審判で決定する場合に、４年制の大学を卒業する月を終期とすることが可能かという点について、裁判例や調停実務は一定でないと指摘されています。

③ 養育費の履行確保

協議や調停、審判によって決定された養育費が条件どおりに支払われない場合、どのようにその支払いを確保すべきかが問題となります。この点、家庭裁判所による履行勧告（家事事件手続法289条１項、人事訴訟法38条１項）や履行命令（家事事件手続法290条１項、人事訴訟法39条１項）、強制執行として直接強制、間接強制といった方法があります。

家庭裁判所は、権利者の申出があるときは調停・審判により定められた義務の履行状況を調査し、義務者に対してその義務の履行を勧告することができます（家事事件手続法289条１項、７項）。これを履行勧告といいます。履行勧告を行う家庭裁判所は、官庁、公署その他適当と認める者に嘱託し、または銀行、信託会社、関係人の使用者その他の者に対し関係人の預金、信託財産、収入その他の事項に関して必要な報告を求めることができます（家事事件手続法289条5項、7項）。履行勧告の実効性を確保するためです。

また、家庭裁判所は、調停・審判により定められた義務の履行を怠った者がある場合に、相当と認めるときは権利者の申立てにより、義務者に対して相当の期限を定めてその義務の履行をすべきことを命ずる審判をすることができます（家事事件手続法290条1項、3項）。これを履行命令といいます。義務の履行を命じられた者は正当な理由なくその命令に従わないときは、家庭裁判所より10万円以下の過料に処せられます（家事事件手続法290条5項）。

養育費は金銭債権であるため、面会交流と異なり、直接強制が可能です（民法414条1項参照）。養育費にかかる債権の一部について不履行があったときは、将来分（確定期限が到来していないもの）についても債権執行を開始できます（民事執行法151条の2第1項3号）。この場合の債権執行（差押え）の対象は、給料その他継続的給付にかかる債権のみとなります（民事執行法151条の2第2項）。また、差押禁止債権の差押禁止の範囲が4分の3から2分の1へと縮小されています（民事執行法152条3項）。たとえば、30万円の給与債権に対する差押えは、通常7万5000円までしか差押えできませんが、養育費を請求する場合には15万円まで差押えできることとなります。この趣旨は、子の監護を担保し、子の福祉の観点から子の利益を保護するという点にあります。

第7　内 縁

1　内縁の意義

内縁とは、社会通念上婚姻意思をもって夫婦共同生活を営むものの、婚姻の届出をしていないため、法律上の夫婦と認められない男女の関係をいいます。法律上の夫婦と認められる関係を法律婚というのに対して、内縁は事実婚とも呼ばれます。

2　内縁に関する判例の変遷

明治から大正時代初期にかけては、内縁関係は婚姻の届出を欠くとの理由で法的救済が認められていませんでした。すなわち、不当に内縁関係を破棄された女性が破棄した男性に対して不法行為に基づく損害賠償請求をした事案で、自ら進んで内縁関係に入ったのであり自業自得であるとして不法行為の成立は否定されていました（大判明治44年3月25日民録17輯169頁）。

しかし、婚姻の儀式を挙げながら届出がされていなかった男女において内縁関係が解消された事案で、大審院はこの男女の関係を婚姻予約関係と捉え、正当な理由なく婚姻の成立を拒絶した場合には債務不履行に基づく損害賠償義務を負うと判示し、内縁関係にも一定の法的保護を与えるようになりました（大判大正4

年１月26日民録21輯49頁。ただし、この事案では当事者が不法行為に基づく損害賠償請求のみを主張しており、不法行為は成立しないとして原告の請求を棄却しています）。

その後も内縁関係の不当破棄以外にも日用品供給の先取特権（民法310条）や第三者の内縁の夫に対する生命侵害による内縁の妻の当該第三者に対する損害賠償（民法709条、711条）等の場面でも、内縁の妻を法律婚と同様に扱う判断を示していきました（前者について大判大正11年６月３日民集１巻280頁、後者について大判昭和７年10月６日民集11巻2023頁〔傍論〕）。

学説は、内縁関係を法律上の婚姻に準じる「準婚関係」と捉え、婚姻の効果を準用して法的保護を図るという考え方を提唱してきました。判例も昭和33年にこの考え方（準婚理論）を採用するに至りました。すなわち最高裁は「いわゆる内縁は、婚姻の届出を欠くがゆえに、法律上の婚姻ということはできないが、男女が相協力して夫婦としての生活を営む結合であるという点においては、婚姻関係と異るものではなく、これを婚姻に準ずる関係というを妨げない」とし「内縁を不当に破棄された者は、相手方に対し婚姻予約の不履行を理由として損害賠償を求めることができるとともに、不法行為を理由として損害賠償を求めることもできる」と判示しました（最判昭和33年４月11日民集12巻５号789頁・百選Ⅲ［第２版］24事件）。

本判決は、準婚理論を採用した点および債務不履行責任のみならず、不法行為責任の法的構成も可能であるとした点に先例的意義を有する判決と評価されています。

3　内縁の要件

⑴ 婚姻意思と夫婦共同生活

内縁は、社会観念上の夫婦関係設定の意思である婚姻意思と社会的・習俗的に夫婦と認められる事実状態である夫婦共同生活が存在することによって成立すると解されています。

⑵ 婚姻障害との関係

法律婚については婚姻障害がないことが要件とされます（民法731条以下）。内縁において、婚姻障害がないことが要件とされるか否かが問題となりますが、判例は、婚姻適齢（民法731条）や再婚禁止期間（民法733条）に反する内縁関係でも、不当破棄の事案で破棄者の損害賠償責任を認めています（大判大正８年４月23日民録25輯693頁、大判昭和６年11月27日新聞3345号15頁）。

近親婚的内縁（民法734条参照）について、判例は社会保障給付の受給資格を認めることを否定してきました（最判昭和60年２月14日訟月31巻９号2204頁）。しかし、近年、当該関係の特殊事情に照らして例外的に肯定する場合を認めるに至りました。すなわち、叔父と42年間にわたり事実上の夫婦として同棲し、２人の子をもうけたケースで、事実上の妻が夫の死亡後に遺族厚生年金の支給を求めた事案で、最高裁は、三親等の傍系血族間での内縁関係については、形成されるに至った経緯、周囲や地域社会の受け止め方、共同生活期間の長短、子の有無、夫婦生活の安定性等に照らして、反倫理性、反公益性が著しく低い場合には、厚生年金法3条2項にいう「配偶者」として認めてよいと判示し、受給資格を認めました（最判平成19年3月8日民集61巻2号518頁・百選Ⅲ［第2版］27事件）。

重婚的内縁（民法732条参照）については、後述します。

4　内縁の効果

(1) 不当破棄からの救済

内縁関係を不当に破棄した場合、前述のとおり判例は破棄者に対する債務不履行責任および不法行為責任の可能性を認めています（前掲最判昭和33年4月11日）。

また、内縁を不当破棄した者とともに内縁の不当破棄に関与した第三者についても不法行為責任を認める判例があります（最判昭和38年2月1日民集17巻1号160頁）。内縁の夫Ｙのその父Ｚの暴言等で内縁関係が破綻するに至った事案で、最高裁は内縁の当事者でなくても「社会観念上許容さるべき限度をこえた内縁関係に対する不当な干渉」によって内縁関係を破綻させた者は不法行為責任を負うと判示し、内縁の夫Ｙとその父Ｚとの共同不法行為責任（民法719条）を認めています。

(2) 法律婚の効果の準用

通説・判例は、内縁を婚姻に準ずる関係として捉えています。法律婚の効果のうち、夫婦共同生活の実体があることを前提として認められる効果については準用されます。たとえば、①同居、協力、扶助義務（民法752条）、②貞操義務、③共同生活のための婚姻費用の分担（民法760条）、④日常家事債務の連帯責任（民法761条）、⑤夫婦の財産の帰属（民法762条）、⑥財産分与（民法768条）等が準用されます。

一方で、婚姻届による戸籍記載があることを基準として画一的に認められる効果、第三者の地位ないし社会公共の秩序に影響を与える効果については、消極的に解されています。たとえば、①夫婦同一氏（民法750条）、②夫婦財産契約（民法755条）、③姻族関係の発生（民法725条3号）、④嫡出推定（民法772条）、⑤準正（民法789条）、⑥相続権（民法890条）等は準用されないと解されています。

(3) 不法行為に基づく損害賠償請求権

法律婚の夫が第三者の不法行為により死亡した場合には、妻は①夫の逸失利益の損害賠償請求権（民法709条）、②夫の慰謝料請求権（民法710条）を相続により承継するとともに、③固有の慰謝料請求権（民法711条）を取得します。

内縁の妻は相続権（民法890条）を有しないため、①②を承継することはできません。しかし、①に代わるものとして、内縁の夫から扶養を受けるはずであったとして扶養利益の侵害による損害賠償請求権が認められることがあります（大阪地判昭和54年２月15日交通下民12巻１号231頁）。また、③固有の慰謝料請求権も認められることがあります（東京地判昭和36年４月25日家月13巻８号96頁）。

⑷ 生存内縁配偶者の保護

① 財産分与請求の類推適用の可否

内縁者の一方が死亡した場合、内縁関係は解消します。生存内縁配偶者が相続権（民法890条）を有しないことは前述のとおりです。この点、学説では、死亡解消時の生存内縁配偶者の経済保障のために、相続権の代替手段として財産分与請求制度を類推適用して、生存内縁者に遺産を配分すべきであるとする立場が有力であり、この見解を採用する審判例（大阪家審昭和58年３月23日家月36巻６号51頁）もありました。

しかし、近時、最高裁は「民法は、法律上の夫婦の婚姻解消時における財産関係の清算及び婚姻解消後の扶養については、離婚による解消と当事者の一方の死亡による解消とを区別し、前者の場合には財産分与の方法を用意し、後者の場合には相続により財産を承継させることでこれを処理するものとしている。このことにかんがみると、内縁の夫婦について、離別による内縁解消の場合に民法の財産分与の規定を類推適用することは、準婚的法律関係の保護に適するものとしてその合理性を承認し得るとしても、死亡による内縁解消のときに、相続の開始した遺産につき財産分与の法理による遺産清算の道を開くことは、相続による財産承継の構造の中に異質の契機を持ち込むもので、法の予定しないところである。また、死亡した内縁配偶者の扶養義務が遺産の負担となってその相続人に承継されると解する余地もない。したがって、生存内縁配偶者が死亡内縁配偶者の相続人に対して清算的要素及び扶養的要素を含む財産分与請求権を有するものと解することはできないといわざるを得ない」と判示し、財産分与規定の類推適用を否定しました（最決平成12年３月10日民集54巻３号1040頁・百選Ⅲ［第２版］25事件）。

② 居住権

たとえば、内縁の夫が死亡した場合、内縁の妻は内縁の夫と居住していた住居の居住権を喪失し、内縁の夫の相続人に明け渡さなければならないかが問題となります。

死亡した内縁配偶者が住居を所有する場合と借家である場合とに分けて考える必要があります。

ア　死亡した内縁配偶者の所有不動産である場合

(i) 権利濫用法理による保護

判例は、相続人に差し迫った居住の必要性がない限り、相続人からの明渡請求は権利濫用として認められないとしています（最判昭和39年10月13日民集18巻８号1578頁）。

(ii) 内縁夫婦の共有不動産に関する無償利用（権）の合意推定

判例は、内縁夫婦が共有する不動産について、当該不動産を居住または共同事業のために共同で使用していたときは、「特段の事情のない限り、両者の間において、その一方が死亡した後は他方が右不動産を単独で使用する旨の合意が成立していたものと推認するのが相当である」として、他の共有者（法定相続人）が生存内縁者の使用による利益について不当利得返還請求をすることはできないとしています（最判平成10年２月26日民集52巻１号255頁）。

(iii) 特別縁故者制度（民法958条の３）による保護

死亡した内縁配偶者に相続人がいない場合には、生存内縁配偶者は特別縁故者として、内縁配偶者所有の住居の分与を請求することができます（民法958条の３）。

イ　借家である場合

(i) 借地借家法36条による保護

借家の場合、死亡した内縁配偶者に相続人がいない場合には、生存内縁配偶者は借地借家法の規定により借家権を承継することができます（借地借家法36条）。

(ii) 賃借権の援用

死亡した内縁配偶者に相続人が存在する場合には、借地借家法36条が適用されません。判例は、賃貸人からの明渡請求については、内縁配偶者が、相続人が承継した借家権を援用することを認めることで内縁配偶者の保護を図っています（最判昭和42年２月21日民集21巻１号155頁）。

(iii) 権利濫用法理による保護

相続人からの明渡請求の場合には、前掲最判昭和39年10月13日と同様に権利濫用法理により生存内縁配偶者を保護することが考えられます。

(5) 社会保障法上の効果

社会保障法の分野では、現実に夫婦共同生活を送っている者の保護を図るため、内縁配偶者を「配偶者（届出をしていないが、事実上婚姻関係と同様の事情にある者を含む）」という表現で、法律上の配偶者に準じて取り扱っていることが多いです（健康保険法３条７項１号、厚生年金保険法３条２項、国民年金法５条７項等）。

5　重婚的内縁

重婚的内縁とは、法律上の配偶者がいる者が他の異性と事実上の夫婦関係を有する場合をいいます。かつての判例は、重婚的内縁は一夫一婦制の基本原則に悖るものであり公序良俗に反するとして法的保護を否定していました（大判大正９年５月28日民録26輯773頁、大判昭和15年７月６日民集19巻1142頁）。

これに対して、重婚的内縁は公序良俗に反して無効であるが、善意の当事者や第三者に対しては有効または法律上の婚姻が破綻しているときは有効と解する相対的無効説が主張され、現在では、法律婚の状態により重婚的内縁の保護の有無を決するとする法律婚態様説が多数説となっています。すなわち、法律婚態様説は、法律婚が夫婦としての実体を喪失して形骸化し、むしろ重婚的内縁の方が夫婦としての実体を有している場合には、重婚的内縁といえども通常の内縁と同様に保護すべきであると解します。

判例は、たとえば、重婚的内縁を不当に破棄した当事者の損害賠償責任（京都地判平成４年10月27日判タ804号156頁、大阪高判平成16年７月30日家月57巻２号147頁）、重婚的内縁の解消時の財産分与（広島高松江支決昭和40年11月15日家月18巻７号33頁、東京高決昭和54年４月24日家月32巻２号81頁）、重婚的内縁配偶者の一方の事故死に対する損害賠償（東京地判昭和43年12月10日家月21巻６号88頁）等を認めています。

社会保障法の分野についても、農林漁業団体職員共済組合法上の遺族給付の受給権について、最高裁は、法律婚の婚姻関係が形骸化し、その状態が固定化して事実上の離婚状態にある場合に重婚的内縁配偶者に遺族給付を認めています（最判昭和58年４月14日民集37巻３号270頁・百選Ⅲ［第２版］26事件）。また、私立学校教職員共済組合法に基づく退職共済年金の受給権について、20年以上にわたって別居する等して法律婚の婚姻関係の実体が失われている事例で、重婚的内縁配偶者に遺族年金の受給資格を認めています（最判平成17年４月21日判時1895号50頁）。もっとも、受給権者としての「配偶者」の定義に、内縁配偶者を含む文言が含まれていない恩給法の遺族給付に関して、最高裁は「恩給法72条１項にいう『配偶者』は、公務員と法律上の婚姻関係にある者に限られる」と判示し、重婚的内縁配偶者の請求を認めませんでした（最判平成７年３月24日判時1525号55頁）。

6　同棲

同棲とは、男女が共同生活を営み、夫婦同様の生活をしている関係をいいます。同棲が婚約や内縁とは異なるのは、「婚姻届」を出す意思はないという点にあります。

同棲の効果については、婚姻をする意思がないため、婚姻と同様の効果は生じません。同棲を一方的に破棄したとしても、原則として何の効果も生じないと解されます。判例は、16年間にわたる交際により２人の子をもうけ、仕事を協力したり旅行をともにすることはあったが、継続的な共同生活をしていない関係の男女について、男性が一方的にその関係を解消して別の女性と婚姻した行為につき、このような関係について「法的な権利ないし利益を有するとはいえない」として、不法行為に基づく慰謝料の請求を否定しました（最判平成16年11月18日判時1881号83頁）。

第４章

親　子

第１　親子関係

１　親子制度の変遷

親子法においては、大きく分けて家のための親子法、親のための親子法、子のための親子法という３段階の変化があったといわれます。最初は家という生活協同体の統制が中心であり、その生活協同体のための親子法（家のための親子法）という位置づけでした。その生活協同体の単位がより小規模になり、親と子の関係の重要性が増すこととなり、親が子を支配するという形での親子法（親のための親子法）が特色をもちました。その後、子の権利条約等にみられるように子の権利を重視する潮流が世界規模で生じ、子の権利や福祉を中心において親子法（子のための親子法）を捉えるようになってきたのです。

２　親子関係の意義

⑴　生物学的親子関係と法的親子関係

生物学的に子には必ずその子を産んだ親が存在します。生物学的親子関係とは、この生物学的な親子の関係をいいます。一方、法的親子関係とは、民法典に規定された親子関係のことをいいます。

⑵　実親子関係と養親子関係

法的親子関係は、生物学的親子関係を基礎とする実親子関係と、生物学的親子関係を基礎としない養親子関係に分かれます。実親子関係における親を実親、子を実子といいます。養親子関係における親を養親、子を養子といいます。実子は、法律上の婚姻関係にある男女の間に生まれたか否かで、嫡出子と嫡出でない子（非嫡出子）に分かれます。養親子関係は、実親との親子関係が断絶するか否かで、普通養子縁組と特別養子縁組に分かれます。

法的親子関係の成立によって、当事者の間には親子としての権利義務が発生します。

⑶　社会的親子関係

法的親子関係がなくとも、社会的に親子と呼ぶに値する親子関係もあります。このような親子関係を社会的親子関係といいます。

①　内縁養子

当事者の間で縁組意思が合致しており、親子として生活していますが、法定の養子縁組手続をしていないために法律上の養親子関係が認められない場合の子を内縁養子といいます。事実上の養子や内縁縁組、縁組予約と呼ばれることもあります。

② 里親制度

里親制度とは、都道府県知事が、児童福祉法上の審査を経て登録されている里親に対して家庭生活に恵まれない児童の監護・教育を委託する制度です。里親とは、保護者のない児童または保護者に監護させることが不適当であると認められる児童（要保護児童。児童福祉法６条の３第８項）を養育することを希望する者であって、児童福祉法による所定の要件を満たす者をいいます（児童福祉法６条の４）。里親に監護・教育されるものを里子といいます。

里親と里子は法律上の親子関係が存しないため、里親は民法上の親権（民法818条以下）を有していません。しかし、里親は、親から監護・教育の委託（準委任契約）を受けて、または児童虐待等の事情が存する場合には家庭裁判所の承認を得て行政から委託を受けて、里子の監護・教育を行います。

3　親子法の構成

民法典上、親子法は、親子（第３章）、親権（第４章）、後見（第５章）、保佐および補助（第６章）、扶養（第７章）で構成されます。

第３章「親子」は、実親子関係と養親子関係からなる親子関係の発生および消滅を規定しています。第４章「親権」は、親が未成年の子を保育・監護・教育する関係について、規定しています。第５章「後見」は、未成年の子に親権者がいない場合に親権者に代わってその子を保育・監護・教育をする者である未成年後見人について、規定しています。また、成年被後見人の療養看護を務める成年後見人についてもあわせて規定しています。第６章「保佐および補助」は、成年被後見人より判断能力低下の程度の低い被保佐人、被補助人について、規定しています。第７章「扶養」は、親と成年の子の間の扶養関係を中心とする関係について、規定しています。なお、親の遺産を子が相続することも親子関係の一内容といえますが、第５編「相続」が規定しています。

第４編　親族

第１章　総則 ─┬─ 第３章　親子
├─ 第４章　親権
├─ 第５章　後見
├─ 第６章　保佐及び補助
└─ 第７章　扶養

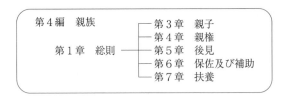

第2　実 子

1　嫡出子

⑴ 意 義

実子とは、生物学的親子関係を基礎として生まれた子をいいます。

実子は、「嫡出子」と「嫡出でない子（非嫡出子）」に区別されます。嫡出子とは、法律上の婚姻関係にある男女の間に生まれた子をいいます。嫡出でない子とは、法律上の婚姻関係にない男女の間に生まれた子をいいます。民法上、嫡出子と嫡出でない子は、嫡出でない子について嫡出子となる制度（準正）が設けられている点、誰が親権者となるかという点で異なります。

嫡出子は、「（嫡出）推定される嫡出子」と、「（嫡出）推定されない嫡出子」に分かれます。（嫡出）推定される嫡出子とは、民法772条による嫡出推定を受ける嫡出子をいいます。（嫡出）推定されない嫡出子とは、民法772条による嫡出推定を受けない嫡出子をいいます。

⑵（嫡出）推定される嫡出子

① 意 義

（嫡出）推定される嫡出子とは、民法772条による嫡出推定を受ける嫡出子をいいます。

民法は、妻が婚姻期間中に懐胎した子を夫の子と推定すると定めています（民法772条1項）。また、婚姻期間中に懐胎したことの証明は容易ではないため、婚姻の成立の日から200日を経過した後に生まれた子または婚姻の解消もしくは取消しの日から300日以内に生まれた子は、婚姻期間中に懐胎したものと推定すると定めています（民法772条2項）。この推定を嫡出推定といいます。嫡出推定は、父子関係の推定（民法772条1項）と婚姻期間中の懐胎の推定（民法772条2項）の二重の推定を内容とします。

父子関係の推定の根拠は、婚姻関係にある夫婦は互いに同居義務や他の異性と性的関係をもたない義務を負っていることから、婚姻期間中に懐胎した子は夫の子である蓋然性が高いという点にあります。また、婚姻期間中の懐胎の推定の根拠は、民法772条2項に規定する期間中に生まれた子は、懐胎から出生までの期間に関する医学的知見を基にすると婚姻期間中に懐胎した蓋然性が高いという点にあります。

たとえば、婚姻の成立の日から300日後に生まれた子は（嫡出）推定される嫡出子となります。婚姻の成立の日から100日後に生まれた子は（嫡出）推定されない嫡出子となります。

② 趣 旨

民法が嫡出推定の規定を設けた趣旨は、母子関係が分娩という客観的事実により確定することができるのに対して、父子関係は客観的事実により確定することが困難であることから、妻が婚姻期間中に懐胎した子を夫の子と推定するという方法で父子関係を確定する点にあります。

(3) 嫡出否認の訴え

① 意 義

嫡出推定はあくまでも父子関係を推定するにすぎません。したがって、嫡出推定によって推定される父子関係が事実に反する場合には、夫は子が自分の嫡出子であることを否認するために訴えを提起して争うことができます（民法774条、775条）。この訴えを嫡出否認の訴えといいます。

嫡出否認の訴えは、原則として夫からのみ訴えることができ（民法774条）、提訴期間は夫が子の出生を知った時から１年以内に制限されています（民法777条）。夫からのみ訴えることができるとされている趣旨は、かつては夫の名誉を守る点にあると解されていましたが、今日では家庭外の第三者が父子関係を否定すべく嫡出否認の訴えを提起し家庭の平和を破壊することを防ぐ点にあると解されています。また、提訴期間が制限されている趣旨は、父子関係を早期に確定するという点にあります。

② 訴えの当事者

ア　原 告

(i) 原 則

原告は、民法772条により子の父として推定される夫です。ただし、夫自身が、子の出生後にその子が自分の嫡出子であることを承認した場合は、嫡出否認の訴えを提起できなくなります（民法776条）。

嫡出子であることの承認とは、夫が子を自分の子であると積極的に肯定することと解されています。したがって、たまたま子の名を命名したとか、子についての出生届を提出しただけでは、嫡出子であることを承認したとはならないと考えられています（戸籍法52条１項、53条参照）。

(ii) 例 外

例外として、夫が成年被後見人である場合、成年後見人が原告となります（人事訴訟法14条１項本文）。ただし、妻が夫の成年後見人である場合は、成年後見監督人が原告となります（人事訴訟法14条１項但書、２項）。

また、夫が子の出生前または１年の出訴期間内に死亡した場合、子の存在により相続権を害される者その他夫の３親等内の血族が原告となります（人事訴訟法41条１項）。

イ　被 告

被告は、子または親権を行う母です（民法775条前段）。ただし、親権を行う母がいない場合には、家庭裁判所が選任した特別代理人が被告となります（民法775条後段）。

③ 否認判決の確定の効果

嫡出否認の訴えの法的性質について、通説は形成訴訟と解しています。形成訴訟とは、判決の確定によって法律上の効果が初めて生じる訴訟をいいます。したがって、嫡出否認を認容する判決が確定した場合に子は嫡出でない子となります。また、嫡出否認の確定判決は対世効を有します（人事訴訟法24条1項）。対世効とは、訴訟当事者以外の第三者にもその確定判決の効力が及ぶことをいいます。対世効が認められる趣旨は、父子関係という身分関係を画一的に取り扱うべきであるという点にあります。

(4) 父を定める訴え

前婚の解消から300日以内かつ後婚の成立から200日を経過した後に子が生まれた場合、前婚の解消から300日以内という点で前夫との間の嫡出推定が働き、他方で後婚の成立から200日を経過した後という点で後夫との間の嫡出推定も働くこととなります。この場合、二重に嫡出推定が及ぶため、前夫と後夫のいずれの嫡出子とするかという問題が生じます。民法は、このような事態を未然に防止するため、女性は、前婚の解消または取消しの日から起算して100日（待婚期間）を経過した後でなければ、再婚することができないと定めています（民法733条1項）。ただし、女性が前婚の解消または取消しの時に懐胎していなかった場合および女性が前婚の解消または取消しの後に出産した場合は、待婚期間の制限を受けません（民法733条2項）。この点、判例は、女性の再婚禁止期間（待婚期間）の合憲性が問題となった事案において「女性の再婚後に生まれる子については、計算上100日の再婚禁止期間を設けることによって、父性の推定の重複が回避されることになる。夫婦間の子が嫡出子となることは婚姻による重要な効果であるところ、嫡出子について出産の時期を起点とする明確で画一的な基準から父性を推定し、父子関係を早期に定めて子の身分関係の法的安定を図る仕組みが設けられた趣旨に鑑みれば、父性の推定の重複を避けるため上記の100日について一律に女性の再婚を制約することは、婚姻及び家族に関する事項について国会に認められる合理的な立法裁量の範囲を超えるものではなく上記立法目的との関連において合理性を有するものということができる」と判示しています（最判平成27年12月16日民集69巻8号2427頁・百選Ⅲ［第2版］5事件）。

女性が待婚期間中に再婚し、戸籍係が誤って再婚にかかる婚姻届出を受理した場合には、子に二重の嫡出推定が及ぶ場合が生じます。民法は、このような場合のために、父を定める訴えによって裁判所が父を確定するという制度を定めています（民法773条）。

(5) 推定の及ばない子

① 意　義

推定の及ばない子とは、形式的には嫡出推定が及ぶものの、嫡出推定の前提を欠くため、実質的には嫡出推定を及ぼす必要のない子をいいます。推定の及ばない子は学説上の呼称であり、判例上は、推定を受けない子と呼ばれています。

たとえば、婚姻の成立の日から200日を経過した後に妻が子を出産したものの、夫が3年前から刑務所で服役していたという場合を考えます。この生まれた子は婚姻の成立の日から200日を経過した後に生まれている以上、形式的には嫡出推定（民法772条）が及ぶといえます。したがって、夫が、生まれた子が自分の嫡出子ではないことを争うためには、嫡出否認の訴えを提起しなければならないとも思われます。この場合、嫡出否認の訴えの出訴期間は子の出生を知った時から1年と短いため、提訴期間を経過してしまうと夫は生まれた子が自分の嫡出子ではないことを争えなくなります。しかし、在監中のため夫との性交渉によって懐胎していないことが明らかであるにもかかわらず、真実と異なる父子関係が確定することは妥当でないといえます。嫡出推定は、婚姻関係にある夫婦は互いに独占的に性交渉をもつということを前提としています。そうであれば、妻が夫との性交渉の可能性がない時期に懐胎した場合には、嫡出推定の前提を欠き、このような場合にまで嫡出推定を及ぼす必要はないといえます。そこで、学説・判例は、推定の及ばない子（推定を受けない子）という概念を認め、このような子には嫡出推定が及ばず、夫は嫡出否認の訴えによらずとも父子関係を否定できると解しています。

② 判 例

判例は、以下の事案で推定の及ばない子という概念を初めて認めました（最判昭和44年5月29日民集23巻6号1064頁）。夫婦ABは別居して約2年半後に離婚しました。妻Bは別居中C男との性交渉を継続し、離婚の日から300日以内に子Dを出産し、嫡出でない子として届け出ました。その約14年後、DがCに対して認知の訴え（民法787条）を提起したのに対し、Cは、Dは離婚の日から300日以内に出生しており、Aの嫡出子と推定されるため、認知の訴えの前にAの嫡出否認の訴えを経る必要があると反論しました。最高裁は、AB間の夫婦の実態は失われていたのであり、Dは実質的には推定の及ばない子（推定を受けない子）というべきであるため、Aからの嫡出否認の訴えを待つまでもなくCに対して認知の訴えを提起できると判示しました。

最判平成10年8月31日家月51巻4号33頁も、前掲最判昭和44年5月29日の立場を踏襲しています。これは、戸籍上の父Aが、妻Bの生んだ子Cとの間の父子関係を否定して、親子関係不存在確認の訴えを提起した事案です。最高裁は、AB間に婚姻の実体が存しないことが明らかであったとまでは言い難いとして、Cは推定の及ばない子（推定を受けない子）にあたらずAがCとの間の父子関係を否定するためには嫡出否認の訴えによるべき旨を判示しました。

次に、判例は、懐胎当時婚姻関係にあり夫婦の実態がないとはいえないものの、科学的に父子関係が否定されている場合において、嫡出推定が及ぶと判断しています（最判平成26年７月17日民集68巻６号547頁）。当該判例の事案は以下のとおりです。

Ａ女とＹ男は平成11年に婚姻し、平成20年頃からＡがＢ男と性的関係を持つが、ＡとＹの夫婦の実態は失われませんでした。平成21年にＡが妊娠しＸを出産し、ＡはＸをＹとＡの長女とする出生届をして監護養育を始めました。平成22年ＡとＹは協議離婚をしました。Ａが私的に行ったDNA鑑定の結果では、ＢがＸの生物学上の父である確率は99％以上でした。

この場合にＡがＸの法定代理人としてＹに対して親子関係不存在確認の訴えを提起したことについて、判例は「夫と子との間に生物学上の父子関係が認められないことが科学的証拠により明らかであり、かつ、夫と妻が既に離婚して別居し、子が親権者である妻の下で監護されているという事情があっても、子の身分関係の法的安定を保持する必要が当然になくなるものではないから、上記の事情が存在するからといって、民法722条による嫡出の推定が及ばなくなるものとはいえず、親子関係不存在確認の訴えをもって当該父子関係の存否を争うことはできない」と判示しています。

また、判例は、性同一性障害者の性別の取扱いの特例に関する法律３条１項の規定に基づき男性への性別の取扱いの変更の審判を受けた者の妻が婚姻中に懐胎した子は、民法772条の規定により夫の子と推定されるのであり、夫が妻との性的関係の結果もうけた子でありえないことを理由に実質的に同条の推定を受けないということはできないと判示しています（最決平成25年12月10日民集67巻９号1847頁・百選Ⅲ［第２版］36事件）。

③ 要　件

どのような要件があれば推定の及ばない子と認められるかについて争いがあります。

判例・通説は、懐胎時に夫が失踪している場合、刑務所に収監されている場合、海外滞在している場合、長期間別居しており事実上の離婚状態にある場合等、懐胎時に同居していないため夫の子でないことが外観上明らかである場合に民法772条の嫡出推定は及ばないと解します。このような見解を外観説と呼びます。外観説によれば、推定の及ばない子との父子関係を否定する方法としては嫡出否認の訴えではなく、親子関係不存在確認の訴えによれば足りることとなります。

外観説の根拠は、嫡出推定は夫婦間の独占的な性交渉の存在を前提としているため、夫婦間に性交渉が存在しないことが外観上明らかである場合には嫡出推定を及ぼすべきではないという点にあります。外観説は、同居中でも夫の子であることがありえない場合、たとえば、夫が避妊手術を受けているのに子が出生した場合等には嫡出推定が及ぶ可能性があると批判されます。

一方、血縁の事実を重視して、夫の生殖不能、血液型の矛盾、人種の相違等、科学的に夫の子ではありえないことが証明される場合にも嫡出推定が及ばないとする見解（血縁説）が存します。この見解は、真実の父子関係と合致しやすいといえます。しかし、血縁説は、平穏な家族生活を送っている家族に対して、第三者が夫の生殖不能や妻の不貞の事実等のプライバシーを暴くことにつながり、民法が要件の厳格な嫡出否認の訴え（民法774条、777条）を用意して家庭の平和や父子関係の早期安定を図った趣旨に反すると批判されます。

また、家庭の平和の保護と真実の父子関係の追及とを調和させるために、家庭が平和であれば外観説に立ち、夫婦の離婚等家庭の平和が失われたときには血縁説に立つというように、家庭の状態を考慮して嫡出推定を及ぼす範囲を区別する見解（家庭破壊説）があります。下級審や家庭裁判所の実務ではこの立場が有力との指摘もあります。しかし、家庭破壊説は、夫婦のプライバシーを暴く点では血縁説と同様であるとか、夫がいったんは嫡出否認をせず自分の子として生活していたにもかかわらず、その後別居や離婚した後に、親子関係不存在確認の訴えにより父子関係を争うことができるようになり、安定した子の養育環境を築けないと批判されます。

④ 効 果

推定の及ばない子は嫡出推定が及ばないため、推定の及ばない子との父子関係を争う者は嫡出否認の訴え（民法774条、775条）ではなく、親子関係不存在確認の訴え（人事訴訟法2条2号）によって父子関係を争うことができます。

⑤ 親子関係不存在確認の訴え

ア　意 義

親子関係不存在確認の訴え（人事訴訟法2条2号）とは、親子関係が存在しないことを確認する確認の訴えです。

この訴えは、民法や人事訴訟法が定める親子関係に関する他の訴訟によるべき場合には訴えの利益を欠くため、提起することができません。民法や人事訴訟法が定める親子関係に関する他の訴訟とは、嫡出否認の訴え、認知の訴え、認知無効・取消しの訴え、父を定める訴えです。たとえば、嫡出推定を受ける嫡出子との父子関係を争うためには嫡出否認の訴えを提起すべきであり、親子関係不存在確認の訴えを提起したとしても訴えの利益を欠くものとして却下されます。

イ　訴訟要件

(i) 提訴期間

提訴期間の制限はありません。いつでも訴えを提起することができます。

(ii) 提訴権者（原告）

提訴権者の定めはありません。したがって、法的な利害関係があり確認の利益があれば、第三者も訴えを提起することができます。

(iii) 訴えの相手方（被告）

訴えの相手方は、不存在確認の対象となる親子間においては、その他方当事者となります。たとえば、父子関係の不存在を確認する訴えであれば、父が訴えを提起する場合は子が被告となり、子が訴えを提起する場合は父が被告となります。

第三者が訴えを提起する場合は、親子双方を被告としなければなりません（人事訴訟法12条2項）。親子の一方が死亡している場合は、他の一方を被告とし（人事訴訟法12条2項）、双方とも死亡している場合は、検察官を被告とします（人事訴訟法12条3項）。

ウ　認容確定判決の効力

親子関係不存在確認の訴えを認容する確定判決は、対世効を有します（人事訴訟法24条1項）。すなわち、親子ABを当事者とする訴訟において親子関係を不存在とする判決が確定した場合は、訴訟当事者の親子ABだけでなく第三者との関係でもAB間の親子関係は不存在ということになります。対世効が認められる趣旨は、親子関係という身分関係を画一的に取り扱うべきであるという点にあります。

エ　権利濫用の法理

権利濫用の法理とは、権利の行使に当たって、その正当な範囲を逸脱している場合には、正当な権利の行使とは認めないとする法理をいいます。

真実は親子でなかった者同士が長期間親子として生活しており、両者とも法的に親子であることに満足している場合でも、親子関係不存在確認の訴えが提訴期間に制限がなく、第三者も提訴権者となりうるため、相続等の財産をめぐる争いの中で突如として第三者から親子関係不存在確認の訴えを提訴される場合があります。この場合、何の帰責性もない子が多大な精神的苦痛を受け、また扶養や相続を受けられなくなるという経済的不利益を受けることとなり、長期間を経て関係者間に形成された社会的関係が一挙に破壊されかねません。また、両親がすでに死亡していて子が改めて養子縁組により嫡出子の身分を取得することができない場合があるという問題点があります。そこで、このような場合、親子関係不存在確認の訴えを権利濫用として排斥することができないかが問題となります。

判例は、従来、親子関係不存在確認の訴えを権利濫用により排斥することに消極的でした（最判昭和56年6月16日民集35巻4号791頁）。しかし、最判平成9年3月11日家月49巻10号55頁は、仮に親子関係不存在を確認した場合に改めて養子縁組をすることが不可能であるときには権利濫用にあたる可能性があることを示唆しました。また、同判決には、実質的に財産上の紛争である事案においては親子関係不存在確認の訴えが権利濫用として排斥される場合があるとの補足意見が付されました。この判例が転機となり、下級審で権利濫用を認める判決が出されるようになりました。

その後、最高裁は、実際は他の夫婦の子であったが長期間親子として暮らした嫡出子に対して実子から親子関係不存在確認の訴えが提起された事案において、権利濫用にあたり請求は許されないと判示しました（最判平成18年7月7日民集60巻6号2307頁）。同判例は、権利濫用の具体的基準について、戸籍上の両親以外の第三者（D）が、その両親（A・B）と戸籍上の子（C）との間の実親子関係が存在しないことの確認を求める場合においては、(i)AB夫婦と子Cとの間に実の親子同様の生活の実体があった期間の長さ、(ii)判決をもって実親子関係の不存在を確定することによりCとその関係者の被る精神的苦痛、経済的不利益、(iii)改めて養子縁組の届出をすることによりCがAB夫婦の嫡出子としての身分を取得する可能性の有無、(iv)DがABC間の親子関係不存在確認の訴えを提起するに至った経緯および請求をする動機、目的、(v)実親子関係が存在しないことが確定されない場合に、D以外に著しい不利益を受ける者の有無等の諸般の事情を考慮し、実親子関係の不存在を確定することが著しく不当な結果をもたらすものといえるときには、当該確認請求は権利の濫用にあたり許されないと判示しています。

(6)（嫡出）推定されない嫡出子

① 意 義

（嫡出）推定されない嫡出子とは、民法772条による嫡出推定の要件を満たさないため嫡出推定を受けない嫡出子をいいます。（嫡出）推定を受けない嫡出子と呼ばれる場合もあります。

明治民法の時代には、結婚式をして夫婦として生活しながらも婚姻届を提出せず、子の出生を待って婚姻届と出生届を提出する場合が少なくありませんでした。この場合、生まれた子は実際には嫡出子であるところ、婚姻の成立の日から200日以内に出生したため嫡出推定を受けないこととなります。

このような（嫡出）推定されない嫡出子が多く誕生するという事態が生じていたことを背景に、判例は、婚姻の成立の日から200日以内に生まれた子は民法772条の嫡出推定を受けないものの、出生と同時に嫡出子の身分を有することを認めました（大判昭和15年1月23日民集19巻54頁）。

この判例を受けて、戸籍実務は、婚姻後に生まれた子は婚姻成立後200日以内に出生した子も含めてすべて嫡出子として届け出ることができる取扱いとなりました。戸籍事務を扱う者には父母が内縁関係にあったか否かの審査権限がなく調査をすることができないためです。もっとも、婚姻前に夫以外の他の男性との性交渉により懐胎した場合に、母が嫡出でない子として出生届を提出したときも受理されます。その場合には、夫以外の他の男性による認知が可能です。

② 効　果

推定されない嫡出子は嫡出推定が及ばないため、父子関係を争うためには、嫡出否認の訴え（民法774条、775条）によらずに親子関係不存在確認の訴え（人事訴訟法2条2号）によることができます。判例も同様に解しています（大判昭和15年9月20日民集19巻1596頁）。

(7) 内縁の期間中に懐胎した子

婚姻の成立の日から200日以内に子が出生した場合、民法772条の嫡出推定は及びません。しかし、内縁関係が婚姻に先行する場合、内縁期間中に懐胎した子は内縁関係の夫の子である蓋然性が高いと考えられます。そこで、民法772条2項の「婚姻の成立の日」に「内縁の成立の日」が含まれると解し、内縁の成立の日から200日を経過して出生した子に民法772条の嫡出推定を及ぼすべきではないかが問題となります。

判例は民法772条2項の「婚姻の成立の日」とは「婚姻の届出の日」であると解し、内縁関係を嫡出推定にあたって考慮しません（最判昭和41年2月15日民集20巻2号202頁）。一方、「婚姻の成立の日」に「内縁の成立の日」を含めるべきであるという見解があります。この見解は、婚姻の届出の日から200日を経過せずに生まれた子も、内縁の成立から200日を経過していれば嫡出子と推定され、親子関係を否定するには嫡出否認の訴えによらなければならないとします。しかし、この見解に対しては、内縁の成立の日を起算点とすると、内縁の成立の時期を一義的に確定することが困難な場合があり起算点が不明瞭となるとの批判や、嫡出否認の訴えの要件の厳格さがかえって真実でない父子関係を確定してしまうことにもつながりかねないとの批判があります。

なお、判例は、内縁中に出生した子について、民法772条の類推適用により内縁の夫を父とする事実上の推定を認めています（最判昭和29年1月21日民集8巻1号21頁）。ただし、嫡出子と推定するわけではなく、他の嫡出でない子の場合と同様、父子関係を生じさせるためには認知が必要であるとしています。

2　嫡出でない子

(1) 意　義

嫡出でない子とは、法律上の婚姻関係にない男女の間に生まれた子をいいます。嫡出子と嫡出でない子とで異なる点は、嫡出子の親権者が父母である（民法818条）のに対し、嫡出でない子は原則母のみである点（民法819条4項参照）等が挙げられます。

嫡出でない子は、認知によって初めて父母との間に法律上の親子関係が発生します。

⑵ 認 知

① 意 義

民法は、「嫡出でない子は、その父又は母がこれを認知することができる」と定めています（民法779条）。認知とは、嫡出でない子と父母との間の親子関係を創設する身分上の法律行為をいいます（最判昭和29年4月30日民集8巻4号861頁）。嫡出でない子と血縁上の父母との間の法律上の親子関係は「認知」によって初めて発生します。認知には任意認知と強制認知があります。任意認知とは、自己の意思で自己の子であることを認めて、認知の届出または遺言をすることによって行う認知（民法781条1項、2項、戸籍法60条ないし62条）をいいます。強制認知とは、認知の訴え（民法787条）に基づき、裁判所の判決によって行う認知をいいます。

② 認知制度の特徴

任意認知は親の意思を重視するものであり（意思主義）、強制認知は生物学的に親子であるとの事実を重視するものである（事実主義）という特徴があります。民法が意思主義と事実主義のいずれを重視しているかについては議論がありますが、わが国の認知制度は任意認知と強制認知のいずれも認めているため、意思主義と事実主義の両方の特徴を有しているといえます。

民法は、嫡出でない子については、父母ともに認知をすることができると定めています（民法779条）。もっとも、母子関係は、原則として分娩という客観的事実により確定するため、認知は主として父子関係で問題となります。そこで、まず父による認知から検討します。

⑶ 任意認知

① 任意認知の意義

任意認知とは、自己の意思で自己の子であることを認めて、認知の届出または遺言をすることによって行う認知（民法781条1項、2項、戸籍法60条ないし62条）をいいます。任意認知には、認知届を提出する場合（民法781条1項）と、遺言による場合（民法781条2項）があります。

他の男性が認知した子をさらに任意認知することはできません。また、母の夫の子と（嫡出）推定されている子を認知するには、まず親子関係不存在確認の訴えにより母の夫と子との間に親子関係がないことを確定させなければなりません。

② 任意認知の要件

ア　意思能力の存在

認知は親子関係という身分関係を形成する行為であって本人の意思が尊重されるべきであることから、意思能力があれば未成年者や成年被後見人も法定代理人の同意なしに認知することができます（民法780条）。代理人が本人に代わって認知することはできないと解されています。

したがって、本人に意思能力がない場合には任意認知を行うことができず、行ったとしても無効となります。

イ　例外要件

(i) 成年の子を認知する場合における子の承諾

成年の子を認知する場合は、その子の承諾を得なければなりません（民法782条）。成年の子の承諾を必要とした趣旨は、父が、子が親からの扶養を必要とする時期に認知せずに放置し、子が成年に達した後に親として扶養してもらうために認知するというような利己的な認知を防止する点にあります。

承諾の手続は、成年の子が認知届の「その他」欄に承諾する旨の記入をするか、成年の子が承諾する旨を記載した書類を添付して行います（戸籍法38条1項）。

(ii) 胎児を認知する場合における母の承諾

胎児を認知する場合は、その母の承諾を得なければなりません（民法783条1項）。この趣旨は、母の承諾を得ることにより誤った認知を防ぐ点と母の名誉・利害を尊重する点にあります。

(iii) 死亡した子を認知する場合の直系卑属の存在

死亡した子については、その子に直系卑属があるときに限り、認知をすることができます（民法783条2項）。この認知により、父と死亡した子の子（父からすれば孫）の間で親族関係が成立します。死亡した子の認知の場合に直系卑属の存在を要件とした趣旨は、直系卑属がいない場合には親族関係を新たに形成することができないため認知を認める実益が存在しない一方、直系卑属がいる場合には親族関係を形成することができ、親族関係を形成することで父・孫ともに扶養や相続等の関係で利益となりうる点にあります。当該直系卑属が成年者である場合、その承諾が必要となります（民法783条2項）。成年の子の承諾を必要とした趣旨と同様、父による利己的な認知を防止するためです。

承諾の手続は、成年の子の認知の場合と同様です（戸籍法38条1項）。

③　任意認知の方式

任意認知は、認知届を戸籍事務管掌者である市区町村長に提出することによって行います（民法781条1項、戸籍法60条ないし62条）。

父が認知の意思を有していれば、他人に認知届の作成および届出を委託しても認知は有効に成立します。また、認知届が受理された時点で父が意思能力を失っていたとしても、認知届を作成した時点で意思能力を有していれば原則として認知は有効に成立します。認知届が受理された時点で父が死亡していた場合には、認知は効力を生じません。

遺言による認知は、遺言執行者が認知届を提出しなければなりません（民法781

条2項、戸籍法64条)。

④ 任意認知の効力

認知をしたときは、法律上の父子関係が子の出生時に遡って生じます(民法784条本文)。認知により子は出生時から父に対して相続権を有していたこととなります。また、父は子の出生時から子に対する扶養義務を負っていたこととなります。したがって、父は子を出生した母に対し、子の出生時からの過去の養育費を支払う必要があります(大阪高決平成16年5月19日家月57巻8号86頁)。

民法は、認知の遡及効により第三者がすでに取得した権利を侵害することはできないと定めています(民法784条但書)。たとえば、死後認知を受けて子が父の相続人となったものの、他の相続人がすでに遺産分割等の処分を行っていた場合に、認知の遡及効と他の相続人がすでに取得した権利の調整が必要となります。民法は、相続の開始後に死後認知によって相続人となった者が遺産の分割を請求しようとする場合、すでに他の相続人によって遺産分割等が終了しているときには、その認知によって相続人となった者は、自己の相続分に相当する価額の支払いのみを請求することができると定めています(民法910条)。この趣旨は、新たな相続人が出てきた場合に遺産分割をやり直すとすると遺産分割によって確定したはずの財産秩序が覆され不安定となることや取引の安全を害する(遺産分割後、すでに第三者に処分している場合)ことから、遺産分割が終了している場合には相続分に相当する金銭の支払いのみを求めうるとすることで、死後認知により相続人となった者の相続分の保護と遺産分割の安定や取引の安全との調和を図った点にあります。この点について判例は、価額の算定の基礎となる遺産の価額は、他の共同相続人が既にしていた遺産分割の対象とされた積極財産の価額であり、このことは、相続債務が他の共同相続人によって弁済された場合や他の共同相続人間において相続債務の負担に関する合意がされた場合であっても、異ならないとしています(最判令和元年8月27日民集73巻3号374頁)。

嫡出でない子は、母が親権者となるのが原則です。父が認知した後は、父母の協議によって父を親権者と定めることができます(民法819条4項)。

また、嫡出でない子は母の氏を称します(民法790条2項)。子が認知による準正で嫡出子となった場合には、戸籍法98条による入籍の届出をすることで父母の氏を称することができます。

⑤ 認知の無効と取消し

ア　認知の無効

(i) 意 義

認知は、生物学的親子関係が存在することを前提とするため、生物学的に父でない者から認知を受けた場合には、子その他の利害関係人は認知が無効であったとして生物学的親子関係が存在しないことを主張して父子関係を争うことができます（民法786条）。具体的には、認知無効の訴えを提起することとなります。

また、認知者の意思に基づかない認知届は無効であり、たとえ認知者と認知された者の間に生物学的親子関係が存在していても法律上の親子関係は成立しません（最判昭和52年2月14日家月29巻9号78頁）。

(ii) 認知無効の訴え

(ア) 性 質

判例（大判大正11年3月27日民集1巻137頁）は、認知無効の訴えの認容判決の確定によって初めて認知が無効となるという立場（形成無効説）を採用し、認知無効の訴えを形成の訴えと解しています。一方、通説は、認知の無効は当然に無効であり、認知無効の訴えは確認の訴えに過ぎないと解しています（当然無効説）。

(イ) 提訴権者

提訴権者は子その他の利害関係人です（民法786条）。その他の利害関係人とは、子の母、配偶者、子を認知しようとする者、認知によって相続権を害される者等をいいます。認知者が「利害関係人」に含まれるかについて、認知者が認知を取り消すことができないと定められていることから（民法785条）、認知無効の訴えの場合も認知者は認知無効を主張することができないのではないかが問題となります。

大審院の判例には、認知者による認知無効の訴えを認めなかったものがありますが（前掲大判大正11年3月27日）、最判平成26年1月14日民集68巻1号1頁・百選Ⅲ［第2版］33事件は、血縁上の父子関係がないにもかかわらずされた認知は無効というべきであるところ、認知者が認知をするに至る事情は様々であり、自らの意思で認知したことを重視して認知者自身による無知の主張を一切許さないと解することは相当でないとし、認知者による認知無効の訴えを認めています。

(ウ) 提訴期間

提訴期間に特に制限はありません。

(エ) 父死亡後の認知無効の訴えの可否

父が死亡した後に子やその他の利害関係人が認知無効の訴えを提起できるかが問題となります。

この点について、判例は、検察官を被告とする規定の準用がない以上認知者の死亡後における認知無効の訴えは提起できないとしていた大審院判例を変更し、検察官を相手とする父死亡後の認知無効の訴えを認めました（最判平成元年4月6日民集43巻4号193頁・百選Ⅲ［第2版］37事件）。

イ　認知の取消し

民法は、父母が認知をした場合その認知を取り消すことができないと定めています（民法785条）。この点、詐欺・強迫（民法96条１項）を理由とする認知の取消しも認められないかが問題となります。通説は、詐欺・強迫があったとしても実際に父子間に生物学的親子関係が存在する場合には子から認知請求（強制認知）がなされれば父子関係が認められるため、詐欺・強迫を理由とする取消しを認める必要はないと解します。この立場は、民法785条は詐欺・強迫の場合も含めて認知の取消しを認めないことを規定したものであると解釈します。事実主義を重視した考え方です。

一方、詐欺・強迫といった意思表示の瑕疵の規定は認知の場合にも適用があるとして認知の取消しを認める立場があります。この立場は、民法785条は詐欺・強迫以外の取消原因では認知を取り消すことができないことを定めた規定と解釈します。意思主義を重視した考え方です。たとえば、認知の承諾権者の承諾を欠く認知がなされた場合（民法782条、783条）は詐欺・強迫によるものではないため、認知の取消しを認めないこととなります。

なお、認知者に行為能力は要求されないため、行為能力の制限による取消しは問題となりません。

⑥ 虚偽の嫡出子出生届等による認知の効力

父母の婚姻前に出生し婚姻後に父が認知した場合、子は嫡出子の身分を取得します（民法789条２項・認知準正）。父が本来提出すべき認知届ではなく嫡出子出生届を提出したときでも、当該届出は認知届としての効力を有します（戸籍法62条）。なお、認知は、生物学的親子関係が存在することを前提とするため、生物学的親子関係にない者について嫡出子出生届を提出しても認知の効力は生じません（最判昭和50年９月30日家月28巻４号81頁）。

父が婚姻関係にない女性との間で生まれた子を自己と当該女性との間の嫡出子として届け出た場合、虚偽の嫡出子出生届であることから無効であり、本来は法律上の父子関係は成立しないはずです。しかし、判例は、父が婚姻関係にない女性との間で生まれた子について認知届ではなく嫡出子出生届を提出した場合でも、当該届出は認知届としての効力を有するとしています（最判昭和53年２月24日民集32巻１号110頁・百選Ⅲ［第２版］30事件）。父が嫡出子出生届を提出する行為には、認知届と同様、出生した子が自己の子であることを承認し、その旨を申告する意思表示が含まれていることを理由とします。

また、父が婚姻関係にない女性との間で生まれた子をいったん他人夫婦の嫡出子として届出をさせたうえで、その戸籍上の親の代諾により自己の養子とした場合（民法797条）には、認知の効力を生じません（大判昭和４年７月７日民集８巻686頁）。

⑦ 認知請求権の放棄

嫡出でない子の存在を婚姻家族に知られないようにする等のため、父が嫡出でない子またはその母に養育費や解決金として相当の金銭を支払う代わりに認知を請求しないよう求めることがあります。このような認知請求権の放棄が認められるかが問題となります。

判例・多数説は、認知請求権の放棄を認めません（最判昭和37年4月10日民集16巻4号693頁）。認知請求権が身分上の権利であること、親子関係が単に経済的な問題だけにとどまらないこと、これを認めると嫡出でない子の保護が損なわれるおそれがあること等を理由とします。

(4) 強制認知

① 意 義

強制認知とは、認知の訴え（民法787条本文）に基づき、裁判所の判決によって行う認知をいいます。また、父の死後にも死亡の日から3年を経過するまでは裁判による認知ができます（民法787条但書）。これを死後認知といいます。

② 趣 旨

強制認知制度の趣旨は、父が認知をしない場合やできない場合でも、裁判を通じて父子関係を創設するという手段を認めることにより嫡出でない子の保護を図る点にあります。

③ 性 質

判例、通説は認知の訴えは形成訴訟であると解します（前掲最判昭和29年4月30日）。民法787条の文言が「認知の訴えを提起することができる」であること、判決効が第三者に及ぶこと（人事訴訟法24条1項）、認知という制度が嫡出でない子とその父母との間の法律上の親子関係を創設するものであることを理由とします。

判例は、嫡出でない子と父との間の法律上の親子関係は、認知によって初めて発生するものであるため、嫡出でない子は、認知の訴え（民法787条）によらずに父との間の親子関係存在確認訴訟を提起することはできないと解しています（最判平成2年7月19日家月43巻4号33頁）。

④ 当事者

ア　原 告

原告となるのは、子、その直系卑属、これらの者の法定代理人です（民法787条本文）。子は意思能力があれば、法定代理人の同意がなくても単独で認知の訴えを提起することができます（人事訴訟法13条、14条）。

子らの法定代理人はいかなる資格で認知の訴えを提起できるのかという議論があります。

判例・通説は代理人として子の名において訴え提起することができるとする見解（法定代理説）を採用しています（最判昭和43年8月27日民集22巻8号1733頁）。一方で、身分行為は代理に親しまないため、法律が認めた固有の地位に基づいて訴え提起することができるとする見解（訴訟担当説）も存在します。

たとえば、ＡとＢの娘Ｃ女がＤとの間の子Ｅを19歳で出産し、Ｄに認知を求める場合、訴訟担当説に立つと、原告はＥとその法定代理人であるＣとなります。一方、法定代理説に立つと、「親権を行う者は、その親権に服する子に代わって親権を行う」と定める民法833条によって、未成年Ｃの親であるＡとＢがＣに代わってＥの親権を行使することとなるため、原告はＡとＢとなります。

また、判例は、法定代理人は本人である子に意思能力がある場合でも、認知の訴えを提起することができると解しています（前掲最判昭和43年８月27日）。

イ　被　告

被告は父です。ただし、父が死亡している場合は検察官が被告となります（人事訴訟法42条１項）。父の配偶者や他の子等の親族は、死後認知訴訟の被告になることができず、補助参加をすることができるにすぎません（最判平成元年11月10日民集43巻10号1085頁・百選Ⅲ［第２版］32事件）。

なお、検察官を相手方とする認知の訴えにおいて認知を求められた父の子は、当該訴えの確定判決に対する再審の訴えの原告適格を有するものではないと解するのが相当とした判例（最判平成元年11月10日民集43巻10号1085頁・百選Ⅲ［第２版］32事件）があります。

⑤ 父子関係の証明

人事訴訟では職権探知主義が採用されていますが（人事訴訟法20条）、父子間に生物学的親子関係が存在する事実の立証責任は原告（子ら）にあります。職権探知主義とは、訴訟において当事者の弁論に拘束されずに、裁判所が職権で事実の調査および証拠調べを行うという立場をいいます。ただし、父子関係については、従来父子間の生物学的親子関係を立証する直接的な証明方法がなかったため、いわゆる間接事実の積み重ねによる証明が焦点となっていました。原告（子ら）は、子の母と被告（父）が子を懐胎した時期に性交渉をもったことを立証しなければなりませんが、かつての裁判実務においては、被告（父）が子の母は他の男性とも性交渉をもっていたとの抗弁を提出した場合（「不貞の抗弁」や「多数関係者の抗弁」と呼ばれます）、原告（子ら）は、子の母が被告（父）以外の男性とは性交渉をもっていなかったという事実を立証しなければなりませんでした。これは事実が「なかったこと」の証明であり、「なかったこと」を証明するのは極めて困難であることから、多くの場合、原告（子ら）が敗訴する事態が生じていました（大判明治45年４月５日民録18輯343頁）。

学説はこのような立証責任の構造を採用する判例の姿勢を強く批判し、最高裁は大審院の判例を変更しました。すなわち、原告（子）の母が、懐胎可能期間中に被告と性交渉をもった事実があり、被告以外の男性と性交渉をもっていた事実が認められず、原告と被告の間に血液型のうえでも背馳がないときは、特段の事情がない限り、原告が被告の子であるとの事実は証明されたものと認めました（最判昭和32年6月21日民集11巻6号1125頁）。

なお、被告（父）と子の母との内縁関係が存在した場合については、民法772条の類推適用によって、子は内縁の夫の子として事実上推定されるとし（前掲最判昭和29年1月21日）、この推定を覆すに足りる反証をする責任を被告（父）に負わせています。

以上のような判例の立証責任についての議論は、父子関係の存在を直接立証する直接的な証明方法が存在しなかったためです。この点、近年では、いわゆるDNA鑑定が親子関係に関する紛争に広く用いられるようになっています。このようなDNA鑑定は有用ですが、当事者がDNA鑑定に応じない場合や鑑定を行えない場合もあります。また鑑定の真実性をどのように担保するか、鑑定資料が違法に収集された場合にどのように扱うのか等その扱いについて議論がなされています。

⑥ 提訴期間

父の生存中は、提訴期間に制限はありません（最判昭和37年4月10日民集16巻4号693頁）。ただし、父が死亡した場合はその死後3年に限定されます（民法787条但書）。提訴期間を死後3年に制限した趣旨は、身分関係の法的安定の保持にあるとされています（最判昭和30年7月20日民集9巻9号1122頁）。また、時の経過により事実の証明が困難になるため、そのような不都合を回避することも理由に挙げられます。

しかし、学説は、父の生存中はいつまでも提訴できるというのは長すぎると批判します。また、死後3年の制限については、真実の追求を許すという観点からは短すぎると批判します。

父母が内縁関係にあった場合は、民法772条の類推適用により内縁の夫が父であるとの事実上の推定を受けます（前掲最判昭和29年1月21日）。父子関係の存在が推定される以上、父の死後3年以上経過していても認知の訴えの提起を認めるべきではないかが議論されています。この点、認知の訴えによる必要はなく、父の死後何年経っても、親子関係存在確認の訴えによって父子関係を確定することができるとする見解があります。また、認知の訴えは必要であるとしても、出訴期間の制限は適用されないとする見解も有力です。これらの見解は、内縁という婚姻に準じた関係から生まれた子が、提訴期間の制限によって親子関係を発生させることができないことは不当であることを理由とします。

しかし、判例は、内縁関係にある期間に懐胎出生し、民法772条の類推適用により事実上の父性の推定を受ける子についても、認知の訴えの提起にあたっては民法787条但書の適用があり、死後3年の期間制限が及ぶと判示しています（最

判昭和44年11月27日民集23巻11号2290頁）。

⑸ **母の認知**

民法779条は、「嫡出でない子は、その父又は母がこれを認知することができる」と定めているため、文言解釈としては、法律上の母子関係の発生についても母の認知が必要となるとも考えられます。しかし、判例は、母と嫡出でない子との間の親子関係は、原則として分娩の事実によって当然に発生し、母の認知は不要であると解しています（最判昭和37年４月27日民集16巻７号1247頁・百選Ⅲ［第２版］31事件）。

母の認知が問題となるのは、棄児のように分娩の事実が証明できない場合であると考えられます。棄児とは、出生届をしないまま遺棄された父母が不明である者をいいます（戸籍法57条ないし59条参照）。いわゆる捨て子が該当します。

母が嫡出でない子との母子関係を争う場合には、親子関係不存在確認の訴えを提起することとなります。

⑹ **準 正**

① 意 義

準正とは、嫡出でない子が嫡出子の身分を取得する制度をいいます。婚姻準正と認知準正があります。

② 制度趣旨

準正制度の趣旨は、嫡出でない子が嫡出子となることによって、法定相続分（改正前の民法900条４号但書前段）等で不利な立場に置かれている嫡出でない子の保護を図るとともに、父母に法律婚を奨励することにあるといわれていました。

もっとも、準正は、嫡出子と嫡出でない子との差が設けられているからこそ存在意義があります。ドイツやフランス等では嫡出・非嫡出という概念を廃止して平等に扱うこととされた結果、準正という制度も廃止されています。わが国においても平成25年に嫡出子と嫡出でない子の法定相続分が等しくなるよう法改正がなされたことにより、準正制度の意義も再考を迫られることになると考えます。

③ 婚姻準正

婚姻準正とは、父が認知した子がいる場合、その父母が婚姻することによってその子が嫡出子たる身分を取得するという制度です（民法789条１項）。

父が認知した嫡出でない子が婚姻前に死亡していたときにも、父母の婚姻によってその子は嫡出子となります（民法789条３項）。

④ 認知準正

認知準正とは、認知されていない嫡出でない子がおり、その父母が婚姻した場合、婚姻中に父母が認知することによってその子が嫡出子たる身分を取得するという制度です（民法789条２項）。条文上、「父母」が認知することが要求されていますが、母の認知は原則として不要とされているため、父の認知のみで足ります。

また、条文上「婚姻中」に認知することとされていることから、父母の婚姻が、母の死亡や離婚により解消された後に、父が認知した場合に準正の効果を生じるかという点が問題となります。多数説は、婚姻解消という事情により子が準正できなくなることは不当であるため、婚姻解消後であっても父の認知によって準正の効果を生じると解しています。

子が認知前に死亡していたときにも、父がその後認知することによってその子は嫡出子となります（民法789条3項)。

⑤ 準正の効果

準正によって、嫡出でない子は嫡出子としての身分を取得します。

⑥ 準正の効果の発生時期

民法は、婚姻準正の場合、婚姻の時から嫡出子の身分を取得すると規定します（民法789条1項)。

また、民法は、認知準正の場合、認知の時から嫡出子の身分を取得すると規定します（民法789条2項)。しかし、父の死後に強制認知が認められた場合に認知の時から嫡出子としての身分を取得するとしても、相続開始時（父の死亡時）に嫡出子とならないため嫡出子としての相続分が得られないという問題が生じることから、認知準正の場合も婚姻準正と同じく、婚姻の時から準正の効果を生ずると解するのが多数説です。

3　人工生殖による子

(1) 人工生殖と生殖補助医療

人工生殖とは、自然の生殖行為ではなく、科学技術（生殖補助医療）を利用して子を出産することをいいます。生殖補助医療とは、人工生殖を目的とする医療のことをいいます。生殖補助医療の方法は、人工授精、体外受精、代理懐胎の3つに大きく分類することができます。

① 人工授精

人工授精とは、妊娠を成立させるために人工的に男性の精子を女性の生殖器官内に注入する技術です。夫の精子を用いる場合を配偶者間人工授精（Artificial Insemination by Husband: AIH）と、第三者の男性から提供された精子を用いる非配偶者間人工授精（Artificial Insemination by Donor: AID）があります。

② 体外受精

体外受精とは、精子と卵子の受精を試験管等の体外で行い、受精卵を女性の子宮または卵管内に移殖するという技術です。夫婦の受精卵による場合と、第三者の男性から提供された精子または第三者の女性から提供された卵子を用いる場合があります。

③ 代理懐胎

代理懐胎とは、依頼者夫婦の妻が子宮の摘出等によって、懐胎・分娩ができない場合に、他の女性に懐胎・分娩をしてもらい、生まれた子を依頼者夫婦が引き取るという方法です。代理出産ともいいます。

代理懐胎は、依頼者である夫の精子を第三者の女性に注入する代理母出産（Surrogate mother）と、依頼者夫婦の受精卵を第三者の女性の子宮に移殖する借り腹出産（Host mother）とに大きく分類されます。かつては代理母出産が行われていましたが、今日ではほとんど借り腹出産が行われています。

⑵ 親子関係

① 人工授精

ア　配偶者間人工授精（AIH）の場合

配偶者間人工授精（AIH）の場合は、通常の婚姻から生まれた子と同様に、（嫡出）推定を受ける嫡出子（民法772条）となります。夫の精子と妻の卵子を用いて妻が懐胎・出産する点で、自然生殖の場合と異ならないためです。

イ　非配偶者間人工授精（AID）の場合

裁判例・通説は、非配偶者間人工授精（AID）の場合、夫が非配偶者間人工授精（AID）に同意していたときは、妻とその夫の嫡出子と推定され（民法772条）、夫の嫡出否認権（民法774条）や妻からの父子関係不存在確認請求を否定すると解しています（東京高決平成10年９月16日家月51巻３号165頁）。このような処理が当事者の意思に合致し、また子の地位の安定にも資するためです。なお、夫が非配偶者間人工授精（AID）に同意していなかった事案で、夫からの嫡出否認（民法774条）を認めた裁判例があります（大阪地判平成10年12月18日家月51巻９号71頁）。

ウ　生殖補助医療技術を用いた人工生殖（死後懐胎）の場合

夫の死亡前に凍結保存していた精子を用いて、妻が夫の死亡後に懐胎した事案において、判例は、死後懐胎子について法的父子関係を認めないことを明らかにしています（最判平成18年９月４日民集60巻７号2563頁・百選Ⅲ［第２版］34事件）。

② 体外受精

ア　妻の卵子を用いる場合

妻の卵子を用いた体外受精の場合は、通常の婚姻から生まれた子と同様に、（嫡出）推定を受ける嫡出子（民法772条）となります。夫の精子と妻の卵子を用いて妻が懐胎・出産する点で、自然生殖の場合と異ならないためです。

イ　第三者の女性から提供された卵子を用いる場合

第三者の女性から提供された卵子を用いる場合については、懐胎・出産をした妻が母となるのか、卵子を提供した第三者が母となるのかが問題となります。この点については、出産・懐胎をした妻を母と解し、婚姻中の妻が懐胎・出産をしたことから生まれた子は（嫡出）推定される嫡出子（民法772条）となります。

③ 代理懐胎

代理懐胎において、妻の卵子を体外受精させて、受精卵を別の女性に移殖する借り腹出産の場合、母となるのは卵子を提供した妻か、分娩をした女性かという問題があります。

判例は、子宮摘出手術を受けたため妊娠が不可能となった妻と夫が渡米し、夫婦の受精卵を用いて米国人女性が代理懐胎・出産をしたという事案で、現行民法の解釈としては、出生した子を懐胎・出産した女性をその子の母と解さざるをえないと判示しました（最決平成19年3月23日民集61巻2号619頁・百選Ⅲ［第2版］35事件）。母子関係を一義的に明確な基準によって一律に決めることが子の福祉にかなうものであり、その基準として分娩者を母とする従来の枠組み（前掲最判昭和37年4月27日）を採用したものといえます。

第3　養 子

1　養子制度

養子制度とは、血縁関係ではなく養子縁組によって法律上の親子関係を形成する制度です。養子制度は、「家のための養子」、「親のための養子」から「子のための養子」へと段階的に発達したとされています。

「家のための養子」とは、家の継承者とするために養子を求めることをいいます。「親のための養子」とは、養親となる者が労働力や将来の扶養者を得るために養子を求めることをいいます。これに対して、「子のための養子」とは、実親の養育に恵まれない子に対して実親に代わる養育者を与えることを目的として養子とすることをいいます。

明治民法では、法定の推定家督相続人である男子のいる者は、娘婿とする場合を除いて、男子を養子にすることはできないとされ（明治民法839条）、養親は遺言で縁組の意思表示をすることができ、縁組の届出により遺言者の死亡時に遡って効力が生じる（明治民法848条）等、家の継承者とすることを念頭に置いた規定を設けていました。

また、「子のための養子」は子が幼いときに養親が子を引き取り実親との親子関係を断絶させて、子を引き取った養親が実子と同様に養育する断絶型の養子制度をとることが一般です。わが国には断絶型の養子制度は存在しませんでしたが、昭和62年に断絶型の養子制度として特別養子制度が新設されました。

現在では、養子縁組は年間8万件程度なされていますが、そのうち大半は成年者間の養子縁組であり、父母が娘の配偶者を婿養子とする場合等に利用されています。これに対して、未成年者を養子とする縁組について家庭裁判所が許可した件数は毎年1000件前後にとどまり、養子縁組の全体件数の１～２％にとどまっています。

2　普通養子縁組の成立

⑴ 意 義

昭和62年に特別養子制度（民法817条の２以下）が制定されたため、一般の養子（民法792条以下）は普通養子と呼ばれています。普通養子縁組の成立要件は、形式的要件と実質的要件に区別できます。

① 形式的要件

普通養子縁組の形式的要件は、婚姻や協議上の離婚と同様に、縁組の合意に基づく戸籍の届出が必要となります（民法799条、739条１項、戸籍法66条）。この届出は、当事者双方および成年の証人２人以上が署名した書面で、またはこれらの者から口頭でしなければなりません（民法799条、739条２項）。縁組の届出は、その縁組が民法792条～799条までの規定に違反しないことを認めた後でなければ、受理することができません（民法800条）。なお、外国に在住する日本人間で縁組をする場合、その国に駐在する日本の大使、公使または領事にその届出をすることができます（民法801条前段）。この場合は、民法799条が準用する民法739条（婚姻の届出）および民法800条の規定が準用されます（民法801条後段）。

わが国では、他人の子を嫡出子として出生届を提出して養育することが行われています。これを「藁の上からの養子」といいます。この点について、他人の子を嫡出子とする出生届をした場合、無効行為の転換として、普通養子縁組の届出があったものとすることができるかが問題となります。学説では、たとえ嫡出子の出生届としては無効であるとしても、親子関係を設定する意思がある場合には無効行為の転換として養子縁組としての効力を認めるべきであるという見解が主張されています。これに対して、判例は、「嫡出子出生届は養子縁組届として有効と解すべきであるというが、右届出当時施行の民法847条、775条によれば、養子縁組届は法定の届出によって効力を生ずるものであり、嫡出子出生届をもって養子縁組届とみなすことは許されないと解すべきである」として、これを否定しました（最判昭和50年４月８日民集29巻４号401頁・百選Ⅲ［第２版］39事件）。

また、他人の子を養子とする意図で認知し、その実親と婚姻した場合、認知届により養子縁組の効力を認めることができるかが問題となります。判例は、認知届が事実に反するため無効である場合は、認知者が被認知者を自己の養子とすることを意図し、その後に被認知者の法定代理人と婚姻した事実があるとしても、認知届をもって養子縁組届とみなすことはできないとしています（最判昭和54年11月２日判時955号56頁）。

② 実質的要件

普通養子縁組をする場合、以下の実質的要件を満たす必要があります。

ア　養子縁組の合意

養子縁組の成立には、養親となる者と養子となる者の間に親子関係を結ぶ意思として縁組意思の合意が必要です。

イ　養親年齢

養親となる者は、20歳に達した者であることが必要です（民法792条）。

ウ　尊属・年長者養子の禁止

尊属または年長者を養子とする養子縁組をすることはできません（民法793条）。尊属とは、父母、父母の兄弟姉妹、祖父母、祖父母の兄弟姉妹およびその子等をいいます。この尊属には、姻族の尊属は含まないと解されています。

また、自己の卑属を養子とすることは禁止されていません。たとえば、自己の非嫡出子を養子とすることもできます。

エ　後見人が被後見人を養子とする場合の許可

後見人が被後見人（未成年被後見人および成年被後見人）を養子とするには、家庭裁判所の許可を得なければなりません（民法794条前段）。後見人の任務が終了した後、まだ管理の計算が終わらない間も同様です（民法794条後段）。この趣旨は、後見人は被後見人の財産管理等を職務とするものであり、不正な管理を隠ぺいする目的で養子縁組を利用することを防ぐ点にあります。

オ　配偶者のある者が未成年者を養子とする場合

配偶者のある者が未成年者を養子とするには、配偶者とともに夫婦共同で養子縁組をしなければなりません（民法795条本文）。これを夫婦共同縁組といいます。この趣旨は、養子の適切な養育をするためには、父母となる夫婦の共同親権による監護が望ましいため、夫婦共同によることを求めた点にあります。ただし、配偶者の嫡出である子を養子とする場合は、嫡出子を養子にはできないため、単独で養子縁組をすることができます（民法795条但書）。また、配偶者がその意思を表示することができない場合も単独で養子縁組をすることができます（民法795条但書）。

カ　配偶者の同意

配偶者のある者が縁組をするには、その配偶者の同意を得なければなりません（民法796条本文）。この趣旨は、養子縁組は相続や扶養等の点で配偶者に影響を与えるものであることから、配偶者の同意を要求した点にあります。ただし、配偶者とともに養子縁組をする場合または配偶者が意思表示できない場合には、配偶者の同意は不要とされています（民法796条但書）。

キ　代諾縁組

養子となる者が15歳未満であるときは、その法定代理人がこれに代わって縁組を承諾することができます（民法797条1項）。これを代諾縁組といいます。この反対解釈から、15歳以上の未成年者が養子となる場合には、未成年者本人が養親となる者の間で、養子縁組の合意をすることができ、当該未成年者の法定代理人が代わりに養子縁組の承諾をすることができません。

15歳未満の子の養子縁組について、その法定代理人が代諾して養子縁組をする場合、養子となる者の父母でその監護者がほかにいるときは、その者の同意を得なければなりません（民法797条２項）。たとえば、父が親権者、母が監護者である場合は、親権者として子の法定代理権を有する父のみならず、監護者である母の同意が必要となります。

代諾縁組に関連して、代諾する権限を有しない者につき代諾縁組がなされた場合に、その養子縁組が有効であるかが問題となります。判例は、代諾の権限を有しない者の代諾は一種の無権代理であると解されるため、養子は15歳に達した後は縁組を有効に追認することができ、その意思表示は明示または黙示をもって養親の双方、養親の一方の死亡後は他の一方に対してすれば足りるとしています（最判昭和27年10月３日民集６巻９号753頁）。また、養子縁組の追認には、第三者の利益を害することはできないと定める民法116条但書は類推適用されないとしています（最判昭和39年９月８日民集18巻７号1423頁・百選Ⅲ［第２版］40事件）。

ク　未成年者を養子とする縁組

未成年者を養子とするには、家庭裁判所の許可を得る必要があります（民法798条本文）。この趣旨は、子の福祉を保護する点にあります。家庭裁判所は、子の福祉を考慮して許可をするか否かを決定します。ただし、自己または配偶者の直系卑属を養子とする場合には、家庭裁判所の許可は不要とされています（民法798条但書）。たとえば、子どもの親権者であり監護者である女性が夫と離婚した後に他の男性と再婚する場合には、家庭裁判所の許可を得ることなく子を再婚相手である男性の養子とすることが可能となります。

3　普通養子縁組の効力

⑴　嫡出親子関係の発生

養子は、養子縁組の日から養親の嫡出子の身分を取得し（民法809条）。したがって、養親と養子は、養子縁組により互いの推定相続人となり（民法887条）、互いに扶養義務を負います（民法877条）。養子が未成年者の場合は養親が親権者となります（民法818条２項）。

また、養親の血族との間に法定血族関係が生じます（民法727条）。もっとも、縁組前に存在した養子の血族は、養親と血族関係となるわけではありません。たとえば、縁組前に養子に子がいる場合でも、その子は養親の孫にはなりません。

普通養子縁組をした後も、養子とその実親の親子関係は存続し、その身分関係に影響は生じません。この点において、特別養子縁組（民法817条の２以下）とは異なります。たとえば、養子は普通養子縁組により、実親と養親の双方の相続人となります。

⑵ 養子の氏

養子は、養親の氏を称します（民法810条本文）。ただし、婚姻によって氏を改めた者については、婚姻の際に定めた氏を称すべき間は、この限りではありません（民法810条但書）。たとえば、ある女性Ａが男性Ｂと婚姻してＢの氏を称するようになった後に、ＡのみがＣの養子となった場合は、ＡはＣとの養子縁組後もＢの氏を称することになります。

4　普通養子縁組の無効・取消し

⑴ 縁組の無効

普通養子縁組は次の場合に限り無効となります（民法802条各号）。

① 縁組意思の不存在

人違いその他の事由によって当事者間に養子縁組をする意思がないときは、養子縁組は無効です（民法802条１号）。なお、判例は、専ら相続税の節税のために養子縁組をする場合でも、直ちに当該養子縁組について民法802条１号にいう「当事者間に縁組をする意思がないとき」にあたるとすることはできないと判示しています（最判平成29年１月31日民集71巻１号48頁・百選Ⅲ［第２版］38事件）。

縁組届を作成する際に縁組意思があれば、届出受理当時に当事者が意識を失っていたとしても、受理前に翻意した等の特段の事情のない限り、養子縁組は有効に成立します（最判昭和45年11月24日民集24巻12号1931頁）。

② 届出の不存在

当事者が縁組の届出をしないときは、養子縁組は無効です（民法802条２号本文）。ただし、民法739条２項に定める方式（当事者双方および成年の証人２人以上が署名した書面で、またはこれらの者から口頭でしなければならない）を欠くだけである場合は無効となりません（民法802条２号但書）。

⑵ 縁組の取消し

縁組は、次の場合によらない限り取り消すことができません（民法803条）。縁組の取消しの効力は遡及せず、将来に向かってのみ取消しの効力が生じます。この場合、養子は復氏し、相手方に対して財産の返還義務を負います（民法808条、748条）。

① 養親が20歳未満の者である場合

養親が20歳未満の者である場合、養親またはその法定代理人から、その取消しを家庭裁判所に請求することができます（民法804条本文）。ただし、養親が20歳に達した後６か月を経過し、または追認をしたときは取り消すことはできません（民法804条但書）。

② 養子が尊属または年長者である場合

養子が尊属または年長者である場合、各当事者またはその親族から、養子縁組の取消しを家庭裁判所に請求できます（民法805条）。

③ 後見人と被後見人との間で、無許可で養子縁組をした場合

家庭裁判所の許可を得ないで後見人が被後見人を養子とする養子縁組をした場合、養子またはその実方の親族から、養子縁組の取消しを家庭裁判所に請求できます（民法806条１項本文）。ただし、管理の計算が終わった後、養子が追認をしまたは６か月を経過したときは取り消すことができません（民法806条１項但書）。

この養子の追認は、養子が成年に達した後であるか、または行為能力を回復した後にしなければ、養子縁組の効力は生じません（民法806条２項）。養子が成年に達せず、または行為能力を回復しない間に管理の計算が終わった場合には、６か月の期間は養子が成年に達し、または行為能力を回復してから起算します（民法806条３項）。

④ 配偶者の同意がない場合

配偶者のある者がその配偶者の同意が必要であるにもかかわらず、その同意を得ないで養子縁組をした場合、同意をしていない配偶者は、養子縁組の取消しを家庭裁判所に請求できます（民法806条の２第１項本文）。ただし、その者が縁組を知って６か月を経過し、または追認をしたときは養子縁組を取り消すことはできません（民法806条の２第１項但書）。

また、かかる場合に詐欺または強迫によって同意し、養子縁組がなされた場合、その同意をした者は、養子縁組の取消しを家庭裁判所に請求できます（民法806条の２第２項本文）。ただし、その者が詐欺を発見し、もしくは強迫を免れて６か月を経過したとき、または追認をしたときは養子縁組を取り消すことはできません（民法806条の２第２項但書）。

⑤ 子の監護をすべき者の同意のない場合

代諾縁組において監護者の同意を得なければならない場合に、その同意を得ないで養子縁組がなされた場合、縁組の同意をしていない者は、養子縁組の取消しを家庭裁判所に請求できます（民法806条の３第１項本文）。ただし、その者が追認をしたとき、または養子が15歳に達した後６か月を経過し、もしくは追認をしたときは養子縁組を取り消すことはできません（民法806条の３第１項但書）。

また、かかる場合に詐欺または強迫によって同意し、養子縁組がなされた場合、その同意をした者は、養子縁組の取消しを家庭裁判所に請求できます。ただし、その者が詐欺を発見し、もしくは強迫を免れて６か月を経過したとき、または追認をしたときは養子縁組を取り消すことはできません（民法806条の３第２項）。

⑥ 養子が未成年者である場合に、無許可で養子縁組をした場合

養子が未成年者である場合に家庭裁判所の許可を得なければならないにもかかわらず、その許可を得ないで養子縁組がなされた場合、養子、その実方の親族または代諾した者から養子縁組の取消しを家庭裁判所に請求できます（民法807条本

文）。ただし、養子が成年に達した後6か月を経過し、または追認したときは養子縁組を取り消すことはできません（民法807条但書）。

⑦ 詐欺または強迫によって養子縁組をした場合

詐欺または強迫によって養子縁組をした者は、養子縁組の取消しを家庭裁判所に請求できます（民法808条1項、747条1項）。ただし、その者が詐欺を発見し、もしくは強迫を免れた後6か月を経過し、または追認したときは養子縁組を取り消すことはできません（民法808条1項、747条2項）。

5　普通養子縁組の解消

⑴ 普通養子縁組の離縁の意義

離縁とは、有効に成立した養子縁組を解消することをいいます。養子縁組には、当事者の協議によって成立する協議離縁（民法811条）、当事者が調停手続を通じて離縁する調停離縁（家事事件手続法268条）、調停による離縁が成立しない場合に家庭裁判所の審判（調停に代わる審判）により離縁する審判離縁（家事事件手続法284条）、裁判上の離縁（民法814条）があります。

① 協議離縁

養親は、養子と協議し離縁の届出をすることにより離縁は成立します（民法812条、739条）。

養子が15歳未満の場合、養親と離縁成立後に養子の法定代理人となるべき者との間で協議することとなります（民法811条2項）。具体的には、実父母の一方または双方が生存している場合、実父母が法定代理人となるべき者となり、離縁成立後に実父母が離婚している場合には、実父母の協議によって法定代理人となるべき者を定めることとなります（民法811条3項）。実父母の協議で定まらない場合には、家庭裁判所の審判によって法定代理人となるべきものを定めることになります（民法811条4項）。実父母がいない場合には、養子の親族その他の利害関係人の請求により、家庭裁判所の審判によって選任された未成年後見人となるべき者が法定代理人となるべき者として協議することとなります。

夫婦共同縁組がなされ、未成年養子と離縁する場合には、夫婦は共同で離縁しなければなりません（民法811条の2）。この趣旨は、子の健全な育成のため夫婦の一方とのみ縁組が継続することは好ましくないため夫婦が共同で離縁することを求めた点にあります。

縁組の当事者の一方が死亡した場合、生存している当事者は、家庭裁判所の許可を得たうえで離縁することができます（民法811条6項、家事事件手続法162条、別表第一の62項）。これを死後離縁といいます。裁判所の許可による死後離縁を認めた趣旨は、たとえば養親が死亡した場合に養子が養親の親族を扶養する義務から解放するとともに、多額の相続財産を相続した後に養子が理由なく養子縁組を解消する事態を防ぐため家庭裁判所の許可を求めた点にあります。

② 裁判上の離縁

裁判上の離縁とは、協議や調停を経ても離縁が成立しない場合に、縁組の一方当事者から裁判所に離縁を請求することによって認められる離縁をいいます（民法814条）。

離縁の原因は、①悪意の遺棄、②３年以上の生死不明、③その他縁組を継続し難い重大な事由がある場合に認められます（民法814条１項各号）。

縁組を継続し難い重大な事由とは、親子としての信頼関係が破壊され、親子としての経済的、精神的生活関係を維持することが困難であり、信頼関係の回復が不能な状態にある場合をいいます。判例は、裁判上の離縁を請求する者に有責性が認められる場合に離縁請求は認められないとしています（最判昭和39年８月４日民集18巻７号1309頁）。

⑵ 普通養子縁組の離縁の効果

離縁の成立により、養子および養子の配偶者ならびに養子の直系卑属およびその配偶者と養親およびその血族との親族関係が消滅します（民法729条）。養子は、離縁の成立によって縁組前の氏に復氏します（民法816条１項本文）。また、離縁の成立によって、養子は縁組前の戸籍に戻ります（戸籍法19条）。夫婦共同養子縁組の場合、養子が養親の一方とのみ離縁する場合には、養子は縁組前の氏に復氏せず、双方と離縁した場合にのみ復氏することとなります（民法816条１項但書）。縁組後、７年以上経過して離縁した場合、養子は届け出ることによって、離縁時の氏を称することができます。これを縁氏続称といいます（民法816条２項）。縁氏続称が認められた趣旨は、長期間養子が養親の氏を称してきた場合に、復氏しないことを認めることで養子の利益の保護を図った点にあります。

6　特別養子縁組

⑴ 特別養子縁組の意義

特別養子縁組とは、縁組の日から実親と実子との間の親子関係を終了させ、養親と養子の間に実親子と同様の親子関係を成立させる特別の養子縁組をいいます（民法817条の２以下）。特別養子縁組を認めた趣旨は、実親子関係を終了させることにより養親子関係の安定化を図るという点にあります。

⑵ 特別養子縁組の成立要件

特別養子縁組は、養親となる者からの家庭裁判所に対する請求に基づき、家庭裁判所の審判によって成立します（民法817条の２）。家庭裁判所は、実父母による養子となる者の監護が著しく困難または不適当であることその他特別の事情がある場合において、子の利益のため特に必要があると認めるときに、特別養子縁組を成立させます（民法817条の７）。

改正前民法の下では、特別養子縁組における養子となる者の年齢の上限は原則６歳未満でしたが、特別養子制度の利用を促進するため、原則15歳未満に引き上げられました。すなわち、養親となるべき者の家庭裁判所に対する縁組の請求時点で、養子となるべき者が15歳未満であることが必要となります（改正後の民法817条の5第1項本文）。この趣旨は、養子の年齢を限定することにより親子関係の形成を容易にしようとした点にあります。養子となる者が15歳に達する前から引き続き養親となる者に監護されている場合において、15歳に達するまでに縁組の請求がなされなかったことについてやむを得ない事由があるときは、15歳以上の者も特別養子縁組をすることができます（改正後の民法817条の5第2項）。特別養子縁組が成立するまでには18歳に達した者についても、特別養子縁組が認められます（改正後の民法817条の5第1項但書）。養子となる者が15歳に達している場合においては、特別養子縁組の成立には、その者の同意が必要となります（改正後の民法817条の5第3項）。

養親は原則として夫婦共同縁組により特別養子縁組を行う必要があります（民法817条の3第1項）。この趣旨は、実親子に近い親子関係を形成することを通じて養親子関係の安定化を図るという点にあります。ただし、夫婦の一方が他方の嫡出子（いわゆる連れ子）を養子縁組する場合には、単独の養子縁組でも特別養子縁組をすることが認められます（民法817条の3第2項但書）。また、養親となるべき者は25歳以上の者でなければなりません（民法817条の4本文）。ただし、養親となる夫婦の一方が25歳以上であれば、他方は20歳以上であれば足ります（民法817条の4但書）。

特別養子縁組が成立するためには、原則として実父母の同意が必要です（民法817条の6本文）。ただし、父母のうち一方が意思表示をできない場合、父母による虐待、悪意の遺棄その他養子となる者の利益を著しく害する事由がある場合には父母の同意は必要ありません（民法817条の6但書）。裁判例は、民法817条の6但書にいう「その他養子となる者の利益を著しく害する事由がある場合」とは、父母に虐待、悪意の遺棄に比肩するような事情がある場合、すなわち、父母の存在自体が子の利益を著しく害する場合をいうものと解すべきであり、また民法817条の7にいう「父母による監護が著しく困難」である場合とは、貧困その他客観的な事情によって子の適切な監護ができない場合をいい、また「不適当である場合」とは父母によって虐待や著しく偏った養育をしている場合を指し、「その他特別の事情がある場合」とはこれらに準じる事情のある場合をいうものと解すべきであるとしています（東京高決平成14年12月16日家月55巻6号112頁・百選Ⅲ［第2版］41事件）。当該裁判例は、父母が安定した監護環境を用意せず、かつ明確な将来計画を示せないまま、将来の子の引き取りを求めることをもって直ちに民法817条の6但書の事由にあたるものと結論づけることはできないことと判断しています。

⑶ 特別養子縁組の効果

特別養子縁組の成立により、養子は、実父母との親子関係、血族関係、親族関係が終了し（民法817条の９本文）、新たに養親との関係で親子関係が生じます。ただし、このように実父母との親子関係等は法的に消滅するものの、生物学的な血縁関係が消滅するわけではないため近親婚についての制限は残ります（民法734条２項、735条）。

⑷ 特別養子縁組の離縁

特別養子縁組の離縁は、養親による虐待等養子の利益を著しく害する事由があり、かつ養子の実父母が子を引き取って相当の監護をすることができる場合に、養子、実父母または検察官が家庭裁判所に請求し、家庭裁判所が離縁の必要があると判断したときに認められます（民法817条の10）。養子と実父母およびその血族との親族関係は、離縁の日から、特別養子縁組によって終了した親族関係に戻ります（民法817条の11）。

⑸ 特別養子審判の準再審事由

判例は、子の血縁上の父は、戸籍上の父と子との間に親子関係が存在しないことの確認を求める訴えの利益を有するものと解されるところ、その子を第三者の特別養子とする審判が確定した場合においては、原則として訴えの利益は消滅するが、審判に準再審の事由があると認められるときは、将来、子を認知することが可能になるのであるから、訴えの利益は失われないと解するのが相当としています（最判平成７年７月14日民集49巻７号2674頁・百選Ⅲ［第２版］42事件）。

第４　親子の氏

嫡出子は、父母の氏を称します（民法790条１項本文）。ただし、父母の離婚後に嫡出子が出生した場合、嫡出子は離婚の際の父母の氏を称することとなります（民法790条１項但書）。

嫡出子が出生した後に、①父母が離婚し一方が離婚に伴い元の氏に復氏した場合、②嫡出子が出生した後に父母のいずれか一方が死亡し、他方の親が復氏した場合等には、子は家庭裁判所の許可を得て、復氏した父母の氏を称することができます（民法791条）。この趣旨は、共同生活を営む親子の氏を同じ氏とすることで親子関係の安定化を図ろうとした点にあると解されます。

第５章

親権・後見等・扶養

第1　親 権

1　親権の意義

(1) 親権とは何か

親権とは、父母の未成年者に対する権利義務をいいます（民法818条１項）。親権は、文言上は親の権利を意味するように解されますが、その内容は義務性を有し、親権者は子を適切に養育するための権利義務を有すると理解されています。このことは「親権を行う者は、子の利益のために子の監護及び教育をする権利を有し、義務を負う」という規定にあらわれています（民法820条）。

(2) 親権関係の当事者

① 親権に服する子

民法は、「成年に達しない子は、父母の親権に服する」と定めています（民法818条１項）。このように、親権に服するのは未成年者に限られます。また、成年に達した子は、独立の生計を営まない場合でも親権に服しません。

② 親権者

ア　嫡出子の親権者

(i) 共同親権の原則

未成年者は、父母の親権に服します（民法818条１項）。婚姻中の父母は、共同して親権を行わなければなりません（民法818条３項本文）。これを共同親権の原則といいます。「共同して行う」とは、父母の意思が一致した下で親権を行使することを意味し、行為自体が父母双方の名義でなされなければならないことを意味するものではありません（最判昭和32年７月５日集民27号27頁）。

例外的に、父母の一方が親権を行うことができない場合は、他方が親権を行います（民法818条３項但書）。たとえば、親権喪失（民法834条）、親権停止（民法834条の２）、失踪宣告（民法30条）等により父母の一方が親権を行使できない場合です。

父母の一方が死亡した場合は、生存する親権者が単独で親権を行います。父母の双方が親権を行使できない場合は、未成年後見が開始します（民法838条１号）。

(ii) 出生後に父母が離婚する場合

子の出生後に父母が協議離婚をする場合は、その協議で一方を親権者と定める必要があります（民法819条１項）。親権者の指定は離婚の要件であり、離婚届は父母のいずれが親権者となるかを記載しない限り受理されません（民法765条１項）。父母の協議が調わない場合または協議をすることができない場合は、家庭裁判所が審判で親権者を定めます（民法819条５項）。父母が裁判上の離婚をする場合は、裁判所が父母の一方を親権者と定めます（民法819条２項）。

(iii) 出生前に父母が離婚する場合

子の出生前に父母が離婚した場合には、原則として母が親権者となります（民法819条３項本文）。ただし、父母の協議で親権者を父と定めることができます（民法819条３項但書）。父母の協議が調わない場合または協議をすることができない場合は、家庭裁判所が審判で親権者を定めます（民法819条５項）。

(iv) 親権者の変更

家庭裁判所は、子の利益のため必要があると認めるときは、子の親族の請求によって親権者を他の一方に変更することができます（民法819条６項）。たとえば、協議離婚の際に父母の協議で父を親権者と定めた後、父が子を虐待していることが判明し、母や子の親族（祖父母等）が親権者を母に変更することを請求する場合です。

親権者の判断要素としては、親権者変更の目的や父母の監護意思・能力、子自身の希望・年齢、親権者決定の経緯・その後の事情の変更等が挙げられます。裁判例では、離婚後に未成年者親権者となった父親が子を１日も養育せず、第三者夫婦に養育させたこと、母親が自ら子の養育をなすことを切望し、子の監護教育の能力を十分に有すること等の事情の下で、子の利益のために親権者を母に変更したものがあります（東京高決昭和30年９月６日高民集８巻７号467頁）。

イ　非嫡出子の親権者

非嫡出子は、母が親権者となります。父が認知し、父母の協議で父を親権者と定めた場合に限り、父が親権者となります。父が認知した子に対する親権者を父母が協議で定める場合、父母の協議が調わないときまたは協議をすることができないときは、家庭裁判所は、父または母の請求によって審判で親権者を定めることができます（民法819条５項）。

ウ　養子の親権者

養子は、実親ではなく養親が親権者になります（民法818条２項）。養親が夫婦である場合は、原則として共同して親権を行使することになります（民法818条３項）。養親が離婚した場合や養親の一方が死亡した場合に単独親権となることは、実子と同様です。

養子が養父母と離縁した場合は、実親の親権が回復します（民法811条２項、３項）。養父母がともに死亡した場合等、養父母のいずれもが親権を行使できなくなった場合は、実親の親権が回復するのではなく、未成年後見が開始すると解されています。

2　親権の内容

親権は、身上監護権と財産管理権から成り立ちます。

(1) 身上監護権

① 身上監護権の意義

親権者は、子の利益のために子の監護および教育をする権利を有し、義務を負います（民法820条）。これを身上監護権といいます。民法は、身上監護権の具体的内容として、居所指定権（民法821条）、懲戒権（民法822条）、職業許可権（民法823条）を定めています。親権者はこれらに限らず、子を監護および教育する包括的な権利義務を有します。

② 居所指定権

子は、親権者が指定する場所にその居所を定めなければなりません（民法821条）。したがって、親権者は監護・教育のために必要な範囲で子がどこに居住するかを指定できます。居所指定権は身上監護権の一内容であり濫用は許されず、子の利益に配慮して適切に行使すべきであると解されています。

親権や監護権を有しない第三者が親権者の同意なく未成年者を養育する場合、親権者は第三者に対して親権に基づいて妨害排除請求をすることができます（最判昭和35年３月15日民集14巻３号430頁・百選Ⅲ［第２版］44事件）。もっとも、判例は、離婚により親権者に指定された父が、２歳時から４年以上母に監護され、母から親権者変更調停が申し立てられている子について、子の監護に関する処分ではなく、親権に基づく妨害排除の請求として引渡しを求めることは、子の利益を害する親権の行使であり、権利の濫用に当たるとしています（最決平成29年12月５日民集71巻10号1803頁）。

また、民法上の妨害排除請求に限らず、人身保護法に基づいて子の引渡請求がなされる場合があります。判例では以下の事案が問題となりました。幼稚園の教師をしていた女性（母親）Ｙが父Ａとの間の子を出産した後、養子に出すこととして、虚偽の出生証明書によりＸ夫婦の実子とする出生届が出されました。子はＸ夫婦の下で養育されていましたが、母親Ｙは子を取り返したいと考え、暴力で子を奪い去りました。そこで、育ての親Ｘは真実の母親Ｙに対して、人身保護法に基づく子の引渡請求をしました。判例は、ＸのＹに対する人身保護法に基づく引渡請求を認めました（最判昭和49年２月26日家月26巻６号22頁）。

③ 懲戒権

親権者は、民法820条の規定する監護および教育に必要な範囲で子を懲戒することができます（民法822条）。懲戒権の行使が必要な範囲を超える場合は濫用となり、暴行罪（刑法208条）や傷害罪（刑法204条）を構成することになります。

④ 職業許可権

子は、親権者の許可を得なければ職業を営むことはできません（民法823条）。「職業」は営業（民法６条１項）よりも広い概念であり、独立の職業を営む場合だけでなく、他人と雇用契約を締結する場合を含めて継続的に一定の業務に従事することをいいます。また、営利を目的とするものに限られません。未成年者は、親権者の許可により営業を営む行為能力を取得します（民法６条１項）。

親権者は、一度許可を与えた場合でも、職業・営業に堪えることができない事由がある場合には、許可を取り消し、または制限することができます（民法823条２項、６条２項）。

⑤ 親権の代行

親権を行うべき者が未成年者である場合は、親権者がその子に代わって親権を行います（民法833条）。たとえば、未成年者Ａが婚姻せずに嫡出でない子Ｂを産んだ場合には、Ａの親権者ＣがＢに対し親権を行います。

⑥ 身分行為の代理

親権に服する未成年者が婚姻、普通養子縁組、認知等の身分行為をする場合があります。身分上の行為は本人の身分や人格権に関わるものであり本来自己決定に委ねられるべきものであるため、親権者は、認知の訴えの提起（民法787条）、嫡出否認の訴えの被告（民法775条）、縁組の代諾（民法797条）、離縁の代諾および訴えの提起（民法811条２項、815条）、縁組の取消請求（民法804条）、相続の承認・放棄（民法917条）等、特別な規定により代理権が認められる場合に限り、親権に服する未成年者を代理することが認められます。

⑵ 財産管理権

① 財産管理権の意義

親権者は、子の財産を管理し、財産に関する法律行為についてその子を代表します（民法824条本文）。「代表」とは、子の財産的地位を全面的に代行することを意味し、実質的には代理と異なりません。また、親権者は子を代表するだけではなく、子が意思能力を有するときは、子の法律行為に同意する権限を有します（民法５条参照）。

管理とは保存、利用、改良を目的とする行為をいい（民法103条）、その目的の範囲で処分することも含まれます（大判明治34年２月４日民録７輯18頁）。たとえば、親権者は未成年者の所有する不動産を第三者に賃貸することができます。

親権者からすれば子の財産は他人の財産ですが、親権者には善管注意義務（民法400条参照）は要求されておらず、自己のためにすると同一の注意義務をもって子の財産を管理すれば足ります（民法827条）。この趣旨は、親権の範囲が広いことおよび親子関係にあることに考慮して、注意義務の程度を軽減した点にあります。ただし、親権者が注意義務に違反して未成年者の利益を害するときは、親権者は不法行為責任（民法709条）または債務不履行責任（民法415条）を負い、財産管理権の喪失事由となります（民法835条）。

親権者が子の行為を目的とする債務を生じさせる場合には、本人の同意を得なければなりません（民法824条但書）。たとえば、第三者との間で子を受任者とする委任契約を締結する場合が挙げられます。

共同親権の場合は、父母は共同して子の財産に関する法律行為を行います。父母の一方が父母の共同名義で、子に代わって法律行為をしたり、または子が法律行為に同意したときは、父母の他方の意思に反したときでも、相手方の信頼の保護のため原則として有効な行為となり、法律行為の相手方が悪意である場合にのみ無効とすることができます（民法825条）。

第三者が無償で子に与えた財産の管理については、第三者が親権を行う父母にこれを管理させない意思表示をしたときは、当該財産は父母の管理に属しません（民法830条１項）。当該財産について父母ともに財産管理権を有しない場合において、当該第三者が管理者を指定しないときは、子らの請求に基づき、家庭裁判所が管理者を選任します（民法830条２項）。

親権者の財産管理は子が成年に達したときに終了します。この場合、親権者は遅滞なく管理の計算をする義務を負います（民法828条本文）。ただし、その子の養育および財産の管理の費用は、その子の財産の収益と相殺したものとみなされます（民法828条但書）。

② 利益相反行為

ア　利益相反行為の意義

親権を行う父または母とその子との利益が相反する行為については、親権を行う者はその子のために特別代理人を選任することを家庭裁判所に請求しなければなりません（民法826条１項）。たとえば、親権者である父が子の所有する不動産を購入する場合です。この場合、父母の一方とのみ利益相反となる行為については、利益の相反しない父母の他方が特別代理人との間で代理行為を行います（最判昭和35年２月25日民集14巻２号279頁・百選Ⅲ［第２版］48事件）。上記の例でいえば、利益の相反しない母が子の代理人として特別代理人との間で売買契約を締結します。

特別代理人とは、子の利益を保護するために家庭裁判所が選任する代理人をいいます。もっとも、実務上、特別代理人の選任を申し立てた者が特別代理人の候補者として挙げた親族等が特別代理人に選任されていることが多いです。その意味で、特別代理人を選任しても必ずしも未成年者の財産を保護するために実効性を有するものではないといえます。

なお、特別代理人と未成年者の間で利益が相反する場合、民法826条１項が類推適用され、新たに選任された特別代理人または成年に達した本人の追認がない限り、代理行為は無効となります（最判昭和57年11月18日民集36巻11号2274頁）。

イ　利益相反の一般的基準

判例は、利益相反であるかどうかは行為の客観的な性質上利害の対立を生じさせるものであるかによって判断され、現実に利害の対立を生じるか否かを問わないと判示しています（最判昭和49年７月22日家月27巻２号69頁・百選Ⅲ［第２版］47事件、最判平成４年12月10日民集46巻９号2727頁・百選Ⅲ［第２版］49事件）。また、親権者が子の利益を害する動機を有していても、行為の外形に現れていない場合は利益相反行為に該当しないと解されています（最判昭和42年４月18日民集21巻３号671頁）。このような見解を外形説といいます。

学説では、利益相反か否かは行為の動機や目的、結果等の具体的な事情から実質的に判断すべきとする見解が有力に主張されています。これを実質説といいます。

ウ　具体的な行為

(i) 連帯保証・抵当権の設定

判例は、親権者が自己の債務のために子の不動産に抵当権を設定する行為は子の養育費に充てる意図でも利益相反行為に該当すると判示しました（最判昭和37年10月２日民集16巻10号2059頁）。

また、親権者が自ら第三者の連帯保証人となるとともに、子を代理して連帯保証契約を締結し、また親権者と子が共有する不動産に抵当権を設定する行為は利益相反行為に該当すると判示しました（最判昭和43年10月８日民集22巻10号2172頁・百選Ⅲ［第２版］46事件）。

(ii) 遺産分割

判例は、父が死亡した後、母と数人の子が共同相続人となった事案で、母が数人の子を代理して遺産分割協議をすることは利益相反行為に該当し、未成年の子の各自に特別代理人が必要であると判示しました（前掲最判昭和49年７月22日）。

(iii) 相続放棄

相続放棄（民法915条、938条）は相手方のない単独行為であるため、利益相反に該当しないとする古い判例があります（大判明治44年７月10日民録17輯468頁）。しかし、今日では実質的にみて親権者と未成年者の間で利害が対立し、相続放棄が利益相反行為となる場合もありうると解されています。判例は、後見人の事案ですが、「相続の放棄が相手方のない単独行為であるということから直ちに民法826条にいう利益相反行為にあたる余地がないと解するのは相当でない」として、相続放棄が利益相反行為となる余地があることを認めています（最判昭和53年2月24日民集32巻1号98頁参照）。

エ　利益相反行為と代理権の濫用

親権者が子を代理して子自身の名義で債務を負担し、子の所有する不動産に担保権を設定する場合、外形的には子と第三者の間で契約を締結することとなるため、利益相反行為とならないと考えられます。もっとも、この場合でも親権者の行為が代理権の濫用となる場合があります。改正前民法の下において、判例は、親権者が代理権を濫用した場合、その行為の相手方が濫用の事実を知りまたは知りうべかりしときは、改正前民法93条但書を類推適用して、その行為の効果は子には及ばないと判示し、そのうえで、親権者が子を代理して子の所有する不動産を第三者の債務の担保に供する行為は利益相反行為に該当せず、「子の利益を無視して自己又は第三者の利益を図ることのみを目的としてされるなど、親権者に子を代理する権限を授与した法の趣旨に著しく反すると認められる特段の事情が存しない限り、親権者による代理権の濫用に当たると解することはできない」と判示しました（前掲最判平成4年12月10日）。

オ　利益相反行為の効力

親権者が利益相反行為に該当する行為を行った場合は無権代理行為となり、子が成年に達した後、その追認（民法113条）がなければ無効となります（最判昭和46年4月20日家月24巻2号106頁）。子が成人に達した後追認しない場合には親権者について無権代理人の責任の問題となります（民法117条）。

③ 財産の管理について生じた親子間の債権の消滅時効

親権を行った者とその子との間に財産の管理について生じた債権は、その管理権が消滅した時から5年間これを行使しないときは、時効によって消滅します（民法832条1項）。子が成年に達しない間に管理権が消滅した場合に子に法定代理人がないときは、この時効期間は、その子が成年に達し、または後任の法定代理人が就職した時から起算します（民法832条2項）。

3　親権・管理権の剥奪

(1) 親権喪失の審判

家庭裁判所は、父または母による虐待または悪意の遺棄があるときその他父または母による親権の行使が著しく困難または不適当であることにより子の利益を著しく害する場合、子の親族または検察官の請求により親権喪失の審判をすることができます（民法834条1項）。家庭裁判所が親権者の親権喪失の審判をした場合、親権者は親権をすべて失い、身上監護権、財産管理権を一切行使できなくなります。ただし、法律上の親子関係は存続するため、子が親を相続したり、親が子を相続することは可能です。

父母の一方が親権を喪失した場合は他方が親権を行います。親権を行う者が存在しなくなった場合は、未成年後見が開始します（民法838条１号）。他方で、家庭裁判所は、親権喪失の原因が消滅したときは、親権喪失の審判を取り消すことができます（民法836条）。

⑵ 親権停止の審判

家庭裁判所は、父または母による親権の行使が困難または不適当であることにより子の利益を害するときは、子、その親族、未成年後見人、未成年後見監督人または検察官の請求により親権停止の審判をすることができます（民法834条の２第１項）。親権停止は平成23年民法改正により新たに創設された制度です。上記⑴の親権喪失の審判は親権者の親権を剥奪する制度であるため、審判がなされることは稀であり、親権を一時的に停止する制度が必要であるとされました。

家庭裁判所は、親権停止の審判をするときは、その原因が消滅するまでに要すると見込まれる期間、子の心身の状態および生活の状況その他一切の事情を考慮して、２年を超えない範囲内で親権を停止する期間を定めます（民法834条の２第２項）。親権者はその期間中、身上監護権、財産管理権を一切行使できなくなります。他方で、家庭裁判所は、親権停止の原因が消滅したときは、親権停止の審判を取り消すことができます（民法836条）。

⑶ 管理権喪失の審判

家庭裁判所は、父または母による管理権の行使が困難または不適当であることにより子の利益を害するときは、子、その親族、未成年後見人、未成年後見監督人または検察官の請求により管理権喪失の審判をすることができます（民法835条）。

親権者は管理権喪失の審判により財産管理権を喪失します。身上監護権を行使することは可能です。他方で、家庭裁判所は、管理権喪失の原因が消滅したときは、管理権喪失の審判を取り消すことができます（民法836条）。

⑷ 親権・財産管理権の辞任

親権を行う親権者は、やむをえない事由がある場合は、家庭裁判所の許可を得て、親権または財産管理権を辞することができます（民法837条１項）。やむをえない事由とは、親権者が重度の病気、長期不在、服役する場合等が考えられます。

親権者が親権または財産管理権を辞したため後見が開始した場合、遅滞なく後見人の選任を家庭裁判所に請求しなければなりません（民法841条）。親権または財産管理権を辞した後、その原因である事由が消滅した場合は、家庭裁判所の許可を得て、親権または財産管理権を回復することができます（民法837条２項）。

第２　後見等

１　後見制度

(1) 後見の意義

後見は、親権を行う者がいない未成年者や精神上の障害により事理を弁識する能力を欠く者を保護するために、その身上および財産上の保護を目的とする制度です。後見を開始した場合、法定代理人としての後見人を本人に付し、後見人は本人に代わって法律行為を行います。後見には、未成年後見（民法838条１号）と成年後見（民法838条２号）があります。

(2) 後見の機関

後見の機関として、後見人と後見監督人があります。

① 後見人

後見人は、後見の必須機関であり、後見の事務を執行する者をいいます。後見人は、本人の代理人として法律行為を行うこと、本人の行為を取り消すことにより本人を不利益な法律行為から保護することを職務とします。

② 後見監督人

後見監督人は、後見人の事務を監督し、必要な場合には後見人に代わって後見事務の遂行を行うことを職務とする者をいいます。後見監督人は必須の機関ではなく、家庭裁判所が必要があると認めるときに選任するものとされています（民法849条）。

２　未成年後見

(1) 未成年後見の開始

未成年後見は、未成年者に対して親権を行う者がいないときまたは親権を行う者が財産管理権を有しないときに開始します（民法838条１号）。未成年後見の対象となる者を未成年後見人といいます。

親権を行う者がいないときとは、親権者が死亡、親権喪失（民法834条）、後見開始（民法111条１項２号）等の事由により法律上親権を行使できない場合と親権者の生死不明、精神上の障害、服役等の事由により事実上親権を行使できない場合をいいます。

父母が共同で親権を行使する場合は、父母の一方が親権を喪失しても他方が親権を行使するときは後見は開始しません。

親権を行う者が財産管理権を有しない場合とは、親権者が財産管理権を喪失（民法835条）または辞任（民法837条１項）した場合をいいます。

父母が共同で財産管理権を行使する場合は、父母の一方が財産管理権を有する限り後見は開始しません。

⑵ 未成年後見人の選任

未成年後見を開始する要件を満たした場合には、未成年後見人を選任する必要があります。かつては未成年後見人は一人に限るとされていましたが（改正前民法842条）、平成23年民法改正でかかる規定は削除され、複数の未成年後見人を置くことができるようになりました。また、平成23年改正により、法人を未成年後見人とすることも認められました（民法840条3項参照）。

未成年後見人を選任する方法には2つの方法があります。

第一に、未成年者に対して最後に親権を行う者は、遺言で未成年後見人を指定できます（民法839条1項）。親権を行う父母の一方が財産管理権を有しないときは、他方は遺言によって未成年後見人を指定できます（民法839条2項）。指定された未成年後見人を指定未成年後見人といいます。

第二に、遺言により未成年後見人が指定されなかった場合は、未成年後見人の親族または利害関係人の請求により家庭裁判所が未成年後見人を選任します（民法840条）。家庭裁判所に選任された未成年後見人を選定未成年後見人といいます。

父もしくは母が親権もしくは財産管理権を辞し、その結果後見人を選任する必要が生じた場合や親権を失った場合の父または母（民法841条）、任務を辞任した後見人（民法845条）は、遅滞なく家庭裁判所に未成年後見人の選任を請求しなければなりません（民法840条）。

⑶ 未成年後見人の職務・権限

① 身上に関する事務

未成年後見人は、未成年者の身上監護につき、親権者と同一の権利義務を有します（民法857条本文）。ただし、親権を行う者が定めた教育の方法および居所の変更、営業の許可、許可の取消し、制限を行う場合、未成年後見監督人があるときは、その同意を得なければなりません（民法857条但書）。また、親権者に財産管理権がない場合に選任された未成年後見人は、財産に関する権限のみを有します（民法868条）。

② 財産に関する事務

未成年後見人は、財産管理権についても親権者の同一の権利義務を有します（民法857条）。ただし、未成年後見人は親権者と異なり、善管注意義務を負い（民法869条、644条）、未成年後見監督人および家庭裁判所による監督を受けます（民法863条）。

未成年後見人と未成年被後見人との間の利益相反行為については、未成年後見監督人がある場合を除いて特別代理人の選任が必要となります（民法860条、826条）。

未成年後見人は、自己の財産と未成年被後見人の財産が混合することを回避するため、遅滞なく未成年被後見人の財産を調査し、目録を作成しなければなりません（民法853条1項）。

⑷ 未成年後見人の辞任・解任

未成年後見人は、正当な事由があるときは家庭裁判所の許可を得て、任務を辞することができます（民法844条）。未成年後見人がその任務を辞したことによって新たに未成年後見人を選任する必要が生じたときは、その未成年後見人は、遅滞なく新たな未成年後見人の選任を家庭裁判所に請求しなければなりません（民法845条）。未成年後見人に不正な行為、著しい不行跡その他後見の任務に適しない事由があるときは、家庭裁判所は、未成年後見監督人、未成年被後見人、未成年被後見人の親族もしくは検察官の請求によって、または職権で、未成年後見人を解任することができます（民法846条）。

⑸ 未成年後見人の欠格事由

①未成年者、②家庭裁判所で免ぜられた法定代理人、保佐人または補助人、③破産者、④未成年被後見人に対して訴訟をし、またはした者ならびにその配偶者および直系血族、⑤行方の知れない者は未成年後見人となることはできません（民法847条）。

⑹ 未成年後見の終了

① 終了原因

未成年後見は、未成年者が成年に達したとき、未成年被後見人が死亡したとき、未成年被後見人に親権を行う者があるようになったとき（親権喪失の審判を受けた父母が親権を回復した場合等）には終了します。

また、未成年後見人が死亡したときや、辞任・解任等により未成年後見人の資格や権限を失ったときは、当該未成年後見人の任務は終了します。

② 終了時の事務

未成年後見人の任務が終了したときは、未成年後見人またはその相続人は、2か月以内に管理の計算（未成年後見人の任務についた時から任務の終了までの間の未成年被後見人の財産について生じた収支の計算）をしなければなりません（民法870条）。なお、未成年後見監督人があるときは、後見の計算は、その立会いのもとで行わなければなりません（民法871条）。

未成年被後見人が成年に達した後、未成年被後見人は後見の計算の終了前に未成年後見人またはその相続人との間で行った契約、単独行為を取り消すことができます（民法872条）。

3　成年後見

⑴ 成年後見の開始

成年後見制度は、従来の禁治産制度に相当するものです。精神上の障害の程度が判断能力の喪失・欠如に至っている常況にある者を対象とします。

成年後見は、精神上の障害により事理弁識能力を欠く常況にある者につき、本人、配偶者、４親等内の親族、未成年後見人、未成年後見監督人、保佐人、保佐監督人、補助人、補助監督人、検察官らが後見開始を家庭裁判所に申し立て、家庭裁判所が後見開始の審判を行うことにより開始します（民法７条、838条２号、家事事件手続法39条）。成年後見の対象となる者を成年被後見人といいます。

⑵　成年後見人の選任

家庭裁判所は、後見開始の審判をするときは、職権により成年後見人を選任します（民法843条１項）。また、家庭裁判所は、成年後見人が欠けたときは、成年被後見人もしくはその親族その他の利害関係人の請求によりまたは職権で成年後見人を選任します（民法843条２項）。家庭裁判所は、成年後見人が選任されている場合でも、必要があると認めるときは更に成年後見人を選任することができます（民法843条３項）。

成年後見人を選任するには、成年被後見人の心身の状態、生活、財産状況、成年後見人となる者の職業・経歴、成年被後見人との利害関係の有無、成年被後見人の意見、その他一切の事情を考慮しなければなりません（民法843条４項）。

⑶　成年後見監督人

家庭裁判所は、必要があると認めるときは、成年被後見人、その親族もしくは成年後見人の請求によってまたは職権で成年後見監督人を選任することができます（民法849条）。未成年後見人の場合と同様に、成年後見監督人は必須の機関ではありません。

法人を成年後見監督人とすること、複数の成年後見監督人を選任することも認められています（民法852条、859条の２参照）。

⑷　成年後見人の職務

成年後見人の職務は、成年被後見人の療養看護、財産の管理に関する事務を行うことにあります。成年後見人は、成年被後見人の生活、療養監護および財産の管理に関する事務を行うにあたっては、成年被後見人の意思を尊重し、かつ、その心身の状態および生活の状況に配慮しなければなりません（民法858条）。

成年後見人は、成年被後見人の財産を管理し、財産に関する法律行為について成年被後見人を代表します（民法859条１項）。成年後見人は成年被後見人の財産について包括的な管理権を有します。その具体的な事務の内容は、未成年後見人と同様です。

成年後見人は、成年被後見人の法律行為を原則として取り消すことができます（民法９条本文）。ただし、日用品の購入その他日常生活に関する行為については取り消すことはできません（民法９条但書）。また、成年後見人は成年被後見人に代わってその居住の用に供する建物を処分するには家庭裁判所の許可を得なければなりません（民法859条の３）。

平成28年改正後の民法は、家庭裁判所が、成年後見人がその事務を行うにあたって必要があると認めるときは、成年後見人の請求により、信書の送達の事業を行う者に対し、期間を定めて、成年被後見人に宛てた郵便物等を成年後見人に配達すべき旨を嘱託することができる旨を定めるなど（民法860条の２）、成年後見人による郵便物等の管理について規定を設けています（民法860条の３）。

成年後見人は、成年後見監督人・家庭裁判所の監督を受けて、その就職のはじめにおいて、成年被後見人の生活、教育または療養看護および財産の管理のために毎年支出すべき金額を予定しなければなりません（民法861条１項）。

⑸ 成年後見人の費用と報酬

成年後見の事務に関する費用は、成年被後見人の財産の中から必要な費用を支弁します（民法861条２項）。また、成年後見人は報酬請求権を有しませんが、家庭裁判所は、成年後見人および成年被後見人の資力その他の事情によって、成年被後見人の財産の中から相当な報酬を成年後見人に与えることができます（民法862条）。

⑹ 成年後見の終了

成年後見は、成年被後見人の死亡により終了します。また、成年被後見人が事理弁識能力を欠く常況でなくなった場合は後見開始の審判を取り消さなければなりません（民法10条）。これによって後見は絶対的に終了します。

4　保 佐

⑴ 保佐の開始

保佐は、従来の準禁治産制度に代えて、平成11年の民法改正によって整備された制度です。保佐は、事理弁識能力の著しく不十分な者に対し、家庭裁判所が保佐開始の審判をすることによって開始します（民法876条）。従前は、浪費者も保佐の対象としていましたが、平成11年改正後の民法はこれを除外しています。

家庭裁判所は、保佐開始の審判をするときは、職権で保佐人を選任します（民法876条の２第１項）。保佐の対象となる者を被保佐人といいます。複数の保佐人を選任することや法人を保佐人に選任することも可能です（民法876条の２第２項、843条３項、４項）。保佐人は、保佐の事務を行うにあたっては、被保佐人の意思を尊重し、その心身の状態および生活の状況に配慮しなければなりません（民法876条の５第１項）。これを身上配慮義務といいます。身上配慮義務には実際に介護を行う等の事実行為を行う義務は含まれず、保佐人が代理権を有している場合において、介護契約や療養施設への入所契約の締結等の法律行為を行う義務に限定されると解されています。

⑵ 保佐人の権限・義務

保佐開始の審判がなされた場合、被保佐人は行為能力は失わず自ら法律行為を行います。ただし、被保佐人は、民法13条１項各号に定める重要な財産行為について、保佐人の同意なしに単独ですることはできません（民法13条１項）。保佐人の同意を要する行為であるにもかかわらず、被保佐人がその同意またはこれに代わる許可を得ないで民法13条１項各号に定める行為をした場合は、取り消すことができます（民法13条４項）。また、保佐人は保佐の職務を行うにつき善管注意義務を負います（民法876条の５第２項、644条）。その他、保佐人の権限・義務については、第Ⅰ篇第２章を参照してください。

⑶ 保佐人と被保佐人との間の利益相反行為

保佐人は、被保佐人との利益が反する行為を行う場合は、保佐監督人が選任されている場合を除いて、家庭裁判所に臨時保佐人の選任を請求しなければなりません（民法876条の２第３項）。この場合、臨時保佐人が被保佐人に対して同意を与えることになります。

⑷ 保佐監督人の選任

家庭裁判所は、必要があると認めるときは、被保佐人、その親族もしくは保佐人の請求によりまたは職権で保佐監督人を選任できます（民法876条の３第１項）。保佐監督人は、保佐人の事務を監督する職務を行います。保佐監督人は、保佐人と同様にその職務を行うにつき善管注意義務を負います（民法876条の３第２項、644条）。

⑸ 保佐の終了

家庭裁判所は、保佐開始の原因が消滅したときは、本人、配偶者、４親等内の親族、未成年後見人、未成年後見監督人、保佐人、保佐監督人または検察官の請求により、保佐開始の審判を取り消さなければなりません（民法14条１項）。

被保佐人の判断能力が更に低下し、後見開始の審判が必要な程度になった場合には、利害関係人の請求により後見開始の審判がなされ、保佐開始の審判は取り消されます（民法19条１項）。

5　補 助

⑴ 補助の開始

補助は、一定程度の判断能力を有し、後見や保佐開始の事由にまでは至らない程度の精神状態にある者について、本人の意思を尊重した上で必要な限度で財産管理等につき保護を図る制度です。補助は、「精神上の障害により事理を弁識する能力が不十分な者」について、本人、配偶者、４親等内の親族、後見人、保佐人、保佐監督人、または検察官の請求に基づき家庭裁判所が補助開始の審判をしたときに開始します（民法876条の６、15条１項）。補助の対象となる者は、主に軽度の認知症高齢者、知的障害・精神障害を有し、判断能力が不十分な者です。本人以外の者の請求による場合は本人の同意がなければ補助開始の審判をすることはできません（民法15条２項）。この趣旨は、本人の自己決定の尊重を図る点にあります。

家庭裁判所は、補助開始の審判をするときは、職権で補助人を選任します（民法876条の７第１項）。補助の対象となる者を被補助人といいます。複数の補助人を選任すること、法人を補助人に選任することも可能です（民法876の７第２項、843条３項、４項）。補助人は、補助の事務を行うにあたっては、被補助人の意思を尊重し、その心身の状態および生活の状況に配慮しなければなりません（民法876条の10第１項、876条の５第１項）。

⑵ 補助人の権限・義務

家庭裁判所は、被補助人のために特定の法律行為について補助人の同意を得ることを要する旨の審判をすることができます（民法17条１項）。ただし、本人以外の者が請求する場合には、本人の同意が必要です（民法17条２項）。補助人の同意を得なければならない行為について、補助人が被補助人の利益を害するおそれがないにもかかわらず同意をしないときは、家庭裁判所は、被補助人の請求により、補助人の同意に代わる許可を与えることができます（民法17条３項）。補助人の同意を得ることを要する行為で、その同意もしくは同意に代わる許可を得ないでなした行為は、被補助人または補助人が取り消すことができます（民法17条４項）。また、補助人は補助の職務を行うにつき善管注意義務を負います（民法876条の10第１項、民法644条）。その他、補助人の権限・義務については、第Ⅰ篇第２章を参照してください。

⑶ 補助人と被補助人との間の利益相反行為

補助人は、被補助人との利益が反する行為を行う場合は、補助監督人が選任されている場合を除いて、家庭裁判所に臨時補助人の選任を請求しなければなりません（民法876条の７第３項）。この場合、臨時補助人が被補助人に対して同意を与えることになります。

⑷ 補助監督人の選任

家庭裁判所は、必要があると認めるときは、被補助人、その親族もしくは補助人の請求によりまたは職権で補助監督人を選任できます（民法876条の８第１項）。補助監督人は、補助人の事務を監督する職務を行います。補助監督人は、補助人と同様にその職務を行うにつき善管注意義務を負います（民法876条の８第２項、644条）。

⑸ 補助の終了

家庭裁判所は、補助開始の原因が消滅したときは、本人、配偶者、４親等内の親族、未成年後見人、未成年後見監督人、補助人、補助監督人または検察官の請求により、補助開始の審判を取り消さなければなりません（民法18条１項、２項）。また、補助人の同意を要する旨の審判および補助人への代理権付与の審判をすべて取り消す場合には、家庭裁判所は補助開始の審判を取り消さなければなりません（民法18条３項）。

第3　扶 養

1　扶養の意義

扶養とは、自らの資産や労働力のみで独立して生計を立てることが困難な者の生活を経済的に援助することをいいます。民法は、夫婦や親子、一定の親族関係にある者の扶養の権利義務を定めています（民法877条以下）。

2　扶養の権利義務

⑴ 扶養義務者の範囲

第一に、直系血族および兄弟姉妹は、互いに扶養する義務を負います（民法877条1項）。直系血族とは、祖父母、父母、子、孫のように直線的に連なる親族をいいます。両親に対する子の扶養義務や兄弟姉妹間の扶養義務には、民法877条1項が適用されます。

第二に、民法は、家庭裁判所は、特別の事情があるときは3親等内の親族間においても扶養義務を負わせることができると定めています（民法877条2項）。3親等内の親族間の扶養義務は審判によってのみ発生します。審判により扶養義務が発生した場合でも、事情に変更が生じたときは、家庭裁判所はその審判を取り消すことができます（民法877条3項）。裁判例では、扶養は一定の親族関係に基づく法律関係であるため、内縁の夫であった者が内縁の妻であった者の子や弟を相手方とする扶養調停事件を申し立てた場合は審判の対象とならないと判示したものがあります（東京高決昭和53年3月30日家月31巻3号86頁）。

第三に、夫婦間の扶養義務には民法877条は適用されず、「夫婦は同居し、互いに協力し扶助しなければならない」と定める民法752条、「夫婦は、その資産、収入その他一切の事情を考慮して、婚姻から生ずる費用を分担する」と定める民法760条が適用されます。

⑵ 扶養の順位

扶養義務を負う者が数人存在する場合に、当事者間の順序（まず誰が扶養すべきか）は当事者間の協議に委ねられます。当事者間に協議が調わないときまたは協議をすることができないときは、家庭裁判所が審判で決定します（民法878条前段）。扶養を受ける権利のある者が数人存在する場合に扶養義務者の資力がその全員を扶養するに足りないときの扶養を受けるべき者の順序についても、同様です（民法878条後段）。

⑶ 扶養の程度・方法

扶養の程度または方法についても当事者間の協議に委ねられますが、当事者間に協議が調わないときまたは協議をすることができないときは、扶養権利者の需要、扶養義務者の資力その他一切の事情を考慮して、家庭裁判所が定めます（民法879条）。

扶養の方法には、引取給付（扶養権利者を引き取って扶養する方法）と給付扶養（扶養権利者を引き取らずに生活費〈金銭〉を給付する方法）が考えられます。そのいずれによるかは当事者間の協議、協議が調わない場合には裁判所が定めることになります。扶養の多くは給付扶養により行われています。その方法は、一括して給付する方法と定期金として給付する方法のいずれによることもできます。

3　扶養関係の変更・消滅

家庭裁判所は、扶養すべき者もしくは扶養を受けるべき者の順序または扶養の程度もしくは方法について協議または審判があった後に、事情の変更が生じたときには、先の扶養に関する協議または審判を取り消し、または変更することができます（民法880条）。事情の変更とは、当事者の経済状態、健康状態、社会経済の状況等に変化が生じた場合をいいます。

扶養を受ける権利は一身専属性を有し、相続されません（民法896条但書）。たとえば、兄が弟を扶養していた場合に弟が死亡したとき、兄は当然に弟の家族（子・配偶者等）を扶養する義務を負いません。

4　過去の扶養料の求償請求

扶養義務者の一部の者のみが扶養を行っていた場合、扶養を行った者は他の扶養義務者に対して過去の扶養料を求償できるかが問題となります。

判例は、親に対する扶養義務を負う子相互の求償関係（兄夫婦に扶養されていた母を妹が引き取って扶養し、妹が兄に対して求償権を行使した事案）について、「前者は全面的に義務を免れ費用を出す義務もなく後者のみ全費用を負担しなければならないとするのは不当であろう若しそういうことになると冷淡な者は常に義務を免れ情の深い者が常に損をすることになる虞がある」として、具体的事情の下で求償を認めています（最判昭和26年２月13日民集５巻３号47頁）。

また、裁判例は、兄弟姉妹間の他の兄弟姉妹に対する扶養について「どの程度遡って求償を認めるかは、家庭裁判所が関係当事者間の負担の衡平を図る見地から扶養の期間、程度、各当事者の出費額、資力等の事情を考慮して定めることができる」と判示しています（東京高決昭和61年９月10日判時1210号56頁）。

過去の扶養料を負担した扶養義務者が他の求償義務者に対して求償権を行使する場合、過去の扶養料の確定手続は訴訟手続と審判手続のいずれによるべきかが問題となります。

判例は、「民法878条・879条によれば、扶養義務者が複数である場合に各人の扶養義務の分担の割合は、協議が整わないかぎり、家庭裁判所が審判によって定めるべきである。扶養義務者の一人のみが扶養権利者を扶養してきた場合に、過去の扶養料を他の扶養者に求償する場合においても同様であって、各自の分担額は、協議が整わないかぎり、家庭裁判所が、各自の資力その他一切の事情を考慮して審判で決定すべきであって、通常裁判所が判決手続で判定すべきではない」

として、審判手続きによるものと解しています（最判昭和42年２月17日民集21巻１号133頁・百選Ⅲ［第２版］51事件）。

5　扶養請求権の処分禁止

扶養を受ける権利は、他人に譲渡したり、放棄したりすることはできません（民法881条）。扶養を受ける権利は、扶養権利者の最小限度の生活を維持するために自ら現実に受けるべきものであり、一身専属性を有するためです。

扶養料請求権を差し押さえることは制限されており（民事執行法152条）、扶養を受ける権利を受働債権とする相殺も認められません（民法510条）。

なお、第三者が扶養義務者を死亡させ、もしくは重大な障害を与え、またはその財産を侵害して、扶養能力を喪失させた場合、扶養請求権の侵害に対する不法行為責任（民法709条）が問題となります。

判例は、「不法行為によって死亡した者の配偶者及び子が右死亡者から扶養を受けていた場合に、加害者は右配偶者等の固有の利益である扶養請求権を侵害したものであるから、右配偶者等は、相続放棄をしたときであっても、加害者に対し、扶養利益の喪失による損害賠償を請求することができるというべきである。しかし、その扶養利益喪失による損害額は、相続により取得すべき死亡者の逸失利益の額と当然に同じ額となるものではなく、個々の事案において、扶養者の生前の収入、そのうち被扶養者の生計の維持に充てるべき部分、被扶養者各人につき扶養利益として認められるべき比率割合、扶養を要する状態が存続する期間などの具体的事情に応じて適正に算定すべきものである」と判示して、扶養権利者の加害者に対する将来の扶養利益の喪失による損害賠償請求を認めています（最判平成12年９月７日判時1728号29頁）。

第Ⅶ篇

相　続

第1章

相続法総説

第1　相続制度

1　相続の意義

相続とは、死者の財産上の権利・義務を一定の近親者が承継することをいいます。相続される者のことを被相続人といいます。被相続人の財産上の権利・義務を承継する一定の近親者を相続人といいます。たとえば、Aが死亡して、Aが所有していた財産が1000万円あった場合に、民法に従った相続分（法定相続分といいます）によれば、Aの妻Bが500万円、Aの子C・Dがそれぞれ250万円ずつ相続することとなります。この場合のAを被相続人、B・C・Dを相続人といいます。

わが国においては、個人主義を基盤とした私有財産制が採用されており、人は生存中、財産の所有が保障されています（憲法29条1項）。人は死亡によって権利能力を失うこととなり、その者が所有していた財産の所有者が不在となります。私有財産制の下では財産を誰かに帰属させるべきであり、財産の所有者が死亡した後は当該財産を他の誰かが承継するのが望ましいと考えられます。そこで、民法は、親族制度を前提として、被相続人の一定の範囲の親族（相続人）に被相続人の財産を当然に承継する地位を認めています。これを法定相続といいます。

一方で、民法は、生存中は被相続人が自己の財産を自由に処分することができることの延長として、被相続人に死後の自己の財産の処分を遺言によってある程度自由に行うことも認めています。これを遺言相続といいます。また、個人の私有財産は本人とその近親者にとっての生活の糧である場合が多いことから、相続人の生活保障のため、民法は、被相続人の意思によっても侵害することのできない相続分として遺留分という制度を設けています。

2　相続制度の根拠

民法が規定する相続制度の根拠とは何かという点について、様々な議論があります。以下、相続制度の根拠についての代表的な見解を説明します。

第一に、相続の根拠として被相続人の意思を重視する見解があります。遺言制度が被相続人の意思を死後の財産処分に及ぼすものであること、被相続人の意思で相続人たる地位を剥奪する廃除という制度が存在することと整合性を有する見解であるといえます。もっとも、遺言がない場合の原則である法定相続は、必ずしも被相続人の意思と合致するとは限りません。たとえば、被相続人の意思が法定相続とは異なることが明確である場合でも、その意思が遺言という形式で示されない限り法定相続が適用されます。このような場合には法定相続は被相続人の意思と合致するとは限りません。

第二に、相続の根拠は相続財産の形成に貢献した者に対する潜在的持分の清算にあるとする見解があります。配偶者に相続権が認められていることと整合性を有する見解であるといえます。しかし、民法は、共同生活や被相続人の財産形成に対する貢献の有無、程度を問題とすることなく相続が生じることとしています。たとえば、親子が同居せず生計を同じくしていない場合でもその親子間相互に相続分が認められますが、上記の見解ではこのことを十分に説明できないと指摘されます。

第三に、相続の根拠は被相続人と共同生活をしていたであろうと思われる一定の範囲の親族に対する生活保障にあるとする見解があります。遺留分の制度が存在することと整合性を有する見解であるといえます。しかし、民法が共同生活の有無や相続人の資力の有無を相続の要件としていない点や、相続人の生活保障をはるかに超えた金額の相続も可能である点について十分に説明できないと指摘されます。

第四に、相続の根拠として取引の安全を重視する見解があります。相続する際に相続人がプラスの財産（積極財産）だけでなく負債等のマイナスの財産（消極財産）も相続することと整合性を有する見解であるといえます。しかし、一切の債権債務を相続しないという相続放棄が存在することは取引の安全という観点だけでは説明が困難であると指摘されます。

以上の４つの見解の挙げる各根拠のみで相続制度のすべてを説明することは困難であり、相続制度には各根拠が複合的に存在していると説明すべきであると考えます。

3　相続法の特色

わが国の民法では、相続は売買等の契約とともに権利義務の承継原因のひとつとなっています。売買等の契約は財産に関する権利義務が個別的に移転するものであるのに対し、相続は財産に関する権利義務や法律上の地位が包括的に移転するものです。財産に関する権利義務が個別的に移転することを特定承継といい、財産に関する権利義務や法律上の地位が包括的に移転することを包括承継といいます。相続は包括承継の典型例です。

わが国では、戦前の明治民法においては家督相続（戸籍上の家長としての戸主が有していた地位を、次に戸主となる者〈嫡出長男子〉が単独相続する制度）が採用されており、親族法と相続法の結びつきが極めて強いという歴史的な経緯から、親族法と相続法が一体として扱われています。しかし、諸外国では相続法は必ずしも親族法と一体として扱われているわけではなく、相続法と財産法は隣接する領域であると位置づけられています。包括承継であるか特定承継であるかという違いはあるものの、相続も財産に関する権利義務や法律上の地位が移転するという効果を有するため、基本的に財産法の原則が妥当すると考えられています。

4　相続法の構成

現行民法典の第５編が相続となっています。第１章「総則」は相続開始の原因等を定めています。第２章「相続人」は誰が相続をするのか、相続をすることができない者等について定めています。第３章「相続の効力」は相続の対象、相続人の相続する範囲等について定めています。第４章「相続の承認及び放棄」は相続財産の清算等について定めています。第５章「財産分離」は被相続人の債権者保護のための制度を定めています。第６章「相続人の不存在」は相続する者がいない場合の規律を定めています。第７章「遺言」は被相続人の意思に基づく相続である遺言について定めています。第８章「遺留分」は被相続人の意思でも奪うことのできない近親者の相続分である遺留分について定めています。

第５編　相続

第１章　総則
- 第２章　相続人
- 第３章　相続の効力
- 第４章　相続の承認及び放棄
- 第５章　財産分離
- 第６章　相続人の不存在
- 第７章　遺言
- 第８章　配偶者の居住の権利
- 第９章　遺留分
- 第10章　特別の寄与

5　相続法改正

平成30年７月６日、「民法及び家事事件手続法の一部を改正する法律」(平成30年法律第72号) が成立し、同年７月13日に公布されました。この民法 (相続法) 改正は、社会の高齢化がさらに進展し、相続開始時における配偶者の年齢も相対的に高齢化しているといった社会情勢の変化に対応するものであり、改正事項は、配偶者の居住の権利を保護するための方策、自筆証書遺言の方式の緩和等、多岐にわたります。また、令和３年４月21日、「民法等の一部を改正する法律」(令和３年法律第24号) が成立し、同年４月28日に公布されました。

なお、第Ⅶ篇では、これらの改正前の民法を「改正前民法」と表記し、これらの改正後の民法を「改正後の民法」と表記します。

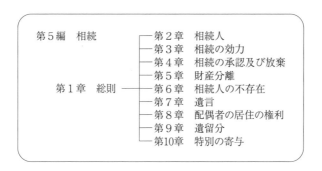

第２　相続の開始・相続財産に関する費用

1　相続の開始原因

⑴ 死 亡

民法は「相続は、死亡によって開始する」と定めています（民法882条）。死亡とは、人の生命活動が停止することをいいます。通常は、人の生命活動に不可欠な脳と心肺がほぼ同時に機能を停止します。そのため、相続にあたって死亡しているかどうかが問題となることはほとんどありません。

しかし、医療水準の向上により、脳が機能を停止した状態でも生命維持装置によって生命活動を維持しているという状態が生じるようになりました。臓器の移植に関する法律（臓器移植法。平成９年７月16日法律第104号）によれば脳幹を含む全脳の機能が不可逆的に停止するに至ったと判定された場合を脳死といいます（臓器移植法６条２項）。このような脳死を相続の開始原因の「死亡」（民法882条）と扱うかについて様々な議論がなされています。

また、以下のように死亡したことが確実に判明しない場合でも死亡したものとして扱い、相続が開始する場合があります。

⑵ 失踪宣告

従来の住所または居所を去って容易に帰ってくる見込みのない者を不在者といいます。不在者というだけでは死亡したものとは扱われないため、相続は開始しません。しかし、不在者の生死不明が長期間継続した場合、利害関係人は家庭裁判所に失踪宣告を申し立てることができます（民法30条以下）。失踪宣告の審判により、不在者は死亡したものと扱われ、相続が開始します。失踪宣告には２種類あり、生存が証明された最後の時から７年間生死不明の場合に、その７年間の期間が満了した時に死亡したものとみなされる普通失踪（民法30条１項、31条）と、戦争や船の沈没等、死亡の原因となるべき危難に遭遇し、その危難が去った時から１年間生死不明の場合に、その危難の去った時に死亡したものとみなされる危難失踪（民法30条２項、31条）があります。

⑶ 認定死亡

水難・火災その他の事変によって死亡したと推測される者については、実際に死体が確認できないときでも、取調べをした官公署等が死亡を認定したうえで市町村長に死亡の報告をし、当該報告に基づいて戸籍に死亡の記載がなされると、その者は戸籍に記載された年月日に死亡したものと推定されるという制度があります（戸籍法89条）。この制度を認定死亡制度といいます。認定死亡制度は、死体が確認できず死亡が確実に判明せずとも、水難・火災その他の事変により死亡した蓋然性が高い場合に、近親者による失踪宣告の手続の申立てを省略し、近親者の便宜を図る制度です。

2　相続開始の場所

相続は、被相続人の住所において開始します（民法883条、22条）。相続開始の場所によって、相続に関する事件の裁判管轄を決めることとなります。相続に関する訴えは基本的に相続開始の時における被相続人の住所を管轄する裁判所となります（民訴法5条14号、15号）。

3　相続財産に関する費用

民法は「相続財産に関する費用は、その財産の中から支弁する。ただし、相続人の過失によるものは、この限りでない」と定めています（民法885条）。相続財産に関する費用には、たとえば、遺産分割までの相続財産の管理費用や相続財産に関する固定資産税、地代・家賃、火災保険料、水道光熱費、相続財産の換価や弁済にかかる費用等が含まれます。

相続財産に関する費用に含まれるか否かが問題となるものに、葬式費用や相続税があります。

葬式費用については、裁判所の判断が分かれています。各共同相続人が負担すべきものとする裁判例（東京高決昭和30年9月5日家月7巻11号57頁）、相続財産に関する費用に含まれる等として相続財産から支払うべきものとする審判例（盛岡家審昭和42年4月12日家月19巻11号101頁）、喪主等実質的な葬式の主宰者の負担とすべきものとする裁判例（東京地判昭和61年1月28日判タ623号148頁）があります。

相続税については、相続財産に関する費用に属するという見解もありますが、遺産分割確定後の取得分に応じて相続人各人に課税されるものであることから各相続人が負担すべき債務とする見解もあります（大阪高決昭和58年6月20日判タ506号186頁）。

第3　相続回復請求権

1　相続回復請求権の意義

相続回復請求権（民法884条）とは、相続人でない者が相続人であるかのように相続財産を占有しているときに、相続人が占有者に対して相続財産の回復を請求することができる権利をいいます。たとえば、被相続人Aに相続人BとCがいたとします。BがAの遺言書を偽造し、当該遺言書に基づいて相続財産である甲土地を相続した旨の登記をした場合に、Bは「相続に関する被相続人の遺言書を偽造し」た者として、相続人の欠格事由に該当し、相続人となることができません（民法891条5号）。その後、遺言書が偽造だと発覚した場合に、相続人Cが相続人ではないBに対して甲土地の相続登記の抹消を求めることが考えられます。CのBに対する相続回復請求権が相続登記の抹消を求める根拠となります。Bのような相続権を有していないが一見相続人にみえる者を表見相続人といいます。Ｃのような真実の相続人を真正相続人といいます。

２　相続回復請求権の性質

相続回復請求権の性質をどのように解するかという点について、独立権利説と集合権利説という見解の対立があります。

独立権利説は、相続回復請求権を個々の財産に関する物権的請求権とは別の独立した請求権であると解します。自己の相続権侵害を理由に相続財産全部の回復を一括して求める１個の請求権と構成するため、相続回復請求の際に個々の相続財産を特定する必要はなく、単に被相続人の相続財産であることまたは被相続人が占有していたことを主張立証するのみで足りるとします。独立権利説は、表見相続人からしても相続回復請求権の短期消滅時効の完成（民法884条）により、相続財産一切について早期に解決を図ることができ、表見相続人との間で相続財産の取引をした第三者の法的安定性（取引の安全）を図るという観点からも一定の意義を有すると考えられます。

集合権利説は、相続回復請求権を個々の財産に関する物権的請求権の集合であると解します。独立権利説は個々の相続財産を特定する必要はないと解していますが、現実に「相続財産全部」という表示のみでは既判力も執行力も生じないため、結局口頭弁論終結時までには個々の相続財産を特定する必要があります。そこで、集合権利説は、相続回復請求権を独立した権利と構成するメリットは特段ないと指摘します。また、主張立証の点でも、個別の相続財産に関して所有権等の本権が被相続人に帰属していることおよび自己が相続人であることを主張立証できれば、通常の物権的請求権を根拠として相続財産の返還を求めることができるため、独立権利説と特段差異はないと指摘します。さらに、権利外観法理（民法94条２項類推適用等）によって表見相続人の権利保護や取引の安全の確保を図ることができると指摘します。集合権利説は、相続回復請求権を独自の請求権として構成しないため、民法884条は所有権等に基づく物権的請求権を５年の短期消滅時効に服させた点にのみ意味があるものと捉えます。

判例がいずれの見解に依拠するかは明確ではありません。かつては独立権利説に親和的な判例もありましたが（大判大正８年３月28日民録25輯507頁）、現在の判例は集合権利説に親和的であると指摘されています（最判昭和53年12月20日民集32巻９号1674頁・百選Ⅲ［第２版］59事件）。以下では集合権利説に依拠して説明することとします。

３　相続回復請求権の当事者

(1)　相続回復請求権の主体

相続回復請求権の主体は、表見相続人から相続権を侵害された真正相続人またはその法定代理人です（民法884条）。真正相続人のほか包括受遺者（民法990条）や遺言執行者（民法1012条）も含まれます。

また、真正相続人ではない第三者が表見相続人に対して特定の相続財産の承継取得の効力を争う場合でも、真正相続人が回復手続をしない限り、第三者は承継取得の効力を争うことはできないと解されています（最判昭和32年９月19日民集11巻９号1574頁）。

⑵ 相続回復請求権の相手方

相続回復請求権の相手方は表見相続人または表見相続人の相続人（大判昭和10年４月27日民集14巻1009頁）となります。戸籍等で相続権を有する相続人であるかのような外観を備えていることが必要であって、相続財産である不動産を単に不法に占有している者は相手方とはなりません（前掲最判昭和53年12月20日）。

表見相続人からの相続財産の第三取得者が相続回復請求権の相手方となるかについては争いがあります（相手方とならないとした判例として、大判大正５年２月８日民録22輯267頁）。仮に表見相続人からの相続財産の第三取得者が相続回復請求権の相手方とならないとしても、真正相続人の第三取得者に対する個々の物権的請求権に基づく請求において、第三取得者が表見相続人について成立した民法884条の短期消滅時効を援用すれば、結論は変わらないといえます。ただし、相続財産である不動産について、自己の持分を超えて単独登記をした共同相続人が後述の最判昭和53年12月20日の判例の規範に照らして時効の援用ができない場合は、その共同相続人から当該不動産を譲り受けた第三取得者も時効を援用することができないとした判例があります（最判平成７年12月５日家月48巻７号52頁）。

⑶ 共同相続人間

相続回復請求権は、真正相続人と表見相続人の場合だけでなく、共同相続人間の争いにも適用があるでしょうか。共同相続人は相続財産について各自、相続財産の全部を使用することができるため（民法249条、898条）、共同相続人の一人が相続財産の全部を単独で占有しているからといって、直ちに他の相続人の相続権を侵害したことにはなりません。しかし、たとえば、相続人Ａが自分の相続分を超えて相続財産である不動産について相続登記を備えた場合、その相続分を超える部分については相続権を有していないため、表見相続人と同様であるとも考えられます。このような共同相続人間において民法884条の適用があるかが問題となります。

この点について判示したのが、最判昭和53年12月20日民集32巻９号1674頁・百選Ⅲ［第２版］59事件です。事案の概要は次のとおりです。被相続人Ａには、Ｘ（代襲相続人）、Y_1・Y_2・Y_3等６人の相続人がいました。Ｙらは Ｘの承諾なしに、相続財産である各不動産についてそれぞれY_1・Y_2・Y_3の単独名義の相続を理由とする所有権移転登記をしました。Ｘは遺産分割調停の申立てをしたものの、まもなくこれを取り下げ、その８年後、Ｙらに対し、各不動産について相続により自己の共有持分権（12分の１）を有しているとして、所有権移転登記抹消登記請求訴訟を提起しました。これに対し、Ｙらは、Ｘの請求は相続回復請求であって民法884条の短期消滅時効にかかるものであり、遺産分割調停申立て後５年の時効期間満了によって消滅していると主張しました。

判旨は、まず相続回復請求権の制度およびその短期消滅時効が定められている趣旨について、「民法884条の相続回復請求の制度は、いわゆる表見相続人が真正相続人の相続権を否定し相続の目的たる権利を侵害している場合に、真正相続人が自己の相続権を主張して表見相続人に対し侵害の排除を請求することにより、真正相続人に相続権を回復させようとするものである。そして、同条が相続回復請求権について消滅時効を定めたのは、表見相続人が外見上相続により相続財産を取得したような事実状態が生じたのち相当年月を経てからこの事実状態を覆滅して真正相続人に権利を回復させることにより当事者又は第三者の権利義務関係に混乱を生じさせることのないよう相続権の帰属及びこれに伴う法律関係を早期にかつ終局的に確定させるという趣旨に出たものである」と判示しています。

そのうえで、民法884条が共同相続人間における相続権の帰属に関する争いにも適用されるかについて、「共同相続人のうちの１人又は数人が、相続財産のうち自己の本来の相続持分をこえる部分について、当該部分の表見相続人として当該部分の真正共同相続人の相続権を否定し、その部分もまた自己の相続持分であると主張してこれを占有管理し、真正共同相続人の相続権を侵害している場合につき、民法884条の規定の適用をとくに否定すべき理由はない」として適用肯定説に立ちます。しかし、「自ら相続人でないことを知りながら相続人であると称し、又はその者に相続権があると信ぜられるべき合理的な事由があるわけではないにもかかわらず自ら相続人であると称し、相続財産を占有管理することによりこれを侵害している者は、本来、相続回復請求制度が対象として考えている者にはあたらないものと解するのが、相続の回復を目的とする制度の本旨に照らし、相当というべきである」。「これを共同相続の場合についていえば、共同相続人のうちの１人若しくは数人が、他に共同相続人がいること、ひいて相続財産のうちその１人若しくは数人の本来の持分をこえる部分が他の共同相続人の持分に属するものであることを知りながらその部分もまた自己の持分に属するものであると称し、又はその部分についてもその者に相続による持分があるものと信ぜられるべき合理的な事由（たとえば、戸籍上はその者が唯一の相続人であり、かつ、他人の戸籍に記載された共同相続人のいることが分明でないことなど）があるわけではないにもかかわらずその部分もまた自己の持分に属するものであると称し、これを占有管理している場合は、もともと相続回復請求制度の適用が予定されている場合にはあたらず」、相続回復請求権の時効を援用して請求を拒むことはできないとしました。

つまり、判例は、共同相続人間における相続権の帰属の争いについて、民法

884条の適用肯定説を前提としたうえで、自ら相続人でないことを知りながら、または、自己に相続権があると信ぜられるべき合理的な事由がないにもかかわらず、自ら相続人であると称して占有管理している者に対しては、同条は適用されず時効援用を認めないという枠組みを示しました。共同相続人であれば、他の共同相続人の存在を知っており、自己に相続権があると信ぜられるべき合理的な事由があるとするのは困難と考えられることから、同条が共同相続人間で適用されるのは極めて限られた場合といえ、実際は適用否定説に近い結果となると考えられます。

最判平成11年７月19日民集53巻６号1138頁は、前掲最判昭和53年12月20日を受けて、表見相続人側で「善意かつ合理的事由の存在」を主張・立証しなければならないと判示しました。また、「善意かつ合理的事由の存在」の基準時として相続権侵害の開始時点を基準とすべきとも判示しています。さらに、「善意かつ合理的事由の存在」とは具体的にどのような事実について必要となるかについて、他に共同相続人がいるという事実について必要となる旨を判示しました。このように、判例は、共同相続人間における民法884条の適用については、極めて限定的に解しているといえます。

4　相続回復請求権の行使

相続回復請求権の行使については、包括的行使説と個別的行使説の対立があります。包括的行使説とは、独立権利説の立場から、相続回復請求権は、包括的に行使されるべき１個の請求権であり、行使にあたって目的となる財産をひとつひとつ列挙する必要はないとする見解です。他方、個別的行使説は、集合権利説の立場から、個々の財産についての個別的権利があるのみで、包括的に行使されるべき１個の請求権として相続回復請求権を観念する必要はないとする見解です。

家督相続制度のあった明治民法下においては、戸主の地位という包括的な権利義務についての回復が問題となる場面が考えられましたが、家督相続制度を廃止した現行民法の下においては、「被告は、原告に対し、別紙物件目録記載の土地につき、○○を原因とする所有権移転登記手続をせよ」といった個別的、具体的な請求しか行いえないといえます。また、対象となる財産を具体的に列挙しないまま相続権を包括的に回復する旨の給付判決主文やその強制執行を行うことは制度的に予定されていない以上、個々の不動産につき、所有権に基づく移転登記手続請求等と同様に行使することとなります。

5　相続回復請求権の消滅

民法は、「相続回復の請求権は、相続人又はその法定代理人が相続権を侵害された事実を知った時から５年間行使しないときは、時効によって消滅する」と定めています（民法884条前段）。表見相続状態の継続による取引の安全を考慮して、相続回復請求権の短期消滅時効を定めたものです。また、相続開始の時から20年を経過したときも消滅するとされています（民法884条後段）。20年の期間については、学説は除斥期間と解しますが、判例は消滅時効と解しています（最判昭和23年11月６日民集２巻12号397頁）。

第2章

相続人

第1　相続能力

1　相続能力の意義——同時存在の原則

相続能力とは相続をすることができる能力をいいます。権利能力があれば相続能力があるといえます。自然人は出生により権利能力を取得し（民法3条1項）、相続能力も同時に取得します。

ある人が相続人となるためには、被相続人の死亡という相続の開始時点で相続人が相続能力を有している必要があります。これを同時存在の原則といいます。

たとえば、父Aと子Bが乗っている船が沈没してAとBが死亡した場合、AとBは死亡の先後が明らかでないため、同時に死亡したものと推定されます（同時死亡の推定。民法32条の2）。ここで、Aを被相続人とする相続の開始時点では、Bは生存しておらず相続能力を有していないことから、同時存在の原則を満たさずBは被相続人Aの相続人とはなりません。また、逆にAも被相続人Bの相続人とはなりません。

2　同時存在の原則の例外

胎児は、民法上、相続についてはすでに生まれたものとみなされます（民法886条1項）。胎児は、本来相続開始時（被相続人の死亡時）には出生していないため、相続能力（権利能力）を有しておらず相続人とはなれません。しかし、たとえば、父の死亡の1日前に出生した子は相続人となるのに対し、父の死亡の1日後に出生した子は父の死亡時に胎児であったが故に相続人とならないのは公平ではないといえます。そこで、民法は、胎児については同時存在の原則の例外として、相続能力を認めています。

胎児は相続についてはすでに生まれたものとみなされるという民法886条1項の解釈として、停止条件説（人格遡及説）と解除条件説（制限人格説）の争いがあります。

停止条件説（人格遡及説）とは、胎児の間は相続人ではなく、生きて生まれた場合には相続開始時に遡って相続人となるとする見解です。この見解は、胎児が生きて生まれることを停止条件と捉えます。

一方、解除条件説（制限人格説）とは、胎児であっても相続人となり、死産となった場合には、相続開始時に遡って相続人ではなかったこととする見解です。

この見解は、胎児が死産であることを解除条件と捉えます。判例は停止条件説（人格遡及説）を採用しています（大判大正６年５月18日民録23輯831頁）。

第２　相続人の範囲・順位

相続人となりうる者は、被相続人の配偶者およびその一定の血族です。配偶者を配偶相続人といい、血族関係にある相続人を血族相続人といいます。

配偶者は、血族相続人の存否にかかわらず、常に相続人となります。血族相続人がいる場合は、その血族相続人と同順位となります（民法890条）。

血族相続人は、①子、②直系尊属、③兄弟姉妹の順に相続の順位が決められています（民法887条、889条）。先順位の相続人がいる場合は、後順位の相続人は相続人となれません。同順位の相続人は全て相続人となります。

１　配偶者

配偶者（民法890条前段）は常に相続人となります。相続人となるのは、被相続人と法律婚をしている配偶者です。したがって、内縁関係の配偶者は含まれません。

２　子

血族相続人のうち第１順位の相続人は、被相続人の子（民法887条１項）です。子は、実子・養子を問わず相続人となります。また、嫡出子・非嫡出子のいずれかに関係なく相続人となります。

養子の場合、普通養子縁組（民法792条以下）であれば実親・養親の双方を相続します。特別養子縁組（民法817条の２以下）では実方の血族との親族関係が終了するため、養親のみを相続することとなり、実親に対する相続権はありません。

継親子関係は、１親等の姻族関係であって親子関係ではないため、相続人となりません。継親子とは、たとえば、前夫との間の子を連れた女性が別の男性と再婚した場合の、その子（継子）と男性（継父）の関係です。継父と継子の間に相続が生じるためには、継父と継子との間で養子縁組をすることが必要です。

たとえば、Ａ男とＢ女とが婚姻し子Ｃが生まれた後、ＡとＢが離婚してＢがＣの親権者となり、ＢがＣを連れて後夫Ｄと再婚しただけでは、Ｃ（継子）とＤ（継父）との間に相続は生じません。もっとも、ＣとＤとが養子縁組をした場合はCD間に相続が生じます。

３　直系尊属

血族相続人のうち第２順位の相続人は、直系尊属（民法889条１項１号）です。直系尊属とは父母、祖父母等です。直系尊属は、被相続人に子がいない場合に相続人となります（民法889条１項柱書）。直系尊属であれば、父方・母方を問わず相続人となります。父母と祖父母のように、直系尊属が複数いる場合は、被相続人と親等が近い直系尊属（父母）のみが相続人となります。

普通養子縁組の場合は、養方と実方の双方に相続が生じます。たとえば、Aの実子BがCを養父とする普通養子縁組をし、Bに子がいない場合に、Bが死亡したときは、実父Aと養父CがいずれもBを相続します。

特別養子縁組の場合は、実方の親族関係が終了するため養方の直系尊属のみが相続人となります。たとえば、Aの実子BがCD夫婦を養親とする特別養子縁組をし、Bに子がいない場合に、Bが死亡したときは、養親CDがBを相続し、AはBを相続しません。

4　兄弟姉妹

血族相続人のうち第3順位の相続人は、兄弟姉妹（民法889条1項2号）です。

兄弟姉妹は、被相続人に子、直系尊属がいない場合に相続人となります（民法889条1項柱書）。被相続人が養子縁組をしている場合、養親の実子、養子ともに兄弟姉妹として相続人となります（特別養子縁組の場合には、実方の兄弟姉妹は相続人となりません）。また、父母両方を同じくする兄弟姉妹（全血の兄弟姉妹）か父母のいずれか一方を同じくする兄弟姉妹（半血の兄弟姉妹）にかかわらず相続人となります。

第3　代襲相続

1　代襲制度の意義

Aに子Bがおり、子Bにさらに子Cがいる場合、Aが死亡すると、Bが被相続人Aを相続し、さらにBが死亡するとCが被相続人Bを相続するのが通常といえます。ここで、BがAよりも先に死亡した場合、被相続人Aの死亡時に相続人となるべきであったBがすでに死亡している以上、同時存在の原則によりBは被相続人Aの相続人となることができません。このような場合、民法はAの孫であるCが被相続人Aを相続すると定めています（民法887条2項）。このように、被相続人の子が、相続の開始以前に死亡等により相続権を失ったとき、その者の子が相続人となる相続のことを代襲相続といいます。

代襲相続を定めた趣旨は、相続人間の不公平を回避する点にあります。たとえば、Aが死亡した場合、被相続人Aに子B・CがいればB・Cが被相続人Aを相続します。もっとも、BがAよりも先に死亡した場合、同時存在の原則により、BはAを相続できません。このとき仮に、Bに子Dが、Cに子Eがいるとした場合、Eは、AからC、CからEというようにAの相続財産を承継できる一方、Dは、BがAより先に死亡したという偶然の事情のためにAの相続財産を承継することができなくなり、DE間で不公平が生じます。このような相続人間の不公平を回避するため、Aより先にBが死亡した場合でもDがAを相続できるという代襲相続が定められています。

相続権を失ったために自らは相続できない者を被代襲者といい、先ほどの例のＢがこれにあたります。被代襲者の順位に上がってその相続分を被相続人から相続する者を代襲者（代襲相続人）といい、先ほどの例のＤがこれにあたります。

2　代襲原因

代襲相続が認められるための事由を代襲原因といいます。代襲原因は、被代襲者が、①相続の開始以前に死亡したこと、②相続欠格（民法891条）に該当したこと、③廃除（民法892条、893条）されたことの３つです（民法887条２項本文）。相続欠格とは、相続人となりうる者に民法の定める相続制度の基礎を破壊するような重大な非行や不正行為がある場合に、その者の相続権を剝奪する制度です。たとえば、故意に被相続人である親を死亡させた子がこれに該当します。

廃除とは、相続人となりうる者に相続欠格に該当するほどではないが被相続人に対し重大な非行がある場合に、被相続人の請求に基づき家庭裁判所が審判により相続権を剝奪する制度です。たとえば、被相続人である親を虐待した子がこれに該当します。

相続放棄は、代襲原因に含まれません。なぜなら、代襲原因は相続の開始「以前に」死亡等をしたことと定められているのに対して（民法887条２項）、相続放棄は相続開始「後」になされるためです（民法915条参照）。実質的な理由としても、被代襲者が任意で自分の系統には相続を受けないという意思決定をしている以上、そのような被代襲者の子らはその結果を甘受すべきといえるためです。

また、被相続人と被代襲者が同時に死亡した場合（民法32条の２）も代襲相続は発生します。民法887条２項が「被相続人の子が、相続の開始『以前』に死亡したとき」と定めており、文言上同時死亡もこれに含まれるためです。

3　被代襲者と代襲相続人

⑴ 被代襲者

被代襲者は、被相続人の子または孫等の直系卑属、ならびに兄弟姉妹に限られます（民法887条２項、３項、889条２項）。

⑵ 代襲相続人

代襲相続人は、被代襲者の子であることが必要です（民法887条２項本文）。ただし、被代襲者の子であっても、被相続人の直系卑属でない者は代襲相続人となりません（民法887条２項但書）。

たとえば、子ＣがいるＢがＡの養子となった後に、Ａよりも先にＢが死亡し、その後Ａが死亡した場合のＣは被相続人Ａの代襲相続人となりません。養子縁組の場合は養子縁組の日から血族関係同様の親族関係となるため、養子縁組前に出生しているＢの子Ｃは、Ｂの養親Ａとは血族関係同様の親族関係になりません（民法727条の反対解釈）。したがって、ＣはＡの直系卑属にあたらず、代襲相続人とはなりません。仮に、BがAの養子となった後にCが生まれた場合は、CはAの直系卑属となるため、CはAを代襲相続することができます。

直系尊属は代襲相続人とはなりません。直系尊属のうち被相続人に最も近い親等が相続人となり（民法889条1項1号）、代襲相続が起きる場面を想定することができないためです。たとえば、子のいない被相続人Aに親Bと、親Bの親C（Aの祖父母）がおり、被相続人Aの死亡前に親Bが死亡していたときは、Cが被相続人Aに最も近い親等の直系尊属となるため、民法889条1項1号によって相続人となります。この場合、Cは代襲相続によって相続人となるわけではありません。

被相続人の甥、姪も代襲相続人となりえます（民法889条2項）。たとえば、被相続人Aに子がおらず、直系尊属もすでに死亡しており、兄弟姉妹のBと、Bの子Cがいるとして、被相続人Aの死亡前にBがすでに死亡しているとします。Bは、被相続人Aに子・直系尊属がいないため兄弟姉妹として被相続人Aの相続人となりうる立場です（民法889条1項2号）。Bが被相続人Aよりも先に死亡しているため、このBを被代襲者として、CがAの代襲相続人となります。

(3) 再代襲相続

代襲者が相続の開始以前に死亡する等した場合は、代襲者の子が代襲者を代襲して相続します（民法887条3項）。これを再代襲相続といいます。被相続人Aに子Bと孫Cと曾孫Dがおり、被相続人Aの死亡前に子Bと孫Cがともに死亡していたとき、曾孫Dが被相続人Aを再代襲相続することとなります。曾孫D以下も同様に、代襲者に代襲原因がある場合には順次代襲相続が認められます（民法887条3項）。

一方、被相続人の甥・姪には再代襲相続は認められていません。兄弟姉妹が相続人となる場合に民法889条2項が民法887条2項のみを準用し、同条3項を準用していないためです。兄弟姉妹の相続の場合に再代襲相続を認めなかった趣旨は、相続人の範囲が広がりすぎて遺産分割協議等のため他の相続人を探し出さなくてはならない相続人の労力を省くこと、および被相続人の死亡により偶然相続財産を手に入れる疎遠な相続人、いわゆる「笑う相続人」に相続させないことにあります。

(4) 代襲相続の効果

代襲相続が生じると、代襲相続人の相続分は被代襲者と同一となります（民法901条1項本文）。また、代襲相続人が複数いる場合の各代襲相続人の相続分は、被代襲者が受けるはずであった相続分を等分したものとなります（民法901条1項但書、900条4号）。たとえば、被相続人Aに配偶者Bと子C・Dがおり、被相続人Aが死亡する前に、Cが死亡しており、Cに子D・Eがいる場合、D・Eは代襲相続により被代襲者Cと同一順位となり、その相続分は被代襲者Cが受けるはずであった相続分（1/4）を等分した1/8ずつとなります。

第4　相続欠格と廃除

1　相続欠格と廃除の意義

相続人となりうる者であっても、一定の事由がある場合には相続権を剥奪されます。そのような場合として民法は、相続欠格（民法891条）と廃除（民法892条以下）を定めています。相続欠格とは、相続人となりうる者に民法の定める相続制度の基礎を破壊するような重大な非行や不正行為がある場合に相続権を剥奪する制度です。廃除とは、相続人となりうる者に相続欠格に該当するほどではないが被相続人に対し重大な非行がある場合に、被相続人の請求に基づき家庭裁判所が審判により相続権を剥奪する制度です。

2　相続欠格

(1) 欠格事由

民法891条は、相続人となりうる者が一定の欠格事由に該当する場合は、相続人となることができない旨を定めています。民法が定める欠格事由は、(i)故意に被相続人または相続について先順位もしくは同順位にある者を死亡するに至らせ、または至らせようとしたために、刑に処せられた者（同条1号)、(ii)被相続人の殺害されたことを知って、これを告発せず、または告訴しなかった者（ただし、その者に是非の弁別がないとき、または殺害者が自己の配偶者もしくは直系尊属であったときを除きます）（同条2号)、(iii)詐欺または強迫によって、被相続人が相続に関する遺言をし、撤回し、取り消し、または変更することを妨げた者（同条3号)、(iv)詐欺または強迫によって、被相続人に相続に関する遺言をさせ、撤回させ、取り消させ、または変更させた者（同条4号)、(v)相続に関する被相続人の遺言書を偽造し、変造し、破棄し、または隠匿した者（同条5号）の5つです。

相続欠格制度の趣旨は、被相続人や先順位・同順位の相続人の生命を侵害したり、被相続人の遺言の自由を侵害する等、相続制度の基礎を破壊するような重大な非行や不正行為を行った者に対して、一種の制裁としてその相続人となる権利を剥奪する点にあります。

(i)は、被相続人や先順位・同順位の相続人を故意に死亡させたり、死亡させようとしたりすることが必要です。たとえば殺人罪（刑法199条）や自殺関与・同意殺人罪（刑法202条）に該当する場合です。また、これらの未遂の場合も被相続人らを死亡させる故意はあるため、欠格事由に含まれます。逆に傷害致死は死亡させる故意がないため、欠格事由には該当しません（大判大正11年9月25日民集1巻534頁)。

欠格事由に該当するために、相続人となりうる者が(i)から(v)に定める行為自体についての故意を有しているだけでなく、その行為によって被相続人の相続について不当に利益を得る意思まで有していることが必要か否かが問題となります。

この点につき、遺言書の破棄・隠匿（民法891条５号）についての事例ですが、判例は、相続人が遺言を破棄・隠匿した行為が、相続に関して不当な利益を目的とするものでなかったときは、民法891条５号所定の相続欠格者にあたらない旨を判示しました（最判平成９年１月28日民集51巻１号184頁・百選Ⅲ［第２版］52事件）。すなわち、相続欠格に該当するためには相続人となりうる者が、破棄・隠匿をする故意のみならず、その行為によって被相続人の相続について不当に利益を得る意思まで有していることが必要であるとの立場を採用しています。

また、判例は、被相続人の押印がなく自筆証書遺言としての方式を満たさないため無効となる遺言書について、相続人が押印をして有効な遺言書としての形式を作出したという事案において、相続人の押印行為は遺言書の偽造・変造に該当しますが、被相続人の意思を実現させるためにその法形式を整える趣旨で遺言書を偽造または変造したにすぎないときには、その行為をした相続人は民法891条５号所定の相続欠格者にあたらないと判示しています（最判昭和56年４月３日民集35巻３号431頁）。

⑵ 相続欠格の手続

相続欠格は相続欠格事由に該当すれば当然に効力が生じるため、特段の手続を必要としません。手続上、戸籍への記載等といった公示方法はなく、廃除のように裁判所の審判手続によるわけでもありません。したがって、通常は、他の相続人が相続開始後に、欠格事由があるとされる相続人に対して相続人の地位不存在確認の訴え等を提起して、当該訴訟の中で欠格事由を主張立証することとなります。

⑶ 相続欠格の効果

欠格事由に該当する者（相続欠格者）は、欠格事由が相続開始前に生じたときはその時から、相続開始後に生じたときは相続開始時に遡って、法律上当然に相続人となることができなくなります。また、相続欠格者は、被相続人から遺贈を受けることもできません（民法965条が民法891条を準用）。

相続欠格者は、その欠格事由を生じた被相続人との関係で相続人となることができなくなりますが、他の被相続人の相続人となることはできます。これを相続欠格の相対効といいます。たとえば、Ａが父Ｂを殺害した場合、Ａは父Ｂの相続については相続人となれませんが（民法891条１号）、Ａの子Ｃの相続人となることはできます。なお、この事例の場合、Ａは、父Ｂの父（Ａの祖父）であるＤの相続との関係では、父Ｂという先順位の相続人を殺害している点で民法891条１号の欠格事由に該当するため、Ｄが死亡した場合にＤの（代襲）相続人となることはできません。

また、相続欠格の効果は相続欠格者に一身専属的に生じます。したがって、相続欠格者に子がいる場合は、その子が代襲相続することは可能です（民法887条３項、２項、889条２項）。先ほどの事例でいえば、被相続人Ｂの相続についてＡが相続欠格者となり（民法891条１号）、Ａの子Ｃが被相続人Ｂを代襲相続することとなります。

⑷ 相続欠格の宥恕

相続欠格には、廃除と異なり、被相続人の意思によって相続欠格者を許し（宥恕し）、相続欠格の効果を消滅させる制度はありません。これは、相続欠格が相続制度の基礎を破壊するほどの重大な非行・不正行為を行った者に対する制裁として公益的な性格を有する制度であるためです。一方でこの点につき、被相続人の財産処分の自由を強調して、被相続人の意思によって欠格者の相続資格を回復させることができるとする立場も有力です。

３　廃 除

⑴ 廃除の意義

民法は、遺留分を有する推定相続人が被相続人に対して虐待をし、もしくはこれに重大な侮辱を加えたとき、または推定相続人にその他の著しい非行があったときは、被相続人は、その推定相続人の廃除を家庭裁判所に請求することができると定めます（民法892条）。推定相続人とは相続が開始した場合に相続人となるべき者をいいます（民法892条括弧書）。

廃除の制度趣旨は、相続欠格に至るほどではないものの、被相続人に対して虐待等の著しい非行をした推定相続人の相続権を、被相続人の意思によって剥奪することができるようにする点にあります。

もっとも、廃除は、被相続人が家庭裁判所に請求し、家庭裁判所が審判により判断します。この趣旨は、形式的には廃除事由に該当する場合であっても、家庭裁判所に被相続人側の宥恕の有無や、相続人側の改心等諸般の事情を総合的に考察して廃除することが相当であるかどうかを判断させる点にあります（最決昭和59年３月22日家月36巻10号79頁参照）。

被相続人は、ある相続人に相続財産を相続させたくない場合には、遺言により他の者に遺贈や生前贈与等を行うことができます。しかし、相続人が被相続人の配偶者や子、直系卑属や直系尊属である場合は、遺留分を有しています（民法1042条）。遺留分とは、被相続人の財産を一定の割合で確保することができる地位をいいます。遺留分を有する者は、遺贈や生前贈与等の効果を否定して、遺留分の限度で被相続人の財産を確保することができます。廃除は、相続権を剥奪することにより、遺留分を有する推定相続人に遺留分を確保させないための制度です。

⑵ 廃除の要件

① 被廃除者

廃除の対象となる者は、遺留分を有する推定相続人、すなわち、被相続人の配偶者、子、直系卑属および直系尊属です（民法892条）。廃除は、遺留分を有する推定相続人に、その遺留分を確保させないための制度であるからです。被相続人の兄弟姉妹である推定相続人は廃除の対象となりません。兄弟姉妹である推定相続人は遺留分を有しておらず（民法1042条）、そのような者に相続させたくない場合には、別の者に遺贈するか、生前贈与すればよいからです。

② 廃除事由

民法は廃除事由として、(i)被相続人に対して虐待をしたこと、(ii)被相続人に対して重大な侮辱を加えたこと、(iii)推定相続人にその他の著しい非行があったこと、を定めています（民法892条）。

被相続人に対する虐待や重大な侮辱とは、被相続人に対し精神的苦痛を与えまたはその名誉を毀損する行為であって、それにより被相続人と当該相続人との家族的協同生活関係が破壊され、その修復を著しく困難にさせるものも含むとされています（東京高決平成4年12月11日判時1448号130頁・百選Ⅲ［第2版］53事件）。「重大な侮辱」の具体例として、被相続人の二女が、小・中・高等学校在学中と非行を続けたうえ、暴力団員と婚姻し、被相続人らが結婚に反対であることを十分に知りながら、結婚披露宴の招待状の招待者として被相続人の名前を印刷して知人等に送付した行為について「重大な侮辱」に該当すると判示した裁判例があります（前掲東京高決平成4年12月11日）。

⑶ 廃除の手続

廃除は、被相続人が家庭裁判所に申し立て（民法892条）、家庭裁判所の審判によって行われます（家事事件手続法39条・別表第一の86項）。

また、廃除は遺言によってもすることができます（民法893条）。この場合は、遺言執行者が、遺言者が死亡して遺言の効力が発生した後、遅滞なく推定相続人の廃除を家庭裁判所に申し立てることとなります（民法893条）。

⑷ 廃除の効果

被廃除者は、廃除の審判が確定した時に相続権を喪失します。また、遺言による廃除の場合、被廃除者は、相続開始時に遡って相続権を失います（民法893条後段）。廃除された場合は、その旨が戸籍に記載されて公示されることになります（戸籍法97条、63条1項参照）。この点は相続欠格の場合と異なります。

また、民法965条が民法892条を準用していないため、被廃除者は、被相続人から遺贈を受けることができます。この点も相続欠格の場合と異なります。

被廃除者は、廃除された被相続人との関係では相続人となることができなくなりますが、他の被相続人の相続人となることはできます（相対効）。たとえば、A

が父Ｂを虐待して廃除された場合、父Ｂの相続については相続人となれませんが、Ａの子Ｃの相続人となることはできます。

また、廃除の効果は被廃除者に一身専属的に生じます。したがって、被廃除者に子がいる場合、その子が代襲相続することは可能です（民法887条３項、２項、889条２項）。この点は相続欠格と同様です。

⑸ 廃除の取消し

被相続人は、いつでも、推定相続人の廃除の取消しを家庭裁判所に請求することができ（民法894条１項）、家庭裁判所は審判によってこれを取り消します（家事事件手続法39条別表第一の87項）。廃除の取消しを認めた趣旨は、廃除は被相続人の意思に基づいて推定相続人の相続権を剥奪する制度であることから、被相続人が一度は推定相続人を廃除したものの、その後の事情等も考慮して廃除することを望まなくなった場合にはその意思を尊重すべきであるという点にあります。

廃除が取り消されると、被廃除者の相続権は回復します。相続開始後に取消審判が確定した場合は、被廃除者は最初から相続人であったこととなります（民法894条２項、893条後段）。

第3章

相続の効力

第1　相続財産

1　相続財産の意義

相続財産とは、相続の対象となる財産をいいます。たとえば、父親が死亡し、妻と子が相続する場合、父親が所有していた不動産、動産等が相続財産となります。また、父親が第三者に対して有していた貸金返還請求権等の債権も相続財産に含まれます。

相続財産を認めた趣旨は、相続財産を相続人に対する相続の対象とし、承継を認めることにより、財産が無主物となることを防止した点にあります。

2　相続財産の包括承継

相続人は、相続開始の時から被相続人の財産に属した一切の権利義務を承継します（民法896条本文）。これを包括承継主義といいます。包括承継は、被相続人の財産や財産に属した権利義務、契約上の地位、形成権等を包括的に承継する点で売買や贈与に基づく個別財産の承継（特定承継）と異なります。

3　相続財産に含まれない財産

⑴一身専属権、⑵祭祀財産、⑶被相続人の死亡によって生じる権利は、相続財産に含まれません。以下、それぞれにつき個別に説明します。

⑴ 一身専属権

一身専属権とは、被相続人のみに専属する権利をいい、相続財産に含まれません。たとえば、親権、生活保護受給権、年金受給権、著作者人格権等は一身専属権であり、相続財産に含まれず、相続人がこれらを相続によって承継することはありません（民法896条但書）。なぜなら一身専属権は、権利の性質上被相続人のみに専属する権利であり、これを他の者が相続することは観念できないためです。

判例は、慰謝料請求権が相続財産となることを認めています（最大判昭和42年11月1日民集21巻9号2249頁・百選Ⅲ［第2版］60事件）。慰謝料請求権が発生する場合における被害法益が被害者の一身に専属するものであったとしても、慰謝料請求権それ自体は、単純な金銭債権といえるためです。

⑵ 祭祀財産

民法は、祭祀財産は、祖先の祭祀を主宰する者（祭祀主宰者）が承継すると定め（民法897条1項）、相続の対象となることを否定しています。祭祀財産とは、両親、祖父母等の祖先を祭るための財産をいいます。たとえば、位牌、仏壇仏具、墓石、墓地等が祭祀財産にあたります。祭祀主宰者は、被相続人が指定するか、指定がない場合には、慣習によって定まります。被相続人の指定や慣習が明らかでない場合、家庭裁判所の審判によって定まります（民法897条２項）。

被相続人は、祭祀主宰者の指定を生前に口頭または文書で行うことができます。被相続人が祭祀主宰者を指定する方法としては、被相続人が遺言書を作成する際に遺言書に祭祀主宰者を記載する場合が多いといえます。

⑶ 被相続人の死亡によって生じる権利

① 生命保険金

生命保険金とは、生命保険契約に基づき、被保険者の死亡に伴い保険会社から受取人に対して支払われる金員をいいます。

ア　生命保険金の受取人が被保険者と指定されている場合

生命保険金の受取人が被保険者と指定されている場合には、被保険者の死亡に伴い被保険者の相続人が受取人の地位を相続することとなります。

イ　生命保険金の受取人が特定の相続人である場合

生命保険契約で、保険契約者（被保険者）が保険者（保険会社）との間で、保険金の受取人を特定の相続人と指定した場合、保険金の受取人である特定の相続人は、生命保険契約に基づき保険者（保険会社）から保険金を直接受給することとなります。したがって、この場合の保険金受給権は相続財産に含まれず、保険金受取人が保険者に対して有する固有の受給権となります。また、生命保険契約で、保険契約者（被保険者）が受取人を「相続人」と指定した場合も、生命保険金の受取人である相続人は、保険者（保険会社）から受給する保険金を直接受給することとなります。したがって、この場合の保険金受給権は相続財産には含まれず、保険金受取人が保険者に対して有する固有の受給権となります。

これらの保険金は、相続財産には含まれませんが、特別受益として取り扱われる場合があります。特別受益とは、相続人が被相続人から遺贈を受けた財産および婚姻や養子縁組のためまたは生計の資本として贈与された財産をいいます（民法903条１項）。特別受益に該当する場合、特別受益となる価額を計算上相続財産に持ち戻して指定相続分や法定相続分を計算し、その相続分から相続人が得た特別受益の価額を差し引いて、具体的な相続分を計算することになります。

たとえば、最決平成16年10月29日民集58巻７号1979頁・百選Ⅲ［第２版］61事件は、死亡保険金請求権は、被保険者が死亡した場合に初めて発生するものであり、保険契約者の払い込んだ保険料と等価関係に立たず、被保険者の稼働能力に代わる給付でもないため、実質的に保険契約者または被保険者（被相続人）の財産に属していたとみることができないと判示しました。もっとも、前掲最決平成

16年10月29日は、死亡保険金請求権の取得は特別受益の対象となる遺贈や贈与にあたらないとしつつ、保険金受取人である相続人とその他の共同相続人との間に生じる不公平が民法903条の趣旨に照らし到底是認することができないほど著しいものであると評価すべき特段の事情がある場合については、例外的に民法903条の類推適用により特別受益の対象となる旨を判示しました。ただし、同決定は、特段の事情の有無については「保険金の額、この額の遺産の総額に対する比率のほか、同居の有無、被相続人の介護等に対する貢献の度合いなどの保険金受取人である相続人及び他の共同相続人と被相続人の関係、各相続人の生活実態等の諸般の事情を総合考慮して判断すべき」であるとしたうえで、同決定の事案では死亡保険金を特別受益に準じて持戻しの対象とすべきとはいえないと判示しました。

② 死亡退職金・遺族年金

死亡退職金とは、労働者の死亡に際して、使用者から支払われる退職金をいいます。死亡退職金の受取人は、使用者の就業規則等に規定されています。最判昭和55年11月27日民集34巻6号815頁は、退職手当に関する規程において、受給者の範囲、順位について民法の定める相続人の順位と異なる定めをしている場合には、死亡退職金の受給権は相続財産には属さず、死亡退職金の受給権者である遺族が固有の権利を取得する旨を判示しています。また、遺族年金に関する遺族の受給権も相続財産には属さず、遺族年金の受給者である遺族は、支給者に対して固有の権利を取得するものと解されます。なぜなら、死亡退職金や遺族年金は、受給権者である遺族の生活保障を図るために支給される性質の金員であり、遺族の固有の権利であると解されるからです。

もっとも、死亡退職金の受取人である相続人とその他の共同相続人との間に生じる不公平が民法903条の趣旨に照らし到底是認することができないほど著しいものであると評価すべき特段の事情のある場合には、民法903条を類推適用し、特別受益として持戻しの対象とすることができると解されます。

4　相続財産の保存

改正前民法は、相続財産が相続人によって管理されないケースに対応するために、家庭裁判所が相続財産の管理人を選任する等、相続財産の保存に必要な処分をすることができる仕組みを相続の段階ごとに設けていました（改正前民法918条2項、926条2項、940条2項）。

改正後の民法は、家庭裁判所は、利害関係人または検察官の請求によって、いつでも相続財産の管理人の選任その他の相続財産の保存に必要な処分を命ずることができるという包括的な制度を設けました（民法897条の2第1項本文）。ただし、相続人が1人である場合においてその相続人が単純承認をしたとき、相続人が数人ある場合において遺産の全部が分割されたとき、または民法952条1項の規定により相続財産の清算人が選任されているときは、この限りではありません（同項但書)。

第2　相続分

1　相続分の意義・決定

(1) 相続分の意義

相続人が複数存在する場合、各共同相続人は、その相続分に応じて被相続人の権利義務を承継します（民法899条）。相続分には、民法が相続分を指定する法定相続分と、被相続人が相続分を指定する指定相続分があります。法定相続分と指定相続分は、相続財産に対して各相続人が有する権利の割合を意味します。

(2) 具体的相続分

共同相続人の一部が被相続人から贈与や遺贈を受けた場合（特別受益のある場合)、特別受益分を計算上いったん相続財産の価額に持ち戻して計算し、各共同相続人が具体的に相続により取得する相続財産に対する価額や割合を算定します（民法903条1項)。このように各共同相続人が具体的に相続により取得する相続財産に対して有する割合を計算する場合の相続分を具体的相続分といいます。

2　法定相続分

(1) 法定相続分の意義

法定相続分とは、共同相続において、民法の定めた各共同相続人が相続する権利義務の割合をいいます。民法が法定相続分を認めた趣旨は、被相続人が相続分の指定をしていない場合に備えて相続分を法定することにより各相続人間の公平性を図る点にあります。

(2) 法定相続分の割合

法定相続分の割合について、民法は、以下のとおり定めています（民法900条各号)。

配偶者と子の法定相続分

配偶者	子
2分の1	2分の1

配偶者と直系尊属の法定相続分

配偶者	直系尊属
3分の2	3分の1

配偶者と兄弟姉妹の法定相続分

配偶者	兄弟姉妹
4分の3	4分の1

被相続人に配偶者と子がいる場合、配偶者と子が相続人となります。この場合、被相続人に直系尊属と兄弟姉妹が存在しても、直系尊属と兄弟姉妹は相続人となりません。また、被相続人に子、直系尊属がいない場合のみ兄弟姉妹が相続人となります。

相続人となる子、直系尊属または兄弟姉妹が複数存在する場合、各相続人の法定相続分は等しいものとなります（民法900条4号）。なお、平成25年12月11日の民法改正前は、嫡出でない子（非嫡出子）の相続分は嫡出子の2分の1として取り扱われていました（平成25年改正前民法900条4号但書前段）。もっとも、最決平成25年9月4日民集67巻6号1320頁・百選Ⅲ［第2版］57事件は、「昭和22年民法改正時から現在に至るまでの間の社会の動向、我が国における家族形態の多様化やこれに伴う国民の意識の変化、諸外国の立法のすう勢及び我が国が批准した条約の内容とこれに基づき設置された委員会からの指摘、嫡出子と嫡出でない子の区別に関わる法制等の変化、更にはこれまでの当審判例における度重なる問題の指摘等を総合的に考察すれば、家族という共同体の中における個人の尊重がより明確に認識されてきたことは明らかであるといえる。そして、法律婚という制度自体は我が国に定着しているとしても、上記のような認識の変化に伴い、上記制度の下で父母が婚姻関係になかったという、子にとっては自ら選択ないし修正する余地のない事柄を理由としてその子に不利益を及ぼすことは許されず、子を個人として尊重し、その権利を保障すべきであるという考えが確立されてきているものということができる」として、平成25年改正前民法900条4号但書の規定のうち嫡出でない子の相続分を嫡出子の相続分の2分の1とする部分は憲法14条1項に違反する旨を判示しました。これを受け、平成25年12月5日に民法の一部を改正する法律（平成25年12月11日公布法律94号）が成立し、嫡出でない子の相続分が嫡出子の相続分と同等となりました。この改正法は公布と同時に施行され、附則2条により、改正後の民法900条の規定は、上記最高裁決定の翌日である平成25年9月5日以後に開始した相続について適用するものとされています。したがって、たとえば被相続人Aが死亡し、Aに妻B、嫡出子であるC、Dのほか、嫡出子でない子Eが存在する場合、C、DおよびEの相続分は平等に取り扱われることとなります。

⑶ 具体例

① 相続人が配偶者と子の場合

たとえば、被相続人A、妻B、子（C、D、E）が3名存在し、Aが死亡し、相続財産が1億2000万円存在した場合、相続財産の2分の1の割合（6000万円）を妻Bが相続し、子はそれぞれ相続財産の2分の1×3分の1の6分の1（2000万円）の割合で相続することになります。

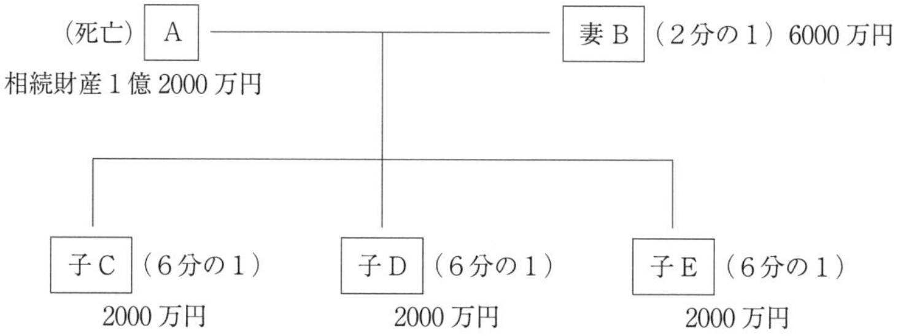

② 相続人が配偶者と直系尊属の場合

たとえば、被相続人A、妻B（AとBとの間に子はいない）、Aの父親C・母親Dが存在し、Aが死亡し、相続財産が1億2000万円存在した場合、相続財産の3分の2の割合（8000万円）を妻Bが相続し、Aの父親Cと母親Dはそれぞれ相続財産の3分の1×2分の1の6分の1（2000万円）の割合を相続することになります。

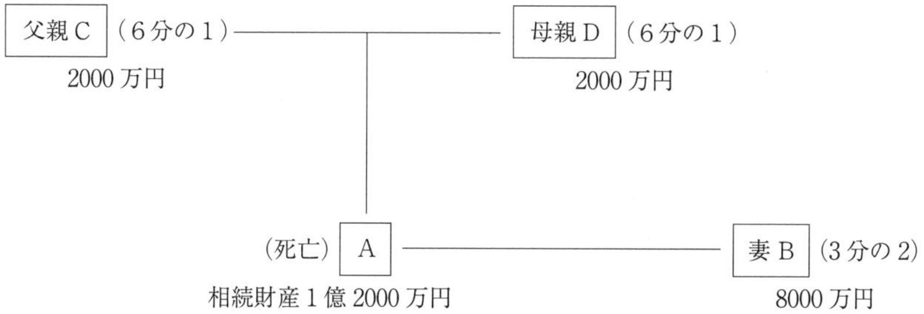

③ 相続人が配偶者と兄弟姉妹の場合

たとえば、被相続人Aと妻B（AとBとの間に子はいない）、Aの兄C、妹Dが存在し（Aの父親と母親はすでに死亡）、A（被相続人）が死亡し、相続財産が1億2000万円存在した場合、相続財産の4分の3の割合（9000万円）を妻Bが相続し、Aの兄Cと妹Dはそれぞれ相続財産の4分の1×2分の1の8分の1（1500万円）の割合を相続することになります。

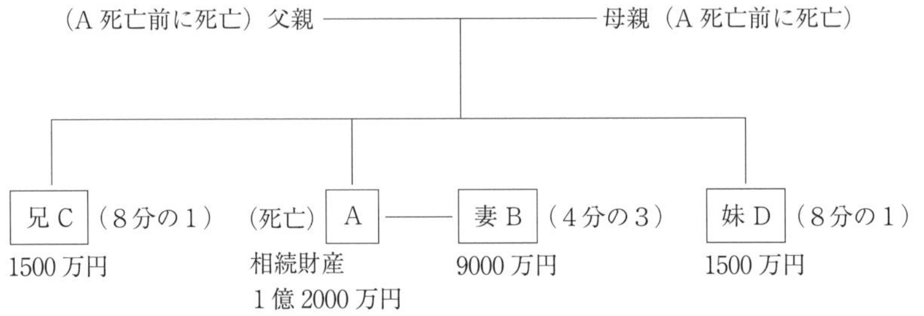

3　指定相続分

指定相続分とは、被相続人が遺言により指定した場合の相続割合をいいます（民法902条1項）。たとえば、被相続人である父親が、遺言で相続人である配偶者、子2人のうち、配偶者に全財産のうち4分の3を、子2人に対してそれぞれ8分の1ずつ与えると遺言で指定した場合の各相続分が指定相続分です。被相続人が相続分を指定した場合、指定相続分が法定相続分に優先します。なぜなら、相続財産の処分権限を有する被相続人が指定相続分を定めた場合、被相続人の意思を尊重すべきといえるからです。

相続分の指定がなされた結果他の相続人の遺留分を侵害した場合、遺留分を侵害された相続人は他の相続人に対し遺留分侵害額に相当する金銭の支払を請求（遺留分侵害額請求）することができます（民法1046条以下）。なお、改正前民法902条1項但書は、相続分の指定がなされた場合に、相続人の有する遺留分に関する規定に違反することはできない旨を定めており、その意味について議論がありましたが、改正後の民法1046条は、相続分の指定についても遺留分侵害額請求権の対象となることを明確にしました。

相続分の指定の効力は債務にも及びます。もっとも、債務についての相続分の指定の効力は相続人に対してのみ効力が及び、相続債権者に対してはその効力が及ばないと解されます（最判平成21年3月24日民集63巻3号427頁・百選Ⅲ［第2版］88事件）。改正後の民法は、こうした判例の立場を踏まえ、相続分の指定がなされた場合であっても、相続債権者は、各共同相続人に対して、法定相続分に応じてその権利を行使することができる旨を定めました（民法902条の2本文）。ただし、債権者が共同相続人の1人に対してその指定された相続分に応じた債務の承継を承認したときは、債権者は、その指定相続分に応じて権利行為をすることになります（同条但書）。

4　具体的相続分

⑴ 特別受益の持戻し

① 特別受益の意義

具体的相続分とは、複数の共同相続人の中に贈与や遺贈を受けた者がいる場合にこれらの贈与や遺贈を特別な受益として考慮し、特別受益分を計算上いったん相続財産の価額に持ち戻して計算し、各共同相続人が具体的に相続により取得する相続財産に対する相続分の割合を算定する場合の各相続分をいいます。具体的相続分は、遺産分割における共同相続人間の実質的公平を図るための基準となります。被相続人から相続人が遺贈を受け、婚姻または養子縁組のためもしくは生計の資本として贈与を受ける等特別の受益を受けた場合、相続分の前渡しを受けたと評価し、これを持ち戻して相続分を計算します。これを特別受益の持戻しといいます。

② 特別受益の対象

ア　遺 贈

遺贈は、常に特別受益となります（民法903条１項）。

イ　贈 与

婚姻・養子縁組のため、または生計の資本として被相続人から相続人に対して行われた贈与が特別受益となります（民法903条１項）。たとえば、婚姻のために父親が娘に対して1000万円を婚姻資金として贈与する場合や父親が息子の住宅購入のための資金として1500万円を贈与する場合、これらの贈与は特別受益にあたります。

なお、生命保険金は保険料と保険金に等価の関係がなく、被保険者の稼働能力に代わる給付でないため、実質的に被相続人の財産に属していたとみることができないこと等から特別受益の対象となる遺贈や贈与にはあたらないと解されます。

もっとも、保険金受取人である相続人とその他の共同相続人との間に生じる不公平が民法903条の趣旨に照らし到底是認することができないほど著しいものであると評価すべき特段の事情がある場合は、例外的に民法903条の類推適用により特別受益の対象となると解されます（前掲最決平成16年10月29日）。

③ 特別受益の主体

特別受益の持戻しの対象となる主体は、相続人です。被相続人の近親者が贈与を受けたとしても受贈者が相続人でない場合には、特別受益の対象となりません。ただし、これらの近親者に対する贈与が、形式的に近親者に対してなされたにすぎず、実質的には相続人に対して直接なされた贈与と同一視できるような事情が認められる場合には、当該相続人について特別受益の持戻しの対象になりうると解されます。

また、近親者が贈与を受けた後、代襲相続により推定相続人となった事案のように受贈時点において推定相続人でない場合、代襲相続による推定相続人になる前に受けた贈与を特別受益とすることができるかどうかについて議論があります。

この点、代襲原因が発生する前の時点で、受贈者は推定相続人でないため、被相続人の代襲者に対する贈与は相続分の前渡しとはいえないと考え、特別受益にはあたらないとする見解があります。しかし、相続開始時点において相続人となっている以上、共同相続人間の実質的公平を確保するため、受益の時期にかかわらず特別受益の対象となると解するのが妥当であるといえます。したがって、代襲原因が発生する前の時点で受贈者が相続人から贈与を受け、その後代襲相続が発生した場合でも、当該受贈者になされた贈与は特別受益の対象になると解する見解が妥当であると考えます。

④ 配偶者保護のための方策（持戻し免除の意思表示の推定規定）

ア　意 義

改正後の民法は、婚姻期間が20年以上である夫婦の一方配偶者が、他方配偶者に対し、その居住用不動産（居住用建物またはその敷地）を遺贈または贈与した場合は、持戻し免除の意思表示があったものと推定する規定を新設しました（改正後の民法903条４項）。

これは特別受益制度を改正するものであり、高齢配偶者の生活保障を図ったものであるといえます。

イ　改正の趣旨

特別受益は共同相続人間の公平を図る制度です。たとえば、被相続人Ａが共同相続人Ｂ・Ｃのうち、Ｂのみに生前贈与をした後、Ａが死亡して相続が開始した場合、Ｂへの贈与を考慮せずに相続を認めるとＢはＣよりも財産を取得することとなり不公平が生じます。

そこで、共同相続人中に、被相続人から遺贈等を受けた者があるときは、被相続人が相続開始時に有した財産の価額に、遺贈等の価額を加えたものを相続財産とみなしたうえで、民法900条から902条の規定によって算定した相続分の中から遺贈等の価額を控除した残額をもってその者の相続分（具体的相続分）とすることとしています（民法903条１項）。

他方で、民法は、被相続人が特別受益の持戻しをしない旨の意思表示をしたときは、その意思に従う旨を定めています（民法904条３項）。これを持戻しの免除といいます。被相続人が特別受益の持戻し免除の意思表示をした場合、特別受益の持戻し計算をする必要がなくなる結果、贈与または遺贈を受けた共同相続人は、より多くの財産を最終的に取得できることとなります。

改正後の民法は、婚姻期間が20年以上である夫婦の一方配偶者が他方配偶者に対し、その居住用不動産を目的とする遺贈または贈与をしたときは、被相続人による持戻しの免除があったものと推定する旨の規制を設け（民法903条４項）、一定の要件の下で、高齢配偶者の従前の貢献に報いるとともに、老後の生活保障を図っています。

ウ　具体例

被相続人Ａの相続人が妻Ｂ（婚姻期間25年間）および子Ｃ・Ｄで、被相続人の遺産が居住用不動産の持分２分の１（2000万円）および6000万円の預貯金の合計8000万円であり、残りの居住用不動産の持分２分の１（2000万円）は妻Ｂに生前贈与されていたとします。

(i) 改正前民法の場合

改正前民法の下では、民法903条１項により生前贈与された居住用不動産の持分２分の１（2000万円）について、特別受益の持戻しをすることとなります。そこで、Ｂの相続分は、Ａによる持戻し免除の意思表示がない限り、以下のとおり3000万円となります。

（8000万円＋2000万円）×1/2－2000万円＝3000万円

したがって、Ｂの最終的な取得額は、相続した財産の価額（3000万円）に生前贈与を受けた財産の価額（2000万円）を加えた5000万円となります。

(ii) 改正後の民法の場合

改正後の民法の下では、婚姻期間が20年以上で、居住用不動産を生前贈与したときは、被相続人による持戻し免除の意思表示が推定されます（民法903条４項）。したがって、この推定が覆らない限り、特別受益を相続財産に算入しないこととなるため、Ｂの相続分は、以下のとおり4000万円となります。

8000万円×1/2＝4000万円

したがって、Ｂの最終的な取得額は、Ｂが相続した財産の価額（4000万円）に生前贈与を受けた財産の価額（2000万円）を加えた6000万円となります。

(2) 寄与分の控除と加算

① 寄与分の意義

被相続人の財産の維持・増加に特別の貢献、寄与をした相続人がいる場合、当該寄与分を考慮しなければ、共同相続人間の実質的な公平を図ることができなくなり妥当ではありません。そこで、民法は、共同相続人に被相続人の事業に関する労務の提供または財産上の給付、被相続人の療養看護その他の方法により被相続人の財産の維持または増加について特別の寄与をした者がいる場合に、このような特別の寄与を相続財産に占める割合・額として評価し、相続開始時において被相続人が有した財産の価額から、当該特別の寄与をした者の寄与分額を控除して、具体的相続分を算定するための基礎財産とすることを認めます（民法904条の２）。このように具体的相続分を算定するための基礎財産をみなし相続財産といいます。まず、みなし相続財産に各相続人の相続分（指定相続分または法定相続分）を乗じて、一応の相続分額を算定します。この一応の相続分額に寄与分額を加算した金額が、寄与分の認められた相続人の具体的相続分額となります。

このように相続財産から特別の寄与をした者の寄与分額を控除した後、寄与分の認められた相続人についての相続分額に当該寄与分額を加算する制度を寄与分制度といいます（民法904条の２第１項）。

② 寄与分の主体

寄与分が認められるのは相続人です。寄与分の対象を相続人に限定した趣旨は、相続人以外の者を寄与分の対象に含めると手続が複雑化し、遺産分割の進行を遅滞させることとなるため、これを防止する点にあります。

もっとも、改正後の民法は、相続人以外の被相続人の親族が、無償で被相続人の療養看護等を行った場合には、一定の要件の下で、相続人に対して金銭請求をすることを認める特別の寄与の制度を新設しました（民法1050条）。改正前民法上は、寄与分（民法904条の２）を相続人にのみ認めていましたが、改正後の民法の下では相続人以外の者でも被相続人の親族であれば、被相続人の財産の維持または増加に特別の寄与をした場合には、その寄与に応じた金額（特別寄与料）の支払を請求することができます。

③ 寄与分の認定

寄与分は、共同相続人の協議によって定まります。もっとも、共同相続人間の協議が調わない場合、寄与分を主張する共同相続人は、家庭裁判所に対して寄与分を定める申立てをすることができます（民法904条の２第２項、家事事件手続法39条・別表第二の14項）。寄与分は、寄与の時期、方法および程度、相続財産の額その他一切の事情を考慮して、金額を定めます。

④ 寄与分と遺贈

寄与分の額は、相続財産の価額から遺贈の価額を控除した残額を超えることはできません（民法904条の２第３項）。この趣旨は、寄与分が被相続人の意思に反しない範囲で共同相続人の実質的公平を図る点にあります。

たとえば、被相続人Ａの相続財産が１億円であり、Ａの相続人として子が２名（B、C）おり、被相続人ＡがＢに対して8000万円を遺贈していた場合、Ｃに4000万円の寄与分が認められたとしても寄与分は１億円から遺贈分8000万円を控除した2000万円の範囲でしか認められません。

(3) 具体的相続分額の算定例

① 特別受益の持戻し

たとえば、被相続人Ａ（父親）（相続財産１億2000万円）が死亡し、配偶者Ｂ、子Ｃ、ＤがＡを相続したものの、Ｃが被相続人Ａから生前に2000万円の贈与を受けていた場合、具体的相続分は、以下のとおり計算します。

みなし相続財産：１億2000万円＋2000万円（特別受益）＝１億4000万円

各相続人の具体的相続分

	具体的相続分
B（配偶者）	7000万円
C（子）	1500万円（3500万円－2000万円）
D（子）	3500万円

② 寄与分の控除と加算

たとえば、被相続人A（父親）（相続財産1億2000万円）が死亡し、配偶者B、子C、DがAを相続したものの、Cが生前被相続人Aの事業に協力するためAに対して2000万円を贈与していた場合、具体的相続分は、以下のとおり計算します。

みなし相続財産：1億2000万円－2000万円（寄与分）＝1億円

各相続人の具体的相続分

	具体的相続分
B（配偶者）	5000万円
C（子）	4500万円（2500万円＋2000万円）
D（子）	2500万円

(3) 期間経過後の遺産の分割における相続分

改正前民法の下では、具体的相続分の割合による遺産分割を求めることについて、時的制限がありませんでした。そのため、長期間放棄をしていても具体的相続分の割合による遺産分割を希望する相続人に不利益が生じず、相続人が早期に遺産分割の請求をすることについて、インセンティブが働きにくい状況がありました。また長期間の経過により、生前贈与や寄与分に関する証拠が散逸したり、関係者の記憶が薄れる等の問題もありました。そこで改正後の民法は、原則として、相続開始時から10年を経過した後にする遺産分割は、具体的相続分ではなく、法的相続分（または指定相続分）によることにしました（民法904条の3本文）。例外として、①10年経過前に相続人が家庭裁判所に遺産分割請求をしたとき、②10年の期間満了前6か月以内に、遺産分割請求することができないやむを得ない事由が相続人にあった場合において、当該事由消滅から6か月経過前に当該相続人が家庭裁判所に遺産分割請求をしたときは、引き続き具体的相続分により分割を行うことができます（同条但書）。

5　相続分の譲渡とその取戻権

相続分の譲渡とは、共同相続人の一人が遺産分割前にその相続分を第三者に譲渡することをいいます。第三者に対して相続分の譲渡がなされた場合、他の共同相続人は第三者に対してその価額および費用を償還して、その相続分を取り戻すことができます（民法905条）。この趣旨は、相続人以外の第三者が遺産分割に参加することを回避する点にあります。したがって、共同相続人の一人が遺産分割前に第三者ではなく相続人に対して相続分を譲渡した場合、他の共同相続人は相続分を譲り受けた相続人に対して取戻権を行使することはできないと解されます。

第３　遺産の共有関係

１　総 説（遺産の共有）

相続が生じた場合、一身専属的な権利義務と祭祀に関する財産以外の被相続人の財産が相続財産となります。共同相続人は遺産分割がなされるまでの間、相続財産を共有します（民法898条）。

２　遺産共有の性質

共同相続人が数人いる場合、相続財産は共有に属します（民法898条１項）。相続財産について共有に関する規定を適用するときは、民法900条から902条までの規定により算定した相続分（法定相続分）をもって各自相続人の共有持分とされます（民法898条２項）。

遺産共有の性質について、遺産の一体性から「共有」を個々の財産についての持分の処分を認めない合有と解する合有説と物権法上の共有と解する共有説があります。判例は、「共同相続人が分割前の遺産を共同所有する法律関係は、基本的には民法249条以下に規定する共有としての性質を有すると解するのが相当であって、共同相続人の一人から遺産を構成する特定不動産について同人の有する共有持分権を譲り受けた第三者は、適法にその権利を取得することができ、他の共同相続人とともに右不動産を共同所有する関係にたつが、右共同所有関係が民法249条以下の共有としての性質を有するものであることはいうまでもない」と判示しており、共有説を採用しています（最判昭和50年11月７日民集29巻10号1525頁）。

判例は共有説に立ちつつ、遺産相続により共同相続人の共有となった遺産の分割について、「共同相続人間に協議が調わないとき、または協議をすることができないときは、家事審判法の定めるところに従い、家庭裁判所が審判によって、これを定めるべきものであり、通常裁判所が判決手続で判定すべきものではないと解するのが相当である」として、相続人間で遺産分割前に個々の財産を共有物分割請求することは許されないとしています（最判昭和62年９月４日家月40巻１号161頁）。

次に、第三者が共同相続人から特定財産の持分の譲渡を受けた場合も、共同相続人間の遺産分割と同様、当該第三者との関係で遺産分割の審判によるべきか否かが問題となります。

しかし、共同相続人の一人が特定財産について有する共有持分権を第三者に譲渡した場合、当該譲渡部分は遺産分割の対象から逸出するものといえ、第三者がその譲り受けた持分権に基づいてする分割手続について、遺産分割の審判をしなければならないとはいえません。

遺産分割の審判は、遺産全体の価値を総合的に把握し、これを共同相続人の具体的相続分に応じて民法906条所定の基準に従って合目的的に分割することを目的とする制度です。すなわち、遺産分割の審判は、本来共同相続人という身分関係にある者または包括受遺者等相続人と同視しうる関係にある者を当事者として、原則として遺産の全部について進められるべきものであるといえます。これに対して、共同相続人が特定財産についての共有持分権を第三者に譲渡した場合、第三者との関係では、当該不動産の物理的一部分を分与することを原則とすべきものであり、それぞれ分割の対象、基準および方法を異にします。そのため、第三者が共同相続人から特定財産の持分の譲渡を受けた場合にこれを遺産分割審判によって分割することは、遺産分割の趣旨に沿わず、遺産分割審判手続を複雑にし、共同相続人側に手続上の負担をかけ妥当でないといえます。

そこで、第三者が共同相続人から特定財産の持分の譲渡を受けた場合、当該第三者は遺産分割の審判ではなく、特定財産について他の共同相続人と共有関係にたつとして、民法258条の共有物分割訴訟によるべきであると解されます（前掲最判昭和50年11月7日、最判昭和53年7月13日判時908号41頁・百選Ⅲ［第2版］68事件）。

3　相続財産の管理・利用

相続人は、遺産分割がなされる前の相続財産について、相続放棄するまでは自己の固有財産と同一の注意をもって、相続財産を管理する必要があります（民法918条1項）。また、相続人が相続放棄した場合、改正前民法の下では、相続の放棄をした者が相続財産の管理を継続しなければならないこととされていましたが（改正前民法940条1項）、改正後の民法の下では、その放棄の時に相続財産に属する財産を現に占有しているときは、相続人または民法952条1項の相続財産の清算人に対して当該財産を引き渡すまでの間、自己の財産におけるのと同一の注意をもって、その財産の管理を継続する義務を負います（改正後の民法940条1項）。

次に、相続人が相続につき単純承認した場合、物権法上の共有と同様に物権法上の共有の規定（民法249条以下）が適用されるかが問題となります。

判例は、共同相続人の一部が相続財産上の不動産に居住する行為について、占有する相続人の共有持分が他の共同相続人の持分割合よりも少ない場合でも、少数持分権者は自己の持分によって、共有物を使用収益する権原を有し、これに基づいて共有物を占有するものと認められるから、多数持分権者が少数持分権者に対して共有物の明渡しを求めることができるためには、共有物の明渡しを求める理由を主張・立証しなければならないと判示しています（最判昭和41年5月19日民集20巻5号947頁）。

なお、相続財産である不動産を共同相続人の一人が自己の相続分を超えて使用していた場合でも、被相続人と当該共同相続人との間で不動産の使用につき無償使用を認める使用貸借契約の合意が成立しているときは、当該共同相続人は他の共同相続人に対して費用を支払う必要はありません（最判平成8年12月17日民集50巻10号2778頁・百選Ⅲ［第2版］71事件）。

また、相続財産の管理に要する費用は、相続財産に関する費用にあたるため、管理に要する費用を支払った共同相続人は相続財産から支払いを受けることが認められます（民法885条）。

4　不動産・動産・金銭・株式等の共同相続

⑴ 不動産・動産の所有権

不動産や動産の所有権を共同相続した場合、民法249条以下に規定する共有としての性質を有すると解されます。

したがって、たとえば共同相続人の一人から遺産を構成する特定不動産や動産について当該共同相続人の有する共有持分権を譲り受けた第三者は、適法にその権利を取得することができ、他の共同相続人とともに当該不動産や動産を共同所有することになります（前掲最判昭和50年11月7日）。第三者が共同相続人から特定財産の持分の譲渡を受けた場合、当該第三者は遺産分割の審判ではなく、特定財産について他の共同相続人と共有関係にたつとして、民法258条の共有物分割訴訟によるべきであると解されます（前掲最判昭和50年11月7日、前掲最判昭和53年7月13日）。

⑵ 金 銭

判例上、金銭は特段の事情のない限り金銭の占有者と所有者は一致し、金銭を占有する者は金銭の所有者であると解されています（最判昭和39年1月24日判時365号26頁）。もっとも、相続財産が金銭である場合、相続開始時に存在した金銭を共同相続人の一部が共有関係にある相続財産として保管している点で、特段の事情があるといえ、共同相続人間で当該金銭を共有することとなります（最判平成4年4月10日判時1421号77頁・百選Ⅲ［第2版］63事件）。なお、相続開始時に存在した現金をその後共同相続人の一部が金融機関に預金し、金融機関に対する金銭債権（預金債権）となった場合でも、相続開始時において金銭（現金）であった以上、共同相続人は金融機関に対する金銭債権を分割取得せず、相続開始時に存在した遺産としての金銭を共有すると解されます（前掲最判平成4年4月10日）。

⑶ 株式等の共同相続

判例は、被相続人の遺産である株式、委託者指図型投資信託の受益権および個人向け国債については、相続開始と同時に当然に相続分に応じて分割されることはなく、共同相続人の準共有（民法264条）となるとしています（最判平成26年2月

25日民集68巻2号173頁・百選Ⅲ［第2版］67事件）。

5　債権・債務の共同相続

⑴ 金銭債権

金銭債権は可分債権であるため、共同相続人は遺産分割協議成立前であってもそれぞれの相続分に従って当然に分割した債権として取得すると解されます（最判昭和29年4月8日民集8巻4号819頁・百選Ⅲ［第2版］65事件等）。

判例は、遺産である不動産から生じる賃料債権について、遺産とは別個の財産であり、各共同相続人がその相続分に応じて分割単独債権として確定的に取得するとしています（最判平成17年9月8日民集59巻7号1931頁・百選Ⅲ［第2版］64事件）。

また、かつての判例は、預貯金債権については、相続開始と同時に当然に相続分に応じて分割されて各共同相続人の分割単独債権となるとしていました（最判平成16年4月20日判時1859号61頁等）。しかし、最決平成28年12月19日民集70巻8号2121頁・百選Ⅲ［第2版］66事件は、従前の判例を変更し、預貯金一般の性格等を踏まえつつ各種預貯金債権の内容および性質をみると、共同相続された普通預金債権、通常貯金債権および定期貯金債権は、いずれも、相続開始と同時に当然に相続分に応じて分割されることはなく、遺産分割の対象となるものと解するのが相当であると判示しました。なお、同決定は、相続財産である預貯金債権が共同相続人にどのように帰属するのかについては明示していませんが、同決定の補足意見には、準共有（民法264条）となるとしたものがあります。

⑵ 金銭債務

金銭債務は可分債務であるため、共同相続人は遺産分割協議成立前であってもそれぞれの相続分に従って分割債務を負うと解されます（大決昭和5年12月4日民集9巻1118頁）。なお、連帯債務についても、金銭債務である以上、法律上当然に分割され、連帯債務者の一人が死亡した場合においても、その共同相続人らは被相続人の債務の分割されたものを承継し、各自その承継した範囲において、本来の債務者とともに連帯債務者になると解されます（最判昭和34年6月19日民集13巻6号757頁・百選Ⅲ［第2版］62事件）。

6　共同相続と登記

⑴ 共同相続人が遺産分割協議成立前に自己の共有持分を処分した場合

共同相続人が遺産分割協議成立前に第三者に自己の共有持分を処分した場合、その後の遺産分割協議で共有持分を処分した共有者の共有持分と異なる持分が定められた場合であっても、当該第三者の権利を害することはできません（民法909条但書）。ただし、第三者が保護されるためには、権利保護要件としての登記を具備する必要があると解されます（前掲最判昭和50年11月7日参照）。

⑵ 共同相続人が共有不動産について遺産分割協議書を偽造し自己の単独名義の登記をしたうえで、第三者に当該不動産を譲渡した場合

共同相続人が共有不動産について遺産分割協議書を偽造し自己の単独名義の登記をしたうえで、第三者に当該不動産を譲渡した場合、他の共同相続人は自己の共有持分を第三者に対して対抗することができると解されます（最判昭和38年2月22日民集17巻1号235頁）。なぜなら、登記に公信力が認められない以上、第三者は他の共同相続人の共有持分について権利取得しえず共同相続人の共有持分については無権利者にすぎないからです。この場合、第三者は当該共同相続人の有する持分の限度で不動産の共有持分を取得することになります。

(3) 特定の不動産を特定の相続人に「相続させる」旨の遺言により、当該不動産を譲渡した場合

改正前民法の下では、特定財産承継遺言等により承継された財産については、登記等の対抗要件なくして第三者に対抗することができると解されていました。

改正前民法の下における判例（最判平成14年6月10日判時1791号59頁・百選Ⅲ［第2版］75事件）の考え方によれば、遺言によって法定相続分とは異なる権利の承継がされた場合には、対抗要件なくしてこれを第三者にも対抗することができることになるため、個別の取引の安全が害されるおそれがあります。また、実体的な権利と公示の不一致が生ずる場面が多く存在することになり、とりわけ公的な公示制度として定着している不動産登記制度に対する信頼を害するおそれがあるものと考えられます。

改正後の民法はこのような解釈を見直し、相続による権利の承継は、遺産の分割によるものかどうかにかかわらず、法定相続分を超える部分の承継については、登記等の対抗要件を備えなければ第三者に対抗することができないこととしました（民法899条の2第1項）。

第4　遺産分割

1　遺産分割の意義

遺産分割とは、共同相続人間に相続が生じ、共有となった相続財産について、共同相続人間で協議し、相続財産を各相続人に分配し、これらの財産を各相続人の単独所有とする手続をいいます。遺産分割において、共同相続人は「遺産に属する物又は権利の種類及び性質、各相続人の年齢、職業、心身の状態及び生活の状況その他一切の事情を考慮して」遺産分割を行います（民法906条）。遺産分割は、分割の対象となる全ての遺産について行われるのが通常ですが、被相続人が遺言で禁じた場合（民法908条1項）を除き、遺産の一部を分割することも可能です（民法907条1項）。改正前民法の下でも、一部分割に合理的な理由があり、全遺産について公平な分配ができる場合には、一部分割が可能と解されていましたが、改正後の民法はこれを明文化しました。

遺産分割は、相続開始時に存在し、かつ、遺産分割時に存在する財産を共同相続人間において分配する手続であるところ、第三者が相続財産を毀損、滅失させた場合等、遺産分割時に存在しない財産は、遺産分割の対象とはならないのが通常と考えられます。もっとも、改正前民法の下では、遺産分割時には存在しない財産でも、これを当事者が遺産分割の対象に含める旨の合意をした場合には遺産分割の対象となるものと解されていました（最判昭和54年2月22日集民126号129頁等）。

そこで、改正後の民法は、遺産の分割前に遺産に属する財産が処分された場合でも、共同相続人の全員の同意により、当該処分された財産が遺産の分割時に遺産として存続するものとみなすことができる旨を明文化しました（民法906条の2第1項）。

また、遺産の分割前に遺産に属する財産の処分をした者が処分をしなかった場合と比べて利得を得るということを放置することは、不公平な状態を是認することとなるため、改正後の民法は、当該処分をした共同相続人については、同条1項の同意を得ることを要しないこととしました（民法906条の2第2項）。

共同相続人間で遺産分割協議が成立しない場合、共同相続人は家庭裁判所に調停および審判を申し立てることができます（民法907条2項、家事事件手続法244条、39条、別表第2の12項）。遺産分割の審判は、遺産全体の価値を総合的に把握し、これを共同相続人の具体的相続分に応じて民法906条所定の基準に従って合目的的に分割することを目的とする制度です。

遺産分割協議が共同相続人の合意に基づき成立したものの、遺産分割協議の合意に瑕疵がある場合、民法総則の規定が適用されます。

したがって、共同相続人は、遺産分割の内容について要素の錯誤が認められる場合、錯誤取消し（民法95条1項）を主張することができます。

2　遺産分割の方法

遺産分割には被相続人の遺言による指定によってなされる方法、遺産分割協議による方法、家庭裁判所による審判による方法（民法907条2項）があります。

被相続人は遺言によって遺産分割の方法を定めることができます（民法908条1項）。被相続人は、単に遺産分割方法の指定をするほか、相続分の指定を伴った遺産分割方法の指定をする場合があります。

⑴ 遺産分割方法の指定

遺産分割方法の指定とは、相続人の相続分を指定することなく遺産分割の方法を遺言で指定する方法をいいます。

たとえば、1億2000万円の相続財産を有する被相続人Aが死亡し、子B、Cがこれを共同相続したところ、Aが6000万円の土地をBに分割するよう遺言書で指定していた場合が遺産分割方法の指定にあたります。

⑵ 相続分の指定を伴った遺産分割方法の指定

相続分の指定を伴った遺産分割方法の指定とは、被相続人が遺言で共同相続人の一部の相続分を超える額の財産を分割する旨の指定をした場合をいいます。

たとえば、1億2000万円の相続財産を有する被相続人Aが死亡し、子B、Cがこれを共同相続したところ、Aが9000万円の土地をBに分割するよう遺言書で指定していた場合が相続分の指定を伴った遺産分割方法の指定にあたります。

⑶「相続させる」旨の遺言と遺産分割方法の指定

被相続人が遺言で共同相続人の一人に対して特定の遺産を「相続させる」と定めていた場合、これが遺贈にあたるのか、遺産分割方法の指定にあたるのか議論があります。

判例は、遺言で特定の財産について「相続させる」旨の定めがある場合、特定の遺産を他の共同相続人と共にではなく、単独で相続させようとする趣旨であり、遺贈と解すべき特段の事情がない限り、遺産分割方法の指定と解すべきであり、特段の事情のない限り、遺産分割の協議を経ることなく、何らの行為を要することなく被相続人の死亡時に直ちに当該遺産が当該相続人に相続によって承継されるとしています（最判平成3年4月19日民集45巻4号477頁・百選Ⅲ［第2版］87事件）。

3　遺産分割の具体的方法

遺産分割の具体的な方法としては、①現物分割による方法、②換価分割による方法、③代償分割による方法があります。

①現物分割による方法とは、遺産の現物を分割する方法をいいます。たとえば、土地を分筆して共同相続人間で分ける方法や、2つの不動産をそれぞれの共同相続人に分配する方法を挙げることができます。

②換価分割による方法とは、遺産を金銭に換価して分割する方法をいいます。たとえば、共同相続人が共有する絵画を売却し、これを金銭に換価したうえで共同相続人間で配分する方法をいいます。

③代償分割による方法とは、特定の遺産を相続人に承継させ、承継を受けた相続人が他の相続人に対して相続分に応じた金銭を支払う方法をいいます。たとえば、遺産である株式について共同相続人の一人に承継させ、承継を受けた共同相続人が他の共同相続人の相続分に応じた金銭を支払う方法をいいます。

4　遺産分割の実施基準

民法は「遺産に属する物又は権利の種類及び性質、各相続人の年齢、職業、心身の状態及び生活の状況その他一切の事情を考慮して」遺産分割を行うと規定します（民法906条）。

審判による分割の場合、現物分割および換価分割を原則としますが、特別の事情がある場合には、代償分割も認められます（家事事件手続法195条）。

特別受益や寄与分等の具体的相続分の割合を算定するのは、相続開始時を基準にすべきであると解されます。

次に遺産の評価の基準時は、現実に財産を分配する時点における時価を基準にすべきであると解されます。なぜなら、この場合はすでに確定した相続分の割合に従って共同相続人に対して財産を分配すれば足り、分割時での時価を基準とすることがより正確な財産の分配につながり公平な遺産分割を実現することができるといえるからです。

5　遺産分割の効果

遺産分割は相続の開始の時に遡って効力を生じます（民法909条本文）。ただし、遺産分割協議の遡及効によって第三者の権利を害することはできません（民法909条但書）。この趣旨は、遺産分割協議の遡及効によって第三者の権利が害されることのないよう第三者を保護することにより取引の安全を図った点にあります。

⑴ 遺産分割と登記

① 遺産分割前の第三者

遺産分割によって、遺産分割前に相続財産について利害関係を有するに至った第三者の権利を害することはできません（民法909条但書）。

たとえば、被相続人Ａが有していた不動産について遺産分割前に共同相続人の一人Ｂが第三者Ｃに対して自己の共有持分を譲渡した場合、その後、共同相続人（ＢとＤ）との間で当該不動産をＤの単独所有とする旨の遺産分割協議を成立させたとしても、Ｃの権利を害することはできません。ただし、Ｃが保護されるためには、権利保護要件としての登記を具備する必要があると解されます（前掲最判昭和50年11月７日参照）。

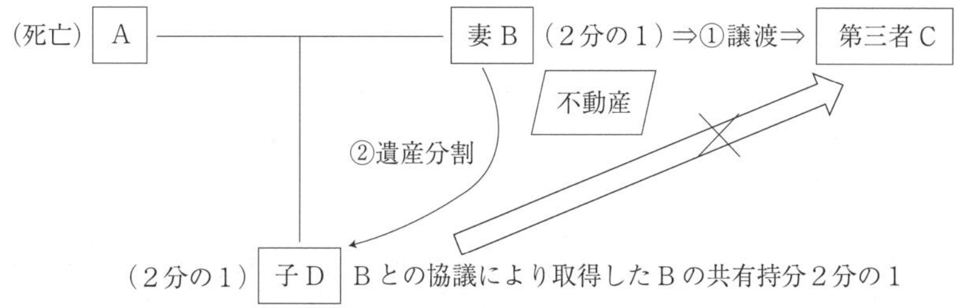

② 遺産分割後の第三者

遺産分割は相続の開始の時に遡って効力を生じます（民法909条本文）。

遺産分割後に無権利者となった共同相続人から第三者が不動産の共有持分を買い受けた場合、民法909条本文の遺産分割の遡及効を貫徹すれば、第三者は無権利者から不動産を譲り受けたこととなります。このように遺産分割の遡及効を貫徹した場合、遺産分割成立後に新たに利害関係を有するに至った第三者は保護されないこととなります。

しかし、民法909条但書の趣旨は、相続開始後遺産分割前に相続財産に対して第三者が利害関係を有するに至ることが少なくなく、第三者保護の要請が高いため、特に第三者の保護を図ろうとした点にあると解されます。

遺産分割後においても、遺産分割前の共同相続の外観を信頼して、共同相続人の持分につき第三者が利害関係を有する場合は多いと解されるため、遺産分割後の第三者を保護する要請は高いものといえます。

また、遺産分割成立後、権利を取得した共同相続人は直ちに移転登記をすることが可能であり、登記を備えるべきであったといえます。

そこで、遺産分割後に第三者が権利を有さない共同相続人から不動産を譲り受けた場合、当該譲渡行為をした共同相続人以外の共同相続人と第三者との関係を、民法177条の対抗問題として捉え、共同相続人は相続分と異なる共有持分については登記を具備しなければ第三者に対抗することはできないものと解されます。この点に関して、判例は、「遺産の分割は、相続開始の時に遡ってその効力を生ずるものではあるが、第三者に対する関係においては、相続人が相続によりいったん取得した権利につき分割時に新たな変更を生ずるのと実質上異ならないものであるから、不動産に対する相続人の共有持分の遺産分割による得喪変更については、民法177条の適用があり、分割により相続分と異なる権利を取得した相続人は、その旨の登記を経なければ、分割後に当該不動産につき権利を取得した第三者に対し、自己の権利の取得を対抗することができないものと解するのが相当である」と判示しています（最判昭和46年１月26日民集25巻１号90頁・百選Ⅲ［第２版］72事件）。

たとえば、被相続人Ａが有していた不動産について共同相続人ＢとＤの間でＤが単独所有する旨の遺産分割協議がなされた場合において、遺産分割成立後にＢが第三者Ｃに対して（遺産分割協議前に有していた）自己の共有持分を譲渡した場合、Ｄは、登記を具備しなければ遺産分割成立後にＢから不動産の譲渡を

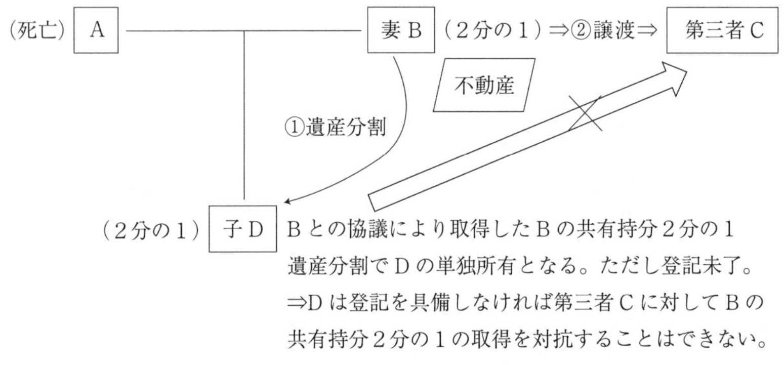
（死亡）
Ａ
妻Ｂ
（２分の１）⇒②譲渡⇒
第三者Ｃ
不動産
①遺産分割
（２分の１）
子Ｄ
Ｂとの協議により取得したＢの共有持分２分の１
遺産分割でＤの単独所有となる。ただし登記未了。
⇒Ｄは登記を具備しなければ第三者Ｃに対してＢの
共有持分２分の１の取得を対抗することはできない。

受けたＣに対して自己の相続分と異なる共有持分について対抗することはできません。

改正後の民法は、相続による権利の承継は、遺産の分割によるものかどうかにかかわらず、法定相続分を超える部分の承継については、登記等の対抗要件を備えなければ第三者に対抗することができないこととしました（民法899条の２）。

⑵ 遺産分割前における預貯金債権の行使

遺産分割における預貯金債権の取扱いについて、最決平成28年12月19日民集70巻８号2121頁・百選Ⅲ［第２版］66事件は従前の判例を変更し、預貯金債権が遺産分割の対象となるとの判断を示しました。

本決定前は、預貯金債権は相続開始と同時に当然に各共同相続人に分割され、各共同相続人は分割により自己に帰属した債権を単独で行使することができると解されていました。これに対して、本決定後は、遺産分割までの間は預貯金債権は共同相続人全員の準共有となり、共同相続人全員が共同して行使しなければならないこととなりました。

その結果、本決定の補足意見でも指摘されるとおり、共同相続人において被相続人が負っていた債務の弁済をする必要がある、あるいは、被相続人から扶養を受けていた共同相続人の当面の生活費を支出する必要がある等の事情により、被相続人が有していた預貯金を遺産分割前に払い戻す必要があるにもかかわらず、共同相続人全員の同意を得ることができないと、払い戻すことができないという不都合が生じました。

そこで、家事事件手続法および改正前民法を改正し、家事事件手続法の保全処分の要件を緩和する規律、および、家庭裁判所の判断を経ないで預貯金の払戻しを認める規律を設けました。

① 家事事件手続法の保全処分の要件を緩和する規律

改正前民法の下で、上記の不都合性（預貯金を遺産分割前に払い戻す必要があるにもかかわらず、共同相続人全員の同意を得ることができないため預貯金の払い戻しができない場合）に対する方策として、相続財産中の特定預貯金債権を当該共同相続人に取得させる仮処分（預貯金債権の仮分割の仮処分。家事事件手続法200条２項）を活用することが考えられます（本決定の共同補足意見参照）。もっとも、改正前の家事事件手続法200条２項は、仮分割の仮処分について、「事件の関係人の急迫の危険の防止の必要があること」という厳格な要件を課していました。

改正後の家事事件手続法200条３項は、「家庭裁判所は、遺産の分割の審判又は調停の申立てがあった場合において、相続財産に属する債務の弁済、相続人の生活費の支弁その他の事情により遺産に属する預貯金債権を当該申立てをした者又は相手方が行使する必要があると認めるときは、その申立てにより、遺産に属する特定の預貯金債権の全部又は一部をその者に仮に取得させることができる。ただし、他の共同相続人の利益を害するときは、この限りでない」と定め、遺産に属する預貯金債権の仮分割について要件を緩和しました。

② 家庭裁判所の判断を経ないで、預貯金の払戻しを認める規律

上記①の規律は、改正前の家事事件手続法200条２項の要件を緩和し、一定の要件の下で預貯金債権の仮払いを認めるものですが、保全処分の要件を緩和したとしても、相続開始後に資金の需要が生じた場合に、裁判所に保全処分の申立てをしなければ単独での払戻しが一切認められないことになれば、相続人にとっては大きな負担になると考えられます。

改正後の民法は、各共同相続人は、遺産に属する預貯金債権のうち、各口座ごとに以下の計算式で求められる額（ただし、同一の金融機関に対する権利行使は、法務省令で定める額〔150万円〕を限度とします）までについては、他の共同相続人の同意がなくても単独で払戻しをすることができることとしました（民法909条の２）。

単独で払戻しをすることができる額＝（相続開始時の預貯金額）×（３分の１）×（当該払戻しを求める共同相続人の法定相続分）

⑶ 遺産分割と担保責任

遺産分割の対象となった物または権利に瑕疵がある場合、共同相続人は他の共同相続人に対して売主と同様担保責任を負います（民法911条）。この趣旨は、遺産分割により共有持分の移転があったとみることができ、遺産分割によって瑕疵ある物や権利の移転を受けた共同相続人を保護することで共同相続人間の公平を図った点にあります。

判例は、遺産分割について債務不履行解除等の法定解除（民法541条等）の適用を否定しています（最判平成元年２月９日民集43巻２号１頁・百選Ⅲ［第２版］70事件）。この趣旨は、遺産分割後は、遺産分割協議の解除を認めた場合、民法909条本文により遡及効を有する遺産の再分割を余儀なくされ法的安定性を害することから、遺産分割協議に対する法定解除を否定した点にあると解されます。このような法的安定性を確保するという趣旨は、担保責任においても同様に妥当するものと解されます。そこで、遺産分割の対象となった物または権利に瑕疵があったとしても共同相続人は担保責任に基づき解除権を行使することはできないものと考えます。

この場合、瑕疵ある物または権利を承継した共同相続人は他の共同相続人に対して損害賠償を請求することになると解されます。共同相続人が他の共同相続人に対して担保責任に基づく損害賠償請求をするためには、相手方が悪意または重過失であるときを除き、事実を知ってから１年以内に担保責任を問う意思を明確に表明する必要があります（民法911条、566条）。

⑷ 遺産分割協議と詐害行為取消権

遺産分割協議は、相続の開始によって共同相続人の共有となった相続財産につ

いて、その全部または一部を各共同相続人の単独所有とし、または新たな共有関係とすることで相続財産の帰属を確定する手続です。このように、遺産分割協議は、財産権を他の共同相続人に移転させることを目的とする点で財産権を目的とする法律行為といえます。そこで、遺産分割協議は、詐害行為取消権（民法424条）の対象になると解されています（最判平成11年６月11日民集53巻５号898頁・百選Ⅲ［第２版］69事件）。

第4章

相続の承認・放棄

第1　相続人の選択権

民法は「相続は、死亡によって開始する」（民法882条）、「相続人は、相続開始の時から、被相続人の財産に属した一切の権利義務を承継する」（民法896条本文）と定めています。

これらの規定は、相続人は相続開始（被相続人の死亡）を知ったか否か、あるいは相続する意思があるか否かを問わず、被相続人の財産（相続財産）に属した一切の権利義務を相続開始の時に当然かつ包括的に承継するという建前を採用したものです。このような建前を当然承継主義といいます。当然承継主義の趣旨は、被相続人の死亡により被相続人の財産が無主のものとならないようにするという点にあります。

しかし、相続人個人の意思と無関係に一切の相続財産を当然に承継させ、たとえば相続財産がマイナスの財産（債務）ばかりで相続人が承継を望まない場合にも承継しなければならないとすることは、個人の意思を尊重するという近代社会の基本理念にそぐわない結果となります。

そこで、民法は相続人個人の意思を尊重し、相続財産を承継するか否かを選択する自由を与えました。すなわち、相続人は、無限定に相続財産を相続すること（単純承認）、相続財産のプラスの財産の範囲内でマイナスの財産（債務）を相続すること（限定承認）、相続財産を一切相続しないこと（相続放棄）を選択することができます。

第2　単純承認

1　単純承認の意義

民法は「相続人は、単純承認をしたときは、無限に被相続人の権利義務を承継する」と定めています（民法920条）。単純承認とは、被相続人の権利義務を無条件かつ無制限に相続人が承継することをいいます。

相続人が単純承認をした場合には、相続財産は相続人の固有財産となります。相続人はマイナスの相続財産（債務）もそのまま承継します。相続債権者側からすれば、相続財産のみならず相続人が従前から保有する固有財産をも引当財産とすることができることを意味します。

単純承認には意思表示による場合と、一定の事由により単純承認したものとみなされる場合（この場合の単純承認を法定単純承認といいます）とがあります。実務上は、ほとんどの場合が法定単純承認によります。

2　法定単純承認

民法は、以下の各事由が生じた場合に「相続人は、単純承認をしたものとみなす」と定めています（民法921条柱書）。

(1) 相続財産の全部または一部の処分（民法921条１号本文）

相続財産の処分は、相続財産の譲渡や相続した債権を取り立てる行為といった法律上の処分のほか、故意による相続財産の損壊といった事実行為を含むと解されています。

相続財産の処分が法定単純承認の事由とされている趣旨は、相続財産を処分したということは、相続財産を自己の財産とする相続人の黙示の意思を推認でき、第三者も単純承認をしたものと信じるのが当然であるといえるという点にあります（最判昭和42年４月27日民集21巻３号741頁）。相続人が相続開始の事実および自己が相続人であることを知ってしたか、または被相続人の死亡を確実に予想しながらした処分行為でなければ、法定単純承認とはなりません（前掲最判昭和42年４月27日）。このような場合でなければ相続財産を自己の財産とする相続人の黙示の意思を推認できないためです。

もっとも、相続財産の保存行為や短期賃貸借のうち、前者は相続財産の価値を維持する行為であり処分行為とはいえず、後者は軽微な処分行為であり単純承認とみなすほどの処分行為ではないため、単純承認の事由から除外されています（民法921条１項但書）。また、慣習上の形見分け（山口地徳島支判昭和40年５月13日下民集16巻５号859頁）や身分相応の葬儀費用の支出（大阪高決平成14年７月３日家月55巻１号82頁）は処分に該当しないと解されています。

(2) 熟慮期間の徒過（民法921条２号）

相続人が限定承認または相続放棄をしないままに熟慮期間（限定承認または相続放棄をするための申述期間。民法915条１項）を経過した場合には、単純承認したものとみなされます。

民法は、単純承認を原則として、限定承認や相続放棄をする場合には家庭裁判所への申述という一定の要式による意思表示を要するという構造を採用し、相続人が限定承認または相続放棄の意思表示をしない場合には原則どおり単純承認として処理することとしています。

熟慮期間は、相続人が自己のために相続の開始があったことを知った時から３か月以内とされています（民法915条１項本文）。相続人が相続の承認又は放棄をしないで死亡したときは、熟慮期間は、その者の相続人（再転相続人）が自己のために相続の開始があったことを知った時から起算されます（民法916条）。判例は、「その者の相続人が自己のために相続の開始があったことを知った時」の意義について、相続の承認又は放棄をしないで死亡した者の相続人が、当該死亡した者が承認又は放棄をしなかった相続における相続人としての地位を、当該死亡した者からの相続により、自己が承継した事実を知った時をいうとしています（最判令和元年８月９日民集73巻３号293頁）。

⑶ **背信行為**（民法921条３号本文）

相続人が、「限定承認又は相続の放棄をした後であっても、相続財産の全部若しくは一部を隠匿し、私にこれを消費し、又は悪意でこれを相続財産の目録中に記載しなかったとき」には、単純承認したものとみなされます（民法921条３号本文）。これらの行為は相続債権者に対する背信行為であり、このような場合に相続債権者の犠牲の下、相続人を保護する必要はないためです。ただし、相続放棄者の相続放棄により新たに相続人となった者が相続を承認した後は、相続放棄者が民法921条３号所定の行為をしても、単純承認したものとみなされません（民法921条３号但書）。新たに相続人となった者の相続権を保護するためです。

第３　限定承認

１　限定承認の意義

限定承認とは、「相続によって得た財産の限度においてのみ被相続人の債務及び遺贈を弁済すべきことを留保して、相続の承認をする」旨の意思表示をいいます（民法922条）。

限定承認をした場合には、被相続人の財産に属する一切の権利義務を承継するものの、負の相続財産（債務）については、相続財産中の積極財産の範囲内においてのみ弁済責任を負担することとなります。限定承認は、相続財産が債務超過であるか否かが明らかでないときに有用な手段とされています。

２　限定承認の手続

⑴ 限定承認の申述

相続人が限定承認をしようとするときは、被相続人が死亡して相続が開始したことを知ったときから３か月以内に、財産目録を作成して家庭裁判所に提出し、限定承認をする旨を申述しなければなりません（民法924条）。相続人が数人いる場合には、限定承認をするためには相続人全員が共同してしなければなりません（民法923条）。相続人ごとに単純承認、限定承認、相続放棄を認めると法律関係が複雑化するためです。通常、民法915条１項の３か月の熟慮期間は、相続人ごとに起算します。しかし、限定承認の場合には相続人全員が申述することが要求されるため、一部の相続人が熟慮期間を経過したことで他の相続人が限定承認をすることができなくなることは妥当でないといえます。そこで、限定承認の場合には、相続人の中に一人でも熟慮期間内の者がいれば、他の者についても全員で限定承認できると解されています。

もっとも、相続人の中に相続財産を処分した者（民法921条1号）がいる場合には限定承認はできません。限定承認後に相続財産の処分（民法921条1号）または背信行為（民法921条3号）が行われていたことが判明した場合には、限定承認の効果は維持されますが、当該行為を行っていた相続人は単純承認した場合と同等の責任を負うこととなります（民法937条）。

⑵ 相続財産と相続人の固有財産の分離

限定承認がなされた場合、相続財産と相続人の固有財産が分離され、相続債務は相続財産のみを責任財産として弁済されることとなります。そのため、限定承認者が被相続人に対して有した権利義務も相続による混同（民法179条、520条）では消滅しなかったものとみなされます（民法925条）。混同による消滅を認めると、限定承認者に優先弁済の利益を与えたり、限定承認者の固有財産を相続債務の弁済に供したりしたこととなり、限定承認制度の趣旨に反するためです。相続財産は、限定承認者が1名の場合には当該限定承認者、限定承認者が複数の場合はその中から家庭裁判所が選任した相続財産管理人が限定承認者全員のために「その固有財産におけるのと同一の注意」をもって相続財産の管理および清算をする義務を負います（民法926条1項、936条3項）。

⑶ 債権の申出の公告・催告

限定承認者または相続財産の清算人は、限定承認後5日以内または相続財産の清算人選任後10日以内に、相続債権者および受遺者に対して、債権の申出がない場合には弁済から除斥する旨を付記し、限定承認をした旨および債権申出期間（2か月以上の期間となります）内に債権の申出をすべき旨の公告をします（民法927条1項、2項、936条3項）。この公告は官報により行います（民法927条4項、936条3項）。

また、限定承認者または相続財産の清算人は、知れている相続債権者および受遺者には個別に債権の申出をすべき旨の催告をしなければなりません（民法927条3項、936条3項）。

限定承認者または相続財産の清算人は、債権申出期間の満了前は、相続債権者および受遺者に対して弁済を拒絶することができます（民法928条、936条3項）。債権の申出が出そろうまで弁済を拒絶することで、相続債権者および受遺者に対する公平な弁済を実現するためです。

⑷ 申出債権者等への弁済

申出期間の満了後、限定承認者または相続財産の清算人は、申出をした相続債権者および知れている相続債権者のうち、①優先権のある相続債権者、②優先権のない相続債権者の順に、その有する債権額の割合で弁済します（民法929条、936条３項）。期限付債権については弁済期未到来であっても、民法929条に従って弁済します（民法930条１項、936条３項）。条件付債権または存続期間の不確定な債権は、家庭裁判所が選任した鑑定人の評価に従って弁済します（民法930条２項、936条３項）。

相続債権者への弁済後、残余財産があれば③受遺者に弁済します（民法931条、936条３項）。以上の清算手続が終了しても残余財産がある場合には、申出をしなかった相続債権者および受遺者に弁済します（民法935条、936条３項）。

なお、相続債権者等に弁済するために金銭以外の相続財産を換価するときは競売によります（民法932条本文）。限定承認者または相続財産の清算人は、家庭裁判所の選任した鑑定人の評価に従いその価額を弁済に供すれば、競売を止めることができます（民法932条但書）。

第４　相続放棄

１　相続放棄の意義

相続放棄とは、相続人の相続による権利義務の承継を生じさせない旨の意思表示をいいます。

２　相続放棄の方法

相続放棄は、被相続人の死亡を知った時から３か月以内に、家庭裁判所に申述して行います（民法938条）。家庭裁判所がこの申述を受理することにより、相続放棄は成立します。家庭裁判所の受理審判は、申述者が相続人であることおよび熟慮期間内の申立てであることという形式的審査と申述が真意に基づくものであることを確認するのみで行われ、相続放棄の動機や理由は問われません。

３　相続放棄の効果

相続放棄をした者は、「その相続に関しては、初めから相続人とならなかったもの」とみなされます（民法939条）。その結果、相続放棄者を除く他の共同相続人が相続をすることとなります。相続放棄者ははじめから相続人とならなかったこととなるため、相続放棄者の直系卑属は代襲相続をしません（民法887条２項、889条２項参照）。

相続放棄者の効力は絶対的であり、何人に対しても登記等なくしてその効力を生ずると解されています（最判昭和42年１月20日民集21巻１号16頁・百選Ⅲ［第２版］73事件）。たとえば、Ａが死亡し、相続人ＢとＣのうちＢが相続放棄をし、ＣがＡを単独相続し、相続によりＡの遺産である不動産をＣが取得した旨の登記がなされていない場合でも、当該不動産を差し押さえたＢの債権者Ｄに対して、Ｃは登記なくして当該不動産の全部の所有権を主張できます。なぜなら、相続放棄の遡及効が制限され、Dによる差押えが有効となると、相続放棄者であるBは相続財産中の積極財産から利益を受ける（Dに対する債務を免れる）とともに、消極財産の承継を免れる結果となり、相続人間に不公平が生じるためです。

なお、相続放棄のような身分行為については、民法424条の詐害行為取消権の対象とはなりません（最判昭和49年9月20日民集28巻6号1202頁）。

第5　熟慮期間

1　熟慮期間の意義

相続人は「自己のために相続の開始があったことを知った時」から3か月以内に、相続を承認または放棄しなければなりません（民法915条1項本文）。この期間を熟慮期間といいます。相続人は、熟慮期間内に相続財産を調査して（民法915条2項）、相続財産の状況を把握して、単純承認、限定承認、相続放棄のいずれとするのかを決定することとなります。ただし、相続財産の内容が複雑な場合等、熟慮期間内に相続人が相続財産の調査を完了できないような場合には、相続人等の利害関係人または検察官は家庭裁判所に熟慮期間の伸長を求めることができます（民法915条1項但書）。

2　熟慮期間の起算点

「自己のために相続の開始があったことを知った時」に関して、かつては、相続開始原因たる事実（被相続人の死亡）およびこれにより自己が法律上相続人となった事実を知った時を意味すると解されていました（大判大正15年8月3日民集5巻679頁）。しかし、熟慮期間を知らない債務者の相続人に対して、債権者が期間経過後に初めて被相続人の債務の存在を通知して過大な債務の取立てをする事案が増加しました。

このような事案を受けて、最高裁は、3か月以内に相続放棄または限定承認をしなかったのが「被相続人に相続財産が全く存在しないと信じたためであり、かつ、被相続人の生活歴、被相続人と相続人との間の交際状態その他諸般の状況からみて当該相続人に対し相続財産の有無の調査を期待することが著しく困難な事情があって、相続人において右のように信ずるについて相当の理由があると認められるときには」熟慮期間は「相続人が相続財産の全部又は一部の存在を認識した時又は通常これを認識しうべき時から起算すべきもの」と判示しました（最判昭和59年4月27日民集38巻6号698頁・百選Ⅲ［第2版］76事件）。したがって、上記のような事案で、判例の示した事情および相当性が認められる場合には、債権者が被相続人の債務の存在を通知した時を熟慮期間の起算点とすることとなります。

第5章

財産分離

第1　財産分離の意義

財産分離とは、相続財産を相続人の固有財産から分離して、相続財産を管理・清算する制度をいいます。財産分離制度の趣旨は、相続財産と相続人の固有財産の混合を回避することで、被相続人に対して債権を有していた債権者（相続債権者）や受遺者、相続人の債権者の利益を保護する点にあります。

たとえば、相続財産が1000万円存在したところ、相続人の固有財産が500万円の債務超過であった場合に、相続人が単純承認すると相続財産と相続人の固有財産の混合により相続人の財産は500万円となります。この場合、相続債権者はもともと相続財産である1000万円が引当財産となっていたところ、相続により引当財産が500万円となるという不利益を被ることとなります。また、被相続人が600万円を遺贈していた場合における、受遺者は、相続財産1000万円のうちの600万円の遺贈を受けられたところ、相続により500万円しか遺贈を受けられないこととなるという不利益を被ることとなります。

また、相続財産が1000万円の債務超過であり、相続人の固有財産が500万円であった場合に、相続人が単純承認すると相続財産と相続人の固有財産の混合により相続人の財産は500万円の債務超過となります。この場合、相続人の債権者はもともと相続人の固有財産である500万円が引当財産となっていたところ、相続により引当財産が存在しないこととなる（500万円の債務超過）という不利益を被ることとなります。

このような相続債権者や受遺者、相続人の債権者の利益を保護するために、相続財産を相続人の固有財産から分離して、相続財産を管理・清算する制度として、財産分離制度が設けられています。

第2　財産分離の種類

1　第1種財産分離

第1種財産分離とは、相続債権者または受遺者が申立人となって、相続人を相手方として、相続財産と相続人の固有財産の分離を請求するものをいいます。相続債権者または受遺者は相続開始の時から3か月以内に財産分離を家庭裁判所に申し立てる必要があります（民法941条１項前段）。相続開始の時から３か月を経過した後でも、相続財産が相続人の固有財産と混合しない間は、財産分離を申し立てることができます（民法941条１項後段）。判例は、相続人がその固有財産について債務超過の状態にありまたはそのような状態に陥るおそれがあることなどから、相続財産と相続人の固有財産とが混合することによって相続債権者等がその債権の全部または一部の弁済を受けることが困難となるおそれがあると認められる場合、家庭裁判所は、民法941条１項に基づき、財産分離を命ずることができるとしています（最決平成29年11月28日判時2359号10頁）。

２　第２種財産分離

第２種財産分離とは、相続人の債権者が申立人となって、相続人を相手方として相続財産と相続人の固有財産の分離を請求するものをいいます。相続人の債権者は相続人が限定承認をすることができる間または相続財産が相続人の固有財産と混合しない間は、財産分離を家庭裁判所に申し立てることができます（民法950条）。

第３　財産分離の手続

１　家庭裁判所の審判

財産分離の請求は、相続開始地を管轄する家庭裁判所に対して行います。家庭裁判所は財産分離の請求を受け、審判により財産分離を命じます（家事事件手続法202条１項１号）。また、財産分離の請求を受けた家庭裁判所は相続財産の管理について必要な処分を命じることができます（民法943条１項、950条２項）。この「管理について必要な処分」とは、たとえば相続財産の封印、相続財産目録の作成、供託、換価、管理人の選任等をいいます。家庭裁判所が相続財産の管理人を選任した場合には、不在者の財産管理人の権利義務に関する民法27条～29条までの規定を準用します（民法943条２項）。

相続人は、財産分離の請求を受けた後は「その固有財産におけるのと同一の注意」をもって相続財産の管理をしなければなりません（民法944条１項本文、950条２項）。相続財産の管理人を選任した場合は、当該管理人が相続財産を管理するため、相続人は相続財産を管理する必要はありません（民法944条１項但書、950条２項）。

２　他の債権者等に対する公告

財産分離の審判が確定すると、財産分離の請求をした者は５日以内に、他の相続債権者および受遺者に対して、財産分離の命令があったことおよび一定の期間（２か月以上）内に配当加入の申出をすべき旨を公告しなければなりません（民法941条２項、950条２項、927条１項）。この公告は官報により行います（民法941条３項、

950条２項、927条４項）。

相続人は、財産分離請求期間および配当加入申出期間の満了前は、相続債権者および受遺者に対して弁済を拒絶することができます（民法947条１項、950条２項、928条）。配当加入の申出が出そろうまで、弁済を拒絶することで相続債権者および受遺者に対する公平な弁済を実現するためです。

また、財産分離の審判の確定後は、相続財産中の不動産について、財産分離の登記をしなければ、財産分離を第三者に対抗できません（民法945条、950条２項）。

3　相続財産からの配当

配当加入申出期間の満了後、相続人は、相続財産をもって、相続債権者への配当を行います（民法947条３項、950条２項、930条～934条）。第１種財産分離では、財産分離の請求または配当加入の申出をした相続債権者および受遺者に、それぞれの債権額の割合に応じて相続財産から弁済します（民法942条、947条２項）。第２種財産分離では、配当加入の申出をした相続債権者だけでなく、相続人に知れている相続債権者に対しても相続財産から弁済します（民法950条２項、929条）。相続財産から弁済を受けられる者については、相続財産の売却代金債権や相続財産の賃貸に伴い発生する賃料債権、相続財産の滅失等に基づく損害賠償請求権に物上代位権を行使できます（民法946条、950条２項、304条）。

このように、相続債権者等は、相続人の債権者に優先して相続財産から弁済を受けることとなりますが、相続財産から全額の弁済を受けられなかった場合には、その不足額について相続人の固有財産から弁済を受けることができます（民法948条前段、950条２項）。もっとも、この場合は相続人の債権者に劣後します（民法948条後段、950条２項）。相続債権者等はもともと相続財産を引当財産としていたのであって、相続人の固有財産から弁済を受けられる立場になかったのであり、相続人の債権者と同列に扱う必要はないためです。

4　財産分離の請求の防止

第１種財産分離の目的は相続債権者および受遺者の利益の保護にあるため、相続債権者等が他の方法で債権の満足が得られる場合には、第１種財産分離をする必要がありません。

そこで、民法は、相続債権者等が財産分離を請求した場合に、相続人はその固有財産で弁済し、または担保の提供をすることで、第１種財産分離の請求を防止し、またはその効力を消滅させることができるとしています（民法949条本文）。もっとも、相続人の固有財産による相続債権者等への弁済は、固有財産を引当財産とする相続人の債権者の地位を害するおそれがあるため、相続人の債権者は、自己の損害を立証して異議を述べることにより第１種財産分離を実現・継続することができます（民法949条但書）。自己の損害とは、相続人の固有財産が債務超過の状態にあることや相続債権者等への弁済等により相続人の固有財産が債務超過に陥ること等を意味します。

第Ⅶ篇
相
続

第6章

相続人の不存在

第1　相続人の不存在と相続財産法人

1　相続人不存在制度の意義

相続人が存在する場合には、当然包括承継主義により、相続財産は相続開始と同時に相続人に帰属します（民法896条本文）。この場合、相続人が相続財産を管理することとなります。しかし、相続人が存在しない場合には、相続人による相続財産の管理が行われないため、相続財産の帰属主体を決定し、管理および清算を行う必要があります。そこで、民法は、相続人が存在しない場合には、相続財産を法人と擬制し（民法951条）、家庭裁判所が選任する相続財産の清算人が相続人の捜索と相続財産の管理および清算を行うこととしています。

改正前の民法は「相続財産の管理人」と呼称していましたが、その職務の内容に照らして、相続人のあることが明らかでない場合における「相続財産の管理人」の名称を、「相続財産の清算人」に改めました。

2　相続人の不存在

民法は「相続人のあることが明らかでないときは、相続財産は、法人とする」と定めています（民法951条）。

この「相続人のあることが明らかでないとき」とは、戸籍上の相続人が存在しないことが明らかである場合や、戸籍上の相続人が存在していても、その全員が相続欠格や廃除によって相続資格を喪失したり、相続放棄をした場合をいいます。

戸籍上の相続人が存在し、その所在や行方が不明である場合には「相続人のあることが明らかでないとき」に該当せず、不在者の財産管理制度（民法25条以下）や失踪宣告制度（民法30条以下）により財産関係が処理されます。また、戸籍上の相続人が存在しない場合でも、相続財産全部の包括受遺者が存在するときには、包括受遺者が相続人と同一の権利義務を有するため（民法990条）、「相続人のあることが明らかでないとき」に該当しません。包括受遺者が相続財産を管理すれば足り、相続人不存在制度を利用する必要がないといえるためです。

第2　相続財産の管理

1　相続財産法人の成立

相続財産は、被相続人の死亡時において相続人のあることが明らかでないときに、法人となります（民法951条）。

相続人が存在する場合には、相続人により相続財産が管理されますが、相続人が存在しない場合には、相続人による相続財産の管理可能性がないため、民法は相続財産自体に法人格を付与し、相続財産の清算人を付することで、相続財産の管理および清算を行うことができるようにしています。相続財産自体に法人格を付与するため、相続財産法人は財団法人的性格を有しているといえます。

2　相続財産の清算人の選任

相続財産法人が成立すると、利害関係人（相続債権者、相続債務者、受遺者、特別縁故者等相続財産の管理および清算について法律上の利害関係を有する者）または検察官（公益の代表者として請求権者に挙げられています）の請求により、家庭裁判所が相続財産の清算人を選任します（民法952条1項）。家庭裁判所は相続財産の清算人を選任したときは、遅滞なく、その旨および相続人があるならば一定の期間（6か月以上の期間）内にその権利を主張すべき旨を公告します（民法952条2項）。

改正前民法の下では、権利関係の確定に最低でも10か月を要していましたが、改正後の民法は最低限必要な期間を6か月に短縮しました。

相続財産の清算人は、相続財産法人を代理する者（民法956条1項参照）ですが、不在者の財産管理人に類似するため、不在者財産管理人の権利義務を定める民法27条～29条の規定が準用されます（民法953条）。すなわち、相続財産の清算人は、相続財産の財産目録を作成し（民法953条、27条1項）、家庭裁判所に対して相続財産の状況を報告しなければなりません。また、相続財産の清算人は民法103条に規定する権限内の行為を行うことができ、これを超える行為を行うときは、家庭裁判所の許可を得て、その行為を行います（民法953条、28条）。

このほか、相続財産の清算人は、相続債権者または受遺者の請求があるときは、相続財産の状況を報告する義務を負います（民法954条）。また、相続財産の清算人の業務は、相続財産法人または後に現れるかもしれない相続人のために行われるため、委任の規定が準用されます（家事事件手続法208条、125条6項）。

第3　相続人の捜索と相続財産の清算

1　相続債権者および受遺者への弁済

相続財産の清算人は、相続財産の清算人の選任の公告（民法952条2項）があったときは、すべての相続債権者および受遺者に対して一定の期間（2か月以上の期間、ただし民法952条２項の家庭裁判所の公告期間内に満了する必要があります）内に請求の申出をすべき旨を公告しなければなりません（民法957条１項）。相続財産の清算人は、上記期間内に申出のあったまたはその他知れている相続債権者および受遺者に対して、弁済します。この弁済については限定承認に関する清算規定が準用されます（民法957条２項、928条～935条）。

優先権を有する相続債権者（民法957条２項、929条但書）は、必要な対抗要件を相続開始時までに備えていなければならないと解されています。判例は、相続債権者が被相続人から抵当権の設定を受けていても、相続開始時までに仮登記等を備えていない限り、相続財産法人に対して抵当権設定登記を求めることはできないとしています（最判平成11年１月21日民集53巻１号128頁・百選Ⅲ［第２版］56事件）。

民法952条２項の期間内に相続人としての権利を主張する者がないときは、相続人の不存在が確定し、相続人ならびに相続財産の清算人に知れなかった相続債権者および受遺者は、その権利を行使することができなくなります（民法958条）。

2　相続人の出現

相続財産法人が成立した以後（被相続人の死亡後）相続人のあることが明らかになったときには、相続財産は相続開始時から相続人に帰属していたこととなり（民法896条本文）、相続財産法人は遡って成立しなかったものとみなされます（民法955条本文）。もっとも、相続財産法人の成立後、相続財産の清算人が権限内で行った行為の効力を妨げません（民法955条但書）。相続財産の清算人の権限内の行為に対する第三者の信頼を保護するためです。

相続財産の清算人の代理権は、相続人が出現したときに当然に消滅するのではなく、相続人が相続を承認したときに消滅します（民法956条１項）。相続人が相続を承認して初めて当該相続人が相続財産を管理することとなるためです。また、相続財産の管理を相続人に引き継ぐために、相続財産の清算人は管理期間中に発生した一切の収支を計算し相続人に報告しなければなりません（民法956条２項）。

第４　相続財産の終局的帰属

1　相続財産の終局的帰属先の決定

相続人の不存在が確定し（民法958条）、相続債権者や受遺者に対する弁済をしてもなお相続財産が残存する場合、当該相続財産の最終的な帰属先を決定する必要があります。民法は、特別縁故者が存在すれば当該特別縁故者に対する相続財産の全部または一部の分与を行い（民法958条の２）、特別縁故者が存在しない場合または特別縁故者に対して一部の分与が行われた場合の残余相続財産については最終的に国庫に帰属することとしています（民法959条）。被相続人と特別の縁故のあった者がいる場合には、国庫に帰属させるよりもその者に相続財産を与える方が被相続人の合理的意思にも合致し、当該特別縁故者の生活保障を図ることができると考えられるためです。

2　特別縁故者に対する相続財産の分与

相続人の不存在が確定し、民法952条２項の期間の満了後３か月以内に、被相続人と生計を同じくしていた者、被相続人の療養看護に努めた者その他被相続人と特別の縁故があった者から請求があった場合、家庭裁判所はこれらの者に、清算後残存すべき相続財産の全部または一部を与えることができます（民法958条の２第１項）。

特別縁故者であるか否かは、家庭裁判所が個別具体的な事情を勘案して、相続財産を分与すべきか否かを後見的に判断することとなり、親族関係の有無というような形式的な基準ではなく、実質的な被相続人との関係性を基準とします。

たとえば、内縁の妻や事実上の養子、伯父叔母、被相続人の療養看護に特別に尽力した友人、元従業員、付添看護師、被相続人が代表者として発展に努めてきた学校法人、被相続人の入所していた老人ホーム等が挙げられます。

相続財産の分与の相当性の判断基準については、一般的には、縁故関係の内容、濃淡、程度、縁故者の性別、年齢、職業、教育程度、遺産の種類、内容、所在等一切の事情を総合的に勘案して判断されます。

なお、特別縁故者の相続財産の分与を受ける権利は、家庭裁判所の審判によって初めて形成される権利であり、分与の申立て前の特別縁故者たる地位は抽象的な期待権にとどまると解されます。そのため、特別縁故者が分与の申立てをせずに死亡した場合には、当該特別縁故者の相続人はその地位を承継することはできないとされています（名古屋高決平成８年７月12日家月48巻11号64頁）。

特別縁故者に分与される財産は、被相続人の所有であった財産です。また、共有持分権も分与の対象となります（最判平成元年11月24日民集43巻10号1220頁）。

3　国庫への帰属

特別縁故者からの相続財産の分与請求がない場合、特別縁故者からの分与請求が認められなかった場合、特別縁故者に対する相続財産の一部分与がなされ残余財産がある場合には、残余財産は国庫に帰属します（民法959条前段）。国庫への帰属時期は、相続財産法人から現実に国庫に引き継がれた時と解されています（最判昭和50年10月24日民集29巻９号1483頁）。したがって、国庫に引き継がれるまで相続財産法人が存続し、相続財産の清算人の代理権も存続することとなります。

第７章

遺　言

第１　遺言制度

１　遺言の意義

遺言とは、遺言者が死亡した後のことについて、一定の効力を生じさせることを目的とする単独行為をいいます。遺言者は生前に自己の財産を自由に処分することができるのと同様に、死後の財産の全部または一部を処分することができます（民法964条）。なお、遺言が相続人の遺留分を害する場合、遺留分権利者である相続人は受遺者や受贈者に対し遺留分侵害額請求をすることができます（民法1046条）。

また、遺言により遺産分割の方法を指定したり（民法908条）、法定相続分とは異なる相続分の指定をすること（民法902条）ができます。たとえば、被相続人Ａに妻Ｂ、長男Ｃおよび次男Ｄが存在する場合に、Ａが死亡する前に、所有する家屋は妻Ｂに、株式や金銭の３分の２は長男Ｃに、その余の一切の財産は次男Ｄに移転するという遺言を残す場合です。

遺言の内容は、財産の移転に関する事項が中心となりますが、遺言によって嫡出でない子を認知すること（民法781条２項）等、一定の身分上の行為についても遺言事項として定めることができます。

２　遺言の性質

(1)　遺言の要式性

遺言は、民法に定める方式に従わなければすることができません（民法960条）。これを遺言の要式性といいます。この趣旨は、遺言の効力が発生する時点で遺言者は既に死亡しているため、遺言者の最終意思を確保しておく必要があることから、厳格な要式性を要求した点にあります。民法に定める方式に違反する遺言は、原則として無効となります。

(2)　遺言の解釈

遺言は遺言者の意思表示であり、遺言の内容が一義的に明らかでない場合には、遺言の内容を解釈することにより確定する必要が生じます。

判例は、遺言を解釈するにあたっては、遺言書の文言を形式的に判断するだけでなく遺言者の真意を探求すべきであり、遺言書作成当時の事情および遺言者の置かれていた状況などを考慮して、遺言者の真意を探究し、当該条項の趣旨を確定すべきであると判示しています（最判昭和58年3月18日家月36巻3号143頁・百選Ⅲ［第2版］84事件、最判平成17年7月22日集民217号581頁）。判例は、受遺者を明示せず遺産の「全部を公共に寄與する」とした遺言は、その目的を達成できる団体等（国または地方公共団体等）に遺産の全部を包括遺贈する趣旨と解するのが相当であるとしたうえで、この団体等のいずれが選定されても遺言者の意思と離れることはないと判示しました（最判平成5年1月19日民集47巻1号1頁・百選Ⅲ［第2版］85事件）。

3　遺言事項

民法は、遺言で定めることができる事項として以下のものを定めています。

⑴ 遺言によってのみなしうる行為

① 未成年後見人・未成年後見監督人の指定（民法839条、848条）
② 相続分の指定とその委託（民法902条）
③ 遺産分割の方法の指定とその委託（民法908条1項前段）
④ 遺産分割の禁止（民法908条1項後段）
⑤ 遺産分割における共同相続人間の担保責任の指定（民法914条）
⑥ 遺言執行者の指定とその委託（民法1006条1項）
⑦ 遺留分侵害額の請求における受遺者または受贈者の負担割合の指定（民法1047条1項2号）

⑵ 遺言でも生前行為でもできる行為

① 認知（民法781条2項）
② 推定相続人の廃除・取消し（民法893条、894条2項）
③ 財産の処分（遺贈）（民法964条）

その他、民法の明文では定めていませんが、祭祀承継者の指定（民法897条）や特別受益者の相続分に関する指定（民法903条3項）は遺言によってなしうると解されています。また、民法以外では信託の設定（信託法3条2号）等も遺言でなしうる旨が定められています。

4　遺言能力

15歳に達した者は、遺言をすることができます（民法961条）。遺言には制限行為能力者に関する規定（民法5条〔未成年者の行為能力〕、9条〔成年被後見人の行為能力〕、13条〔保佐人の同意を要する行為等〕、17条〔補助人の同意を要する旨の審判〕）は適用されず（民法962条）、制限行為能力者も単独で遺言をすることができます。この趣旨は、遺言者の最終意思を尊重する点にあります。たとえば、15歳以上の未成年者は父母等の法定代理人の同意を要することなく遺言をすることができます。

もっとも、遺言者は遺言する時において意思能力（遺言能力）を有しなければなりません（民法963条）。この趣旨は、本人の正常な意思に基づいて遺言をすることを要求した点にあります。成年被後見人は精神上の障害により事理を弁識する能力を欠く常況にある者（民法7条）であるため、事理を弁識する能力を一時回復した時に遺言をするには、医師2人以上の立会いがなければならないとされています（民法973条1項）。

遺言者は遺言を作成する当時に意思能力を有していれば足り、作成後に意思能力を失っても遺言の効力には影響しません。

第2　遺言の方式

1　遺言の方式の意義

遺言の方式には、普通の方式として自筆証書遺言（民法968条）、公正証書遺言（民法969条）、秘密証書遺言（民法970条）があります（民法967条）。その他に特別の方式の遺言があります（民法976条以下）。

このように遺言の方式は民法で厳格に定められ、方式に従わない場合には効力が生じません（民法960条）。この趣旨は、遺言の効力が生じる時は遺言者は死亡しているため、遺言の文言によって遺言者の意思を判断するほかはないことから、厳格な要式性を要求することにより遺言者の真意を確保する点にあります。

2　普通の方式

普通方式遺言として、自筆証書遺言、公正証書遺言、秘密証書遺言の3種類を定めています（民法967条）。

(1) 自筆証書遺言

自筆証書によって遺言をするには、次の①から④に掲げる方式に従う必要があります。すなわち、遺言者が①遺言の内容となる全文、②日付、③氏名を自書し、かつ、④押印することです（民法968条1項）。

ただし、自筆証書にこれと一体のものとして相続財産（遺贈の目的である権利が相続財産に属しない場合（民法997条1項）は、その権利を含みます）の全部または一部の目録を添付する場合には、その目録については自書する必要はありません（民法968条2項前段）。この場合、遺言者は、その目録の毎葉（自書によらない記載がその両面にある場合には、その両面）に署名し、押印をする必要があります（同項後段）。改正前民法は、自筆証書遺言の方式として、全文の自書を要求していましたが（民法968条1項）、改正後の民法はこの方式を緩和し、自筆証書遺言に添付する財産目録については自書でなくてもよいものとしたうえで、財産目録の各頁に署名押印をすることを要するものとしました（民法968条2項）。この趣旨は、高齢者等にとって自筆証書遺言の全文を自書することにはかなりの労力が伴うものであり、このことが自筆証書遺言の利用を妨げる要因となっていることに鑑み、自筆証書遺言の方式を緩和する点にあります（一問一答 新しい相続法101頁）。

自筆証書（自書によらない財産目録を添付した自筆証書遺言については、この目録を含みます）中の加除その他の変更は、遺言者がその場所を指示し、これを変更した旨を付記して特にこれに署名し、かつ変更の場所に押印しなければ効力を生じません（民法968条３項）。

これらの要件を欠く自筆証書遺言は効力を有しません。たとえば、署名をしなかった場合や、押印しなかった場合です。自筆証書遺言は遺言者が自書することを要求され、他人が代書する場合は無効となるのが原則です。判例は、運筆について他人の添え手による補助を受けてされた自筆証書遺言が民法968条１項にいう「自書」の要件を満たすためには、遺言者が証書作成時に自書能力を有し、かつ、補助が遺言者の手を用紙の正しい位置に導くにとどまるか、遺言者の手の動きが遺言者の望みに任されていて単に筆記を容易にするための支えを借りたにとどまる等、添え手をした他人の意思が運筆に介入した形跡のないことが筆跡のうえで判定できることを要する（最判昭和62年10月８日民集41巻７号1471頁）、遺言書自体に押印がなくとも、遺言書本文の入った封筒の封じ目にされた押印をもって民法968条１項の押印の要件に欠けることはない（最判平成６年６月24日家月47巻３号60頁・百選Ⅲ［第２版］79事件）、カーボン紙を用いて複写の方式で記載した場合も民法968条１項の自書の方式に欠けるところはないと判示しています（最判平成５年10月19日家月46巻４号27頁・百選Ⅲ［第２版］80事件）。なお、判例は、入院中に遺言の全文、日付及び氏名を自書し、退院して九日後に押印したなどの事実関係の下では、遺言書に真実遺言が成立した日である日と相違する日の日付が記載されているからといって直ちに遺言が無効となるものではないとしています（最判令和３年１月18日判時2498号50頁）。

自筆証書遺言は、他の遺言方式とは異なり証人や立会人の立会いが要求されず、作成が容易で費用がかからないという長所がありますが、保管の仕組みが設けられていないため紛失したり、偽造・変造がなされるおそれがあるといえます。

⑵ 公正証書遺言

公正証書によって遺言をするには、次の①から⑤に掲げる方式に従う必要があります。すなわち、①証人２人以上の立会いがあること、②遺言の趣旨を公証人に口授すること、③公証人がこれを筆記し、遺言者および証人に読み聞かせ、または閲覧させること、④遺言者および証人が筆記の正確なことを承認した後、各自これに署名し、押印すること（遺言者が署名することができない場合は、公証人がその事由を付記して、署名に代えることができます）、⑤公証人が、その証書は上記①から④に掲げる方式に従って作成したものである旨を付記して、これに署名し、押印することです（民法969条）。

法律の専門家である公証人の下で作成する公正証書遺言は、要式や内容の不備を回避することができること、その原本が公証役場に保管され、偽造・変造のおそれがないという長所を有し、実際に多く利用されています。他方で、公正証書遺言の作成には手間（公証人の関与、２人以上の証人の立会いが必要となること等）と費用がかかり、簡便な方式とはいえません。また、作成の際に証人２人が立ち会うため、遺言の内容を完全に秘密にすることはできないといえます。

(3) 秘密証書遺言

秘密証書によって遺言をするには、次の①から④に掲げる方式に従う必要があります。すなわち、①遺言者がその証書に署名し、押印すること、②遺言者がその証書を封じ、証書に用いた印章をもってこれに封印すること、③遺言者が、公証人１人および証人２人以上の前に封書を提出して、自己の遺言書である旨並びにその筆者の氏名および住所を申述すること、④公証人がその証書を提出した日付および遺言者の申述を封紙に記載した後、遺言者および証人とともにこれに署名し、押印することです（民法970条）。

秘密証書遺言が民法970条に定める方式に欠ける場合でも自筆証書遺言の方式（民法968条）を具備しているときは、自筆証書遺言としての効力を有するとされています（民法971条）。

秘密証書遺言は遺言書を作成後に密封して公開しないため、遺言の内容を秘密にすることができること、偽造・変造がされにくいという利点を有します。ただし、公証人に遺言書を提出する等の手間や費用が生じること、遺言の作成には証人２人以上が関与するため、遺言の作成自体は他人に知られてしまうこと、公証人が遺言の作成に関与しないため、要式や内容の不備が生じてしまうおそれがあること等の難点があります。

(4) 証人および立会人の欠格事由

次に掲げる者は、遺言の証人または立会人となることができません。すなわち、未成年者、推定相続人および受遺者ならびにこれらの配偶者および直系血族、公証人の配偶者、４親等内の親族、書記および使用人です（民法974条）。判例は、視覚障害者は証人適格を有すると判示しています（最判昭和55年12月４日民集34巻７号835頁・百選Ⅲ［第２版］81事件）。また、遺言の証人となることができない者が同席して作成された公正証書遺言は、この者によって遺言の内容が左右されたり、遺言者が自己の真意に基づいて遺言をすることを妨げられたりする等の特段の事情がない限り、無効ではないと判示しています（最判平成13年３月27日家月53巻10号98頁）。

(5) 共同遺言の禁止

遺言は、２人以上の者が同一の証書ですることができません（民法975条）。この趣旨は、単独行為である遺言の意思表示を確保する点にあります。判例は、同一の証書に２人の遺言が記載されているときは、その一方に氏名を自書しない方式の違背があるときでも、共同遺言に該当し無効であると判示しています（最判昭和56年９月11日民集35巻６号1013頁・百選Ⅲ［第２版］83事件）。他方で、遺言者が各葉ごとに甲名義の印章による刻印がされた数枚を合綴したものである場合でも、甲名義の遺言書の形式のものと乙名義の遺言書の形式のものとが容易に切り離せる場合には、共同遺言に該当しないと判示しています（前掲最判平成５年10月19日）。

3　特別の方式

特別の事情がある場合には、普通方式の遺言の要件を緩和した方式による遺言が認められています（民法976条以下）。具体的には、死亡危急時の遺言（民法976条）、伝染病隔離者の遺言（民法977条）、在船者の遺言（民法978条）、船舶遭難者の遺言（民法979条）です。

たとえば、伝染病隔離者遺言について、「伝染病のため行政処分によって交通を断たれた場所に在る者は、警察官１人及び証人１人以上の立会いをもって遺言書を作ることができる」と定めています（民法977条）。これらの方法による場合は、遺言者、筆者、立会人および証人は、各自遺言書に署名、押印をすることを要します（民法980条）。

第３　遺言の一般的効力

1　遺言の効力発生時期

遺言は、遺言者の死亡の時からその効力を生じます（民法985条１項）。たとえば、特定遺贈の目的である財産の所有権は遺言者の死亡時に受遺者に移転します（大判大正５年11月８日民録22輯2078頁）。不動産の遺贈を受けた者はその旨の所有権移転登記を経なければ第三者に対抗できません（最判昭和39年３月６日民集18巻３号437頁・百選Ⅲ［第２版］74事件）。

遺言に停止条件を付した場合に、その条件が遺言者の死亡後に成就したときは条件が成就した時からその効力が生じます（民法985条２項）。もっとも、この場合でも遺言者が条件成就の効果を死亡時に遡及させる旨の意思表示をしているときは、遺言は遺言者死亡の時に遡って効力を生じます。

2　遺言の無効・取消し

遺言の方式を欠く遺言や遺言能力のない者による遺言は無効となります。また、公序良俗に違反する遺言は無効となります（民法90条）。判例は、不倫相手の女性に遺産の３分の１を包括遺贈した事案で、もっぱら同女の生活を保全するためにされたものであること、遺言で相続人である妻子も遺産の各３分の１を取得するものとされていて、遺贈により相続人の生活の基盤が脅かされるものとはいえないこと等の具体的事情の下で、当該遺言は公序良俗に反するものとはいえないと判示しました（最判昭和61年11月20日民集40巻７号1167頁）。

錯誤や強迫により遺言がなされた場合、遺言者や相続人は取り消すことができます（民法120条）。

3　遺言の撤回

⑴ 遺言の撤回の意義

遺言者は、いつでも遺言の方式に従ってその遺言の全部または一部を撤回することができます（民法1022条）。この趣旨は、遺言者の最終意思を尊重し、遺言者が自由に遺言を撤回することを認めた点にあります。遺言者は、その遺言を撤回する権利を放棄することはできません（民法1026条）。

遺言者が数度にわたり遺言をした場合に前の遺言と後の遺言の内容が抵触するときは、その抵触する部分については、後の遺言で前の遺言を撤回したものとみなされます（民法1023条１項）。この趣旨は、本人の最終の意思表示を尊重する点にあります。判例は、１万円を与える旨の遺言をした後、遺言者が遺贈に代えて生前に5000円を受遺者に贈与することとし、受遺者もその後金銭の要求をしない旨を約した場合は「抵触」（民法1023条１項）に該当すると判示しています（大判昭和18年３月19日民集22巻185頁）。

民法1023条１項は、遺言が遺言後の生前処分その他の法律行為と抵触する場合について準用します（民法1023条２項）。判例は、終生扶養を受けることを前提として養子縁組をしたうえ、大半の不動産を養子に遺贈する旨の遺言をした者が、後に扶養を受けないことにして協議離縁をした場合には、遺言後の法律行為が遺言と抵触すると判示しています（最判昭和56年11月13日民集35巻８号1251頁）。

遺言者が故意に遺言書を破棄したときは、その破棄した部分については遺言を撤回したものとみなされます（民法1024条前段）。遺言者が故意に遺贈の目的物を破棄したときも同様です（民法1024条後段）。

⑵ 遺言の撤回の効力

遺言が撤回された場合は、遺言は当初から存在しなかったことになります。遺言の撤回行為が更に撤回された場合に、遺言の効力が回復するかが問題となります。遺言の撤回が更に撤回された場合は、遺言者の意思が不明確となると考えられます。そこで、民法は、民法1022条～1024条までの規定により撤回された遺言は、当該撤回の行為が撤回され、取り消され、または効力を生じなくなるに至ったときであっても、その効力を回復しないと定めています（民法1025条本文）。したがって、遺言の撤回を更に撤回することを求める者は、改めて遺言をすべきことになります。

もっとも、遺言の撤回が錯誤または強迫による場合は、この限りではありません（民法1025条但書）。この場合は遺言の撤回が遺言者の真意によるものでないことが明らかであり、遺言者は遺言の復活を望むものと考えられるためです。

⑶ 死因贈与の撤回

死因贈与とは、贈与者の死亡によって効力を生じる贈与契約をいいます。民法は、贈与者の死亡によって効力を生ずる贈与（死因贈与）については、その性質に反しない限り、遺贈に関する規定を準用すると規定しますが（民法554条）、判例は、死因贈与については、遺言の取消しに関する民法1022条がその方式に関する部分を除いて準用されると判示しました（最判昭和47年5月25日民集26巻4号805頁）。したがって、贈与者は死因贈与をいつでも任意に取り消すこと（撤回）ができると解されます。

他方、負担付死因贈与の場合は、原則として撤回できないものの、利害関係人の生活関係等に照らし、負担付死因贈与契約の全部または一部の取消しをすることがやむをえないと認められる特段の事情がある場合には、取り消すこと（撤回）ができると解されます（最判昭和57年4月30日民集36巻4号763頁・百選Ⅲ［第2版］86事件）。

第4　遺 贈

1　遺贈の意義

遺贈とは、遺言によって財産を無償で譲渡することをいいます。遺贈は、遺言者の死後に財産を譲渡する点で生前贈与と異なります。また、単独行為である点で死因贈与と異なります。通常の遺贈のほかに、遺言によって受遺者に一定の給付をなすべき義務を負担させる負担付遺贈をすることもできます。

2　受遺者・遺贈義務者

⑴ 受遺者

遺贈を受ける者として遺言で指定される者を受遺者といいます。受遺者となり得る能力を受遺能力といいます。自然人のみならず、法人も受遺能力を有します。受遺者は、遺贈の効力が発生する遺言者の死亡時に生存していることを要します。これを同時存在の原則といいます。

遺言者の死亡以前に受遺者が死亡した場合にはその遺贈は効力を生じず（民法994条1項）、遺言者が遺言で別段の意思表示をしていない限り、受遺者が受けるべきであったものは遺言者の相続人に帰属します（民法995条本文）。これに対し、遺言中に別段の意思表示として受遺者の相続人に承継を認める旨を定めている場合はこれに従います（同条但書）。また、胎児は遺贈に関して既に生まれたものとみなされるため（民法965条、886条）、胎児に遺贈することができます。

⑵ 遺贈義務者

遺贈を履行する義務を負う者を遺贈義務者といいます。遺贈義務者は通常は相続人ですが、遺言執行者（民法1015条、1012条1項）、包括受遺者（民法990条）または相続財産法人の相続財産の清算人（民法952条）である場合もあります。たとえば、遺贈を行う場合に目的物の引渡しや登記手続等の遺贈に伴う手続が必要となる場合は、遺贈義務者はかかる手続を実行する義務を負います。

3　遺贈の承認・放棄

遺贈は遺言者の単独行為であり、原則として遺言者の死亡の時に効力が生じます（民法985条1項）。もっとも、受遺者は遺贈を受けることを強制されるわけではなく、受遺者は遺言者の死亡後いつでも遺贈を放棄することができます（民法986条1項）。受遺者が遺贈を放棄した場合、遺言者の死亡の時に遡ってその効力を生じます（民法986条2項）。

遺贈義務者（遺贈を履行する義務を負う者）その他の利害関係人は、受遺者に対して、相当の期間を定めてその期間内に遺贈の承認または放棄をすべき旨を受遺者に催告することができます（民法987条前段）。この場合、受遺者がその期間内に遺贈義務者に対してその意思を表示しないときは、遺贈を承認したものとみなされます（民法987条後段）。

受遺者が遺贈の承認または放棄をしないで死亡したときは、その相続人は、自己の相続権の範囲内で遺贈の承認または放棄ができます（民法988条本文）。ただし、遺言者がその遺言に別段の意思を表示したときは、その意思に従います（民法988条但書）。

遺贈の承認および放棄は、撤回することができません（民法989条1項）。相続の承認・放棄の取消しの許可の規定（民法919条2項、3項）は、遺贈の承認および放棄について準用されます（民法989条2項）。

4　遺贈の種類

⑴ 遺贈の種類

遺贈には包括遺贈と特定遺贈があります。包括遺贈とは、積極財産および消極財産を包含する相続財産の全部または一部の分数的部分ないし割合による遺贈をいいます。たとえば、目的物を特定せずに「相続財産の全部を遺贈する」とする場合や「相続財産の3分の1を遺贈する」とする場合です。包括遺贈を受ける者を包括受遺者といいます。

特定遺贈とは、特定の具体的な財産的利益の遺贈をいいます。たとえば、「甲不動産を遺贈する」とする場合です。特定遺贈を受ける者を特定受遺者といいます。

⑵ 包括遺贈

包括受遺者は、相続財産の全部または一部の分数的部分ないし割合による遺贈を受ける者であり、相続財産の全部または一部（法定相続分）を承継する相続人に類似するといえます。そこで、民法は、「包括受遺者は、相続人と同一の権利義務を有する」と定めています（民法990条）。具体的には包括遺贈は次のような効力を発生させます。

包括受遺者は、遺言者の一身に専属する権利義務を除いてその財産に属する一切の権利義務を包括的に受遺分の割合で承継します（民法990条、896条）。かかる権利取得を第三者に対抗するためには、対抗要件を備える必要があります。

包括受遺者と相続人および他の包括受遺者の間には、共同相続人相互間と同様の関係が生じます。具体的には、遺産の共同所有関係が発生します（民法990条、898条、899条）。共有関係を解消するには遺産分割の協議をすべきことになります（民法907条１項）。

包括受遺者の承認・放棄には、相続に関する規定（民法915条〜940条）の適用があり、遺贈の承認・放棄に関する民法986条、987条の適用はないと解されています。たとえば、包括受遺者は、自己のために遺贈の効力が生じたことを知った時から３か月以内に包括遺贈を承認・放棄することを要し、その期間内に限定承認・放棄しないときは包括遺贈の単純承認をしたものとみなされます（民法921条２号参照）。

なお、包括受遺者は相続人とは異なり遺留分を有しておらず、相続人の遺留分を侵害する場合は遺留分侵害額請求を受ける可能性があります。また、包括受遺者には代襲相続に相当する規定はなく、受遺者が相続開始以前に死亡した場合は原則として遺贈は無効となります。

(3) 特定遺贈

特定遺贈は特定の具体的な財産的利益の遺贈であり、目的物の種類によって特定物遺贈と不特定物遺贈に区別されます。

判例は、特定物遺贈について、遺言の効力発生と同時に遺贈された権利が当然に受遺者に移転する物権的効力が発生すると判示しています（大判大正５年11月８日民録22輯2078頁）。受遺者は遺言の効力発生と同時に遺贈義務者に対して権利を行使できますが、第三者に対しては対抗要件を具備することが必要です（最判昭和39年３月６日民集18巻３号437頁・百選Ⅲ［第２版］74事件）。たとえば、相続人から特定遺贈を受けた受遺者と相続人からの譲受人は対抗関係にあり、受遺者が譲受人に対して目的物の所有権を対抗するには対抗要件を具備することが必要となります。

これに対し、不特定物遺贈の場合は受遺者は遺贈義務者に対して遺贈された権利を請求できるという債権的効力が生ずるにとどまります。

(4) 負担付遺贈

負担付遺贈とは、遺言によって受遺者に一定の給付をなすべき義務を負担させる遺贈をいいます。負担付遺贈は包括遺贈と特定遺贈の区別なく認められます。遺贈の目的物と何ら関係のない事項を負担とすることも可能です。負担の履行を請求する権利は相続人またはその代理人である遺言執行者のみが有します（民法1027条参照）。

負担付遺贈を受けた者は、遺贈の目的の価額を超えない限度においてのみ、負担した義務を履行する責任を負います（民法1002条１項）。負担付遺贈を受ける者が遺贈により過度に不利益を受けることは妥当ではないためです。

受遺者が遺贈の放棄をしたときは、負担の利益を受けるべき者は、自ら受遺者となることができます（民法1002条２項本文）。ただし、遺言者がその遺言に別段の意思を表示したときは、その意思に従います（民法1002条２項但書）。負担付遺贈の目的の価額が相続の限定承認または遺留分回復の訴えによって減少したときは、受遺者は、その減少の割合に応じて、その負担した義務を免れます（民法1003条本文）。ただし、遺言者がその遺言に別段の意思を表示したときは、その意思に従います（民法1003条但書）。

負担付遺贈を受けた者がその負担した義務を履行しないときは、相続人は相当の期間を定めてその履行の催告をすることができます（民法1027条前段）。この場合にその期間内に履行がないときは、相続人はその負担付遺贈に係る遺言の取消しを家庭裁判所に請求することができます（民法1027条後段）。

5　遺贈が実行されるまでの法律関係

⑴ 受遺者による担保の請求

受遺者は、遺贈が弁済期未到来である場合や停止条件付きの遺贈の停止条件が未成就である場合には、遺贈義務者に対して相当の担保の設定を請求することができます（民法991条）。

⑵ 受遺者による果実の取得

受遺者は、遺贈の履行を請求できる時から果実を取得します（民法992条本文）。ただし、遺言者がその遺言に別段の意思を表示したときは、その意思に従います（民法992条但書）。

⑶ 遺贈義務者の費用の償還の請求

遺贈義務者が遺言者の死亡後に遺贈の目的物について費用を支出したときは、留置権者と同様の範囲で、受遺者に対してその費用の償還請求をすることができます（民法993条１項、299条）。遺贈義務者が遺贈の目的物の果実を収取するために支出した通常の必要費は、果実の価格を超えない限度でその償還を請求できます（民法993条２項）。

⑷ 受遺者の死亡による遺贈の失効等

遺贈は、遺言者の死亡以前に受遺者が死亡したときは、その効力を生じません（民法994条１項）。停止条件付きの遺贈については、受遺者がその条件の成就前に死亡したときは同様ですが、遺言者がその遺言に別段の意思を表示したときは、その意思に従います（民法994条２項）。

遺贈が、その効力を生じないとき、または放棄によってその効力を失ったときは、受遺者が受けるべきであったものは、相続人に帰属します（民法995条本文）。ただし、遺言者がその遺言に別段の意思を表示したときは、その意思に従います

（民法995条但書）。

⑸ 相続財産に属しない権利の遺贈等

遺贈は、目的である財産権が遺言者の死亡の時に相続財産に属しなかったときは、その効力を生じません（民法996条本文）。ただし、遺贈の目的である財産権が相続財産に属するかどうかにかかわらず、これを遺贈の目的としたと認められるときは有効であり（民法996条但書）、遺贈義務者はその権利を取得して受遺者に移転する義務を負います（民法997条１項）。

この場合に当該権利を取得できないとき、またはこれを取得するについて過分の費用を要するときは、遺贈義務者は、その価額を弁償しなければなりません（民法997条２項本文）。ただし、遺言者がその遺言に別段の意思を表示したときは、その意思に従います（民法997条２項但書）。

⑹ 遺贈義務者の引渡義務不特定物の遺贈義務者の担保の責任

遺贈義務者は、遺贈の目的である物または権利を、相続開始の時（その後に当該物または権利について遺贈の目的として特定した場合には、その特定した時）の状態で引き渡し、または移転する義務を負います（民法998条本文）。ただし、遺言者がその遺言に別段の意思を表示したときは、その意思に従います（民法998条但書）。

改正前民法の下では、不特定物を遺贈の目的とした場合に受遺者がこれにつき第三者から追奪を受けたときは、遺贈義務者は、これに対して売主と同様に担保責任を負い（改正前民法998条１項）、この場合に、物に瑕疵があったときは、遺贈義務者は、瑕疵のない物をもってこれに代えなければなりませんでした（改正前民法998条２項）。しかし、平成29年の債権法改正によって新たに定められた贈与者の引渡義務の規定（民法551条）と平仄を合わせ、不特定物の遺贈義務者の担保責任の規定（改正前民法998条）を改め、遺贈義務者の引渡義務を定めました（民法998条）。

⑺ 遺贈の物上代位

遺言者が遺贈の目的物の滅失もしくは変造またはその占有の喪失によって第三者に対して償金を請求する権利を有するときは、その権利を遺贈の目的としたものと推定され、受遺者はこれを取得します（民法999条１項）。遺贈の目的物が他の物と付合しまたは混和した場合に、遺言者が合成物または混和物の単独所有者または共有者となったときは、その全部の所有権または持分を遺贈の目的としたものと推定します（民法999条２項）。

金銭債権以外の債権を遺贈の目的とした場合に、遺言者が弁済を受け、かつ、その受け取った物がなお相続財産中にあるときは、その物を遺贈の目的としたものと推定します（民法1001条１項）。受け取ったものが相続財産中にない場合は遺贈は無効となります。これに対し、金銭を目的とする債権を遺贈の目的とした場合は、相続財産中にその債権額に相当する金銭がないときでも、その金額を遺贈の目的としたものと推定します（民法1001条２項）。

⑻ 第三者の権利の目的である財産の遺贈

改正前民法の下では、遺言者がその遺言に反対の意思を示したときを除き、遺贈の目的である物または権利が遺言者の死亡の時に第三者の権利の目的である場合（たとえば、目的である土地上に第三者のために地上権や抵当権が設定されている場合）は、受遺者は遺贈義務者に対しその権利を消滅させるべき旨を請求できないとされていました（改正前民法1000条）。しかし、遺贈義務者の引渡義務（民法998条）を定めた結果、遺贈の目的である物または権利が遺言者の死亡の時に第三者の権利の目的となっていた場合であっても、遺贈義務者は、相続開始の時の状態でその物を引き渡し、または権利を移転すれば足りることから、改正前民法1000条の規定は削除されました。

6 「相続させる」旨の遺言

⑴ 「相続させる」旨の遺言の意義

「相続させる」旨の遺言とは、被相続人Ｘが遺言に「甲不動産をＡに相続させる」と定める場合のように、「相続させる」旨を定める遺言をいいます。

上記の例で、ＡがＸの相続人である場合（ＡがＸの子である場合等）、被相続人Ｘが相続人Ａに財産を承継する方法は、遺贈による方法と遺贈によらず相続による方法があります。そこで、上記の「甲不動産をＡに相続させる」旨の遺言が遺贈であると解した場合、相続人であるＡに対する特定遺贈であると理解できます。

一方で、「甲不動産をＡに相続させる」旨の遺言が遺贈ではなく相続であると解した場合、甲不動産をＡが取得する形で分割するという遺産分割方法の指定（民法908条１項）であると理解することになります。

かつては遺言に「相続させる」旨を定めた場合は遺産分割方法の指定（民法908条１項）となって遺産分割が不要となり、不動産について特定の者が単独申請で登記できるという運用が公証人の間で一般化していました。また、当時は不動産登記に際しての登録免許税が相続の場合は遺贈の約４分の１と低額であったことから、節税という観点からも「相続させる」旨の遺言を遺贈ではなく相続であると解することにメリットがあるとされていました（現在は相続人の場合には遺贈と相続の税率は同率となったため、かかるメリットは失われました）。

⑵ 判 例

このような中で、「相続させる」旨の遺言が特定遺贈であるか、遺産分割方法の指定であるかが問題となりました。

判例は、「『相続させる』趣旨の遺言は、……遺産の分割の方法を定めた遺言であり、他の共同相続人も右の遺言に拘束され、これと異なる遺産分割の協議、さらには審判もなし得ないのであるから、このような遺言にあっては、遺言者の意思に合致するものとして、遺産の一部である当該遺産を当該相続人に帰属させる遺産の一部の分割がなされたのと同様の遺産の承継関係を生ぜしめるものであり、当該遺言において相続による承継を当該相続人の受諾の意思表示にかからせたなどの特段の事情のない限り、何らの行為を要せずして、被相続人の死亡の時（遺言の効力の生じた時）に直ちに当該遺産が当該相続人に相続により承継されるものと解すべきである」と判示しました（前掲最判平成３年４月19日参照）。

なお、改正後の民法は、「相続させる」旨の遺言を「遺産の分割の方法の指定」として遺産に属する特定の財産を共同相続人の１人または数人に承継させる旨の遺言（特定財産承継遺言）としました（民法1014条２項）。

その後の判例は、特定の不動産を特定の相続人に「相続させる」旨の遺言によって不動産を取得した者は、登記なくしてその権利を第三者に対抗できる旨を判示しましたが（最判平成14年６月10日判時1791号59頁・百選Ⅲ［第２版］75事件）、改正後の民法の下では、当該判例の解釈が見直され、当該相続人は、「相続させる」旨の遺言による権利の承継に関し、その法定相続分を超える部分については、対抗要件を備えなければ第三者に対抗することができないこととされました（民法899条の２第１項）。

⑶「相続させる」旨の遺言と遺言執行の関係

前掲最判平成３年４月19日のとおり「相続させる」旨の遺言により相続人が単独で不動産の所有権移転登記ができるとすれば、遺言執行者が定められている場合でも遺言執行者の職務が顕在化しないと考えられます。

判例は、「不動産取引における登記の重要性にかんがみると、相続させる遺言による権利移転について対抗要件を必要とすると解すると否とを問わず、甲に当該不動産の所有権移転登記を取得させることは、民法1012条１項にいう『遺言の執行に必要な行為』にあたり、遺言執行者の職務権限に属するものと解するのが相当である。もっとも、登記実務上、相続させる遺言については不動産登記法27条により甲が単独で登記申請をすることができるとされているから、当該不動産が被相続人名義である限りは、遺言執行者の職務は顕在化せず、遺言執行者は登記手続をすべき権利も義務も有しない」として、不動産が被相続人名義である限りは、遺言執行者の職務は顕在化せず、遺言執行者は登記手続をすべき権利も義務も有しないことを確認しています（最判平成11年12月16日民集53巻９号1989頁・百選Ⅲ［第２版］89事件）。

一方で、「相続させる」旨の遺言を受けた相続人（受益相続人）への所有権移転登記がされる前に、他の相続人が当該不動産につき自己名義の所有権移転登記を経由したため、遺言の実現が妨害される状態が出現したような場合には、遺言執行者は遺言執行の一環として妨害を排除するため、当該所有権移転登記の抹消登記手続を求めることができ、さらに受益相続人に対する真正な登記名義の回復を原因とする所有権移転登記手続を求めることもできる旨を判示しました（前掲最判平成11年12月16日）。改正後の民法は、特定財産承継遺言があったときは、遺言執行者は当該共同相続人が、民法889条の２第１項に規定する対抗要件を備えるために必要な行為をすることができるとしました（民法1014条２項）。

相続人のうちの１人に対して財産全部を相続させる旨の遺言により相続分の全部が当該相続人に指定された場合、遺言の趣旨等から相続債務については当該相続人にすべてを相続させる意思のないことが明らかであるなどの特段の事情のない限り、当該相続人に相続債務もすべて相続させる旨の意思が表示されたものと解すべきであり、これにより、相続人間においては、当該相続人が指定相続分の割合に応じて相続債務をすべて承継することになりますが、相続債権者が相続債務についての相続分の指定の効力を承認しない限り、相続債権者に対して当該相続分の指定の効力は及ばないと解されます（最判平成21年３月24日民集63巻３号427頁・百選Ⅲ［第２版］88事件）。改正後の民法は、相続分の指定がなされた場合であっても、相続債権者は、各共同相続人に対して、法定相続分に応じてその権利を行使することができる旨を定めました（民法902条の２本文）。

第5　遺言の執行

1　遺言執行の意義

⑴ 遺言執行とは何か

遺言の執行とは、遺言が効力を生じた後に遺言の内容を実現する行為をいいます。遺言は効力発生と同時に遺言の内容が当然に実現され、特段の手続を必要としない場合があります。たとえば、遺言で相続分を指定したり（民法902条）、遺産分割を禁止する場合です（民法908条１項）。

これに対し、遺言の効力が発生しても遺言の内容が当然には実現されず、遺言執行の手続を必要とする場合があります。たとえば、不動産の登記手続や物の引渡しを行ったり、遺言による認知（民法781条２項）や推定相続人の廃除・廃除の取消し（民法893条、894条）を行う場合です。

⑵ 遺言の執行の準備手続

遺言の執行を行う際の準備手続として遺言書の検認および開封の手続が用意されています（民法1004条）。

検認とは、変造や隠匿を防ぐために遺言書の現状を確認する審判手続です。遺言書の保管者は、相続の開始を知った後、遅滞なく遺言書を家庭裁判所に提出してその検認を請求しなければなりません（民法1004条１項前段）。遺言書の保管者がない場合に相続人が遺言書を発見した後も同様です（民法1004条１項後段）。ただし、公正証書遺言の場合は遺言書を偽造・変造されるおそれがないため、遺言書の検認手続は不要です（民法1004条2項）。

遺言書の検認は遺言の執行前に遺言の方式に関する一切の事実を調査して遺言の状態を確定しその現状を明確にするものであり（大判大正4年1月16日民録21輯8頁）、証拠保全手続の一種であるといえます。したがって、遺言書の検認により遺言が遺言者の真意に基づくものであるかという点や遺言が有効であるかという点を確定するものではなく、検認を経た後も遺言の有効性を争うことができます（大決大正5年6月1日民録22輯1127頁）。

家庭裁判所は、遺言書の検認をするには遺言の方式に関する一切の事実を調査しなければなりません（家事事件手続規則113条）。家庭裁判所書記官は、遺言書の検認について調書を作成し、検認の結果を記載します（家事事件手続法211条、家事事件手続規則114条）。

封印のある遺言書は、家庭裁判所で相続人またはその代理人の立会いがなければ開封することができません（民法1004条3項）。この趣旨は、遺言書の封印を厳重に保護し、偽造・変造を防止する点にあります。たとえば、秘密証書遺言は「封印のある遺言書」（民法1004条3項）に該当します。

民法1004条に違反して遺言書を家庭裁判所に提出することを怠り、その検認を経ないで遺言書を執行した場合、または家庭裁判所外で遺言書の開封をした者は、5万円以下の過料に処せられますが（民法1005条）、遺言の効力に影響は生じません。たとえば、相続人が家庭裁判所外で遺言書を開封した場合でも遺言は無効とはなりません。

2　遺言執行者

⑴ 遺言執行者の意義

遺言執行者とは、遺言の内容を実現する権限を有する者をいいます。遺言執行は原則として相続人自身が行うことができ、必ずしも遺言の執行に際して遺言執行者を置かなければならないわけではありません。ただし、子の認知（民法781条2項）、相続人の廃除・廃除の取消し（民法893条、894条）については、利益の対立する相続人が行うことが期待できないため、遺言執行者を置かなければならない旨を明文で定めています。

相続人も遺言執行者となることができます。他方で、民法は遺言執行者の欠格事由を定めており、未成年者および破産者は遺言執行者となることができません（民法1009条）。

⑵ 遺言執行者の指定・選任

① 遺言執行者の指定

遺言者は、遺言で1人もしくは数人の遺言執行者を指定し、またはその指定を第三者に委託することができます（民法1006条1項）。この場合の遺言執行者を指定遺言執行者といいます。遺言執行者の指定の委託を受けた者は、遅滞なくその指定をして、これを相続人に通知しなければなりません（民法1006条２項）。遺言執行者の指定の委託を受けた者がその委託を辞そうとするときは、遅滞なくその旨を相続人に通知しなければなりません（民法1006条３項）。

遺言執行者の指定を受けた者は、その就職を承諾するか拒絶するかを自由に決定でき、承諾したときに遺言執行者となります。また、相続人その他の利害関係人は、遺言執行者に対し、相当の期間を定めてその期間内に就職を承諾するかどうかを確答すべき旨の催告をすることができます（民法1008条前段）。この場合に、遺言執行者がその期間内に相続人に対して確答をしないときは就職を承諾したものとみなします（民法1008条後段）。

② 遺言執行者の選任

家庭裁判所は、指定遺言執行者が当初から存在しない場合、または就職後に存在しなくなった場合には、利害関係人の請求によって遺言執行者を選任することができます（民法1010条）。この場合の遺言執行者を選任遺言執行者といいます。

(3) 遺言執行者の任務・権限

① 一般的な任務・権限

遺言執行者は、就職を承諾したときは直ちにその任務を開始しなければならず（民法1007条１項）、その任務を開始したときは、遅滞なく、遺言の内容を相続人に通知しなければなりません（民法1007条２項）。この趣旨は、就職を承諾した遺言執行者に対し、遺言の内容を遅滞なく相続人に通知する義務を課すことにより、相続人に遺言執行者の存在と遺言の内容を知らせる点にあります。

遺言執行者は、遅滞なく相続財産の目録を作成して相続人に交付する必要があります（民法1011条１項）。また、相続人の請求があるときは、その立会いをもって相続財産の目録を作成し、または公証人にこれを作成させる必要があります（民法1011条２項）。

遺言執行者は、遺言の内容を実現するため、相続財産の管理その他遺言の執行に必要な一切の行為をする権利義務を有します（民法1012条１項）。遺言執行者と相続人の間には遺言執行に関して委任に類似した関係が認められるため、委任契約に関する規定が準用されます（民法1012条３項）。

判例は、特定不動産の受遺者が遺贈の執行として所有権移転登記手続を求める訴えを提起する場合、被告適格を有する者は遺言執行者に限られ、相続人は被告適格を有しないとしていました（最判昭和43年５月31日民集22巻５号1137頁）。そこで、改正後の民法は、遺言執行者がある場合には、遺贈の履行は、遺言執行者のみが行うことができるとしました（民法1012条２項）。

また、相続人は遺言執行者を被告として、遺言の無効を主張して共有持分権の確認を求めることができます（最判昭和31年９月18日民集10巻９号1160頁）。

遺言執行者がある場合、相続人は相続財産の処分その他遺言の執行を妨害するような行為は一切禁止されます（民法1013条1項)。この趣旨は、遺言執行者により遺言が適正に執行されることを担保する点にあります。この規定に違反してした行為は無効であり、これをもって善意の第三者に対抗することはできません（民法1013条2項)。改正前民法の下では、遺言執行者がある場合に、相続人が民法1013条に違反して無断で相続財産を処分したときは当該処分行為は絶対的に無効となると解されていましたが（大判昭和5年6月16日民集9巻550頁)、改正後の民法は、相続人と取引をした第三者の利益を保護するため、その無効を善意の第三者に対抗できないこととしました（民法1013条2項)。相続債権者や相続人の債権者は、遺言執行者がある場合でも、善意・悪意を問わず、相続財産についてその権利を行使することができます（民法1013条3項)。

また、受遺者は、遺言執行者がある場合でも、所有権に基づく妨害排除として、遺贈の目的物について相続人または第三者のためにされた無効な登記の抹消登記手続を求めることができます（最判昭和62年4月23日民集41巻3号474頁・百選Ⅲ［第2版］90事件)。

なお、遺言執行者として指定された者が就職を承諾する前でも「遺言執行者がある場合」（改正前民法1013条）に該当するとされています（前掲最判昭和62年4月23日)。

② 個別の類型における権限の内容

ア　遺贈がされた場合

遺言執行者がある場合には、遺贈の履行は、遺言執行者のみが行うことができます（民法1012条2項)。

イ　特定財産承継遺言（「相続させる」旨の遺言）がされた場合

遺言者が特定財産承継遺言をした場合において、遺言執行者があるときは、遺言執行者は、その相続人が民法899条の2第1項に規定する対抗要件を備えるために必要な行為をする権限を有します（民法1014条2項)。特定財産承継遺言とは、遺産の分割の方法の指定として遺産に属する特定の財産を共同相続人の1人または数人に承継させる旨の遺言をいいます。

遺言執行者は、遺言の執行に必要な一切の行為をする権限を有するとされているため（民法1012条1項)、遺言執行者の権限の内容は、遺言の内容によることとなります。

もっとも、遺言の記載内容からだけでは、遺言者が遺言執行者にどこまでの権限を付与する趣旨であったのかその意思が必ずしも明確でない場合も多く、そのために、遺言執行者の権限の内容をめぐって争いになる場合があるとの指摘がなされていました。

特に遺言執行者の権限が取引行為にかかるものである場合には、第三者の取引の安全を図る観点から、遺言執行者の権限の内容を明確にする必要性が高いとの指摘がなされていました。

そこで、改正後の民法は、遺贈または特定財産承継遺言がされた場合における遺言執行者の権限等を明確化しました（一問一答 新しい相続法116頁）。

また、特定財産承継遺言の対象財産が預貯金債権である場合には、遺言執行者は、預貯金の払戻しの請求をすることができ、預貯金債権の全部が特定財産承継遺言の目的となっている場合に限り、預貯金の契約の解約の申入れをすることができます（民法1014条３項）。

ただし、被相続人が遺言で別段の意思を表示したときは、その意思に従います（民法1014条４項）。

⑷ 遺言執行者の地位

遺言執行者は、遺言の内容を実現することを職務としており、必ずしも相続人の利益のために職務を負うものではないと解されています（最判昭和30年５月10日民集９巻６号657頁）。改正後の民法1015条は、このような遺言執行者の法的地位に照らし、改正前民法1015条の「遺言執行者は、相続人の代理人とみなす」という規定を削除し、遺言執行者がその権限内において遺言執行者であることを示してした行為の効果が相続人に帰属することを明らかにしました（一問一答 新しい相続法113頁）。

民法は、「遺言執行者は、相続人の代理人とみなす」と規定しています（民法1015条）。もっとも、遺言執行者は遺言執行に必要な包括的な権利義務を有しており、自己の名で訴訟追行することができます。判例も遺言執行者は、必ずしも相続人の利益のためにのみ行為すべき責務を負うものではないと判示しています（前掲最判昭和30年５月10日）。したがって、遺言執行者が相続人の代理人であるとは、遺言執行者の行為の効果が相続人に帰属することを説明するためのものであるにとどまると考えられます。

⑸ 遺言執行者の復任権

遺言執行者は、自己の責任で第三者にその任務を行わせることができます（民法1016条１項本文）。ただし、遺言者がその遺言に別段の意思を表示したときは、その意思に従います（民法1016条１項但書）。遺言執行者が自己の責任で第三者にその任務を行わせる場合、第三者に任務を行わせることについてやむを得ない事由があるときは、遺言執行者は、相続人に対してその選任および監督についての責任のみを負います（民法1016条２項）。

改正前民法の下では、遺言執行者は、やむを得ない事由がなければ、第三者にその任務を行わせることができないとされていましたが（民法1016条本文）、遺言執行者は家庭裁判所が選任する場合もあること（民法1010条）、遺言執行者の職務が広範に及ぶこともあり得ることや、遺言執行者が任務代行者を選任する際に相続人全員の同意を得るのは困難な場合が多いこと等を踏まえ、遺言執行者についても、他の法定代理人と同様の要件（民法105条）で復任権を認めることとしました（一問一答 新しい相続法120頁）。

⑹ 遺言執行者が数人ある場合の任務の執行

遺言執行者が数人ある場合には、その任務の執行は、過半数で決定します（民法1017条1項本文）。ただし、遺言者がその遺言に別段の意思を表示したときは、その意思に従います（民法1017条1項但書）。また、各遺言執行者は、保存行為については単独で行うことができます（民法1017条2項）。

⑺ 遺言執行者の報酬

家庭裁判所は、相続財産の状況その他の事情によって遺言執行者の報酬を定めることができます（民法1018条1項本文）。ただし、遺言者がその遺言に報酬を定めたときは、その定めに従います（民法1018条1項但書）。委任契約における受任者の報酬に関する規定（民法648条2項、3項、648条の2）は、遺言執行者が報酬を受けるべき場合について準用します（民法1018条2項）。

⑻ 遺言執行者の解任・辞任

遺言執行者がその任務を怠ったときその他正当な事由があるときは、利害関係人は、その解任を家庭裁判所に請求することができます（民法1019条1項）。遺言執行者は、正当な事由があるときは、家庭裁判所の許可を得て、その任務を辞することができます（民法1019条2項）。

⑼ 遺言の執行に関する費用の負担

遺言の執行に関する費用は、相続財産の負担とします（民法1021条本文）。ただし、これによって遺留分を減ずることはできません（民法1021条但書）。

第８章

配偶者の居住の権利

第１　概 要

改正後の民法は、夫婦の一方（被相続人）の死亡後に、その配偶者の居住権を保護するための方策として、配偶者居住権と配偶者短期居住権の制度を新設しています（民法1028条以下）。

第２　配偶者居住権

１　意 義

配偶者居住権とは、被相続人の配偶者が、被相続人の財産に属した建物に相続開始時に居住していた場合（その居住していた建物を「居住建物」といいます）において、終身または一定期間、居住建物に継続して無償で使用収益することを認める権利をいいます（民法1028条１項）。

改正前民法の下で、夫が所有する居住建物に居住する夫婦のうち夫が死亡した場合において、残された妻が継続して居住建物に住み続ける方法としては、妻が相続により居住建物の所有権を取得することが考えられます。もっとも、この場合、居住建物の評価額は高額となることが多く、妻は居住建物の他に預貯金等をほとんど相続できないということになりかねず、その後の生活に支障が生じうるという問題が生じます。

また、妻が居住建物の所有権を取得せずに、居住建物を取得した他の相続人との間で賃貸借契約等を締結して、継続して居住建物に居住することも考えられます。この方法では、賃貸借契約等が成立しなければ、妻の居住権は確保されないこととなります。また、継続して賃料を負担しなければならない問題が生じうることとなります。

そこで、改正後の民法はこれらの問題を回避するため、生存配偶者が居住建物に無償で長期に居住することを認める権利として、配偶者居住権を新設しました（一問一答 新しい相続法９頁）。

２　具体例

被相続人Ａの相続人が妻Ｂおよび子Ｃであり、Ａの相続財産が2000万円の自宅（居住建物）および3000万円の預貯金であるとします。

法定相続分により相続をする場合、妻Ｂと子Ｃは相続財産の２分の１（民法900条１号）である2500万円分ずつ相続することになるため、妻Ｂは2000万円の自宅所有権を取得するときは、預貯金を500万円分しか取得できないこととなります。

これに対して、妻Ｂが配偶者居住権を取得する場合には、具体的相続分から配偶者居住権の評価額を控除した残額を相続することができます。たとえば、配偶者居住権の価値が1000万円である場合、妻Ｂは、配偶者居住権に加え、1500万円の預貯金を取得することができます。この場合、子Ｃは配偶者居住権という負担の付いた自宅所有権と1500万円の預貯金を取得することとなります。

3　成 立

改正後の民法は、被相続人の配偶者（生存配偶者）が、被相続人所有の建物に、相続開始時に居住していた場合において、①遺産分割で、配偶者居住権を取得するものとされたとき（民法1028条１項１号）、または、②配偶者居住権が遺贈の目的とされたとき（同項２号）は、配偶者居住権を取得することを定めています。配偶者は、家事審判によっても配偶者居住権を取得することができます（民法1029条、家事事件手続法別表第二の12項）。

4　存続期間

配偶者居住権の存続期間は、原則として配偶者の終身の間ですが、遺産分割協議または遺言に別段の定めがあるとき、または家庭裁判所が遺産分割の審判において別段の定めをしたときは、その定めによることになります（民法1030条）。

5　登記等

居住建物の所有者は、配偶者（配偶者居住権を取得した配偶者に限ります）に対し、配偶者居住権の設定の登記を備えさせる義務を負います（民法1031条１項）。配偶者が配偶者居住権を登記した場合、居住建物について物権を取得した者その他の第三者に対抗することができ（民法1031条２項、民法605条）、居住建物の占有を妨害する者に対し妨害の停止請求、および不法占有者に対し返還請求をすることができます（民法1031条２項、民法605条の４）。

6　配偶者による使用・収益

配偶者は、従前の用法に従い、善良な管理者の注意をもって、居住建物の使用・収益をしなければなりません（民法1032条１項本文）。ただし、従前居住の用に供していなかった部分を居住の用に供することは可能です（民法1032条１項但書）。配偶者居住権を譲渡することはできず（民法1032条２項）、居住建物を無断で増改築したり、第三者に使用・収益させることはできません（民法1032条３項）。配偶者に用法違反等があった場合には、居住建物の所有者は相当の期間を定めて是正の勧告をすることができ、その期間内に是正がされないときは、居住建物の所有者は当該配偶者に対する意思表示によって配偶者居住権を消滅させることができます（民法1032条4項）。

7　居住建物の修繕等

配偶者は、居住建物の使用・収益に必要な修繕をすることができます（民法1033条1項）。居住建物修繕が必要である場合において、配偶者が相当の期間内に必要な修繕をしないときは、居住建物の所有者は、その修繕をすることができます（民法1033条2項）。居住建物が修繕を要するとき（民法1033条1項の規定により配偶者が自らその修繕をする場合を除きます）、または居住建物について権利を主張する者があるときは、居住建物の所有者が既にこれを知っている場合を除き、配偶者は、居住建物の所有者に対し、遅滞なくその旨を通知しなければなりません（民法1033条3項）。

8　居住建物の費用の負担

配偶者は、居住建物の通常の必要費を負担します（民法1034条1項）。配偶者が通常の必要費以外の費用を支出したときは、その償還を請求することができます（民法1034条、583条2項）。

9　居住建物の返還等

配偶者は、配偶者居住権が消滅したときは、居住建物の返還をしなければなりません（民法1035条1項本文）。ただし、配偶者が居住建物について共有持分を有する場合は、居住建物の所有者は、配偶者居住権が消滅したことを理由としては、居住建物の返還を求めることができません（民法1035条2項但書。なお、居住建物が配偶者の財産に属することとなった場合であっても、他の者がその共有持分を有するときは、配偶者居住権は消滅しないとされます。民法1028条2項）。配偶者が居住建物を返還する場合、原状回復義務等が生じます（民法1035条2項、599条1項、2項、621条）。

10　使用貸借・賃貸借の規定の準用

配偶者居住権には、使用貸借・賃貸借の規定が多く準用されます（民法1036条）。たとえば、配偶者居住権は、当事者が期間を定めたときにその期間が満了すること、および配偶者の死亡によって終了します（民法1036条、民法597条1項、3項）。

第3　配偶者短期居住権

1　意 義

配偶者短期居住権とは、被相続人の配偶者が、被相続人の財産に属した建物に相続開始時に居住していた場合（その居住していた建物を「居住建物」といいます）において、一定期間、短期的に無償で居住建物を使用する権利をいいます（民法1037条1項）。

改正前民法の下で、判例は、相続人の一人が被相続人の許諾を得て被相続人所有の建物に同居していた場合には、特段の事情のない限り、被相続人とその相続人との間で、相続開始時を始期とし、遺産分割時を終期とする使用貸借契約が成立していたものと推認されるとの判断を示しました（最判平成８年12月17日民集50巻10号2778頁・百選Ⅲ［第２版］71事件）。そこで、この要件に該当する限り、相続人である配偶者は、遺産分割が終了するまでの間の短期的な居住権を確保することとなります。

もっとも、「特段の事情」として、被相続人が相続人以外の第三者に居住建物を遺贈した場合のように、被相続人が明確に上記使用貸借契約をする意思とは異なる意思を表示していた場合等には、配偶者の居住権が短期的にも保護されない事態が生じうるといえます。

そこで、改正後の民法は、遺産分割が成立するまでの期間等の間における配偶者の短期的な居住建物への居住権を確保するため配偶者短期居住権に関する規律を設けました（一問一答 新しい相続法34頁）。

２　具体例

被相続人Ａの相続人が妻Ｂおよび子Ｃであり、妻ＢがＡ所有の自宅に居住していた場合において、Ａが遺言をしていなかったとします。この場合、妻Ｂと子Ｃの遺産分割により当該自宅の帰属が確定するまでの間、または、Ａが死亡した時から６か月を経過する日のいずれか遅い日までの間、妻Ｂは引き続き無償で自宅を使用することができます（民法1037条１項１号）。

これに対して、Ａが自宅を子Ｃに遺贈していたとします。この場合、子Ｃは妻Ｂにいつでも、配偶者短期居住権の消滅の申入れをすることができますが（民法1037条３項）、妻Ｂは当該申入れの日から６か月を経過する日までの間、引き続き無償で自宅を使用することができます（民法1037条１項２号）。

３　成 立

改正後の民法は、被相続人の配偶者（生存配偶者）が、被相続人所有の居住建物に、相続開始時に居住していた場合において、次の⑴および⑵の期間、居住建物の所有権を相続または遺贈により取得した者（「居住建物取得者」といいます）に対し、居住建物について無償で使用する権利を有することを定めています（民法1037条１項）。配偶者が居住建物に係る配偶者居住権を取得したときは、配偶者短期居住権は消滅します（民法1039条）。

⑴ 居住建物について配偶者を含む共同相続人間で遺産の分割をすべき場合

①遺産分割により居住建物の帰属が確定した日（民法1037条１項１号）または②相続開始の時から６か月を経過する日（同項２号）のいずれか遅い日までの期間

⑵ 上記⑴以外の場合

居住建物取得者は配偶者に対し、いつでも配偶者短期居住権の消滅の申入れをすることができますが（民法1037条３項）、この申入れの日から６か月を経過する

までの期間

4　使 用

配偶者（配偶者短期居住権を有する配偶者に限ります）は、従前の用法に従い、善良な管理者の注意をもって、居住建物の使用をしなければなりません（民法1038条1項）。また、居住建物取得者の承諾を得なければ、第三者に居住建物の使用をさせることができません（民法1038条2項）。配偶者が用法違反をしたときは、居住建物取得者は、当該配偶者に対する意思表示によって配偶者短期居住権を消滅させることができます（民法1038条3項）。

5　居住建物の返還等

配偶者は、配偶者短期居住権が消滅したとき（配偶者居住権の取得により配偶者居住権が消滅する場合〔民法1039条〕を除きます）は、居住建物の返還をしなければなりません（民法1040条1項本文）。ただし、配偶者が居住建物について共有持分を有する場合は、居住建物取得者は、配偶者短期居住権が消滅したことを理由としては、居住建物の返還を求めることができません（民法1040条1項但書）。配偶者が居住建物を返還する場合、原状回復義務等が生じます（民法1040条2項、599条1項、2項、621条）。

6　使用貸借等の規定の準用

配偶者短期居住権には、使用貸借・賃貸借の規定のほか、配偶者居住権の規定が多く準用されます（民法1041条）。たとえば、配偶者短期居住権は配偶者の死亡によって消滅します（民法1041条、民法597条3項）。また、配偶者は配偶者短期居住権を譲渡することができません（民法1041条、1032条2項）。居住建物の修繕等および費用の負担の規定も準用されます（民法1041条、1033条、1034条）。

第9章

遺留分

第1　遺留分の意義

遺留分とは、一定範囲の相続人のために留保された相続財産の一定の割合をいいます。遺留分は被相続人の財産に依拠して生活していた相続人の最小限度の生活保障を図ることおよび共同相続人間の公平な財産相続を図るという趣旨から認められています。被相続人の遺言による財産処分の自由は、遺留分を侵害しない範囲に制限されることになります。

第2　遺留分制度に関する見直し

1　改正内容

改正前民法の下における判例は、遺贈または贈与の目的財産が特定物である場合には、遺留分減殺請求によって、遺贈または贈与は遺留分を侵害する限度において失効し、受遺者または受贈者が取得した権利は、その限度で当然に遺留分減殺請求をした遺留分権利者に帰属するとしていました（最判昭和51年8月30日民集30巻7号768頁・百選Ⅲ［第2版］95事件）。このように、改正前民法の下では、遺留分減殺請求によって当然に遺留分権利者に所有権等の権利が帰属することとなります（物権的効果）。

改正後の民法は、遺留分減殺請求権の行使によって当然に物権的効果が生ずるとされている改正前民法の規律を見直し、遺留分に関する権利の行使によって遺留分侵害額に相当する金銭債権が生ずることとしました（民法1046条1項）。この権利を遺留分侵害額請求権といいます。

2　改正趣旨

改正前民法の下では、遺留分減殺請求により当然に物権的効果が生ずることと解しているため、遺留分減殺請求の結果、遺贈または贈与の目的財産が受遺者または受贈者と遺留分権利者との共有になることが多いところ、このような帰結は、円滑な事業承継を困難にするものであり、また、共有関係の解消をめぐって新たな紛争を生じさせることになるとの指摘がなされていました。

また、明治民法が採用していた家督相続制度の下では、遺留分制度は家産の維持を目的とする制度であり、家督を相続する遺留分権利者に遺贈または贈与の目的財産の所有権等を帰属させる必要があったため、物権的効果を認める必要性が高かったといえますが、現行の遺留分制度は、遺留分権利者の生活保障や遺産の形成に貢献した遺留分権利者の潜在的持分の清算等を目的とする制度となっており、その目的を達成するために、必ずしも物権的効果まで認める必要性はなく、遺留分権利者に遺留分侵害額に相当する価値を返還させることで十分ではないかとの指摘もなされていました。

そこで、改正後の民法は、遺留分減殺請求権の行使によって当然に物権的効果が生ずるとされている改正前民法の規律を見直し、遺留分に関する権利の行使によって遺留分侵害額に相当する金銭債権が生ずることとしました（一問一答 新しい相続法122頁）。

第3　遺留分の範囲

1　遺留分の帰属

遺留分を有する者を遺留分権利者といいます。兄弟姉妹以外の相続人は遺留分権利者であり（民法1042条）、具体的には、被相続人の直系卑属（子およびその代襲相続人）、直系尊属、配偶者が遺留分を有します。

2　遺留分の率

直系尊属のみが相続人である場合は、被相続人の財産の３分の１、それ以外の場合は、被相続人の財産の２分の１が遺留分の割合となります（民法1042条１項各号）。相続人が数人ある場合には、当該遺留分の割合は、民法900条および901条の規定により算定した各自の相続分を乗じた割合となります（民法1042条２項）。

たとえば、相続人が被相続人Ｘの父母ABのみである場合は、被相続人の財産の３分の１が遺留分となります。この場合、ABの法定相続分は２分の１ずつであるため、ABの遺留分はＸの財産の６分の１（２分の１×３分の１）ずつになります。

また、被相続人Ｘの父母ABに加えて配偶者Ｃが相続人となる場合は、被相続人の財産の２分の１が遺留分となります。この場合、配偶者Ｃの法定相続分は３分の２、父母ABの法定相続分は６分の１ずつです。したがって、配偶者Ｃの遺留分は３分の１（３分の２×２分の１）、父母ABの遺留分は12分の１（６分の１×２分の１）ずつになります。

これに対して、兄弟姉妹ＤＥのみが相続人となる場合は、遺留分はゼロになります。

3　遺留分の算定の基礎となる財産

(1) 相続開始時の財産

遺留分を算定するための財産の価額は、被相続人が相続開始の時において有した財産の価額にその贈与した財産の価額を加えた額から債務の全額を控除した額とします（民法1043条１項）。条件付きの権利または存続期間の不確定な権利は、家庭裁判所が選任した鑑定人の評価に従って、その価格を定めます（民法1043条２項）。

⑵ 贈 与

遺留分を算定するための財産の価額に加える贈与財産の価額については、相続人に対する贈与とそれ以外の一般贈与に区別されます。

まず、一般贈与は、相続開始前の「１年」間にしたものに限り、民法1043条の規定によりその「価額」を算入します（民法1044条１項前段）。当事者双方が遺留分権利者に損害を加えることを知って贈与をしたときは、１年前の日より前にしたものについても、同様となります（民法1044条１項後段）。

判例は、改正前民法1030条後段（民法1044条１項前段に相当する規定）の「損害を加えることを知って」の意義について、相続開始の約19年前の贈与が遺留分権利者に損害を加えることを知ってなされたというためには、当事者双方が贈与当時財産が残存財産の価額を超えることを知っていたのみならず、将来相続開始までに被相続人の財産に何らの変動もないこと、少なくともその増加のないことを予見していた事実があることを必要とすると判示しています（大判昭和11年６月17日民集15巻1246頁）。

次に、相続人に対する贈与については、相続開始前の「10年」間にしたものに限り、改正後の民法1044条１項および３項の規定により、その「価額（婚姻若しくは養子縁組のため又は生計の資本として受けた贈与の価額に限る）」を算入します。改正前民法の下における判例は、特別受益者への贈与（民法903条１項）は相続開始よりも相当以前にされたものであって、その後の時の経過に伴う社会経済事情や相続人等の関係人の個人的事情の変化をも考慮するとき、減殺請求を認めることが相続人に酷である等の特段の事情のない限り、改正前民法1030条の要件を満たさないものであっても、遺留分減殺の対象となるとしており（最判平成10年３月24日民集52巻２号433頁・百選Ⅲ［第２版］94事件）、その時期を問わず原則として相続人に対する贈与の全てが財産の価額に算入されるとの立場を採用していました。しかし、このような考え方によると、被相続人が相続開始時の何十年も前にした相続人に対する贈与によって、第三者である受遺者または受贈者が不測の損害を被り、法的安定性を害するおそれがありました。他方で、上記判例が改正前民法1030条の適用を否定した実質的根拠は、このような解釈をとらないと、各相続人が被相続人から受けた財産の額に大きな格差がある場合にも特別受益の時期いかんによってこれを是正することができなくなると考えられる点にあります。そこで、改正後の民法は、相続人に対する贈与についてはは、相続開始前の「10年」間にしたものに限り、遺留分を算定するための財産に含めることとしました（一

問一答 新しい相続法135頁)。また、遺留分を算定するための財産に含める価額を「婚姻若しくは養子縁組のため又は生計の資本として受けた贈与の価額」に限ることとしたのは、「遺留分減殺請求により特別受益にあたる贈与についてされた持戻し免除の意思表示が減殺された場合、持戻し免除の意思表示は、遺留分を侵害する限度で失効し、当該贈与に係る財産の価額は、上記の限度で、遺留分権利者である相続人の相続分に加算され、当該贈与を受けた相続人の相続分から控除されるものと解するのが相当である」(最判平成24年1月26日家月64巻7号100頁・百選Ⅲ［第2版］97事件) と判示した判例の立場を明文化したものです。

民法903条1項に「贈与」に共同相続人間の相続分の無償譲渡が含まれるかは文言上明らかではありませんが、この点について判例は、その相続分に含まれる積極財産と消極財産の価額等を考慮して算定した当該相続分に財産的価値があるとはいえない場合を除き、譲渡した者の相続において、民法903条1項の「贈与」に当たると判示しています(最判平成30年10月19日民集72巻5号900頁)。

また、判例は、金銭である特別受益を遺留分算定の基礎に加える場合、贈与の時の金額を相続開始の時の貨幣価値に換算した価額をもって評価すべきであると判示しています(最判昭和51年3月18日民集30巻2号111頁)。

⑶ 相続債務が存在する場合

判例は、相続債務が存在する場合は、被相続人が相続開始時に有していた財産全体の価額にその贈与した財産の価額を加え、その中から債務の全額を控除して遺留分算定の基礎となる財産額を確定する旨を判示しています(最判平成8年11月26日民集50巻10号2747頁・百選Ⅲ［第2版］91事件)。

改正後の民法は、「遺留分を算定するための財産の価額は、被相続人が相続開始時に有した財産の価額にその贈与した財産の価額を加えた額から債務の全額を控除した額とする」と明文化しました(民法1043条1項)。

また、遺留分侵害額の算定における相続債務の扱いについて、判例は、相続人の1人が、被相続人の財産全部を相続させる趣旨の遺言に基づき、被相続人からこれを相続した他の相続人に対し、遺留分減殺請求権を行使したとして、相続財産である不動産について所有権の一部移転登記手続を求めた事案において、相続人のうちの1人に対して財産全部を相続させる旨の遺言がされ、当該相続人が相続債務もすべて承継したと解される場合、遺留分の侵害額の算定においては、遺留分権利者の法定相続分に応じた相続債務の額を遺留分の額に加算することは許されないものと解するのが相当であると判示しています(最判平成21年3月24日民集63巻3号427頁・百選Ⅲ［第2版］88事件)。当該判例によれば、たとえば、被相続人Aが、Aの相続人Yに対し、Aの財産全部(積極財産4億円、消極財産3億円)を相続させる旨の遺言を作成した場合において、Aの相続人Xが、当該遺言に基づきAの財産を相続したYに対し、遺留分減殺請求権を行使したとき、Xの遺留分額は、積極財産４億円から消極財産３億円を差し引いた１億円に遺留分割合４分の１を乗じた金額である2500万円となり、この金額にＸの法定相続分に応じた相続債務の額１億5000万円を加えることはできないこととなります。

第４　遺留分侵害額請求権

１　遺留分侵害額請求権の行使

遺留分権利者およびその承継人は、受遺者または受贈者に対し、遺留分侵害額に相当する金銭の支払を請求することができます（民法1046条１項）。

遺留分侵害額請求権は形成権であり、遺留分権利者およびその承継人から受遺者または受贈者に対する意思表示によって効力が生じます。受遺者には、特定財産承継遺言により財産を承継しまたは相続分の指定を受けた相続人を含みます（民法1046条１項括弧書）。改正前民法の下でも、判例は、相続分の指定（民法902条）が遺留分減殺請求の対象となることを認めていました（前掲最判平成24年１月26日）。遺留分侵害額請求権は裁判外でも行使することができます（最判昭和41年７月14日民集20巻６号1183頁・百選Ⅲ［第２版］92事件参照）。

改正前民法の下で判例は、被相続人の全財産が相続人の一部の者に遺贈された場合、遺留分減殺請求権を有する者の遺産分割協議の申入れは特段の事情がない限り遺留分減殺請求の意思表示を含むと判示しています（最判平成10年６月11日民集52巻４号1034頁）。

２　遺留分侵害額

遺留分侵害額は、改正後の民法1042条の規定による遺留分から、次の⑴および⑵に掲げる額を控除し、これに⑶に掲げる額を加算して算定します（民法1046条２項）。

⑴ 遺留分権利者が受けた遺贈または民法903条１項に規定する贈与の価額（同項１号）

⑵ 民法900条から902条まで、903条および904条の規定により算定した相続分に応じて遺留分権利者が取得すべき遺産の価額（同項２号）

⑶ 被相続人が相続開始時において有した債務のうち、民法899条の規定により遺留分権利者が承継する債務（遺留分権利者承継債務）の額（同項３号）

３　遺留分侵害額請求権と債権者代位権との関係

改正前民法の下では遺留分減殺請求権は、遺留分権利者がこれを第三者に譲渡する等、権利行使の確定的意思を有することを外部に表明したと認められる特段の事情がある場合を除いて、行使上の一身専属性を有するため、債権者代位権の目的とすることはできないと解されていました（最判平成13年11月22日民集55巻６号1033頁・百選Ⅲ［第２版］93事件）。改正後の民法の下でも同様に、遺留分侵害額請求権を債権者代位権の目的とすることはできないと解されます（前田陽一ほか「民法Ⅳ 親族・相続（第５版）」422頁［前田陽一］）。

4　遺留分侵害額請求と贈与財産の時効取得

贈与財産についての時効取得（民法162条）と遺留分侵害額請求の関係が問題となります。改正前民法の下における判例は、「被相続人がした贈与が遺留分減殺の対象としての要件を満たす場合には、遺留分権利者の減殺請求により、贈与は遺留分を侵害する限度において失効し、受贈者が取得した権利は右の限度で当然に右遺留分権利者に帰属するに至るものであり……受贈者が、右贈与に基づいて目的物の占有を取得し、民法162条所定の期間、平穏かつ公然にこれを継続し、取得時効を援用したとしても、それによって、遺留分権利者への権利の帰属が妨げられるものではない」として、時効取得が援用された場合でもそれによって遺留分権利者への権利の帰属は妨げられないと判示しています（最判平成11年６月24日民集53巻５号918頁・百選Ⅲ［第２版］101事件）。この点、改正前民法の下における遺留分減額請求の物権的効果と現物返還の原則は、改正後の民法の下では遺留分侵害額請求権の行使による金銭債権の発生に変更されたため、生前贈与の目的物の返還を免れる目的との関係においては、取得時効の援用を否定した上記判例の意味は失われると指摘されています（前田陽一ほか『民法Ⅳ 親族・相続（第５版）』422頁［前田陽一］）。改正法における遺留分侵害額請求権についても、その行使における金銭債権の発生が、対象となる贈与の目的財産についての法的制約であると捉えるときには、本判決の論理の射程が及ぶといえようともいわれています（百選Ⅲ［第２版］101事件解説［森田宏樹］）。

第５　受遺者または受贈者の負担額

1　受遺者または受贈者の負担の順序と割合

受遺者または受贈者は、次の(1)ないし(3)の定めるところに従い、遺贈（特定財産承継遺言による財産の承継または相続分の指定による遺産の取得を含みます）または贈与（遺留分を算定するための財産の価額に算入されるものに限ります）の目的の価額（受遺者又は受贈者が相続人である場合にあっては、当該価額から1042条の規定による遺留分として当該相続人が受けるべき価額を控除した額）を限度として、遺留分侵害額を負担します（民法1047条１項柱書）。当該遺贈または贈与の目的の価額の評価方法については、特別受益者の相続分（民法904条）および遺留分を算定するための財産の価額（民法1043条２項および1045条）の規定を準用しています（民法1047条２項）。

(1) 受遺者と受贈者

受遺者と受贈者とがあるときは、受遺者が先に遺留分侵害額を負担します（民法1047条１項１号）。改正前民法の下でも、遺留分権利者によって減殺を受けるべき遺贈と贈与が併存する場合は、まず遺贈を減殺し、それでも不足するときに贈与を減殺することとされていました（改正前民法1033条）。この趣旨は、取引の安全と公平を図るため後に効力を生じたものから減殺することとした点にあります。

⑵ 受遺者・同時贈与の受贈者

受遺者が複数あるとき、または受贈者が複数ある場合においてその贈与が同時にされたものであるときは、受遺者または受贈者がその目的の価額の割合に応じて遺留分侵害額を負担します（民法1047条1項2号本文）。ただし、遺言者がその遺言に別段の意思を表示したときは、その意思に従います（民法1047条1項2号但書）。改正前民法の下でも、複数の遺贈が存在する場合、遺言者がその遺言に別段の意思を表示した場合を除き、その目的の価額の割合に応じて減殺することとされていました（改正前民法1034条）。

改正前民法の下で判例は、相殺に対する遺贈が遺留分減殺の対象となる場合は、遺贈の目的の価額のうち受遺者の遺留分額を越える部分のみが「目的の価額」（改正前民法1034条本文）に該当すると判示しています（最判平成10年2月26日民集52巻1号274頁・百選Ⅲ［第2版］96事件）。改正後の民法は、上記判例を踏まえ、「目的の価額」について「受遺者又は受贈者が相続人である場合にあっては、当該価額から第1042条の規定による遺留分として当該相続人が受けるべき価額を控除した額」と定めています（民法1047条1項柱書第3括弧書）。

⑶ 複数の受贈者贈与の減殺の順序

受贈者が複数あるとき（民法1047条1項2号に規定する場合を除きます）は、後の贈与に係る受贈者から順次前の贈与に係る受贈者が遺留分侵害額を負担します（民法1047条1項3号）。改正前民法の下でも、複数の贈与が存在する場合、後の贈与から順次前の贈与に対して遺留分をみたすまで減殺することとされていました（改正前民法1035条）。

2　遺留分権利者の承継債務

改正後の民法1047条1項の請求を受けた受遺者または受贈者は、遺留分権利者承継債務について弁済その他債務を消滅させる行為をしたときは、消滅した債務の額の限度において、遺留分権利者に対する意思表示によって同項の規定により負担する債務を消滅させることができます（民法1047条3項前段）。当該行為によって遺留分権利者に対して取得した求償権は、消滅した当該債務の額の限度において消滅します（民法1047条3項後段）。

3　受遺者または受贈者の無資力

受遺者または受贈者の無資力によって生じた損失は、遺留分権利者の負担に帰します（民法1047条4項）。改正前民法の下でも、減殺を受けるべき受贈者の無資力によって生じた損失は、遺留分権利者の負担に帰することとされていました（改正前民法1037条）。

4　支払期限の許与

民法は、遺留分権利者から金銭請求を受けた受遺者または受贈者が、金銭を直ちには準備できない場合には、受遺者等は、裁判所に対し、金銭債務の全部または一部の支払につき相当の期限の許与を求めることができることとしました（民法1047条5項）。

この趣旨は、金銭請求を受けた受遺者または受贈者が直ちには金銭を準備することができず不利益を被る可能性があることを踏まえ、金銭請求を受けた受遺者または受贈者の請求により、裁判所が、金銭債務の全部または一部の支払につき期限の許与を付すことができることとした点にあります（一問一答 新しい相続法126頁）。

第6　遺留分侵害額請求権の性質と効力

1　金銭債権の発生

改正前民法の下では、遺留分権利者による遺留分減殺請求権の行使により、遺留分侵害となる遺贈または贈与は効力を失い、目的物に関する権利は当然に遺留分権利者に帰属すると解され（前掲最判昭和41年7月14日）、これを物権的効力と解するのが通説でした。このような考え方によれば、贈与や遺贈が履行済みである場合には、遺留分権利者は受贈者や受遺者に対して、目的物の返還（現物返還の原則）や価額弁償を請求することとなります。

しかし、前述のとおり、民法は、遺留分減殺請求権の行使によって当然に物権的効果が生ずるとされている改正前民法の規律を見直し、遺留分に関する権利の行使によって遺留分侵害額に相当する金銭債権が生ずることとしました（民法1046条1項）。

2　不相当な対価による有償行為

不相当な対価をもってした有償行為は、当事者双方が遺留分権利者に損害を加えることを知ってしたものに限り、当該対価を負担の価額とする負担付贈与とみなします（民法1045条2項）。

3　遺留分侵害額請求権の期間の制限

遺留分侵害額請求権は、遺留分権利者が相続の開始および遺留分を侵害する贈与または遺贈があったことを知った時から1年間行使しないときは、時効によって消滅します（民法1048条前段）。相続開始の時から10年を経過したときも、同様です（民法1048条後段）。この趣旨は、法律関係の早期安定を図る点にあります。

民法1048条前段にいう「贈与……があったことを知った時」とは、贈与の事実および遺留分を侵害するものであることを知った時であると解すべきであり、遺留分権利者が贈与の無効を信じて訴訟で争っているような場合はこれに該当しないと解されます。もっとも、改正前民法の下の判例は、被相続人の財産のほとんど全部が贈与されたことを遺留分権利者が認識しているときは、贈与が減殺できることを知っていたと推認される旨を判示しています（最判昭和57年11月12日民集36巻11号2193頁）。

4　遺留分の放棄

相続の開始前における遺留分の放棄は、家庭裁判所の許可を受けたときに限り、その効力を生じます（民法1049条１項）。共同相続人の一人がした遺留分の放棄は、他の各共同相続人の遺留分に影響を及ぼしません（民法1049条２項）。

第10章

特別の寄与

改正後の民法は、相続人以外の被相続人の親族が、無償で被相続人の療養看護等を行った場合には、一定の要件の下で、相続人に対して金銭請求をすることができる旨の規定を新設しました（民法1050条１項）。

改正前民法上は、寄与分（民法904条の２）を相続人にのみ認めていましたが、改正後の民法の下では相続人以外の者でも被相続人の親族であれば、被相続人の財産の維持または増加に特別の寄与をした場合には、その寄与に応じた金額（特別寄与料）の支払請求を認めたものです。

1　意 義

特別の寄与とは、被相続人に対して無償で療養看護その他の労務の提供をしたことにより被相続人の財産の維持または増加について寄与したことをいいます（民法1050条１項）。

2　特別寄与者

特別寄与者は、被相続人の親族に限られます（民法1050条１項）。相続人、相続の放棄をした者、欠格事由に該当しまたは廃除によって相続権を失った者は、除かれます（民法1050条１項括弧書）。

3　特別寄与料の請求手続

特別寄与者は、特別の寄与をした場合に、相続の開始後、相続人に対し特別寄与者の寄与に応じた額の金銭（特別寄与料）の支払を請求することができます（民法1050条１項）。特別寄与料の支払について、当事者間に協議が調わないとき、または協議をすることができないときは、特別寄与者は、家庭裁判所に対して協議に代わる処分を請求することができます（民法1050条２項本文）。ただし、特別寄与者が相続の開始および相続人を知った時から６か月を経過したとき、または相続開始の時から１年を経過したときは、家庭裁判所に対する請求をすることができません（民法1050条２項但書）。特別寄与者から請求を受けた家庭裁判所は、寄与の時期、方法および程度、相続財産の額その他一切の事情を考慮して、特別寄与料の額を定めます（民法1050条３項）。

4　特別寄与料の額

特別寄与料の額は、被相続人が相続開始の時において有した財産の価額から遺贈の価額を控除した残額を超えることができません（民法1050条４項）。相続人が複数ある場合には、各相続人は、特別寄与料の額に民法900条から902条までの規定により算定した当該相続人の相続分を乗じた額を負担します（民法1050条５項）。

参考文献

新井誠・赤沼康弘・大貫正男編『成年後見制度——法の理論と実務』［第２版］有斐閣、2014年
淡路剛久・鎌田薫・原田純孝・生熊長幸『民法(2) 物権』［第５版］有斐閣、2022年
石田剛・武川幸嗣・占部洋之・田髙寛貴・秋山靖浩『民法Ⅱ 物権』［第４版］有斐閣、2022年
稲本洋之助・鎌野邦樹『コンメンタール マンション区分所有法』［第３版］日本評論社、2015年
内田貴『民法Ⅰ 総則・物権総論』［第４版］東京大学出版会、2008年
内田貴『民法Ⅱ 債権各論』［第３版］東京大学出版会、2011年
内田貴『民法Ⅲ 債権総論・担保物権』［第４版］東京大学出版会、2020年
内田貴『民法Ⅳ 親族・相続』［補訂版］東京大学出版会、2004年
近江幸治『民法講義０ ゼロからの民法入門』成文堂、2012年
近江幸治『民法講義Ⅰ 民法総則』［第７版］成文堂、2018年
近江幸治『民法講義Ⅱ 物権法』［第４版］成文堂、2020年
近江幸治『民法講義Ⅲ 担保物権』［第３版］成文堂、2020年
近江幸治『民法講義Ⅳ 債権総論』［第４版］成文堂、2020年
近江幸治『民法講義Ⅴ 契約法』［第４版］成文堂、2022年
近江幸治『民法講義Ⅵ 事務管理・不当利得・不法行為』［第３版］成文堂、2018年
近江幸治『民法講義Ⅶ 親族法・相続法』［第２版］成文堂、2015年
加藤新太郎編『判例 Check 契約締結上の過失』［改訂版］新日本法規、2012年
加藤新太郎編『判例 Check 継続的契約の解除・解約』［改訂版］新日本法規、2014年
加藤新太郎・能見善久編『論点体系 判例民法１ 総則』［第３版］第一法規、2018年
加藤新太郎・能見善久編『論点体系 判例民法２ 物権』［第３版］第一法規、2018年
加藤新太郎・能見善久編『論点体系 判例民法３ 担保物権』［第３版］第一法規、2018年
加藤新太郎・能見善久編『論点体系 判例民法４ 債権総論』［第３版］第一法規、2019年
加藤新太郎・能見善久編『論点体系 判例民法５ 契約Ⅰ』［第３版］第一法規、2019年
加藤新太郎・能見善久編『論点体系 判例民法６ 契約Ⅰ』［第３版］第一法規、2018年
加藤新太郎・能見善久編『論点体系 判例民法７ 契約Ⅱ』［第３版］第一法規、2018年
加藤新太郎・能見善久編『論点体系 判例民法８ 不法行為Ⅰ』［第３版］第一法規、2019年
加藤新太郎・能見善久編『論点体系 判例民法９ 不法行為Ⅱ』［第３版］第一法規、2019年
加藤新太郎・能見善久編『論点体系 判例民法10 親族』［第３版］第一法規、2018年
加藤新太郎・能見善久編『論点体系 判例民法11 相続』［第３版］第一法規、2019年
笠井修・片山直也『債権各論Ⅰ 契約・事務管理・不当利得』弘文堂、2008年
川井健『民法概論１ 民法総則』［第４版］有斐閣、2008年
川井健『民法概論２ 物権』［第２版］有斐閣、2005年
川井健『民法概論３ 債権総論』［第２版補訂版］有斐閣、2009年
川井健『民法概論４ 債権各論』［補訂版］有斐閣、2010年

川井健／良永和隆補訂『民法概論５ 親族・相続』［補訂版］有斐閣、2015年
窪田充見『家族法』［第４版］有斐閣、2019年
裁判所職員総合研究所監修『親族法相続法講義案』［７訂補訂版］司法協会、2018年
佐久間毅『民法の基礎１ 総則』［第５版］有斐閣、2020年
佐久間毅『民法の基礎２ 物権』［第２版］有斐閣、2019年
佐久間毅・石田剛・山下純司・原田昌和『民法Ⅰ 総則』［第２版補訂版］有斐閣、2020年
潮見佳男『民法総則講義』有斐閣、2005年
潮見佳男『民法（全）』有斐閣、2017年
潮見佳男『不法行為法１』［第２版］信山社、2013年
潮見佳男『不法行為法２』［第２版］信山社、2011年
潮見佳男『プラクティス民法債権総論』［第５版補訂］信山社、2023年
潮見佳男『新債権総論Ⅰ』信山社、2017年
潮見佳男『新債権総論Ⅱ』信山社、2017年
潮見佳男『相続法』［第５版］弘文堂、2014年
四宮和夫・能見善久『民法総則』［第９版］弘文堂、2018年
清水響『Q&A 不動産登記法』商事法務、2007年
高橋朋子・床谷文雄・棚村政行『民法７ 親族・相続』［第６版］有斐閣、2020年
千葉恵美子・藤原正則・七戸克彦『民法２ 物権』［第４版］有斐閣、2022年
筒井健夫・村松秀樹編著『一問一答 民法（債権関係）改正』商事法務、2018年
円谷峻『不法行為法・事務管理・不当利得――判例による法形成』［第３版］成文堂、2016年
中田裕康『継続的売買の解消』有斐閣、1994年
中田裕康『継続的取引の研究』有斐閣、2000年
中田裕康『契約法』［新版］有斐閣、2021年
中田裕康『債権総論』［第４版］岩波書店、2020年
中田裕康・高橋眞・佐藤岩昭『民法４ 債権総論』有斐閣、2004年
中舎寛樹『民法総則』［第２版］日本評論社、2018年
中舎寛樹『物権法――物権・担保物権』日本評論社、2022年
中舎寛樹『債権法――債権総論・契約』日本評論社、2018年
野村豊弘・栗田哲男・池田真朗・永田眞三郎・野澤正充『民法⑶ 債権総論』［第４版］有斐閣、2018年
橋本佳幸・大久保邦彦・小池泰『民法Ⅴ 事務管理・不当利得・不法行為』［第２版］有斐閣、2020年
平野裕之・古積健三郎・田髙寛貴『民法３ 担保物権』［第３版］有斐閣、2020年
藤岡康宏・磯村保・浦川道太郎・松本恒雄『民法⑷ 債権各論』［第３版］有斐閣、2023年
前田陽一・本山敦・浦野由紀子『民法Ⅵ 親族・相続』［第６版］有斐閣、2022年
松尾弘・古積健三郎『物権・担保物権法』［第２版］弘文堂、2008年
道垣内弘人『担保物権法』［第４版］有斐閣、2017年
山田卓生・河内宏・安永正昭・松久三四彦『民法⑴ 総則』［第４版］有斐閣、2018年
山本敬三『民法講義Ⅰ 総則』［第３版］有斐閣、2011年
山本敬三『民法講義Ⅳ-1 契約』有斐閣、2005年

我妻榮『新訂民法総則』（民法講義Ⅰ）岩波書店、1965年
我妻榮『新訂物権法』（民法講義Ⅱ）岩波書店、1983年
我妻榮『新訂担保物権法』（民法講義Ⅲ）岩波書店、1968年
我妻榮『新訂債権総論』（民法講義Ⅳ）岩波書店、1964年
我妻榮『債権各論上巻』（民法講義Ⅴ1）岩波書店、1954年
我妻榮『債権各論中巻一』（民法講義Ⅴ2）岩波書店、1957年
我妻榮『債権各論中巻二』（民法講義Ⅴ3）岩波書店、1962年
我妻榮『債権各論下巻一』（民法講義Ⅴ4）岩波書店、1972年
我妻榮・有泉亨・川井健・鎌田薫『民法1　総則・物権法』［第4版］勁草書房、2021年
我妻榮・有泉亨・川井健・野村豊弘・沖野眞已『民法2　債権法』［第4版］勁草書房、2022年
我妻榮・有泉亨・遠藤浩・川井健・野村豊弘『民法3　親族法・相続法』［第4版］勁草書房、2020年
我妻榮・有泉亨・清水誠・田山輝明『我妻・有泉コンメンタール民法――総則・物権・債権』［第8版］日本評論社、2022年

注釈民法

谷口知平・石田喜久夫編『新版注釈民法第1巻総則(1) 通則・人』［改訂版］有斐閣、2002年
林良平・前田達明編『新版注釈民法第2巻　総則(2) 法人・物』有斐閣、1991年
川島武宜・平井宜雄編『新版注釈民法第3巻　総則(3) 法律行為(1)』有斐閣、2003年
於保不二雄・奥田昌道編『新版注釈民法第4巻　総則(4) 法律行為(2)』有斐閣、2015年
川島武宜編『注釈民法第5巻　総則(5) 期間・時効』有斐閣、1967年
舟橋諄一・徳本鎮編『新版注釈民法第6巻　物権(1) 物権総則』［補訂版］有斐閣、2009年
川島武宜・川井健編『新版注釈民法第7巻　物権(2) 占有権・所有権・用益物権』有斐閣、2007年
林良平編『注釈民法第8巻　物権(3) 留置権・先取特権・質権』有斐閣、1965年
柚木馨・高木多喜男編『新版注釈民法第9巻　物権(4) 抵当権・仮登記担保・譲渡担保・他』有斐閣、2015年
奥田昌道編『新版注釈民法第10-1巻　債権(1) 債権の目的・効力(1)』有斐閣、2003年
奥田昌道編『新版注釈民法第10-2巻　債権(1) 債権の目的・効力(2)』有斐閣、2011年
西村信雄編『注釈民法第11巻　債権(2) 多数当事者の債権・債権の譲渡』有斐閣、1965年
磯村哲編『注釈民法第12巻　債権(3) 債権の消滅』有斐閣、1970年
谷口知平・五十嵐清編『新版注釈民法第13巻　債権(4) 契約総則』［補訂版］有斐閣、2006年
柚木馨・高木多喜男編『新版注釈民法第14巻　債権(5) 贈与・売買・交換』有斐閣、1993年
幾代通・広中俊雄編『新版注釈民法第15巻　債権(6) 消費貸借・使用貸借・賃貸借』［増補版］有斐閣、1996年
幾代通・広中俊雄編『新版注釈民法第16巻　債権(7) 雇傭・請負・委任・寄託』有斐閣、1989年
鈴木禄弥編『新版注釈民法第17巻　債権(8) 組合・終身定期金・和解・約款論・他』有斐閣、1993年
谷口知平・甲斐道太郎編『新版注釈民法第18巻　債権(9) 事務管理・不当利得』有斐閣、1991年

加藤一郎編『注釈民法第19巻 債権(10) 不法行為』有斐閣、1965年
青山道夫・有地亨編『新版注釈民法第21巻 親族⑴ 総則・婚姻の成立・効果』有斐閣、1989年
島津一郎・阿部徹編『新版注釈民法第22巻 親族⑵ 離婚』有斐閣、2008年
中川善之助・米倉明編『新版注釈民法第23巻 親族⑶ 親子⑴ 実子』有斐閣、2004年
中川善之助・山畠正男編『新版注釈民法第24巻 親族⑷ 親子⑵ 養子』有斐閣、1994年
於保不二雄・中川淳編『新版注釈民法第25巻 親族⑸ 親権・後見・保佐及び補助・扶養』［改訂版］有斐閣、2004年
中川善之助・泉久雄編『新版注釈民法第26巻 相続⑴ 相続総則・相続人』有斐閣、1992年
谷口知平・久貴忠彦編『新版注釈民法第27巻 相続⑵ 相続の効果』［補訂版］有斐閣、2013年
中川善之助・加藤永一編『新版注釈民法第28巻 相続⑶ 遺言・遺留分』［補訂版］有斐閣、2002年
広中俊雄編『新版注釈借地借家法——注釈民法⒂ 別冊』有斐閣、1993年

注釈民法旧版

注）＊は新版があることを示す。

『注釈民法第１巻 総則１ 通則・人』*有斐閣、1964年
『注釈民法第２巻 総則２ 法人・物』*有斐閣、1974年
『注釈民法第３巻 総則３ 法律行為１』*有斐閣、1973年
『注釈民法第４巻 総則４ 法律行為２』*有斐閣、1967年
『注釈民法第５巻 総則５ 期間・時効』有斐閣、1967年
『注釈民法第６巻 物権１ 総則』*有斐閣、1967年
『注釈民法第７巻 物権２ 占有権・所有権・用益物権』*有斐閣、1968年
『注釈民法第８巻 物権３ 留置権・先取特権・質権』有斐閣、1965年
『注釈民法第９巻 物権４ 抵当権・譲渡担保・仮登録担保』［増補再訂版］*有斐閣、1982年
『注釈民法第10巻 債権１ 債権の目的・効力』*有斐閣、1987年
『注釈民法第11巻 債権２ 多数当事者の債権・債権の譲渡』有斐閣、1965年
『注釈民法第12巻 債権３ 債権の消滅』有斐閣、1970年
『注釈民法第13巻 債権４ 契約総則』*有斐閣、1966年
『注釈民法第14巻 債権５ 贈与・売買・交換』*有斐閣、1966年
『注釈民法第15巻 債権６ 消費貸借・使用貸借・賃貸借』*有斐閣、1966年
『注釈民法第16巻 債権７ 雇傭・請負・委任・寄託』*有斐閣、1967年
『注釈民法第17巻 債権８ 組合・特殊の契約』*有斐閣、1969年
『注釈民法第18巻 債権９ 事務管理・不当利得』*有斐閣、1976年
『注釈民法第19巻 債権10 不法行為』有斐閣、1965年
『注釈民法第20巻 親族１ 総則・婚姻の成立・効果』*有斐閣、1966年
『注釈民法第21巻 親族２ 離婚』*有斐閣、1966年
『注釈民法第22-1巻 親族３ 親子１ 実子』*有斐閣、1971年
『注釈民法第22-2巻 親族３ 親子２ 養子』*有斐閣、1972年
『注釈民法第23巻 親族４ 親権・後見・扶養』*有斐閣、1969年

参考文献

『注釈民法第24巻　相続 1　相続総則・相続人』*有斐閣、1967年
『注釈民法第25巻　相続 2　相続の効果』*有斐閣、1970年
『注釈民法第26巻　相続 3　遺言・遺留分』*有斐閣、1973年
広中俊雄編『新版注釈借地借家法――注釈民法⒂別冊』有斐閣、1993年

事項索引

判例索引

大審院

大判明治30年12月16日民録３輯55頁………652
大判明治32年２月１日民録５輯１頁………228
大判明治32年３月25日民録５輯37頁…………86
大判明治32年６月７日民録５輯17頁………257
大判明治32年12月25日民録５輯118頁 ………832
大判明治33年５月７日民録６輯15頁………116
大判明治33年11月６日民録６輯16頁………972
大判明治34年２月４日民録７輯18頁………1030
大判明治35年２月22日民録８輯93頁………307
大判明治36年１月29日民録９輯102頁 …………55
大判明治36年４月23日民録９輯484頁 ………586
大判明治36年５月５日民録９輯531頁 ………190
大判明治36年６月19日民録９輯759頁
……………………………………………355, 586
大判明治36年10月22日民録９輯1117頁……830
大判明治36年11月13日民録９輯1221頁……401
大判明治36年11月16日民録９輯1244頁……342
大判明治37年２月２日民録10輯70頁………647
大判明治37年６月16日民録10輯940頁 …………30
大判明治37年10月22日民録10輯1297頁……190
大判明治38年４月24日民録11輯564頁 ………252
大判明治38年５月11日民録11輯706頁・百選Ⅰ
［第８版］５事件 ………………………15, 16
大判明治38年12月６日民録11輯1653頁……757
大判明治38年12月26日民録11輯1877頁……161
大判明治39年５月17日民録12輯758頁 … 25, 155
大判明治39年10月29日民録12輯1358頁……516
大判明治39年11月２日民録12輯1413頁……694
大判明治40年３月27日民録13輯359頁 ………131
大判明治40年５月16日民録13輯519頁 ………652
大判明治40年６月13日民録13輯648頁 ………819
大判明治41年３月18日民録14輯295頁 ………741
大判明治41年６月10日民録14輯665頁 ………135
大判明治41年６月15日民録14輯723頁 ………837
大判明治41年12月15日民録14輯1276頁・百選Ⅰ
［第８版］54事件 ……………………253, 256
大判明治42年11月８日民録15輯867頁 ………386
大判明治43年１月25日民録16輯22頁…………195
大判明治43年２月10日民録16輯76頁…………681
大判明治43年７月６日民録16巻537頁 ………541
大判明治43年10月20日民録16輯719頁 ………513
大判明治43年11月26日民録16輯759頁 ………343
大判明治44年３月24日民録17輯117頁・百選Ⅱ
［第８版］14事件 ………………543, 551, 553
大判明治44年３月25日民録17輯169頁 ………989
大判明治44年７月10日民録17輯468頁 ……1032
大判明治44年10月３日民録17輯538頁 ………548
大判明治44年10月10日民録17輯563頁 ………266
大判明治44年12月11日民録17輯772頁 ………697
大判明治44年12月16日民録17輯808頁 ………665
大判明治45年４月５日民録18輯343頁 ……1012
大判大正元年11月８日民録18輯951頁 ………187
大判大正元年12月６日民録18輯1022頁……922
大判大正２年１月24日民録19輯11頁………761
大判大正２年５月12日民録19輯327頁 ………516
大判大正２年10月25日民録19輯857頁
……………………………………………245, 246
大判大正２年12月４日民録19輯993頁 ………514
大判大正３年６月５日民録20輯437頁 …………54
大判大正３年６月15日民録20輯476頁
………………………………………590, 593, 857
大判大正３年７月４日刑録20輯1360頁……870
大判大正３年10月13日民録20巻751頁 ………577
大判大正３年10月27日民録20輯818頁 …………79
大判大正３年12月１日民録20輯1019頁
……………………………………………257, 577
大判大正３年12月26日民録20輯1206頁……801
大判大正３年12月26日民録20輯1208頁
……………………………………………324, 803
大判大正４年１月16日民録21輯８頁………1119
大判大正４年１月26日民録21輯49頁………989
大判大正４年３月10日刑録20輯279頁・百選Ⅱ
［第８版］19事件 ……………………………503
大判大正４年３月24日民録21輯439頁 ………177
大判大正４年３月27日民録21輯444頁 ………618
大判大正４年４月27日民録21輯590頁 ………283
大判大正４年５月12日民録21輯692頁 ………869
大判大正４年５月20日民録21輯730頁 ………286
大判大正４年７月13日民録21輯1387頁……195
大判大正４年10月２日民録21輯1560頁……142
大判大正４年10月16日民録21輯1705頁……807
大判大正４年12月８日民録21輯2028頁……291
大判大正４年12月17日民録21輯2124頁………97
大判大正４年12月24日民録21輯2182頁……724
大判大正４年12月24日民録21輯2187頁………21

大判大正５年２月８日民録22輯267頁……1052
大判大正５年３月11日民録22輯739頁……234
大判大正５年３月17日民録22輯476頁……832
大判大正５年４月１日民録22輯674頁……278
大判大正５年４月19日民録22輯782頁……283
大判大正５年４月26日民録22輯805頁……650
大判大正５年５月10日民録22輯936頁……721
大判大正５年５月16日民録22輯961頁……288
大判大正５年５月31日民録22輯1083頁……401
大決大正５年６月１日民録22輯1127頁……1119
大判大正５年６月28日民録22輯1281頁……402
大判大正５年７月29日刑録22輯1240頁……917
大判大正５年９月12日民録22輯1702頁……280
大判大正５年９月20日民録22輯1821頁……85
大判大正５年11月８日民録22輯2078頁
……1109, 1113
大判大正５年11月17日民録22輯2089頁……97
大判大正５年11月28日民録22輯2320頁
……210, 287
大判大正５年11月29日民録22輯2333頁……321
大判大正５年12月６日民録22輯2358頁……30
大判大正５年12月13日民録22輯2417頁
……325, 801
大判大正５年12月22日民録22輯2474頁・百選Ⅱ［第８版］83事件……865
大判大正５年12月25日民録22輯2509頁
……382, 385
大判大正６年２月10日民録23輯138頁……228
大判大正６年２月14日民録23輯152頁
……217, 702
大判大正６年２月22日民録23輯212頁……916
大判大正６年２月24日民録23輯284頁……110
大判大正６年２月28日民録23輯292頁……852
大判大正６年２月28日民録23輯322頁……332
大判大正６年３月31日民録23輯619頁……837
大判大正６年４月30日民録23輯715頁……869
大判大正６年５月３日民録23輯863頁……573
大判大正６年５月18日民録23輯831頁……1057
大判大正６年７月10日民録23輯1128頁……721
大判大正６年９月６日民録23輯1311頁……646
大判大正６年10月２日民録23輯1510頁……616
大判大正６年10月13日民録23輯1662頁……633
大判大正６年10月27日民録23輯1860頁……279
大判大正６年10月27日民録23輯1867頁……586
大判大正６年11月４日民録23輯1965頁……721
大判大正６年11月８日民録23輯1758頁
……111, 586
大判大正６年12月11日民録23輯2075頁……856
大判大正７年２月14日民録24輯221頁……179
大判大正７年３月２日民録24輯423頁……272
大判大正７年４月13日民録24輯669頁
……216, 721
大判大正７年７月10日民録24輯1432頁……832
大判大正７年８月14日民録24輯1650頁……649
大判大正７年８月27日民録24輯1658頁・百選Ⅱ［第８版］７事件……525
大判大正７年９月26日民録24輯1730頁……547
大判大正７年10月３日民録24輯1852頁……110
大判大正７年12月３日民録24輯2284頁……111
大判大正７年12月７日民録24輯2310頁
……308, 638, 643
大判大正７年12月19日民録24輯2367頁……842
大判大正８年３月３日民録25輯356頁……9
大判大正８年３月28日民録25輯507頁……1051
大判大正８年４月18日民録25輯574頁……834
大判大正８年４月21日民録25輯624頁……131
大判大正８年４月23日民録25輯693頁……990
大判大正８年５月12日民録25輯851頁……25
大判大正８年６月23日民録25輯1090頁……252
大判大正８年６月26日民録25輯1154頁
……831, 832
大判大正８年７月４日民録25輯1215頁……197
大判大正８年７月11日民録25輯1305頁……550
大判大正８年７月15日民録25輯1331頁……648
大決大正８年８月28日民録25輯1524頁……430
大判大正８年９月27日民録25輯1664頁……329
大判大正８年10月20日民録25輯1890頁……848
大判大正８年10月23日民録25輯1835頁……138
大判大正８年10月29日民録25輯1854頁……218
大判大正８年11月19日民録25輯2172頁……84
大判大正８年11月26日民録25輯2114頁……323
大判大正８年12月25日民録25輯2392頁……332
大判大正８年12月25日民録25輯2400頁……490
大判大正９年１月26日民録26輯19頁……633
大判大正９年１月29日民録26輯94頁……662
大判大正９年２月19日民録26輯142頁……291
大判大正９年３月29日民録26輯411頁……649
大判大正９年５月８日民録26輯636頁……346
大判大正９年５月12日民録26輯652頁……849
大判大正９年５月28日民録26輯773頁…86, 993
大判大正９年６月17日民録26輯911頁……729
大判大正９年６月26日民録26輯933頁……353
大判大正９年12月17日民録26輯2043頁……332
大判大正10年２月１日民録27輯160頁……211
大判大正10年２月９日民録27輯244頁……613
大判大正10年３月25日民録27輯660頁……450

大判大正10年4月30日民録27輯832頁……664
大判大正10年5月7日民録27輯887頁……919
大判大正10年5月9日民録27輯899頁……626
大判大正10年5月17日民録27輯929頁……267
大判大正10年5月18日民録27輯939頁……81
大判大正10年5月27日民録27輯963頁……513
大判大正10年5月30日民録27輯1024頁……783
大判大正10年6月2日民録27輯1038頁・百選Ⅰ［第8版］19事件……79
大判大正10年6月13日民録27輯1155頁……330, 332
大判大正10年6月18日民録27輯1168頁……552
大判大正10年6月28日民録27輯1260頁……876
大判大正10年6月30日民録27輯1287頁……697
大判大正10年7月8日民録27輯1373頁……290
大判大正10年7月13日民録27輯1318頁……132
大判大正10年7月18日民録27輯1392頁……330, 332
大判大正10年11月15日民録27輯1959頁……494
大判大正10年11月22日民録27輯1978頁……514
大判大正11年2月13日新聞1969号20頁……430
大判大正11年2月20日民集1巻56頁……332
大判大正11年3月1日民集1巻80頁……627
大判大正11年3月27日民集1巻137頁……1009
大判大正11年6月3日民集1巻280頁……990
大判大正11年9月25日民集1巻534頁……1061
大判大正11年10月25日民集1巻616頁……664
大判大正11年11月27日民集1巻692頁……302
大判大正12年3月26日民集2巻182頁……196
大判大正12年11月29日民集2巻642頁……984
大判大正13年5月22日民集3巻224頁……303
大判大正13年5月27日民集3巻232頁……525
大判大正13年6月23日民集3巻339頁……746
大判大正13年7月18日民集3巻399頁……649
大判大正14年1月20日民集4巻1頁……305
大判大正14年7月8日民集4巻412頁……214, 274
大決大正14年7月14日刑集4巻484頁……392
大判大正14年11月28日民集4巻670頁……871
大判大正14年12月24日民集4巻12号765頁……138
大判大正15年2月16日民集5巻150頁……901
大判大正15年3月3日新聞2598号14頁……854
大判大正15年3月25日民集5巻219頁……625
大判大正15年4月8日民集5巻575頁……431
大判大正15年5月22日民集5巻386頁……526, 889
大判大正15年8月3日民集5巻679頁……1095
大判大正15年10月13日民集5巻785頁……917
大判大正15年11月13日民集5巻798頁……547
大判大正15年11月25日民集5巻763頁……799
大判大正15年12月2日民集5巻769頁……604
大判昭和2年2月2日民集6巻133頁……711
大判昭和2年5月17日新聞2692号6頁……604, 963
大判昭和2年5月30日新聞2702号5頁……902
大判昭和2年12月24日民集6巻754頁……162
大判昭和3年6月7日民集7巻443頁……922
大判昭和3年8月1日新聞2904号12頁……291
大判昭和4年1月30日新聞2945号12頁……652
大判昭和4年2月20日民集8巻59頁……263
大判昭和4年3月30日民集8巻363頁・百選Ⅱ［第8版］5事件……523
大判昭和4年6月19日民集8巻675頁……523
大判昭和4年7月7日民集8巻686頁……1010
大判昭和4年12月11日民集8巻923頁……290
大判昭和4年12月16日民集8巻944頁……504
大判昭和5年3月4日民集9巻299頁……139
大判昭和5年3月10日民集9巻253頁……774
大判昭和5年3月31日新聞3112号13頁……257
大判昭和5年4月17日新聞3121号11頁……257
大判昭和5年6月16日民集9巻550頁……784, 1121
大決昭和5年7月21日新聞3151号10頁……20
大決昭和5年9月30日民集9巻926頁……508, 962
大判昭和5年10月28日民集9巻1055頁……799
大判昭和5年10月31日民集9巻1009頁……239
大決昭和5年12月4日民集9巻1118頁……1081
大判昭和6年2月20日新聞3240号4頁……952
大判昭和6年3月6日新聞3252号10頁……138
大判昭和6年3月16日民集10巻157頁……655
大判昭和6年3月31日新聞3261号16頁……254
大決昭和6年4月7日民集10巻535頁……660
大判昭和6年5月2日民集10巻232頁……190
大判大正6年5月3日民録23輯863頁……573
大判昭和6年7月22日民集10巻593頁……291
大判昭和6年10月3日民集10巻851頁……573, 833
大判昭和6年10月24日新聞3334号4頁……99
大判昭和6年11月27日新聞3345号15頁……990
大判昭和7年4月20日新聞3407号15頁……401
大判昭和7年4月26日新聞3410号14頁……252
大判昭和7年4月30日民集11巻780頁……800
大判昭和7年5月9日民集11巻824頁……324, 800

大判昭和７年６月１日新聞3445号16頁……398
大判昭和７年６月３日民集11巻1163頁……552
大判昭和７年６月６日民集11巻1115頁……127
大判昭和７年６月21日民集11巻12号1186頁
……195
大決昭和７年７月26日民集11巻1658頁……36
大判昭和７年８月10日新聞3456号９頁……632
大判昭和７年10月６日民集11巻2023頁
……12, 990
大判昭和７年10月26日民集11巻1920頁
……41, 171, 855
大判昭和７年11月９日民集11巻2277頁……239
大判昭和７年12月17日民集11巻2334頁……603
大判昭和７年12月24日新聞3518号17頁……160
大判昭和８年１月28日民集12巻10頁……142, 603
大判昭和８年４月６日民集12号791頁……605
大判昭和８年４月24日民集12巻1008頁……834
大判昭和８年４月26日民集12巻767頁
……454, 605
大判昭和８年５月９日民集12巻1123頁……255
大判昭和８年６月13日民集12巻1484頁……762
大判昭和８年６月20日民集12巻1543頁……291
大判昭和８年12月５日民集12巻2818頁……670
大判昭和８年12月18日民集12巻2854頁……281
大判昭和９年１月30日民集13巻103頁……606
大判昭和９年２月27日民集13巻215頁……603
大判昭和９年５月11日新聞3702号11頁
……606, 256
大判昭和９年７月17日民集13巻1217頁
……603, 664
大判昭和９年９月29日新聞3756号７頁……832
大判昭和９年10月15日民集13巻1874頁……926
大判昭和９年12月28日民集13巻2261頁……614
大判昭和10年３月12日民集14巻482頁
……536, 538
大判昭和10年４月25日新聞3835号５頁
……501, 728
大判昭和10年４月27日民集14巻1009頁……1052
大判昭和10年10月１日民集14巻1671頁……325
大判昭和10年10月５日民集14巻1965頁・百選Ⅰ［第８版］１事件……9
大判昭和11年１月14日民集15巻89頁……279, 396
大判昭和11年１月17日民集15巻101頁……851
大判昭和11年２月12日新聞3956号17頁……920
大判昭和11年２月25日民集15巻281頁・百選［第８版］75事件……818
大判昭和11年３月23日民集15巻551頁……539
大判昭和11年４月24日民集15巻790頁……345
大判昭和11年５月11日民集15巻808頁……717
大判昭和11年６月２日民集15巻1074頁……652
大判昭和11年６月16日民集15巻1125頁……757
大判昭和11年６月17日民集15巻1246頁……1131
大判昭和11年７月14日民集15巻1409頁
……431, 653
大判昭和11年８月７日民集15巻1661頁……570
大判昭和11年12月９日民集15巻2172頁……435
大判昭和12年２月12日民集16巻46頁……570, 903
大判昭和12年３月10日民集16巻255頁……352
大判昭和12年５月28日民集16巻903頁……174
大判昭和12年６月30日民集16巻1285頁……579
大判昭和12年８月１日新聞4185号36頁……100
大判昭和12年12月11日民集16巻1945頁
……570, 579
大判昭和13年１月31日民集17巻27頁……586
大判昭和13年２月７日民集17巻59頁……38, 570
大判昭和13年２月12日民集17巻132頁
……586, 817
大判昭和13年２月15日民集17巻179頁……653
大判昭和13年３月30日民集17巻578頁……86
大判昭和13年６月７日民集17巻1331頁……313
大判昭和13年10月24日民集17巻2012頁……281
大判昭和13年12月26日民集17巻2835頁……303
大判昭和14年３月22日民衆18巻238頁……200
大判昭和14年３月29日民集18巻370頁……196
大判昭和14年５月16日民集18巻557頁
……537, 540
大判昭和14年６月20日民集18巻685頁……816
大判昭和14年７月７日民集18巻748頁……268
大判昭和14年10月13日民集18巻1165頁……634
大判昭和14年10月26日民集18巻1157頁
……171, 855
大判昭和14年12月13日大審院判決全集７輯４号10頁……711
大判昭和15年１月23日民集19巻54頁……1004
大判昭和15年２月27日民集19巻441頁……58
大判昭和15年３月15日民集19巻586頁……539
大判昭和15年５月29日民集19巻903頁……638
大判昭和15年６月１日民集19巻944頁……173
大判昭和15年６月26日民集19巻1033頁……342
大判昭和15年７月６日民集19巻1142頁……993
大判昭和15年９月18日民集19巻1611頁・百選Ⅰ［第８版］49事件……228, 292
大判昭和15年９月20日民集19巻1596頁……1005
大判昭和15年９月28日民集19巻1744頁……671
大判昭和15年11月26日民集19巻2100頁……445
大判昭和15年12月14日民集19巻2325頁……908

大判昭和15年12月18日新聞4658号８頁……523
大判昭和16年２月10日民集20巻79頁……554
大判昭和16年２月20日民集20巻89頁……618
大判昭和16年４月19日新聞4707号11頁……857
大判昭和16年８月14日民集20巻1074頁……342
大判昭和16年10月25日民集20巻1313頁……853
大判昭和17年４月24日民集21巻447頁……335
大判昭和17年５月20日民集21巻571頁……157
大判昭和17年９月30日民集21巻911頁・百選Ⅰ［第８版］55事件……117, 263
大判昭和18年３月19日民集22巻185頁……1110
大判昭和18年４月９日民集22巻255頁……913
大判昭和18年５月25日民集22巻411頁……322
大判昭和18年６月19日民集22巻491頁……306
大判昭和18年７月20日民集22巻660頁……325, 801
大判昭和18年９月10日民集22巻948頁……605
大判昭和18年11月13日民集22巻1127頁……637
大判昭和18年12月22日新聞4890号３頁……605, 853
大判昭和19年６月28日民集23巻387頁・百選Ⅰ［第８版］18事件……108
大判昭和19年12月22日民集23巻626頁・百選Ⅰ［第８版］33事件……164
大判昭和20年５月21日民集24巻９頁……170

最高裁判所

最判昭和23年11月６日民集２巻12号397頁……1055
最判昭和23年12月14日民集２巻13号438頁……648
最判昭和24年10月４日民集３巻10号437頁……735
最判昭和25年10月26日民集４巻10号497頁……515
最判昭和25年11月16日民集４巻11号567頁……729
最判昭和25年11月30日民集４巻11号607頁……255
最判昭和25年12月19日民集４巻12号660頁・百選Ⅰ［第８版］62事件……257
最判昭和25年12月28日民集４巻13号701頁……167
最判昭和26年２月13日民集５巻３号47頁…1043
最判昭和27年２月15日民集６巻２号77頁……55
最判昭和27年２月19日民集６巻２号110頁……294, 974
最判昭和27年４月15日民集６巻４号413頁…32
最判昭和27年10月３日民集６巻９号753頁……1020
最判昭和28年１月22日民集７巻１号56頁…861
最判昭和28年４月24日民集７巻４号414頁……300
最判昭和28年９月25日民集７巻９号979頁……780, 781
最判昭和28年10月１日民集７巻10号1019頁…97
最判昭和28年12月18日民集７巻12号1515頁・百選Ⅱ［第８版］57事件……504, 782, 791
最判昭和29年１月21日民集８巻１号21頁……735, 1005, 1013
最判昭和29年３月12日民集８巻３号696頁……329
最判昭和29年４月８日民集８巻４号819頁・百選Ⅲ［第２版］65事件……560, 1081
最判昭和29年４月30日民集８巻４号861頁……1006, 1011
最判昭和29年６月25日民集８巻６号1224頁……560
最判昭和29年８月31日民集８巻８号1557頁……859
最判昭和29年８月31日民集８巻８号1567頁……283
最判昭和29年９月24日民集８巻９号1658頁……541
最判昭和29年10月20日民集８巻10号1907頁…33
最判昭和29年11月26日民集８巻11号2087頁……111
最判昭和29年12月21日民集８巻12号2211頁……711
最判昭和29年12月23日民集８巻12号2235頁……328
最判昭和30年４月19日民集９巻５号534頁……523, 931
最判昭和30年５月10日民集９巻６号657頁……1122
最判昭和30年６月２日民集９巻７号855頁……452
最判昭和30年７月20日民集９巻９号1122頁……1013
最判昭和30年９月27日民集９巻10号1435頁……655
最判昭和30年９月29日民集９巻10号1472号……626
最判昭和30年10月７日民集９巻11号1616頁……87, 167
最判昭和30年10月11日民集９巻11号1626頁

……552
最判昭和30年10月18日民集9巻11号1642頁・百選Ⅱ［第8版］1事件……491
最判昭和30年10月25日民集9巻11号1678頁……256
最判昭和30年10月27日民集9巻11号1720頁…85
最判昭和30年10月28日民集9巻11号1748頁……586
最判昭和30年11月22日民集9巻12号1781頁……223
最判昭和30年12月22日民集9巻14号2047頁……586, 918
最判昭和30年12月26日民集9巻14号2097頁……350
最判昭和31年7月4日民集10巻7号785頁……509
最判昭和31年7月20日民集10巻8号1045頁……279
最判昭和31年9月18日民集10巻9号1160頁……1120
最判昭和31年11月2日民集10巻11号1413頁……674
最判昭和31年11月30日民集10巻11号1502頁……930
最判昭和31年12月6日民集10巻12号1527頁……711
最判昭和31年12月18日民集10巻12号18頁……923
最判昭和31年12月20日民集10巻12号1581頁……781
最判昭和32年1月31日民集11巻1号170頁……306
最判昭和32年2月15日民集11巻2号270頁・百選Ⅰ［第8版］66事件……296
最判昭和32年4月16日民集11巻4号638頁……847
最判昭和32年4月30日民集11巻4号646頁……906, 919
最判昭和32年6月5日民集11巻6号915頁……650
最判昭和32年6月21日民集11巻6号1125頁……1013
最判昭和32年7月5日集民27号27頁……484, 1027
最判昭和32年7月19日民集11巻7号1297頁……675, 676
最判昭和32年9月19日民集11巻9号1574頁……1052
最判昭和32年11月12日民集11巻12号1928頁……781
最判昭和32年11月14日民集11巻12号1943頁…72
最判昭和32年12月3日民集11巻13号2018頁……791
最判昭和32年12月27日民集11巻14号2485頁……288
最判昭和33年2月14日民集12巻2号268頁……350
最判昭和33年2月21日民集12巻2号341頁……544
最判昭和33年3月14日民集12巻3号570頁……283
最判昭和33年4月11日民集12巻5号789頁・百選Ⅲ［第2版］24事件……990, 991
最判昭和33年5月9日民集12巻7号989頁……398
最判昭和33年6月6日民集12巻9号1373頁……761
最判昭和33年6月14日民集12巻9号1492頁・百選Ⅱ［第8版］76事件……267, 719, 747, 825
最判昭和33年6月17日民集12巻10号1532頁……143
最判昭和33年6月20日民集12巻10号1585頁・百選Ⅰ［第8版］52事件……246
最判昭和33年7月1日民集12巻11号1601頁……118
最判昭和33年7月15日集民32号805頁……534
最判昭和33年7月25日民集12巻12号1823頁……973, 974
最判昭和33年8月5日民集12巻12号1901頁……901
最判昭和33年9月18日民集12巻13号2027頁…57
最判昭和33年9月26日民集12巻13号3022頁……549
最判昭和34年1月8日民集13巻1号1頁……277
最判昭和34年2月5日民集13巻1号67頁……159
最判昭和34年2月12日民集13巻2号91頁……257
最判昭和34年2月20日民集13巻2号209頁……201
最判昭和34年6月19日民集13巻6号757頁・百選Ⅲ［第2版］62事件……567, 1081
最判昭和34年7月3日民集13巻7号905頁……957
最判昭和34年7月14日民集13巻7号960頁……60, 567
最判昭和34年7月14日民集13巻7号1023頁……968
最判昭和34年7月24日民集13巻8号1176頁

…………………………………………………156
最判昭和34年8月7日民集13巻10号1223頁
…………………………………………………292
最判昭和34年8月7日民集13巻10号1251頁・百選Ⅲ［第2版］13事件……………………970
最判昭和34年8月18日集民37号643頁………770
最判昭和34年9月22日民集13巻11号1451頁
…………………………………………………717
最判昭和34年11月26日民集13巻12巻1573頁
…………………………………………………895
最判昭和34年12月18日民集13巻13号1647頁
…………………………………………………346
最判昭和35年2月11日民集14巻2号168頁・百選Ⅰ［第8版］68事件……………………288
最判昭和35年2月19日民集14巻2号250頁・百選Ⅰ［第8版］29事件……………………156
最判昭和35年2月25日民集14巻2号279頁・百選Ⅲ［第2版］48事件……………………1031
最判昭和35年3月1日民集14巻3号307頁
………………………………………292, 322
最判昭和35年3月15日民集14巻3号430頁・百選Ⅲ［第2版］44事件……………984, 1029
最判昭和35年3月18日民集14巻4号483頁・百選Ⅰ［第8版］16事件……………………85
最判昭和35年3月22日民集14巻4号551頁…32
最判昭和35年4月7日民集14巻5号751頁
…………………………………………………296
最判昭和35年4月12日民集14巻5号817頁
…………………………………………………766
最判昭和35年4月21日民集14巻6号930頁
…………………………………………………516
最判昭和35年4月21日民集14巻6号946頁
…………………………………………………280
最判昭和35年4月26日民集14巻6号1046頁
…………………………………………………547
最判昭和35年6月21日民集14巻8号1487頁
…………………………………………………523
最判昭和35年6月23日民集14巻8号1507頁
…………………………………………………683
最判昭和35年7月27日民集14巻10号1871頁
………………………………………212, 214
最判昭和35年7月27日民集14巻10号1913頁…57
最判昭和35年9月16日民集14巻11号2209頁
…………………………………………………859
最判昭和35年10月18日民集14巻12号2764…160
最判昭和35年10月21日民集14巻12号2661頁・百選Ⅰ［第8版］28事件……………………152
最判昭和35年11月29日民集14巻13号2869頁・百選Ⅰ［第8版］56事件……………………268
最判昭和35年12月9日民集14巻13号2994頁
…………………………………………………819
最判昭和35年12月15日民集14巻14号3060頁
………………………………………648, 665
最判昭和36年1月17日民集15巻1号1頁…160
最判昭和36年2月16日民集15巻2号244頁
…………………………………………………866
最判昭和36年3月24日民集15巻3号542頁
…………………………………………………311
最判昭和36年4月14日民集15巻4号765頁
…………………………………………………671
最判昭和36年4月25日民集15巻4号891頁
…………………………………………………973
最判昭和36年4月28日民集15巻4号1211頁
…………………………………………………781
最判昭和36年5月4日民集15巻5号1253頁・百選Ⅰ［第8版］65事件……………………291
最判昭和36年5月26日民集15巻5号1404頁
…………………………………………………177
最判昭和36年5月31日民集15巻5号1482頁
…………………………………………………674
最判昭和36年6月9日民集15巻6号1546頁
…………………………………………………917
最判昭和36年6月20日民集15巻6号1602頁
…………………………………………………493
最判昭和36年7月19日民集15巻7号1875頁・百選Ⅱ［第8版］15事件……………545, 552
最判昭和36年7月20日判時269号7頁………666
最判昭和36年7月20日民集15巻7号1903頁
…………………………………………………274
最判昭和36年7月31日民集15巻7号1982頁
…………………………………………………820
最判昭和36年9月6日民集15巻8号2047頁・百選Ⅲ［第2版］7事件……………………968
最判昭和36年10月10日民集15巻9号2281頁
…………………………………………………141
最判昭和36年11月21日民集15巻10号2507頁・百選Ⅱ［第8版］42事件……………………712
最判昭和36年11月30日民集15巻10号2629頁
…………………………………………………840
最判昭和36年12月15日民集15巻11号2852頁・百選Ⅱ［第8版］51事件……………………746
最判昭和37年2月27日民集16巻2号407頁
…………………………………………………886
最判昭和37年3月8日民集16巻3号500頁
…………………………………………………859
最判昭和37年3月15日集民59号243頁………279

最判昭和37年３月15日民集16巻３号556頁……314
最判昭和37年３月29日民集16巻３号662頁……778
最判昭和37年４月10日民集16巻４号693頁……1011, 1013
最判昭和37年４月20日民集16巻４号955頁・百選Ⅰ［第８版］35事件……146
最判昭和37年４月27日民集16巻７号1247頁・百選Ⅲ［第２版］31事件……1014, 1017
最判昭和37年５月18日民集16巻５号1073頁……300
最判昭和37年５月29日判時303号27頁……322
最判昭和37年７月20日民集16巻８号1605頁……627
最判昭和37年８月10日民集16巻８号1700頁・百選Ⅰ［第８版］38事件……168
最判昭和37年８月21日民集16巻９号1809頁……638, 639
最判昭和37年９月４日民集16巻９号1834頁……513, 904
最判昭和37年９月７日民集16巻９号1888頁…58
最判昭和37年９月21日民集16巻９号2041頁……648
最判昭和37年10月２日民集16巻10号2059頁……1032
最判昭和37年10月９日民集16巻10号2070頁……553
最判昭和37年10月30日民集16巻10号2182頁……313
最判昭和37年11月９日民集16巻11号2270頁……604
最判昭和37年11月16日民集16巻11号2280頁……526
最判昭和38年２月１日民集17巻１号160頁……604, 991
最判昭和38年２月22日民集17巻１号235頁・百選Ⅰ［第８版］59事件……269, 1082
最判昭和38年４月19日民集17巻３号518頁……329
最判昭和38年５月31日民集17巻４号600頁……819
最判昭和38年９月５日民集17巻８号909頁…62
最判昭和38年９月５日民集17巻８号942頁・百選Ⅲ［第２版］22事件……128, 875, 952
最判昭和38年９月19日民集17巻８号981頁……666
最判昭和38年10月15日民集17巻11号1497頁……277
最判昭和38年10月29日民集17巻９号1236頁……321
最判昭和38年11月28日民集17巻11号1469頁……970
最判昭和38年12月13日民集17巻12号1696頁……211
最判昭和38年12月20日民集17巻12号1708頁……952
最判昭和39年１月16日民集18巻１号１頁…876
最判昭和39年１月23日民集18巻１号37頁……85
最判昭和39年１月23日民集18巻１号76頁…552
最判昭和39年１月24日判時365号26頁……1080
最判昭和39年１月28日民集18巻１号136頁……877, 900
最判昭和39年２月13日判タ160号71頁……257
最判昭和39年２月25日民集18巻２号329頁……329
最判昭和39年３月６日民集18巻３号437頁・百選Ⅲ［第２版］74事件……1109, 1113
最判昭和39年４月２日民集18巻４号497頁……157
最判昭和39年４月21日民集18巻４号566頁……633
最判昭和39年５月23日民集18巻４号621頁・百選Ⅰ［第８版］27事件……154
最判昭和39年６月12日民集18巻５号764頁……556
最判昭和39年６月24日民集18巻５号854頁・百選Ⅱ［第８版］105事件……895
最判昭和39年６月24日民集18巻５号874頁……893
最判昭和39年６月30日民集18巻５号991頁……781
最判昭和39年８月４日民集18巻７号1309頁……1024
最判昭和39年９月４日民集18巻７号1394頁……952
最判昭和39年９月８日民集18巻７号1423頁・百選Ⅲ［第２版］40事件……1020
最判昭和39年９月25日民集18巻７号1528頁……897
最判昭和39年10月13日民集18巻８号1578頁……992, 993
最判昭和39年10月15日民集18巻８号1671頁・百選Ⅰ［第８版］８事件……71
最判昭和39年10月29日民集18巻８号1823頁…85
最判昭和39年11月18日民集18巻９号1868頁

……496
最判昭和39年11月26日民集18巻9号1984頁……663
最判昭和39年12月11日民集18巻10号2160頁……160
最判昭和39年12月18日民集18巻10号2179頁・百選Ⅱ［第8版］23事件……604
最判昭和39年12月23日民集18巻10号2217頁……676, 677, 679
最判昭和40年3月4日民集19巻2号197頁・百選Ⅰ［第8版］70事件……304, 604
最判昭和40年3月26日民集19巻2号508頁……556
最判昭和40年3月26日民集19巻2号526頁……729
最判昭和40年5月4日民集19巻4号797頁……279
最判昭和40年6月4日民集19巻4号924頁……111
最判昭和40年6月18日民集19巻4号986頁……144
最大決昭和40年6月30日民集19巻4号1089頁・百選Ⅲ［第2版］7事件……962
最決昭和40年6月30日民集19巻4号1114頁……966
最判昭和40年6月30日民集19巻4号1143頁・百選Ⅱ［第8版］22事件……586
最判昭和40年8月2日民集19巻6号1368頁……790
最判昭和40年9月10日民集19巻4号924頁……111, 586
最判昭和40年9月10日民集19巻6号1512頁……112, 165
最判昭和40年9月17日訴月11巻10号1457頁……552
最判昭和40年9月21日民集19巻6号1560頁・百選Ⅰ［第8版］53事件……280
最判昭和40年10月12日民集19巻7号1777頁……534
最判昭和40年11月24日民集19巻8号2019頁・百選Ⅱ［第8版］48事件……735
最判昭和40年11月30日民集19巻8号2049頁……917
最判昭和40年12月3日民集19巻9号2090頁……530
最判昭和40年12月7日民集19巻9号2101頁……886
最判昭和40年12月17日民集19巻9号2178頁……860
最判昭和41年2月15日民集20巻2号202頁……1005
最判昭和41年3月3日判時443号32頁……332
最判昭和41年3月18日民集20巻3号451頁……103
最判昭和41年4月20日民集20巻4号702頁・百選Ⅰ［第8版］43事件……198
最判昭和41年4月22日民集20巻4号752頁……154
最判昭和41年4月26日民集20巻4号849号……57, 584
最判昭和41年5月19日民集20巻5号947頁・百選Ⅰ［第8版］74事件……331, 1079
最判昭和41年5月27日民集20巻5号1004頁……547
最判昭和41年6月9日民集20巻5号1011頁……287, 298
最判昭和41年6月21日民集20巻5号1052頁…58
最判昭和41年6月23日民集20巻5号1118頁……877
最判昭和41年7月14日民集20巻6号1183頁・百選Ⅲ［第2版］92事件……928, 1133, 1136
最判昭和41年10月4日民集20巻8号1565頁……640
最判昭和41年10月27日民集20巻8号1649頁……766
最判昭和41年11月18日民集20巻9号1861頁……655
最判昭和41年11月18日民集20巻9号1886頁……928
最判昭和41年11月22日民集20巻9号1901頁……214, 273
最判昭和41年11月25日民集20巻9号1921頁……355
最判昭和41年12月20日民集20巻10号2139頁・百選Ⅱ［第8版］31事件……625
最判昭和41年12月23日民集20巻10号2211頁・百選Ⅱ［第8版］10事件……528
最判昭和42年1月20日民集21巻1号16頁・百選Ⅲ［第2版］73事件……272, 1094
最判昭和42年2月2日民集21巻1号88頁……964
最判昭和42年2月17日民集21巻1号133頁・百選Ⅲ［第2版］51事件……1044
最判昭和42年2月21日民集21巻1号155頁……993
最判昭和42年2月23日民集21巻1号189頁……497

最判昭和42年4月18日民集21巻3号671頁
……127, 1032
最判昭和42年4月20日民集21巻3号697頁・百選Ⅰ［第8版］26事件……128
最判昭和42年4月27日民集21巻3号741頁
……1091
最判昭和42年6月23日民集21巻6号1492頁
……218
最判昭和42年6月27日民集21巻6号1507頁
……895
最判昭和42年6月30日民集21巻6号1526頁
……868
最判昭和42年7月18日民集21巻6号1559頁
……907
最判昭和42年7月21日民集21巻6号1643頁・百選Ⅰ［第8版］45事件……211
最判昭和42年7月21日民集21巻6号1653頁
……273
最判昭和42年10月27日民集21巻8号2110頁
……195
最判昭和42年10月27日民集21巻8号2161頁・百選Ⅱ［第8版］27事件……617
最判昭和42年10月31日民集21巻8号2232頁
……101
最大判昭和42年11月1日民集21巻9号2249頁・百選Ⅲ［第2版］60事件……903, 1066
最判昭和42年11月2日民集21巻9号2278頁・百選Ⅱ［第8版］94事件……917
最判昭和42年11月9日判時506号36頁……305
最判昭和42年11月30日民集21巻9号2477頁
……673, 906
最判昭和42年12月8日家月20巻3号55頁……971
最判昭和43年2月9日判時510号38頁……913
最判昭和43年2月16日民集22巻2号217頁
……762
最判昭和43年3月15日民集22巻3号587頁
……825
最判昭和43年4月23日民集22巻4号964頁
……881, 926
最判昭和43年5月24日判時523号42頁……956
最判昭和43年5月31日民集22巻5号1137頁
……1120
最判昭和43年6月13日民集22巻6号1183頁
……321
最判昭和43年8月2日民集22巻8号1571頁
……9, 259
最判昭和43年8月20日民集22巻8号1692頁
……740
最判昭和43年8月27日民集22巻8号1733頁
……1011, 1012
最判昭和43年10月8日民集22巻10号2172頁・百選Ⅲ［第2版］46事件……1032
最判昭和43年10月17日民集22巻10号2188頁
……105
最判昭和43年11月13日民集22巻12号2510頁
……200
最判昭和43年11月13日民集22巻12号2526頁
……496
最判昭和43年11月15日判時544号33頁……355
最判昭和43年11月15日民集22巻12号2614頁・百選Ⅱ［第8版］99事件……904
最判昭和43年11月19日民集22巻12号2712頁
……663
最判昭和43年11月21日民集22巻12号2741頁
……789
最判昭和43年12月5日民集22巻13号2876頁
……701
最判昭和43年12月24日民集22巻13号3413頁
……921
最判昭和44年1月31日判時552号50頁……728
最判昭和44年2月6日民集23巻2号195頁……883
最判昭和44年2月13日民集23巻2号291頁……31
最判昭和44年2月27日民集23巻2号511頁……44
最判昭和44年3月4日民集23巻3号561頁
……477
最判昭和44年3月28日民集23巻3号699頁・百選Ⅰ［第8版］85事件……399
最判昭和44年4月3日民集23巻4号709頁
……954
最判昭和44年5月2日民集23巻6号951頁
……280
最判昭和44年5月27日判時560号45頁……516
最判昭和44年5月27日民集23巻6号998頁
……100
最判昭和44年5月29日民集23巻6号1064頁
……1000
最判昭和44年6月24日判時570号48頁……159
最判昭和44年6月24日民集23巻7号1079頁・百選Ⅱ［第8版］11事件……537
最判昭和44年7月3日民集23巻8号1297頁
……431, 432, 433
最判昭和44年7月4日民集23巻8号1347頁・百選Ⅰ［第8版］84事件……57, 398
最判昭和44年7月15日民集23巻8号1520頁
……196
最判昭和44年7月15日民集23巻8号1532頁

……195
最判昭和44年7月17日民集23巻8号1610頁……784
最判昭和44年9月12日判時572号25頁‥325, 801
最判昭和44年10月30日民集23巻10号1881頁……300
最判昭和44年10月31日民集23巻10号1894頁・百選Ⅲ［第2版］1事件……954
最判昭和44年11月4日民集23巻11号1951頁……72, 73
最判昭和44年11月4日民集23巻11号1968頁……409
最判昭和44年11月18日民集23巻11号2079頁……919
最判昭和44年11月25日民集23巻11号2137頁……496
最判昭和44年11月27日民集23巻11号2265頁……908
最判昭和44年11月27日民集23巻11号2290頁……1013
最判昭和44年12月2日民集23巻12号2333頁……307
最判昭和44年12月18日民集23巻12号2476頁・百選Ⅲ［第2版］9事件……158, 951, 967
最判昭和45年3月26日民集24巻3号151頁……112
最判昭和45年4月10日民集24巻4号240頁……611, 612
最判昭和45年4月21日集民99号89頁……579
最判昭和45年4月21日判時595号54頁……578
最判昭和45年4月21日判時596号43頁・百選Ⅲ［第2版］3事件……954
最判昭和45年4月21日民集24巻4号298頁……496
最判昭和45年6月18日判時600号83頁……209, 297
最判昭和45年6月24日民集24巻6号587頁・百選Ⅱ［第8版］39事件……615, 677, 678, 679
最大判昭和45年6月24日民集24巻6号625頁……55
最判昭和45年7月15日民集24巻7号771頁……666
最判昭和45年7月16日民集24巻7号909頁……850
最判昭和45年7月24日民集24巻7号1116頁……97, 99
最判昭和45年7月24日民集24巻7号1177頁……201
最判昭和45年7月28日民集24巻7号1203頁・百選Ⅰ［第8版］32事件……154
最判昭和45年8月20日民集24巻9号1268頁……924
最判昭和45年9月22日民集24巻10号1424頁・百選Ⅰ［第8版］21事件……103
最判昭和45年10月21日民集24巻11号1560頁・百選Ⅱ［第8版］82事件……859, 860
最判昭和45年11月24日民集24巻12号1943頁・百選Ⅲ［第2版］14事件……973, 1021
最判昭和45年12月18日民集24巻13号2151頁……876
最判昭和46年1月26日民集25巻1号90頁・百選Ⅲ［第2版］72事件……271, 1086
最判昭和46年3月5日判時628号48頁……325, 801
最判昭和46年3月25日判時628号44頁……613
最判昭和46年3月25日民集25巻2号208頁……455
最判昭和46年4月9日民集25巻3号264頁……825
最判昭和46年4月20日家月24巻2号106頁……1033
最判昭和46年4月23日民集25号3巻351頁……923
最判昭和46年4月23日民集25巻3号388頁……785
最判昭和46年6月3日民集25巻4号455頁……157
最判昭和46年6月29日民集25巻4号650頁……903
最判昭和46年7月23日民集25巻5号805頁・百選Ⅲ［第2版］18事件……977
最判昭和46年10月7日民集25巻7号885頁……333
最判昭和46年10月28日民集25巻7号1069頁……860
最判昭和46年11月5日民集25巻8号1087頁・百選Ⅰ［第8版］57事件……275
最判昭和46年11月19日民集25巻8号1321頁……553
最判昭和46年11月30日民集25巻8号1437頁……210, 300
最判昭和46年12月16日民集25巻9号1472頁・百選Ⅱ［第8版］55事件……550
最判昭和46年12月16日民集25巻9号1516頁……516
最判昭和46年12月21日民集25巻9号1610頁

……409
最判昭和47年2月18日民集26巻1号46頁……149
最判昭和47年4月4日民集26巻3号373頁……126
最判昭和47年4月20日民集26巻3号520頁・百選Ⅱ［第8版］9事件……526
最判昭和47年4月25日判時669号60頁……86
最判昭和47年5月25日民集26巻4号805頁……1111
最判昭和47年6月2日民集26巻5号957頁……73
最判昭和47年7月25日民集26巻6号1263頁・百選Ⅲ［第2版］3事件……953, 955, 957
最判昭和47年9月7日民集26巻7号1327頁……854
最判昭和47年9月8日民集26巻7号1348頁……210
最判昭和47年11月16日民集26巻9号1633頁……877
最判昭和47年11月28日民集26巻9号1686頁……64
最判昭和47年12月22日判時696号189頁……138
最判昭和48年1月30日判時695号64頁……579
最判昭和48年2月2日民集27巻1号80頁……774, 785
最判昭和48年3月1日金法679号34頁……656
最判昭和48年3月16日金法683号25頁……758
最判昭和48年3月27日民集27巻2号376頁……641, 642
最判昭和48年4月5日民集27巻3号419頁……894
最判昭和48年6月28日民集27巻6号724頁……98
最判昭和48年7月3日民集27巻7号751頁……147
最判昭和48年7月19日民集27巻7号823頁……609
最判昭和48年10月9日民集27巻9号1129頁・百選Ⅰ［第8版］9事件……72
最判昭和48年10月11日判時723号44頁……526
最判昭和48年10月26日民集27巻9号1240頁……43
最判昭和48年11月15日民集27巻10号1323頁……972
最判昭和48年11月16日民集27巻10号1374頁・百選Ⅱ［第8版］108事件……908
最判昭和48年11月30日民集27巻10号1491頁……550
最判昭和48年12月14日民集27巻11号1586頁……195
最判昭和49年2月26日家月26巻6号22頁……1029
最判昭和49年3月7日民集28巻2号174頁・百選Ⅱ［第8版］29事件……618
最判昭和49年3月19日民集28巻2号325頁・百選Ⅱ［第8版］59事件……255, 783
最判昭和49年3月22日民集28巻2号347頁……870, 914
最判昭和49年6月28日民集28巻5号666頁……673, 906
最判昭和49年7月19日民集28巻5号872頁……893
最判昭和49年7月22日家月27巻2号69頁・百選Ⅲ［第2版］47事件……1032
最判昭和49年9月2日民集28巻6号1152頁・百選Ⅱ［第8版］65事件……774
最判昭和49年9月4日民集28巻6号1169頁……147
最判昭和49年9月20日民集28巻6号1202頁……1095
最判昭和49年9月26日民集28巻6号1213頁・百選Ⅰ［第8版］23事件……116, 117
最判昭和49年9月26日民集28巻6号1243頁・百選Ⅱ［第8版］80事件……849
最判昭和49年11月29日民集28巻8号1670頁・百選Ⅱ［第8版］13事件……534
最判昭和49年12月12日金法743号31頁……548
最判昭和49年12月17日民集28巻10号2040頁……901
最判昭和50年2月25日民集29巻2号143頁・百選Ⅱ［第8版］2事件……519, 796
最判昭和50年2月28日民集29巻2号193頁……470
最判昭和50年3月6日民集29巻3号203頁・百選Ⅱ［第8版］12事件……534
最判昭和50年4月8日民集29巻4号401頁・百選Ⅲ［第2版］39事件……1018
最判昭和50年7月14日民集29巻6号1012頁……59
最判昭和50年7月15日民集29巻6号1029頁……492, 499
最判昭和50年7月17日民集29巻6号1119頁……762
最判昭和50年9月30日家月28巻4号81頁……1010
最判昭和50年10月24日民集29巻9号1417頁・百選Ⅱ［第8版］87事件……882
最判昭和50年10月24日民集29巻9号1483頁……1103
最判昭和50年11月7日民集29巻10号1525頁……1078, 1079, 1080, 1081, 1085
最判昭和50年12月1日民集29巻11号1847頁……551

最判昭和51年２月13日民集30巻１号１頁・百選Ⅱ［第８版］45事件……266, 717
最判昭和51年３月18日民集30巻２号111頁……1132
最判昭和51年３月25日民集30巻２号160頁……895
最判昭和51年４月９日民集30巻３号208頁……130
最判昭和51年６月17日民集30巻６号616頁……364
最判昭和51年６月25日民集30巻６号665頁・百選Ⅰ［第８版］30事件……160
最判昭和51年７月８日民集30巻７号689頁・百選Ⅱ［第８版］95事件……920
最判昭和51年８月30日民集30巻７号768頁・百選Ⅲ［第２版］95事件……1129
最判昭和51年９月７日判時831号35頁……332
最判昭和51年９月21日判時833号69頁……453
最判昭和51年９月30日民集30巻８号816頁……867
最判昭和51年12月24日民集30巻11号1104頁……211
最判昭和52年２月14日家月29巻９号78頁…1009
最判昭和52年２月22日民集31巻１号79頁……800, 803
最判昭和52年３月３日民集31巻２号157頁……210
最判昭和52年３月17日民集31巻２号308頁……608
最判昭和52年６月20日民集31巻４号449頁……85
最判昭和52年10月25日民集31巻６号836頁……898
最判昭和53年２月17日判タ360号143頁……729
最判昭和53年２月24日民集32巻１号98頁…1033
最判昭和53年２月24日民集32巻１号110頁・百選Ⅲ［第２版］30事件……167, 1010
最判昭和53年３月６日民集32巻２号135頁・百選Ⅰ［第８版］46事件……212
最判昭和53年３月９日家月31巻３号79頁……971
最判昭和53年７月４日民集32巻５号785頁……434
最判昭和53年７月13日判時908号41頁・百選Ⅲ［第２版］68事件……1079, 1080
最判昭和53年10月５日民集32巻７号1332頁・百選Ⅱ［第８版］16事件……553
最判昭和53年10月20日民集32巻７号1500頁……893
最判昭和53年11月14日民集32巻８号1529頁・百選Ⅲ［第２版］17事件……978
最判昭和53年12月20日民集32巻９号1674頁・百選Ⅲ［第２版］59事件……1051, 1052, 1054
最判昭和53年12月22日民集32巻９号1768頁・百選Ⅱ［第８版］66事件……774, 777
最判昭和54年１月25日民集33巻１号12頁……552
最判昭和54年１月25日民集33巻１号26頁・百選Ⅰ［第８版］72事件……325
最判昭和54年２月15日民集33巻１号51頁……233, 461
最判昭和54年２月22日集民第126号129頁…1083
最判昭和54年３月30日民集33巻２号303頁……875, 964
最判昭和54年４月17日判時929号67頁……210
最判昭和54年11月２日判時955号56頁……1018
最判昭和55年１月11日民集34巻１号42頁……619
最判昭和55年７月11日民集34巻４号628頁……980
最判昭和55年９月11日民集34巻５号683頁……100, 101
最判昭和55年11月11日判時986号39頁……653
最判昭和55年11月27日民集34巻６号815頁……1068
最判昭和55年12月４日民集34巻７号835頁・百選Ⅲ［第２版］81事件……1108
最判昭和56年１月19日民集35巻１号１頁・百選Ⅱ［第８版］71事件……810
最判昭和56年２月17日金法967号36頁……800
最判昭和56年３月20日民集35巻２号219頁……343
最判昭和56年３月24日民集35巻２号300頁……87
最判昭和56年４月３日民集35巻３号431頁……1062
最判昭和56年６月16日民集35巻４号791頁……167, 1003
最判昭和56年６月18日判時1009号63頁……337
最判昭和56年６月18日民集35巻４号798頁……337
最判昭和56年７月２日民集35巻５号881頁……669
最判昭和56年７月17日民集35巻５号977頁……337
最判昭和56年９月11日民集35巻６号1013頁・百選Ⅲ［第２版］83事件……1108
最判昭和56年11月13日民集35巻８号1251頁……1110
最判昭和56年12月16日民集35巻10号1369頁……925

最判昭和56年12月17日民集35巻9号1328頁……457
最判昭和57年1月22日民集36巻1号92頁……456
最判昭和57年3月4日判時1042号87頁……578, 579
最判昭和57年3月12日民集36巻3号349頁・百選Ⅰ［第8版］90事件……401
最判昭和57年3月26日判時1041号66頁・百選Ⅲ［第2版］12事件……970
最判昭和57年3月30日金法992号38頁……641
最判昭和57年4月30日民集36巻4号763頁・百選Ⅲ［第2版］86事件……1111
最判昭和57年6月4日判時1048号97頁……661
最判昭和57年6月8日判時1049号36頁……98
最判昭和57年6月17日判時1054号85頁……331
最判昭和57年7月1日民集36巻6号891頁……355, 356
最判昭和57年7月30日判時1039号66頁……866
最判昭和57年9月7日民集36巻8号1527頁……289
最判昭和57年9月28日判時1062号81頁……450
最判昭和57年9月28日民集36巻8号1642頁・百選Ⅲ［第2版］4事件……958
最判昭和57年10月14日判時1060号78頁……461
最判昭和57年10月19日民集36巻10号2163頁……908
最判昭和57年11月12日民集36巻11号2193頁……1137
最判昭和57年11月18日民集36巻11号2274頁……1032
最判昭和57年12月17日民集36巻12号2399頁・百選Ⅱ［第8版］20事件……576
最判昭和58年1月20日民集37巻1号1頁・百選Ⅱ［第8版］61事件……788
最判昭和58年2月8日判時1092号62頁……355
最判昭和58年3月18日家月36巻3号143頁・百選Ⅲ［第2版］84事件……1105
最判昭和58年3月24日民集37巻2号131頁……209, 298
最判昭和58年3月31日民集37巻2号152頁……472
最判昭和58年4月1日判時1083号83頁……925
最判昭和58年4月14日民集37巻3号270頁・百選Ⅲ［第2版］26事件……994
最判昭和58年9月6日民集37巻7号901頁……513
最判昭和58年12月19日民集37巻10号1532頁……546, 980
最判昭和59年1月26日民集38巻2号53頁……925
最判昭和59年2月2日民集38巻3号431頁……376
最判昭和59年2月23日民集38巻3号445頁・百選Ⅱ［第8版］34事件……642
最決昭和59年3月22日家月36巻10号79頁参照……1063
最判昭和59年4月10日民集38巻6号557頁……519
最判昭和59年4月27日民集38巻6号698頁・百選Ⅲ［第2版］76事件……1095
最判昭和59年5月29日民集38巻7号885頁・百選Ⅱ［第8版］36事件……659
最判昭和59年9月18日集民142号311頁……706, 707
最判昭和59年9月18日判時1137号51頁・百選Ⅱ［第8版］3事件　9
最判昭和60年1月22日判時1148号111頁……654
最判昭和60年2月14日訟月31巻9号2204頁……990
最判昭和60年5月23日民集39巻4号940頁・百選Ⅰ［第8版］94事件……434, 660
最判昭和60年7月19日民集39巻5号1326頁・百選Ⅰ［第8版］82事件……376
最判昭和60年11月26日民集39巻7号1701頁……195
最判昭和60年11月29日民集39巻7号1719頁・百選［第8版］47事件……729
最判昭和60年11月29日民集39巻7号1760頁・百選Ⅰ［第8版］31事件……63, 64
最判昭和60年12月20日判時1207号53頁……661
最判昭和61年3月17日民集40巻2号420頁・百選Ⅰ［第8版］41事件……194, 274
最判昭和61年4月11日民集40巻3号558頁・百選Ⅱ［第8版］33事件……619, 638
最判昭和61年4月25日判時1199号67頁……337
最判昭和61年5月29日判時1195号102頁……86
最判昭和61年6月11日民集40巻4号872頁……887
最判昭和61年7月15日判時1209号23頁……453, 653
最判昭和61年9月4日判時1215号47頁……86
最判昭和61年11月20日民集40巻7号1167頁……1109
最判昭和61年11月27日民集40巻7号1205頁……658
最判昭和61年12月16日民集40巻7号1236頁……232

最判昭和62年2月12日民集41巻1号67頁…455
最判昭和62年3月24日判時1258号61頁……779
最判昭和62年4月22日民集41巻3号408頁……333
最判昭和62年4月23日民集41巻3号474頁・百選Ⅲ［第2版］90事件……1121
最判昭和62年7月7日民集41巻5号1133頁・百選Ⅰ［第8版］34事件……140, 143
最大判昭和62年9月2日民集41巻6号1423頁・百選Ⅲ［第2版］15事件……974
最判昭和62年9月3日判時1316号91頁……198
最判昭和62年9月4日家月40巻1号161頁……1078
最判昭和62年10月8日民集41巻7号1445頁……721
最判昭和62年10月8日民集41巻7号1471頁……1107
最判昭和62年11月10日民集41巻8号1559頁……461, 462
最判昭和63年1月26日民集42巻1号1頁…885
最判昭和63年3月1日判時1312号92頁……148
最判昭和63年4月21日民集42巻4号243頁……896
最判昭和63年5月20日判時1277号116頁…331
最判昭和63年7月1日判時1287号63頁・百選Ⅱ［第8版］32事件……633
最判昭和63年7月1日民集42巻6号451頁・百選Ⅱ［第8版］97事件……580, 928
最判昭和63年7月19日判時1299号70頁・百選Ⅱ［第8版］18事件……552
最判平成元年2月9日民集43巻2号1頁・百選Ⅲ［第2版］70事件……1088
最判平成元年4月6日民集43巻4号193頁・百選Ⅲ［第2版］37事件……1009
最判平成元年4月11日民集43巻4号209頁……899
最判平成元年9月19日民集43巻8号955頁……317
最判平成元年10月27日民集43巻9号1070号・百選Ⅰ［第8版］87事件……402
最判平成元年11月10日民集43巻10号1085頁・百選Ⅲ［第2版］32事件……1012
最判平成元年11月24日民集43巻10号1220頁……1103
最判平成元年12月21日民集43巻12号2209頁……909
最判平成元年12月21日民集43巻12号2252頁……878
最判平成2年3月6日判時1354号96頁……896
最判平成2年6月5日民集44巻4号559頁……196
最判平成2年7月19日家月43巻4号33頁…1011
最判平成2年11月6日判時1407号67頁……922
最判平成2年11月20日民集44巻8号1037頁・百選Ⅰ［第8版］71事件……313
最判平成2年11月26日民集44巻8号1085頁……674
最判平成2年12月13日民集44巻9号1186頁……925
最判平成2年12月18日民集44巻9号1686頁……592
最判平成3年4月11日判時1391号3頁……519
最判平成3年4月19日民集45巻4号477頁・百選Ⅲ［第2版］87事件……1084, 1117
最判平成3年9月3日民集45巻7号1121頁……656
最判平成3年10月17日判時1404号74頁……773
最判平成3年10月25日民集45巻7号1173頁……928
最判平成3年11月19日民集45巻8号1209頁……854, 855
最判平成4年1月24日判時1424号54頁……333
最判平成4年3月19日民集46巻3号222頁……196
最判平成4年4月10日判時1421号77頁・百選Ⅲ［第2版］63事件……1080
最判平成4年6月25日民集46巻4号400頁……896
最判平成4年9月22日金法1358号55頁……811
最判平成4年10月20日民集46巻7号1129頁……747, 752
最判平成4年11月6日民集46巻8号2625頁・百選Ⅰ［第8版］95事件……436
最判平成4年12月10日民集46巻9号2727頁・百選Ⅲ［第2版］49事件……128, 1032, 1033
最判平成5年1月19日民集47巻1号1頁・百選Ⅲ［第2版］85事件……1105
最判平成5年1月21日民集47巻1号265頁・百選Ⅰ［第8版］36事件……145
最判平成5年2月12日民集47巻2号393頁……337
最判平成5年3月24日民集47巻4号3039頁……898
最判平成5年3月30日民集47巻4号3334頁・百選Ⅱ［第8版］30事件……619
最判平成5年10月19日家月46巻4号27頁・百選

最判平成28年12月19日判時2327号21頁……111
最決平成28年12月19日民集70巻8号2121頁・百選Ⅲ［第2版］66事件……560, 1081, 1087
最判平成29年1月31日民集71巻1号48頁・百選Ⅲ［第2版］38事件……1021
最判平成29年3月13日判時2340号68頁……201
最判平成29年4月6日判時2337号34頁……560
最決平成29年11月28日判時2359号10頁……1097
最決平成29年12月5日民集71巻10号1803頁……1029
最判平成29年12月19日判時2370号28頁……636
最判平成30年2月23日民集72巻1号1頁……445
最決平成30年4月17日民集72巻2号59頁……413
最判平成30年7月17日民集72巻3号297頁……220
最判平成30年10月19日民集72巻5号900頁……1132
最判平成30年12月7日民集72巻6号1044頁……463
最判平成30年12月14日民集72巻6号1101頁……513, 551
最判平成31年2月19日民集73巻2号187頁……963
最判令和元年8月9日民集73巻3号293頁……1092
最判令和元年8月27日民集73巻3号374頁……1008
最判令和元年9月19日民集73巻4号438頁……203
最決令和2年1月23日民集74巻1号1頁……966
最判令和2年2月28日民集74巻2号106頁……920
最判令和2年3月6日民集74巻3号149頁……806
最判令和2年7月9日民集74巻4号1204頁……890
最決令和2年8月6日民集74巻5号1529頁……979
最判令和2年9月18日民集74巻6号1762頁……203
最判令和2年12月15日民集74巻9号2259頁……207
最判令和3年1月18日判時2498号50頁……1107
最決令和3年3月29日裁時1765号3頁……981
最判令和3年5月17日民集75巻5号1359頁……929

高等裁判所

東京高決昭和30年9月5日家月7巻11号57頁……1050
東京高決昭和30年9月6日高民集8巻7号467頁……1028
広島高松江支決昭和40年11月15日家月18巻7号33頁……994
東京高決昭和53年3月30日家月31巻3号86頁……1042
東京高判昭和54年3月14日判時918号21頁……877
東京高決昭和54年4月24日家月32巻2号81頁……994
仙台高決昭和56年8月24日家月35巻2号145頁・百選Ⅲ［第2版］50事件……988
大阪高決昭和58年6月20日判タ506号186頁1050
東京高判昭和58年11月17日判例集未登載・百選Ⅱ［第3版］14頁……706
東京高決昭和58年12月16日家月37巻3号69頁・百選Ⅲ［第2版］5事件……966
福岡高判昭和59年6月11日判タ535号228頁……479
名古屋高判昭和60年4月12日判時1150号30頁……925
東京高決昭和61年9月10日判時1210号56頁……1043
仙台高判昭和63年4月25日判時1285号59頁……292
東京高決平成4年12月11日判時1448号130頁・百選Ⅲ［第2版］53事件……1064
名古屋高決平成8年7月12日家月48巻11号64頁……1103
東京高決平成10年9月16日家月51巻3号165頁……1016
名古屋高判平成12年12月20日判タ1095号223頁……977
大阪高決平成14年7月3日家月55巻1号82頁……1091
東京高裁平成14年12月16日家月55巻6号112頁・百選Ⅲ［第2版］41事件……1025
東京高決平成15年1月20日家月55巻6号122頁……985
東京高決平成15年3月12日家月55巻8号54頁……984
大阪高決平成16年5月19日家月57巻8号86頁……1008
大阪高判平成16年7月30日家月57巻2号147頁……994

東京高判平成18年２月15日判タ1226号157頁……311
大阪高判平成19年１月23日判タ1272号217頁……977
東京高判平成20年４月30日金判1304号38頁……536

地方裁判所

東京地判年月日不明新聞986号25頁……487
大津地判昭和25年７月27日下民集１巻７号1150頁……972
東京地判昭和36年４月25日家月13巻８号96頁……992
東京地判昭和39年９月28日下民集15巻９号2317頁……878
山口地徳島支判昭和40年５月13日下民集16巻５号859頁……1091
東京地判昭和43年12月10日家月21巻６号88頁……994
東京地判昭和45年６月29日判時615号38頁……883
富山地判昭和46年６月30日判時635号17頁……883
新潟地判昭和46年９月29日判時642号96頁……883
東京地判昭和50年７月２日判時809号68頁……923
名古屋地判昭和53年12月26日判タ388号112頁……800
大阪地判昭和54年２月15日交通下民12巻１号231頁……991
静岡地判昭和56年７月17日判時1011号36頁……877
徳島地判昭和57年６月21日判時1065号170頁……953
東京地判昭和59年１月19日判時1125号129頁……72
東京地判昭和61年１月28日判タ623号148頁……1050
横浜地判平成元年５月23日判タ709号181頁……520
熊本地判平成２年１月18日判タ753号199頁……520
京都地判平成４年10月27日判タ804号156頁……994
札幌地決平成６年７月８日家月47巻４号71頁……508
大阪地判平成10年12月18日家月51巻９号71頁……1016
東京地判平成11年１月18日判時1679号51頁……508
東京地判平成11年９月３日判時1700号79頁……977
東京地立川支決家月平成21年４月28日61巻11号80頁……508
東京地判平成24年10月４日判時2180号63号……622

家庭裁判所

新潟家判昭和36年４月24日下民集12巻４号857頁……972
盛岡家審昭和42年４月12日家月19巻11号101頁……1050
大阪家審昭和58年３月23日家月36巻６号51頁……992

編者略歴

新井　誠（あらい　まこと）
中央大学法学部教授・筑波大学名誉教授・日本成年後見法学会理事長
1973年、慶應義塾大学法学部卒業、法学博士（ミュンヘン大学）
2006年、フンボルト賞受賞
主要著書に、『信託法 第4版』（有斐閣）、『高齢社会の成年後見法 改訂版』（有斐閣）、『成年後見と医療行為』（編著、日本評論社）、『信託法制の展望』（共編著、日本評論社）、『成年後見法制の展望』（共編著、日本評論社）など。

岡　伸浩（おか　のぶひろ）
弁護士（岡綜合法律事務所代表弁護士・第一東京弁護士会所属）・博士（法学）（中央大学）・慶應義塾大学大学院法務研究科教授・中央大学大学院戦略経営研究科兼任講師
慶應義塾大学法学部法律学科卒業
筑波大学大学院博士課程ビジネス科学研究科企業科学専攻単位修得（社会人大学院）
主要著作に、『信託法理の展開と法主体』（有斐閣）、『会社法』（弘文堂）、『倒産法実務の理論研究』（慶應義塾大学出版会）など。

著者略歴（いずれも弁護士、*印は第1版執筆者、**は改訂版執筆者）

近藤　元樹（こんどう　もとき）
慶應義塾大学法学部法律学科卒業

小林　一輝（こばやし　かずき）
中央大学法学部法律学科卒業
中央大学大学院法務研究科修了

田内　愛花（たうち　あいか）
千葉大学法経学部法学科卒業
慶應義塾大学大学院法務研究科修了

丸山　薫美（まるやま　くみ）
明治大学法学部法律学科卒業
大東文化大学大学院法務研究科修了

齊藤くみ子（さいとう　くみこ）
聖心女子大学卒業
慶應義塾大学大学院法務研究科修了

勝亦　康文（かつまた　やすふみ）*
慶應義塾大学法学部法律学科卒業

壽原　友樹（すはら　ゆうき）*
慶應義塾大学大学院法務研究科修了

谷貝 彰紀（やかい あきのり）*、**
東京大学法学部第一類卒業
首都大学東京大学院社会科学研究科法曹養成専攻修了

中田 吉昭（なかだ よしあき）*、**
東京大学法学部第一類卒業
慶應義塾大学大学院法務研究科修了

鳥山 綾子（とりやま あやこ）**
慶應義塾大学法学部法律学科卒業
慶應義塾大学大学院法務研究科修了

箕輪 洵（みのわ じゅん）**
慶應義塾大学法学部法律学科卒業
慶應義塾大学大学院法務研究科修了

民法講義録《みんぽうこうぎろく》 第《だい》3版《はん》

2015年3月10日　第1版第1刷発行
2019年3月25日　改訂版第1刷発行
2023年3月31日　第3版第1刷発行

編　者　新井 誠／岡 伸浩
発行所　株式会社日本評論社
〒170-8474　東京都豊島区南大塚3-12-4
電話　03-3987-8621　FAX　03-3987-8590
振替　00100-3-16　https://www.nippyo.co.jp/
印刷所　精文堂印刷株式会社
製本所　株式会社難波製本
装　幀　図工ファイブ

ISBN 978-4-535-52673-0　Printed in Japan